中国民族研究年鉴

（2005 年卷）

揣振宇　　华祖根　　主　编
李　彬　　邸永君　　副主编

民族出版社
2006 年

图书在版编目（CIP）数据

中国民族研究年鉴．2005年卷/揣振宇，华祖根主编．—北京：民族出版社，2007.6

ISBN 978-7-105-08323-7

Ⅰ．中… Ⅱ．①揣…②华… Ⅲ．民族学—研究—中国—2005—年鉴 Ⅳ．K28-54

中国版本图书馆CIP数据核字（2007）第079847号

ISBN 978-7-105-08323-7

9 787105 083237 >

民族出版社出版发行

（北京市和平里北街14号 邮编100013）

http://www.mzcbs.com

北京市迪鑫印刷厂印刷

各地新华书店经销

2006年12月第1版 2006年12月北京第1次印刷

开本：850毫米×1168毫米 1/32 印张：28.125 字数：783千字

印数：0001-1500册 定价：62.00元

ISBN 978-7-105-08323-7/Z·1341（汉218）

汉文编辑一室电话：64271909 发行部电话：64224782

编辑说明

一、《中国民族研究年鉴》自 1993 年以来，每年出版一卷，目的是对本年度民族研究学科所取得的主要成绩和进展情况做一简要介绍和评价。

二、《中国民族研究年鉴》（2005 年卷），反映了 2005 年度民族研究的进展情况。本卷由九个栏目组成。《民族研究百年回顾》专栏分别回顾了近百年来宁夏、广西、云南和青藏高原的民族考古发现概况。此外，还设有《学科研究进展概况》、《学术热点问题探讨》、《学者访谈》、《年内逝世学者介绍》、《网络开发与发展》、《学术活动》、《书目·索引》和《附录》。

三、本卷的栏目设置和内容安排虽然多次征求各方面的意见，但仍恐有遗漏或不妥之处，欢迎读者提出宝贵的批评和改进意见，以便今后的编辑工作更加完善。

《中国民族研究年鉴》编辑部

2006 年 10 月

The Editors' Notes

Originating in 1993, *China's Annals of Ethno-National Studies* is a yearly publication with the purpose to review and evaluate the annual achievements and progress of the ethno-national studies in China.

Consisting of 9 columns, the current volume shows the development of the ethno-national studies in 2005. The special column of Centennial Reviews of Ethno-National Studies reviews the nearly a century's archeological findings in ethnic areas such as Ningxia, Guangxi, Yunnan, and the Qinghai-Tibetan Plateau. Other columns are Annual Reviews of Ethno-National Disciplines, Discussions on Academic Focuses, Interviews with Scholars, Scholars Who Passed Away in the Year, Internet Development, Academic Activities, Bibliography/Index, and Appendix.

Although the columns and contents are arranged through the wide-range consultations, there may be some neglects or something improper. We welcome the readers' criticism and advice, so that our editing work can be improved in the later volumes.

The Editing Board
China's Annals of Ethno-National Studies
October 2006

目　录

民族研究百年回顾

学科研究进展概况

学术热点问题座谈

学者访谈

年内逝世学者介绍

网络开发与发展

学术活动

书目·索引

附　录

Contents

Annual Reviews of Ethno-National Disciplines

Discussions on Academic Focuses

Interviews with Scholars

Scholars Who Passed Away in the Year

Internet Development

Academic Activities

Bibliography/Index

Appendix

·民族研究百年回顾·

宁夏民族考古发现和研究

牛达生　马建军

宁夏回族自治区地处黄河上游，位于祖国西北内陆，自古以来就有许多民族在这里活动。由于宁夏地处中原农业民族与北方草原游牧民族的交汇地带，又是丝绸之路东段北道的必经之地，在历史发展长河中呈现出了民族格局的复杂性。史载，西戎、匈奴、羌、鲜卑、铁勒、突厥、吐蕃、回纥、吐谷浑、粟特、党项、蒙古、回族等诸多民族在这里迁徙交融、繁衍生息，为宁夏的社会发展贡献了力量。近百年的考古成果也见证了宁夏地区民族文化的多元性、丰富性。

宁夏的考古事业是从20世纪20年代开始的。1923年，法国神父桑志华（E. Licent）与德日进（P. Teihabd）教授对水洞沟旧石器遗址的发掘，揭开了宁夏田野考古的序幕。自此，特别是20世纪70年代以来，宁夏考古有了长足的发展，取得了丰硕的研究成果。

据考古资料，早在旧石器时代晚期，就有人类在黄河两岸、贺兰山下活动，形成了以石叶为特征的水洞沟文化。而新石器文化则遍布全区南北，其中以海原菜园村新石器遗址规模较大，这是一种在时间上与半山文化、马厂文化并行一致的土著文化，这种文化早于齐家文化，是齐家文化的来源之一，又是其不可或缺的组成部分。进入历史时期，发现最早的是公元前11至10世纪的固原西周早期墓葬，出土了青铜鼎、簋等文物近千件。春秋战国时期，宁夏是朐衍、乌氏、义渠等西戎部族的聚居地。在宁夏盐池、固原等8县市，发现了五十余处以青铜短剑、刀、斧及铜、骨马具为主要特征的文化类型的文物，它们受北部和中原文化的影响，具有鲜明的戎族文化区域特征。史载，为保障秦国西北部的安全，秦昭王修筑了西起临洮东达五原的长城，被称为战国秦长城。经调查，这条长城在宁夏的走向是：从甘肃静宁进入宁夏西吉，沿葫芦河东北行，经固原、彭阳进入甘肃镇原。盐池的张家场古城规模较大，包含文物丰富，出土新莽钱币、铜齿轮、铜印章、铜镞、汉代铭文砖等文物，被认为是秦汉时期的朐衍古城遗址。固原多次出土陶井圈、排水陶套管和五角形陶水管等文物，为研究汉代高平（今固原市）的城市设施提供了重要物证。汉墓遍及宁夏南北各地，可分为西汉中期、晚期和东汉早期、中晚期四个时期。其中在同心倒墩子、李家套子发现的匈奴墓地，反映了被西汉政府安置在安定（今宁夏固原）、五原（今内蒙古包头西北）的匈奴人与汉族融合的过程。

魏晋北朝隋唐考古取得了重要成果。彭阳新集北魏墓封土中的房屋模型，固原北魏墓中的漆棺画，北周李贤墓中的凸钉玻璃碗、鎏金银壶，隋唐墓中的蓝色宝石印章和有日月图案的金覆面等，皆是中亚、西亚传入的奢侈品，引起海内外广泛关注。隋唐时期，固原隋唐粟特人墓地、同心韦州吐谷浑墓、盐池中亚何国人后裔墓群和青铜峡铁勒契苾氏墓的发现，推动了这一时期民族融合和中西文化交流等领域的研究。开凿于北魏的固原须弥山石窟，历经北朝，兴盛于唐代，但北周的洞窟和造像规模宏大，造像精美，在国内独树一帜，被称为“须弥之光”。宋代以后的考古主要在西夏文物方面。宁夏北部地区是西夏的中心地带，宁夏首府银川是西夏的都城，宁夏地区有较多的西夏遗迹，反映了丰富多彩的西夏文化面貌。

由于西夏在宁夏历史上的重要地位，本文将西夏考古作为独立的一部分在最后叙述；其他的少数民族考古，包括比西夏晚的元代安西王府，将按时代先后分别叙述。

第一部分

一、春秋战国时期的戎族青铜文化

春秋战国时期，宁夏境内分布着一种典型的考古文化遗存，即现在考古界和学术界所称的“北方系青铜器”。“北方系青铜器”是一个宽泛的概念，是目前考古界对中国北方地区沿长城一线考古发现的商周和春秋战国时期青铜文化的泛称，其空间分布范围西起甘宁两省交界的陇山周围，向东经鄂尔多斯高原、冀北地区到内蒙古东部，时间一般分为商周和春秋战国两个阶段[①]。宁夏境内的发现属春秋战国时期遗存。

从20世纪60年代以来，在宁夏南部的固原、彭阳、西吉、隆德和中部的中宁、中卫等市县，在约50个地点，发掘和清理了各型青铜文化墓葬百余座[②]，出土了数以万计的陶、铜、铁、金、银、骨、石等质地的器物。其文化特征，除具有“北方系青铜器”的一般内涵外，更为重要的是显示出了鲜明的自身文化风格，为研究中国北方青铜文化的多元性提供了依据，并受到学术界的重视。

宁夏南部的固原市辖区，是宁夏境内“北方系青铜器”最重要的区域，不仅资料丰富、发展序列完整，而且车马器的发展演变比较清楚，极具典型性。1960年在西吉县白崖乡发现的青铜文化遗址，出土了锛、牌饰、孔首刀等青铜器物10件[③]，是宁夏青铜文化发现的嚆矢。之后，固原头营乡、西郊乡、杨郎乡、河川乡、南

① 杨建华：《春秋战国时期中国北方文化带的形成》，北京，文物出版社，2004。

② 马建军：《二十世纪固原文物考古发现与研究》，银川，宁夏人民出版社，2004。

③ 罗丰，韩孔乐：《宁夏固原近年发现的北方系青铜器》，载《考古》，1990。

郊乡、彭堡乡、头营乡，彭阳县孟塬乡、红河乡、新集乡、草庙乡、交岔乡、刘塬乡、罂岘乡、沟口乡、古城乡、彭阳乡、川口乡，西吉县兴隆乡、新营乡、兴坪乡、硝河乡，隆德县温堡乡、沙塘乡、城郊乡、神林乡等地，先后发现并清理了多座墓葬。其中固原的彭堡乡于家庄①、杨郎乡马庄两处墓地②比较典型，进行了较为科学、系统的发掘。

于家庄墓地：1987 年发掘墓葬 28 座，其中 21 座中保存有完整的人骨。葬式为单人仰身直肢葬，头向东，无葬具，头低足高。墓葬形制分为两大类，即竖穴土坑墓和洞室墓。殉牲是墓葬中普遍存在的现象，殉牲数量多寡不一，多的达到 50 多具，少的只有几具。墓地中发现完整的马、牛、羊头骨多达 174 具，还有大量颌骨和蹄骨，大多置于墓道或墓室的底部。出土青铜器 673 件，其中有短剑、戈、鹤嘴斧、车軎、马衔及羊、鹿等动物饰件。出土骨器 755 件，其中有马镳、节约、兽头饰、镞、环、针等，地域特色明显。依据出土器物与毗邻地区墓葬所出同类或相似器物的比较研究，其时代为春秋晚期至战国早期。

杨郎马庄墓地：1989 年发掘清理墓葬 52 座。墓葬形制分竖穴土坑墓和竖穴墓道土洞墓两类。墓主人均为头里脚外，头低足高，无合葬墓。和于家庄墓地一样，殉牲是普遍存在的现象，种类有羊、马、牛三种。随葬器物多少不一，摆放有一定的规律。总计出土铜、铁、金、银、骨、陶、石等质地的器物多达 2957 件。其中以青铜器为主，有 743 件。按用途可分为兵器与工具、生活用品、服饰品、车马器四类，其中兵器中的铜柄铁剑、触角式短剑和部分车马器、装饰品，具有明显的地方特色。骨器出土数量仅次于青铜

① 宁夏文物考古研究所：《宁夏固原县于家庄墓地发掘简报》，载《华夏考古》，1991（3）。宁夏文物考古研究所：《宁夏彭堡于家庄墓地》，载《考古学报》，1995（1）。

② 宁夏文物考古研究所，宁夏固原博物馆：《宁夏固原杨郎青铜文化墓地》，载《考古学报》，1993（1）。

器，有匕、针、镞、环、铃舌、管饰、珠饰、穿孔器等，其中镳、节约、三瓣形器等也是具有地方特征的器物。金银器有金耳环、金耳坠、银耳环、银珠饰等。石制品有绿松石珠饰、玛瑙珠饰等。这些随葬品均为墓主生前所用的实用品。从墓葬形制、墓向、葬式、殉牲等习俗看，这个墓地应是同一人群在不同时期的遗存，其时代为春秋晚期至战国晚期。

宁夏中部的银南地区，是宁夏境内又一发现“北方系青铜器”的区域。在中宁县关帝庙乡①、中卫县西台乡②，共发掘墓葬13座。共计出土铜柄铁剑、青铜短剑、鹤嘴斧、戈、刀、车马饰、马衔、当卢、銎斧、镦等青铜器和陶、骨、石等质地的器物约600件。

宁夏春秋战国青铜文化分布地点的大量发现，众多墓葬的清理和发掘，为人们提供了丰富的考古学资料，呈现出了浓郁而独具特色的区域文化面貌。

（一）独特的墓葬形制与葬俗

宁夏发现的青铜文化墓葬，在形制上，无论是经过正式发掘的大型墓地，还是临时清理的小型墓葬，均为竖穴土坑墓和竖穴墓道洞室墓两类。土坑墓墓底一头高，一头低，呈斜坡状。洞室墓把墓坑作为墓道，有单洞室墓、双洞室墓、偏洞室墓。洞室底部一般低于墓道底部，并延伸到洞口以外，这与其他地区的土坑墓明显不同，是春秋战国时期该地区所独有的。据研究，这种墓葬是摹仿墓主人所居窑洞的形式营造，为黄土高原先民居住窑洞的古老历史提供了佐证。

在葬俗上，墓主人依据洞室底部的斜坡状，头放在低处，脚放在高处，头低足高，头里脚外，人骨的头部和上身在洞室内，腿伸展在洞室外的墓道内，偏洞室墓内的人骨则全身均在洞室内。在方

① 宁夏自治区博物馆：《宁夏中宁县青铜短剑墓清理简报》，载《考古》，1987（9）。

② 周兴华：《宁夏中卫县狼窝子坑的青铜短剑墓群》，载《考古》，1989（11）。

位上，墓主人头东足西，表现出了他们的某种原始信仰。殉葬的牲畜头骨、蹄骨在墓中摆放的位置不同：大型墓葬放在墓道之中，墓道同时兼作殉牲坑；在小型墓葬中，殉牲品大多散置于墓主人周围。这种殉牲的葬俗，反映了畜牧业在生产和生活中的主导地位，牲畜还有象征财富和祭祀的意义。大面积墓地的存在，表明了先民过着相对稳定的定居生活，有别于逐水草而居、迁徙不定的游牧生活。

（二）具有浓郁区域特征的器物

宁夏青铜文化墓葬出土的器物中，青铜器所占比重最大，其中又以车马器和装饰品为多。在众多青铜器中，有些器物为其地区所少见，具有鲜明的地方性。如铜柄铁剑，刃部为铁质，剑柄为铜质，是一种新型武器，随着北方青铜文化的扩展传播，这种铁剑成为西南青铜器的重要组成部分。车马饰如毂、铃、当卢、双直棍式马衔等，装饰品带扣，单体扁平的动物形牌饰等，也具有浓郁的地方特色，是北方系青铜器群中一个重要的地方类型。①

春秋战国时期，生活在北方广袤区域的游牧民族，利用青铜浇铸出各种动物形饰件和动物纹饰牌。这些饰牌以家畜和飞禽、走兽为创作题材，设计奇巧，做工精细，小巧玲珑，追求神似而又不拘泥于细节，显示出了较高的艺术水平。如固原中河乡出土的金质怪兽纹长方形饰牌，造型似一猛虎，作站立行走状，四趾错列连接构成底边，长尾下垂构成侧边，身部用简洁的勾云纹、条纹饰出虎身斑斓之状。类似的精品还有：金质翼马纹饰牌、金质虎抱鹿扣饰、鎏金虎纹饰牌等。铜质精品也不少，如虎噬羊纹饰牌、子母豹纹饰牌、狮子扣饰牌、人驼纹饰牌、奔牛纹饰牌等。另外，动物形饰件羊、鹿、狗、驴等，大量地用鹰头、兽头装饰器物，也显现出浓郁的地域特色。

骨器也是本区域青铜文化中最具特点的代表性器物。它的出土

① 许成，李进增：《东周时期的戎狄青铜文化》，载《考古学报》，1993（1）。

量仅次于铜器，器物类型丰富，有马镳等几十种，说明其使用范围已经扩大到了生产和生活的许多领域。骨器采用磨制、雕刻、抛光等技艺加工而成，精雕细琢，造型别致。这里的骨器远较周围地区发达，骨器种类丰富，是本地区青铜文化最重要的特色之一。

（三）外来文化因素的影响

春秋战国时期，宁夏境内生活着义渠、乌氏、朐衍诸戎。他们东邻强秦，北接草原，使这里的青铜文化既受到北方鄂尔多斯青铜文化的强烈影响，也有来自东部秦国及中原华夏族的文化因素。这里的青铜器多与鄂尔多斯青铜器相类，而数量较多的戈和矛，尤其是长胡、中胡多穿戈，又与中原地区的同类兵器器形相似。车马器数量大，种类全，说明中原地区的交通工具——车辆已在这里广泛使用；带钩、带扣的出土，表明中原文化影响到了戎人的日常生活。大量的考古资料说明，这里的青铜文化在孕育发展的过程中，汲取了多种外来文化的因素，使这里成为含有北方地区和中原文化因素的混合型文化区域[①]。于家庄、马庄墓地人骨材料属于北亚蒙古人种的范围。众多学者认为，陇山周围、甘宁地区的青铜文化，应属“西戎文化”[②]。它是中国北方系青铜文化的一个地方类型，是该文化的重要组成部分。

二、汉代的匈奴墓地

汉代匈奴墓地[③]位于宁夏同心县王团镇倒墩子村。1983 年试掘，1985 年正式发掘，共发掘墓葬 32 座，出土了陶器、铜器、铁

---

① 马建军：《宁夏南部春秋战国时期文化遗存探述》，载《宁夏大学学报》，1993（2）。

② 罗丰：《以陇山为中心甘宁地区春秋战国时期北方青铜文化的发现与研究》，载《内蒙古文物考古》，1996（1、2）期合刊。马建军：《从考古资料看古代戎族的社会发展状况》，载《西北史地》，1995（2）。

③ 宁夏文物考古研究所等：《宁夏同心倒墩子匈奴墓地》，载《考古学报》，1988（3）。

器、珠饰、海贝、金器、骨器等1500余件。其中以铜器为大宗，有带饰、环、管状器、尊、刀、铃、带扣、扣形饰、泡、五铢钱等。其中带饰品类丰富，有透雕或浮雕双龙、伫立状双驼、伏卧形马、虎食羊、龟龙相斗、双马互斗、羚羊、蛇等动物纹饰，还有透雕动物与人物车马图案。这些带饰是附着在皮带上的，主要作装饰之用。陶器中的高领溜肩波折纹陶罐，是具有汉匈奴墓特征性的器物之一，加之又有“五铢”钱出土，这批墓葬年代被断为西汉中晚期。依据墓地的规模和出土的随葬品分析，墓地的主人过着比较稳定的农业生活，各种动物纹样装饰品的随葬，也反映出游牧狩猎经济占有一定的地位，或者说，他们仍然保持了游牧生活的某些习俗。

另一处匈奴墓地在同心县李家套子，1983年发掘，有5座墓葬。随葬铜器有车马器、镦、剑、环、带扣、“半两”、“五铢”、“货泉”和动物纹样牌饰等。时代为东汉早期。

倒墩子墓以土坑墓为主，成人墓均有木棺，葬式为单人仰身直肢葬，头低足高。殉葬有数量不等的牛、羊的头骨和蹄骨。李家套子墓，其形制有土坑竖穴木椁墓、砖室墓和石棺墓三类。据研究，在汉代，宁夏南北分属安定郡和北地郡。安定郡治高平（今固原市），辖宁夏南部诸县；北地郡西汉时治马岭（今甘肃环县东），东汉时移治富平（今吴忠市），辖宁夏北部诸县。西汉时，还在安定郡三水县（今同心县东）设属国都尉，负责安置已投降的匈奴人，倒墩子墓地即属于西汉时期属国都尉管辖的范围。由于匈奴人和汉人杂居，受汉族文化的影响，降汉匈奴人的生活习俗有了很大变化。两处匈奴墓葬的形制，由单一的竖穴土坑墓演变为木椁、石椁、砖室墓的多种结构；随葬品中的透雕带饰减少，增加和汉人墓相似的车马具、剑、漆奁、耳环等器物。这种变化反映了降汉匈奴人和汉族融合的过程。

关于墓主人族属为匈奴人的推测，学术界还有不同观点。同心倒墩子的土洞室墓，洞室底部低于墓道底部，葬式为头低足高的倾斜状，殉葬品有牛、羊的头骨、蹄骨，随葬装饰品仍然以动物纹样牌饰为主。这些特征，与春秋战国时期青铜文化墓葬表现出了一脉相承的迹象。有的学者指出，战国时期盘踞在六盘山一带的绲戎（即犬戎），被匈奴征服并入匈奴集团后，属浑邪王部落，匈奴降汉后被安置在五大属国之内，三水县便是安置地之一。这些墓葬的主人表面上看为匈奴民族，实际上是春秋战国时期活动在宁夏南部戎人的后裔①。

三、北朝丝路遗存显现的外来文化因素

魏晋南北朝时期，我国处于三国鼎立、十六国政权和南北朝的对峙中，历史进入了一个大分裂、大动荡，民族大迁徙、大融合的阶段。北方的诸多少数民族如鲜卑、柔然、敕勒等，部分徙居到了宁夏境内。北魏时，宁夏固原称原州，是著名的北方重镇之一，被视为“国之藩屏”。北周时，原州设置总管府，并成为北周政权的“霸业所基”。宁夏南部的固原地区，地处丝绸之路东段北道的咽喉孔道，成为贡使、商贾、僧侣频繁往来的重要区域。当时途经原州的丝路有两条②，一条为从长安出发通往西域的东段北道，另一条为连接平城往返凉州的鄂尔多斯南缘路，原州正好处于两条路线的中心位置。北朝时期，凭借这两条路线，将我国北方地区与地中海、伊朗高原、中亚、蒙古高原、朝鲜半岛、日本海岛紧密联系起来。宁夏境内这一时期的考古发现集中在固原地区，正是由地理上的这一优势决定的。近年来，固原地区丝路遗存的不断发现，显示了固原在中西文化交流中的重要地位。

宁夏北朝时期的考古始于20世纪60年代。1964年，在彭阳县

① 王宗维：《西戎八国考述》，见《西北历史研究》（创刊号），西安，三秦出版社，1987。

② 雷润泽：《原州文化在古代东西文化交流中的地位》，见《原州古墓集成》，北京，文物出版社，1999。

姚河村出土了“北魏负标墓志砖”，落款为“大魏景明三年岁次壬午”[①]。景明三年即502年，据考证，墓志的主人为徙居高平一带的北方少数民族[②]。该墓志是我国出土较早的墓志之一，也是我国书法艺术从篆隶向行楷转化过程中的标准魏体铭刻，字体苍劲有力，具有较高的文物价值。2001年，彭阳县新集乡出土墓表一方，圆拱形碑额篆书“墓表”二字，正面隶书志文72字，内容为：“秦故领民酋大切门将、袭爵兴晋王、司州西川梁阿广，以建元十六年三月十日丙戌终，以其年七月岁在庚辰廿二日丁酉，葬于安定西北小庐川大墓茔内，壬去所居青岩川南卅里”。这块墓志立于十六国时期的前秦建元十六年（380年），是宁夏境内出土最早的墓志，也是目前国内发现的早期墓志之一，具有很高的文物考古价值。

（一）北魏墓葬

现发现北魏时期的墓葬5座，都在宁夏南部固原境内，分别为固原北魏漆棺画墓[③]、彭阳县新集北魏墓[④]、固原三营镇和寨科乡北魏墓[⑤]。

北魏漆棺画墓位于固原西郊乡雷祖庙村，1981年发掘，为夫妻合葬墓。墓葬由封土、墓道、甬道、墓室四部分组成。墓道为斜坡状，墓室平面正方形，穹隆顶。墓内木棺两具，右为无髹漆的女棺，左为有精美漆画的男棺，皆有残损。随葬品甚丰，有铜鐎斗、铜纺、铜壶、铜灶、鎏金透雕铜铺首、铁刀、铁剑、铁镜、马镫、金耳环及陶盆、陶罐等60余件。其中一枚萨珊俾路斯银币和一件舟形银耳杯具有重要价值。

漆棺上的精美漆画更是国之瑰宝，被著名美术史家金维诺先生

---

① 杨宁国：《宁夏彭阳县出土北魏负标墓志砖》，载《考古与文物》，2001（5）。

② 罗丰：《北魏负标墓志》，见《胡汉之间——“丝绸之路”与西北历史考古》，北京，文物出版社，2004。

③ 宁夏固原博物馆：《固原北魏墓漆棺画》，银川、宁夏人民出版社，1988。

④ 宁夏固原博物馆：《彭阳新集北魏墓》，载《文物》，1988（9）。

⑤ 罗丰：《北朝、隋唐原州墓葬》，见《原州古墓集成》，北京，文物出版社，1999。

称为美术考古方面的“重大事件”。漆画虽有残缺，但内容仍很丰富。棺盖中线从头到尾，绘有象征天河的金色长河。棺盖前端绘对称的两座房屋，屋顶上分别绘有红色太阳和白色月亮；左屋榻上坐一头戴黑色高冠的中年男子，榜题“东王父”三字；右屋内为一中年女子，榜题残缺，可能为“西王母”三字。长河两侧布满缠枝卷草纹图案，河中有白鹤和游戏的鱼、鸭，还有珍禽、怪兽、仙人等点缀其间。漆棺前档绘身着鲜卑贵族服装的墓主生前饮宴图，这在北朝同期绘画中比较少见。画面下部左右各有一菩萨，其形象深受西亚佛教艺术的影响。漆棺侧板分为上中下三栏，上栏为孝子故事画，中栏为联珠纹装饰性图案，下栏为狩猎图。上栏孝子故事以横卷方式展开，每幅故事有榜题，由数幅具有连续性的单幅画面构成。主要表现蔡顺、丁兰、尹伯奇、郭巨、舜等孝子的故事，其中以尹吉甫之子尹伯奇的故事最为少见，而舜的故事内容丰富，从谋害舜开始，至舜父子和好，完整地表现了故事的全过程。据研究，漆棺画表现了墓主人长生不老、死后升仙的神仙思想。漆棺上的孝悌故事已构成了后世连环画的雏形，是最早的一例连环画，在我国连环画史上占有重要地位。

彭阳新集北魏墓，位于彭阳县新集乡石洼村，有两座，于1984年发掘。其中位于西侧的1号墓全长44.76米，由封土、墓道、过洞、天井、甬道和墓室组成。这是宁夏境内最早的有天井的墓葬。出土品以陶俑为大宗，有100余件。一组为以牛车为中心的出行仪仗，由武士俑、甲骑具装俑、文吏俑、女侍俑等组成，另一组为鼓吹俑，由吹角俑8件、击鼓俑3件、抚瑟俑和吹竽俑各1件组成，这是以鼓角为主的军乐，当时谓之“横吹”。此外，还有陶质的狗、牛、鸡、仓、碓、灶、磨、牛车，以及盆、罐、钵等日用器皿等约150件。最引人注目的是：在封土堆下发现两座土筑房屋模型，皆为横长方形。其中一座仅有前高后低的瓦垄，放置在过洞上方与地面平行处，意为模拟门楼。另一座为夯土筑成，屋顶为两面坡式，雕出前后瓦垄，屋脊中央略低，两侧翘起，两端置鸱尾；

正面刻出门和直棂窗，门在中部，左扇关闭，右扇半开。两个房屋模型之间由第二天井连接，恰似一完整的院落。这种房屋模型是同期考古发现中仅有的一例，对研究当时的建筑和贵族的生活具有重要价值。

三营和寨科北魏墓，分别位于固原三营镇化平村和寨科乡李岔村，分别于1987年和1991年发现，墓葬均为长方形土坑墓。出土遗物有嵌绿松石金耳环、金项圈、铜镜及陶罐等，其中嵌绿松石金耳环采用金叶捶揲，经多次焊接而成，精美独特。

（二）北周墓葬

北周时期的墓葬发现了三座，分别为李贤①、田弘②、宇文猛③三位高官的大型墓葬。三座墓葬均位于固原南郊乡，呈东西一线排列，坐北向南，由封土、墓道、天井、过洞、甬道、墓室组成。下葬时间前后相距十年，宇文猛墓为北周保定五年（565年），李贤墓为北周天和十五年（569年），田弘墓为北周建德四年（575年）。

宇文猛为北周大都督、原州刺史，其墓于1993年发掘，全长53米，共有五个天井。墓室平面呈方形，西北侧有用砖砌的长方形棺床，上置棺椁。墓主人足东头西。在墓道、过洞、天井、甬道、墓室等处均绘制有壁画，但因墓葬严重破坏已脱落不清。出土100多件文物，其中彩绘陶俑80余件，基本组合为镇墓兽、镇墓武士俑、装甲骑俑、骑马俑、吹奏乐俑、风帽俑、笼冠俑、胡俑、文吏俑、执盾武士俑、执箕俑等。其中执盾武士俑和执箕俑从风格和造型看，在本地区同期墓葬中属首次发现。还出土了陶马、骆驼、狗、鸡、鸡舍及陶灶、井、磨、碓等畜禽模型和庖厨用具。宇文猛未见史载，出土墓志称宇文氏为朝廷所赐，其祖、父世为领民

① 宁夏固原博物馆：《宁夏固原北周李贤夫妇墓发掘简报》，载《文物》，1985（11）。

② 原州联合考古队：《北周田弘墓》，日本勉诚出版社，2000。

③ 宁夏文物考古研究所：《固原北周宇文猛墓发掘简报》，见《宁夏考古文集》，银川，宁夏人民出版社，1996。

酋长，宇文猛为少数民族无疑。墓志不载墓主原姓氏，在北朝墓志中这种情况极为少见。

李贤为北周柱国大将军，其墓1983年发掘，是夫妻合葬墓。棺椁已朽，从遗迹判断，男性居东，葬具为一棺一椁；女性居西，葬具仅有一棺。墓主人头向南方。墓道、天井、过洞、甬道及墓室皆绘有壁画，内容主要为两大部分：墓道、天井、过洞中以面部丰满，头戴高冠，身着大口绔褶服，双手拄或肩扛环首仪刀的侍卫为主。墓室内以侍女与伎乐为主。每幅均用红色边框分隔，属于较早的屏风画。在第一过洞上方绘双层门楼，第二、第三过洞上方分别绘单层门楼，是当时贵族深宅大院的象征。随葬陶俑共260多件，包括四组内容。第一组为头戴兜鍪、身着鱼鳞状甲胄的镇墓武士俑两件，还有两件独角昂首、面目狰狞的镇墓兽。第二组出行仪仗数量最多，由甲骑具装俑、武官俑、文吏俑、笼冠俑、风帽俑、胡俑、骑马俑、吹奏骑俑等组成。第三组为侍仆舞乐，数量较少，只有侍女俑，没有乐舞俑。第四组为动物模型与庖厨用具，有鸡、狗、马、驮驴、骆驼及灶、碓、磨、井、鸡舍等。以上四组俑群排列有序，从甬道门限向内并立左右两排，依次为镇墓俑、仪仗俑、侍女俑等，而动物模型与庖厨用具则放置在墓室东南角。屏风壁画和陶俑排列，真实地反映了鲜卑贵族的生活状况。

在出土器物中，最引人注目的是几件由中亚、西亚传入我国的舶来品，鎏金银壶、凸钉装饰玻璃碗、镶宝石金戒指、银装铁刀等，造型精湛，不啻为国之瑰宝。出土墓志两合，分别为李贤和其妻吴辉。李贤本为鲜卑拓跋氏，但志文称其“本姓李，汉将陵之后也”。南北朝时，攀附名门之后的鲜卑人屡见不鲜，因汉将李陵降匈奴后，有妻子留于匈奴，所以攀附者甚众，李贤也为其中之一。李贤墓的发现是我国北周考古的一件大事，无论是葬俗，还是壁画和出土文物，都引起海内外学者的极大兴趣，并有专题著文发表。

田弘为北周大司空少师柱国大将军，其墓1996年由中日原州联合考古队发掘，是夫妻合葬墓。由封土、墓道、天井、过洞、甬道、墓室组成，全长50余米。与李贤墓不同，墓室由主室、后室和侧室组成，规模较大，或许与田弘地位较高有关。此墓已严重盗掘，但还是出土了一批珍贵文物。后室为墓主人田弘葬处，棺内出土有玉环、玉佩、五铢钱、玻璃、玛瑙、水晶饰珠和丝制品残迹等。其中有五枚东罗马金币，仅以数量而言，在中国考古发现中尚属首例。主室为夫人葬处，棺内出土有玉钗、五铢钱、玻璃串珠、泥质串珠等，还散置鎏金铜花饰件、木器、漆器等物。主室的西南角均匀摆置有10余件陶罐，大多盛有糜子等粮食。东侧室内有具装甲骑俑、武士俑等。墓中壁画布局与李贤墓不同，墓道、天井、过洞均无壁画，从甬道开始，墓室四壁及后室、侧室均绘有壁画。从保存遗留部分看，甬道与主室四壁为人物图像，部分为侧身侍卫图，还有部分为侍从群像，群像的绘制在本地区北周壁画中尚属首例。墓志志盖篆书“大周少师柱国大将军雁门襄公墓志铭”。志文魏体，全文1341字。墓主人田弘于建德四年（575年）死于襄州（今湖北襄樊），同年四月归葬原州。

（三）北朝墓葬中的外来文化因素

北朝墓葬中出土漆棺画、戎装甲胄、佩刀、金银玻璃器、货币等遗物，既显现出诸多民族的文化因素，又见证了与中亚、西亚文化交流的事实。

1. 鲜卑族的文化风格

鲜卑族是汉魏之际兴起于我国北方草原的一个强大民族，并接匈奴之踵成为北方草原的统治者。魏晋之时，鲜卑族的鹿结部、乞伏部、秃发部、破多兰部等已经徙居宁夏境内。十六国时期，乞伏部和秃发部分别建立了西秦与南凉政权，统治范围包含宁夏南部。后来，鲜卑拓跋部建立北魏政权，统一了中国北方，在宁夏境内设立薄骨律镇和高平镇。北魏政权分裂为东、西魏后，鲜卑宇文部的势力得到发展，后取西魏而代之，建立了北周政权，宁夏南部遂成为北周政权的“霸业所基”。

北朝时期的墓葬，在固原已发掘8座，出土了数以千计的文物，其中部分文物具有鲜明的鲜卑民族风格。北魏墓出土的漆棺，其形状前高宽、后低窄，与内蒙古鲜卑墓葬出土的棺木形状相同。漆画内容和风格笼罩着浓厚的鲜卑色彩。漆棺前挡画面内容为墓主人生前饮宴图，屋内男子为鲜卑贵族的装束。棺木侧挡上的孝悌故事画也保留了夹领小袖的鲜卑人装束，但棺盖画面则是褒衣博带式的服饰。这种胡、汉杂混现象，不仅证实了北魏“太和改制”时期新旧服饰的交替和人们心理特征的变化，也体现了中国北方草原文化和中原文化初步融合的时代气息。还有三营和寨科北魏墓出土的嵌石金耳环、金项圈，具有鲜明的北方游牧民族器物的风格。依据出土墓志，北魏兖、岐、泾三州刺史贠标，北周权臣柱国大将军、原州刺史李贤，也可能是鲜卑人。

2. 嚈哒人的文化风格

5、6 世纪时，嚈哒是中亚的游牧大国，活动在阿姆河和锡尔河流域的索格底亚那及巴克特利亚一带。5 世纪 70 年代嚈哒消灭贵霜王朝，与萨珊王朝抗衡。领有康居、粟特、大夏、吐火罗、富楼沙等地，控制着中国通往西方的国际通道。嚈哒与北魏通好，往来频繁，从 5 世纪中叶到 6 世纪中叶，嚈哒派使臣向北魏朝贡近 30 次之多①。北魏漆棺画前档宴饮图墓主人饮酒时的坐姿，具有明显的中亚风格，主人着鲜卑装，脚掌相对而坐于榻上，右手执耳杯，小指翘起，左手握尘尾，表现出一派嚈哒人的作风。漆棺画绘制于孝文帝太和年间，此时正值嚈哒强盛时期②。史载，527 年（孝昌三年），波斯嚈哒使者向北魏进献雄狮，路过高平（今固原），恰逢高平起义，雄狮被起义首领万俟丑奴劫留，并因此改其政权年号为“神兽”。这事件说明固原与嚈哒有联系，漆棺画出现嚈哒人的风格就不难理解了。但也有专家指出，图中的宴饮场面表现的是中亚、西亚地区萨珊贵族的宴饮风俗，脚掌相对的坐姿是中亚地区

---

① 苏北海：《嚈哒在中亚的扩张》，载《西北史地》，1985（3）。

② 孙机：《固原北魏墓漆棺画研究》，载《文物》，1989（9）。

的流行姿势，并保持了很长时间。

3. 波斯萨珊王朝的文化风格

北朝墓葬出土的器物中，有诸多文物是舶来品，主要来自波斯萨珊王朝。漆棺画中的装饰纹样为忍冬纹和连珠纹，是来自于波斯或受波斯影响的纹样。墓中出土的银耳杯是由萨珊式舟形杯改造而成，舟形杯是萨珊王朝上层贵族宴饮时的常用品。北周李贤夫妇墓中有四件器物是来自中西亚的。一是鎏金银壶，壶把上端铸造一位高鼻深目、头戴软冠的胡人头像，这个形象与波斯萨珊人形象不同，属中亚巴克特利亚人。腹部图像所展现的内容虽然来自古希腊神话传说，其上的联珠纹装饰也流行于萨珊王朝时期，但这是一件具有萨珊风格的中亚巴克特利亚制品，是希腊化对该地区影响的产物。二是凸钉玻璃碗，是典型的萨珊朝制品，其上凸起的凹球面装饰，在帕提亚、萨珊时期的伊朗高原上一度很流行。类似的玻璃器在伊朗高原、我国的楼兰等地、朝鲜的庆州、日本的福冈冲之岛等处均有发现，但是这件凸钉玻璃碗纪年明确，对确定同类制品的年代具有标尺作用。三是镶宝石金戒指，戒面蓝色宝石微雕裸体人物，其母题来自萨珊，它的原产地是萨珊或中亚某地。四是银装铁刀，在刀鞘一侧上下纵装有一双附耳，耳上有凸圆钉，先固定在较细较短的刀带上，再将刀带系在腰带上，使刀斜悬于腰带之下。这种佩系方法，与我国传统璲式佩系法不同，约在 6 世纪传到我国，并逐步取代传统的璲式佩系法，成为中国刀剑佩系的主要方法，后又经过中国传入日本①。另外，彭阳新集北魏墓，固原北周李贤、宇文猛、田弘等墓中出土的具装甲骑俑和武士俑、吹奏乐俑及伎乐壁画，均反映出波斯文化风格的影响。

四、隋唐时期少数民族的墓葬

隋唐时期，宁夏是隋唐王朝防御突厥和吐蕃侵扰的战略前沿要

① 孙机：《固原北魏墓漆棺画研究》，载《文物》，1989（9）。

地，同时也是诸多少数民族和外国侨民频繁活动、徙入居住的重要区域，唐朝政府在这里设置羁縻州，安置突厥降户。宁夏南部固原仍然是丝绸之路上的重镇，固原南郊隋唐中亚粟特人史系后裔墓葬群的发现，令学术界和考古界耳目一新。在此前后，还发掘了盐池窨子梁中亚粟特人何国后裔的墓群、同心韦州吐谷浑墓、青铜峡铁勒契苾氏墓。隋唐少数民族墓葬的发掘和研究，是宁夏考古最有影响的成果之一。

（一）宁夏境内隋唐粟特人墓葬

1. 固原南郊粟特人史系墓地

1982年至1995年，在固原西南5公里的南郊乡发掘清理隋墓1座、唐墓8座，其中隋墓和6座唐墓均有墓志出土。罗丰先生根据墓志研究，认定这些墓葬的主人为“昭武九姓”中的史国人，并有《固原南郊隋唐墓地》一书出版①。

墓葬均坐北朝南，每座墓葬之间距离数百米不等，从东至西依次排列。据墓志记载分析可知，墓主人分为两支：史射勿、史诃耽、史道洛、史铁棒同出一系，互为子孙；史索岩和史道德属一系，为叔侄关系。两支史氏同姓而不同系，却葬于同一墓地，很可能是认同关系下的聚族而葬。墓葬形制盛行长斜坡墓道，多天井、单室墓，由封土、墓道、天井、过洞、甬道、墓室等组成。9座墓天井数量不一，少则2个，最多7个。它的多少与官职的高低无直接关系，而与土质条件有关。史诃耽墓为砖室墓，规模较大，有石门、石棺床；余则为土洞墓，其中史索岩墓有石门。墓葬虽均遭盗掘，但仍然出土了一批珍贵的文物，诸如罗马金币、萨珊银币、金覆面、蓝宝石印章等，为研究中西文化交流提供了极为重要的实物资料。

这些墓中有两座有壁画。隋史射勿墓墓道、天井处绘有武士、侍从壁画10幅，过洞处绘有门楼、莲花各1幅，墓室内绘有侍女，

① 罗丰：《固原南郊隋唐墓地》，北京，文物出版社，1996。

是一座大型壁画墓，艺术价值颇高，为隋代考古中少见。其中武士像为浓眉、深目、高鼻的胡人形象，身着红色交领长袍，足蹬乌皮靴，侧身而立，双手执环首刀。唐墓中的史索岩墓也有壁画，因大量进水而备遭破坏，仅存第5过洞上方的朱雀图，呈凌空飞翔状态。据研究，这幅画的寓意是引导墓主人的灵魂飞升，是北朝传统的延续。

根据墓志，唐代的5座史氏墓葬以埋葬的时间先后依次为史道洛墓、史索岩夫妇合葬墓、史诃耽墓、史铁棒墓、史道德墓。另有一座非史氏墓葬，即梁元珍墓①。史道洛墓彩绘描金镇墓武士俑和镇墓兽，史索岩墓东罗马金币仿制品，史诃耽墓刻有铭文的蓝色圆形宝石印章，史道德墓的金币、金覆面具等，都是难得的文物精品。墓葬中出土的墓志具有极高的史料价值。据志文知史氏墓葬的主人属中亚粟特侨民，是“昭武九姓”之一的史姓，为研究史系家族提供了极其可贵的史料②。史射勿墓志志盖书“大隋正议大夫右领军骠骑将军故史府君之墓志”，志盖周边刻十二生肖，分别为鼠、牛、虎、兔、蛇、马、羊、猴、鸡、猪等。史索岩墓出土墓志两方，即“大唐故朝请大夫平凉郡都尉史公之铭”和“大唐故平凉郡都尉史公夫人安氏墓志”。安氏墓志记述了其出自中亚“昭武九姓”之一的安国。

2. 盐池窨子梁粟特人何国后裔墓群

盐池窨子梁粟特人何国后裔墓群③，位于盐池县城西北约48公里的苏步井乡窨子梁上。1985年发掘，共有6座墓葬，排列有序，皆为依山开凿的平底墓道石室墓。墓葬起于山丘的缓坡处，墓门开凿于山丘的横切断面上，上部无封土。墓门或用石块封堵或安

① 罗丰：《固原南郊隋唐墓地》，文物出版社，1996年。

② 马建军：《固原隋唐时期文物考古的发现与研究》，载《宁夏大学学报》，2006（2）。

③ 宁夏回族自治区博物馆：《宁夏盐池唐墓发掘简报》，载《文物》，1988（9）。

装双扇石门，墓道为方形或长方形，墓室呈方形或长方形，平顶略有弧度，墓内有石质棺床，室壁上凿刻有长方、正方、三角形等几何图形，并凿出多个壁龛。墓葬大多早年被盗，随葬器物有木质武士俑、文吏俑、侍女俑、镇墓兽、马、骆驼等，石制品有石鼎、石枕、画像石、石刻门、墓志等，另有陶罐、玻璃球、铜钱、铜饰残件、铁器残件、骨器残件等。

墓葬形制依山开凿，没有中原地区盛唐至中唐时期墓葬中常见的天井和甬道，普遍采用平底墓道和小墓门、多壁龛的做法，反映了这一地区唐墓的特点，为唐代墓葬的研究增加了新的内容。在葬俗方面，除个别墓葬使用木棺外，其余各墓均未发现葬具，有些墓内的尸骨直接置放在石棺床上或壁龛内。葬式有单人葬、双人葬，还有多人聚族而葬的现象，一墓中有4人的，有的多达十几人。这6座墓排列有序，显然是同一族属的墓葬。3号墓出土墓志一合，据志文“大周……都尉何府君墓志之铭并序”，“君……大夏月氏人也”，得知墓主人为何姓月氏人，于唐武周久视元年（700年）终于鲁州里私第，春秋八十有五。何姓为西域“昭武九姓”中的一支。

6号墓出土的两扇石门上，采用细线阳刻，刻出胡舞图。舞者为男姓，他们头戴圆帽，身着圆领窄袖长袍，脚穿软鞋，单足立于小圆毯上，一腿腾起，扬臂挥帛，翩翩起舞，整个身体呈旋转状，表情生动，体态优美，写实性很强。据考证，此属于文献记载中康国的胡旋舞①。这类题材的石刻作品，在我国唐代墓葬中属首次发现，是研究我国唐代乐舞的珍贵资料。

3. 中亚、西亚文化风格

宁夏境内的粟特人墓葬，出土了一批中亚、西亚文化风格的遗物。盐池窨子梁何国后裔墓石门上的胡舞图，属于中亚康国的胡旋

---

① 罗丰：《隋唐间中亚流传中国之胡旋舞》，见《胡汉之间——“丝绸之路”与西北历史考古》，文物出版社，2004。

舞。固原史氏墓地出土的中亚、西亚风格的器物更多。史射勿墓的一枚镶宝石金戒指，被认为是由中亚、西亚传入的。史诃耽墓的蓝色宝石印章，中央雕刻卧狮与生命树，四边有一周铭文。其上的铭文是萨珊王朝的一种祈祷文。由于古伊朗语文系统的复杂性，对于铭文的解释往往很不相同：有人认为是中古波斯文，译为“自由、繁荣、幸福”①；有人认为是波斯帕拉维铭文，解读为“世界宽容！世界宽容！世界宽容”②。史道德墓中的金覆面，以及兽面金饰、动物纹圆形金饰等，均表现出了中亚、西亚风格。覆面的葬俗与波斯和中亚的覆面习俗有着千丝万缕的联系，其中护额的半月和太阳形状，又是中亚、西亚崇拜日月习俗的反映。

固原隋唐墓中共出土 6 枚外国金银币。史射勿墓中的一枚是波斯萨珊俾路斯银币，正面有联珠纹边框，中为萨珊王侧面肖像，背面联珠纹边框中是拜火教祭坛，上立圆柱，柱上火焰呈三角形，火焰两侧为五星和新月，这在萨珊俾路斯银币中少见。史道德墓中的一枚东罗马金币，正面为东罗马皇帝的正侧面肖像，背面为一胜利女神像，边有一周拉丁铭文。史索岩、史诃耽墓中的各一枚东罗马金币仿制品，在中国是首次发现。据研究，它是东罗马人为了摆脱萨珊人的封锁，在中亚某一地区或“昭武九姓”居住之地仿制的，然后通过“丝绸之路”运往各地。虽然是仿制品，因使用贵金属铸造，其价值与真币相当。我国发现的萨珊银币和东罗马金币及仿制品，一部分作为流通货币进入，另一部分作为赠送的纪念品进入。

史道德墓金币含在墓主人口中，其他墓的金银币均放置在墓主人头部，也有可能原含在墓主人的口中，这种习俗与古希腊神话有关。古希腊神话说，人去世后要到遥远的地狱世界，灵魂要由赫尔

① 林梅村：《固原粟特墓所出中古波斯文印章及其相关问题》，载《考古与文物》，1997（1）。

② 罗丰：《史诃耽墓出土的宝石印章》，见《固原南郊隋唐墓地》，北京，文物出版社，1996。

墨斯领至冥界的门口，再由卡戎用渡船运过斯蒂克斯河，人们要付给卡戎摆渡钱。后来罗马人沿袭了希腊人这一习俗。中国境内古代有死者口中含玉或含珠的葬俗，但没有含钱币的习俗。原州史系家族的这种葬俗，无疑是中亚埋葬习俗的延续。不难看出，从北朝至隋唐，随着中西文化的交流，“丝绸之路”上商贾络绎不绝，各种西亚、中亚的习俗、器物，源源不断地流传到中国。

4. 宁夏境内的“昭武九姓”人

隋唐时期，中国史籍把活动于中亚地区阿姆河与锡尔河之间索格底亚那地区的粟特人统称为“昭武九姓”。据《魏书·西域传》卷一〇二康国条记载，“其王本姓温，月氏人也，旧居祁连山北昭武城，因被匈奴所破，西逾葱岭，遂有国。枝庶各为王，故康国左右诸国并以昭武为姓，示不忘本。”子孙分王为政，建立九国，即康国、何国、米国、史国、曹国、石国、安国、火寻、戊地等九国。流寓中国的粟特人，均以国为姓，素以善于经商著称于世，利之所在，不远千里，他们通过丝绸之路来往于中亚与中国之间，进行国际商贸活动。固原南郊史系家族墓地和盐池窨子梁何国后裔的墓群，即属于“昭武九姓”的史姓和何姓。

“昭武九姓”之一的史国，是通过新疆、河西走廊在北朝时流寓原州的，并在这里定居下来。《史铁棒墓志》云：“曾祖多思……酒泉县令”。《史诃耽墓志》云：“曾祖尼……张掖县令”。因为史射勿墓志中称其为平凉平高县人，其先出自西国，史铁棒墓志也称其为原州平高县人，可知，他们在这里居住时间很久了，已视同自己为当地人。而另一系的史索严、史道德称其先灵州建康人，“从宦因家原州”。史氏在原州的势力很大，多为中级官员，史射勿担任骠骑将军；史索严任平凉郡都尉；史诃耽为朝廷直中书省朝会翻译；史道德为兰池监，史铁棒为司驭寺右十七监，二者管理马政；史道洛任左亲卫。除史氏之外，当时原州之地还生活有其他“昭武九姓”人，如史索严之妻安氏墓志记载了其出自中亚安国，并叙述了她与史家的婚姻。

“昭武九姓”之一的何国人住盐池一带，与唐朝设立羁縻州以安置突厥降户有关。唐调露元年（679 年），为了加强对河套地区突厥降户的统治，“于灵、夏南境以降突厥置鲁州、丽州、含州、塞州、依州、契州，以唐人为刺史，谓之六胡州。”[①] 六胡州中“鲁州”在今盐池地界，窨子梁出土的“何府君墓志之铭”便是证明。昭武九姓人也从这里东迁内地。史载，开元年间，有“昭武九姓”康、何、安、石等国人参加的康待宾之乱被平定后，“迁其人于河南及江、淮。”这些人多称自己为灵州或灵武人，如《何文哲墓志》称：“世为灵州人”[②]，《旧唐书·史宪诚传》云“今灵武建康人”，其子《史孝章碑》则云：“本北方之强，后因仕中国，遂为灵武建康人”。康日知为康国人后裔，《新唐书·康日知》传作“灵武人”。可见，今宁夏境内的吴忠市、盐池、灵武一带，是唐代昭武九姓人聚居的重要地区。

（二）同心县韦州吐谷浑墓

吐谷浑墓是一座吐谷浑慕容威夫妇合葬墓，位于同心县韦州，1974 年清理[③]。由于墓葬严重被盗，仅出土了白瓷小盒、白瓷小碗等少量随葬品。其中有墓志 1 合，题为“大唐故左领军卫大将军慕容神威君墓志铭”。据志文载，其先为西晋昌黎公，曾祖诺曷钵，祖父慕容忠，父慕容彻。慕容威逝于唐肃宗至德元年（756 年），葬于乾元元年（758 年），生前曾任“左武卫郎将”，后“荣迁左领军卫大将军，仍充长乐州游击副使”。诺曷钵时内迁灵州，到慕容威时，他们已在这里居住了四代。

吐谷浑本属鲜卑慕容部，因部落首领慕容涉归之庶子吐谷浑而得名。西晋时，由于慕容部的纷争，吐谷浑率从部向西游牧迁徙，经阴山，沿黄河西进，最终到达河湟地区，征服周围的羌族部落，

① 《新唐书·地理志》。

② 魏光：《何文哲墓志考略》，载《西北史地》，1984（3）。

③ 钟侃：《唐代慕容威墓志浅释》，载《考古与文物》，1983（2）。

势力迅速扩大，占据了今甘肃南部、青海东南部和四川西北部的广大地区，并逐步形成了一个以吐谷浑为名称的新民族。十六国时期，“兼并氐、羌，地方数千里，号称强国”。隋唐时期，吐谷浑多次侵扰边境，隋炀帝对其进行征讨，迫使吐谷浑降者十余万，并于西域东部及吐谷浑地区设立西海、河源、鄯善、且末四郡，从此吐谷浑开始衰弱。唐太宗时吐谷浑投降，唐朝政府封其可汗慕容顺为西平郡王，接着，又封其子诺曷钵为河源郡王，唐太宗昭陵前还立有诺曷钵的石像。这时恰逢吐蕃崛起，占领了吐谷浑的居地。唐高宗时迁吐谷浑到灵州一带，设立“安乐州”进行安置，以诺曷钵为刺史。《新唐书·地理志》云：“威州本安乐州。吐谷浑部落自凉州徙于鄯州，不安其居，又徙于灵州之境，咸亨三年以灵州之故鸣沙县地置州居之。至德后没吐蕃，大中三年收复，更名。”《新唐书·吐蕃传》云：“大中三年，灵武节度使李钦取安乐州，诏为威州”，可见，安乐州即今同心韦州一带。

（三）青铜峡市和固原的铁勒契苾氏墓

青铜峡铁勒契苾氏墓①，位于邵岗镇东方红村，墓葬分布于贺兰山山前洪积扇荒漠地带。1991 年发掘清理墓葬 14 座。封土均已不存，皆为单室砖券墓，分为方形和长方形两种。墓葬早期被盗，墓室破坏严重，出土器物极少。陶器有罐、盆、碗、彩绘罐等；铜器有带扣、带夸、铊尾、“开元通宝”钱等；还有残损的泥质胡俑与女俑。出土墓志两方，其中一方为“大唐左屯卫将军皋兰州都督浑公夫人契苾氏墓志铭”。据志文，墓主人为名门世家，其夫人于“神龙二年十月廿六日遘疾，终于皋兰州之官舍，春秋廿有四。粤以景云二年四月九日迁窆于贺兰山之南原”。志文中的浑公和铁勒契苾氏，牵涉铁勒的两个部落——浑部与契苾部。

① 宁夏文物考古研究所：《青铜峡市邵岗唐墓发掘简报》，见《宁夏考古文集》，银川，宁夏人民出版社，1996。

2004年，在固原又发现铁勒人夫妇合葬墓[①]，为砖室墓，由于遭受盗掘，随葬物品极少。出土墓志一合，知墓主人为士念子，铁勒人，其祖父、父亲在隋、唐两代曾担任官职，其妻张氏是汉人，家住南阳。士念子与妻子合葬在固原北面山坡上。铁勒人墓在固原的发现，为隋唐时期的原州是多民族聚居区增添了新内容。

铁勒，是6至7世纪活动于中国北方草原至中亚草原诸多部落的总称，“虽姓氏各别，总谓铁勒”，隋唐时期，分属于东西突厥，成为突厥的重要组成力量。唐太宗时，随着突厥内附，铁勒各部随之内徙，其中契苾部和浑部是铁勒中的大部落，唐朝设立羁縻州安置他们。唐太宗贞观六年（632年），契苾部内附，唐朝设贺兰州以安置。贞观二十一年（647年），唐朝设皋兰州，以安置内附的浑部。墓志中的浑公曾担任皋兰州都督，后改置东皋兰州，属灵州都督府。《浑公夫人契苾氏墓志》的出土，为铁勒部在宁夏境内的活动提供了重要资料。

五、元代开城安西王府皇家建筑遗址

（一）开城安西王府遗址

元代安西王府遗址，又称秦王故址，位于固原市南20公里的开城镇，地处清水河两侧的丘状坡地上，属于半阴湿山区。早在1963年，就在这里出土一块元顺帝元统三年（1355年）的残损石碑[②]。据残碑文字，知是碑为修葺祠庙而立，落款人之一是“永德郎开成州知州兼管本州诸军奥鲁劝农事朵儿只”。残碑的发现，证实了史载专管蒙古军户的奥鲁，在元世祖忽必烈后改由地方长官兼领奥鲁，以及开城由府降为州的史实。

从20世纪80年代开始，开城不断发现元代砖瓦等建筑材料，

---

① 新华网银川11月27日电：《宁夏固原市首次发现唐代铁勒人千年墓志》，新华网，2004年11月27日。

② 这块元代残碑现陈列于固原博物馆石刻馆内。

引起学界的关注。1988 年和 1992 年，宁夏文物管理委员会邀请区内外有关专家先后两次调查了罗家山、北家山、黑刺沟、开城村等处遗址，确定这里就是元代安西开城王府所在地①。遗址内元代建筑材料俯拾即是，主要有琉璃砖、琉璃瓦、琉璃瓦当、琉璃滴水、琉璃脊饰、黄色琉璃塔刹、墙面装饰材料和铭文砖等，还有龙首、龙角、龙珠、鹰首等脊饰。颜色以黄色为主，还有白、绿、棕红等色，纹样以龙纹为多，还有卷云纹、忍冬纹、草叶纹、云雷纹、火焰纹等。出土文物多为日用瓷器，还有铜权、铜熏炉盖、坩埚、铁三足盆、金手镯、金饰件、长颈银瓶等。从调查材料判断，安西王府的建筑规模宏伟，建筑等级较高。由于遗址的重要性质及丰富的出土文物，西安王府于 2001 年被公布为国保单位。

部分器物刻有铭文：长颈银瓶底部阴刻“王都统宅造”；六面塔形铜权正面阴刻“至元二十三年官造”，背面阴刻“开城路”；铁三足盆腹面铸有“长安范造”。另有方形朱书地券砖一方，上载“唯大元延祐六年岁在己未九月壬午朔初三日甲申开城路开城县中街”等。这些文字材料，为元代开城的研究提供了重要资料。

(二) 安西王势力的消长和王相府的兴废

蒙古汗国时期，六盘山有着非常重要的地位。早在忙哥剌建藩开府之前，六盘山就是蒙古铁骑的后方基地。史载：“六盘隘秦陇之吭，俯瞰全蜀，成吉思汗晚年征西夏，尝置老营，即山避暑。蒙哥汗车驾入蜀，亦留出卑可敦及辎重山上，命大将浑都海领重兵戍之，固王师后路。及是忙哥剌以忽必烈汗爱子开藩与此，为西土重镇焉”②。1227 年，成吉思汗攻灭西夏后，病亡于六盘山避暑行宫。其后，蒙哥、忽必烈在这里屯兵，南下征服川蜀、大理。宪宗八年(1258 年) 蒙哥远征南宋时，“留亲眷、辎重于六盘山”。这些情况

① 宁夏固原县文物管理所：《宁夏固原开城元代安西王府建筑遗址调查简报》，载《中国历史博物馆馆刊》，2000 (1)。

② 《蒙兀儿史记·安西王忙哥剌》。

说明，这里早已成为大汗宫邸。而皇室及贵族们何时放弃了蒙古包，住进新建的宫殿建筑已难以考究，但有一点可以肯定，那就是在忙哥剌之前，这里已有相当规模的建筑了。

安西王相府建于至元九年（1272年）。这年忽必烈封三子忙哥剌为安西王；至元十年（1273年），册立皇太子，“诏安西王益封秦王，别赐兽纽金印，其府在长安者曰安西，在六盘者为开城，皆听为宫邸”。元朝的印纽等级十分严格，宗室、驸马等诸王唯视印纽为差别，兽纽金印为一等，螭纽金印为二等，可见安西王高于诸王的地位[①]。他一藩二印，两府并立，冬夏分驻，冬居京兆，夏徙六盘，岁以为常。开城王相府的建筑，只能是原有建筑规模的扩大和等级的提高。

开城安西王相府设立之初，恰逢元朝攻灭南宋的关键时刻。安西王兼领陕、甘、川等处军政，凡军政大事常决于开城王府，这是开城安西王相府最为显赫的时期。至元十五年（1278年），忙哥剌病亡。至元十七年（1280年），朝廷罢王相府，并先后设立陕西、四川、甘肃等行中书省，王相府逐步走向衰落。至元二十四年（1287年），忙哥剌的长子阿难答袭封王位，但只给安西王断事官印，权力受到很大限制。至元三十一年（1294年），成宗铁木耳继位，仍然没有允许阿难答复立王相府，但把原属忙哥剌的军队和唐兀惕地区都交由其管理，使阿难达的军队多达15万人[②]。阿难答集聚了大量的财富，实际控制了四川北部及陕甘宁等西北地区的军政大权。大德十一年（1307年），皇后卜鲁罕与大臣阿忽台、伯颜等欲拥立阿难答为帝，事败后，阿难答被擒杀，开城安西王相府基本上废弃。至治三年（1323年），阿难答子月鲁帖木儿袭封王位，既而又以反叛余党被流放云南。至此，安西王府名实俱亡，开城亦降府为州，结束了其辉煌的历史。

---

① 《元史·诸王表·秦王条》。

② 拉施特：《史集》，第二卷，北京，商务印书馆，1985。

对伊斯兰教在西北地区的发展，安西王起了重要的作用。据拉施特的《史集》记载，安西王所管辖的河西一带居民大多数为木速蛮，木速蛮是元代对伊斯兰教徒的通称。据《多桑蒙古史》记载，忙哥剌曾在长子阿难答幼时将其托付给一伊斯兰教徒抚养，阿难答受其影响“皈依回教，信之颇笃”。至元二十四年（1287年），阿难答承袭第二代安西王时，在这个区域，伊斯兰教得到了迅速传播，其“所部士卒十五万，闻从而信教者居其大半”。伊斯兰教的盛行，为这个地区回族的形成起到了积极作用，阿难答率领的信教部队，年长日久，逐渐演变形成了当地的回回民族。

第二部分

西夏是以党项族为主体建立的封建王朝，它立国西陲，建都兴庆（今宁夏银川市），雄视一方，从1038年建国，到1227年被成吉思汗灭亡，长达190年。西夏是一个军事强国，在经济发展、文化进步方面也做出了重大贡献。西夏在发扬本民族优秀传统文化的同时，也十分注意吸收诸如吐蕃、回鹘特别是汉族的文化营养，使之融为一体，形成了别具特色的西夏文化。

宁夏是西夏的中心地带，银川是西夏故都所在，贺兰山是西夏的神山、圣山，在宁夏平原、贺兰山中留下了众多西夏遗迹。由于二十四史中没有西夏史，西夏考古资料的补史、证史作用，其重要意义是显而易见的。在历史上，西夏时期是宁夏最为辉煌的时期。西夏考古一直是宁夏考古工作的重点之一。

关于宁夏的西夏文物，早在20世纪初就有发现。1917年，灵武知县余鼎铭在城内一座古庙中发现西夏文佛经两大箱。这批佛经，部分流失，大部分被当时的北平图书馆（现国家图书馆）收购，计有100册，“皆属宋元旧椠，蔚然成为大观”。王静如认为这是文坛“盛事”，并于1932年编辑出版了《北平图书馆馆刊·西夏文专号》以为纪念。著名学者周叔迦、罗福成、王静如等先生曾参与其整理和研究。王静如的《西夏研究》三辑，主要是这批佛经的研究成果，曾获法国东方学儒莲奖，是20世纪30年代西夏学研究的最高成果。

20世纪50年代以后，中国的考古事业进入了一个新的时期。70年代以来，银川西夏陵的发现，对西夏考古工作产生了重大影响。此后，在西夏故地的宁夏、甘肃、内蒙古西部、陕西北部和青海东部，都有西夏遗迹发现。地下的有墓葬、遗址、窑址、窖藏等；地上的有城址、寺庙、佛塔、石窟、碑刻等。出土文物丰富多彩，为我们解读西夏社会、认识西夏文化，提供了前所未有的条件。

宁夏的西夏考古和研究，以陵墓、瓷器、钱币、古塔等最为显著，现分述如下。

（一）银川西夏陵墓

西夏陵墓的考古调查和发掘，是在20世纪70年代开始的，是我国历代考古中最晚发现的墓葬。到目前为止，见于报道的、已发掘的西夏墓，在宁夏的有银川新市区墓，永宁闽宁村墓，贺兰县拜寺口紫圪垯墓，平罗县涝湾村墓；在甘肃的有武威西郊林场墓，武威西郊墓等；在内蒙古的有准格尔旗墓、乌海市参知政事墓、黑城塔墓等。不言而喻，在这些西夏墓葬中，最为重要的是银川西夏陵，它是我国最大的一处西夏文化遗址。

银川西夏陵是埋葬西夏历代帝王的地方，位于银川西郊贺兰山东麓的洪积扇地带，东距银川老城25公里。陵区东部有110国道从北向南穿过。这里西高东低，地势起伏，间有洪沟，海拔在1100～1250米。陵区南起银（川）巴（音浩特）公路，北迄泉齐沟，东西宽4～5公里，南北长约11公里，总面积约50平方公里。现有帝陵9座，皇亲国戚、王公重臣的陪葬墓两百多座；陵区中部东侧和北部各有建筑遗址一处，北部东侧有砖瓦窑、石灰窑11处，其规模与北京明十三陵和河南巩县宋陵大体相当。

西夏陵的考察和发掘，自1972年以来，断断续续，一直持续至21世纪初。先后发掘帝陵1座，陪葬墓4座，清理部分碑亭遗址、窑址和北部佛寺遗址，并多次组织地面调查，出土了大量文物和建筑材料。本世纪初，对3号陵地面遗址进行了全面的揭露和清理，发掘面积2万多平方米。国家领导人对西夏陵的保护和建设十分关心，多次来此视察，1999年朱镕基总理对西夏陵的文物保护和旅游开发作了重要指示①。2000年以后的工作，基本上是按照朱总理的指示进行的，2001年完成了《西夏陵保护规划》的设计，同时在保护和旅游方面都取得了重要成果。

西夏陵具有独特的人文景观和丰富的文化内涵，是研究西夏陵园制度、西夏建筑和西夏文化的宝地。这里原为荒漠景观，少有人烟，保存了较多的陵园氛围，庄严肃穆。近若干年来，绿化了部分地段，加强了保护工作，兴建了“西夏博物馆”，已成为探访西夏文化的旅游胜地。西夏陵是国保单位和国家级重点风景名胜区，也是国家文物局公布的20世纪百项重大考古发现之一②。

1. 陵墓分布状况

西夏陵和明以前的历代帝陵一样，地面建筑早已被毁，成为废墟，但其遗迹保存较好，布局清晰。高大兀突的塔式陵台令人瞩目，经历了近千年风雨侵蚀、高达数米的夯土神墙，仍然奇迹般地屹立在那里。

西夏陵总体布局，根据自然地形和陵墓分布，从南向北依次分成四区。帝陵陵园从南向北鱼贯排列，陪葬墓分散于每座帝陵四周。

一区：位于陵区南部，约占陵区面积的20%。有帝陵2座，陪葬墓34座。两陵东西相错，南北相距仅34米。陪葬墓分布在帝陵东西两侧，相对集中。

二区：位于陵区中部偏南，约占陵区面积的30%。有帝陵2

① 《朱镕基总理视察银川西夏陵》，载《宁夏文物》，1999(8)。

② 《“中国20世纪100项考古大发现”评选结果》，载《中国文物报》，2001年4月4日7版。

座，陪葬墓52座。3号陵居东，地处陵园中部，4号陵居西，在山脚下，两陵相距3公里。陪葬墓主要分布在3号陵西部和南面。

三区：位于陵区中部偏北，约占陵区面积的30%，是陪葬墓分布最密集的区域。有帝陵2座，陪葬墓101座。两陵隔路相望，相距1.5公里。

四区：位于陵区北部，约占陵区地面的20%，有帝陵3座，陪葬墓19座。这里已成为现代建筑区，陵墓受到破坏严重。7号陵只存半壁，东部遗迹被毁，8号、9号两陵，地面遗迹全部被毁，仅残存陵台。现存陪葬墓皆在7号陵南部。

陵墓分布呈大分散、小集中的特点，区间洪沟分割，皆有一段距离。陪葬墓数墓一组，数组一群，似有规律可寻。

关于西夏陵的文献，最早见于《宋史·夏国传》。它以编年体的形式，记述了自唐末党项族首领李彝兴即位至西夏末帝李晛被蒙古军所杀的258年历史。文中对继迁以后之事记述尤详。每位皇帝皆有庙号、谥号及陵号。其陵号为：太祖继迁裕陵，太宗德明嘉陵，景宗元昊泰陵，毅宗谅祚安陵，惠宗秉常献陵，崇宗乾顺显陵，仁宗仁孝寿陵，桓宗纯祐庄陵及襄宗安全康陵；神宗遵顼、献宗德旺和南平王李晛三代没有陵号，因他们皆死于西夏将亡的1226、1227年，“未及造陵”①。但这些帝王埋葬在哪里，《夏国传》没有交代。明《弘治宁夏新志》：“贺兰山之东，数冢巍然，即伪夏嘉裕诸陵是也。其制仿巩县宋陵而作……人有掘之者，已无一物矣。”安塞王朱秩炅《古冢谣》：“贺兰山下古冢稠，高下有如浮水沤，道逢古老向我告，云是昔年王与侯。”这些记述，大体指明了陵区所在，并形象地记述了墓冢高低错落、十分稠密的景致，尤其“仿巩县宋陵而作”，将西夏陵寝的基本制度作了高度概括。

2. 帝陵陵园和陪葬墓的调查

由于没有文献记载，帝陵和陪葬墓难以区分。经多次调查，才

① 牛达生，贺吉德：《西夏陵三题》，载《宁夏社会科学》，1995（4）。

清楚二者在平面布局和建筑结构上的异同。

帝陵陵园的建筑结构和平面布局大体一致，又富有变化。每座陵园大体坐北朝南；从南向北，依次由鹊台（2座）、碑亭（2座）、月城（神道两侧有石像生遗迹）、神城、门阙（门楼）、角阙（角楼）、献殿、陵台等组成。有的环神城还有外城，在外城数十米之外的四角还有角台。总面积10万平方米左右。作为陵园的主体，月城和神城的平面布局呈倒“凸”字形结构。高大兀突的塔式陵台，是陵园内最引人注目的建筑，被称为“东方的金字塔”。但每座陵园的平面布局又有变化，如附表所示，有的为单城（无外城），有的为双城，双城又分为外城南面开口式、呈回字形的封闭式。封闭式双城的特点是：除角台之外的所有建筑都包在外城之中；角台不是远离城郭，而是与外城相连，成为外城的一部分；东碑亭前加了一座小碑亭，使碑亭成为三座；最重要的是，在神城的中心（对角线点上）还有夯筑的方形“中心台”。因这种形制的建筑为其他帝陵所无，也为中原历代帝陵所无，因此备受关注。早在20世纪70年代，就有人认为它可能是“台榭之类别的建筑物”①，至于它的性质和功能则未涉及。进入90年代，又有人将其与汉代陵园祭祀时悬挂鸣钟的钟架“钟虡”联系起来，认为是“钟虡基址”，但又认为“只具有象征意义而不实用”。② 笔者也早有此种想法，这一建筑可能就是悬挂钟鼓的“钟虡台”③，以备祭祀时使用。但究

① 韩兆民，李志清：《宁夏银川西夏陵区调查简报》，见《考古学集刊·5》，北京，中国社会科学出版社，1987。

② 韩小忙：《西夏王陵》，下编，兰州，甘肃文化出版社，1995。

③ “钟虡”是悬挂编钟的木架，放置在祭祀时鸣钟之处。“钟虡”一词，见于《后汉书·礼仪志》：明帝显节陵“无周垣，为行马，四出司马门；石殿、钟虡在行马内”。行马：拦阻人马通行的木架；与祭祀有关的石殿、钟虡在行马内。又：古代悬钟磬鼓的木架称“簨虡”，横木曰簨，直木曰虡。《礼·明堂位》：“夏后氏之龙簨虡。”注：“簨虡，所以悬钟磬也”，上饰龙纹。《南齐书·礼志上》：“虽金石辍响，而簨虡充庭。”但是，这一解释并不完满，问题是每座陵都是要祭祀的，为什么别的陵园没有这个“钟虡台”？

竟如何，尚需深入讨论。

西夏陵地域辽阔，沟壑纵横，陪葬墓多而分散，陪葬墓的调查一直是工作的难点之一。多少年来，陪葬墓数多为估算，拿不出一份像样的图纸，很难适应文物保护和开发的需要。1989年、1990年，受自治区文管会委托，笔者作为主要负责人，以陪葬墓为重点，对西夏陵进行了全面系统的调查、测绘工作。在50平方公里的范围内，我们跑遍陵区的每个角落，并结合绘图工作，从实地到图纸，从图纸到实地，反复勘校，来回查对，终于搞清现存陪葬墓206座（部分难以认定的未计算在内）。对每座墓保存现状，墓冢的大小和墓园布局、规模做了调查，重新统一编号，测绘了重点陪葬墓图，从而使西夏陵的工作大为改观①。

西夏陵的陪葬墓，有的为独墓，有的有墓园。墓园的基本结构是封土加方城。方城是墓园的主体，有方形、长方形两种。有的墓园像帝陵一样规模很大，有月城、外城、碑亭、门阙（门楼）、角阙（角楼）等，个别的还有鹊台、献殿，还有帝陵所没有的影壁，当为重要贵胄之墓。有的月城内神道两侧也有石像生遗迹。绝大多数坐北朝南，少数坐西朝东。后三墙封闭，唯正面辟门。有的一个墓园中还有两个墓、三个墓的情况，规模大小不等。封土是陪葬墓标志性建筑，有圆丘、圆墩、圆柱、圆锥等不同形式，多为黄土夯筑。和帝陵一样，封土位于子午线偏西的西北方。帝陵和陪葬墓的不同，墓园大小和墓冢高低的差别，反映了西夏森严的等级制度。据调查，在206座墓中，有墓园的占67%，而保存墓园墙体的仅剩一座，即M161。其余墙体大都倒塌，呈鱼脊状隆起；有的几与地平，非专业人员很难辨认。作为墓葬主要标志的封土也大都破坏，完整的很少。

据统计，墓园的规模大小差异很大。在103座墓园中，最大的一座（M161）总面积达28500平方米，小墓一般不足500平方米，

① 牛达生：《西夏陵考察测绘工作概述》，载《宁夏社科情报》，1990（2）。

最小的如 M33，仅 100 平方米。绝大多数墓园在 1000～5000 平方米，占总数的 65.1%。5000 平方米以上的大墓园集中在三区、四区特别是 10000 平方米以上的 9 座大墓，有 8 座在三区，从一个侧面反映了三区和四区，也即 5、6、7 号陵（当为惠宗秉常、崇宗乾顺、仁宗仁孝时代）修建时，是西夏社会经济比较繁荣和发展的时代。这与史载大体是吻合的。

一园多墓是西夏陵特有的一种现象，引人关注。从布局上看，两墓园中，一墓位于西北方，另一墓多位于东南方；三墓园中，有两墓与两墓园相同，新增一墓在西南方。据此判断，西北方的当然是主墓，依次应为东南方的和西南方的。同一墓园墓主之间的关系，当然是血缘至亲。是否三个墓主为祖、父、孙三代呢？个别的两墓园，第二墓不在东南方，而在西南方，是否可认为其为祖、孙关系呢？由于没有发掘，这只能是一种推断，究竟如何，还有待将来的发掘和研究。

3. 6 号陵的发掘和 3 号陵的地面清理

6 号陵是西夏陵唯一经过正式发掘的帝陵。笔者是参加发掘的业务人员一。从 1972 年开始到 1975 年，断断续续进行了 4 年，并发表了《简报》①。

6 号陵因严重破坏，出土文物不多，位置也已错乱，但这是第一次从西夏墓中出土的西夏文物，仍有重要价值。这些文物：金银器有荔枝纹金带饰、嵌绿松石鎏金银饰、花瓣形镂空金饰、金扣边（器物口沿扣边）、金鞍饰（鞍桥包边）、鎏金兽面形银饰等；铜器有甲片、门钉泡、副肘板、铜铃等；还有竹雕、铁管、铁钉、料珠、陶瓷残片等。其中制作精工的荔枝纹金带饰，雕出庭院、人物的竹雕，都十分精美。

陵园地表散布不少文物：石刻有力士碑座、雕龙栏柱、莲花柱

① 宁夏回族自治区博物馆：《西夏八号陵发掘简报》，载《文物》，1978（8）。原编为 8 号陵，后经正式编号，改为 6 号陵。

础、经幢、石螭首、文臣头像和碑刻残片等；建筑材料，除大量一般砖瓦、滴水、瓦当外，还有不少脊饰，如套兽、龙头、鸱吻等，有灰陶的，有琉璃的；文臣头像，深目高鼻、留八字胡，是党项人形象的宝贵资料；力士碑座，造型奇特，其中一件定为国宝级文物；而一件高 1.52 米的琉璃鸱吻，由于它在研究西夏和我国传统建筑上的重大价值，不仅定为国宝级文物，还被国家博物馆收藏；内容丰富的碑刻残片，既有史料价值，又是西夏书法艺术品。

人们还注意到：在西夏帝王陵墓中出土的钱币，除出土在填土中的一枚“光定元宝”是西夏钱外，其余数十枚竟全是北宋的，最早的是“淳化元宝”，最晚的是“宣和通宝”，还有个别汉“五珠”、唐“开元”等钱币。另外。部分灰砖有手印纹，也成了西夏砖的特点。这些品类繁多的、富有民族特色的文物，无不荡漾着西夏文明的霞光。

3 号陵是西夏陵 9 座帝陵陵园中保存最好的一座，也是建筑结构最为奇特的一座。1987 年、1998 年有关部门先后两次对东、西碑亭进行了清理发掘，并撰写和发表了简报①。2000 年、2001 年，为配合 3 号陵园土建遗址保护工程的实施，对陵园建筑遗址进行了大规模的清理发掘，揭露面积 2 万多平方米，全面揭示了陵园的平面布局和营建规制②。3 号陵的工作比 6 号陵做得更为精细、深入，通过对遗址的大面积揭露，又有不少新的发现。

3 号陵因地面遗迹的清理，出土文物除少量石像生残件和个别铜铎、铜带扣等外，主要是建筑材料，“占遗物总数的 99%”。较早清理的东西碑亭，都出土了石刻力士碑座，一般都是双手撑于膝盖形式，而东碑亭的一件则是双手上托的新形式。1987 年东碑亭

---

① 宁夏文物考古研究所：《银川西夏陵区三号陵园东碑亭遗址发掘简报》，载《考古与文物》，1993（2）；《西夏陵区 3 号陵园西碑亭遗址发掘简报》（待发）。

② 宁夏回族自治区文物考古研究所，银川西夏陵管理处：《宁夏银川市西夏陵 3 号陵园遗址发掘简报》，载《考古》，2002（8）。

遗址出土的莲花纹方砖有5种之多，造型十分精美。地面所出土的建筑材料，大量的是一般砖瓦，还有少量楔形砖、莲花纹砖等。装饰构件有套兽、鸱吻等，还有戗脊蹲兽迦陵频伽（又称美音鸟、妙声鸟）、摩竭鱼、吼狮（海狮）。其中迦陵频伽是首次出土，摩竭鱼、吼狮曾在北部佛寺遗址出土。这几种蹲兽未见于唐宋陵墓及内地建筑物，对研究西夏建筑、中国建筑具有重要价值。迦陵频伽可发出妙音，用以供养和愉悦佛尊；摩竭鱼、吼狮都是佛经中法力很大的神物，而塔式陵台就是一座佛塔；这为西夏陵建筑增添了更多的佛教色彩①。

4. 陪葬墓的发掘

为了了解陪葬墓的形制和墓室结构，了解帝陵和陪葬墓的关系，在20世纪70年代中后期，在发掘6号陵的同时，清理发掘了4座陪葬墓，见于报道的有2座，即M182和M177的发掘。

182（原编108）号墓，1975年发掘，并发表了简报②。这座墓为独墓园，由方城封土和碑亭组成。方城略呈方形，坐北朝南，方向160°；南北58米、东西55.6米，基宽1米，残高数十厘米。正面有门道，宽3.25米，从地面堆积砖瓦判断，原应建有门楼。方城外神道东侧有方形碑亭台基一座，边长10米，高0.8米。堆积中有西夏文、汉文碑文残片。墓冢位于墓园西北方，受到严重破坏，呈不规则圆锥体，夯筑，直径5.6米，残高4.5米。原包有两层白灰皮，说明曾进行过维修。

墓室由阶梯状墓道、甬道和墓室组成。其中墓室为土洞墓，穹隆顶，略呈圆角方形，边长4米，高3.5米。墓门为木扇门，有木门限和木门扇残迹。墓室没有铺地砖，壁面也没有砌砖、涂灰和使用护墙板的痕迹，十分简陋。墓室早期被盗，葬具、随葬品及人骨

---

① 牛达生：《闲话西夏陵》，载《寻根》，2003（5）。

② 宁夏回族自治区博物馆：《西夏陵区一〇八号墓发掘简报》，载《文物》，1978（8）。

架被严重破坏和扰乱。墓室中发现大量朽木和44枚铁棺钉，说明其为棺葬。

墓室出土石狗、石马各一件，有羊、牛、马家畜骨骼近百块，还有完整的鸡、鸭骨架和蛋壳等。出土唐“开元通宝”及北宋“祥符通宝”、“熙宁通宝”等钱币，还有瓷器残片等。据研究，出土残碑经拼合，为“梁国正献王神道碑”，墓主嵬名（皇姓）安惠，地位很高，在崇宗乾顺朝任“太师、尚书令、知枢密院事”等职，曾整修过西夏都城中兴府，为西夏研究增添了重要资料。出土丝织品经鉴定，有素罗、纹罗、工字绫、异向绫等，其中“茂花闪色锦为第一次出土”，具有重要研究价值①。

M177（原编101）号墓，发掘于1977年，有简报发表②。该墓由方城、月城、外城、封土、门楼、照壁、双碑亭组成。茔域面积20900平方米，是陪葬墓中的大墓之一，也是少数平面布局完整、有石像生遗迹的墓葬之一。墓室由斜坡墓道、甬道、墓室组成。其中墓室约呈方形，边长5米，穹隆顶。出土文物有棺板、棺钉，说明为棺葬。墓室早年被盗，所遗文物不多，有铁狗、铁釜、铁矛、铜铃、石人头、石马、面食点心、丝织品残片、瓷片等。其中，出土于甬道的一件十分重要，即重188公斤的鎏金铜牛，工艺精湛，造型精美，体现了西夏高超的铸造技艺，被定为国宝级文物。

5. 陵区北部佛寺遗址和陵区东部砖瓦窑遗址

历代帝陵多有佛寺，如汉明帝死后，“起祇园于陵上，自此以后，百姓冢上或作浮图焉。”“祇园”即“祇园精舍”，是佛陀居住的地方。位于山西大同的北魏永固陵，建有“思远浮屠”；隋唐帝

① 上海纺织科学研究所纺织史组：《西夏陵区一〇八号墓出土的丝织品》，载《文物》，1978（8）。

② 宁夏回族自治区博物馆：《西夏陵区一〇一号墓发掘简报》，载《考古与文物》，1983（5）。

陵，多有须弥座棺床、力士、飞天浮雕和莲花纹砖石，具有浓厚的佛教色彩；特别是巩县宋陵陵区内建有“永昌”、“永定”、“昭孝”和“宁神”等四座佛教寺院，在陵区附近还有“永安寺”和“净惠罗汉院”①。西夏崇奉佛教远过于宋，在其陵园内建佛寺，为陵主诵经、祈祷，以修梵福，自是情理中事。

西夏陵北部建筑遗址，因其规模宏大、布局清晰、内涵丰富，受到重视。这处遗址曾经被认为是“陵邑”②、“祖庙”③，但更应该是“佛寺”④。1986 年、1987 年两度组织发掘，总计发掘 4400 平方米，第 2 次发掘有简报发表⑤。

佛寺遗址位于四区 8 号陵东侧。现存遗址坐北朝南，方向 145°，平面呈纵向长方形，由前、中、后三进院落组成，东西 160 米，南北残长 320 米，现存总面积 51200 平方米。有中心大殿、过殿、挟屋、厢房，还有过道、行廊、踏步等，是一个完整的建筑群体。

遗址中出土文物有泥塑、陶瓷、石刻及铜铁器残件，而以建筑材料最具特色。它品种繁多，质地优良，数量极大，可谓堆积如山。但各个遗址的建筑材料的种类又有差别：如中心大殿有槽心瓦、白瓷瓦、滴水、瓦当、脊兽、鸱吻等，而挟屋和厢房多为普通陶质砖瓦。出土器物的不同，显示了建筑等级的差异。

过殿有几件琉璃蹲兽，形制奇特，尚难定名：一为鸟形，似可定名为金翅鸟；一为有翼鱼形，似可定名为摩竭鱼；一为兽形，似可定名为吼狮。摩竭鱼、吼狮如前述在 3 号陵地面遗址的发掘中也有发现。西夏信仰佛教，这些蹲兽都是佛教中法力无边的神物，具有保护西夏统治的象征意义。这几种蹲兽为中原历代建筑所无，对

① 河南省文物考古研究所：《北宋皇陵》，第六章，郑州，中州古籍出版社，1997。

② 吴峰云：《西夏陵园及其建筑特点》，载《宁夏文物》，1986 年创刊号。

③ 宁夏文物考古研究所：《西夏陵园北端建筑遗址发掘简报》，载《文物》，1988（9）。

④ 牛达生：《西夏陵三题》，载《宁夏社会科学》，1995（4）。

⑤ 宁夏文物考古研究所：《西夏陵园北端建筑遗址发掘简报》，载《文物》，1988（9）。

古代建筑的研究具有重要价值，反映了西夏在吸收中原文化营养同时，又注入了本民族文化的色彩。

陵区砖瓦窑遗址，位于陵区东部偏北西干渠西面的岗丘上，在南北长约6公里的狭长范围内，发现砖瓦窑、石灰窑十余处。因传说这里有一口烧瓷用水之井，这一带被称为“缸瓷井”。1976年，宁夏博物馆清理了其中两座砖瓦窑和一座石灰窑，并发表了简报[①]。砖瓦窑建在一处岗丘上，利用隆起的自然地势开凿而成。由窑门、窑室、火膛、烟囱四部分组成，全长6.3米，方向355°。石灰窑建于岗丘的东坡上，方向80°，由火门、火膛、窑室组成，结构简单。

砖瓦窑址周围的堆积层中，多为砖瓦和脊饰残件，与西夏陵所用建筑材料完全相同，说明这些窑是为建造西夏陵而设的。中原地区由于土质黏性大，汉唐以来的砖瓦窑多凿土为穴，不用砖筑造。西夏陵一带的土质为黄沙土，结构松散，黏性低，故因地制宜，窑室用砖砌造。西夏陵砖瓦窑、石灰窑，是西夏考古中仅有的一次发掘。它的结构继承了汉唐以来马蹄形的传统形制，并因地制宜，有所改进。

6. 西夏陵与宋陵的异同

西夏陵“仿巩县宋陵而作”[②]，是从大的布局方面而言。宋以前的陵墓如汉、唐陵墓，分布十分分散，从宋代开始则相对集中，历代皇帝都葬在一个很大的公共墓地，分别建置陵园，开启了陵园建筑的新模式。西夏陵和宋陵是一致的。在平面布局上，宋陵以中轴线左右对称，陵园由鹊台、乳台、石像生、神城、角阙、献殿、陵台、下宫等建筑组成；西夏陵小有变化，但基本一致。西夏陵的建筑如果复原起来，是传统的木结构大屋顶建筑，它雕梁画栋，红墙碧瓦，在宏观上与中原帝王陵园并无不同之处。据《旧唐书·党

① 宁夏博物馆：《银川缸瓷井西夏窑址》，载《文物》，1978（8）。

② （明）胡汝励：《嘉靖宁夏新志》，卷四，银川，宁夏人民出版社，1985。

项传》载：党项人居住的是用牛羊毛织成的帐篷，即“居有栋宇，其屋织犛牛尾及羊毛覆之，每年一易”；死后要“焚尸，名为火葬”。但在西夏陵所看到的，即是木结构大屋顶建筑和有陵台、有封土的土葬，这显然是受中原文化影响的结果①。

但西夏陵有许多与宋陵园不同的特点，诸如平面布局，宋陵都是单城方形，夏陵则多为双城长方形。宋陵建筑中有乳台、下宫，而无碑亭、角台，西夏陵则无乳台、下宫，而有碑亭、角台。宋陵石碑立于南神门前，无建筑围护，西夏陵则在神道两侧显著位置构筑碑亭。宋陵的石像生置于鹊台和神门之间的神道两侧，排列得较长；西夏陵则在月城内神道两侧，缩短了陵园的前后距离，显得更为紧凑、严谨。其中最主要的区别是陵台，西夏陵的陵台不在神城中心，而是偏离中轴线，雄踞于陵园西北方；其形制也不是方形，实际上是一个实心的、多级的（5～9层）、八角形密檐式塔，复原起来，有点像侗族的增冲鼓楼，十分壮观，是西夏陵最具特色的建筑。

7. 银川附近的其他西夏墓葬

如前述在银川附近还发现其他西夏墓。其中永宁闽宁村墓，因其是党项大族野利氏家族墓地，又是首次发现的西夏早期墓葬，故备受关注，也是21世纪西夏考古的最新发现。

闽宁村西夏墓位于永宁县闵宁村开发区内，它地处贺兰山洪积扇荒漠地带，在西夏陵南约20公里处。这里有墓葬14座，碑亭4座，有4座有墓园，封土高低不等，皆为圆锥形，高者达3～4米。与西夏陵园一样，封土不居中位而位于墓园西北部。2000年、2001年发掘墓葬8座，皆为阶梯式墓道单室土洞墓。墓门与西夏陵陪葬墓一样也用圆木和木板封堵，墓室多为方形单室穹隆顶墓（也有平顶），四壁裸露，既不用砖砌，也无任何装饰。在已发掘的

---

① 牛达生：《西夏陵》，见《中国大百科全书〈文物·博物馆〉卷》，北京，中国大百科全书出版社，1993。

8座墓中2座有天井，这是西夏陵及已知的其他西夏墓所没有的，在同期的宋墓中也不多见，反映了唐墓结构及埋葬思想对西夏的影响。

闽宁村西夏墓出土碑文残片237块，皆为仅有数字的碎块。其中两见“野利”名讳，一见“张陟撰”。“野利”是党项豪族，而撰写碑文者是李元昊重臣右仆射兼中书侍郎平章事张陟①，为该墓群是党项野利氏家族墓地提供了确切依据。与西夏陵不同，残片中没有西夏文，说明西夏早期西夏文尚未广泛使用。在出土文物中，最具特色的是M8的木俑，有武士、文臣、木鸡、木牛、木羊等，做工粗放。武士头戴盔甲，作骑马状，或许反映了西夏在战争中对骑兵的重视。墓中多有马、骆驼、绵羊等动物骨骼，有的为幼羊，说明当时党项人仍然保存着“衣皮毛，事畜牧”的传统习俗。在8座墓中，有5座为火葬墓，表明西夏早期盛行火葬②。

1984年，宁夏文物部门在银川新市区清理西夏小墓4座。都是大小约1米的小型墓室。墓室内垫土约1/2厚时，将盛放骨灰的坛或碗打破，置于墓室中间，用土填平，上盖条砖封顶，最后用土将墓坑填实。墓内随葬品多寡不一，有陶制砚台、小盆，瓷制碗、盏、坛等，还有北宋钱币“祥符通宝”、“元祐通宝”③。据出土钱币判断，这些小墓当为西夏中期墓葬。这是西夏平民墓的首次发现，它与已知的皇室、权贵和官僚墓葬不同，反映了西夏的贫富差距和等级制度，对研究西夏葬俗有重要意义。

---

① 《宋史·夏国传》卷四八五：景佑二年（1036年），李元昊“始大建官，以嵬名守全、张陟……辈主谋议”。《夏国皇太后新建承天寺瘗佛顶骨舍利碣铭》的撰文者是张陟，他的职衔是“右仆射兼中书侍郎平章事”。按宋制，右仆射兼中书侍郎平章事为宰相，从一品。

② 宁夏文物考古研究所：《闽宁村西夏墓地》，北京，文物出版社，2004。

③ 许成：《银川新市区西夏墓》，见《中国考古学年鉴·1985》，北京，文物出版社，1985。

（二）西夏窑址和瓷器

我国是丝绸之国，也是瓷器之乡，但西夏瓷器如何，则鲜为人知。20世纪70年代以来，在宁夏、甘肃、青海和内蒙古西部地区，零星发现瓷器，多出土在墓葬、遗址、窖藏中。更为重要的是在宁夏灵武、中卫，甘肃武威，青海互助、湟中等地发现了西夏瓷器窖藏，出土了不少精美瓷器，有的还有西夏年款。在此前后，还在武威塔儿湾①、贺兰山插旗沟、海原临羌寨古城发现了西夏窑址，也有精美瓷器出土。这些发现为研究西夏瓷提供了重要资料。但是，正式发掘并揭开西夏瓷面纱的，只有宁夏灵武窑和灵武窑附近的回民巷窑。

1. 宁夏灵武窑（包括回民巷窑）

灵武窑属古灵州（治今吴忠市）之地。灵州向为我国西部重镇，唐开元年间为朔方节度使治所，安史之乱后，唐肃宗在此即位，一度升为大都督府。宋咸平五年（1002年），为夏国主李继迁所陷，夏国的统治中心由夏州（今陕西靖边北）迁此，并改称西平府。1020年，西夏国都北迁兴州（今银川市）后，灵武又成为西夏十二监军司之一的翔庆军司所在地。

灵武窑址在灵武市东35公里的一个小沙丘上，因地面上瓷片堆积如山，俗称"瓦罐窑"；又因在明代磁窑堡旧城附近，也称"磁窑堡窑"。灵武窑遗址面积约24万平方米。中国社会科学院考古研究所在1984年、1985年、1986年分三次对窑址进行了发掘，发现西夏窑炉3座，清代窑炉1座；西夏作坊8座，元代作坊1座；出土三千余件瓷器、工具、窑具等及大量瓷片；并对西夏瓷的种类、制造工艺、装饰纹饰等进行了深入的研究，取得了重大成

① 党寿山：《武威文物述略·武威塔儿湾出土的西夏瓷器》，甘肃省博物馆印，2001。孙寿岭：《武威新发现的西夏瓷器》，载《文物》，1993（1）。

果，并见之于《宁夏灵武窑发掘报告》[①]。根据地层叠压关系和出土文物分析，灵武窑创于西夏中期（崇宗、仁宗时期），经元明直至清代，分为五期，其中一、二期为西夏中晚期，三期以后属元明清时期。

回民巷窑址在灵武窑东北约2公里处的一个南北向的山梁上。这个窑址东西约200米，南北约400米，俗称“瓦碴梁”。1987年，中国社会科学院考古所作过调查[②]。1997年，宁夏考古所配合天然气输气管道工程，对其进行了抢救性发掘，清理了窑炉2座，灰坑3座，出土文物两千余件，对西夏瓷作了重要补充[③]。据研究，回民巷窑略早于灵武窑，并废于西夏晚期。

需要说明，文中的灵武窑实际上指的是磁窑堡窑，这里只是借用了“灵武”这一名称。从某种意义上说，回民巷窑也应是灵武窑的一个组成部分。

（1）丰富多彩的灵武窑瓷器。灵武窑瓷器种类繁多，计有生活用具、文房用品、娱乐用具、瓷塑艺术品、宗教用品，兵器和建筑材料，还有窑具、工具等。在这些用具、用品中，以生活用具最为丰富，计有碗、盘、盆、壶、罐、瓶、瓮、釜、杯、钵、唾盂、盒、炉、灯盏、器托、器盖、漏斗、铃、钩、纺轮等。

在生活用具中，同一用具的釉色、器形多有变化，能满足各种审美需要。碗是瓷器中最多的一种，釉色有褐釉、青釉、白釉、黑釉、紫釉等色，而器形竟有斜壁碗、唇口碗、曲腹碗、葵口碗、折沿碗、高圈足碗等6类。瓶的釉色和种类更多，就以种类而言，就有经瓶（梅瓶异称，盛酒用具）、花口瓶、净瓶、玉壶春瓶、小口

① 中国社会科学院考古研究所：《宁夏灵武窑发掘报告》，北京，中国大百科全书出版社，1995。本节内容和引文未注明出处者，皆出自本报告。

② 中国社会科学院考古研究所：《宁夏灵武县回民巷窑址调查》，载《考古》，1991（3）。

③ 宁夏文物考古研究所，灵武文管所：《宁夏灵武市回民巷西夏窑址的发掘》，载《考古》，2002（8）。

双耳瓶、小口深腹瓶、葫芦瓶、盘口多耳瓶等9种之多。罐、钵种类也较多。每一种器物的釉色、大小、精粗又有多种形式。

灵武窑瓷器上的装饰纹饰题材丰富，构图精美，既有宋、辽、金广为流行的题材，也有独具特色的题材。如反映民间习俗的婴戏纹、鹿衔花纹，还有各种动物纹饰和图案纹饰，但以植物花卉纹饰最具特色，有莲花、梅花、菊花、石榴花、茨菰等，而牡丹花占整个花卉纹饰的80%以上。在经瓶、扁壶、罐、盆、钵等器物上，剔刻有大量牡丹花。牡丹花可分为折枝、缠枝、串枝三种。折枝多在开光①内，以一个花头为最多，少数为两个花头，也有个别三个头的。缠枝则无开光界线，布满整个器身，如扁壶花纹，是由4个花头的牡丹枝缠绕构成；在经瓶上，则用一花枝S形缠绕，花头一上一下交错一周。串枝多用在罐和扁壶上，花枝、花头平串一周。

牡丹花雍容雅致，被视为富贵祥瑞的象征。宋代、辽代牡丹盛行，宋陵的石刻群中，牡丹花比比皆是，辽圣宗永庆陵中室所绘《四季山水图》中的《夏图》，就是三朵大牡丹花。西夏瓷器上牡丹纹花饰，因器施画，姿态各异，令人喜爱：有的一枝独放，亭亭玉立，有的两两相对，婀娜俊俏，姿容娇娆。众多的牡丹花纹，体现了西夏百姓对其有着特殊的喜爱。器物上的花饰用剔刻技法形成主体纹饰，胎、釉色差对比强烈，宾主分明，疏密得当；而采用开光构图，又给人以明快之感。这么多装饰精美的各色器物，反映了丰富多彩的西夏社会生活状况。

另外，建筑材料有瓦当、滴水、板瓦、筒瓦等。瓦当多为兽面纹，滴水则饰莲花、莲叶、茨菰等水生植物纹。这些建材均为素烧，但制作规整，纹饰深峻。另有白釉瓷板瓦和槽形瓦（暂名）较

① 所谓“开光”，是传统的装饰方法之一。“开光”是古代从房屋窗户的形式演变而来的。为了使器物突出某一形象，往往在器物某一部位预留出某一形态的空间，如扇形、蕉叶形、菱形、心形、桃形、圆形等，然后在这一空间内部饰以某种花纹，称为“开光”。“开光”这种手法，不仅常见于陶瓷器皿的图案上，也见于景泰蓝、雕漆的工艺中。

为特殊，白釉板瓦较常瓦为小，上下等宽，弧度较小，凸面施釉；槽形瓦仅一面施釉，上面中间有槽沟。这两种瓷瓦在西夏陵也有出土，但用途不明，白瓷板瓦或作贴面之用。《宋史·夏国传》载："俗皆土屋，唯有命者得以瓦覆之"。看来这些瓦件都是为官府生产的。

（2）灵武窑瓷器的民族特色。在西夏的瓷器中，无论是器形，还是纹饰，与中原地区窑系器物多有相似之处，但也有与党项族的社会状况和生活习俗相关的独具民族特点的瓷器。秃发俑头，是党项族特殊发式的形象资料；西夏开国皇帝李元昊在其建国前就发布过"秃发令"，规定"如三日不从令，许众杀之"[①]。纺轮数量很大，反映了党项族家庭毛纺织业的繁荣。最具特色的是器形扁圆、上有系绳之耳、器表剔刻牡丹花纹、造型别致的扁壶，这是骑马民族驰骋于草原、沙海，用来装水、装酒的最佳用具。这种扁壶为国内其他窑址所少见，是灵武窑独有的产品。

在雕塑品中，骆驼、马的数量较大，反映了游牧民族对它们的喜爱。瓷埙小巧玲珑，是游牧民族喜爱的乐器。

灵武窑出土了许多与佛教有关的瓷质用品，如力士俑、擦擦、如意轮、莲花座、数珠、脊饰摩羯鱼[②]等，反映了西夏崇尚佛教的盛况。擦擦又称小泥塔，是密宗信徒常用物品之一，在西藏非常盛行，在西夏的遗址、墓塔中也多有发现，但一般皆为泥质，也有陶质的，瓷质的比较少见。数珠又称念珠，为念佛记数之用，为佛教徒不可或缺之物，这里所见有瓷质和骨质两种。西夏后期受藏传佛教影响，在有关皇帝的发愿文中，在所施物品中，多有数珠，动辄数万串，"普施臣吏僧民，每日持诵供养"[③]，可见一斑。

---

① （宋）李焘：《续资治通鉴长编》，卷115，北京，中华书局，1985。

② 摩羯：为梵文 makara 的音译，是印度神话中的水怪，《慧琳音义》卷四一："摩羯，海中大鱼，吞陷一切。"西夏陵出土了完整的摩羯鱼脊饰。

③ 史金波：《西夏佛教史略》，262页，银川，宁夏人民出版社，1988。

（3）灵武窑制作工艺受多受宋金影响。灵武窑的制作工艺大体与中原相似，深受宋、金影响。灵武窑的窑炉，平面布局呈马蹄形，由窑门、火膛、窑室和烟囱组成，大体属于“北方馒头窑”一类。作坊是烘坯和施釉的场所，有的也兼作起居之用。与南方诸窑不同，由于西北地区气候干燥，在室外棚架晾坯易干裂，灵武窑作坊内有烘坯火炕，晾坯工序需在室内进行。回民巷以黑、褐、青釉为主，“受陕西耀州窑影响较大”①；而灵武窑的剔刻花瓷是磁州窑系的代表产品，白釉瓷又为定州窑系所长。西夏瓷是在河北、山西磁州窑系、定州窑系的影响下形成与发展起来的，同时也受到陕西耀州窑的影响。

灵武窑的原料，经检测，主要矿物成分为“高岭土、白云母、石英石、长石等”。同时实验表明，灵武窑瓷器的质量已达到相当的水平，除“较北方名窑定窑的产品低，一般不低于北方其他窑的产品”。灵武窑品种繁多，釉色丰富，在借鉴中原地区诸窑技艺的基础上，创造出许多精致的具有民族特色的产品，达到了较高的技术水平和艺术成就，为我国陶瓷工业的发展做出了重要贡献。灵武窑的发现和研究成果为研究西夏瓷提供了科学依据，填补了我国陶瓷史的空白。

附带一谈，在灵武市还发现一处重要的银器窖藏。窖藏位于灵武市横山乡石坝村，这里地处黄河东岸，西距西夏故都银川十多公里。1976年，在村南两百余米的沙滩上，在距地表1.5米深处，发现一批银器，计有银碗、银盒、银发钗等19件。其中，银碗二式6件，一件内壁底部墨书西夏文“三两半”，实测137.5克；一件内壁底部墨书西夏文“三两”，实测114克；另一件稍大，内壁底部墨书西夏文“二两八”。据测算，西夏每两值38～39.1克。而宋制，每两值39～40克。器底墨书西夏文重量，为研究西夏的度

① 宁夏文物考古研究所，灵武文管所：《宁夏灵武市回民巷西夏窑址的发掘》，载《考古》，2002（8）。

量衡制提供了重要资料，西夏的均衡制“与宋王朝的权衡制度是相似的”[①]。

（三）西夏寺庙和古塔

我国古代建筑，如东汉的阙、北魏的塔、隋代的桥、唐代的佛寺尚有保存至今的，而与西夏同时的宋辽金有更多的建筑保存至今。西夏立国近两个世纪，在其境内兴建了许多宫殿、衙署、寺塔、驿舍、店铺、民居等。据载，景宗元昊除在贺兰山建有规模很大的“离宫”外，在都城兴庆府营造的“元昊宫”，也是“逶迤数里，亭榭台池，并极其盛”[②]。除此以外，因西夏崇奉佛教，见之文献的西夏寺庙，在宁夏境内的有兴庆府戒坛寺、承天寺、高台寺、海宝塔寺、大度民寺、贺兰山佛祖院、五台山寺、慈恩寺、奉天寺等；在甘肃境内的有凉州护国寺、圣容寺、崇圣寺、张掖卧佛寺、崇庆寺、诱生寺、十字寺；此外尚有禅定寺、大延寿寺、阿育王寺、众圣普化寺等。这些寺院，翻译、刊刻佛教典籍，举办法会，弘扬佛法，对推广和传播佛教文化起到了积极作用。

然而，在20世纪80年代以前，学术界除知银川承天寺、张掖卧佛寺等几处清代重建的西夏建筑外，更不知还有什么西夏建筑。80年代以来，经过宁夏文物部门的工作，彻底改变了这种对西夏建筑毫无所知的状况。最先发现的是贺兰拜寺口双塔为“西夏原建”[③]，1988年被公布为国保单位。继而又发现同心韦州康济寺塔、青铜峡108塔、贺兰潘昶宏佛塔、贺兰拜寺沟方塔等，也是西夏古塔[④]。这些西夏古塔的发现，不仅填补了我国古代建筑的一个重要缺环，而且对于研究西夏社会历史和物质文化也有重要意义。

---

① 董居安：《宁夏石坝发现墨书西夏文银器》，载《文物》，1978（12）。

② （清）吴广成著，龚世俊等校：《西夏书事校证》，卷18，兰州，甘肃文化出版社，1995。

③ 牛达生：《宁夏贺兰山拜寺口西夏古塔》，《再论贺兰山拜寺口古塔为西夏原建》，载《考古与文物》，1986（1）与1987（1）。

④ 宁夏文物管理委员会：《中国古代建筑·西夏佛塔》，北京，文物出版社，1995。

1. 西夏皇家寺院——银川寺承天寺

承天寺坐落于银川老城西南隅，是西夏的皇家寺院。《夏国皇太后新建承天寺瘗佛顶骨舍利碣铭》载：西夏开国皇帝李元昊死后，“承天顾命，册制临轩”的皇太后没藏氏，为保年满周岁就“幼登宸极”的毅宗李谅祚长治久安，于天祐垂圣元年（1050年），“大崇精舍，中立浮屠”，起建承天寺。福圣承道三年（1055年）竣工后，“好佛”的没藏氏，将宋朝所赐《大藏经》，“贮经其中，赐额承天，延回鹘僧登座演经”，没藏氏怀抱只有数岁的谅祚不时听讲[①]。承天寺是西夏第一座皇家寺院，也是一座异常辉煌的寺院。

地震和战乱是任何古代建筑都逃不脱的灾难，许多保存至今极有价值的古代建筑，或多或少改变了它原有的面貌，注入了后代的色彩。今天的承天寺也非昔日原制了。据明清方志记载，明初承天寺已毁，只剩“独塔一座”。明洪武、成化、万历年间曾多次构筑殿宇佛阁，修饰寺塔，使“梵刹钟声”成为宁夏八景之一。

现在的承天寺坐西朝东，略呈长方形，东西210米，南北115米。分前后两院，前院是五佛殿、承天寺塔，后院是韦陀殿和卧佛殿。这些主要殿宇都排列在中轴线上，从建筑风格判断，都是晚清建筑了。

西夏的承天寺塔是一座雄浑的高11层的楼阁式塔。据新建承天寺《碣铭》称，是“建塔之晨，崇基垒于碱砆（似玉之石），峻级增乎瓴甋。金棺银椁瘗其下，佛顶舍利闷其中”。意思是塔的高大基座，是用像玉石一样的石头垒砌起来的，逐级增高的塔身，是用砖头一层一层铺砌起来的。乾隆三年的银川8级地震，使这座古塔和寺院一同成为废墟，原塔的形制已难以确知。现在的塔是清嘉庆二十五年（1820年）重建的，是一座砖砌八角形的11层楼阁式塔，总高64.5米。宋代流行八角形塔，而明清方志称，承天寺塔

① （清）吴广成著，龚世俊等校：《西夏书事校证》，卷19，兰州，甘肃文化出版社，1995。

是11级的。这些片纸只字，说明现在的承天寺塔保持了“西夏承天寺塔的基本结构和形制”[①]。承天寺塔的绿色桃形塔顶，与一般佛塔塔顶的相轮、宝珠不同，却与广州伊斯兰教的圣怀寺塔顶相仿，似乎是受了伊斯兰教影响的结果。

2. 贺兰县拜寺沟方塔

拜寺沟是贺兰山东坡的山沟之一，在宁夏贺兰县境内，东南距银川50公里，方塔位于距沟口约10公里的贺兰山腹地。方塔史志不载，不知创建所由，西夏名称早佚，因在拜寺沟，以沟名塔，俗称为拜寺沟方塔。1990年冬，方塔被不法分子炸毁，成为一片废墟。在现场调查时，发现墨书西夏文和汉文题记的塔心柱，方知方塔是十分少见的西夏古塔，而且是唯一有明确纪年的、建于惠宗大安二年（1075年）的西夏古塔，也是现知西夏最早的古塔。

1991年8、9月间，经国家文物局批准，宁夏考古部门对方塔废墟进行了清理发掘。这次发掘，出土了一批珍贵的西夏文物、文书，其中有丝织品、西夏文木牌、木刀、铜铎、麻绳、草绳、舍利子、小泥佛、小泥塔、钱币等，最为重要的当数十种西夏文、汉文文书，这是新中国成立后出土西夏文献最多的一次。经笔者研究，西夏文佛经《吉祥遍至口和本续》是现存我国、也是世界上最早的木活字版印本实物，并经文化部鉴定确认[②]。与此同时，也搞清了方塔的基本建筑结构。这是一座颇具特色的古塔建筑：是我国最早的方形高层实心塔；是现知国内唯一保留了塔心柱贯通塔身的塔；是少见的塔壁装饰只有窗没有门的塔[③]。

3. 贺兰县拜寺口双塔

双塔矗立于拜寺口沟口北边的台地上，东西对峙，相距约80

---

① 牛达生：《漫话承天寺》，载《宁夏文艺》，1980（1）。

② 牛达生：《西夏活字印刷研究》，四川，宁夏人民出版社，2004。

③ 牛达生：《拜寺沟方塔原构推定及其建筑特点》，载《国家图书馆学刊·西夏研究专号》，2002年增刊。

米，塔下及周围有大面积的西夏建筑遗址。这里背靠大山，面向银川平原，海拔在1380～1400米。20世纪80年代初，笔者对双塔进行了考察，并著文证明其为西夏所建①。1986年，宁夏文物部门对双塔进行了加固维修，使其焕然一新，并有报告发表②。1988年，双塔被公布为国保单位。

拜寺口东西两塔，都是正八边形、高十三级的密檐式砖塔。双塔虽然都具有直起平地、不设基座、厚壁空心的特点，但其外部特征明显不同。东塔残高约35米，呈直线锥体，显得挺拔有力；西塔残高约36米，比东塔更为比例协调，粗壮高大。双塔建筑装饰也不尽相同，东塔的外壁，第二层以上，每层每面都有影塑兽面和彩绘图案，兽面嘴下布满彩绘红色串珠，两个兽面之间是彩绘云托日月图案，塔壁转角处是影塑火焰宝珠图案。这种影塑和彩绘相结合的构图方法，在古塔装饰上甚属少见。而西塔影塑彩绘远比东塔丰富，主要表现在：一是第二层以上，每层每面皆有影塑佛龛一组；二是兽面和装饰图案都是彩色影塑，而不是画上的；佛龛外两边各一影塑兽面，兽面口含联珠流苏七串，呈八字形下垂；塔壁转角处有两种影塑图案，单层为火焰宝珠纹，双层为云托日月纹。这些彩绘影塑佛像和装饰图案布满整个塔身，将古塔装扮得绚丽多彩。

佛龛中的影塑造像，是影塑中最为重要、最有价值的部分。这些影塑造像千姿百态，造型奇特。其中3、4两层立僧，有眉骨隆起、颧骨高突、柱杖倚立的老者；有肌肤匀亭、眉目清秀、神情潇洒的壮者。5、6两层是罗汉，他们随意安座，舒坦自如，有的瞑目沉思，有的抬头远视，有的笑容满面，有的慈祥可爱，具有强烈的生活气息。第7、9两层的护法金刚，头带扇形宝冠，手执法器，

---

① 牛达生：《宁夏贺兰山拜寺口西夏古塔》，载《考古与文物》，1986（1）。牛达生：《再论贺兰山拜寺口古塔为西夏原建》，载《考古与文物》，1987（1）。

② 宁夏文物管理委员会：《中国古代建筑·西夏佛塔》，北京，文物出版社，1995。

披巾绕身，身材粗壮，威武有力。第10、11两层的供养菩萨，则是宽身细腰，手托供物，双腿屈曲，似在舞动。这些造像，立僧和罗汉与内地佛像似无差异，而护法金刚和供养菩萨则有浓郁的藏传佛教色彩。这种造像在北方地区，特别是在内地古塔上十分少见。佛龛中的造像与辽、金佛塔上的造像风格完全不同，塔身上兽面放置的位置及其数量之多，也为唐、宋、辽、金佛塔所无，体现了西夏佛塔的特点。

维修时，在西塔塔刹须弥座内部发现一圆形攒尖顶密室。环壁横排朱书梵文七行，另有墨书西夏文两字，汉译为“上师”。内藏夏元文物多件，有钱币“大朝通宝”、纸币“中统元宝交钞”、木桌、木椅、木花瓶、绢花、印花绸、铜佛像等，还有绢质彩绘大师像、藏传佛教的绢质彩绘上乐金刚双身像和木雕上乐金刚双身像等。这些文物，件件异常珍贵，有重要的研究价值。

4. 贺兰县潘昶乡宏佛塔

宏佛塔俗称“王澄塔”，坐落在贺兰县潘昶乡的一座寺庙遗址内，西南距贺兰县城约9公里，史志未载，不知始建所由。受地震和风雨侵蚀的影响，塔基下陷，塔刹残损，塔体砌砖松动错位，塔体倾斜7°。1990年，逐层落架拆除，1991年，按原状重砌修复，面貌一新，并有报告发表①。

宏佛塔由下部的楼阁式塔和上部的覆钵式塔组成，总高28.34米。它既非常见的楼阁式塔，也非密檐式塔，而是一座类似花塔的复合式塔。所谓花塔，是从亭阁式与楼阁式塔中创造出来的，它的下层或是亭式或是楼阁式，上层有的筑成巨大的莲花，有的密布佛龛，有的为其他装饰，看上去比较华丽。花塔始创于唐代，成熟于辽金时期，元代以后极少见了，是保存数量很少，“值得重视的一种古塔类型”②。

---

① 宁夏文物管理委员会：《中国古代建筑·西夏佛塔》，北京，文物出版社，1995。

② 罗哲文：《罗哲文古建筑文集·中国古塔》，北京，文物出版社，1998。

在落架拆卸时，在覆钵式塔身上部发现梯形天宫，室内堆满残损文物，泥质的有彩塑佛头、罗汉、力士等；木质的有彩绘木雕菩萨像、木雕供养天女、覆钵式小木塔、西夏文木简等，还有烧焦的西夏文雕版残块；绢质的有彩绘上乐金刚唐卡、千佛像、炽盛光佛、护法神像、千手观音、大日如来、接引佛、菩萨坐像、八塔相图、墨书幡带等，还有道教的玄武大帝；纸质的有西夏文《番汉合时掌中珠》残片、墨书西夏文残页等；此外，还有小泥塔、北宋钱币等。其中雕版、唐卡等多是第一次面世的西夏文物，十分珍贵，被国家文物局评为1991年全国十大考古发现之一。

5. 青铜峡市一〇八塔

一〇八塔位于青铜峡市峡口镇，因有108座喇嘛塔而得名。这里两山对峙，黄河从中穿过，河深流急，地形险要。一〇八塔即坐落于黄河西岸面东的坡地上，其北为高耸的青铜峡水电站，其南为湖光锦绣的青铜峡水库。该塔不知创建所由，明代方志已称其为"古塔"[①]。传说此塔为"穆桂英点将台"，诸塔为穆桂英摆的"天门阵"。1963年，为配合水电站建设，在塔群下河滩地上发掘小墓两座，其中2号墓出土珍贵的西夏绢本千佛图两幅。1987年、1988年，经国家文物局批准进行了彻底的清理维修。因塔内出土砖雕佛像、西夏文佛经残页、小泥塔和绢本千佛图等为西夏时期文物，一〇八塔被定为西夏所建。有的塔中还出土了陶制天盘、塔刹，为塔的复原提供了实物资料。1988年，被公布为国保单位。

一〇八塔经历代修葺，皆先用残砖包砌一层，再用数层草泥、白灰泥包裹，致使诸塔多失原制，外形基本雷同，平面圆形，上小下大，形似古钟。维修时，剥去外层包裹，始显出原有形制。西夏原塔皆为土坯砌筑，外抹草泥一层，草泥上又有三层白灰皮，后两层似应为维修时所加。塔体中心多有木质塔心柱。白灰皮上残留硃

---

① 《大明一统志》：峡口山"两山相夹，黄河流经其中，一名青铜峡。上有古塔一百零八座"。

砂彩绘，在塔座与塔身之间勾勒出仰覆莲瓣，色彩厚重。

每座小塔皆由塔座、塔身、塔刹组成。在108座塔中，最上层的001号塔比较特殊，在塔座正面有较深的拱形小佛龛，其余107塔皆为实心塔。001号塔比较高大，残高4.94米，底径2.6米；其余107座塔，由上至下，大体逐层增高增大，一般残高1.52～2.74米，底径1.89～2.1米。其形制多有变化，基座有十字折角形和八角形两种，塔身有覆钵、葫芦、覆钟、折腹等4种形式，为研究西夏古塔建筑提供了重要的实物资料。

一〇八本为佛教烦恼之数。为驱除烦恼、求得吉祥，数珠要数108颗，暮鼓晨钟要敲108响，念佛要念108遍。另外，还有一百八尊法身之说，其根据是佛经《金刚顶经毗卢遮那一百八尊法身契印》。在大量出土的夏元小泥塔中，90％以上为百八塔式①，即在塔体上，模印四层108个小塔。据研究，我国内地有塔林，如河南少林寺塔林、风穴寺塔林等，但无108之数。一〇八塔在西藏比较多见，但皆为横排，也不对称。等腰三角形排列的一〇八塔，仅有宁夏青铜峡一处。所以如此建筑，或许是地形所限，更可能是佛教思想和传统对称思维模式相结合，在佛塔建筑中的应用和体现。

6. 西夏建筑的特点

上述西夏古建，寺庙建筑多为后代重建，已非原制，只有方塔等数塔，仍为难得的西夏原建，故且以古塔为例，略谈西夏建筑的特点。

我国古塔建筑的布局和结构，因时代的不同而有所变化。最早的古塔，受传统高层楼阁建筑的影响，多为方形木塔。到了唐代，虽已多为砖塔，仍以方形为主，但是在长期的建塔实践中，从抗震的角度出发，钝角和圆角比锐角抗震能力强，于是出现了正六边形、正八边形的塔。宋代、辽、金盛行的正是正八边形塔。各个时

---

① 牛达生：《方塔出土小泥佛、小泥塔及汉地是物研究》，见《拜寺沟西夏方塔》，北京，文物出版社，2005。

代在塔的结构和细部处理上也有许多不同，这些不同点在古塔断代上也有重要意义。上述诸塔，特别是拜寺沟方塔、拜寺口双塔，显示了比较多的唐代特点：如塔身直接建在塔基上，不设基座；淌缝不用白灰，而是黄泥作浆；第一层特高，且平素无饰，第二层以上相应收缩；叠涩出檐短促，壁面装饰简洁朴素；方塔还保留了盛行于唐代的直棂窗，保留了唐代的方形结构等。而宏佛塔和青铜峡的一〇八塔，则是具有独创性的古塔建筑，在建筑史上具有重要地位，显示了西夏人民的创造精神。

西夏古塔建筑多受中原文化影响，有其深刻的历史原因和社会原因。从唐初到宋初的几个世纪中，从西藏高原东部地区迁徙到西北地区的党项族人民，长期与汉族相濡杂处，在生产方式和生活方式上因受汉族的影响而多有变化；党项李氏贵族在唐、五代及宋初，都是世世为官、代代封爵的官宦家庭，更是深受中原文化的影响。随着时代的变迁，建立西夏王朝的党项贵族，政治上不能不接受宋朝的影响，“设官之制，多与宋同”，而在工艺技巧方面，因远离中原文化中心，则比较保守落后，因而保留了更多唐代的东西。方塔建于西夏初期，其所受唐代的影响更为浓烈。双塔的基本形制正八边形，则是宋、辽、金古塔建筑的普遍形式，而密檐式塔却是当时盛行于北方的塔式。西夏古塔建筑特点给我们的启示是，西夏建筑的特点是“杂用唐宋”，兼而有之。

（四）西夏钱币

钱币属金石学的范畴。有关西夏钱币的研究和著录，至迟在清代乾嘉时期就已开始。20 世纪 50 年代以来，随着我国考古事业的发展，西夏钱币也有很多重要的发现，并取得了重要成果。

1. 西夏钱币的发现和研究

20 世纪 60 年代以前，尽管也有钱币和货币史方面的论著出版，但有关西夏钱币的内容少得可怜。以马克思主义观点研究货币史的权威巨著、彭信威的《中国货币史》1965 年第三版，涉及历代钱币、货币制度，货币购买力、货币理论、信用等各个方面，约

74万字，可谓洋洋大观，然而涉及西夏钱币者仅有千字，可见一斑。

20世纪50年代以来，西夏时期使用的钱币在西夏的陵墓、遗址、窖藏、城址、古塔中多有发现，更重要的是发现了不少西夏时期的钱币窖藏。到目前为止，分布在宁夏、甘肃、内蒙古西部、陕北等西夏故地的西夏钱币窖藏，见诸报道的近30处。其中多处在宁夏境内发现，现择其重要者以时间为序，略作介绍。

（1）八岔梁窖藏。八岔梁属西夏盐州，在宁夏盐池县城郊。1975年7月，当地农民挖出约75公斤古钱，内有西夏“天盛元宝”和“光定元宝”，其余为两汉、新莽、隋唐、五代、两宋和金等朝钱币，有五十多种，其中北宋钱约占50%①。

（2）二道川窖藏。二道川属西夏盐州，位于内蒙古鄂托克前旗南与盐池县交界处。1979年5月，当地农民挖出古钱33.5公斤，内有西夏“天盛元宝”、“乾祐元宝”、“天庆元宝”、“光定元宝”等钱。其中折二钱“元德重宝”是首次出土，为泉界人士所重视，并被中国钱币博物馆珍藏。此外，尚有两汉、唐、五代、两宋和金等朝钱币，其中北宋钱占97%②。

（3）大风沟窖藏。大风沟位于宁夏平罗县西贺兰山腹地，四面环山，是现代露天煤矿。1979年6月，民工挖沟时，在深约100厘米、直径约80厘米的竖穴土坑中，挖出古钱33公斤，计8500多枚。宁夏博物馆派人到现场考察，并收回古钱实物。内有西夏汉文钱“天盛元宝”、“乾祐元宝”、“天庆元宝”、“皇建元宝”、“光定元宝”五种；特别重要的是还有西夏文“大安宝钱”、“乾祐宝钱”、“天庆宝钱”三种，是新中国成立后第一次出土。此外，还有两汉、

---

① 陈永忠：《一九七五年盐池出土一批西夏货币》，载《盐池县志资料汇编》第三集，1982。

② 陈永忠：《79年盐池出土的一批西夏货币》，载《宁夏大学学报》，1981（2）。按：二道川属内蒙古鄂托克前旗，和宁夏盐池县交界。

新莽、隋唐、五代、两宋、辽金等朝钱币110种。经计量统计，其中北宋钱最多，占84.8%，西夏钱仅占1.42%[①]。

（4）王泉沟窖藏。王泉沟是贺兰山北部的一个小山沟，位于宁夏石嘴山西贺兰山腹地，地处崇山峻岭中，至今人迹罕到。1980年8月，山洪暴发，冲破窖藏，被猎人发现，并报告博物馆。宁夏博物馆派人到现场考察，据说是一个深约60厘米、直径约50厘米的竖穴土坑，出土古钱23公斤，计5400多枚。内有西夏文“大安宝钱”，汉文钱“天盛元宝”、“乾祐元宝”、“天庆元宝”、“皇建元宝”、“光定元宝”诸品。此外，多是两汉、莽新、隋唐、五代十国（晋、汉、周、前蜀、南唐）、两宋、辽金等朝古钱，约120种。经计量统计，其中北宋钱最多，占87.24%，西夏钱仅占0.89%[②]。

（5）滚钟口窖藏。滚钟口是银川西部贺兰山山口之一，俗称小口子。1984年8月，装有古钱的一个大灰陶罐被山洪冲出。经宁夏博物馆派人考察，并收回实物计125公斤，29506枚。内有西夏汉文钱“天盛元宝”、“乾祐元宝”、“天庆元宝”、“皇建元宝”、“光定元宝”五种，西夏文钱“大安宝钱”、“乾祐宝钱”、“天庆宝钱”三种。其中汉文行书“乾祐元宝”和篆书“光定元宝”是首次出土。篆书“光定元宝”，史志旧谱不载，且与楷书钱成对钱，弥足珍贵[③]。另有两汉、莽新、隋唐、五代十国、两宋、辽金等朝钱币两百多种。经计量统计，其中北宋钱最多，占85.58%，西夏钱仅占1.48%[④]。

---

① 牛达生：《宁夏贺兰山发现西夏窖藏钱币——兼论西夏货币经济的若干问题》，载《考古与文物》，1986（6）。

② 牛达生：《宁夏贺兰山发现西夏窖藏钱币——兼论西夏货币经济的若干问题》，载《考古与文物》，1986（6）。

③ 牛达生：《银川首次出土篆书“光定”平钱》，载《中国钱币》，1985（2）。牛达生：《贺兰山滚钟口西夏窖藏钱币》，见《中国考古年鉴·1985》，北京，文物出版社，1985。

④ 牛达生，许成：《贺兰山文物古迹考察与研究》，银川，宁夏人民出版社，1988。

（6）萌城乡窖藏。萌城乡在宁夏盐池境内，西夏时属清远军，地处宋夏交通要冲。1985年夏，该乡农民在挖窑洞时发现一朽烂毡筒，内装有铜钱约100公斤，并有西夏文“元德九年”款“首领”二字铜印一方，现藏盐池县博物馆。其中钱币有汉文“天盛元宝”、“天庆元宝”、“皇建元宝”、“光定元宝”，西夏文“福圣宝钱”、“大安宝钱”、“天庆宝钱”等，还有王氏高丽“三韩通宝”一枚。其中，“福圣宝钱”系首次出土。另有两汉、新莽、唐、五代十国、两宋、辽金等朝古钱六十多种，以北宋钱为多①。

笔者对宁夏和外地的发现进行了综合研究，到目前为止，可认定的西夏钱币计有20种。其中，西夏文钱币5种，分别是福圣宝钱、大安宝钱、贞观宝钱、乾祐宝钱、天庆宝钱；汉文钱15种，分别为大安通宝、元德通宝、大德通宝、天盛元宝、乾祐元宝、天庆元宝、皇建元宝、光定元宝等。这些都是小平钱，通宝钱为隶书，元宝钱为真书。另外，按币材的不同，还有天盛元宝铁钱和乾祐元宝铁钱；按币值的不同，有折二元德重宝和折二乾祐元宝铁钱；按书体的不同，有真书元德通宝、行书乾祐元宝和篆书光定元宝等。如果按收藏家以所谓的“小版别”细分，可得两百多种。

上述出土钱币，特别是完整的窖藏，提供给我们的不仅是多少品种、多少数量的钱币，不仅是发现了新的钱币品种，更为重要的是从窖藏位置、周围环境、窖藏结构等方面，提供了更多的可供研究的信息。从窖藏地点多在无人居住的深山峡谷和荒漠地带；从窖藏多为临时挖掘的土坑，而非构筑坚固的地窖；从窖藏最晚的西夏钱币多为“光定元宝”等情况判断，这些窖藏很可能是蒙古灭夏战争中逃难的难民埋藏的。透过这一现象，似乎看到了战争的残酷无情和给百姓带来的深重灾难。同时说明这些钱币在埋藏之前，正是

① 吴峰云，任永训：《盐池发现西夏钱币和西夏官印》，载《宁夏文物》，1986年试刊。牛达生，任永训：《从宁夏盐池萌城乡西夏窖藏钱币，谈西夏文“福圣宝钱”和高丽“三韩通宝”》，载《中国钱币》，1988（2）。

西夏社会的流通货币，因而具有重要研究价值。数十年来，业内人士对西夏钱币的研究，在钱币学、货币史、西夏学的新著中及有关论文中有所反映。总揽这些成果，主要有以下几个方面。

（1）对西夏钱币制度的研究有了良好的开端。西夏钱币最大的特点，是将本民族的文字用于钱币，诸如“大安宝钱”、“天庆宝钱”等。辽、金也是少数民族政权，也有自己的契丹文和女真文，但很少反映在自己流通的钱币上。西夏钱币制度的主要方面是受北宋影响的，北宋流行年号钱，盛行对钱，西夏无论汉文钱还是西夏文钱，都是年号钱。1984年，银川衮钟口“乾祐元宝”行书、真书对钱，和“光定元宝”篆书、真书对钱的出土，进一步证明了北宋钱制对西夏钱制的深刻影响。

（2）对西夏货币经济进行了有益的探讨。很难想象，在西夏陵墓、遗址、城址的考古中，西夏钱不一定有，而北宋钱却绝不会少。更令人惊奇的是，所有铜钱窖藏都以北宋钱为主，约占80%～90%，西夏钱没有超过1.8%。笔者对贺兰山大风沟、王泉沟、滚钟口三处窖藏钱币计量分析，北宋钱币分别占84.9%、87.2%、85.6%，而西夏钱币仅占1.4%、0.9%、1.5%。大量的材料强烈地说明一个事实，就是西夏虽然铸造钱币，但西夏社会上流通的主要币种不是西夏钱，而是北宋钱。“究其根本原因，还是西夏社会经济发展水平不高所致”，同时反映了“西夏经济在一定程度上对宋朝的依赖，是宋夏关系方面的一件大事，也是西夏社会经济一大特点”①。

（3）西夏钱币制作精美，受到泉界好评。西夏钱币轮廓规整，字体端庄，铸造精工，受到古今钱币家的称赞。清代古泉大家翁宜泉《古泉汇考》称：“西夏钱制，史册不载，据所见夏钱，字端楷，制精好”。经济学家千家驹、彭信威也称赞：“制作精致，文字整

---

① 牛达生：《从出土西夏窖藏钱币看西夏货币经济》，载《宁夏社会科学》，1986（8）。

齐”。西夏钱币的精美，反映了西夏较高的经济、文化发展水平。

20世纪以来，宁夏在西夏考古方面一系列的重要发现，为西夏研究提供了丰富而翔实的实物资料，促进了西夏学的发展和繁荣，加深了我们对西夏文化面貌的了解和认识。这对弘扬华夏文化、提高民族自信心，也将发挥积极的作用。

广西民族考古研究

蒋廷瑜

广西自古以来就是多民族聚居的地区，至今还聚居着汉、壮、瑶、苗、侗、彝、仫佬、毛南、回、水、仡佬、京等12个世居民族。这些民族都有悠久的历史。研究这些民族的历史任务艰巨。由于广西地处边陲，历代文献记载简略，可借助的资料十分有限，要追溯这些民族的历史，必须依靠考古学和民族学的新资料和新成果。

严格地说起来，在广西从事的每一项考古工作都同这些古老的民族有关，都可以称得上是民族考古。但我们这里所说的民族考古，只是着重于除汉族以外的其他少数民族古代文化遗迹的考察和研究。

1934年广西博物馆成立，内设历史文化部，负责古代文化遗物的调查和征集，当年就开展了铜鼓调查，1935年，馆长廖葛民率员到苍梧夏郢发掘一座晋墓，与此同时，中国地质调查所派员到桂林、武鸣进行洞穴调查，发现一批原始文化遗存，揭开了广西考古的序幕。但是当时广西的考古工作力量薄弱，既无考古专门机构，也无考古专业人员，成果极微。新中国成立以后，广西开始培养考古人才，设立文物管理机构，有组织地开展考古工作。20世纪50年代开始，广西进行全境文物普查，1954年开始配合基本建设进行考古发掘，1974年成立文物工作队，担负文物调查、考古发掘的任务，开始有计划地进行考古发掘和研究。到目前为止，已在原始社会、先秦时期和秦汉时期考古中取得了不少引人注目的成绩，为认识广西各族人民的古代历史增添了许多珍贵资料。

一、探寻人类的起源和追寻百越先民的足迹

广西古属百越地区，自古以来就是百越支系劳动、生息的地方。这些部族的先民从何而来，他们的历史状况如何，这是广西原始社会考古的一个主要内容。

（一）旧石器时代考古——追寻最早生活在广西的人

广西旧石器考古从1935年裴文中、杨钟健考察洞穴堆积开始，他们先后在武鸣、桂林发现了一批史前文化遗存。1955—1957年，中国科学院古脊椎动物与古人类研究所由裴文中、贾兰坡率领的广西工作队，对广西洞穴进行了较大规模的调查，1956年在来宾县麒麟山盖头洞发现了“麒麟山人”头骨化石，1958年在柳江县新兴农场发现了“柳江人”头骨及一些体骨化石。进入60年代以后，中央和地方的文物考古单位又在广西发现了一批旧石器文化遗址，其中包括宝积岩人等晚期智人化石地点和百色盆地的旧石器遗址。

百色旧石器的发现是20世纪70年代以后的重大事件，至今发现这类石器的散布地点已多达83处。这些石器主要分布在包括田东、田阳、百色、田林等县境内的右江两岸，从百色（今右江区）的百达到田东的思林，在长达100多公里、宽约5公里的狭长地带，连绵不断。在这个范围内的第4级阶地的砖红壤层，到处都可以采集到打制石器。经过发掘的地点有9处，发掘面积共4500平方米，出土石制品2500多件，包括地面采集，累计多达8000多件。这些石器都是砾石石器，形体硕大，加工原始。器形以大型砍砸器占多数，次为尖状器，还有不少手斧。这些石器的年代，经过多年的研究，最后确定为早更新世，利用与之伴出的玻璃陨石，采用氩/氩法（40Ar/39Ar）测出的年代是距今80.3万年。这一发现，把人类在广西活动的历史追溯到距今80万年之前。百色旧石器也就成为迄今为止在东亚发现的年代最早的含手斧的石器。20世纪40年代初，美国哈佛大学人类学家莫维斯，按照早期人类的

技术和行为能力，从地理上把旧大陆即欧、亚、非分为两个文化圈。西部以地中海为中心，包括北面的欧洲、南面的非洲和东面的中东，作为一个文化区，以一种工艺比较复杂的旧石器即手斧为特征；东部主要是东亚、东南亚，是另外一个文化区，以所谓工艺简单的砍砸器为特征，他把整个亚洲大陆贬低为“文化滞后的边缘地区”。他划的这条无形的技术学鸿沟，后来被称为“莫维斯线”。百色手斧的发现，展示了东亚早期直立人的行为能力和高超的石器工业技术，打破了这种统治学术界长达半个世纪的“莫维斯理论”，具有极为重要的学术价值。[①]

柳江人化石包括一个完整的头骨（缺下颌）、最下的4个胸椎和全部5个腰椎、骶骨、右髋骨及左、右股骨各一段。除股骨可能属另一个体外，其余都属一中年男性个体。从体质特征判断，柳江人比北京猿人和早期智人都要进步，但比一般晚期智人要原始，属于晚期智人中较早的人类化石。柳江人的头骨属中头型，颧骨较大而且前突，鼻骨低而宽，鼻梁稍凹，鼻根点不低陷，梨状孔下缘不成锐缘而低凹，鼻前窝浅，鼻前棘小，犬齿窝不明显，齿槽突颌程度中等，上门齿舌面呈铲形。这些都显示了蒙古人种（即黄种人）的特性，因而柳江人被认为是分化和形成中的蒙古人种的早期类型。[②] 柳江人化石是中国迄今发现的最早的晚期智人化石，它的发现，不仅为研究中国晚期智人的体质特征以及早期智人和晚期智人体质变化关系提供了珍贵的实物资料，而且对研究东亚地区乃至太平洋地区晚期智人的迁徙和扩散具有重要作用。

与柳江人同时或稍晚的人类化石，还有1961年冬在荔浦县两江公社苏村水岩东洞发现的荔浦人，1972年在都安县加贵公社加图大队干淹岩发现的干淹岩人，1977年在都安县地苏公社九楞山一溶洞发现的九楞山人，1979年5月在桂林市中山北路宝积山郭

---

① 广西壮族自治区博物馆：《百色旧石器》，北京，文物出版社，2004。

② 吴汝康：《广西柳江发现的人类化石》，载《古脊椎动物与古人类》，1959（3）。

家岩内发现的宝积岩人，1979年在田东县祥周公社模范大队定模山一溶洞发现的定模洞人，1980年5月在柳江县土博公社四案大队甘前岩发现的甘前人，同年在柳州市白莲洞发现的白莲洞人，1984年在隆林县祥播公社那来山红岩发现的祥播人[①]，1988年8月在隆林县者保乡邑内村磨文屯龙洞发现的龙洞人[②]，2000年9月在扶绥县东罗矿物局那法矿区南山洞发现的南山洞人[③]等。众多晚期智人化石的发现，表明当时广西境内已遍布人类活动的踪迹，而且很可能是蒙古人种的起源地之一。

（二）新石器时代考古——原始农业的产生和聚落的形成

广西的新石器时代考古已有70年历史，迄今为止已发现遗址约400处，其中经过考古发掘的40余处。大约距今一万年，人类活动遗址已遍布广西各地，说明当时人口大增，得到充分发展，磨制石器、原始农业、家畜饲养已经产生，出现大面积的原始聚落，为进入文明社会创造了物质条件。

这时期的聚落，依地理环境和经济形态大致可以分为三个类型，即洞穴类型、贝丘类型和山坡类型。

1. 洞穴聚落

广西是岩溶发育地区，桂北、桂中、桂西都有众多的石灰岩岩溶洞穴，适合原始人类居住。有的洞穴从旧石器时代开始就有人类居住，新石器时代更加普通。

（1）桂北地区

在桂北地区，经过发掘的洞穴遗址有桂林甑皮岩、庙岩和临桂大岩。

甑皮岩遗址位于桂林市南郊独山西南麓。1965年夏由广西壮

---

① 蒋廷瑜，彭书琳：《广西古人类的发现与研究》，载《史前研究》，1984（2）。

② 彭书琳，王文魁：《广西隆林龙洞发现的人类化石及其共生的哺乳动物群》，载《南方民族考古》，第三辑，成都，四川科学技术出版社，1990。

③ 王頠，莫敬尤：《广西扶绥南山洞新发现的人类化石和蒙古野驴化石》，载《人类学学报》，2004（2）。

族自治区博物馆和桂林市文物管理委员会组织的文物普查队调查发现。1973年6月至9月试掘，1974年、1975年补充发掘，2001年中国社会科学院考古研究所、广西壮族自治区文物工作队和桂林市文物工作队又做了一次补充发掘。历次发掘中，发现墓葬、灰坑、火塘等遗迹多处，出土遗物有石器、骨器、蚌器、陶器及大量动物骨骼，是中国南方具有代表性的新石器时代早期的洞穴遗址。底层的陶器是素面粗砂陶器，是目前中国已知年代最早的陶器之一，距今1.1万年左右。可分为五期：即甑皮岩第一期文化—第二期文化—第三期文化—第四期文化—第五期文化。①

大岩遗址位于临桂县临桂镇小太平村的下岩门山北麓，由A、B两洞组成。2000年10月至2001年1月，中国社会科学院考古研究所、广西壮族自治区文物工作队和桂林市文物工作队对A洞进行了发掘，发现墓葬10座，用火遗迹十余处，完整的石器、骨器、蚌器、陶器数百件，并有大量螺壳及破碎的动物骨骼。其年代上限可到旧石器时代晚期，下限可到新石器时代晚期，其主要文化堆积属新石器时代。可分为六期：第一期是旧石器时代末期，第二期是中石器时代，第三期相当于甑皮岩第一期，第四期相当于甑皮岩第三期和第四期之间，第五期相当于甑皮岩第五期，第六期是新石器时代末期。②

甑皮岩第一期和大岩第三期以及庙岩文化遗存，是目前广西发现年代最早的新石器时代文化遗存，距今约1.2万年至1.1万年，属新石器时代早期前段。石器以单面打制的砾石石器为主，器形有砍砸器、尖状器、切割器、穿孔器等，骨器数量较多，有锥、锛、铲等，蚌器穿双孔或单孔，发现有陶器，主要是夹粗大石英颗粒的夹砂陶，手捏成型，制作粗糙，烧成温度极低。甑皮岩第二期文化

① 中国社会科学院考古研究所等：《桂林甑皮岩》，北京，文物出版社，2003。

② 傅宪国等：《桂林地区史前文化面貌轮廓初现》，载《中国文物报》，2001年4月4日。

遗存仍以打制砾石石器为主，陶器多为器形较大的敞口、束颈、鼓腹、圜底罐，另有部分饰刻划纹或附加堆纹的小件器物，器表施分段多次重复滚压而成的绳纹，制作工艺上出现泥片贴筑的成型技术。甑皮岩第三期文化没有多大变化。甑皮岩第四期和大岩第四期，骨蚌器相对减少，陶器出现高领罐、敛口罐和敛口釜。甑皮岩第五期和大岩第五期为新石器时代中期，石器中出现较多的磨制斧、锛，已不见蚌器，陶器品种数量增多，以夹砂红褐陶为主，有少量泥质陶，火候高，陶质较硬，出现支脚、圈足盘、豆，纹饰有细绳纹、刻划纹、戳印纹、弦纹。大岩第六期已到新石器时代末期，陶器以夹细砂的红陶和灰白陶为主，器形只有宽沿罐一种，器表拍印方格纹。人类的主要经济生活是狩猎和采集，直到新石器时代末期，原始农业才有所萌芽。

（2）桂中地区

在桂中地区，以柳州鲤鱼嘴遗址为代表。鲤鱼嘴遗址位于柳州市大龙潭公园内，1980 年和 2003 年经过两次发掘，可分为三个时期，第一期属中石器时代，第二、三期属新石器时代范畴。第二期以燧石质细小石器和较大的砾石打制石器为主，陶器多为夹粗砂红褐陶，部分为灰褐陶，质地疏松，火候较低，器形以敞口、束颈的圜底（釜）罐类器物为主，器表多饰绳纹，部分器物的口沿上压印一周花边，口沿下施一周附加堆纹，年代在距今 9000 年前后。第三期石器以磨制的为主，燧石质细小石片石器和砾石石器基本不见，陶器则以细绳纹为主，出现了轮修技术，年代大体距今 6500 年。①

2. 山坡聚落

山坡遗址散布于广大丘陵地带。经过科学发掘的有资源延东的晓锦遗址、灌阳水车的五马山遗址、都安的北大岭遗址、百色右江

① 傅宪国等：《柳州鲤鱼嘴遗址再度发掘——基本建立柳州地区史前文化发展序列》，载《中国文物报》，2004 年 8 月 4 日。

区的革新桥遗址、钦州那丽的独料遗址，它们分别代表了桂北资江上游、湘江上游，桂中红水河中游、桂西右江上游和桂南近海的新石器时代聚落。

（1）资江上游的晓锦遗址

晓锦遗址位于资源县延东乡晓锦村的后龙山，是一处新石器时代中晚期的文化遗址。1997 年发现，1998—2002 年发掘，不仅发现了柱洞、红烧土居住面，而且发现多处完整的圆形居住遗迹和陶窑，出土大量的石器、陶片，采集到大量的炭化稻米。文化堆积可分为三期。第一期石器主要有磨制的斧、锛、柳叶形镞、穿孔矛，陶器以夹砂绳纹陶为主，另有部分刻划纹、戳印纹和少量弧线、条带彩绘陶，器形多为折沿罐、高领罐、盘口罐、器座，以圜底器占绝大多数，有少量圈足器。第二期石器以磨制的小型斧、锛为主，有少量的镞、凿、刀、钺，彩陶消失，出现小量夹细砂白陶，高领罐和器座慢慢减少以至消失，圈足器开始增多，出现大量炭化稻米。第三期石器数量减少，器体小型化，以磨制精致的锛、镞为主，陶器出现较多的泥质陶，少见刻划纹，新出现方格纹、叶脉纹、花瓣纹、镂空、绳纹弦纹组合纹，制作技术新出现慢轮加工工艺，器类新出现凹底器，器形以圆唇卷沿罐、釜和圆饼形、乳突形纺轮为主。由此可以推断：距今 6500 年左右，当地居民主要从事采集和狩猎经济生活；到距今 6000 年左右开始通过种植水稻补充食物来源，同资江中下游和洞庭湖地区已有交往。①

（2）湘江上游的五马山遗址

五马山遗址位于灌阳县水车乡夏云村附近的五马山西北麓，面临湘江支流灌江。1965 年调查发现，1977 年发掘 200 平方米，发现有圆形灰坑和布局凌乱而又密集的柱洞。出土遗物有石器、陶片等。石器原料多为灰岩，可能是就地取材。陶器大部分手制，极少

---

① 广西壮族自治区文物工作队等：《资源县晓锦新石器时代遗址发掘简报》，见《广西考古文集》，北京，文物出版社，2004。

有慢轮痕迹，火候较低，质地以夹砂淡红色的占绝大多数，羼和碎方解石，可辨器形者只有釜、罐之类，都是侈口溜肩的圜底器。这些现象表明，生活在五马山的原始居民过着以原始农业和狩猎为主的经济生活，其年代当属新石器时代中晚期。①

3. 红水河中游的北大岭遗址

从20世纪90年代起，相继在红水河中游调查和发掘了大化瑶族自治县布屯、音墟、弄石坡，马山县六卓岭、尚朗岭，都安瑶族自治县北大岭等遗址。这些遗址的文化遗物主要为石器和陶器，以石器为主。石器主要有斧、锛、凿、研磨器、石刀、石铲、石拍、砺石，斧、锛多为长方形和梯形，少量有双肩，器形较小，磨制精致，刃口锋利。石拍拍面为方格纹，砺石多带凹槽，石铲多数只磨刃部。部分石器选择硬度很高的石质制成，外表美观，有的接近玉。另有玉环、玦、镯等饰品。陶器有夹砂、泥质两类，纹饰主要为绳纹，有部分多线刻划的曲线和水波纹。器类有高领罐、带耳罐、杯、钵等，流行圜底器、圈足器和三足器。墓葬为长方形竖穴土坑墓，葬式有屈肢葬和肢解葬，多无随葬品，部分随葬玉镯、鼎足和罐、钵残片。从出土的遗物分析，年代较晚，大多属新石器时代晚期，部分已到新石器时代末期。

北大岭遗址位于都安瑶族自治县百旺乡八甫村那浩屯北大岭的一处河旁台地，当刁江注入红水河的三角嘴上，分布面积约1.6万平方米。2004年10月为配合恶滩水电站工程作抢救性发掘，发现一处新石器时代石器制作场，出土石制品5万余件，包括制作石器的原料，制作工具，不同制作阶段的石器毛坯、半成品、成品。有石料堆放点，有的石砧周围散布着许多石锤和石器半成品，正是当年加工石器的位置。成品包括斧、锛、凿、刀。在新石器时代晚期的文化层中出土的石器多是通体磨光，有石斧、锛、铲，其中有个

① 广西壮族自治区文物工作队：《广西湘江流域史前文化遗址的调查与研究》，见《广西考古文集》（第二辑），北京，科学出版社，2006。

圆形坑内整齐地叠放着10件用白色砂岩和灰白色硅质岩打制成的双肩石器，包括大小不一的毛坯。原始形态石铲的发现，为研究桂南大石铲的起源提供了新的根据。①

4. 右江上游的革新桥遗址

右江上游的新石器时代遗址经过发掘的有百达遗址、坎屯遗址和革新桥遗址。文化遗物以大量的石制品为主，打制石器与磨制石器共存，器形中较有特色的是个体较小的单边砍砸器、磨制的常形斧、锛和研磨器。陶器数量很少，均为夹砂绳纹陶，器类单调，主要为釜、罐类。墓葬葬式以仰身屈肢葬为主。

革新桥遗址位于百色市西约11公里处，属百色镇东笋村百林屯，处右江南岸平坦的阶地上。2002年冬，为配合百色至云南富宁罗村口高速公路建设工程作抢救性发掘。地层堆积最多可分为5层。主要文化层属新石器时代中晚期，包含当时人类的生活面、石器制作场和墓葬，采集的遗物是数以万计的石器、陶片及少量动物遗骸，是一处遗迹、遗物比较齐全的原始文化遗址。这处遗址最重要的发现是石器制作场。石器制作场所占面积在500平方米以上，在这个范围内有成片的石料散布，有石器粗加工所需的石砧、石锤，有适用于打磨大小不同、形制各异的石器所需的各种砺石，和在制作石器过程中废弃的大量石核、崩片，以及石器毛坯、半成品、成品残件，可以看出当时制作石器的工艺流程和制作水平。其年代最早可能达到距今六七千年左右。其文化面貌既明显具有岭南西部地区的地方特点，又有云贵高原新石器文化的因素，表明这里的原始居民和云贵高原的人类发生过文化交往，为研究中国西南地区原始文化的交流、融合，提供了一批实物资料。②

---

① 林强等：《广西都安北大岭遗址考古发掘取得重要成果》，载《中国文物报》，2005年12月2日。

② 广西壮族自治区文物工作队：《广西百色市革新桥新石器时代遗址》，载《考古》，2003（12）。

（5）桂南近海的独料遗址

独料遗址位于钦州市那丽镇独料村西侧的禾塘岭上。1964年发现，1978年广西壮族自治区文物工作队和钦州县文化馆合作发掘。揭露面积324平方米，发掘到6个柱洞，一些灰坑和灰沟，似与房屋建筑有关。文化遗物以石器为主，磨制石器占多数，器形有斧、锛、凿、铲、锄、犁、镰、刀、镞、矛、磨盘、杵、锤、弹丸等，其中部分斧、铲为有肩石器。陶器均为夹砂陶，以夹粗砂红陶为多。纹饰以绳纹为主，次为篮纹、曲折纹、网纹、指甲纹及少量的划纹、拍印纹。器形多为敛口和直口的釜、罐类，并发现一件手捏制的陶祖。年代属新石器时代晚期。石器工具中出现较多的农业生产工具，说明其经济生活以农业为主。该遗址出土的几件石铲，预示了桂南地区大石铲文化的先声。①

3. 贝丘聚落

贝丘遗址是一种以采食软体动物和捕鱼狩猎为主要生活来源的原始文化遗址。广西的原始贝丘遗址很多，依地理环境的不同，又分河旁贝丘和海滨贝丘两种类型。

（1）河旁贝丘

河旁贝丘主要分布于南宁、邕宁的邕江两岸，上溯可到左江的扶绥江西岸和右江的武鸣芭勋，下延到横县西津，在桂平郁江岸、象州柳江岸也有零星发现。20世纪60年代以来，各方学者分别对武鸣芭勋，扶绥江西岸、敢造，邕宁长塘、顶蛳山，南宁青山、豹子头，横县西津、秋江、江口，象州南沙湾等遗址做过试掘和发掘。在这些遗址内分别发现有居住地和墓葬区，出土了大批人骨架、动物遗骸、石器、骨器、蚌器、角器、陶片，初步揭示了它们的文化面貌。其中尤以顶蛳山发掘最富成就，经整理研究，已命名为“顶蛳山文化”。

---

① 广西壮族自治区文物工作队等：《广西钦州独料新石器时代遗址》，载《考古》，1982（1）。

顶蛳山遗址位于邕宁县蒲庙镇新新行政村九碗坡自然村东北约一千米的顶蛳山上。文化堆积可分四期。第一期属新石器时代早期，大约距今1万年左右，出土了大量的玻璃陨石质细小石器、石核，少量穿孔石器和陶器残片。陶器仅见圜底的罐或釜形器，数量少，器类简单，多含粗石英碎粒的砂黄陶，器表施粗绳纹，口沿上捺压花边，下有附加堆纹。第二期属新石器时代中期早段，距今约八千年左右。出土有磨制石器、蚌器、陶器和少量玻璃陨石质细小石器，陶器数量明显增加，但器类仍然较单纯，仅见直口、敞口或敛口的圜底罐。陶胎夹颗粒较大且不规整的石英碎粒，火候不高，陶色驳杂，以灰褐色为多。器表多饰印痕较浅的篮纹，并有少量绳纹。出现墓葬，葬式有仰身直肢、侧身屈肢、俯身屈肢和蹲踞葬4种。第三期属新石器时代中期晚段，距今约七千年左右。发现墓葬较多，除屈肢葬和蹲踞葬外，新出现数量较多的肢解葬。陶器数量较多，器类增加，除圜底罐外，新出现敛口或直口的釜、高领罐。第四期距今约六千年左右。发现有长方形干栏式建筑遗迹，陶器有高领罐、圜底罐、釜、杯等，仍以砂质陶为主，但新出现泥质陶开始运用轮制技术。其中第二期、第三期是顶蛳山遗址的主要堆积，其文化面貌与南宁豹子头、邕宁长塘、横县西津、扶绥敢造、扶绥江西岸等新石器时代贝丘遗址相类似，被命名为“顶蛳山文化”。其主要堆积为螺壳，并含大量水陆生动物遗骸。陶器以敞口、束颈、深腹、圜底的罐及敛口深腹圜底釜为主。纹饰早期多篮纹，晚期盛行绳纹。骨蚌器占较大比例，存在形态各异的鱼头形蚌刀。墓葬数量多，葬式以各类屈肢葬为主，其中顶蛳山遗址第三期文化遗存中发现的肢解葬最有地方特点。经济生活以采集渔猎为主。[①]

其次是南沙湾遗址。南沙湾遗址位于象州县象州镇南沙湾柳江南岸。遗址的包含物以大量陶、石、骨器等文化遗物和水陆生动物

① 中国社会科学院考古研究所广西工作队等：《广西邕宁县顶蛳山遗址的发掘》，载《考古》，1998（11）。

遗骸为主。石器主要为磨制石器，大部分通体磨光，以通体磨光的扁薄形小型斧、锛为主，骨角器数量少，不见蚌器，陶器全为夹砂陶，大部分陶器通体施有绳纹，从口沿垂直往下施，在口沿上常留下锯齿状的花边纹饰，年代距今6500—5500年。南沙湾类型与桂南地区顶蛳山文化的遗址同属贝丘遗址，但文化内涵有较大差异，如通体磨制、器形规整的石斧、锛，敞口、束颈、折沿外翻、圜底的陶釜（罐），在陶器口沿压印锯齿状花边的装饰手法在桂南地区的贝丘遗址中未见。而在桂南贝丘遗址中大量发现的墓葬、蚌器在南沙湾遗址中未见，骨器数量也很少。①

（2）海滨贝丘

海滨贝丘主要发现于防城港和钦州临海的山冈上，迄今已发现遗址9处，经过试掘的有亚菩山、马兰嘴遗址。文化堆积以软体动物的斧足类和腹足类硬壳为其特色。其生产工具以具备尖端和厚刃的蚝蜊啄和手斧状石器为最典型。陶器均为夹粗砂陶，陶色有红色和灰黑色。纹饰以绳纹最多，有篮纹、划纹。器形多圜底类罐。骨器有锥、镞及饰物。蚌器有铲、环、网坠。年代约为新石器时代中晚期。遗址居民的经济生活以采蚝、捕鱼为主，同时兼营狩猎和农业。②

广西新石器时代文化类型复杂，一方面反映了各地地理环境和生态条件的不同，表现了各自的地域性；另一方面反映了广西的原始文化延续了较长时期的发展过程，表现了从早到晚的阶段性。广西历来就是多民族聚居的地区，这样丰富多彩的文化类型，也是原始氏族部落活动的印记，对追溯各民族的起源提供了广泛的信息。

① 广西文物工作队：《象州南沙湾贝丘遗址1999—2000年度发掘简报》，见《广西考古文集》，北京，文物出版社，2004。

② 广东省博物馆：《广东东兴新石器时代贝丘遗址》，载《考古》，1961（12）。

二、对文明起源的探索

大约距今四千年左右，生活在广西的人群逐步从父系民族社会进入文明阶级社会，出现许多古国。这些古国不断交流、碰撞，到战国时期融合成几个大的方国，即西瓯、骆越、苍梧，并进一步融合成为瓯骆，文化面貌仍然保持着多元色彩。在中原青铜文化的影响下，瓯骆文化进入发展期。随着本地铸造青铜器的逐渐增多，具有地域特色的瓯骆文化因素得到增强。

（一）感驮岩遗址

感驮岩遗址位于那坡县城北人民公园内后龙山脚下。1958 年农民积肥时发现，1962 年试掘，1997 年 8 月至 2000 年 9 月正式发掘，揭露面积 380 平方米，发现墓葬 3 座、灰坑 1 个、用火痕迹多处，完整的石、骨、蚌、陶器千余件。文化堆积时间跨度较大，大致可分为前后两个时期。第一期是新石器时代晚期，陶器都是手制的夹砂陶，但火候较高，陶器造型流行圈足、三足和圜底，主要器形有罐、釜、杯、杯形鼎等，纹饰以绳纹为主，还有篮纹、乳钉纹、锯齿状附加堆纹、复线水波纹、短线纹、S 形纹、戳印篦点纹和菱形镂空，有的一件器物上有多种纹饰共存。玉石器均为磨制，主要器形有斧、锛、杵、有肩斧，有小量有段石器。第二期文化是青铜时代早期，出土遗物包括石器、玉器、骨器、陶器等。陶器造型仍流行圈足、圜底，但不见三足器，器形种类增多，包括罐、釜、杯、盆、壶、簋、尊，还有数量较多的施刻同心圆纹的陶纺轮。纹饰仍以绳纹为主，戳印篦点纹增多，附加堆纹少见，表面磨光的陶器大量出现，保留在绳纹上施刻划纹的风格，新出现彩绘和戳印、刻划组合纹。玉石器磨制精细，刃部锋利，器类丰富，包括斧、锛、凿、杵、拍、镞、戈、钺、玦、璜、T 形环、镯、管等，新出现石范。骨器数量丰富，包括铲、锥、匕、簪和 1 件牙璋。年代相当于中原地区的夏商时期。骨牙璋的发现，证明在夏商时期，这里就与中原内地有比较密切的联系。浇铸铜器的石范的发现，说明其时已跨进青铜器时代的大门，大量玉器和骨牙璋的发现，说明其社会组织已脱离野蛮社会，进入文明社会。①

（二）大龙潭遗址

大龙潭遗址是一种以大石铲为主要特征的文化类型。这类遗址出土遗物以形制奇特的石铲为主。这种石铲形体硕大，制作精致美观，在别的地区很少见到。这类遗址大部分在靠近江河湖泊的坡岗上，其中以隆安县东南、扶绥县北部和邕宁县西北部这个三角地带最为密集，遗物也最典型。其分布范围很广，涉及广西的南宁、邕宁、武鸣、扶绥、崇左、龙州、宁明、大新、隆安、玉林、北流、容县、贺州、贵港、平南、贵县、平果、田阳、德保、靖西、来宾、浦北、合浦等36个市县，116处地点，在广东西部、海南及越南的广宁省也有发现，但以桂南地区分布最为密集。通过对隆安大龙潭、扶绥那淋屯、崇左吞云岭、靖西那耀等遗址的发掘，对其文化内涵有了基本的了解。石铲形体硕大，器身扁薄，棱角分明，制作规整，许多器物无使用痕迹。石铲多以一定的形式排列，其中又以刃部朝上的直立或斜立排列组合为主。这是一种与广西其他文化类型遗址不同的新石器文化遗存。其时为新石器时代末期。关于此类遗址的性质，目前尚有争议，一种意见认为是石器制作工场；另一种意见则认为是原始社会与农业祭祀活动有关的遗存。后一种观点已被学术界普遍接受，特别是近年在武鸣弄山属新石器时代末期的岩洞葬中发现大石铲作为一种随葬品出现，说明大石铲不是实用器，更多的是作为一种礼器存在。

石铲的分布范围，代表了一个大的原始部族的活动地域。从石器加工技术和个别遗址与残铜器伴出的现象看，这类遗址的时代可能处在新石器时代末期，是广西新石器时代的最下限。这类遗址同农业部族有关，大批的石铲，有的是生产工具，但有的却硕大无

① 广西壮族自治区文物工作队，那坡县博物馆：《广西那坡县感驮岩遗址发掘简报》，载《考古》，2003（10）。

朋、精美无比，显然不是实用的生产工具，可能同农业祭祀活动有关。①

在隆安县内军坡遗址有一处堆放了4立方米的石铲，而且这些石铲都被不同程度地打碎，当与大型的“燎祭”有关。石铲分布中心遗址面积数千平方米，是很大的祭祀场地。举行如此大的祭祀活动，必定有众多的人口，有相对稳定的组织制度和权威组织者，应是古国遗存实体。

（三）元龙坡墓群

武鸣县马头乡在1974年初就出土过一件商代晚期铜卣和一件铜戈，1985年夏在马头圩北面的元龙坡出土一件西周铜盘，经过实地勘察，发现了一群西周—春秋墓葬，同年10月至1986年3月进行了清理发掘。这个墓群范围较大，分布密集，排列整齐。墓室为狭长形竖穴土坑，有的两端有二层台，有的把墓圹挖成船底形，个别墓有半圆形耳室，都比较特殊。有将随葬品打碎或拆散分置多处的现象。随葬品中的青铜器有盘、卣、刀、矛、斧、钺、匕首、镞、镦等，铜盘和铜卣是典型的西周铜器，但铜刀、铜钺、铜匕首等富有浓厚的地方色彩，特别引人注目的是出土了一批砂石铸范。有的铜钺、铜刀可放入相应的石范，说明这些铜器就是用这种石范浇铸出来的。石范的发现，说明当时已有了青铜冶铸业。M115是一座有二层台的陶器墓，经C^{14}测定，其相对年代为距今2850±70年；M46是一座在填土中发现陶片的狭长形竖穴土坑墓，经C^{14}测定，其相对年代为距今2625±70年。这两个年代数据与从随葬品推知的年代相吻合。这批墓葬的时代应是西周晚期至春秋时期，是目前所知在广西境内发现的最早一批青铜器时代的墓葬。②

① 广西壮族自治区文物工作队：《广西隆安大龙潭新石器时代遗址发掘简报》，载《考古》，1982（1）。

② 广西壮族自治区文物工作队等：《广西武鸣马头元龙坡墓葬发掘简报》，载《文物》，1988（12）。

（四）几何印纹陶遗址

广西也是几何印纹陶的分布地区。从三十多年来不断搜集的材料来看，已发现几何印纹陶的地点不下70处，主要分布于湘桂铁路以东的各个县、市，尤以桂东北地区分布最集中，特别是贺江流域的贺县、富川，发现遗物多，纹饰丰富多彩，也最典型。由此往西北有恭城和灌阳的灌江流域，往西有钟山的思勤江流域，都有类似的地方，往南散布到桂东南各个县，最南到达北部湾畔的江山半岛。主要纹样是夔纹、云雷纹和羽状纹、曲折纹。广西的几何印纹陶很可能是在中原地区青铜文化的影响下发展起来的，其分布范围与广东北部大面积的几何印纹陶地区相衔接，因而有理由认为，以夔纹、云雷纹为主的几何印纹陶可能是从广东北部地区传入的。与此相应，在广西出几何印纹陶的地区也有商周时代的青铜器发现。这些青铜器的造型、纹饰和中原地区同类铜器类似，几何印陶的纹饰也可能直接仿自此类铜器。广西境内出土大量铜鼓，其中粤式铜鼓上装饰云雷纹、席纹、菱形纹等，也与几何印纹陶上的纹饰相似，很可能是受几何印纹陶影响的结果。由此可见，当地民族在商周时代确已吸收了中原地区青铜文化因素。①

三、对远古方国的追寻

岭南的方国至少产生于商代。《逸周书·王会解》后附有《商书》中《伊尹朝献》逸文，记载商初成汤命伊尹制定诸侯向商朝的贡纳制度，伊尹作“四方令”，其中正南诸侯国有“瓯、邓、桂国、损子、产里、百濮、九菌”，所献方物为“珠玑、玳瑁、象齿、文犀、菌鹤、短狗”。从“四方令”所载南方诸侯国贡纳方物情况看，他们大部分都是岭南方国实体，与商的关系是贡纳关系。商代牙璋和玉戈的传入，就是这种关系的反映。西周至春秋时期是广西方国

① 广西壮族自治区文物工作队：《广西地区几何印纹陶分布概况》，载《文物集刊》，1981（3）。

发展时期，已能制造大量青铜兵器，方国与方国之间不断发生战争。大国兼并小国，到战国前后期，出现西瓯、骆越两大方国。

（一）对西瓯文化的探索

1. 平乐银山岭战国墓群

1974年在平乐银山岭发掘了一批战国至汉代的墓葬，其中属战国中晚期的墓葬约110座。这批墓葬都是小型的长方形竖穴土坑墓，坑位集中，形制简单，很有地方特色。

第一，墓底设腰坑。设腰坑的墓占总墓数的79%强，腰坑有方形、长方形、圆形、椭圆形几种，内放一件陶器。这种专门放置一件陶器的腰坑，只有在邻近的湖南南部和广东西江流域的春秋战国墓中可以见到，其他地区尚未发现。

第二，随葬品组合很有规律。一般以实用器为主，基本上没有礼器。其基本组合是：铜兵器（或陶纺轮）、铁工具和生活用具。铜兵器是剑、矛、镞配套；铁工具是锄、刮刀配套，生活用具是鼎、盒、杯相搭配，此外，普遍伴出砥砺兵器和生产工具用的砺石。有铜兵器的墓不出陶纺轮，有陶纺轮的墓不出铜兵器，而且出陶纺轮的墓也只出一件陶纺轮，似男女有别。其组合相当整齐划一，这样的配套组合在中原内地是不多见的，只有湖南南部资兴和广东西江流域的几处战国墓才相类似。

第三，随葬器物地方色彩浓厚。如铜扁茎短剑、柳叶形刮刀、双肩铲形钺、靴形钺、柱形器、盘口鼎等青铜器。扁茎短剑，形体短小，长只有15～21厘米，扁茎，无格，折肩，短身，茎上穿孔，剑首与剑身分离，剑首柄上也有穿孔，剑身中脊起棱，锋刃砥砺锐利。铜刮刀，呈竹叶形，前端尖翘，两侧有刃，后端平；也有铁刮刀，背面圆滑无脊。铲形钺，长方首銎，双折肩，宽弧刃，有的肩为双层，形成双重肩；靴形钺，外形像短统靴。柱形器，顶端立一禽或一兽。盘口鼎，口沿外折上耸，腹较浅，底平或略圜，三扁足外侧起棱。均很有特色。硬陶三足盒、夹砂陶罐形鼎、米字纹硬陶瓮等陶器的地方色彩也很浓。以上这些随葬器物大都只能在湖南资兴战国墓和广东西江流域的战国墓中见到。①

根据这些特点和它们的地域性，结合历史文献考订，我们认为这些墓葬的主人应是先秦时代活跃在岭南地区的西瓯人。②

2. 岑溪花果山战国墓

花果山战国墓位于岑溪市糯垌镇花果山西北坡。1987年发现，1991年10月，配合板材厂基建工程发掘10座，1992年又清理4座。墓葬分布密集，排列整齐，均为长方形竖穴土坑墓。一般长约2.4米左右，最长者3米，宽0.8～0.9米，深1～1.8米，方向55～70度。填土为原坑土回填，经夯打，坑底填土多灰黑，部分有青膏泥、炭屑。墓壁经修整，有的还残留铲痕。墓底平整，底的中部设有1个圆形腰坑，腰坑内置米字纹陶瓮或陶罐1件。5号墓底部有2个腰坑，一大一小，小的在中部，未见器物，大的靠西，离小的5厘米，内置米字纹陶罐，是比较特殊的一例。随葬器物置于坑底，主要有铜器、陶器、玉器、铁器等。铜器主要有圆茎双凸箍长剑、扁茎无格短剑、斧、矛、钺、镞、刮刀、削、镦等，形制与湖南、江西、广东等地春秋战国墓发现的同类器物相同。玉器有玦。陶器有瓮、罐、碗等。瓮、罐主要为灰色硬陶，少数为红色软陶。纹饰主要有米字纹，部分瓮、罐有刻划符号。这些陶器和平乐银山岭战国墓、广东罗定背夫山战国墓的基本相同。从墓葬形制和随葬器物分析，这批墓葬应是战国晚期百越族属中的西瓯人的墓葬。③

3. 象州下那槽战国墓

下那槽战国位于象州县罗秀乡军田村下那槽屯水碾房，1980年3月发现。墓葬形制和葬式不明，出土的随葬品分铜器和陶器两

① 广西壮族自治区文物工作队：《平乐银山岭战国墓》，载《考古学报》，1978（2）。

② 蒋廷瑜：《从银山岭战国墓看西瓯》，载《考古》，1980（2）。

③ 广西壮族自治区文物工作队等：《岑溪花果山战国墓清理简报》，见《广西考古文集》，北京，文物出版社，2004。

种，铜器有矛、钺、人首柱形器和器形不明者；陶器均为泥质，有罍、双耳罐、小罐，双耳罐和小罐在肩部或底部均有刻划符号。双耳罐的水波纹和弦纹组合装饰是战国陶器中最常见的装饰纹饰，铜人首柱形器也是岭南战国墓葬中常见之物。靴形铜钺、陶双耳罐的纹饰及铜人首柱形，都有显著地方特色。推知此墓也是先秦西瓯人墓。①

在贺州铺门陆合发现一批铜钺、铜斧、铜镞，那里也是米字纹陶片的散布地，也可能是一处战国墓地。② 此外，在容县、桂平等地也有铜钺、扁茎短剑等零星器物发现，平南赤马金村出土铜剑、铜钺、米字纹陶罐。这些都可能是西瓯人墓地的遗物。

（二）对骆越文化的探索

1. 武鸣安等秧战国墓

武鸣县马头乡除了前面说到的西周—春秋墓群之外，还有一群战国墓葬，这群墓葬离元龙坡西周—春秋墓地仅有一里之隔。墓室为长方形竖穴土坑。随葬品的组合一般为青铜类器和生活日用陶器或玉石器。青铜器有剑、矛、钺、斧、镞、镯、铃、带钩等，陶器有釜、罐、杯、钵、纺轮，玉石器有玦、环、串珠等。陶器以硬陶为主，器表饰水波纹、弦纹组合的纹饰和米字纹等印纹，个别陶器有刻划符号。这些特点，有的同于平乐银山岭战国墓，又有鲜明的地方特点，主要属于骆越文化。③

2. 田东锅盖岭战国墓

1977 年 6 月以来，先后在田东县祥周锅盖岭、虎头山、南哈坡，林逢的大岭坡发现战国墓。其中锅盖岭有两座，出土遗物包括

---

① 广西壮族自治区文物工作队：《广西象州县发现一批战国文物》，载《文物》，1989 (6)。

② 广西壮族自治区贺县文物工作队：《广西壮族自治区贺县出土一批战国铜器》，载《考古》，1984 (9)。

③ 广西壮族自治区文物工作队等：《广西武鸣马头安等秧山战国墓群发掘简报》，载《文物》，1988 (12)。

铜鼓、铜剑、铜矛、铜戈、铜镦、铜斧、铜叉形器、玉环、玉块、玉管等。其铜戈与中原内地春秋战国时期的铜戈一样；有钮铜矛和桂叶形扁茎铜剑与平乐银山岭战国铜矛和短剑比较接近；而铜鼓、铜一字格剑、玉环等，都同云南滇文化的器物相似，吊胆形铜墩和有三个齿的铜叉形器在别处未见，极富地方色彩。①

3. 田东其他战国墓

虎头山战国墓，1984 年 2 月发现，清理了两座，墓室为竖穴土坑，其中一座墓随葬品仅有一陶罐，另一座墓则有铜剑 3 件、铜斧 1 件、铜叉形器 2 件、玉镯 1 件。与锅盖岭墓相似。②

南哈坡战国墓，1993 年发现，出土铜鼓 2 件、铜罍 1 件和铜鍪钉、玉管、玉玦、玉镯。铜鼓是原始形态的早期铜鼓，一面通高 32 厘米，面径 50 厘米，足径 66 厘米，鼓面有不规则太阳纹，腰部饰纵线划分的格子，其他地方光素无纹；另一面通高 37 厘米，面径 50 厘米，足径 66 厘米，鼓面太阳纹 22 芒，芒外有杂乱的晕圈，腰部有纵向曲折的界格，足部有半菱形格子纹和勾连回纹。这两面铜鼓在铜鼓分类中属万家坝型，填补了广西铜鼓发展序列的空白。③

大坡岭战国墓，位于林逢镇和同村小沙屯，1994 年 6 月发现，出土铜鼓、铜钟各 1 件。铜鼓通高 29 厘米，面径 34 厘米，足径 50 厘米，鼓面中心稍微隆起，太阳纹 11 芒，无晕圈，鼓胸素面无纹，胸腰之际有两对小扁耳，鼓腰和鼓足有用绳纹分格的菱形纹、回纹等几何纹样，是典型的原始形态铜鼓。铜钟高 56 厘米，宽 33.5 厘米，重 25 千克，直筒甬，甬上有旋，旋上有干，钟体有枚，枚长有景，正面钲间、篆间布满精细的勾连雷纹和云纹，舞

① 广西壮族自治区文物工作队：《广西田东发现战国墓葬》，载《考古》，1979 (6)。

② 蓝日勇：《田东县大索屯战国墓》，见《中国考古学年鉴》，北京，文物出版社，1985。

③ 陈其复：《田东出土两面万家坝型铜鼓填补了广西铜鼓发展系列的空白》，载《中国古代铜鼓通讯》，1993 (9)。

部、于部也有精致的几何图案花纹，隧部饰夔龙纹，但是背面无纹饰。① 这种形制的甬钟在中原地区流行于春秋时期，正面有纹饰，背面无纹饰是岭南越式甬钟的特点。

田东处右江中游，是广西腹地通往云南的交通要道，这些有别于桂江—西江流域的西瓯文化特征，很可能同文献记载中的骆越部族有关。

4. 宾阳韦坡战国墓

韦坡战国墓位于宾阳县甘棠乡上塘行政村韦坡村，已发现两座。一座为1977年秋村民清理房基时发现，随葬品沿墓坑两侧排列放置，包括铜钟2件、铜鼎1件、铜剑2件、铜矛2件、铜斧3件、铜刮刀2件、叉形器6件、陶杯1件。一座于1979年冬发现，随葬品分别置于墓坑两端和两侧，出土后已散失，仅存铜钟2件、铜剑1件、铜叉形器1件。两墓出土的铜钟、铜剑造型大同小异。其甬钟——有1件背面只有12枚，有1件正背两面各12枚，与一般甬钟正背两面均18枚的大不相同；铜鼎，盘口，口内缘有一对绳索状半环耳，扁圆腹，三足细长，下部向外撇，是典型的越式鼎；刮刀、叉形器则具有地方特色；其中有2件剑身铸有“出”字形符号，有1件剑首用水晶雕凿而成，十分罕见。此为先秦骆越人墓。②

四、文化趋向融合的秦汉时期

从秦始皇统一岭南开始，广西正式纳入祖国版图。秦汉时期中原大批汉人涌向岭南“与越杂处”，带来了先进的生产技术和文化，秦汉时代是广西经济、文化突飞猛进发展的时代。秦的统一和汉初南越国和辑百越的政策，极大地促进了汉越民族的融合。广西原有的地方特色逐渐削弱，考古发现明显属于少数民族的遗迹逐渐减

① 陈其复：《田东再次出土万家坝型铜鼓》，载《中国古代铜鼓通讯》，1994（10）。

② 广西壮族自治区文物工作队：《广西宾阳发现战国墓葬》，载《考古》，1983（2）。

少，反映出民族融合的趋势。西汉前期墓葬仍保留了战国时期的风格，随葬品中陶器、铜器占有重要地位，多用实用的兵器、生活用具和生产工具。青铜文化进入鼎盛期，器型和纹饰既有中原风格，又带有浓厚地方特色并兼杂楚、滇文化因素，反映了多种文化的交流与融合。几何印纹陶仍是最具浓厚地方特色的器类，器形、纹饰传承明显。西汉后期随葬品渐成定制，除日用器外，出现灶、井、仓、屋等模型明器。铜器制作精美，纹饰繁缛，器型复杂，玛瑙、水晶、琥珀等舶来品增多，反映了海外交通贸易的发展。

（一）西林铜棺墓和铜鼓墓

这是两座具有浓厚地方民族色彩的墓葬，发现于广西极西的西林县八达乡普驮屯。普驮屯位于右江上游驮娘江的西岸，1969年冬，在修筑百色至西林的公路时，发现一座用铜棺做葬具的墓葬。铜棺出土时离地表深约1.5米。棺作长箱形，长约200厘米，宽约60厘米，高约63厘米。棺板厚约0.5～1.5厘米，外表鎏金。棺板交接处用子母口衔接，棺的两端和两侧镶嵌鎏金、鎏银的铜面具、铜兽头和流云花饰，棺内放置玉玦之类的玉石装饰品，相当豪华。

1972年，因普驮粮站开辟晒场，在距离发现铜棺墓的地点仅二十余米的地方发现一座用铜鼓作葬具的墓葬。该墓墓室仅是一个椭圆形的土坑，直径1.5～1.7米，距地表深约2米，墓口用圆形石板盖住，石板之下，并排放砌12块大小不等的石条，石条下面就是四面互相套合的铜鼓。随葬品一部分散布在铜鼓周围，一部分放置在铜鼓之内。铜鼓最内层堆放着玉管、玛瑙串珠、绿松石珠穿缀成“珠襦”包裹的尸骨。随葬品物四百余件，有些铜器如六博棋局、骑马俑、跽坐俑、銅、洗、耳杯、车马器等，为中原汉式；而铜鼓、羊角钮钟、山羊纹铜牌饰、玛瑙扣、玉管等，具有浓厚民族色彩，有的跟云南昆明附近的滇文化遗物比较接近。根据文献记载，西林县在汉代属句町，墓主人应是西南夷中句町族的首领。①

（二）贵港罗泊湾汉墓

1976年秋在贵县（今为贵港市）罗泊湾发掘一座大型的土坑木椁墓，定名为罗泊湾一号墓。此墓规模巨大，上半部积土版筑，下半部掘土为坑，正前方开斜坡墓道。墓坑内壁用火烘烤，夹充青膏泥。墓坑内构筑木椁，椁室平面呈凸字形，结构复杂而又牢固。墓室分上下两层，上层分前、中、后三室12个椁箱。前室中部似享堂，中室、后室置长方形漆棺3具。各个椁箱内填塞随葬品，有大量的漆、木器。下层在椁室底板下，有殉葬坑7个、器物坑2个。7个殉葬坑各置木棺1具，其中3具是方棺，4具是圆木棺。棺内各有殉葬者1人，用竹席或草帘包裹，骨骸尚完整，经鉴定，除1人是13岁左右的男性少年之外，其余6人都是女性青年，年龄在19岁至26岁之间，她们身边又随葬乐器（竹笛）、梳妆品（梳篦、黛墨）及日用品（漆盘、漆耳杯），其身份应是墓主人生前的舞乐伎。器物坑内重重叠叠堆放了一大批珍贵的青铜器，包括铜鼓、铜钟、铜桶、铜竹节筒、铜盘、铜盆、铜匜、铜鼎、铜壶、铜钫等。根据椁室内出土的木牍《从器志》的记载，墓中除随葬大量铜器、漆器、铁器之外，还有大量的丝织衣物和植物果品，数量之大，为广西汉墓中仅见。这些器物中的铜鼎、壶、杯形壶、蒜头壶、钫、盆、匜、勺、镜等，与黄河、长江流域战国晚期至西汉初期墓葬出土的相同，有的铜器上刻有地名，如铜鼎盖上有“析”（今河南西郏县）、铜钫足上有“犛”（今陕西武功县）等字，显然是从北方传入的。一部分器物具有浓厚的地方色彩，如铜鼓、铜附耳桶、铜盘口鼎、铜筒形钟和铜羊角钮钟等，应是本地产品。不少漆器底部烙印“布山”戳记，一些铜器上也刻有“布”字。这些铭文的发现，不但推翻了旧史以布山是汉武帝时设置县的传统说法，

① 广西壮族自治区文物工作队：《广西西林县普驮铜鼓墓葬》，载《文物》，1973(9)。

证明布山可能在秦代已设县，而且对确定布山的地望提供了可靠的依据。漆器底部烙印“布山”戳记，表明这些漆器是当地产品。一件铜竹节筒和一件铜盆，都用漆绘故事画，这些漆画线条流畅，人物生动，并富有故事连贯性，是很难得的艺术珍品。此墓出了不少文字资料，仅《从器志》木牍就有三百多字，文字清新秀丽，记载了不少随葬品的名称和数量，有的可与实物相印证。出土计量实物多件，包括木尺、竹尺，有容量刻铭的铜鼎，有重量铭文的铜桶、铜钟和铜鼓，有的在计量铭文之前还冠以地名，可以互相参证，是研究秦汉之际度量衡制度的珍贵资料。根据墓葬的规模、随葬品的组合和殉葬人的情况来看，墓主人很可能是南越政权的最高地方官吏，是桂林郡的郡守或郡尉。① 但对墓主人的民族成分有不同的看法，有的学者认为是西瓯君，有的学者认为是骆越族首领。

（三）极具地方民族特色的青铜器

秦汉时期，尽管统一是大趋势，政治、文化向中原看齐，但在民族地区，仍生产、使用羊角钮钟、墩形铜鼓、附耳铜桶等极具地域特色的青铜器，并产生了以錾凿和刻镂繁缛精致的几何纹样和动植物写实图案的錾刻花纹铜器，顽强地显示其独特的地域文化色彩，为中华民族古代青铜文化增添光彩。

羊角钮钟是在岭南几乎与铜鼓同时产生的一种越人乐器，一直延续到西汉时期，在西林、浦北、容县、贵港、柳城、恭城都有出土。贵港罗泊湾羊角钮钟正面铸出人面纹，浦北有一件刻有人物巨兽图像，浦北大岭脚羊角钮钟饰菱形雷纹，容县羊角钮钟饰密集弦纹和S形云纹，和铜鼓上的装饰花纹相似。

附耳桶是岭南越人的酿酒、藏酒器，流行于战国晚期和西汉时期。圆桶形，器身上口稍大，中腰以下微收缩，底部留出矮圈足。有的口部稍敛，中腰微鼓，底部略收缩。直口，腹上部有一对半环直耳，耳内又有竖形贯耳。口上覆盖，绝大部分是木盖。最大的高

① 广西壮族自治区博物馆：《广西贵县罗泊湾汉墓》，北京，文物出版社，1988。

50厘米，口径46厘米；最小的高21.4厘米，口径20.6厘米。器身外表从上到下有三组几何图案花纹。每组由若干晕圈组成，常见的几何纹样有平行垂直的栉纹、复线菱形纹、圆圈纹、切线圆圈纹、勾连雷纹、锯齿纹、螺旋纹等，个别用写实图像作主晕，出现羽人船纹。整个装饰风格与同时期的铜鼓相似。见于贺州、贵港等南越国时期墓中，南宁邕江也曾打捞出一件。贵港罗泊湾一号汉墓出土4件，形制相同，大小递减，最大的一件通高36厘米，口径35.5厘米，最小的一件通高27.1厘米，口径26.2厘米，颈部刻一个“布”字，是桂林郡治布山的省文，一耳下方刻“十三斤”三字，是铜桶自身重量，实重3405克。

錾刻花纹铜器是西汉中期以后，以合浦、郁林（今贵港）、苍梧三郡所在地为中心，新出现的一种高档铜器。它用坚硬而精细的金属工具，在铸造的铜器外表錾凿和镂刻出繁缛精致的几何纹样和动植物图案，使该器显得特别精美华丽。这类铜器包括盛食器、饮食器、熏炉、灯具等，大都是居室的日常用器，偶尔也有动物塑像等摆设品及大的建筑模型明器。主要种类为食案、承盘、酒樽、奁、盒、长颈壶、提梁壶、扁壶、熏炉、灯及魁、卮、杯、镇等。几何纹样最常见的是锯齿纹、菱形回纹、勾连S纹、网纹、叶脉纹、四叶纹、羽状锦纹、菱形锦纹；植物纹样仅见花树一种，中心一条主干，从两边分出若干枝条，枝条弯曲下垂，又似垂柳；动物纹样以凤、龙、鹿最普遍，而且常共存于一器，此外还有猴、虎，其他禽、兽和水中的鱼、虫。这类铜器主要集中在广西东部地区，尤以合浦、贵港（布山）、梧州三地汉墓中出土最多，在广东德庆、广州也有一些发现，其他地区少见。其流行时间，上起西汉中期，下至东汉晚期，最繁盛的时期是西汉后期至东汉前期，即王莽时期前后。①

① 蒋廷瑜：《汉代錾刻花纹铜器研究》，载《考古学报》，2002（3）。

五、隋唐宁氏家族墓的调查和发掘

宁氏是南朝以来岭南少数民族中的豪族。宁逵于梁朝天监年间任安州刺史，其子宁猛力于陈朝袭称刺史，后来归附隋朝，将安州改为钦州，任钦州刺史。其后宁长真、宁道务等，世代为官，死葬钦州，形成一个宁氏家族墓群。这个墓群分布于钦州平吉乡的古龙，久隆乡的新圩、青草、新明、高营等地，在大雾岭（即大墓岭）东麓，北起久隆平心，南到新明石狗坪，绵延10公里。自清代道光六年（1826年）在新明石狗坪出土宁贙墓碑，民国九年（1920年）在平心圩山麓出土宁道务墓碑以来，已引起学术界的高度重视。1976—1977年间，考古工作者在久隆、平吉一带进行了调查和钻探，摸清了这一墓群的分布范围。1977年6月，发掘了位于青草附近的6座，1981年3月，又发掘了石狗坪的1座，初步揭开了宁氏墓群的主要脉络。这几座墓的规模都不是很大，多是中小型券顶砖室墓，墓室结构分墓室、甬道几个部分，墓室从平面看，有“凸”字形、“干”字形、“中”字形几种形制，也有双室并列、同坟异穴的夫妇合葬墓。随葬品主要是陶瓷器，还有铜镜、铜钱和其他金属器。在形制和随葬品的配置以及随葬器物的作风等方面，都带有较浓厚的南朝作风。但设置壁龛、灯龛和边沟，又是隋代和初唐的特色，这些墓正好处在隋大业五年正议大夫宁贙墓和唐开元二十年刺史宁道务墓之间，因此可以断定这些墓的年代是隋和初唐，墓主应是当时的宁氏家族。①

宁氏家族是汉族还是少数民族？《新唐书》称他们是“僚”，有时也称“越人”，《资治通鉴》称他们为“俚”。但已出土的两方墓志铭来看，他们都自称祖籍山东临淄，大概是在刘宋时期才来到广西的。这批墓的形制和随葬器物都与汉人墓葬相同，没有发现具有

① 广西壮族自治区文物工作队：《广西壮族自治区钦州隋唐墓》，载《考古》，1984（3）。

少数民族特点的东西。但他们确实在岭南钦州一带“相继为豪”，成为当地的俚獠酋帅，正确地说，他们原是汉族，因受少数民族熏染而完全少数民族化了。这批墓的发掘，为研究南朝至隋唐岭南俚僚地区的经济、文化及其民族融合提供了丰富的实物资料。

六、左江岩画的发现和研究

左江岩画又称左江崖壁画，是战国至东汉时期绘制在天然崖壁上的图画。分布于左江及其支流明江、平而河、黑水河两岸的悬崖峭壁之上，先后在宁明、大新、龙州、崇左、扶绥等县发现79个地点178处，绵延二百多千米，构成世所罕见的艺术长廊。这些岩画，宋、明时期已有记录，宋人李石《续博物志》载：“二广深谿石壁上有鬼影，如澹墨画。船人行，以为其祖考，祭之不敢慢。”明人张穆在《异闻录》中说：“广西太平府（今崇左市）有高崖数里，现兵马持刀杖，或有无首者。舟人戒无指，有言之者，则患病。”图画一律用赭红色颜料涂抹在天然的石灰岩峭壁上，峭壁天成，未作任何琢磨加工。但对崖壁的选择颇多讲究，一般选在临江，特别是急湾深水处，崖面壁立。绘画颜料用天然赤铁矿粉，加动物脂肪或动物血稀释调匀，用草把或鸟羽蘸上，直接刷到崖壁上，图像清晰，鲜艳瑰丽。其中以位于宁明县驮龙乡耀达村花山屯北面明江东岸一处最为壮观，故又名花山崖壁画。花山，壮语曰“岜来”，海拔345米，相对高程230米。明江自西南蜿蜒而来，至山下折向西北流。画面临江，长221.05米，高约40米。画法采用剪影式的单一色块平涂法，只表现所画对象的外部轮廓，没有细部描绘和透视概念。风格古朴，笔调粗犷，场面宽阔，现存图像1800多个，图像包括人物、动物和器物三类，以人物为主。人物只画出头、颈、躯体和四肢，不见五官和其他细部，基本造型分正身和侧身两种。正身人像形体高大，最大的达2米以上，皆双臂向两侧平伸，曲肘上举，双腿叉开，弯曲半蹲，腰间横佩长刀或长剑。侧身人像数量众多，形体较小，多为双臂自胸前伸出上举，双腿前迈，屈膝平蹲，面向一侧，做跳跃状。动物图像只有兽类和鸟类，兽类似狗，皆侧身，作向前小跑状。器物图像主要有刀、剑、铜鼓、羊角纽钟。刀、剑环首长身，一般佩带在正身人腰部，个别持握在手。铜鼓数量多，只画出鼓面，有的鼓面中心画有太阳光芒，个别的画出鼓耳。这些图像在峭壁上交错并存，组合成一个一个单元。其中典型的组合是：以一个高大魁梧、身佩刀剑的正身人为中心，脚下有一狗，胯下或身旁置一面或数面铜鼓，四周或左右两侧有众多形体矮小的侧身人。

对这些岩画的调查研究是从20世纪50年代开始的，1954年广西博物馆派员对宁明花山岩画进行了调查，1956年广西少数民族社会历史调查组对明江流域的岩画进行了专门调查，1962年广西壮族自治区民族事务委员会组织花山崖壁画考察团，沿明江、左江两岸考察，并将考察研究成果汇编成《花山崖壁画资料集》。1980年广西壮族自治区博物馆组成左江岩画调查组，沿平而河、明江、左江两岸以及江岸附近的一些石山地区进行了调查，后来编著出版了专著《广西左江岩画》（1988年）。1985年广西壮族自治区人民政府织左江流域崖壁画考察团，并由广西民族研究所、广西博物馆、广西工艺美术研究所组成考察团先遣队，进行多学科的综合考察，后来编写出版了专著《广西左江流域崖壁画考察与研究》（1987年）。由此形成研究高潮，出现百家争鸣的局面，争论的主要问题是岩画的年代、性质和属族。①

（一）岩画的年代

由于各家对岩画图像的理解不同，岩画的年代推断依然众说纷纭，有的主张是上古时期的，有的认为始于西周，有的认为始于春秋，有的认为始于战国，也有的主张晚至唐代，甚至是太平天国时期的。从目前研究的情况看，把年代定在战国至东汉时期的观点已

---

① 陈远璋：《广西左江岩画研究概述》，见《广西考古文集》（第二辑），北京，科学出版社，2006。

逐渐为学术界所接受。

（二）岩画的内容与性质

有人认为左江岩画是历史上某一次事件的遗存。如有人认为是公元初交趾女子征侧征贰反抗汉朝统治的起义活动的遗存；有人则认为是太平天国时期天地会为动员群众时制作的；有人认为是古代桂西的壮族为了纪念某一次大规模战争的胜利所制作的，甚至说这次战争与黄乾曜领导的起义有关。有人认为是从绘画向形象文字发展的过渡时期的一种语言符号；有的学者则认为左江岩画是具有原始宗教意识的作品，与岩洞葬有关。但更多的学者认为与祭祀水神有关，或者与祭祀雷神、崇拜青蛙、祖先崇拜、生殖崇拜有关，大多数学者认为左江岩画是“巫术文化的遗迹”。左江岩画大都绘于靠江临水或人迹罕到的悬崖绝壁上，作画者置生死于度外，攀登悬崖绝壁，在人的肉眼看不清的地方绘制，显然不是为了单纯的欣赏，而是受到意识观念的强烈驱使，故被认为是弥漫于南方巫术文化的产物。

（三）族属

关于左江岩画的族属有几种不同的意见：一是西原说，主张左江岩画作者为唐代西原族；二是苗瑶集团说，认为岩画上最突出的动物是犬，犬是盘瓠的象征，是苗瑶族的图腾标志；三是乌浒说，认为岩画年代是东汉至南朝末年或隋代的作品，这时活动于左江流域的族群是乌浒人；四是骆越说，将岩画中的图像与考古资料、文献资料进行对比分析，认为岩画是战国至东汉时期的作品，而战国秦汉时期活动于岭南的族群是越人重要的一支骆越；五是瓯骆说，认为西瓯、骆越本是同族异称，其后裔乌浒也就是俚人，既然岩画的年代为战国早期至东汉时期，岩画主人就应该是瓯骆人，其后则是其后续称谓的乌浒（俚人）。

七、崖洞葬的调查和研究

崖洞葬又名崖葬、岩洞葬。广西是古代崖洞葬分布较多的地区，已在26个县市发现138处，主要集中在桂西北、桂中、桂西南和桂西地区，部分见于桂北地区，而以柳江、左江、右江和红水河流域最密集。仅南丹县里湖瑶族乡就有38处，大新县有16处，大化瑶族自治县11处，平果县9处，河池市8处，隆安县8处，天等县7处。这些地方往往是人们可望而不可即的禁地，明清时期一些文献把它们附会为“武侯兵书匣”、“仙人换骨函”、“仙岩”等，演绎出许多诡秘的神话传说。中华人民共和国成立后，考古工作者陆续作了一些调查，特别是20世纪80年代以来，广西壮族自治区博物馆成立了崖洞葬调查研究课题组，于1984—1989年间对分布在广西各地的崖洞葬做了比较全面的调查和清理，尤其是对南丹县里湖白裤瑶地区和柳江、左江、右江流域、红水河流域的专题调查，获得了许多珍贵的科学资料。1991—1992年，依据口碑材料和各地村民提供的线索，课题组又作了一些补充调查，前后到达天等、大新、隆安、龙州、崇左、忻城、武宣、来宾、象州、柳江、永福、全州、河池、大化、贺州等十多个县市，考察了近50个点，逐渐揭开了这些历史谜底。①

广西崖洞葬延续的时间较长，时代最早的是新石器时代末或夏商初期，最晚的是清末。武鸣县仙湖镇邓吉村弄山崖洞葬出土一批较完整的陶器、石器、玉器和蚌器等，其年代约为新石器时代的末期。武鸣县两江岜旺崖洞葬和弄山崖洞葬出土的器类和器形基本一致，其年代相当。武鸣县陆斡镇覃内村岜马山崖洞葬出土有陶器、石器和玉器，时代与安等秧战国墓相当或稍早。来宾县溯社乡古旺山崖洞葬出土有铜钺、铜匕首、双肩石斧及夹砂绳纹陶片，时代也可能属春秋战国。贺州沙田镇龙中崖洞葬出土青铜器，有鼎、牺尊、铜鼓、罍、盉、钺、车马器等，及陶瓷器和贝币，其中青铜器的Ⅱ式鼎、牺尊、罍、钺、车马器，与恭城县嘉会乡春秋晚期墓出

① 彭书琳：《广西崖洞葬调查研究的回顾》，见《广西考古文集》（第二辑），北京，科学出版社，2006。

土的同类器物十分接近；铜鼓为石寨山型，比贵县（今贵港市）罗泊湾西汉早期墓出土的铜鼓显得原始，其时代应为战国。龙州县棉江花山崖洞葬的棺木经桂林岩溶研究所作 C^{14} 测定，年代为距今 1512±50 年，时代约为南朝。该洞棺木形制与响水邑楞山、邑木山、雷山等崖洞的棺材相同，这几处崖洞葬的时代也应当为南朝时期。

隆安县布泉乡那康山崖洞葬出“开元通宝”钱 6 枚、“乾元重宝”钱 5 枚，同乡弄埋崖洞葬出“开元通宝”钱 4 枚，时代可以推定为唐代或唐以后。大新县恩城乡邑史山崖洞葬出有宋代“建炎通宝”钱一枚，邑仰山崖洞葬有明正统十年知州题字：“山之上有岩，传有仙骨藏其上”，显然明正统以前已有。平果县太平乡岑逊山崖洞葬有隋“五铢”钱和明代“洪武通宝”钱及铜铃、铜镯、铜钏、玛瑙、料珠、海贝串饰等；坡造乡停豆山崖洞葬有明代铜钱和宋、明、清瓷器，并有清雍正十二年的墓葬题记，其时代当自明至清。南丹县里湖崖洞葬采集到宋代瓷碗残片、明代纺织品、清“光绪元宝”钱等，其时代可能上自宋下迄于清末。

红水河流域崖洞葬延续的时间较长，其年代最早的是商周时期，最晚的到清末；右江流域年代最早的是武鸣几处，从新石器时代末期至春秋战国，田东、平果、隆安、靖西的崖洞葬年代为隋唐时期始，延续到明末清初时期；柳江流域崖洞葬延续时间最长，其年代从商周时期延续到清末，甚至民国时期；左江流域崖洞葬一般年代较晚，从南朝末隋唐时期起，延续到明清时期。

左江流域的龙州、崇左、天等、大新、靖西、扶绥，右江流域的田东、平果、隆安，红水河流域的东兰、大化、忻城、来宾，柳江流域的河池、宜州等地的崖洞葬一般选择在悬崖峭壁之上，人畜难以攀缘。南丹里湖等地崖洞葬所处位置多在并不陡峭的山坡上，既不临河，也非悬崖绝壁，一般人都能上去，但相当隐蔽，即使当地群众知道的也不多，很少有人能完全知道附近崖洞葬的地点，可以说“藏之幽谷，秘而不识”。

各处崖洞葬的棺材在洞中放置的位置，大致可分为两种情况：其一是直接将棺置于洞穴中宽大的洞厅处，如东兰县大同乡苏仙山岩、平果县坡造乡伏琴村扁山庙岩；其二是将棺置于洞中各壁的洞龛中，洞龛小的插入一棺，洞龛大的则插入数棺，互相叠压，如平果县太平乡古案村邑央山崖洞有棺材 20 多具，同县凤梧乡红岩山崖洞残存棺材 16 具半。这些棺材分别置于大肚圆形洞厅各壁及侧洞之洞龛中，其中 1、2、6 号洞龛各存棺 1 具，4 号洞龛置棺 8 具，其中棺木分三层，顺洞龛进深方向叠压纵置。5 号洞龛置棺 5 具，亦分三层顺洞龛进深方向叠压纵置，其中中下两层置棺各 2 具，上层置 1 具。棺大小不一，各龛（除 6 号洞龛外）棺材棺头皆朝龛外。

广西崖洞葬的类型大致分为两种。一如左、右江流域，崖洞在临河的悬崖峭壁之上，人迹罕到，棺木用原木对剖挖空而成，一端留有牛角形柄，放置方法是一棺挨一棺叠放，百十为群。一如桂北南丹、永福等地，崖洞有高有低，但洞外坡度并不十分陡峭，人畜可以出入，棺材用木板拼合成箱式，有的有棺架，棺盖可以开合，随时可以放进尸骸。

保存有棺材的崖洞葬，其棺材形制基本为整木圆棺和拼合式方棺。以整木圆棺最普遍，也最著地方特色。左江、右江、柳江和红水河流域的天等、大新、龙州、平果、隆安、东兰、大化、河池等县、市的崖洞葬，都用整木圆棺，其特点是：头大尾小，形同圆柱。棺材用整段圆木，中剖为二，将上下两半均刳成槽形。下半为棺床，口部四沿凿出子口，个别的棺床凿出人体体形（如田东县印茶乡白山崖洞）；上半为棺盖，口部四沿凿出母口。也有的棺不凿子母口，上下棺盖、棺身相扣合而成圆棺。上下棺头、棺尾凿出角饰，有的棺头、棺尾的角饰相同，有的棺头是上下一对牛角形或短角形、双鸟形及燕尾形角饰，棺尾则是上下一对燕尾角饰。棺材均不施钉，有的在棺头、尾角饰根部凿出榫眼，再用一条头小尾大的木销插入其中，将棺栓固；有的是在棺的两侧子母口上各灼出 3 个直径1.0～1.5厘米的在圆形孔眼，将小木栓插入孔眼将棺栓固。使用整木圆棺的崖洞葬99%行二次捡骨葬，每处崖洞葬置棺少则两三具，多则数十具乃至数百具。棺内置尸骨以单人葬为主。棺材均不大，多数棺材尺寸长80～120厘米、宽22～27厘米、高27～32厘米，属小型棺材。最小尺寸的棺材长仅46厘米、宽10～16厘米、高6～11厘米。如此小的棺材体积容量，很难容纳两副完整的成年个体骨骸。南丹里湖崖洞葬的棺材主要是拼合式方棺，又分为架棺和栓棺。棺身呈长方形，由上下左右四块长方形木板和前后两块正方形挡板组成。有的棺盖板、底板内面四周开槽，将侧板与挡板嵌入槽中，侧板两端凿出凸起的雀尾，雀尾上凿出方形榫眼，穿以长木栓。木栓一头大一头小，小头有一方孔，上穿小木钉固定木栓。然后放在由四根长方形或圆形立柱和四根横木组成的“井”字形框架上，形成架棺。架棺又有高架棺和低架棺之分，以前者为主。高架棺的立柱顶部多加以装饰，有的饰成牛角、矛头、小鸟形，极个别修饰成人头形。低架棺立柱上没有装饰，加工粗糙。在低矮的岩洞中，一般是将棺材搁置在方木上，则成无棺架的栓棺。栓棺棺身也由六块整板组成，盖板、底板和侧板均有凸出的雀尾，雀尾上有方形榫眼，内插长木栓，呈“十”字交叉把棺板紧固在一起。抽掉木栓，棺即可打开。栓棺与架棺棺身大小基本相同，棺木都是原木素面，极个别的棺外有炭黑和土红色彩画。这种崖洞葬都行一次葬。这种棺的棺盖均是活的，可以随时打开，一家一棺，家中每死一人，即开棺将尸体放入，骸骨重叠交错，棺内死者至少2人，最多达7人。这些棺内有的可能是夫妇合葬，还有的可能是两三代人合葬。

广西崖洞葬的族属，学者大多认为属越族。广西自古以来为我国百越分布地区之一，因其地理位置在我国西南，这里的越人故有“西越”、“西瓯”和“骆越”之称。也有的学者认为广西崖洞葬与越族无关，而与生僚、生蛮关系密切，他们认为左、右江流域的崖洞葬属左人、西原蛮、广源蛮，都是壮族的先民。有的学者认为左江流域的崇左、龙州等地的崖洞葬属乌浒人或左人（乌浒属古僚人，左人可能是乌浒后裔，也是僚人）；东兰、平果、隆安等地崖洞葬属仡佬、壮人；全州屏山渡崖洞葬属瑶人。瑶、仡佬、壮与五溪人有密切的渊源关系，应是僚族在发展中形成的不同分支。

南丹县里湖地区崖洞葬与左、右江流域和红水河流域大部分壮族居住区的崖洞葬不同，它们行的不是二次捡骨葬，而是一次葬；所用棺材不是整木圆棺，而是拼合式方棺；一家人合用一棺，棺盖可以随时打开，谁先死谁先放，后死者开棺再放入，棺满后另置一棺，形成几代人的合葬。清乾隆年间修纂的《庆远府志》载："南丹有一种瑶人，亲死不瘗，置棺岩穴间。其家再有人死，则另覆其骨于别棺，取原棺回殓，复置岩间。覆骨遇翁媳，隔之以布，棺满又置棺，相沿成俗。家各一棺，村各一岩，不相杂类。"调查发现的里湖崖洞葬正是这种情况。现在里湖白裤瑶族死后，仍实行砍牛送葬，所用的棺材与崖洞葬的低架棺基本相同。砍牛祭葬后，将牛角嵌在死者墓前木柱上的习俗，应是由崖洞葬高架棺立柱顶部饰牛角之俗演变而来的。因此里湖行崖洞葬的民族应属白裤瑶族先民。

八、铜鼓研究

铜鼓研究是广西民族考古的重要课题。关于广西的古代铜鼓，很早以前就有人记述过，但对它们认真研究，则是20世纪60年代以后的事。1974年洪声发表《广西古代铜鼓研究》一文，对广西古代铜鼓作了概括性论述。1980年3月，全国研究铜鼓的学者云集南宁，举行了第一次铜鼓学术讨论会，之后于1991年、1996年又分别在南宁和桂林举办两次有关铜鼓的国际学术讨论会，出版了《古代铜鼓学术讨论会论文集》（1982年）、《铜鼓和青铜文化的新探索》（1993年）、《铜鼓和青铜文化的再探索》（1997年）等论文集和《铜鼓史话》（1982年）、《中国古代铜鼓》（1988年）、《铜鼓艺术研究》（1981年）、《北流型铜鼓探秘》（1990年）、《广西铜鼓图录》（1991年）、《中国古代铜鼓科学研究》（1992年）、《古代铜鼓通论》(1999年)、《壮族铜鼓研究》(2005年)等专著，对广西古代铜鼓的分类、来源、年代、族属、纹饰等问题作了广泛的论述。①

广西古代铜鼓的分类问题，比较一致的意见都认为有东、西两大系统，东式即粤桂系统，或简称为粤式，西式即滇桂系统，或简称为滇式。粤式铜鼓在广西主要分布于东南部，包括玉林、钦州、梧州南部、南宁东部各县，以云开大山为中心，与广东西南部铜鼓分布区连成一片。粤式铜鼓普遍高大厚重、铸作精良，鼓面大于鼓胸，腰部微束，太阳纹光体突出如一块厚实的圆饼，光芒细长如针，芒数少，常见是八道或十道，鼓面有立体青蛙装饰，全身花纹以几何图案为主，晕圈密集。粤式铜鼓分为三个类型。一型以北流出土的大铜鼓为代表，称为北流型。北流型体积硕大而浑厚，鼓面边缘下折成“垂檐”，鼓耳多圆茎环耳，花纹以云雷纹为主，立体青蛙瘦小。二型以灵山绿水村出土的铜鼓为代表，称为灵山型。灵山型形体凝重，形象精巧，耳为带状扁耳，鼓面青蛙一般为六只，皆三足，间有累蹲蛙，花纹繁褥，主要晕圈多饰变形骑士纹、兽形纹等。三型称西盟型，与云南西盟佤族地区的铜鼓近似，仅见于龙州、靖西等中越边境地区。滇式铜鼓在广西主要分布在西部和西南部，包括百色、崇左、南宁、来宾、柳州、河池，与云南、贵州接壤。滇式铜鼓一般鼓面小于鼓胸，胸部膨大突出，腰部明显收缩，太阳纹较大，不隆起，光芒与光体间没有分界线，芒数以12道最普遍，晕圈有宽窄主次之分。滇式铜鼓也分三个类型。一型以云南晋宁石寨山出土的铜鼓为代表，称为石寨山型，这类铜鼓面无青蛙装饰，纹饰以翔鹭纹、羽人纹、划船纹为主体，写实性很强，装饰精美。二型以藤县横村冷水冲出土的铜鼓为代表，称为冷水冲型，这类铜鼓形体高瘦，但质地轻薄，面上都有立体青蛙，还有骑乘、

① 蒋廷瑜：《广西铜鼓研究七十年》，见《广西考古文集》(第二辑)，北京，科学出版社，2006。

牛橇、龟、鸟等立体装饰，花纹密集，但所饰翔鹭、骑士和船纹都趋于图案化。三型以贵州麻江出土的铜鼓为代表，称为麻江型，形体扁矮，鼓身只有上下两节，鼓面无青蛙，主体汉饰为旋旗纹、符箓纹、十二生肖纹、鱼龙纹等，有的还铸有“道光”年款和吉祥语铭文。

关于铜鼓的年代以石寨山型研究得最充分，因为广西的石寨山型铜鼓多出于墓葬中，有许多共存物可作断代的参考，其中包括田东锅盖岭战国墓、贵港罗泊湾西汉初期墓、西林汉代铜鼓墓等，说明这类铜鼓的时代属战国至汉代，这在学术界没有什么分歧意见。冷水冲型从铜鼓发展序列来看，应是承石寨山型之后，而且有个别铜鼓和东汉四系陶罐和南朝陶碗等共存，其时代上限在西汉晚期，下限到隋唐，也可推断。麻江型铜鼓主要是元、明、清三代的，最早的是宋，最晚的到清代道光年间。这些也无多大争议。发生时代争议的主要是粤式铜鼓，尤其是北流型铜鼓的上限。一部分学者根据北流型铜鼓通体饰云雷纹，与商周时代青铜器上的云雷纹有共同点，也和两广地区古文化遗址出土的几何印纹陶上的云雷纹相似，而且两广地区春秋时代已有比较成熟的青铜文化，故而认为这类铜鼓的年代上限至少应在春秋晚期；一部分学者则根据魏晋时期史料中有关两广地区铸造铜鼓的记载最多，认为北流型鼓的上限不超过魏晋时期；另一部分学者通过详细比较和逐项论证，认为其上限在西汉晚期或东汉初期。灵山型铜鼓是从北流型演化来的，其下限根据文献记载，一般推断为唐代，看法比较一致。

关于铜鼓的来源，滇式铜鼓是由西往东发展的，石寨山型主要分布在右江—西江一线，贵港是它的最东出土地点。这型铜鼓可能是从西方沿南盘江进入广西的。冷水冲型主要分布在左江—郁江—浔江沿岸，它既继承了石寨山型，又具有粤式铜鼓的某些特点，应是滇式铜鼓与粤式铜鼓交流、融合的产物，是广西的本地产品。麻江型集中于桂西和桂西北与贵州接壤的地区，是桂黔交界地区铸造的产品。关于粤式铜鼓的来源仍是一个谜。有的学者认为它是土生土长的，两广交界的云开大山是它的发祥地；有的学者认为粤式铜鼓是滇式铜鼓的歧出类型，当滇式铜鼓东传到岭南的西江流域之后，与北方来的华夏文化相融合而形成这种新式铜鼓。粤式铜鼓多是分散埋藏的，出土资料十分零碎，目前还没有发现用于随葬而出土于古墓中者，由于无其他共存物可资参考，断定其时代比较困难，上述两种推断都缺乏坚实的时代依据。但从总的趋势看得出来，粤式铜鼓在两广地区是大起大落的，从时间上来说发生得迟，从速度上来说发展得快，消失得也快。它一面世就显得形体硕大，纹饰繁缛，看不出原始形态痕迹，但进入唐代以后，突然间消失得无影无踪。要究明它的来龙去脉，是铜鼓研究中的一大难题。

关于广西铜鼓的族属，不少学者根据不同类型的分布和文献记载当地民族的变化情况，作了具体分析。一般认为在广西境内拥有石寨山型铜鼓的居民，在西林、百色、田东的应是战国至汉代的句町人，在贵港的应是汉代的骆越人；有的学者则认为是沿南盘江向东迁移的濮族。冷水冲型铜鼓的铸造和使用者，有的学者认为是僚人和蛮人，有的学者认为，冷水冲型既是滇式铜鼓与粤式铜鼓交流、融合的产物，它的铸造和使用者应是濮、越两大系统民族融合后的民族。当代民族仍在使用麻江型铜鼓，它们分属于壮、苗、瑶、侗、彝等民族。粤式铜鼓分布于两广地区，它们的所有者应是历史上的乌浒和俚人，但对它们的先民有不同的看法，有的学者认为是百濮系统，有的则认为属百越系统，有的学者甚至认为百越不是制造和使用铜鼓的民族，只有百濮才是制造和使用铜鼓的民族，百越地区出现铜鼓是接受百濮文化影响的结果。

关于铜鼓纹饰的研究分别从不同时代和不同类型的对比入手，进而探讨它们各自的含义。其中对石寨山型铜鼓上的船纹研究得最多。有的学者认为贵港罗泊湾一号墓10号铜鼓上的船纹从形体上看应是双身船，这种船可以用于航海；进而从这种形体的船，以及人物椎髻、羽冠、断发文身、猎头、使用有段石锛、住干栏式房屋、实行崖洞葬等推断应是古代濮越民族的。这些突出的文化特征，在南洋群岛和太平洋诸岛以及拉丁美洲、北美洲都有不同程度的反映，可推断古代濮、越文化有传播到美洲的可能。另一种意见认为铜鼓船纹所见的船是狭长的轻舟，船底平直，不胜大风大浪，应是驶于湖泊之舟，有些船上的人划桨有力，动作整齐，只能作短距离急行，应是龙舟竞渡风俗的写照。石寨山型铜鼓上常有头戴羽冠、身披羽饰、手舞足蹈的人物形象，有的学者称之为“羽人”，认为饰铜鼓以羽人，是一种图腾崇拜的表现；有的学者认为铜鼓上所饰的羽人，是现实生活中一种化装舞蹈的舞人。对于其他纹饰，有的学者认为一部分反映了原始宗教崇拜的内容，如其中的太阳纹、云雷纹、水波纹等，是对大自然的崇拜；长喙翔鹭纹、立体青蛙、龟、鸟、龙纹等，是对动物的崇拜；有的也可能是图腾崇拜。

过去人们掌握的铜鼓都是传世品，多已离开铸造和使用它的地域和人群，难以判断其分布地域和年代，考古发掘品的出现改变了这种面貌。这些考古发所得的铜鼓，不但地点明确，文化层位清楚，而且都有大量的伴出物可作推断年代的参考。通过 C^{14} 测定和根据对共存器物已有的年代知识，可以对铜鼓入土年代做出更可靠的判断，为研究传世铜鼓的年代和分布提供更好的标尺。由于大量考古材料的加入，使一些长期以来似是而非的问题得以澄清。民族考古学为铜鼓研究的深入发展开辟了广阔的前景。

云南民族考古与研究概况

肖明华

云南地处中国西南边陲，全省国土面积39.4万多平方公里[①]，居全国第8位，有一定聚居区域的民族有25个。在漫长的历史长河中，各族人民创造了丰富的物质文明和精神文明，留存下了大量历史文化遗存，发现和研究这些文化遗存，是云南民族考古与研究的内容。

1949年以前，云南地方政府无专门的文物与考古机构，国外机构和国内机构及个别考古学者曾在云南做过一些考古调查和考古发掘工作。1926年冬至1927年春，美国国家自然博物馆组织的中亚考察队在元谋县的龙街调查，发现一处新石器时代遗址[②]。1929年冬，考古学家卫聚贤等，在滇东北的昭通地区调查汉晋墓，1930年发掘[③]。1938年，贾兰坡等来云南进行旧石器洞穴遗址的调查[④]。1939年，中央博物院筹备处的吴金鼎、曾昭燏、王介忱等人，在云南大理洱海西岸的马龙、佛顶等地进行过几处新石器时代

---

① 云南省地方志编纂委员会:《云南省志·卷一地理志》，1页，昆明，云南出版社，1998。

② 美国自然博物馆:《中亚调查记》，1932。

③ 卫聚贤:《中国考古学史》，北京，商务印书馆，1937。

④ M. N. Bien and L. P. Chia: *CAVE AND ROCK-SHELTER DEPOSIS IN YUNNAN*，载《中国地质学会志》，第十八卷。

遗址的考古发掘①。1941年，万斯年等发掘过云南剑川火葬墓②。

中华人民共和国成立以来，云南地方政府成立了文物考古机构，民族考古取得了长足的发展。20世纪50年代，相关部门对滇池周围新石器时代遗址进行了调查，发现并发掘了晋宁石寨山古墓群，发现了滇王墓，认识了滇青铜文化。60年代，发掘了安宁太极山青铜时代墓地、祥云大波那木椁铜棺墓、呈贡东汉墓、昭通晋墓、大关崖墓。70年代，发掘了元谋大墩子和宾川白羊村新石器时代遗址，发掘了江川李家山、楚雄万家坝、曲靖八塔台等青铜时代墓地。80年代以来，对龙陵大花石遗址、永平新光街和通海海东等新石器时代遗址进行了发掘，对曲靖横大路古墓群、元江打蒿陡、江川李家山、个旧黑马进、南华孙家屯、晋宁石寨山、大理大丰乐、昆明官渡羊甫头等青铜时代古墓群进行了抢救性发掘，对唐宋时期的南诏、大理国太和城遗址、巍山龙与图山、腾冲西山坝城址进行了调查和试掘，这些调查与发掘推动了云南的民族考古与研究。

一、新石器时代晚期的民族考古与研究

云南新石器时代遗存年代早的距今约六七千年，晚的距今约三千年。已发现的新石器时代文化遗存有310多处，其中遗址190多处，墓群约10处，石器采集点116处。新石器时代晚期是古代民族形成的时期，云南考古发现和发掘的绝大多数新石器时代文化遗存属于这一阶段。根据这些发现、发掘和研究成果，20世纪70年代，有的学者提出5个新石器文化类型的认识，其后又有8个类

① 吴金鼎，曾昭燏，王介忱：《云南苍洱境考古报告》（为国立中央博物院专刊乙种之一），四川南溪，国立中央博物院筹备处，1942。

② 万斯年：《云南剑川元代火葬墓之发掘》，载《考古通讯》，1957（1）。

型[①]、11个类型[②]等提法。现在一般把云南新石器文化分为滇西北和滇东南两大区系。滇西北区系包括维西哥登村类型、宾川白羊村类型、元谋大墩子类型、石佛洞文化和曼蚌囡类型。滇东南区系包括闸心場类型、石寨山类型、小河洞类型、忙怀类型等[③]。这些区系和类型，反映了新石器时代晚期居住于云南的各民族的文化特点。

1. 滇西北区系各新石器文化

大墩子文化遗存分布于滇北金沙江支流龙川江流域的元谋县、永仁县、武定县。调查的文化遗存有元谋龙街、虎溪村、下棋柳[④]，武定田心所所卡、干龙潭、老把村[⑤]等。发掘的遗存有元谋县大墩子遗址[⑥]、永仁菜园子遗址[⑦]和维的石棺墓群[⑧]。以大墩子遗址为代表，其位于元谋县城西龙川江支流张二村河北岸名为大墩子的台地上，面积约5000平方米。对其先后进行了3次发掘，发掘面积921平方米。遗址文化层厚达2.7米，第一、二层是近现代的扰乱层和耕土层，第三至六层为晚期文化遗存，第七至九层为早期文化遗存。菜园子遗址位于永仁县城东南菜园子村南，永定河南岸二级阶地上，遗址东西长约200米，南北宽约100米，发掘面积540平方米，文化层厚约1.6米，第一层是灰褐色耕土层，第二至

---

① 李昆声：《云南考古学论集》，昆明，云南人民出版社，1998。

② 王大道：《再论云南新石器时代文化的类型》，见《云南考古云集》，昆明，云南民族出版社，1998。

③ 云南省地方志编纂委员会：《云南省志·卷六十二文物志》，39页，昆明，云南出版社，1998。

④ 段志刚：《元谋县再次发现石棺墓》，载《云南文物》，1993（6）。

⑤ 张家华，李剑明：《云南武定田心石棺墓调查简报》，载《云南文物》，1992（3）。

⑥ 云南省博物馆：《元谋大墩子新石器时代遗址》，载《考古学报》，1977（1）。

⑦ 云南省文物考古研究所等：《云南永仁菜园子、磨盘地遗址2001年发掘报告》，载《考古学报》，2003（2）。楚雄彝族自治州文管所，云南省博物馆文物工作队：《云南永仁永定镇石板墓清理简报》，载《文物》，1986（7）。

⑧ 云南省博物馆文物工作队：《云南永仁维的石棺墓地发掘记略》，载《云南文物》，1986（6）。

四层是新石器时代文化遗存。与遗址相隔一块凹地相望的是磨盘地，发掘石墓 30 座，除 2 座较完整外，其余的墓均被破坏。维的石棺墓位于永仁县北约 18 公里的维的乡，墓群包括维的村西北墓地及其北边的石腊村、东边的力竜村和西边的张家岩等 4 处墓地。在维的村西北的山顶清理墓葬 60 座，其中单室墓 56 座，有头箱墓 1 座，有脚箱墓 3 座。墓葬分布密集，但无打破和叠压现象，墓的修建方法与菜园子遗址相似。这些发掘揭示的文化是陶器以夹砂灰褐陶为主，泥质红陶和灰陶次之，纹饰以绳纹、刻划纹和素面为主，制作方法有刻、划和拍印等，器形以大口深腹小平底罐、瓮为特点，还有双耳、单耳和无耳罐，在大墩子遗址中出土的三个陶罐内发现盛有炭化稻，鉴定为粳稻。在菜园子遗址出土的炭化稻经鉴定也属栽培粳稻。出土的石器以梯形石斧、石锛和长方形石刀、柳叶形石镞为特点。其他有骨器、角器和牙器、蚌刀、蚌饰品等。房屋遗迹平面呈长方形，均是地面木构建筑，墙编缀荆条，两面糊草拌泥。地面经过整理加工，下层是草泥土，上面铺灰烬和黄土。有的房内有火塘。窖穴分布于房址旁，有的窖穴内有稻壳、石斧和牛牙。墓葬有长方形竖穴土坑墓、圆形土坑墓、瓮棺葬、石棺墓。土坑墓分布于遗址中，是非正常死亡者墓葬。圆形土坑墓和瓮棺葬分布于房基周围，是婴幼儿的墓葬。在大墩子遗址中，石棺墓分布于遗址东部和南部边缘，在永仁菜园子遗址中未发现墓葬，但与遗址相隔一凹地的磨盘遗址上层，却发现石棺墓，石棺墓可能是本氏族的墓葬。大墩子遗址分早晚两期，早期年代距今约 3210 年，菜园子遗址年代为距今约 42901±35 年。这一文化遗存在金沙江北部的四川礼州也有发现，这些发现说明，在这一地区，新石器时代晚期时生存着一支有相同葬俗、相同物质文化、相同经济的古民族。他们的发展当直接联系着这一地区青铜时代的大石墓文化。

白羊村文化遗存分布于洱海周围的大理、宾川、鹤庆、洱源、祥云等县市，调查发现的遗存数十处，发掘的遗存有白羊村遗址①、大理佛顶遗址和马龙遗址②。白羊村遗址位于宾川县城东北约3公里的金沙江支流台地上，保存面积约3000平方米，发掘面积290平方米。文化层厚4.35米，分为8层，发现遗迹有房址11座、窖穴48个、墓葬34座，出土文物516件。遗址分为早、晚两期。马龙遗址位于大理白族自治州大理古城西南马龙峰下山麓顶部，遗址东西长200米，南北宽100米，发掘面积1438平方米，文化层分为6层。发现遗迹有灶、半穴居式房屋基址、灰坑和窖穴等，出土遗物有陶片、陶纺轮、陶网坠、石器等。这一文化的居住房屋是地面木构建筑和半地穴式建筑。窖穴形状有圆形、椭圆形、长方形和不规则形。盛行成人长方形竖穴土坑葬、婴幼儿瓮棺葬，其次还有圆形竖穴土坑葬。石器以梯形石斧、石锛和长方形石刀、新月形穿孔石刀为特点。陶器以夹砂褐陶为主，夹砂灰陶次之，夹砂红陶、夹砂橙陶最少。纹饰以绳纹、划纹、点线纹为主，其次有乳钉纹、附加堆纹、圆圈纹、斜方格纹、篦齿纹等。器形以平底罐、圜底釜、匜、圜底钵等为特点。文化层的厚度说明人们定居的时间很长。窖穴内发现粮食粉末和稻壳、稻秆，说明人们已会种植水稻和用窖穴储存粮食。白羊村遗址发现的房屋建筑方法和幼童瓮棺葬与河南镇平赵湾、洛阳王湾等地的仰韶文化相同，出土物中的罐、缸、钵等与西安半坡仰韶文化相似。这些相同、相似性说明，早在新石器时代，分布于这一地区的新石器文化就与黄河流域的新石器文化有着一定联系。白羊村遗址的年代测定为距今3770±85年，即公元前1820±85年。

20世纪90年代发掘的永平新光遗址、南华孙家屯墓地又显示

---

① 云南省博物馆：《云南宾川白羊村遗址》，载《考古学报》，1981(3)。

② 吴金鼎，曾昭，王介忱：《云南苍洱境考古报告》(为国立中央博物院专刊乙种之一)，四川南溪，国立中央博物院筹备处，1942年。

出一些新的文化现象。新光遗址位于永平县城[1]，面积4万平方米，先后进行了5次发掘，发掘面积2700平方米，遗址堆积分为16层，其中属于新石器时代的文化层有11层，厚度多在1～1.5米左右。发现的遗迹有房基、沟、灰坑及大量柱洞，其中房子有半地穴式和地面起建两种。出土遗物包括磨制的镞、锛、斧、凿、刀、镰等石器，数量较多。陶器有罐、尊、壶、盆、钵、缸、器盖等，尤以罐的种类较多。绝大部分是平底器，少量圈足器。陶色多黑褐色、褐色，火候较低，陶质显疏松。陶器纹饰繁多，常见的有刻划或压印的网格、点线、三角形、回字形、叶脉、涡纹及附加堆纹等。测定年代在距今3700至4000年间，发掘者建议将这一文化命名为新光文化。

孙家屯墓群[2]位于南华县城西孙家屯村北杨关坡地上，面积约8000平方米，发掘4700平方米，清理竖穴土坑墓70座，墓均是长方形竖穴土坑墓。葬具朽而无存，葬式因骨骸无存而不明。出土随葬品共918件，均是陶用具。陶质火候低，破碎严重，以夹砂红褐陶为多，有少量夹砂黑褐陶。器形有双耳罐、单耳罐、釜、瓮、壶、小盘。器表多是素面，少数有绳纹、网格纹。罐、釜、瓮等肩部饰乳钉纹。多数为平底器，底部有叶脉纹，少数是圜底和圈足器。均是手工制作。器型以长径双耳罐为特点，墓葬多以壶、罐、小盘、釜为组合。经热释光测定陶器年代，距今4000—3500年之间，发掘者认为出土遗物与川西早期石棺葬文化有一定联系。

维西哥登村类型位于三江并流地区的维西傈僳族自治县金沙江支流腊普河旁哥（戈）登村崖厦下[3]，仅此一处遗址。崖厦深约3

---

① 云南省文物考古研究所等：《云南永平新光遗址发掘报告》，载《考古学报》，2002(2)。

② 云南省文物考古研究所：《云南南华县孙家屯墓地发掘简报》，载《考古》，2001(12)。

③ 云南省博物馆保管部：《云南维西哥登村新石器时代遗址》，载《史前研究》，1984(4)。

米，宽约20米。穴口向西，穴内堆积已被积肥取尽，仅存遗址外沿部分，可见文化层一层，厚约0.5米，清理获遗物计90余件。遗址中出土的石器刃缘是磨制，器身一般是琢制，少数稍加磨制。器型有斧、锛、刀、镞、针、雕刻器、石球、饰品、砺石等。陶器以夹砂棕褐陶、夹砂灰陶、夹砂灰褐陶为主，夹砂灰棕陶、夹砂黑陶、夹砂棕陶次之，泥质灰陶、泥质棕褐陶最少。陶器表面的颜色多为内黑褐外棕或灰色，也有内黑外褐者，单一颜色的陶质较少，说明可能是露天烧制或用不封闭式窑烧制。陶器上可见捏制时留下的手印痕迹。器底有树叶印痕或网状方格纺织物印痕。由此可以看出制作陶器的过程是首先用树叶或粗径网状织物垫底，用泥条或泥块捏制，制好后，刮光表面，再刻印上纹饰，晾干后再进行烧制。纹饰有绳纹、树叶纹、网状方格纹、附加堆纹、波折纹、刺点纹。器型有纺纶、网坠、陶环、陶珠和罐、缸、钵碗类等。骨器发现两件，一件是骨抿，呈长条形，磨制；另一件是骨管，表面磨光，可能是用来做装饰品用。在遗址中还出土小熊猫、黑熊、竹鼠等动物遗骸，它们是被哥登村人猎获食用后留下的动物遗骸。

石佛洞文化（或类型）分布于沧源佤族自治县、耿马傣族佤族自治县澜沧江支流小黑江流域。发掘的遗址有石佛洞①、南碧桥②和丁来③，近年又有新的发现。以石佛洞遗址为代表。石佛洞洞穴遗址位于耿马县小黑江北岸山坡洞穴中，洞口向东南，高约20米，宽约50米，文化层主要堆积于洞口附近，先后进行了两次发掘。南碧桥洞穴遗址位于沧源县与耿马县交界的南碧河西岸的山坡洞穴

① 吴学明：《石佛洞新石器文化与沧源崖画关系探索》，载《云南文物》，1989(6)。

② 邱宣充：《沧源县崖画附近新石器时代遗址》，见《中国考古学年鉴》，北京，文物出版社，1984。吴学明：《石佛洞新石器文化与沧源崖画关系探索》，载《云南文物》，1989(6)。

③ 沧源岩画联合调查组：《云南沧源丁来新石器时代遗址清理简报》，载《史前研究》，1984(4)。

中，1982年5月试掘，洞内出土木炭经测定为距今2933±110年。丁来崖厦遗址位于沧源佤族自治县勐莱公社丁来村东北，名巴拱惹山山顶石灰岩的岩厦下，岩厦向南，向内倾斜约为70度。崖穴平面略呈不规则的半月形，最大宽24米，纵深达9米。文化层堆积厚10厘米至30厘米。这一文化的石器以磨光梯形石斧、石锛、八角星形器为特点。陶质有夹砂褐陶、夹砂红陶、夹砂灰陶等。器形有釜、罐、钵等。纹饰以人字形纹、月牙形纹、贝形纹、蛇形纹、鱼形纹、刺点纹、涡纹和叶形纹为特点。遗址中还出土碳化稻粒、稻壳和动物遗骸。年代距今约3000年。在丁来遗址的崖壁和附近的崖壁上绘有赤色崖画，在石佛洞遗址出土的陶器上粘有红色颜料，对出土遗物和崖画的研究认为崖画是居住于此的新石器时代居民所创作，但也有研究者认为是东汉时期的绘画①。

曼蚌囡类型遗存分布于滇西南的景洪、勐腊、孟连、思茅、普洱等县，以景洪曼蚌囡遗址②和孟连老鹰山洞穴遗址③为代表。老鹰山洞穴遗址位于孟连老鹰山的岩厦下，发掘可见文化堆积有三层。这一文化类型的石器有磨制梯形石斧、磨盘、磨棒、网坠，以石斧、两侧打一缺口的网坠为特点。陶器为手制，陶质为夹砂灰陶、夹砂褐陶、夹砂红陶，陶器上的纹饰有划纹、粗绳纹、波浪纹、弦纹，器形有罐、碗、网坠、钵、碗、盘、纺轮、陶弹丸等。年代为新石器时代中晚期。

上述文化类型分布表明，滇西北部区系沿怒江、澜沧江和金沙江并流地区分布，南边沿澜沧江达西双版纳，西边达怒江支流的龙川江地区，东边沿金沙江达武定。从居住环境看，有的在河流、湖滨台地，有的在山麓崖厦，有的在河旁洞穴。出土文化遗物中，生产工具相同，生活用具有差别，对死者的处理方式也有所不同。其

---

① 汪宁生：《云南沧源崖画的调查与研究》，北京，文物出版社，1985。

② 宋兆麟：《云南景洪附近的新石器时代遗址》，载《考古》，1965（11）。

③ 马长舟：《云南孟连老鹰山的新石器时代岩穴遗址》，载《考古》，1963（10）。

区系文化特点是使用磨制的无肩无段平面呈梯形的石斧、石锛，陶器多是手制，但各类型又略有不同。

2. 滇南、滇东南区系各新石器文化

忙怀类型分布于澜沧江和怒江并流地区的云县、景东、昌宁、保山、景谷、镇沅等县和怒江流域的龙陵、施甸、福贡等县，发掘的遗址有云县忙怀遗址①、曼干遗址和大花石遗址②，调查发现的遗存数十处。忙怀遗址位于云县县城东约 48 公里的顺甸河与澜沧江交汇处的山腰上，遗址分为两个地点，一个位于芒怀村东的旧地基，面积约 1.5 万平方米。另一个与第一个地点隔沟相望。曼干遗址位于云县栗树乡小曼干村南的澜沧江西岸梯地上，遗址面积约 4000 平方米，发掘面积 750 平方米，遗址文化层堆积分为三层，厚 50～100 厘米。大花石遗址位于龙陵县勐糯乡大田坝村东北的怒江西岸名为大花石的梯地上，面积约 5000 平方米，发掘面积 549 平方米。文化层分为上下两层，上层出土以打制双肩石斧为代表的石器，下层以磨制十分精美的梯形小石斧和石刀为其特点。这一文化类型的石器以打制有肩石器为特点，石器的一面多保留着原砾石面。陶器只发现陶片，为手制夹石英砂红褐陶、夹砂灰褐陶、夹砂红陶。可辨器形有卷沿、侈口的罐、釜、钵和圜底器。纹饰有三道平行小方格印纹、平行线纹、绳纹、乳钉纹。年代距今约三千年。龙陵大花石遗址的以打制双肩石斧为代表的遗存叠压在以磨光条形、梯形石斧为代表的遗存之上，这种考古现象表现了两者相互融合与发展的情况。怒江、澜沧江并流地区峡谷海拔低，夏、秋气候炎热，今天生活于这里的人们有的仍夏处高山，冬居深谷，过着牧耕和迁徙的生活，处于新石器时代的居民们当不例外。

① 云南省博物馆文物工作队：《云南云县忙怀新石器时代遗址调查》，载《考古》，1977（3）。

② 王大道：《滇西史前考古的重要收获——大花石遗址、墓地发掘硕果累累》，载《中国文物报》，1992 年 4 月 19 日。保山地区文物所理所等：《云南龙陵怒江流域新石器时代遗址调查》，载《考古》，1991（6）。

晋宁石寨山类型分布于滇池、抚仙湖、星云湖、杞麓湖周围的晋宁、安宁、呈贡、官渡、西山、禄丰、江川、通海等县市，发掘的遗址有晋宁石寨山遗址①、通海海东遗址②、宣威尖角洞遗址③等。晋宁石寨山遗址位于晋宁县晋城镇西约5公里的石寨山村后小山上，遗址南北长约500米，东西宽约200米，发掘面积204.3平方米。文化层分为三层，上层是表土层，中层是褐灰土层，包含物有石器、陶器等，下层是螺壳层，包含物有陶片、石器等。海东遗址位于通海县四街镇海东村东，面积约3000平方米，发掘面积372平方米，文化层厚达4米，分为七层，出土文物130件，以石器和陶器为主。发掘墓葬30座，出土随葬品27件，以红陶罐、红陶盉等最为精美。这一文化的石器以磨制有肩有段石锛和石斧为特点。陶质以泥质红陶、夹砂灰陶为主。器形以凹底弦纹浅盘、弦纹平底盘、高领罐、圜底带流罐、鸡形壶、角形杯、单流杯等为特点。纹饰有羽纹、圆点纹、三角纹、波浪纹、篮纹、绳纹、方格纹等。遗迹有火堆，墓葬为仰身直肢葬、仰身曲肢葬。年代距今4000—5000年。

闸心场类型分布于滇东北的昭通、鲁甸、绥江、大关、巧家等县市，发掘的遗址有闸心場、马厂遗址④，调查的遗址有鲁甸野石等数处⑤。马厂遗址位于鲁甸县马厂村，现存面积约10万平方米，

---

① 云南省博物馆考古发掘工作组：《云南晋宁石寨山古遗址及墓葬》，载《考古学报》，1956（1）。赵学谦，黄展岳：《云南滇池东岸新石器时代遗址调查记》，载《考古》，1959（4）。云南省文物工作队：《云南滇池周围新石器时代遗址调查简报》，载《考古》，1961（1）。

② 云南省文物考古研究所等：《通海海东贝丘遗址发掘报告》，载《云南文物》，1999（2）。

③ 曲靖地区文物管理所：《宣威格宜尖角洞新石器遗址调查简报》，载《云南文物》，1984（12）。

④ 云南省文物工作队：《云南昭通马厂和闸心場遗址调查简报》，载《考古》，1962（10）。陈万煜：《昭通县发现古文化遗址》，载《文物》，1959（9）。

⑤ 游有山：《鲁甸野石新石器时代遗址调查报告》，载《云南文物》，1985（12）。

调查确定文化层厚约1.3米。这一文化类型的陶器以泥质红陶、泥质黑陶和夹砂灰陶为主，器形以颈部饰弦纹单耳、细颈、小平底罐为特点，石器以有段石锛和梯形石斧为主。居住房屋是半地穴式。在野石遗址发现的居住房屋是半地穴式。巧家县政府驻地发现的墓葬有竖穴土坑墓9座和石棺墓9座，葬式均是单人仰身直肢葬，年代估计为新石器时代末期①。这一文化以在石器肩部位置的前面有明显的坎，即段，两侧有一个明显或不大明显的肩为特点。

小河洞类型文化遗存分布于滇南的麻栗坡、金平、文山、广南、西畴等县，调查的遗存还有文山铜木犁洞穴遗址、灰土寨台地遗址、龙根洞洞穴遗址、珠琳洞穴遗址，西畴县畴阳河，建水东山坝地点，镇源岔河、秀山，龙川江芒蚌遗址，帮歪、潞西县的弄喊，河口县坝洒，元阳县蛮铁村，红河县碧苗村，金平县油炸房、毛贝弯、大灰竹等处。已发掘的遗址有小河洞洞穴遗址②、建水燕子洞洞穴遗址③和个旧倘甸遗址④。小河洞遗址位于麻栗坡县城畴阳河西岸约150米的洞穴中，洞口向东南，洞口高2米，宽8米，深约1000米，洞内有水流出。文化层堆积已遭破坏，余存部分在洞口南边，文化层有两层，上层是扰乱层，下层是文化层，厚约1米。发现的遗迹有红烧土、火塘。出土陶片以夹砂灰褐陶为主，其次有夹砂红陶。纹饰有绳纹、划纹、附加堆纹。无完整器发现。石器以磨制有肩石锛、靴形石锛等为特点，即石器有呈直角的肩，磨制精细，器形或长或宽。估计年代距今约四千年。

上述文化遗存分布表明，这一区系北部达昭通，南部直到边境

---

① 游有山：《巧家县发现新石器晚期墓葬》，载《中国文物报》，1992年8月2日。

② 云南省博物馆文物工作队：《云南麻栗坡县小河洞新石器时代洞穴遗址》，载《考古》，1983（12）。

③ 建水县文管所：《建水燕子洞新石器时代遗址清理简报》，载《云南文物》，1990（12）。

④ 红河州文管所等：《个旧倘甸新石器时代遗址调查简报》，载《云南文物》，1994（12）。

一线，西部达禄丰，西南部达怒江支流的龙川江，东部与贵州相连。这一区系文化特点是使用有肩石器，或有肩有段石器，陶器以手制为多，晚期出现轮制及使用修理技术，各遗址也各有特点。分布于湖滨的遗址大多有螺壳堆积。从陶器中所夹谷芒看，这一地区的新石器居民们已会种植水稻，生产工具以磨制有肩有段石器为特点，陶器以夹砂红陶盉和弦纹盘为其代表性器物。

由陇川江及其施甸团山窝遗址出土的磨制有肩石器看，磨制有肩石器与梯形石器共存，这种现象说明，磨制有肩石器是从南而来的一种新石器文化，它们相遇后，在此相互融合与发展。从磨制有肩石器在此地最北的分布地点表明，磨制有肩石器文化在此受到了无肩石器文化的阻挡，因此，再北就无它们的分布遗迹发现。由此地区的考古调查和出土文物看，此地直角有肩石器的分布北达龙川江的瑞丽一带，南达红河、珠江流域一带。

南部麻栗坡小河洞和北部大墩子出土的石拍相似，近年研究认为，这当是制作树皮布的工具，说明两地的人们可能还处于无纺织阶段。

新石器时代晚期以来，虽然生产力有了提高，但社会经济仍受自然条件的制约，因而形成了一定的自然经济圈。有研究者把中国新石器文化分为“从西北黄土高原到西南山地，他们是粟类作物的发明者和种植者；后者是稻谷作物的发明者和经营者。他们之间的融合和发展，构成了我们民族特有的历史文化传统”[①]。继后有研究者把中国新石器的分化分为二大区系，一是西北腹地区系，二是东南沿海区系[②]。云南新石器文化与之有着天然的联系，滇西北区系新石器文化分布和文化内涵与西北腹地区系地缘相连，文化联系密切，滇东南区系新石器文化与东南沿海区系地缘相近，文化联系

① 苏秉琦：《略谈我国东南沿海的新石器时代考古》，载《文物》，1978（3）。

② 石兴帮：《关于中国新石器时代文化体系问题》，载《南京博物院研究集刊》，1980（2）。

较多。前者以使用磨制无肩无段石器为生产工具，后者使用以磨制和打制的有肩石器为生产工具。在此两大区系下，又形成了丰富多彩的小区域类型或发展阶段性类型文化，这种文化的表现以陶器的变化为特征。在云南高原上，由于地势起伏大，形成了立体气候和立体自然条件，因而新石器时代的文化也呈现出明显的区域特征，区域不同，文化表现会略有不同。云南高原上的新石器文化，由于考古工作还不够，大规模发掘的遗址少，加之文化层堆积剥蚀严重，给人们认识新石器时代的文化及其民族造成了一定难度。

在已发现的云南各新石器文化遗址中，分布于怒江中游、澜沧江中游地区的打制有肩石器文化，既不同于北部石器文化，也与南部的磨制有肩有段石器文化有一定差别，其特点是石器为打制，多数保存原砾石面，人们会制作陶器，但工艺不发达。石器打制技术继承了此地旧石器末期的特点。这些情况似乎说明，此类型石器文化当是云南土著文化。云南的有肩有段石器文化与东南沿海的有肩石器文化似乎有着天然的联系。东南沿海地区的新石器文化，产生于水作、亚热地区；云南有肩有段石器分布于河谷和滇南地区，气候和自然条件与之相似，对人们生产、生活的物质要求相似。在相同的自然背景下，因而产生了有相同性的文化特点，两地虽有相同性，但毕竟不是一地，所以就有差异性，打制有肩石器就是这种差异性的表现。此类型遗址由于无系统的、大规模的发掘，对其文化内涵的认识，尚待以后的深入工作，目前发现的遗址年代当在新石器时代中晚期。

云南新石器文化与其南北新石器文化的这种联系特点，反映了两大区系新石器文化的发展。云南北部与西北腹地接壤，南部与东南沿海相连，两大区系新石器文化发展在此相遇，因而形成了特点和分布明显的云南新石器文化，并在发展中相互吸收和共同发展，其表现是在两大文化相接地区的一些遗址中出土两个文化的代表性文物。它们的发展对其后的青铜文化产生了深刻的影响。也有学者研究并认为滇西北、金沙江中游地区等新石器文化与西北地区新石器文化有密切联系，滇池、滇东南、滇南新石器文化与东南沿海新石器文化有密切联系，并提出有肩有段石器属百越族文化的说法①。

对云南新石器文化与周边新石器文化关系的研究认为，云南新石器文化总的是受东南沿海和西北腹地两大区域文化的影响。滇西北新石器文化与黄河上游甘青地区古代文化有一定渊源关系，并认为其属于氐羌系统民族先民的文化。滇东南新石器文化具有我国东南沿海地区新石器文化的共同点，并认为其属于百越系统民族文化。而澜沧江中游的忙怀文化，有研究认为其属于百濮先民文化，也有认为属土著文化。随着新的发现和研究的深入，对云南新石器文化的认识将会不断深化，云南新石器文化的面貌将会更加清晰。

二、青铜时代的民族考古与研究

云南青铜时代民族考古与研究始于20世纪50年代。1955年与1956年，晋宁石寨山古墓群的一、二次发掘获得了大量丰富多彩的青铜器，在M6墓内出土的金质蛇纽篆文“滇王之印”，与《史记·西南夷列传》汉武帝“赐滇王王印，复长其民”的记载吻合，近年整理发现的玉衣残片表明墓主与汉诸侯等级相同，有享受玉衣葬制的待遇，此墓墓主就是一代滇王，石寨山古墓群是滇王及贵族的墓地，一般把以石寨山古墓群出土青铜器为代表的青铜文化称为滇文化或滇青铜文化。滇文化的发现揭开了云南青铜文化研究的序幕，此后不断有新的发现和研究成果问世，成为云南民族考古研究成果最为丰富的部分。已发现的青铜时代古遗址有8处，古墓葬120余处，青铜文物出土地点70余处。根据这些发现和所做的

① 李昆声，肖秋：《试论云南新石器文化》，载《文物集刊》，1980（9）。李昆声，肖秋：《论云南与我国东南沿海地区新石器时代文化的关系》，见《中国考古学会第三次年会论文集》，北京，文物出版社，1981。李昆声：《云南原始文化族系试探》，载《云南社会科学》，1983（4）。

研究，一般把云南青铜文化分为滇池地区青铜文化（滇文化、滇青铜文化）、滇西地区青铜文化、滇西北地区青铜文化、滇东地区青铜文化、滇南地区青铜文化，并根据文献记载，确定其民族。

滇文化遗存分布于滇池周围的晋宁县、安宁市、西山区、官渡区、呈贡县、嵩明县和抚仙湖、星云湖、阳宗海周围的玉溪市红塔区、江川县、通海县、华宁县、澄江县和宜良县等，与《史记·西南夷列传》记载的滇大体吻合。现已发现滇文化墓地10余处，遗址2处，已发掘古墓葬1260座，遗址一处，出土文物31737件套。滇青铜文化始于商，发达于战国西汉，发达时期的滇文化分为四个发展时期，第一期从春秋末至战国中期，第二期为战国晚期至西汉初期，第三期为西汉中期，第四期为西汉晚期至东汉初期。王家墩为滇文化早期遗存①，刺桐关遗址和石寨山②、李家山③、天子庙④、羊甫头⑤等墓地出土文物反映了春秋至东汉初的社会发展情况。刺桐关遗址位于滇池南边的玉溪市北城镇刺桐关村东边山坡上，发掘面积2700平方米，文化层堆积最厚处达3.8米，分为八层，第一、二层为近现代层，第三、四层为明清层，第五至八层为

---

① 李永衡，王涵：《昆明市西山区王家墩发现青铜器》，载《考古》，1983（5）。

② 云南省博物馆考古发掘工作组：《云南晋宁石寨山古遗址及墓葬》，载《考古学报》，1956（1）。云南省博物馆：《云南晋宁石寨山古墓群发掘报告》，北京，文物出版社，1959。云南省博物馆：《云南晋宁石寨山第三次发掘》，载《考古》，1959（9）。云南省博物馆：《云南晋宁石寨山古墓第四次发掘简报》，载《考古》，1963（9）。云南省文物考古研究所等：《云南晋宁石寨山第五次抢救性清理发掘简报》，载《文物》，1998（6）。

③ 云南省博物馆：《云南江川李家山古墓群发掘报告》，载《考古学报》，1975（2）。云南省文物考古研究所等：《云南江川李家山古墓群第二次发掘简报》，载《考古》，2001（12）。

④ 云南省博物馆文物工作队：《云南呈贡天子庙古墓群的清理》，载《考古学集刊·3》，1983。昆明市文物管理委员会：《呈贡天子庙滇墓》，载《考古学报》，1985（4）。昆明市文管会：《呈贡天子庙古墓群第三次发掘简报》，载《云南文物》，1994（12）。

⑤ 云南省文物考古研究所等：《云南昆明羊甫头墓地发掘简报》，载《文物》，2001（4）。

青铜时代文化层。石寨山滇王及贵族墓地位于滇池东南之滨的晋宁县上蒜乡石寨村后小山上，先后进行了五次发掘，发掘面积约1700平方米，清理青铜时代竖穴土坑墓86座，出土文化遗物万余件。石寨山古墓群的发现是新中国成立以来的重大考古发现之一，也是20世纪中国考古的重大发现之一①。出土的青铜器代表了云南青铜文化发展的高峰，它们对研究云南少数民族的历史和古代滇国的历史，以及云南与东南亚、南亚、亚洲内陆腹地各民族之间的关系都具有十分重要的意义。天子庙墓群位于滇池东岸呈贡县城北天子庙，先后进行了四次考古发掘，清理长方形竖穴土坑中小型墓84座，大墓1座。羊甫头墓群位于滇池东北的官渡区小板桥镇羊甫头村后小山上，面积约4万平方米，发掘战国至西汉竖穴土坑墓495座，东汉大中型竖穴长方形土坑墓29座。李家山墓群位于星云湖西边的江川县龙街乡早街村西名为李家山的小山顶部，先后进行了两次发掘，清理长方形竖穴土坑共86座。滇文化遗存中发掘的墓葬均是竖穴土坑墓，大墓有椁有棺，中小墓有的有椁有棺，有的有棺无椁，有的不明。墓中有的有腰坑，有的有二层台。李家山大型墓多在墓口埋一锥形灰岩巨石，重数百公斤，尖锥向上，很可能是作墓的标记。滇青铜器以其精美的造型、精湛的制作工艺、生动的表现方式闻名于世，以饰人物活动场面，表现祭祀、战争、狩猎、纺织、动物纠结的贮贝器，各种扣饰，漆柄兵器和管銎兵器，形式多样的生产工具，造型别致的铜枕、铜杖饰等用具，饰蛙、翔鹭纹的铜鼓，饰蛇纹编钟和金银饰件，加工精美的宝石等为特点，代表器物有尖叶形锄、宽刃锄、爪镰、无格剑、一字格剑、月牙形钺、狼牙棒、横管銎戈、人物和动物扣饰、金鞘饰、金首饰、铜枕、铜贮贝器、铜鼓、铜笙、环底陶釜、平底陶罐、漆祖。扣饰的内容有表现剽牛祭祀、斗牛、俘获、骑士、缚牛、牵牛、猎鹿、猎狮、猎猪、猎虎、乐舞等滇人社会生活的，有表现豹噬猪、豹噬

① 考古杂志社：《二十世纪中国百项考古大发现》，北京，科学出版社，2001。

牛、虎噬猪、虎噬牛、虎熊相噬、虎噬鹿、虎噬蛇、狼噬羊、狼噬鹿、狼噬牛、狼豹争鹿、蛇噬鹿、蛇噬猪、鸟食鱼、水獭噬鱼、猴戏虎等动物相纠集或相噬的。以祭柱场面贮贝器、祭铜鼓场面贮贝器、纺织场面贮贝器、驯马场面贮贝器、牧牛场面贮贝器、战争场面贮贝器、狩猎场面贮贝器和俘获扣饰、八人乐舞扣饰、狩猎扣饰等最能表现滇族及其社会生活。滇文化的主体民族有羌人、僰人、濮人、百越、滇族等说，以滇族说似更为有据。出土文物中所表现的滇族形象以椎髻为特点[①]。妇女多饰“垂髻”（银锭式）发式，上身穿圆领对襟外衣，不系扣，衣长及膝，袖短而宽，长及肘。内衣略短，也为圆领。戴玦形叠片式耳饰，手饰玉镯，或铜镯，或金镯。滇族男子多数把发梳于顶，叠成长形，中用带束之成髻，髻有的向前，有的略向后，有高有低，因人略有变化，有的髻呈椎状。衣着与女子相同。戴耳环，腰中束带，腰前饰一圆形扣饰，左腰佩剑，有的身披披风。滇人无论男女均跣足，服饰在不同的场合略有不同，如舞蹈时，穿长及地的长衣、头饰羽毛等。

滇东北地区青铜文化遗存发现土墩墓地五处，铜器采集地一处，年代为春秋晚期至东汉初期。发掘的遗存有八塔台[②]、横大路[③]、平坡[④]等处。八塔台墓群位于曲靖市麒麟区珠街乡东山脚缓坡上，八塔台是指 8 个相傍而互相独立又大小不同的圆形土墩，最高者十余米，最大的直径约 50 米，8 个土墩的总面积在 5000 平方米左右。发掘的一号堆残高 5.75 米，底径 12.5 米，面积 76 平方米，发掘青铜时代竖穴土坑墓 5 座。二号堆先后进行了五次发掘，

① 冯汉骥：《云南晋宁石寨山出土文物的族属问题试探》，载《考古》，1961 (9)。

② 王大道：《云南曲靖珠街八塔台古墓群发掘简报》，见《云南考古文集》，昆明，云南民族出版社，1998。云南省文物考古研究所：《曲靖八塔台与横大陆》，北京，科学出版社，2003。

③ 云南省文物考古研究所：《曲靖八塔台与横大陆》，科学出版社，2003。

④ 国家文物局：《中国文物地图集·云南分册》，73 页，昆明，云南科技出版社，2001。

南部300平方米只发掘至地表下1.5～2.8米，北部480平方米发掘至生土层，西南角部分未发掘，发掘宋元明火葬墓304座，青铜时代墓葬348座，其中土封土堆长方形竖穴土坑墓16座。这些墓葬的年代从春秋时期至东汉时期，延续时间较长。横大路古墓群位于曲靖市麒麟区越州镇横大路村西北山坡上，此墓地是历代在此埋葬而形成墓葬层层叠压的一个大土墩，与八塔台相同，但只有一个墩，土墩高出生土地面约8.1米，墩顶形状呈椭圆形，东西长约90米，南北宽40米，面积约4000平方米，发掘面积1000平方米，清理青铜时代土坑墓共188座。发掘和发现的这些遗存说明，这一地区的人们盛行土墩墓地和竖穴土坑或堆土葬。在已发现的5处墓地中，有4处墓地是一个土墩，仅八塔台一处有8个土墩，其中四号墩特别高大。据已发掘的一号墩、二号墩出土的铜鼓和印章，及四号墩顶塌陷情况揣测，四号墩很可能是王族墓地，其他则可能是一般部族或家族墓地。八塔台二号墩从地表至底部生土面，厚11.8米，横大路墓地自地表至底生土面，厚约8.1米。这种土墩是历代的人们不断在其上埋葬而形成的土墩。人们为什么偏好在一个地点不断地堆土埋葬，据揣测，当时人们可能认为此地是宝地，或认为同族的人要埋葬在一起，是血缘、姻亲关系的表现。在已发掘的墓葬中，绝大多数墓葬是竖穴土坑，说明这里的人们盛行竖穴土坑葬。墓坑有大有小，少数墓有二层台。个别大墓也可清晰地看到棺、椁痕迹。多数墓没有发现葬具痕迹，有少数小墓见到朽棺木痕，但小墓无随葬品。封土堆竖穴土坑葬，八塔台有16座，横大路有3座，这19座墓均处于土墩下部。这一现象说明，在青铜时代早期，在墓穴上垒封土已是此地人们的一种葬俗。在八塔台，还有少数墓无穴。墓葬中大部分人体骨骸已腐朽无存，只有少数墓可见人体部分遗骸和牙齿，故葬式不明。据部分墓葬中随葬品的摆放位置推测，当是仰身直肢葬。墓向也有所不同，八塔台墓地在盆地东边山坡，横大路墓地在盆地西边山坡，以东西向、西东向、南北向为主。在同一墓向中，墓葬间也略有差别，这种差别可能与埋葬的季节有关。在没有指南针的时代，人们以太阳的方向来确定墓向，不同的季节，太阳的位置不同，因此墓向也有所不同。八塔台已发掘的353座墓中，有218座墓出有随葬品，135座墓无随葬品，出土随葬品1000余件。按质地分，有陶、青铜、铜铁、铁、铅、玉石、玛瑙器、琥珀、绿松石、石器、陶器和烧料等。按用途分，有兵器、生产工具、生活用具、乐器、装饰品和钱币等。随葬品在墓中的基本组合可粗分为三类。第一类基本组合是无格青铜短剑、直援无胡方内铜戈、圆形铜扣饰、尖锥状足陶鼎、高领陶罐、红陶厚唇小碗，年代约为春秋晚期至战国中期。第二类基本组合是一字格铜剑、方銎铜斧，年代为战国晚期至西汉初期。第三类是以环首铁刀、铜銎铁矛、铁矛、弩机为基本组合，年代约为西汉中期至东汉初。横大路墓发掘的188座墓中，有185座墓出土随葬品850件，以陶器为主，陶器以陶鼎、陶罐、陶盘为基本组合，还有陶豆、陶尊、陶壶、陶杯等。墓中随葬品最多者有44件，少者几件，但有的墓空无一物。出土的青铜器扣饰、铜鼓、兵器与滇文化类同，三足陶器和兽面纹青铜扣饰等特点突出。陶器以手制灰褐陶为主，少部分是红褐陶。纹饰以素面为主，少数饰有平行点线纹、波浪纹、旋纹、网格纹、叶脉纹等。器物以鼎、罐、盘为基本组合，陶鼎较具特点。代表器物有剑、戈、矛、削、虎纹扣饰、蛇纹扣饰、镯、环底和平底陶鼎、平底陶罐、陶盘等。滇东北地区青铜文化遗存的分布地望与《史记·西南夷列传》“滇王者，其众数万人，其旁东北有劳浸、靡莫，皆同姓相扶”的记载大体相吻合，这些文化遗存很可能是与滇同姓相扶的劳浸、靡莫人的文化遗存。

红河流域地区青铜文化（又被称为红河流域青铜文化[①]）遗存

---

① 李昆声，张增祺：《云南青铜文化之探索》，见《云南青铜文化论集》，昆明，云南人民出版社，1990。王大道：《云南青铜文化与新石器晚期文化的关系》，见《南中国及邻近地区古文化研究》，香港，香港中文大学出版社，1991。

以打箐陡[①]和罗垤[②]、呜鹫[③]、石榴坝[④]和黑马井[⑤]等古墓群为代表。打箐陡古墓群位于元江哈尼族彝族傣族自治县城东洼垤村北打箐陡山坡上，发掘面积1350平方米，清理长方形竖穴土坑墓73座，有45座墓有随葬品，出土随葬器物共155件，采集10件，分为青铜器、陶器、石器和宝石等，墓葬和遗物的年代确定为春秋晚期至战国晚期。呜鹫古墓群位于蒙自县城东北呜鹫中学操场，发掘面积468平方米，清理竖穴土坑墓8座，出土陶器8件，铜器5件，收集铜器、陶器、石器24件，确定为春秋战国时期墓葬。石榴坝古墓群位于红河哈尼族彝族自治州个旧市倘甸区石榴坝村西北缓坡地带，发掘面积约一千平方米，清理长方形竖穴土坑墓23座，有22座墓有随葬品，少者有一两件陶器或一两件铜器，最多的墓有14件。黑马井古墓群位于红河哈尼族彝族自治州个旧市卡房镇黑马井村西老硐坡小山顶部，墓地面积约五千余平方米，先后三次发掘长方形竖穴土坑墓13座，出土随葬品共三百余件，其中有五铢钱、大泉五十等钱币，确定年代为东汉。这一地区的墓葬均为竖穴土坑墓，随葬品组合以石榴坝为明显，分为两类，一类墓以兵器、刻刀和陶盘等为组合特点，另一类墓以有陶盘、罐、纺轮为组合特点。葬式以黑马井可辨，大墓有斜坡墓道，可见木椁痕迹。葬式有单人葬和双人合葬。发掘的墓葬及收集的遗物分属于春秋晚期至战国晚期、西汉、东汉时期。出土遗物按质地分有青铜器、陶器、玉器。青铜器有生产工具、兵器、乐器和饰件、俑等。兵器以尖刃钺、靴

---

① 云南省文物考古研究所：《云南元江县洼垤打箐陡青铜时代墓地》，载《文物》，1992（7）。

② 跃宾：《元江县罗垤白堵克青铜墓地发掘简报》，载《玉溪文博》，1994（3）。

③ 《呜鹫发掘报告》，载《云南文物》，1998（2）。

④ 云南省博物馆文物工作队，个旧市群众艺术馆：《云南个旧石榴坝青铜时代墓葬》，载《考古》，1992（2）。

⑤ 个旧市博物馆：《个旧黑马井东汉墓清理简报》，载《云南文物》，1994（12）。云南省文物考古研究所，红河州文物管理所，个旧市博物馆：《个旧黑马井古墓群》，载《云南文物》，2000（1）。

形钺、曲刃矛、直援戈为特点，生产工具以长方形銎斧、锛、窄长凿、刻刀等为特点。饰品有玉器和铜扣饰。乐器有万家坝型铜鼓、石寨山型铜鼓和羊角纽编钟。青铜器的纹饰以椭圆重圈纹、箭形纹、短线、勾曲纹或漩涡纹组合图案为主。陶器有夹砂圜底釜、圈足罐、平底盘、纺轮等，质有夹砂黑陶、红褐陶。墓葬盛行竖穴土坑墓。有的大墓有二层台或腰坑，有的墓壁经拍打光滑。填土系原墓坑土回填，有的经夯实。少数有二层台的墓似原有木棺。这些文化遗存很可能是滇南越人的青铜文化。在滇南地区有至今闻名的锡都个旧，文献记载和考古说明，在青铜时代，居住于这里的越人就已发现了许多产铜、锡矿点，并进行开采冶铸。石榴坝出土的戈，有翼无胡，在滇池地区也有发现，玉器、扣饰与滇文化相同，靴形钺与滇西南和滇池地区出土的相似，出土的铜鼓既有万家坝型，也有石寨山型，这些共性表明了滇南地区青铜文化与滇文化和滇西地区青铜文化有着密切的联系。滇南地区青铜文化处于内地与南海诸国贸易的交通道上，当时南方丝绸之路贸易的南道，即从滇至红河，然后沿红河达越南、柬埔寨。输入这些地区的铜、锡等物品就是从这条路运出的，有的也可能就是他们开采和冶铸的。滇人中的贝，其中有的当是从这条道运入。贸易的发展也影响了滇南青铜文化的发展。个旧黑马井出土的东汉器物，其中的铜量器、铜盒等是典型的汉式风格，这些说明表现了汉文化在滇南的传播。

滇西南地区青铜文化（又称怒江、澜沧江中下游青铜文化[①]）遗存分布于滇西南保山地区的昌宁、龙陵、施甸、腾冲，临沧地区的云县、凤庆等县，发掘的遗存仅昌宁坟岭岗古墓群，调查采集青铜器地点有二十余处。坟岭岗古墓群位于昌宁县城西北的大田坝村东小丘坡上，发掘面积850平方米，清理长方形竖穴土坑墓50座，个别墓有腰坑或二层台，其中出1～3件随葬品的墓有24座，出

---

① 王大道：《云南青铜文化的五个类型及与班清、东山文化的关系》，载《云南文物》，1988（12）。

10～24件随葬品的墓仅几座。可分为二类，一类出兵器等，墓主可能为男性，另一类出装饰品和纺轮，没有兵器，墓主可能是女性。出土随葬品共两百余件，墓葬的年代估计为距今2400—2100年。这一地区出土遗物表现的青铜文化以锚形铜钺、靴形钺、弯刀、编钟、铜盒、铜案为特点。发掘的古墓葬说明，在这一青铜文化中，人们盛行竖穴土坑葬。这一青铜文化分布与《史记·大宛列传》所载："滇越"人的分布地望较为吻合，很可能是"滇越"人的青铜文化。滇越人分布于横断山脉纵谷南端，怒江和澜沧江之间，在开发西南边疆和中国青铜文化的创造中，滇越人做出了自己的贡献。滇越人所处地理位置正好是蜀身毒道的出入口地区，大量的物品能从这里出进，滇越人维护着这条通道，同时也推动着自己的青铜文化的发展。滇西南地区青铜文化器物中，弯刀、铜盒与今天仍生活在这一地区的傣族所使用的弯镰、小竹盒相似，这似乎说明，这些文化信号的来源久远。滇越人北部是昆明人的分布地区，因此受到了昆明人青铜文化的影响，山字格剑、长方形钺和万家坝型铜鼓，当是受昆明人文化影响的结果，有的可能是与昆明人交换而来的；南部是滇南青铜文化的分布地区，两地出土的钺相同；东部是滇青铜文化的分布地区，出土的铜鼓又与滇人的相似，这些都表明滇越人与滇青铜文化和滇南青铜文化有着密切关系。

滇西地区青铜文化遗存分布于大理白族自治州、楚雄彝族自治州和丽江地区的永胜县、宁蒗县等。这些文化遗存一般分为三期，早期约公元前12世纪末至公元前7世纪，以海门口遗址①为代表；中期为公元前5至4世纪，即春秋末至战国中期，以鳌凤山②、万

① 云南省博物馆筹备处：《云南剑川海门口古遗址》，载《考古通讯》，1958（6）。云南省博物馆：《云南剑川海门口青铜时代早期遗址》，载《考古》，1995（9）。

② 云南省博物馆文物工作队：《云南剑川鳌凤山墓地发掘简报》，载《文物》，1986（7）。云南省考古研究所：《剑川鳌凤山古墓地发掘报告》，载《考古学报》，1990（2）。

家坝[①]、大波那[②]为代表；晚期为西汉时期，以金棱岛、黄坪[③]和大兴镇[④]、金官龙潭[⑤]为代表。海门口遗址位于剑川县甸南乡海门口村西北的剑湖出口处，先后两次进行发掘，遗址厚约1.8米，文化层有2层，厚约1米，测定遗址的年代为距今3115±90年，相当于商周时期。鳌凤山古墓群位于剑川县沙溪乡寺登街西名为鳌峰山山顶，发掘面积540平方米，发掘战国至西汉竖穴土坑墓217座，东汉时期瓮棺葬34座和火葬墓91座。大波那古墓葬先后发掘2座，M1位于祥云县刘厂乡大波那村后山坡，M2位于村东象山坡上。楚雄万家坝古墓群位于楚雄市城南的万家坝村东，发掘面积约3000平方米，发掘长方形竖穴土坑墓80座，其中有10座大墓保存有原木刳成的木棺。木棺分有盖复合棺、有盖独木棺、无盖棺等三种，用壳斗科的锥栗木和栎木制成，大多数中型、小型墓无葬具，人体遗骸朽没，有54座墓出土随葬品共1245件，其中铜器1002件，余为陶、木、玉石、玛瑙、琥珀、绿松石、锡器等。大兴镇古墓群位于宁蒗彝族自治县大兴镇东北山坡上，发掘长方形竖穴土坑墓11座，出土随葬器品有铜器、铜铁合制器、陶器、木器，经取M9棺木做碳14测定年代，为距今2460±80年（前510±80），相当于战国时期。金官龙潭古墓群位于永胜县龙潭村水库，墓地已遭破坏，出土遗物296件，其中有陶器、铜器、铜铁合金器等，据出土物断定，这是一处青铜时代墓葬，年代为西汉。这一地区的墓葬为长方形竖穴土坑墓，土坑墓有棺和椁，多数墓的棺是木棺，只有大波那木椁墓为铜棺，木棺分有盖复合棺、有盖独木棺、

① 云南省文物工作队：《楚雄万家坝古墓群发掘报告》，载《考古学报》，1983（3）。

② 云南省文物工作队：《云南祥云大波那木椁铜棺墓清理报告》，载《考古》，1964（12）。大理州文管所，祥云县文化馆：《云南祥云大波那木椁墓》，载《文物》，1986（7）。

③ 大理州文物管理所：《黄坪土坑墓调查、清理简报》，载《云南文物》，1993（12）。

④ 云南省博物馆文物工作队：《云南宁蒗大兴镇古墓》，载《考古》，1983（3）。

⑤ 云南省博物馆保管部：《云南永胜金官龙潭出土青铜器》，载《云南文物》，1986（6）。

无盖棺等，葬式有单人葬、男女合葬。出土文物表现的青铜文化是以山字格剑、旋纹柄剑、曲刃矛、曲刃戈、尖刃钺、万家坝型铜鼓和陶杯为特点，因此有学者把这一青铜文化称为“滇西地区类型”[①] 青铜文化，也有学者称其为“洱海区域青铜文化”[②]。昆明人的主要特点之一是编发。青铜文物中的昆明人是把头发大部分梳为两辫，垂于后，耳旁有的留一股，有的无，饰大耳环，身穿左衽短袖或长袖宽衣，长过于膝，腰间束带，左佩剑，有的额前卡有一头箍，有的卡于发上，有的卡于发下。在石寨山 M1 出土的纺织场面贮贝器上，也可见到编发的昆明人形象[③]。在楚雄万家坝墓地中发掘的 10 座大墓中，以 M1 和 M23 为突出，M1 中出土羊角纽编钟一组 6 件、铜鼓 1 件，出土由铜斧、长条形锄和方形锄为组合的生产工具 28 套。M23 棺被盗过，但墓中还出土铜鼓 4 件和大量青铜器。祥云大波那 M1、M2 墓均有椁室，M1 墓用铜棺为葬具，此铜棺是目前云南发现的最大青铜构件，还出土编钟 1 件和铜鼓 1 件。这几座大墓与一般的小墓差别较大，随葬品的多寡悬殊突出，据此推测，这类大墓的墓主当是君长或头人之类。在海门口遗址中出土大量的炭化稻，在万家坝还出土大量农业生产工具，这些文物表明昆明人的锄耕农业较发达。纺织工具说明昆明人也种植经济作物，如木棉和麻等，并用之进行纺织，以提供衣着之物。大波那出土的家畜铜器，表明了昆明人也饲养六畜。在青铜时代的中后期，还在水库中还发展了水产养殖。大波那出土的房屋模型和海门口遗址出土的木桩，说明昆明人住杆栏式房屋，这种杆栏式房屋的底层四周

① 李昆声，张增祺：《云南青铜文化之初探》，张增祺：《云南青铜文化研究》，见《云南青铜文化论集》，昆明，云南人民出版社，1991。张增祺：《中国青铜器全集·滇、昆明》，北京，文物出版社，1993。

② 王大道：《云南青铜文化的五个类型及与班清、东山文化的关系》，载《云南文物》，1988（12）。

③ 冯汉骥：《云南晋宁石寨山出土铜器研究》，见《云南青铜器论丛》，北京，文物出版社，1981。

有围栏，主要用于圈养家畜。昆明人墓葬中出土的中原式器物，当是与中原交换进入，一字格剑等滇式器物也是与滇人交换来。剑川鳌凤山出土的海贝反映了昆明人与南亚、东南亚的民间交通贸易。

在滇西的金沙江以南、洱海以东、南涧以北、禄丰以西的这一地区，还分布着一种以石墓为特点的青铜文化遗存。已发掘的有姚安黄牛山①、弥渡苴力②、祥云检村③、红土坡古墓群④，已调查一百余座墓，发掘103座墓，出土随葬品多为实用器，也有少量明器。黄牛山墓葬位于姚安县城西黄牛山坡上，仅发现一座墓，墓四壁用长条形和方形大石板垒叠，顶部用五块灰岩大石板盖顶，墓内仅存部分鸡骨、羊骨和5件手制双耳陶器，推断其年代为西周时期。弥渡苴力墓地分布于弥渡县城南毗雌江两岸的青石弯、新民村、石洞山等台地上，墓沿江顺山势排列，发掘大石墓10座，其中8座墓出土随葬品共76件，墓葬年代确定为战国早、中期。检村墓地位于祥云县北的检村小山上，已发掘墓葬4座，出土随葬品共158件，有铜器、铁器、陶器，墓葬年代确定为战国至西汉早期。红土坡古墓群位于祥云县周家乡红土坡村后，已发掘墓葬72座，出土遗物千余件。发掘的这些石墓均用大石板砌成，分单室墓和多室墓。以单室墓为多，多室墓次之。多室墓墓室内分为上下两层，上层单室，下层分隔成四个小墓室和两个脚箱，葬式多数为二次葬。已发掘的大石墓分属西周、战国、西汉和东汉时期。西周以姚安黄牛山墓为代表，战国、西汉墓以祥云检村、弥渡苴力为代表，东汉墓以大理三棵树为代表。出土文物有兵器、生产工具、用具、乐器、饰件和宝石等。表现的文化内涵与滇西地区土坑墓遗存

---

① 郭开云：《云南姚安西教场黄牛山石棺墓》，载《考古》，1984（7）。

② 云南省博物馆文物工作队：《云南弥渡苴力战国石墓》，载《文物》，1986（7）。

③ 大理州文物管理所，祥云县文化馆：《云南祥云检村石椁墓》，载《文物》，1983（5）。

④ 杨德文：《从出土文物看战国至汉代滇西地区的锄耕农业》，载《云南文物》，1992（12）。

的内涵相同，主要表现在山字格剑、戈、矛、钺、锄、斧、织布工具、削、杖、编钟、陶豆、釜等器类的形态方面。《史记·西南夷列传》载嶲人的分布与昆明人的分布相连。《史记》以嶲为基点，推说徙、筰的位置，叙述中又把嶲列于前，说明嶲人的分布在昆明人东，当在今金沙江中段的楚雄、祥云、宾川、弥度一带，与大石墓为特点的青铜文化遗存的分布大体相吻合，由此推之大石墓很可能是嶲人的文化遗存。新石器时代，昆明人和嶲人分布的地区也存在着土坑墓和石板墓。青铜时代，这一地区仍存在文化内涵相同、墓葬形式相异的遗存，这一情况已有学者给予肯定，并认为“大石墓虽型制特别，但随葬品和洱海区域青铜文化基本相同”[①]。青铜时代的土坑墓分布仍与新石器时代的土坑墓分布大体相同，已发现的大石墓的分布则比新石器时代的石板墓分布略西。研究确定土坑墓是昆明人的文化遗存，昆明人的青铜文化是从新石器时代文化发展而来，那么大石墓当是嶲人的文化遗存，嶲人是新石器时代的石板墓的继承人。考古出土器物表现的嶲人青铜文化与昆明人的青铜文化也相同。经济相同，文化相同，习俗相同，分布区域大体相同，这说明了他们在文化起源上同源，都是从新石器时代的无肩无段石器文化发展而来。检村出土的战国时期的铁矿和铁手镯说明嶲人在战国时已掌握了冶铁的技术，并开始使用铁器。对大石墓文化遗存的主人，也有学者认为“大石墓即濮人冢”，“濮人就是《史记》、《汉书》上所说的滇西地区的‘苞蒲蛮’，属南亚语系孟高棉民族”，认为“他们很可能是沿澜沧江河谷进入滇西地区的一支南亚语系孟高棉民族”[②]。对于嶲人的族源，也有学者持另外一种意见，认为“《史记·西南夷列传》所说滇西地区的游牧民族‘嶲人’，实际上就是南迁的‘塞人’，‘嶲’即‘塞’的音译，而‘塞’

---

① 张增祺：《中国西南民族考古》，昆明，云南人民出版社，1990。

② 张增祺：《中国西南民族考古》，昆明，云南人民出版社，1990。

又可能是‘斯基泰’的短读音”①。斯基泰人是中亚地区的游牧民族。对于大石墓和巂人的这些研究意见，值得参考。

滇西北地区青铜文化（“滇西北类型”青铜文化②，也有学者称之为“怒江、澜沧江、金沙江上游青铜文化”③）遗存分布于滇西北地区的怒江、澜沧江、金沙江并流区的迪庆藏族自治州、丽江地区。已发掘的文化遗存以永芝墓地④、石底墓地⑤、纳古墓地⑥、克乡古墓群⑦、丽江地营盘墓地⑧等为代表。永芝墓地位于迪庆藏族自治州德钦县永芝村澜沧江支流的坡地上，面积约2.5万平方米，已发掘竖穴土坑墓1座，石棺墓2座，年代确定为战国至西汉初。石底墓地位于迪庆藏族自治州德钦县城南燕门乡石底上、下两村中间的象头山上，即澜沧江东岸山坡上，已发掘竖穴土坑墓2座，年代确定为战国至西汉初。纳古墓地位于迪庆藏族自治州德钦县西北纳古镇南澜沧江东岸的山坡上，已发掘石棺墓23座，出土遗物41件，其中有2座墓无随品，其余墓有1至6件随葬品，墓葬年代为春秋时期。克乡古墓群位于迪庆藏族自治州中甸县尼西乡幸福办事处，在西恩主、威尼阁、麦洒等三个地点清理石棺墓计43座，其中有13座有随葬品，共出土遗物20件，收集到2件，测定年代为距今2850±80年，相当于西周时期。已发掘的墓葬说

① 张增祺：《中国西南民族考古》，昆明，云南人民出版社，1990。

② 李昆声，张增祺：《云南青铜文化之初探》，张增祺：《云南青铜文化研究》，见《云南青铜文化论集》，昆明，云南人民出版社，1991。张增祺：《中国青铜器全集·滇、昆明》，北京，文物出版社，1993。

③ 王大道：《云南青铜文化的五个类型及与班清、东山文化的关系》，载《云南文物》，1988（12）。

④ 云南省博物馆文物工作队：《云南德钦永芝发现的古墓葬》，载《考古》，1975（4）。

⑤ 云南省博物馆文物工作队：《云南德钦县石底古墓》，载《考古》，1983（3）。

⑥ 云南省博物馆文物工作队：《云南德钦县纳古石棺墓》，载《考古》，1983（3）。

⑦ 云南省文物考古研究所：《云南中甸的石棺墓》，载《云南文物》，1993（12）。中国社会科学院考古研究所实验室：《放射性碳素测定年代报告一六》，载《考古》，1989（7）。

⑧ 木基元：《丽江金沙江河谷石棺葬初探》，载《云南民族学院学报》，1986（1）。

明这里的人们盛行石棺墓，这些石棺均是用石块垒砌而成，葬式盛行侧身屈肢葬和仰身直肢葬。随葬品为生活实用品为主，但存在有无之别，有随葬品的墓，其物也不丰富。出土遗物分为兵器、用具和饰件，以曲柄铜剑、无格铜剑、饰长方孔首铜削、鹰和鹿杖头、短柄铜镜、银饰和双耳漩涡纹罐、三耳罐等为代表。据遗存分布与文献记载的地望确定，这一地区的石棺墓当是羌系民族白狼人的墓葬，出土青铜器表现的青铜文化当是白狼人的青铜文化。今天仍生活于这一地区的纳西族，其东巴教人像与甘肃出土人面形木牌相似，《白狼歌》与当今纳西语大多相近①。这些又进一步说明，今天分布在滇西北地区的摩沙夷（纳西族支系）与白狼人、旄牛人有着渊源关系。石棺墓均位于山坡上。已发现的维西哥登村新石器时代遗址位于金沙江河谷，出土器物说明这一地区是无肩无段石器文化的分布地区。青铜时代，已发现的石棺墓均分布于海拔在2500米以上的高山地带或山腰地区，出土器物中没有农具，说明人们已从河谷走向山地，以畜牧为主。发掘的石棺墓与川藏地区的石棺墓相似，川西地区的石棺墓研究被确定为羌人的墓葬，这里的石棺墓也当是羌系民族的墓葬，白狼是羌人中的一支。纳古、永芝出土的单耳罐与四川岷江上游石棺墓出土的罐相似②，葬式也相似，这种相似性表明了他们之间的同源性。已发掘的墓葬和出土文物还说明，大概在西周时期，滇西北地区就进入了青铜时代，他们掌握了冶铸青铜器的技术，并铸造出曲柄剑、无格剑、矛、铜镯、铜杯、铜杖头等。出土3件长方形银饰片，说明白狼人在春秋时期还掌握了银的冶炼技术和银器的制作。早在新石器时代，居住在今甘青高原上的原始居民就沿雅砻江、金沙江、澜沧江、怒江河谷不断地向南迁徙。纳古、石底出土的双耳漩涡纹罐，与甘青地区齐家文化遗

① 方国瑜：《云南史料丛刊》，第一卷，144～147页，昆明，云南人民出版社，1990。
② 冯汉骥，童恩正：《岷江上游的石棺墓》，载《考古学报》，1973（2）。

址出土的罐相似，葬式也相似[①]，甘肃卓尼县纳浪乡大族平出土的15件齐家文化陶器、双耳罐也见于滇西北地区[②]。两地物质文化的共性表明了其文化间的相承关系。墓葬中出有少量的贝，这种贝多有穿孔，用作装饰品。但这种贝是海洋生物，而不是滇西北高原所产，可能通过与昆明人或滇人贸易而来，也可能是通过馈赠而来。出土的圆形扣饰与滇池地区出土的相似，纳古出土的铜矛、铜镯、绿松石与李家山出土的相似，这表明白狼人与滇人间存在联系。石底出土的剑为山字格剑，而这种剑是昆明人盛行的剑，在这一地区出土此类剑，表明白狼人与昆明人或嶲人也存在一定的联系。研究认为，约在春秋后期至战国早期，滇西地区的青铜斧钺开始受到来自北方的边地民族文化的影响，纳古也出土了鄂尔多斯风格的青铜剑[③]。滇西北地区青铜文化出土的有柄铜镜，在四川巴塘县，新疆新源县铁木里克 M6：3 墓、巩乃斯 M5：1 墓，轮台县群巴克 M34A：1 墓、M4：12 墓和各靖县察吾乎沟口 M6：6 墓等均有出土，西藏曲贡出土者为铁柄铜镜，其年代为春秋战国时代。“这些分布地点连接起来，好似一个半月形，当与古代民族直接迁徙、融合、交往有关，或许也与间接的观念、匠意的传播有关”[④]。有的学者认为：“云南、新疆带柄镜的年代、制作风格及型制与所谓的中亚的斯基泰文化带柄镜接近的成分较多，很可能就是斯基泰文化的直接交流品”[⑤]。

云南青铜文化中铜鼓的发现与研究，“是令国内外学术界刮目

---

① 中国社会科学院考古研究所：《甘肃永靖秦魏家齐家文化墓地》，载《考古学报》，1975（2）；《武威皇娘娘台遗址第四次发掘》，载《考古学报》，1978（4）。

② 甘南藏族自治州文化局：《甘肃卓尼县纳浪乡考古调查简报》，载《考古》，1994（7）。

③ 范勇：《试论我国西南地区的青铜斧钺》，载《考古学报》，1989（2）。

④ 霍巍：《西藏曲贡村石室墓出土的带柄铜镜及其相关问题初探》，载《考古》，1994（7）。

⑤ 赵慧民：《西藏曲贡出土的铁柄铜镜的有关问题》，载《考古》，1994（7）。李昆声：《云南考古学论集》，昆明，云南人民出版社，1998。

相看的重大成果”。云南的铜鼓分为万家坝型、石寨山型和西盟型。前两者是考古发掘出土铜鼓，后者是传世铜鼓。万家坝型分为三期，早期以楚雄大海波出土铜鼓为代表；中期以万家坝 M23：158、159 铜鼓为代表；晚期以万家坝 M1：12、祥云大波那 M1：19 铜鼓为代表；年代为春秋早期至战国早期。石寨山型铜鼓分三期，早期以曲靖珠街八塔台 M：1 铜鼓为代表。中期以石寨山 M11：1、M3：3、M15：7 和李家山 M24：18、36 等铜鼓为代表；晚期以石寨山 M1：32A、58，广西贵县罗泊湾 M1：13 铜鼓为代表。年代为战国至东汉初期。铜鼓是重要的礼乐器，其上的纹饰、图案等内涵较丰富，其后，铜鼓又不断地被吸收和发展，直至今天，中国南方的许多民族仍使用铜鼓，铜鼓成为中国南方许多民族的一种文化现象。因此，有理由说，铜鼓源于云南青铜文化，云南青铜时代的居民对创造和推动铜鼓发展做出了自己的贡献。

云南青铜时代与贵州青铜时代大体相同。滇与夜郎同为西南夷，其君长同受王印，其民习俗相同，同是椎髻、耕田、邑聚。两地文化遗存中的墓葬形制、遗物中的铜鼓、蛇头形剑、扣饰、盘、长条形锄、无胡戈、鸭嘴形銎矛、鼓形釜、铜柄铁剑等具有相同或相似性，这些反映了云南青铜文化与夜郎文化的联系。

西汉元封二年（公元前 109 年），滇王降汉，汉在滇设益州郡，并设置 24 县，赐滇王王印，复长其民，从此云南大部分地区纳入了郡县制的管辖之下，云南各青铜文化也逐渐融入汉文化中。

三、铁器时代民族考古与研究

铁器时代考古内容丰富多彩。已发现和发掘的古墓葬，揭示了云南不同地区，不同民族的文化。

崖墓是把墓穴凿于崖壁或山崖之上的墓葬，盛行于西汉末期至东汉时期，主要分布于滇东北昭通地区，临接的四川省宜宾沿横江东岸也有分布。已发掘的有昭通象鼻岭[①]、大关岔河和鱼堡[②]、昭通小湾子[③]、盐津燕儿湾[④]和漆树湾等处。这些崖墓有墓道、墓门、墓室。盐津燕儿湾崖墓的墓道为竖井式，即在山坡地面掘约5米深的长方形坑，在坑底向山体掘墓道和墓室。墓室可分为单室、双室、带耳室墓、多室墓。双室墓分前后室，后室比前室长。墓顶呈“人”字形或弧形，封门用不规则毛石堆垒。出土铜器有釜、甑、洗、壶、鐎斗、耳环、弩机、镯、车马饰件、朱雀、泡钉、镞等。陶器有俑、狗、鸡、缸、碗、井、罐、碗、甑、盆、熏炉。铁器有剑、削、环首刀、铁斧。其他有东汉、西汉时期的五铢钱、四铢半两钱，王莽时期的“大布黄千”、“大泉五十”、“小泉值十”、“五铢”、“货泉”等钱币，还有银环、黄色棱形琉璃铢、银筷、金戒指、银戒指。漆树湾崖墓的年代为西汉晚期至东汉。小湾子单室墓、双室墓属东汉早期，多室墓为东汉中期墓。燕儿湾确定为东汉中期崖墓。

梁堆墓是盛行于云南大部地区的东汉至魏晋时期的地面有封土的古墓葬，人们习惯将这种墓称为梁堆墓。墓分为土坑墓、砖室墓、石室墓，有的还有墓道。已发掘的重要的墓葬有昭通桂家院子[⑤]和后海子东晋霍承嗣壁画墓[⑥]，呈贡、晋宁、禄丰等地也做过

---

① 云南省博物馆文物工作队：《云南昭通象鼻岭崖墓发掘简报》，载《考古》，1981(3)。

② 云南省文物工作队：《云南大关、昭通东汉崖墓清理报告》，载《考古》，1965(3)。

③ 张兴宁：《昭通小湾子崖墓发掘简报》，见《云南考古文集》，昆明，云南民族出版社，1998。

④ 云南省文物考古研究所等：《盐津燕儿湾崖墓发掘简报》，载《云南文物》，1999(6)。

⑤ 云南省文物工作队：《云南昭通桂家院子东汉墓发掘》，载《考古》，1962(8)。

⑥ 云南省文物工作队：《云南省昭通后海子东晋壁画墓清理简报》，载《文物》，1963(12)。

零星的发掘[①]。出土的“大康十年”、“大康六年”、“泰始二年”、“泰始五年”、“延熙十六年”等铭文纪年砖，为这一时期墓葬考古断代提供了准确的依据。出土铜洗有鼓腹圆盆状、直壁圆盆状，在器内底部多有铭文，内容有纪年、地名加造作字样，纪年、地名无造作字样，纪年无地名，纪年、地名、吉语，地名、吉语，吉语等六式。纹饰多为鱼、鹭，鱼有“富贵有余”之意，鹭有洁白清洁之意。纪年始于东汉章帝建初元年（76 年），至灵帝建宁四年（171 年），以顺帝一代之器为多。地名有朱提、堂狼。吉语有“大吉”、“吉羊”、“日千万”等。

火葬墓是唐、宋、元、明初时期云南大部地区常见的墓葬形式，是把尸体用火焚烧后，把大块骨头捡出，有的写上梵文咒语，贴上金箔，放入罐中，盖上盖，放入掘好的坑中，连烧灰一起埋入坑中，有的再在其上立经幢或碑。已发掘的有剑川沙溪鳌凤山墓[②]、曲靖珠街八塔台墓[③]、大理下关大丰乐墓[④]、泸西和尚塔墓[⑤]、宜良县孙家山墓[⑥]等处。其葬式有内外罐制和单罐制。内外罐制即大罐装小罐，小罐装骨灰。有的骨灰拌有海贝、铜片、铁片和死者饰物。单罐制即直接用罐装骨灰。有的墓在罐外放置砖或瓦等做随葬品。火葬墓的墓坑有圆形土坑、椭圆形土坑、方形土坑、

① 云南省文物工作队：《云南呈贡归化东汉墓清理》，载《考古》，1966（3）。云南省博物馆文物工作队：《云南呈贡七步场东汉墓》，载《考古》，1982（1）。《晋宁县左卫山东汉砖室墓清理简报》，载《云南文物》，1995（12）。《禄丰汉代砖室墓清理简报》，见《文物资料丛刊》，第 9 期，北京，文物出版社，1985。

② 云南省博物馆文物工作队：《云南剑川鳌凤山墓地发掘简报》，载《文物》，1986（7）。云南省考古研究所：《剑川鳌凤山古墓地发掘报告》，载《考古学报》，1990（2）。

③ 云南省文物考古研究所：《曲靖八塔台与横大陆》，北京，科学出版社，2003。

④ 云南省文物考古研究所，大理市博物馆：《大理大丰乐》，昆明，云南科技出版社，2002。

⑤ 云南省文物考古研究所等：《云南泸西县和尚塔火葬墓的清理》，载《考古》，2001（12）。

⑥ 云南省文物工作队：《云南宜良县孙家山火葬墓发掘简报》，载《考古》，1993（11）。

石板方坑、石块垒砌方坑、砖砌方坑等。罐多陶罐、釉陶罐、瓷罐，个别为铜罐。有的陶罐上朱书梵文经咒，有的陶罐还贴塑十二生肖等。罐口多数有盖，少数盖一块木板或石、砖片。随葬品有铜装饰品、“万”字符号铜片、铢子、铁片、海贝、陶俑、铜镜、铜钱、陶制十二生肖、玉壶春瓶、瓷碗、料珠、铜镯、木牍等。年代最早的是剑川鳌凤山墓，为东汉时期墓。曲靖珠街八塔台、宜良孙家山、大理大丰东和泸西和尚塔等地是唐、宋、元、明时期的火葬墓。火葬墓的盛行与佛教的传入和盛行有着密切的关系。

悬棺葬是分布于滇东北永善县、盐津县、威信县的一种特殊墓葬。它是在临江的悬崖峭壁上或缝隙中放置棺木的葬俗，以盐津豆沙、威信棺木岩悬棺保存较好。葬式可分为两种。一种是在悬崖峭壁上先凿两三个桩洞，把木桩插入凿好的洞中，将棺木近水平放在两或三根木桩上，好像悬在空中。另一种是把棺木放置在悬崖峭壁上的天然洞穴中或人工所凿洞穴中，有的棺用整木刳制而成，有的用木板组合而成。清理的威信棺木岩悬棺棺木为贞楠木，用整木刳成，头大足小，四角成直角。身盖为子母口套合。WG1 号木棺有三根木桩支撑，棺盖移位，棺内填充物上层是碎石和小动物遗骸、粪便，中层是树枝和蕨草，底是人骨及随葬品，人骨鉴定是一老年妇女和一儿童。WG2 号人骨鉴定为一男性成年个体和一儿童，并有麻布包裹，棺内有丝织品、麻线和大量麻织品。WG3 木棺底有两根木桩支撑，人骨鉴定为二次葬，内有少量麻织品和土。随葬品有麻布、麻线、木枕、木梳、木铲、木棍、圆形木片、锡环等。对 WG3 号木棺进行测定，其年代为距今为 776±100 年，相当于唐代中期[①]。其葬俗与元李京《云南志略·诸夷风俗》、明田汝成《行边纪闻》等文献记载的土僚蛮、仡佬族相同，《新唐书·南蛮传》记载的土僚蛮、仡佬（葛僚）族的分布与悬棺的分布相同，说明悬

① 云南省文物考古研究所：《威信长安乡瓦石棺木岩悬棺墓发掘报告》，载《云南文物》，2001（1）。

棺当是土僚蛮、仡佬（葛僚）族的墓葬。

云南古城遗址现存最早的是保山汉晋诸葛营城遗址。唐宋时期，云南建城骤多，已发现的城址主要集中于洱海区域，已勘探的有南诏都城大理太和城[①]，其他地区发现的有腾冲西山坝城。元代多沿用南诏、大理之城。从明代起，无论府州还是卫县等，纷纷建城，有的新建，有的离开旧城，迁移至坝子中另建砖城，基本奠定了现在城市的基础和位置，并一直沿袭至今，与南诏、大理、元代的位于山坡上的夯筑土城形成鲜明对比。南诏大理古城址采集的有字瓦，其字是汉字白族读音，年号文字为考证增补南诏大理国年号提供了重要的依据，也为研究白族历史提供了重要的文物资料。

唐宋时期，云南盛行佛教，涉及当时的政治和生活等各个方面。重要的考古发现有南诏大理时期的崇圣寺塔、佛图塔等塔顶发现的写本、刻本经卷，各种质地的佛教人物造像、塔模、法器、钱币、用具等，反映了这一时期丰富多彩的佛教文化[②]。

现存古代壁画中，绘于明代的丽江琉璃殿和大宝积宫佛教、道教经典人物壁画，表现了当时纳西族上层社会的宗教。绘于南诏大理国时期的剑川石钟山佛教人物壁画和石雕佛教人物，表现了唐宋时期南诏大理国的宗教。绘于宋元时期的晋宁观音洞佛教人物洞穴壁画，表现了元代佛教在昆明地区民间的传播。绘于清代的沧源广允寺人物壁画表现了清代沧源地区佤族的佛教，宁蒗扎美戈喇嘛寺佛教人物壁画表现了宁蒗纳西族地区的清代宗教及宗教艺术，勐海勐遮佛寺小乘佛教经变故事壁画，表现了勐海傣族民间宗教信仰和佛教艺术。著名的摩崖石刻有盐津县唐代的《袁滋题记摩崖石刻》，反映了唐朝与南诏的政治关系，刻于大理国时期的昆明地藏寺经幢

---

① 云南省文物考古研究所：《大理太和城遗址调查勘探报告》，载《云南文物》，1999 (12)。

② 云南省文物工作队：《大理崇圣寺三塔主塔的实测和清理》，载《考古学报》，1981 (2)。大理州文管所等：《下关市佛图塔实测和清理报告》，载《文物》，1986 (7)。

造幢记，反映了宋代昆明地区的宗教和石刻艺术，刻于明清的禄劝彝汉文摩崖石刻反映了武定世袭土知府彝族凤氏家族的情况。

云南民族考古虽然取得了长足的发展，但仍然存在许多尚待解决的问题。新石器时代早期文化遗址的发现与发掘仍很少，寻找较好的早期文化遗存，进行科学的发掘，不仅对建立云南新石器文化年代系列有极其重要的意义，而且对研究每一区域民族文化的起源有着重要的意义。新石器晚期遗址虽有许多发现，但对已发掘的晚期遗址进行深入的研究，弄清各文化内涵以及各民族之间的关系，仍需继续加强，加强以滇池、星云湖、扶仙湖为中心和金沙江、澜沧江、怒江、南盘江、红河流域等地区的新石器文化遗存分布的调查、发掘，是取得云南新石器时代民族考古进展的基础工作。云南青铜时代考古和对滇文化的研究取得了辉煌的成就，但也存在青铜时代早期文化遗存发现较少和发掘工作薄弱的情况，发现青铜时代早期文化遗存，进行科学的发掘和多学科的研究，对搞清云南青铜时代早期的民族文化面貌有着重要的意义。各区域青铜时代晚期文化遗存的发现和考古发掘仍存在不平衡的状态，滇池地区发现较多，发掘较多，研究也丰富，而在其他地区发现的文化遗存相对较少，发掘也少，研究较薄弱。加强薄弱地区的工作和研究，将有助于对云南青铜文化面貌的认识，从而展示这段没有文字记载，或者说记载甚少的多姿多彩的云南古代民族历史文化。铁器时代民族考古对认识这一时期民族文化仍显得薄弱，还须加强发掘与研究。随着考古研究工作的深入和对已发掘资料的整理，人们对云南民族文化将会有更丰富、更深刻的认识。

青藏高原文物考古工作综述

霍 巍

青藏高原位于亚洲大陆腹心地带，地处我国西南边疆，北与西北地区毗邻，东与西南地区、华北地区连接，南部和西部以喜马拉雅山脉为界分别与阿富汗、巴基斯坦、尼泊尔、锡金、不丹、印度、缅甸等国接壤，在今天的行政区划上包括青海省、西藏自治区、新疆维吾尔自治区南缘、甘肃省西南边缘、四川省西部及云南省西北边缘，因以青海、西藏两省区为主，所以称之为青藏高原。青藏高原是世界上面积最大、海拔最高的高原，平均海拔在4000～5000 米及以上，境内海拔在 6000～8000 米以上的高峰有 50 多座，其中在 8000 米以上的有 11 座，世界第一高峰珠穆朗玛峰和第二高峰乔戈里峰都位于青藏高原境内，因此青藏高原素有“世界屋脊”之称。

青藏高原境域辽阔，地形复杂多样，既有耸立的雪山峻岭和深邃的河谷，也有起伏平缓的高原草甸，其间还夹杂有无数冰川、戈壁。由于奇特多样的地形、地貌和高空大气环流的影响，形成了复杂多样的气候，青藏高原的绝大部分地区气候高寒而干燥，年平均降水量在 500 毫米以下，并多集中在夏季，日照充足，年日照时数 1500～3400 小时。在青藏高原的外缘，高山环抱，壁立千仞，数以千米的高差挺立于周围的塔里木盆地、河西走廊、四川盆地和恒河平原等邻区之上，同时也通过纵横的河流山谷与其相沟通。正是这种多样性的环境与气候条件，孕育了青藏高原古代文明独特的面貌与风格，也与外部世界发生着密切的文化交往与联系。

青藏高原是以藏族为主体的民族聚集区，其他还有汉、回、门巴、珞巴等民族共同生活在这片高原上。一系列考古发现已经证明，从旧石器时代开始，青藏地区就已经有原始人类居住。关于藏族的来源，藏族民间流传有“猕猴”与“罗刹女”相结合始有人类的传说。自古迄今，藏族自称一直为“蕃”，唐代汉文文献将公元7世纪初由藏族首领松赞干布所建立的统一王朝称为“吐蕃”。汉文古籍中对青藏高原各部族最早泛称为“西羌”，这些古老的部族“散处河、湟、江、岷间”，其中有的逐渐远向西迁，被认为是后来藏族族源重要的组成部分[①]。史前考古资料、藏族民间传说以及藏汉文献记载等都有力地证明，青藏高原从旧石器时代开始便已经留下了人类活动的遗迹，后来生活在这片高原上的吐蕃、羊同、苏毗等游牧部族通过与祖国西部各部族之间的不断融合，最终发展形成为今天分布在西藏、青海和其他地区的藏族[②]。

青藏高原的远古时代在公元7世纪吐蕃王朝建立之前，学术界一般将其划分为史前时期。吐蕃王朝建立之后，开始进入到奴隶社会和封建社会阶段，先后经历了吐蕃王朝统治时期（相当于中原地区唐代）、吐蕃分治时期（相当于中原地区的五代和两宋时期）、萨迦教派政教合一统治时期（相当于中原地区的元代）、噶举派帕木竹巴政教合一统治时期（相当于中原地区的明代）以及格鲁派政教合一统治时期（相当于中原地区的清代）等不同的历史发展阶段。从元代开始，元朝中央在藏族地区建立了行政机构，将其纳入元朝中央政权的统辖之下，藏族人民和祖国其他各兄弟民族一道，在共同缔造祖国和中华文化的过程中，做出了巨大的贡献。

在上述各个历史时期，青藏高原均有大量考古文物发现，从而以丰富的实物资料勾勒出藏族历史发展的基本框架与主要线索，成为研究藏族发展史不可替代的重要史料。本文将着重以藏民族主要

① 《新唐书·吐蕃传》。

② 藏族简史编写组：《藏族简史》，14页，拉萨，西藏人民出版社，1985。

聚集区西藏地区为主，兼及青海地区的文物考古工作，从一个侧面揭示青藏高原远古文明的发展轨迹及其对中华文明的最终形成所做出的重大贡献。

一

藏族是一个有着悠久历史与深厚文化底蕴的民族，在雪域高原创造出了辉煌灿烂的文明，保留下来极其丰富的文化遗产。但是，在西藏和平解放以前，政教合一的西藏地方政府除了从宗教的角度维护寺院和封建奴隶主阶级的若干特权之外，谈不上今天科学意义上的文物保护与考古发掘。旧西藏各地既无专门机构，也无专业人才，更无专项用于文物保护的经费。直到 1951 年西藏和平解放以前，西藏和祖国内地相比较，文物考古工作存在着巨大的差距，几乎处在空白状态。

1951 年以前，只有少数西方学者在这个地区开展过一些很不系统的工作。西藏高原的考古学史，可以上溯到西方学者对这一地区的探险与考察活动。17 世纪 20 年代至 18 世纪 40 年代之间，欧洲的天主教教士从喜马拉雅山外或我国内地进入西藏地区进行传教活动，他们在国外所公布的根据亲身经历和调查所获的有关藏族历史、宗教、民俗等情况的资料，是西方学者研究西藏的开端[①]。19 世纪后期，由于西方学者研究汉学以及佛教、东方历史与语言形成一种国际风气，先后有英、法、德、俄、意、匈、日等国学者开始从事关于“西藏学”的研究，从而带动了西藏考古工作的陆续开展。但是，基于西藏在政治、宗教、文化上的许多独特性，虽然有极少数外国人曾经进入西藏进行有目的的考古工作，但大多仅限于零星的地面调查和对一些寺院宗教文物的考察，真正意义上的科学考古发掘并不多见。他们当中的一些人在西藏也作过一些零星的考古调查和发掘，他们写的游记或综合报告偶尔涉及西藏地下或地面

---

① 冯蒸：《国外藏学研究概况》，1 页，北京，中国社会科学出版社，1979。

文物。其中比较重要的如1925年至1928年“中亚考察队”俄国人罗里赫（N. Roerich）在藏北及西藏中部地区发现多处石丘墓和“大石遗迹”。1948年意大利藏学家G·杜齐调查了山南地区琼结县藏王墓。1950年意大利藏学家G·杜齐出版了专著《藏王陵考》，同年英国人黎吉生（H. E. Richadson）再次考察藏王墓等。但总的来看，西方学者的工作在当时还很不系统，所涉及的材料也相当零散①。直到20世纪后半叶，意大利藏学家G·杜齐仍然评价认为：“如果我们把适当的、有指导的发掘称为考古学的话，那么，西藏的考古是处于零的状态”②。

西藏的文物考古工作自1951年西藏和平解放，发生了根本性的转变，中国学者开始承担起西藏文物考古工作的责任，地面文物的维修保护工作和地下考古工作同时开始有步骤地进行，通过半个多世纪的工作，现已取得了令世人瞩目的成绩。

党和国家对西藏文物考古事业的关怀，可以上溯到西藏和平解放之后。早在1957年，中央便派出新闻电影制片厂摄制组在当时极其艰难的条件下赴西藏阿里拍摄古格王国纪录片，留下一批有关古格王国殿堂壁画、雕塑、造像等佛教文物的珍贵资料。从某种意义而言，这也是新中国成立之后在西藏地区开始进行文物调查工作的先声。

1959年6月至11月，中央文化部组织西藏文物调查小组，赴西藏拉萨地区、山南地区、日喀则地区等地进行有系统的文物调查。此次调查的成果由王毅先生在20世纪60年代陆续以《西藏文物见闻记》的形式在《文物》月刊上连载③。20世纪80年代以后，北京大学宿白教授根据此次赴藏实地调查所获的第一手资料，又先

① 霍巍：《西藏考古工作的回顾与展望》，载《民族研究动态》，1994（2）。

② G·杜齐著，向红茄译：《西藏考古》，2页，拉萨，西藏人民出版社，1987。

③ 有关此次西藏考察的系列简报陆续刊载于《文物》1960年第6期至1961年第6期。

后撰成了《西藏拉萨地区佛寺调查记》、《西藏山南地区佛寺调查记》、《西藏日喀则地区寺庙调查记》等系列研究论文，并最终汇集成《藏传佛教寺院考古》这部学术专著①，在国内外学术界产生了重大影响。

1961年，西藏文物考古工作者在拉萨市彭波农场以东的坡麓地带，发现并清理了8座洞穴墓葬②。当时这次小规模的发掘并没有引起人们过多的注意，但这却是有史以来第一次由汉、藏两个民族的考古工作者在西藏地区独立进行的考古发掘，并从此揭开了西藏科学考古发掘工作的序幕，在西藏考古史上具有特殊的意义，这是应该特别提及的。

新中国成立以后，在国家组织的对青藏高原进行多学科综合考察的过程中，考古学的地面调查与发掘也开始登上了历史舞台。20世纪50年代以来，由中国科学院所组织的青藏高原综合科学考察队（以下简称科考队），在一些高等院校与科研机构的配合下，对青藏高原的古地质地理、古生物、古植物、古动物、古气候等方面进行了多学科的综合科学考察。在野外考察的过程中，开始主要是由地质学家们发现并采集到一大批石器标本及原料，这当中重要的发现如下。1956年，中国科学院地质研究所赵宗溥在藏北那曲采集到一件细石核，这是在西藏境内首次发现的细石器③。1964年，科考队在藏南定日县苏热地点采集到可能属于旧石器中晚期的打制石器标本约40件④。1976年、1983年，科考队、南京大学、中国

---

① 上述几篇论文后均收入宿白所著：《藏传佛教寺院考古》，1～150页，北京，文物出版社，1996。

② 西藏自治区文管会：《西藏拉萨彭波农场洞穴坑清理简报》，载《考古》，1964（5）。

③ 邱中郎：《青藏高原旧石器的发现》，载《古脊椎动物学报》2卷2～3期，1958。

④ 张森水：《西藏定日新发现的旧石器》，见《珠穆朗玛峰地区科学考察报告·第四纪地质》，北京，科学出版社，1976。

地质科学院在藏北申扎珠洛勒①、阿里日土扎布、藏北多格则②以及各听③等地点采集到打制石器两百多件。1976年，科考队、南京大学等在藏北的雅曲雅士、才多茶多、带碧让错、巴毛宗、确且宗、双湖等6个地点采集到石器标本数百件④；在阿里普兰县玛法木错（旁玛雍错）东北岸、日土县帕也曲真沟及吉隆县戳错龙湖西岸等三个地点共发现石器制品64件⑤。这些发现与研究，揭开了新中国成立后西藏考古史上重要的一页。

与地质学家们的发现大体同时，我国民族学界在西藏开展的民族社会历史调查中，也发现了一批考古遗存。如：1973年新安等在林芝地区墨脱县马尼翁采集到一件磨制石斧⑥；1972—1976年，中央民族学院在林芝星云、居木、加马拉、红光等地发现一批石器时代遗址和石器采集地点⑦；1976年中央民族学院在墨脱县背崩村和墨脱村等6个地点发现新石器时代遗址⑧；1974—1975年中央民族学院在林芝县红光三队调查发现一批古墓葬⑨等。

1977年至1979年，西藏自治区文管会与四川大学考古专业联合在位于西藏东部的昌都地区进行了考古发掘，这是西藏历史上第一次较大规模的考古发掘，由于这次发掘完全是按照现代考古学规程严格规范地进行，所以地层关系明确，年代关系清晰，将西藏史

① 安志敏等：《藏北申扎、双湖的旧石器和细石器》，载《考古》，1979（6）。

② 刘泽纯等：《西藏高原多格则与扎布地点的旧石器》，载《考古》，1986（4）。

③ 钱方等：《藏北高原各听石器初步观察》，载《人类学学报》，7卷1期，1982。

④ 戴尔俭：《西藏聂拉木县发现的石器》，见《珠穆朗玛峰地区科学考察报告·第四纪地质》，北京，科学出版社，1976。

⑤ 李勃生等：《“无人区”区里考古记》，载《化石》，1979（2）。刘泽纯等：《西藏高原玛法木湖东北岸等三个地点的细石器》，载《南京大学学报》（哲社版），1981（4）。

⑥ 新安：《西藏墨脱县马尼翁发现磨制石器》，载《考古》，1975（2）。

⑦ 王恒杰：《西藏自治区林芝发现的新石器时代遗址》，载《考古》，1975（5）。

⑧ 姚兆麟：《西藏墨脱又发现一批新石器时代遗物》，载《考古》，1978（2）。

⑨ 王恒杰：《西藏林芝地区古人类遗骸和墓葬》，载《西藏研究》，1983（2）。

前史提早到了距今5000—4000年前[①]，在国内外藏学界引起了强烈反响，也标志着西藏考古工作进入到一个新的发展阶段。此次发掘结束后由西藏自治区文管会和四川大学历史系共同编写的《昌都卡若》报告，也是西藏历史上第一部对考古发掘资料经过科学整理后出版的专业报告。

1979年6月至9月，西藏自治区文管会和新疆维吾尔自治区文管会共同组织，对阿里古格王国遗址进行了首次专业性的文物调查，此次调查成果形成《阿里地区古格王国遗址考察记》一文[②]。1981年9月，西藏工业建筑勘测设计院组织专业人员对古格故城进行了测绘，并调查了札达、普兰两县境内的古代建筑，1988年2月出版的《古格王国建筑遗址》一书，全面反映了这次调查的成果[③]。

20世纪80年代以来，西藏的文物考古工作得到了一个很好的发展契机，即从80年代末期开始，在国家文物局的统一布置之下，由西藏自治区文物管理委员会（后改为西藏自治区文物局）组织领导了西藏全境文物普查工作。这次文物普查是西藏有史以来规模最大的一次考古会战，前后历时八年（1984—1992）。通过对西藏全境地上、地下文物进行全面调查，基本上掌握了西藏高原各类文物、古迹以及重要考古遗址的分布状况，对现已查明核实的具有重要科学价值的遗址与墓葬，都作过不同程度的试掘清理，从而获得了一批重要的考古资料。这些新的考古材料上起旧石器时代，下至西藏历史时期，时代跨度几乎包括了西藏史前时期一直到以后的各个历史阶段，内容广泛涉及旧石器时代遗存（包括打制石器地点）、细石器地点、新石器时代遗址、大石文化遗迹、古代岩画、古墓

① 西藏自治区文管会，四川大学历史系：《昌都卡若》，北京，文物出版社，1985。

② 仁增多吉，张文生：《阿里地区古格王国遗址考察记》，载《文物》，1981（11）。

③ 西藏工业建筑勘测设计院：《古格王国建筑遗址》，北京，中国建筑工业出版社，1988。

葬、佛教寺院及石窟寺遗址、摩崖造像、古代城址等，无论是在地域分布范围上，还是从材料的丰富程度上，都全面超越了以往西方学者在西藏文物考古领域所做的工作。

为了全面掌握西藏全区各类文物古迹的分布与保存现状，完善和充实文物点材料，在20世纪80年代开始的文物普查的基础上，2000年以来，西藏自治区文物局又组织力量对山南、林芝、藏北、日喀则、拉萨等地市作了重点复查与补查，并于2003年对青藏铁路西藏段沿线开展了文物普查工作，获取了一大批新的考古资料。

通过全区文物普查所了解和掌握的有关线索，西藏自治区文物管理部门与中国社会科学院考古研究所西藏工作队、四川大学等研究机构和高校联合组队，有目的、有重点地开展了一些田野考古工作，取得了令人瞩目的成绩。这当中如吉隆哈东淌、却得淌旧石器地点的调查与发掘①；雅鲁藏布江流域细石器与打制石器地点的发现②；曾被评为当年全国“十大考古发现”之一的拉萨曲贡村史前遗址的发掘③；西藏西部阿里高原石丘墓、大石遗迹、岩画的发现与发掘；阿里古格故城④以及托林寺⑤的调查清理；阿里皮央·东嘎佛教石窟寺与佛寺遗址的调查与发掘⑥等一系列近年来在国内外学术界产生重要影响的考古工作和取得的相关学术成果，都是在全

---

① 霍巍，李永宪，更堆：《吉隆县文物志》，15～21页，拉萨，西藏人民出版社，1993。

② 李永宪：《西藏仲巴县城北石器遗存及相关问题的初步分析》，载《考古》，1994(7)。

③ 中国社会科学院考古所西藏工作队，西藏自治区文物管理委员会：《西藏拉萨市曲贡村新石器时代遗址第一次发掘简报》，载《考古》，1991(10)。

④ 西藏自治区文管会：《古格故城》(上、下册)，北京，文物出版社，1991。

⑤ 近年来由西藏自治区文物局组成阿里文物抢救办公室，对托林寺进行了全面发掘与复原重建工程，有关资料可参见：西藏自治区文物局：《托林寺》，北京，中国大百科全书出版社，2001。

⑥ 西藏自治区文物局，四川联合大学考古专业：《西藏阿里东嘎·皮央石窟考古调查报告》，载《文物》，1997(9)。

区文物普查的基础上进一步纵深发展的结果①。

在文物考古工作深入广泛开展的基础上，西藏自治区文物部门与区内外高等院校、科研机构等紧密合作，利用文物考古资料进行科学研究，先后组织编写出版了《乃东县文物志》、《拉萨文物志》、《琼结县文物志》、《吉隆县文物志》、《昂仁县文物志》、《桑日县文物志》、《错那、隆子、加查、曲松县文物志》、《萨迦、谢通门县文物志》、《亚东、康马、岗巴、定结县文物志》、《阿里地区文物志》等一批地、县文物志，还陆续出版了《古格故城》（文物出版社，1991 年）、《西藏佛教寺院壁画艺术》（四川人民出版社，1994 年）、《西藏岩画艺术》（四川人民出版社，1994 年）、《托林寺》（中国大百科全书出版社，1999 年）、《西藏布达拉宫修缮工程报告》（文物出版社，1994 年）、《西藏阿里地区文物抢救保护工程报告》（科学出版社，2002 年）、《拉萨曲贡》（中国大百科全书出版社，1999 年）、《青藏铁路西藏段田野考古报告》（科学出版社，2005 年）等一批研究成果，这些成果为学术界从实物资料与文献记载相互结合研究复原青藏高原的古代文化面貌，奠定了科学而充实的资料基础。

二

青藏高原虽然处于高海拔地区，自古以来被视为人类生存的“禁区”，但事实上通过考古调查与发掘证明，自旧石器时代下迄明清，这个地区同样有着长期历史发展的进程，所保存的各类考古遗存也十分丰富。

① 综述这个阶段考古工作成就的文章可参见：索朗旺堆：《西藏考古新发现综述》，载《南方民族考古》，第四辑，成都，四川科学技术出版社，1991 年；霍巍：《西藏考古新发现及其意义》，载《四川大学学报》（哲社版），1991（2）；霍巍：《近十年西藏考古的发现与研究》，载《文物》，2000（3）。

迄今为止发现的西藏旧石器地点有藏南定日县的苏热①，藏北申扎县的珠洛勒②，班戈县的各听③，阿里地区日土县的扎布、多格则④，吉隆县的哈东淌、却得淌⑤等处。西藏旧石器的特点多为单面加工，其中以劈裂面向背面加工为主，错向加工占一定比例，错向加工有相邻两边的错向加工和相对两边的错向加工，以及同一条边上两边的错向加工。石器的器形以石片石器为主，刮削器占绝对优势，尖状器是常见器形。西藏旧石器的石片石器到了晚期，已蕴藏着细石器艺术的某些因素⑥。但是，西藏旧石器的发现目前主要还局限于地表采集，缺乏明确的地层关系，制约了研究的进一步深入。在与西藏相邻的青海境内的柴达木盆地发现的小柴达木湖畔旧石器时代地点，则是青藏高原唯一具有明确地层关系的旧石器时代考古遗存⑦，弥补了青藏高原旧石器时代考古在地层关系上的一个重要缺环。上述青藏高原旧石器时代考古遗存的调查发现所具有的重大意义在于，它以考古实物有力地证明，青藏高原人类生存活动的历史可以上溯到至今数万年前，表现出人类对于高海拔地区的开发与适应过程在这一地区有着相当长远的历史发展。

西藏新石器时代的遗存主要发现在西藏高原的河谷地带。其中，首次经过考古发掘出土的是位于藏东昌都澜沧江畔的卡若遗

---

① 张森水：《西藏定日新发现的旧石器》，见《珠穆朗玛峰地区科学考察报告（1966—1968）——第四纪地质》，105～109页，北京，科学出版社，1976。

② 安志敏等：《藏北申扎、双湖的旧石器和细石器》，载《考古》，1979（6）。

③ 钱方等：《藏北高原各听石器初步观察》，载《人类学学报》，7卷1期，1988。

④ 刘泽纯等：《西藏高原多格则与扎布地点的旧石器——兼论西藏高原古环境对石器文化分布的影响》，载《考古》，1986（4）。

⑤ 霍巍，李永宪，更堆：《吉隆县文物志》，15～21页，拉萨，西藏人民出版社，1993。

⑥ 李永宪：《西藏仲巴县城北石器遗存及相关问题的初步分析》，载《考古》，1979（6）。

⑦ 黄慰文，陈克造，袁宝印：《青海小柴达木盆地的旧石器》，见《中国—澳大利亚第四纪学术讨论会论文集》，168～173页，北京，科学出版社，1987。汤惠生：《略论青藏高原的旧石器和细石器》，载《考古》，1999（5）。

址。卡若遗址发掘总面积达两千平方米左右，出土有房屋、道路、窖穴、石祭台等各类遗迹，并出土了大批打制石器、细石器、骨器、陶器等遗物以及动物骨骼、粟类作物等类遗物①。大型打制石器、细石器与陶器、磨制石器并存并以打制石器为多；陶器的陶质均为夹砂陶，手制，均为小平底，器形以罐、钵、盆为组合，纹饰主要为刻划纹；建筑物主要为大量石块砌筑的石构建筑；粮食作物以粟为主等等。既体现出自身的特点，同时也反映出与黄河上游史前文化之间的密切联系，学术界将其称之为“卡若文化”。近年来调查发现的昌都小恩达遗址、江钦遗址等②，与卡若文化面貌相似，可能都属于具有卡若文化特征的遗存。

拉萨河谷的新石器时代遗址有曲贡村遗址的发现与发掘。曲贡遗址位于拉萨市北郊约 5 公里，面向拉萨河谷盆地，遗址发掘面积为五百多平方米③，分为早、晚两期文化堆积。其中早期文化堆积的年代从已测定的 6 个 C^{14} 年代数据来看，距今约 4000 年左右，略晚于卡若文化。曲贡遗址发掘的主要收获可以概括为三个方面。第一，出土了相当丰富的遗物，种类包括石器、陶器、骨器等几个大类。其中石器近万件，分为打制与磨制两类。陶器器形主要有单耳罐、双耳罐、圜底钵、高柄豆、高领鼓腹罐等，陶质多为泥质陶，陶色以灰色、黑色为主，多见磨光黑陶，器表打磨光滑，并压划有变化丰富的几何纹饰。装饰品有骨笄、耳坠、陶环、石环、陶质猴面饰物等。第二，灰坑中发现葬有人头或人骨架，这些非正常的埋葬可能与某种杀祭仪式有关，属于猎头或人祭一类遗存。第三，出土了大量收割器具和加工谷物的磨盘，还发现了大量兽骨、鱼骨和渔猎具，表明当时已有了大面积的谷物种植，反映出新石器时代曲

① 1977—1979 年发掘情况见《昌都卡若》报告，2002 年发掘资料正在整理中。

② 西藏自治区文物局文物普查资料。

③ 中国社会科学院考古研究所西藏工作队、西藏自治区文物管理委员会：《西藏拉萨市曲贡村新石器时代遗址第一次发掘简报》，载《考古》，1991（10）。中国社会科学院考古研究所，西藏自治区文物局：《拉萨曲贡》，北京，中国大百科全书出版社，1999。

贡人的经济生活是以农耕为主，兼营畜养和渔猎。曲贡遗址与卡若文化具有一定的相似性，但二者的区别更为明显，如曲贡遗址中极少见到磨制石器和细石器，两个文化具有不同的陶器群，曲贡遗址中已经出现铜器，而卡若文化不见铜器等。目前学术界倾向认为两者之间没有直接的关系，“曲贡文化是一支地域特征很强的远古文化遗存，它是雅鲁藏布江中游地区的有代表性的晚期史前文化遗存”①。

类似于曲贡遗址的文化遗存，在雅鲁藏布江中游河谷地带还发现有贡嘎县的昌果沟②和琼结县的邦嘎村③两处。其中昌果沟遗址位于贡嘎县东北雅鲁藏布江北岸，三面环山，南北长约600米，东西宽约300米。遗址中采集和出土的文化遗物有打制石器、磨制石器、细石器和陶片等。昌果沟遗址与拉萨曲贡遗址相距最近，在文化特征上，它们之间也具有更多的相似性，如两处遗址的生产工具皆以打制石器为主，第二步加工的石器同以单向打击为多，兼有少量的交互加工；生活用具中陶器方面，两地陶质均有夹砂陶和泥质陶，器形皆以罐为多，并流行带耳，陶纹皆以刻划纹为主等。但是，两处遗址的陶器也存在一些差异，如曲贡遗址陶器以黑、褐色为多，而昌果沟遗址以红褐色为多，不见黑陶。曲贡遗址以圜底器为大宗，而昌果沟遗址则以圈足器为主。这种差异可能是两处遗址时代上的差别所致。

如果说昌都卡若遗址的发掘建立起藏东地区新石器时代文化的一个标尺的话，拉萨曲贡遗址的发掘无疑建立起了西藏腹心地带新

---

① 中国社会科学院考古研究所，西藏自治区文物局：《拉萨曲贡》，222页，北京，中国大百科全书出版社，1999。

② 关于此处遗址的调查与发掘情况可参见：何强：《西藏贡嘎县昌果沟新石器时代遗存调查报告》，见《西藏考古》，第一辑，成都，四川大学出版社，1993。中国社会科学院考古研究所西藏工作队，西藏自治区文物管理委员会：《西藏贡嘎县昌果沟新石器时代遗址》，载《考古》，1999（4）。

③ 此处遗址的资料尚未公布。

石器时代文化的另一个标尺，对于逐步建立西藏新石器时代文化的类型、编年体系，都有着重要的意义。长期以来，学术界一般认为青藏高原人类早期活动可能主要是以游牧生活形态为主体，但上述新石器时代遗址的考古发现，却提出了一个全新的观察视点，即青藏高原早期文明产生的基础，或许有过与中原地区远古文明发展同样的历史轨迹，即以农业、定居、陶器制作等为其重要的经济基础。这一视点将为学术界重新认识西藏古代文明的产生机制和发展轨迹开拓新的思路。

细石器在西藏高原吐蕃王朝建立以前的西藏史前史[①]研究中也具有重大研究价值。西藏高原的细石器在时代和文化属性上均有别于我国其他地区，从发现情况来看，西藏的细石器发现面广，数量多，延续时间长，近年来有一大批新材料被发现。西藏高原新发现的细石器地点主要分布于雅鲁藏布江上、中游地区，即自阿里狮泉河至仲巴、萨嘎、昂仁、吉隆等区县境内以及藏北高原至拉萨一线[②]。近年来在青藏铁路西藏段沿线的考古调查中，也发现了27处含有细石器的石器地点，其中一个还有明确的地层关系，细石器与陶器、石片石器等共存[③]。

随着新材料的不断增加，对西藏细石器的科学研究也在不断深入。西藏细石器的特点总体上来看与我国华北地区的细石器文化具有相当多的共同之处，种类有细石核、细石叶、细石片以及利用石核、石片制作的工具，石核的类型有楔形、梯形、漏斗形、柱形等，主要使用间接法打片和压片。通过对已知材料的分析，可以发现西藏细石器的存在有几种形式。一是典型而较单纯的细石器遗

---

① 学术界一般将吐蕃王朝建立和创立藏文之前的西藏远古历史称为西藏史前史，本文沿用这一惯例。

② 据索朗旺堆：《西藏考古新发现综述》中的统计数字，载《南方民族考古》，第四辑，成都，四川科学技术出版社，1991。

③ 西藏自治区文物局，四川大学考古系，陕西省文物考古研究所：《青藏铁路西藏段田野考古报告》，北京，文物出版社，2005。

存，如藏北发现的部分细石器地点、藏南聂拉木地点、雅鲁藏布江上、中游部分地点等；二是与小石片石器共存的细石器地点，这类遗存主要发现于雅鲁藏布江上、中游地区；三是与磨制石器、大型打制石器、陶器共存的细石器地点，如藏东昌都卡若遗址；四是与彩陶、青铜器等共存的细石器地点，如在阿里噶尔县发现的丁仲胡珠孜地点①等。西藏细石器的这几种存在形式表明，它不仅延续的时间可能较长，而且既可能与游牧—狩猎经济类型有关，也可能与农耕经济类型有关，并不代表着某一单纯的经济文化类型，这就使西藏史前文化的面貌既有别于中国南方其他各省区，也与中国北方流行细石器的各省区有所区别，有明显的地域特点。

继西藏新石器时代之后，在考古文化序列上还存在着许多缺环，目前的资料还无法准确界定西藏的石器时代终止于何时，铜器时代始于何时，铁器又是在什么时候传入西藏的。学术界有意见认为，西藏高原紧接着新石器时代之后，可能有过一个石器、青铜器和铁器并用的阶段，有的学者将这个阶段命名为“早期铁器时代”，并推测这一时代可能开始于公元前一千年，结束于公元6世纪，即吐蕃王朝兴起之前②。目前发现的相当于这个历史时期的考古学遗存，主要是一批墓葬材料。由于文化发展的不平衡性，这个阶段一般仍被划入西藏史前时期，以有别于后来创造文字和有历史文献记载的吐蕃王朝。属于这一时期的墓葬形制主要包括石室墓、石丘墓、石棺墓和少量的土坑墓与洞室墓。

石室墓中具有代表性的是拉萨市曲贡村发掘的一批土坑石室墓。这批墓葬与新石器时代的曲贡遗址相邻，共发现和清理了20余座墓和6处祭祀石台③。墓葬初步可分为四种形制，前三种均系

---

① 李永宪，霍巍，更堆：《阿里地区文物志》，36～43页，拉萨，西藏人民出版社，1993。

② 童恩正：《西藏考古综述》，载《文物》，1995（9）。

③ 中国社会科学院考古研究所西藏工作队，西藏自治区文物管理委员会：《西藏拉萨市曲贡村石室墓发掘简报》，载《考古》，1991（10）。

竖穴土坑石室墓，仅有平面形状的不同，后一种变异较大，由竖井式墓道、甬道、墓室三部分构成。墓葬中出土有陶器和一枚带柄铜镜。墓地中的祭祀石台平面形状呈不规则的椭圆形，由大小不一的砾石块堆成基本水平的台面，多系单层堆放，并依从于一座主墓。根据墓葬的 C^{14} 年代测定，曲贡石室墓的绝对年代当在公元前 8 世纪前后，最晚不会晚于公元初年。

石丘墓目前较多发现于西藏西部及藏北高原一带。其中较为典型的可以阿里地区日土县阿垄沟石丘墓地为代表，这处墓地也是阿里高原首次调查发现的一处早期墓地①。墓葬分布在日土县境内阿不兰热山的一条山沟冲积扇上，墓地面积约 1.5 万平方米，墓葬总数近百座。石丘墓的形制是在地表上用大石块垒砌成墓丘，在地表下向下挖掘浅穴或不挖墓穴，葬入尸骨后用大石垒成墓框。葬式有屈肢葬、乱骨葬及火葬等，流行男女合葬、母子合葬的习俗。出土器物仅见陶器、铁钩、饰珠等物，部分尸体上附着有织物残片。出土器物未作 C^{14} 测定，仅从墓葬形制与随葬品的特征上初步推测其年代应早于古格王国时期，下限不晚于公元 5—6 世纪。

近年来，在扎达县古格王国境内调查发现有卡尔普墓群②，在扎达县境内东嘎·皮央一带发现了东嘎格林塘墓群、萨松塘墓群、格布塞鲁墓群以及皮央遗址第Ⅴ区墓群③等。东嘎·皮央境内的这几处墓群规模较大，墓地大多在地表残存有明显的石丘或石圆圈作

① 李永宪，霍巍，更堆：《阿里地区文物志》，132～133 页，拉萨，西藏人民出版社，1993。

② 1998 年由西藏自治区文物局阿里文物抢救办公室考古队调查发现，并清理了几座残墓，资料尚在整理中。

③ 位于东嘎·皮央境内的这几处墓群系由西藏自治区文物局与四川大学考古专业组成的联合考古队调查发现，并在 1999 年 8 月进行了发掘清理，资料正在整理之中，有关基本情况可参见：四川大学中国藏学研究所，四川大学考古系，西藏自治区文物局等：《西藏札达县皮央·东嘎遗址古墓群试掘简报》，载《考古》，2001（6）。四川大学中国藏学研究所，四川大学考古学系，西藏自治区文物局，阿里地区文化广播电视局：《西藏札达县格布赛鲁墓地调查简报》，载《考古》，2001（6）。

为墓葬封土标志，有一定的分布规律。有的墓地还发现可能与祭祀有关的列石遗迹。从发掘情况看，墓葬形制有竖穴土坑石室墓、石丘墓、土洞墓等几种形制，但均未发现棺木的痕迹。其中石丘墓在地表用石块垒砌石丘作为标志，有大、中、小三种规格，大型石丘墓的形状以方形、长方形、梯形较为常见，中、小型的墓葬则多为不规则的圆形石丘。竖穴土坑墓及土洞墓仅在地表观察到略为凸起的砂丘，无明显的标志。葬式有单人屈肢葬、二次葬、火化骨灰葬等，骨架保存不完整。墓地中有单独的动物殉葬坑，殉葬马、牛等动物，个别墓葬中大量随葬羊头，有的一墓多达 18 个羊头，放置在墓室的四壁。墓葬中还发现有在死者身下和随葬动物身下铺放一层红色朱砂的现象，联系古文献记载分析，这些葬俗当与某些特定的原始巫术有关，很可能反映出西藏土著宗教——苯教的某些埋葬习俗。出土器物有陶器、骨器、石器、青铜器、铁器、木器与竹器的残片等遗物。陶器多见夹砂红、褐陶，其次为少量的泥质红陶；器形多见圜底器，次为小平底器，偶见三足器，耳、流比较发达；器表多施以粗、细绳纹、戳印纹、弦纹等，有的施以红色陶衣。在墓地地表还采集到绘有红彩的陶片。出土的青铜器中有一柄青铜剑形制特殊，剑格部饰有联珠纹组成的图案，剑柄尾部两端为上卷的圆涡状，与我国北方草原青铜文化中常见的“触角式短剑”形制相似，反映出二者之间可能存在着某种文化传播与交流[①]。根据墓葬出土木炭标本所作的 C^{14} 年代测定，此墓地的年代约相当于公元前后，距今约 2000 年左右，时代远远早于古格王国时期。

石棺墓以往也通称为“石棺葬”，它是特指以石板砌建仅可容纳尸身的棺室这样一种具有鲜明特点的墓葬形制，这类遗存以往曾多发现于与西藏相邻近的川西北、滇西北高原以及黄河上游甘青地区。目前西藏发现的史前石棺葬主要分布在藏东及雅鲁藏布江中游

① 霍巍：《试论西藏及西南地区出土的双圆饼形剑首青铜短剑》，见《庆祝张忠培教授七十岁论文集》，北京，科学出版社，2004。

一带，如昌都贡觉石棺葬①、小恩达石棺葬②、林芝都普石棺葬③、山南隆子石棺葬④等。这些石棺采用略经修整的大石板砌建，墓葬结构简单，一般多为沿墓坑四壁立石板砌建棺室，有盖板而无底板，出土的随葬器物主要有陶罐、石器、饰珠及小件的金属器如铜刀、铜镞等，总的来说随葬品和种类不多，数量亦不丰，各地所反映出的差异性也很显著。这批石棺墓葬的年代上限约相当于中原地区战国至秦汉，下限可能不晚于吐蕃王朝兴起之前。目前对于西藏石棺葬的起源及其与周边考古文化之间的关系还有待作进一步的探讨，但总的来看，西藏东部发现的石棺墓与川、滇西部的石棺葬文化之间有较多相似之处，而西藏雅鲁藏布江中游发现的石棺葬则具有强烈的地方色彩，很可能属于不同的文化体系。

与石丘墓、石棺葬等大体上年代相近、有可能互有联系的考古遗存，还有大石遗迹。西藏的大石遗迹大体上有独石、石圈和列石等几种形式，意大利学者G·杜齐曾对此有过比较简略的记述⑤。通过全区文物普查，调查发现和确认了一批大石遗迹，丰富了我们对这一类遗迹的认识。其中，发现于山南地区措美县哲古草原上的大石遗迹为一用砾石砌成的同心圆双重圆圈，内圈中央立有一独石，北侧有石砌的平台，其周围围绕着石丘墓葬，发掘结果表明其性质当属与墓葬祭祀有关的石祭坛一类遗迹⑥。另外，前述阿里日土县阿垄沟石丘墓群也发现一些与墓葬相对应的独立大石，上面刻

---

① 西藏自治区文管会文物普查队：《西藏贡觉香贝石棺墓葬》，载《考古与文物》，1989（6）。

② 西藏自治区文管会文物普查队：《西藏小恩达新石器时代遗址试掘简报》，载《考古与文物》，1990（1）。

③ 丹扎：《林芝都普遗址首次发掘石棺葬》，载《西藏研究》，1990（4）。

④ 西藏自治区文管会文物普查队：《西藏山南隆子县石棺墓的调查与清理》，载《考古》，1994（7）。

⑤ G·杜齐著，向红茄译：《西藏考古》，13～14页，拉萨，西藏人民出版社，1987。

⑥ 何强：《“拉萨朵仁”吐蕃祭坛与墓葬的调查与分析》，载《文物》，1995（1）。

划有武士形象，应当也属于与墓葬有关的大石遗迹[①]。阿里高原北部的措勤县、改则县和南部的普兰县一带也发现了一批独石、石圆圈之类的大石遗迹[②]，其中有的与石丘墓共存，当与墓葬有关；有的则独立存在于湖泊、雪山之畔。藏北高原调查阶段发现石圆圈、石祭坛一类大石遗迹，或朝向神山，或朝向神湖，石祭坛内埋藏有动物头骨、陶罐、饰珠和小件青铜牌饰等[③]，可能与佛教传入之前西藏土著宗教——苯教的某些原始信仰或巫术有关。

与大石遗迹有着密切关系的还有西藏高原的古代岩画，由于其与亚洲中部高原各地区的岩画艺术之间有着密切的关联，因而十分引人注目。西藏岩画从绘制技法上可分为两大类：一类是在岩石上刻凿而成的岩画，另一类是用颜料绘制而成的岩画。西藏最早发现的岩画是阿里日土县境内的日姆栋等三处岩画地点[④]，近十年来，新发现岩画遗迹已有四十余处，包括六十多个地点和三百多组画面[⑤]。这些岩画绝大部分分布于藏北和藏西高原，画面以狩猎、畜牧、争战与演武、自然崇拜等为多。其中画面场景宏大、内容丰富的如日土县塔康巴岩画地点[⑥]，该地点在高约 5 米、长达 20 多米的岩面上，刻划了数以百计的人物与动物形象，人物有狩猎者、牧人、武士、负重行走者、巫师等各种形象，动物有岩羊、羚羊、马、驴、狗、牦牛、鹿等。岩画采用了敲琢法、磨刻法两种技法勾勒轮廓，造形生动而富于变化，是迄今为止西藏高原调查发现的规

① 西藏自治区文物局：《托林寺》，北京，中国大百科全书出版社，2001。

② 1998—1999 年在阿里地区考古调查中发现，资料尚在整理之中。

③ 2003 年青藏铁路西藏段考古勘探调查资料，可参见西藏自治区文物局，四川大学考古系，陕西省考古研究所：《青藏铁路西藏段田野考古报告》，北京，科学出版社，2005。

④ 西藏文管会文物普查队：《西藏日土县古代岩画调查简报》，载《文物》，1987 (2)。

⑤ 李永宪，霍巍：《西藏岩画艺术》，见《西藏岩画艺术》，成都，四川人民出版社，1994。

⑥ 李永宪，霍巍，更堆：《阿里地区文物志》，57～61 页，拉萨，西藏人民出版社，1993。

模最大的一处岩画点。藏北高原纳木错湖扎西岛洞穴内发现的岩画[①]，其作画方法绝大多数系用赭红色矿物颜料绘制图像，少数图像用黑色矿物颜料绘制，技法有线描和平涂两种，不见刻凿法。岩画内容有动物、人物、自然物、符号等，其中动物种类包括牦牛、鹿、马、羊、狗、狼、狐狸、豹、象、骆驼、鹰、鸟、猴等；人物形象有骑者、巫师等；自然物有树木、太阳、云朵等：此外还有塔、经幡、弓箭、各类符号等。所表现题材丰富多彩，有射猎、围猎、放牧、捕鸟、斗兽、顶鹿、舞蹈、祭祀、战争及佛教的吉祥物等。通过对岩画内容的探索，极大地推动了西藏原始艺术、原始宗教等多方面研究工作的深入。

公元7世纪，兴起于雅隆河谷的吐蕃统一高原各部，建立起强大的吐蕃王朝。这个时期，西藏各地发现的古代墓葬数量大增，而且反映出更多的共同特征。新中国成立以来，通过西藏的考古工作，已先后在西藏高原东部的昌都地区、中部的拉萨与林芝地区、藏南的山南与日喀则地区、北部的那曲地区发现了近百处古墓群和数以千计的属于这个阶段的墓葬[②]。这些墓葬考古资料对于认识吐蕃王朝时期的丧葬礼仪制度、宗教与风俗、墓葬营建、陵园布局、建筑技术以及与周围文化的交流影响等方面，均具有重要的意义。

位于山南穷结县境内的吐蕃王陵（俗称藏王墓），历来是西藏考古研究的重点之一，也是西藏保存至今的一处重要的文物古迹。过去对山南吐蕃王陵作过系统科学考察的意大利学者G·杜齐曾发表过专著《吐蕃赞普陵考》[③]，利用大量文献材料对陵墓的内部构

① 西藏自治区文物普查队：《西藏纳木错扎西岛洞穴岩壁画调查简报》，载《考古》，1994（7）。

② 这个粗略的统计数字主要依据：索朗旺堆：《西藏考古新发现综述》，载《南方民族考古》，第四辑，成都，四川科学技术出版社，1991。索朗旺堆：《西藏地区文物志丛书》，拉萨，西藏人民出版社，中央民族学院藏学研究所印，1993。

③ G·杜齐著，阿沛·晋美译：《藏亡霍考》，见《藏族研究译文集》，中央民族学院藏学研究所印，1983。

造、陵墓石刻、墓地布局等作过考证。其后德国学者霍夫曼（H. Hoffmann）、英国人黎吉生（H. E. Richadson）等人也作过一些考证①。西藏和平解放以后，我国学者也曾对穷结吐蕃王陵作过实地考察②。但长期以来，关于墓葬的确切数目及各墓墓主的考订始终比较混乱。近年来，通过科学的实地调查，核实了陵区内现存陵墓的数量，并首次确认了穷结藏王墓东、西两个陵墓区并列的布局特点，与《智者喜宴》、《西藏王臣记》、《西藏王统记》等藏文古籍的记载基本吻合③。可能属于这个时期的重要墓地还包括朗县列山墓地④，仁布县让君村墓地⑤，萨迦县夏布曲河流域古墓地⑥，拉孜县查木钦、查邬岗墓地，定日县门追、唐嘎墓地⑦，墨竹工卡县同给村墓地⑧，亚东县帕里镇墓地，白朗县强堆乡墓地等⑨。在这些墓地中，墓葬的布局特点均模仿吐蕃王陵的做法，大墓一般位于墓地的最高处，居高临下；中、小型墓葬则多分布于大墓的前方及两侧，显系按一定的规格加以排列布置。大墓的封土以梯形为多，中、小型墓则多见方形、圆形和不规则形。一些墓地中还发现有塔

---

① 童恩正：《西藏考古综述》，载《文物》，1985（9）。

② 王毅：《藏王墓——西藏文物见闻记（六）》，载《文物》，1961（4～5）。欧熙文：《古藏王墓——兼谈西藏的丧葬制度》，载《西藏历史研究》，1978（4）。

③ 索朗旺堆，康乐：《琼结县文物志》，37页；霍巍：《试论吐蕃王陵——穷结藏王墓地研究中的几个问题》，载《西藏考古》，第一辑。

④ 索朗旺堆，侯石柱：《西藏朗县列山墓地的调查和试掘》，载《文物》，1985（9）。

⑤ 西藏文管会文物普查队：《西藏仁布县让君村古墓葬试掘简报》，见《南方民族考古》，第四辑，成都，四川科学技术出版社，1991。

⑥ 西藏文管会文物普查队：《萨迦县夏布曲河流域古墓葬调查试掘简报》，载《南方民族考古》，第四辑，成都，四川科学技术出版社，1991。

⑦ 西藏自治区文管会文物普查队：《西藏拉孜、定日两县古墓群调查清理简报》，载《南方民族考古》，第四辑，成都，四川科学技术出版社，1991。

⑧ 西藏自治区文管会文物普查队：《西藏墨竹工卡县同给村古墓群的调查与试掘》，载《南方民族考古》，第四辑，成都，四川科学技术出版社，1991。

⑨ 索朗旺堆：《西藏考古新发现综述》，载《南方民族考古》，第四辑，成都，四川科学技术出版社，1991。

形、亚字形等异形墓，可能受到佛教建筑的影响，年代应较晚。后藏拉孜县查木钦墓地中出土了石狮、石碑，墓前共发现28条殉葬坑，表明墓葬的等级较高[①]。藏文典籍中记载吐蕃王室的墓地并不限于穷结一处[②]，由此可得到佐证。

随着吐蕃王朝不断向外扩张，其势力一度东抵唐王朝的西部边境，西达丝绸之路全线，并通过长期的兼并战争，先后将羊同、苏毗、吐谷浑等部收为其属下。近年来在青海境内的都兰、郭里木一带发现了一批相当于吐蕃时期的墓葬，从墓葬中发掘出土和采集到大量珍贵的文物，包括丝绸、金银器和绘制有精美图案的彩绘棺板，尤其是从郭里木三座墓葬中出土的彩绘棺板上，绘制了众多具有吐蕃文化特色的人物和场面，引起国内外学术界高度关注，认为这是近年来吐蕃考古的一次重大发现。虽然青海发现的这批墓葬在墓葬形制、结构方面与上述西藏腹心地带发现的吐蕃墓葬还有一定的区别，目前学术界对这批墓葬主人的族属与品级还有不同的意见[③]，但笔者认为可以基本肯定其应属于“吐蕃文化圈”内高级别统治阶层的文化遗存[④]。由于在西藏本土迄今为止还没有发掘出土过保存较为完好的高级别统治者的墓葬，所以青海的这批墓葬考古材料对于认识吐蕃王朝贵族王室的丧葬礼仪制度无疑有着重大的意义。只是目前囿于发掘资料尚未全部以科学发掘报告的形式加以全

---

① 西藏自治区文物管理委员会文物普查队：《西藏拉孜、定日两县古墓群调查清理简报》，载《南方民族考古》，第四辑，成都，四川科学技术出版社，1991。

② 王尧，陈践：《敦煌本吐蕃历史文书》，145～156页，北京，民族出版社，1992。

③ 目前学术界对青海都兰、郭里木两地出土的墓葬墓主人族属问题有吐谷浑说、吐蕃说、苏毗说等不同的看法，可参见：许新国：《郭里木吐蕃墓葬棺板画研究》，载《中国藏学》，2005（1）。林梅村：《棺板彩画：苏毗人的风俗图卷》，载《中国国家地理》，2006（3）。罗世平：《棺板彩画：吐蕃人的生活画卷》，载《中国国家地理》，2006（3）。程起骏：《棺板彩画：吐谷浑人的社会图景》，载《中国国家地理》，2006（3）。

④ 本文提出的所谓“吐蕃文化圈”这一概念，是指在吐蕃王朝统一青藏高原全境之后所形成的以藏族宗教文化为主体和特色的文化势力圈，而其民族主体则不一定仅仅限定于兴起于西藏雅隆河谷的吐蕃部族本身。

面公布，许多问题的最终解决仍待时日。

三

公元9世纪，吐蕃王朝逐渐走向崩溃，吐蕃王室后裔由王族、外族分别支持，拥兵自立，连年混战，吐蕃本土及其属部从此走向分裂，无复统一，进入到长时期的封建割据时代，经历了相当于内地的晚唐、五代、北宋（以及辽、西夏）、南宋（包括金、西辽）时期，史学界将这一历史时期称为“吐蕃分治时期”。13世纪，元朝中央在西藏建立了行政机构，西藏则建立起萨迦派的地方政权。明代仍然维系了从中央到藏族地区的一套封建体制，西藏地方建立有噶举派的帕木竹巴地方政权。清代由宗喀巴创立的格鲁派逐渐统一卫藏地区，最终形成西藏政教合一的封建统治。

由于丧葬制度上发生的重大变革，吐蕃时期的土葬习俗这个时期已逐渐被天葬、水葬、火葬等葬俗所取代，除少数非正常死亡者（如传染病患者）还采用埋藏法在地下挖掘墓葬之外，墓葬在西藏全境趋于消亡。因此，从考古材料上看，西藏属于这一时期的历史文化遗存，主要表现在古建筑、石窟寺、摩崖造像、碑刻等门类当中。这些遗存不仅数量丰富，分布遍及西藏全区，而且时代跨度大，具有浓厚的民族特点和宗教特色。

西藏古代建筑遗存主要包括吐蕃分治时期由各地方势力所建立的城堡和宫殿。其中具有典型代表意义的如阿里札达县古格王国都城札不让、山南曲松县拉加里王宫、吉隆贡塘王城等处。这些重要的遗存都是近年来在西藏文物普查中发现和得到妥善规划保护的。

古格王国系吐蕃分治时期吐蕃末代赞普朗达玛第三代孙吉德尼玛衮逃往西部阿里，在今扎达县境内建立的一个小王国。古格王国建立之后，大力复兴佛教，形成西藏西部地区一个重要的佛教文明中心。1630年，古格王国为拉达克人攻灭，都城扎不让及境内的许多佛寺也被毁灭，仅存遗址。都城札不让遗址规模宏大，由宫殿、佛寺、暗道、塔墙等不同遗迹构成，古格王国都城内的宫殿主要建筑在札不让土山之上，有白殿（拉康嘎波）、红殿（拉康玛波）、王宫等，殿堂内保存有精美的壁画和雕塑。近年来的古格考古工作在前人的基础上有长足的进展，尤其是对古格都城札不让各殿堂佛教艺术的全面科学记录与研究，以及在古格王国境内其他生活遗址的调查发掘方面，工作的广度与深度都大大超越了前人①，为全面认识这个小王国的宗教文明与物质文化等方面的面貌提供了科学的考古资料。

拉加里王是吐蕃王室后裔在山南曲松一带逐渐形成发展起来的一支地方势力，历经萨迦王朝（约 1255—1353 年）和帕竹王朝（1354—1617 年）统治时期，直到近代仍然具有重要的政治地位。通过文物普查工作的成果可以初步认识到，拉加里王宫建筑遗存大体上可分为三期：早期约为公元 13—14 世纪左右，中期约为公元 15—18 世纪左右，晚期约为 15 世纪末至近现代。各期建筑主要包括旧宫“扎西群宗”、新宫“甘丹拉孜”以及夏宫等②，从一个侧面反映出这类地方势力所建立的王宫建筑形态。

吉隆县贡塘王城遗址位于吉隆县城东南角，也是在西藏全区文物普查中由西藏自治区文物管理委员会和四川大学联合发现的③。王城遗址现存面积约 15.5 万平方米，城垣系夯土与石块混砌，现存共四段，构成一不甚规则的四方形，城墙上建有中央碉楼、角楼，开有望孔，具有很浓厚的军事防御性质。城内的卓玛拉康遗址，保存有大量雕刻精美的木雕作品，具有相当高的艺术水平。据

① 有关古格王国都城札不让的考古调查与发掘成果主要参考以下考古报告：西藏自治区文物管理委员会：《古格故城》（上、下册），北京，文物出版社，1991。

② 西藏自治区文管会文物普查队：《西藏山南拉加里宫殿勘察报告》，载《文物》，1993（2）。

③ 霍巍，李永宪，尼玛：《吉隆县文物志》，30～40 页，北京，西藏人民出版社，1993。

藏文文献所记，贡塘王城也称为“阿里麦贡塘”、“芒域贡塘”等[①]，系吐蕃分裂时期由吐蕃后裔在宗喀（今吉隆）一带建立的统治中心，与古格王国有着密切的联系[②]。

藏传佛教寺院建筑为西藏古建筑的大宗。许多著名的寺院不仅是当时重要的宗教文化中心，同时也是重要的政治中心。在现存的佛寺中往往保存有能够体现藏族文化与审美观念的建筑、造像、绘画艺术等遗存。新中国成立以来，对这批具有鲜明藏族文化特色的遗存进行了重点保护与科学研究。

位于拉萨市内的大昭寺是西藏目前现存年代最早的一处寺院建筑。据汉藏史料记载，大昭寺始建于7世纪中叶，后经历代多次修葺扩建，形成为今天占地面积达25100平方米的大型建筑群。寺院坐东朝西，建筑群大体沿中轴线分布，由门廊、庭院、神殿及分布在四周的僧舍、库房等四部分组成，其中建在寺内第一层的神殿是大昭寺的主体建筑，始建于吐蕃松赞干布时代，为一密闭式的院落。神殿前是绕以回廊的庭院，庭院外为门廊，高四层，中间建有天井，围绕天井为一周佛殿，以神殿下面两层建筑年代最为古老，门楣及柱子的雕刻都具有明显的吐蕃时期艺术风格。神殿后部正中为释迦牟尼佛殿，向后凸出约2.5米，主供释迦牟尼佛像，其左右两侧为无量光佛殿和弥勒佛殿以及观音殿、释迦牟尼不动金刚身佛殿等四个殿堂，基本上沿纵、横二轴线左右对称分布。神殿的建筑结构采用梁架、斗拱和藻井等法式，具有浓厚的内地建筑风格的因素，神殿的中心为高敞的天井，共有12根大立柱，分属不同历史时期改建或扩建而成。五世达赖时期更对神殿进行了大规模的扩建修葺，增建了四个角楼佛殿，在顶部增建了部分金顶。

---

① 噶托·仁增次旺：《吐蕃王室后裔在阿里麦贡塘之世系源流明镜》，见《藏文五种史料》，拉萨，西藏人民出版社，1989。

② 霍巍：《吉隆贡塘王城及卓玛拉康遗址的调查与阿里贡塘王国若干问题的初步探讨》，见《藏学研究论丛》第5辑，拉萨，西藏人民出版社，1993。

与大昭寺共享盛名的还有小昭寺。小昭寺位于拉萨市八角街北约500米处，创始于吐蕃松赞干布时期，据史书记载，公元641年，唐文成公主与藏王松赞干布结婚之后，从长安携来铜镀金释迦牟尼十二岁等身佛像一尊，并将其安置在此处，从内地带来的工匠历时一年，在此建成小昭寺，与大昭寺同时完工。寺院坐西朝东，占地面积约4000平方米，由庭院、神殿及门楼、转经回廊等附属建筑组成。

位于山南河谷的桑耶寺则是吐蕃时期第一座具有佛、法、僧三宝的佛教寺院，自创建至今已有一千多年的历史，也是藏族文物古迹中历史悠久的著名寺院之一。桑耶寺规模宏大，殿塔林立，以中心大殿“乌孜”大殿为中心，组成一组庞大而完整的建筑群，总面积达2.5万余平方米。整个寺院布局一般认为系按佛教宇宙观中的须弥山加以布置，殿堂建筑则以仿古印度摩揭陀地方的欧丹达菩提寺（飞行寺）为蓝本建成。

西藏全区现存不同历史时期、不同教派的寺院当中，往往都还保存有大量珍贵的壁画、雕塑等文物古迹，形成不同的时代与艺术风格。

扎囊县县城内现存的那塘寺，始建于公元1081年，原名“阿丹扎塘寺”，意为“五有”扎塘寺，指扎塘寺中有五种吸收自桑耶寺的因素。寺庙建筑布局按照密宗坛城平面布置，现仅存主殿和围墙。主殿坐西朝东，平面呈不规则的十字折角形，主要以门廊、经堂、密室、佛殿、回廊五部分组成。经堂、佛殿及回廊内保存有精美的壁画，以佛殿内的壁画最为珍贵，内容可分为十组，每组的题材、风格、组合均具有独特的时代特色。

萨迦寺是元代萨迦派的祖寺，同时也是元代西藏地方政权的统治中心所在。此寺于1073年由昆·官却杰布创建，后经萨迦五祖续建，形成南、北两寺的庞大建筑群。萨迦寺最早的建筑为北寺的古绒森吉嘎尔布颇章，后依此扩建了细脱措钦大殿、细脱拉章、都却拉章、仁钦拉章、仁钦岗拉章等五十余座殿堂。1268年后又兴建了南寺拉康钦莫大殿、拉康拉章等建筑，其整体布局鸟瞰似一佛教曼荼罗（坛城）形。萨迦北寺在“文革”中被毁为废墟，南寺保存尚好，现保留有完整如新的大量壁画，尤以二楼的金廓拉康（坛城殿）壁画为最，寺内文物藏品丰富，门类齐全，具有很高的艺术价值。近年来西藏自治区文物局组织力量对萨迦北寺部分殿堂遗址进行了科学的考古发掘，从中出土了一批具有一定学术研究价值的宗教历史文物①。

位于日喀则东南的夏鲁寺创建于1087年，是一座汉藏合式建筑，在藏式平顶建筑上建起汉式的琉璃歇山式的主、配殿和前殿，别具风格。夏鲁寺的壁画在现存的西藏寺庙中具有西藏中部地区佛教绘画艺术的特色和艺术水平，其壁画内容除佛经故事之外，还有不少表现当地社会生活和关于民间传说的，对于研究古代服饰、用具、建筑等有着重要的参考价值。

以吉祥多门大塔为寺塔而著称于世的江孜县白居寺创建于15世纪中叶前半期，由于其悠久的历史、精美完整的建筑以及寺塔内保存相当完好的壁画和造像，在藏传佛教寺院建筑中占有着特殊的地位。白居寺侧中外闻名的白居寺大塔塔高9层，共有108门，77间佛殿、神龛和经堂，各层殿堂绘制有精美壁画，殿堂内藏有大量佛像，相传多达10万，故此塔又有“十万佛塔”之称。在近年来的文物考古工作中，对这两座具有古老历史的寺院作了全面的考古勘测与科学记录，出版和发表了不少相关的研究论著②。

相对卫藏地区而言，在建筑风格和艺术上具有西藏西部特点的寺院可举位于西藏阿里地区札达县的托林寺。托林寺是11世纪初期由古格王国僧王意希沃为振兴西藏佛教而兴建的，现存建筑中的

---

① 此次发掘工作尚在进行当中，正式考古简报尚未正式公布。

② 陈耀东：《夏鲁寺——元官式建筑在西藏地区的遗珍》，载《文物》，1994（5）。熊文彬：《西藏夏鲁寺集会大殿回廊壁画内容研究》，载《文物》，1996（2）。熊文彬：《中世纪藏传佛教艺术——白居寺壁画艺术研究》，北京，中国藏学出版社，1996。

迦萨大殿（朗巴朗则）的建筑式样为十字折角形，仿照吐蕃时代的桑耶寺，近年来在对迦萨大殿所作的考古发掘中，出土了大量木雕、泥塑、铜像等佛教美术品和不同时期的经卷，各个殿堂内发现了大量残存的壁画和木构建筑，极大丰富了人们对于这座早期古格佛寺的认识。托林寺现存的白殿和集会殿分别建于15世纪和16世纪，壁堂内的壁画保存完好，具有典型的“古格画派”风格，历来引人注目①。

阿里地区另一座早期佛寺是位于普兰县的科加寺，科学调查表明，这座寺院的始建年代大约在古格王国早期，建筑式样也是十字折角形，门楣上的木雕图案具有古格王国早期风格，殿堂内的部分壁画可能早至14—15世纪左右，画风也属于“古格画派”，与上述托林寺很可能同属于古格王国早期所建成的佛寺。

作为后藏地区的政教中心，位于日喀则市西面的扎什伦布寺虽然创建年代晚至明代（1447年），但规模宏大，巍峨壮观，成为历代班禅的驻锡祖寺，现拥有大小经堂56个，面积达二十余万平方米，殿堂内建有历代班禅的灵塔，殿内供奉的铜铸弥勒佛像高达26.7米，为国内所罕见。

同样兴建于明代的拉萨色拉寺、哲蚌寺等也是著名的藏传佛教格鲁派寺院，寺院主要由措钦大殿、四大扎仓以及下属的各康村、僧舍等组成，形成结构严密的建筑单位，占地面积达数十万平方米，群楼层叠，金顶辉映，雄奇壮丽。

西藏的宫殿建筑是与寺院建筑同样保存丰富的一个门类。其中，山南雅隆河谷是吐蕃王朝的发祥地，现存于此的雍布拉康相传是吐蕃第一位赞普所创建，为一座塔式城堡，塔身的顶部为一宝塔形顶，建筑物整体采用石料砌建，保存着相当原始的建筑结构。

举世闻名的布达拉宫和罗布林卡，是西藏宫殿建筑的精华。公元7世纪，随着吐蕃王朝统一西藏高原，将其都城定于逻些（今拉

① 西藏自治区文物管理委员会：《托林寺》，北京，中国大百科全书出版社，2001。

萨市）之后，开始兴建布达拉宫。布达拉宫是西藏现存最大最完整的古代宫殿建筑群。7世纪初年，相传松赞干布开始在红山上修建最初的建筑物，后来佛教徒将红山比之为佛教第二殊圣——普陀山，梵语音译为“布达拉”。相传今布达拉宫内的曲结哲布（法王洞）和帕巴拉康（帕巴殿）为当年的遗存。而现存的布达拉宫主要是17世纪以来重新修建而成的，宫殿基于红山南边山腰，依山势修建至山顶，其主体建筑系一系列大小经堂、灵塔殿、佛殿、卧室、经学院、僧房等组成，东西宽360余米，南北长约140米，建筑面积达9万平方米，加上山前城郭以内和山后的龙王潭范围，占地面积达41公顷。从17世纪中叶至1959年以前，布达拉宫一直作为历代达赖生活起居和从事政治活动的场所，也是西藏政教合一的统治权力的中心。党和政府高度重视对西藏文物古迹的全面保护工作，其中最具代表性的大型文物保护工程之一，便是历时十数年、投资近亿元的布达拉宫维修保护工程①，经过修葺加固后的布达拉宫现已成为我国著名的世界文化遗产之一，成为今天西藏的象征性建筑物。

位于拉萨市中心的罗布林卡藏语意为“宝贝林园”，初建于七世达赖洛桑嘉措，后经历代达赖维修扩建，逐渐形成了占地360万平方米的大园林。自七世达赖以后，每世达赖均在每年夏天驻足于此，故也被称为达赖的“夏宫”。罗布林卡内的建筑可分为五大群落，即：（1）以格桑颇章为主体的群落；（2）以措吉颇章为主体的群落；（3）以金色颇章为主体的群落；（4）以厦布典拉康为主体的群落；（5）以达旦明久颇章为主体的群落。这些建筑物遮荫在参天古木当中，景色宜人。在布达拉宫的维修保护大体的同时，罗布林卡内的部分殿堂近年来由国家投入资金，由西藏自治区文物部门实施修葺与维护，也取得了显著成果。

① 西藏布达拉宫维修工程办公室，中国文物研究所：《西藏布达拉宫修缮工程报告》，北京，文物出版社，1994。

随着佛教传入西藏，在筑塔建寺的同时，西藏也开始兴起石窟寺的开凿。但过去由于考古工作开展不够，对此类遗存在西藏的流传与分布情况还很不清楚，西藏成为佛教石窟寺艺术传播链条上的一个明显缺环。通过近年来中国学者辛勤的工作，大大弥补了这一领域的学术空白点。

迄今发现的西藏佛教石窟主要有两类，一类是在石窟内的各个壁面上开龛凿像，类似内地的龙门、云岗等处石窟的做法。另一类则是在石窟内彩塑绘画，类似新疆、敦煌石窟的做法。这两类石窟从分布情况来看，前者主要发现在卫藏地区，后者主要发现在藏西阿里地区。拉萨市查拉路甫石窟是西藏高原最早开凿的石窟之一。这处石窟依山开凿，窟形为带有中心柱的支提式窟，平面呈不规则长方形，窟内现存造像 71 尊，除两尊泥塑外，余皆为石像，分布于中心柱四面和转经廊的南、西、北壁上。造像题材包括两类：第一类系释迦、三世佛、阿弥陀佛、菩萨、金刚力士等；第二类系西藏历史上的著名人物，如文成公主、松赞干布、尺尊公主、禄东赞、吞米桑布扎、莲花生等。造像具有浓厚的印度—尼泊尔风格，服装简单窄小，衣纹系单线阴刻。石窟的年代可以早到吐蕃时期①。

卫藏地区在文物普查中还相继发现过一些石窟遗存，如曲松县色物乡洛村石窟、拉日石窟，岗巴县乃甲切木石窟等。其中，洛村石窟开凿在总长度为 750 米的山崖上，分为 A、B、C 三区，开凿时代约为西藏佛教“后宏期”的早期，约为公元 11 至 13 世纪左右，原属宁玛派与噶举派。石窟按其用途可分为两类：一类为供置神佛泥塑并绘有壁画的洞窟；一类为僧侣静修苦行的修行洞窟，多遗有生活居住的痕迹。拉日石窟大小有别，高低错落有致。从洞窟的形制结构、窟中遗迹看，多为僧侣修行窟，亦有少量洞窟绘有壁

---

① 霍巍：《吐蕃第一窟——拉萨市药王山札那路浦石窟的几个问题》，载《考古与文物》，2003（1）。

画、佛像，当属供奉神佛之所。洞窟仅有基本形状完整，其内泥塑、彩绘多已不存。岗巴县乃甲切木石窟共有5座洞窟，洞口皆南向，距地面高约十余米。其中一座石窟窟顶平整，其四壁距地面1.5米以上保存有浮雕造像的痕迹，系在窟壁上凿出轮廓，然后抹泥成型。造像题材可能为密宗的金刚界五佛及其随从①。

近年来西藏西部地区佛教石窟艺术的考古调查工作获得了举世瞩目的重大突破。西藏西部发现的石窟遗址主要有东嘎、皮央石窟群，白东布石窟地点，象泉河北岸的吉日、岗察、芒扎等石窟地点以及帕尔嘎尔布石窟地点等处②。其中东嘎、皮央石窟群现存石窟总数近千座，包括礼佛窟、禅窟与僧房窟、仓库窟与厨房窟等不同类型的石窟。礼佛窟内绘制有精美的壁画，内容题材有佛、菩萨、比丘、飞天、供养人像、佛传故事、说法图、礼佛图、各种密教曼荼罗以及动物、植物和不同种类的装饰图案，与其他地区相比较，具有十分浓厚的地域色彩并受到克什米尔绘画艺术风格的影响。石窟年代有早有晚，从公元11世纪延续到17世纪。这处石窟群是西藏高原迄今为止发现的规模最大的一处佛教石窟遗址，也是国内年代最晚的一处大规模石窟遗存。吉日、岗察等石窟点位于象泉河北岸，壁画绘制年代可能属于古格王国早期。帕尔嘎尔布石窟内发现的壁画较之以东嘎、皮央、白东布等石窟壁画而言，最大的特点是其绘画风格由早期的克什米尔风格发生了重大的转变，开始向“印度—尼泊尔风格”（或称为“波罗艺术风格”）转化，从而为研究西藏西部古格艺术史的发展全程提供了全新的一批资料。

西藏的摩崖造像数量丰富，考古调查成果表明，这类遗存主要

① 霍巍：《卫藏地区几座佛教石窟遗迹及其相关问题》，载《西藏研究》，2002（3）。

② 西藏自治区文物局，四川联合大学考古专业：《西藏阿里东嘎、皮央石窟考古调查报告》，载《文物》，1997（9）。四川大学中国藏学研究所，西藏自治区文物局：《西藏阿里札达县帕尔嘎尔布石窟遗址》，载《文物》，2003（9）。四川大学中国藏学研究所，西藏自治区文物局：《西藏阿里札达县象泉河流域发现的两座佛教石窟》，载《文物》，2002（8）。

分布在拉萨、山南、日喀则、林芝、昌都等地区，初步统计约有70多处、2万余尊造像[①]，成为西藏佛教艺术考古的一个重要组成部分。造像种类可分为佛、佛母、菩萨、护法神、弟子及供养人、历史人物及各教派传承祖师等，造像时代从吐蕃时代一直到近代。其中著名的药王山摩崖造像绵亘于药王山的东、南、北三面崖壁上，长达1.5万米，内容丰富，题材广泛，雕刻技法纯熟，造像上下或左右一般都刻有“六字真言”，代表着西藏摩崖造像的主要风格特色。拉萨市南约20公里的尼塘哲朴山麓下的尼塘哲朴摩崖造像共有造像七尊，分布于南、北崖面上，其中北麓的尼塘大佛是西藏迄今为止发现的最大的单体摩崖造像。

藏文是藏语的书面形式，传统的说法认为藏文是吐蕃赞普松赞干布的文臣吞米·桑布扎参照梵文创造的。吐蕃时期的藏文文献分手卷写本、简牍以及碑刻等三大类。其中，保存至今的吐蕃时代碑刻占有相当比重。吐蕃王朝凡结盟、缔约、颂赏、封赠、祭祀等带有重大典礼性的事件，往往都要铭刻在碑石上，以求其永久。今天残存在卫藏的吐蕃时代碑铭主要有《唐蕃会盟碑》、《恩兰·达札路恭纪功碑》、《第穆萨摩崖刻石》、《谐拉康碑》、《赤德松赞墓碑》、《噶迥寺建寺碑》、《桑耶寺兴佛证盟碑》、《楚布江浦建寺碑》等，内容广泛涉及吐蕃时期的会盟、纪功、颂赏、述德、祭祀、封授、证盟等各个方面，具有重要的史料及文物价值。其中著名的《唐蕃会盟碑》系唐王朝与吐蕃政权以舅甥情谊，在会盟立誓、信守和好、合社稷为一家的前提下树立的，也被称为《长庆舅甥会盟碑》，是汉、藏民族之间一段友好历史的重要物证。

除卫藏腹心地区之外，其他地区也保存有一些吐蕃时期的碑铭石刻。如林芝县雍珠则摩崖石刻即为吐蕃赞普赤德松赞（795—815年）应工布噶波王及家臣们的要求颁诏勒石，诏赐工布噶布小王之

① 陈建彬：《关于西藏摩崖造像的几个问题》，载《南方民族考古》，第四辑，成都，四川科学技术出版社，1991。

盟书誓文。刻文有古藏文21行，外有两石柱撑两块盖石板保护石刻，故保存较完整。西藏西部普兰县境内发现的所谓“莲花手观音造像碑”，也是吐蕃晚期的重要碑刻，据考证此碑系吐蕃大臣祥·卓赤贡布杰所立，中心意思是祈祷六道众生都能解脱成佛，这是阿里地区迄今发现最早也是唯一的一件吐蕃时期碑刻，其文字与语法上的特点反映出吐蕃时期文字统一并通行于吐蕃境域的情况①。

近年来，反映吐蕃王朝时期对外文化交流的碑刻也有新的发现。其中发现于吉隆县境内的《大唐天竺使出铭》汉文摩崖碑铭，记载了唐显庆年间我国著名旅行家王玄策通过吉隆出山口取道尼婆罗去往北印度的事迹②。这通唐代碑铭首次以考古实物补证了吐蕃—尼婆罗道南段走向、出山口位置、王玄策使团的组成等若干史实，是研究吐蕃王朝时期唐蕃交通以及中印文化交流史的重要石刻文字材料。

明清两代，中央王朝与西藏地方政府之间的关系更为密切，留下来不少相关的汉文碑刻。如坐落在大昭寺神殿内的《杨瑛碑》，为明永乐年间太监杨瑛奉旨赴藏封赐西藏宗教领袖人物时所立。现立于拉萨市龙王潭公园内的《御制平定西藏碑》为康熙皇帝亲撰，记述了清王朝用兵西藏、协助西藏人民驱逐准噶尔入侵的功德。《御制十全碑》为乾隆皇帝亲撰，记述了他在位57年的十大武功，其中对平定大小金川、抗击廓尔喀人等治藏安康的功绩尤加细述。其他还有诸如《永远遵行碑》、《大昭纪功碑》、《御制普陀宗乘之庙瞻礼纪事碑》、《刘公亭碑》等碑铭，也都从不同的角度反映出汉藏关系史上的重要事件。

西藏各地还散存不少清代的汉文摩崖刻石，内容大多与清代前

---

①《中国美术分类全集·中国藏传佛教雕塑全集·石雕卷》，17页，图二十，二十一，北京，北京美术摄影出版社，2002年。

② 西藏自治区文管会文物普查队：《西藏吉隆发现唐显庆三年大唐天竺使出铭》，载《考古》，1994（7）。

期清军入藏协同西藏人民抗击外来侵略者有关。如位于布达拉山东侧的“功垂百代”摩崖刻石，记载了康熙五十九年（1720年）征剿侵入西藏准噶尔部的中路清军征战的情况。另有一通“用昭万代”摩崖刻石则主要记载了征剿准噶尔部的南路清军的功绩。与两通摩崖刻石并存的还有“异域流芳”摩崖，内容为康熙五十九年进藏清军南路将士和驻守西藏官兵的记名。布达拉山一带类似的清代汉文摩崖石刻还有“安藏碑记”、“恩泽藏峙”、“雍正六年摩崖”、“雍正七年摩崖”等。吉隆县的“招提壁垒”石刻题铭铭刻在吉隆镇至宗嘎宗公路右侧沟内，石刻位于沟内西壁，海拔3140米，字体为汉字行书，从右至左书刻“招提壁垒”四字，从石刻位置并参照《西藏志》、《卫藏通志》等文献记载可以推断其当为清军抗击廓尔喀入侵者留下的纪功性质的摩崖石刻。

此外，西藏各地还保存有一些纪念性的雕塑作品，具有较高艺术价值。其主要门类一是墓前的石碑及石狮，如山南琼结县藏王墓地的石碑及石狮，石碑为龟趺，碑帽上有日月火珠，石狮造型雄伟威武。类似的墓前石狮在后藏拉孜县查木钦墓地、青海都兰吐蕃墓地中也有发现①，表明吐蕃陵墓制度在发展与形成过程中可能深受同时期唐代陵墓制度的影响②。青藏高原考古学文化中另一类著名的纪念性雕刻作品为石塔，如桑耶寺松嘎尔石雕五塔，均为整块巨石雕刻而成，据说为印度高僧寂护主持雕造，塔由塔基、塔瓶、塔刹三部分组成，造型精美，雕刻技法纯熟。

综上所述，青藏高原的文物考古工作在新中国成立之后，尤其是在改革开放以来，在党和政府的亲切关怀下从无到有、从小到大，取得了令世人瞩目的成就。通过这些珍贵的实物资料，一是极

---

① 西藏自治区文物管理委员会文物普查队：《西藏拉孜、定日两县古墓群调查清理简报》，见《南方民族考古》，第四辑，成都，四川科学技术出版社，1991。霍巍：《论青海都兰吐蕃墓地考古发掘的文化史意义》，载《青海民族学院学报》，2003（3）。

② 霍巍：《西藏古代墓葬制度史》，148～151页，成都，四川人民出版社，1995。

大地弥补了西藏历史上由于缺乏足够的文献资料所形成的研究局限，提供了一批科学的文物考古实物资料，对于真实客观地再现西藏各个历史时期文化发展的面貌，尤其是对复原远古西藏文明、构建西藏历史的宏观框架起到了不可替代的作用。二是对于作为中华民族文化的重要组成部分——西藏民族文化的传承与弘扬，这些实物资料也起到了特殊的作用，它以无可辩驳的事实和令人信服的实物形态有力地证明了历史上汉藏友好关系的发展和西藏文明的长河最终汇入中华文明的巨流这一客观历史进程，具有深远的历史和现实意义。此外，青藏高原文物考古工作的进展，对于传统的藏学研究也提出了许多新的研究课题，促进藏学研究向着交叉融合的多学科相互渗透、相互支撑的全新研究局面发展，给藏学研究注入了前所未有的新的活力，并正在逐步生长发展成为藏学研究中一个具有极大发展前景的分支学科——西藏考古与艺术。

（附记：本文系教育部人文社会科学重点研究基地重大项目、“985 工程”二期“中国藏区与南亚”研究创新基地阶段性成果之一。）

·学科研究进展概况·

2005年民族理论研究

王希恩

2005年5月下旬中央在北京再次召开了中央民族工作会议。这次会议及在此前后中央出台的一系列有关民族工作的法规、政策和决议大大推进了我国的民族工作，发展了中国共产党的民族理论，也为我国的民族理论研究开拓了更为广阔的空间。与此同时，近年来民族理论一些重大问题的讨论也在本年度有了深入和扩展，但也存在一些明显的不足。

一、中国共产党民族理论的新发展

在2005年5月召开的中央民族工作会议上，胡锦涛代表中央发表了重要讲话。讲话阐述了正确认识和把握新形势下的民族问题的重要意义，新时期民族工作的主题和主要任务，也谈到了当前和今后一个时期为完成这些任务需要着重抓好的工作。会后，中共中央、国务院做出了《关于进一步加强民族工作，加快少数民族和民族地区经济社会发展的决定》，其中也将党关于民族问题的理论和政策的主要观点做了十二条集中概括：

一、民族是在一定的历史发展阶段形成的稳定的人们共同体。一般来说，民族在历史渊源、生产方式、语言、文化、风俗习惯以及心理认同等方面具有共同的特征。有的民族在形成和发展中，宗教起着重要作用。

二、民族的产生、发展和消亡是一个漫长的历史过程。在人类社会发展的进程中，民族的消亡比阶级、国家的消亡还要久远。

三、社会主义时期是各民族共同繁荣发展的时期，各民族间的共同因素在不断增多，但民族特点、民族差异和各民族在经济文化发展上的差距将长期存在。

四、民族问题既包括民族自身的发展，也包括民族之间，民族与阶级、国家之间等方面的关系。在当今世界，民族问题具有普遍性、长期性、复杂性、国际性和重要性。

五、中国特色社会主义道路是解决我国民族问题的根本道路。我国的民族问题，只有在建设中国特色社会主义、实现中华民族伟大复兴的共同事业中才能逐步解决。

六、我国是各族人民共同缔造的统一的多民族国家。祖国统一是各族人民的最高利益，各族人民都要继承和发扬爱国主义传统，自觉维护祖国的安全、荣誉和利益。我国的民族问题是我国的内部事务，反对一切外部势力利用民族问题对我国进行渗透、破坏和颠覆活动。

七、各民族不分人口多少、历史长短、发展程度高低，一律平等。国家为少数民族创造更多更好的发展机会和条件，保障各民族的合法权利和利益。各族人民都有义务维护宪法和法律尊严。

八、民族区域自治是我们党解决我国民族问题的基本政策，是符合我国国情的一项基本政治制度，是发展社会主义民主、建设社会主义政治文明的重要内容，必须长期坚持和不断完善。民族区域自治法是民族区域自治制度的法律保障，必须全面贯彻执行。

九、平等、团结、互助、和谐是我国社会主义民族关系的本质特征，汉族离不开少数民族，少数民族离不开汉族，各少数民族之间也相互离不开。各族人民要互相尊重、互相学习、互相合作、互相帮助，不断巩固和发展全国各族人民的大团结，构建社会主义和谐社会。

十、各民族共同团结奋斗、共同繁荣发展是现阶段民族工作的主题。加快少数民族和民族地区经济社会发展，是现阶段民族工作的主要任务，是解决民族问题的根本途径。要坚持科学发展观，大力支持、帮助少数民族和民族地区加快发展。

十一、文化是民族的重要特征，少数民族文化是中华文化的重要组成部分。国家尊重和保护少数民族文化，支持少数民族优秀文化的传承、发展、创新，鼓励各民族加强文化交流。大力发展教育、科技、文化、卫生、体育等各项事业，不断提高各族群众的思想道德素质、科学文化素质和健康素质。

十二、培养选拔少数民族干部是解决民族问题、做好民族工作的关键，是管长远、管根本的大事。要努力造就一支宏大的德才兼备的少数民族干部队伍。民族地区人口资源开发是一项战略任务，要大力培养民族地区现代化建设需要的各级各类人才。

改革开放以来，中央领导人已就党的民族问题理论和政策的主要观点作出过三次表述。而与以往的表述相比，这次表述在文字和条目上大大增加，内容观点上更趋完整，突出了现阶段我国民族工作的主题和主要任务，也对诸如“民族”和“民族问题”概念等基本理论问题上做出了回答，显示了中国共产党民族理论新的发展和完善。可以预见，在未来的一段时间内，民族理论界将对党的民族理论的这些发展作出积极的反应。

二、和谐民族关系研究

十六届四中全会以来，中央将建设社会主义和谐社会提到了社会主义现代化建设全局的高度。本次中央民族工作会议及随后关于民族问题理论和政策基本观点的表述随之也将我国社会主义民族关系的原则概括为“平等、团结、互助、和谐”，这也是中国共产党民族理论的一个重要发展。民族理论界由此也将民族关系的和谐纳入了研究视野，“和谐”于是成为 2005 年我国民族关系研究的主旋律。

郝时远将巩固和发展社会主义民族关系视为我国构建和谐社会最重要的任务之一。他在《民族研究》第3期发表的《构建社会主义和谐社会与民族关系》一文中指出，民主法治、公平正义、诚信友爱、充满活力、安定有序、人与自然和谐相处，这些构建社会主义和谐社会不可或缺的基本内容，不仅是巩固我国平等、团结、互助的社会主义民族关系必须遵循的准则，而且也是发展我国平等、团结、互助的社会主义民族关系必须实践的内容。平等，是民族关系和谐的基础；团结，是民族关系和谐的保障；互助，是民族关系和谐的动力。我国平等、团结、互助的社会主义民族关系体现的基本内涵，就是各民族共同团结奋斗、共同繁荣发展。实现这一基本内涵的社会保障，是构建社会主义和谐社会的基本要求。文章对坚持和完善民族区域自治制度、加快发展与"两种资源"保护等问题进行了论述。同时，针对近来学术界出现的建议对我国民族问题"去政治化"和对包括汉族在内的56个民族进行"族群化"解构的理论观点进行了批评。

同样是对"去政治化"观点的批评和构建和谐民族关系的探索，陈建樾发表了《多民族国家和谐社会的构建与民族问题的解决——评民族问题的"去政治化"与"文化化"》(《世界民族》第5期)一文。他在文中指出，一种包容多元、融会一体的族际关系，是统一的多民族国家和谐社会得以顺利构建的基本前提。族际关系的和谐首先来自于制度安排是否符合国情，其次来自于针对少数民族权利保障和特别优惠的政策、措施是否有效。尽管学术视角有所不同，但民族理论和政治学都将民族问题视为一个建构于民族理论之上的政治事项。试图将民族问题"非政治化"、"文化化"显然是缘木求鱼。

关于中央提出的"平等、团结、互助、和谐"民族关系原则的意义，王希恩在回顾了对这一问题不同表述的历程后指出：在我国社会主义民族关系中加入"和谐"的要素，尽管在认识上还有不同的看法，但可以认为这是中国共产党从现阶段构建社会主义和谐社会的总体目标出发，基于现实民族问题的特点和规律在新的历史条件下对我国民族关系认识的重要发展，为我们更加全面地完善和发展社会主义民族关系指出了方向。首先，和谐是建设和谐社会在民族关系上的一种必然要求。其次，和谐是中央在对我国当代民族问题特点和规律把握的基础上提出的一项重要民族关系原则。第三，“和谐”的提出使我国社会主义民族关系的内容更加完整。“平等、团结、互助”已经概括了我国社会主义民族关系的主要内容，就字面涵义而言，“和谐”也与它们有一定的重合，但将它作为一个独立的要素提出则使这种民族关系有了一种更为合理的结构性要求。和谐要素的提出，是对我国各民族文化、利益多元性的承认和尊重，也是对在共同利益和目标基础上和睦、协调、合作等统一性的强调。在社会主义的民族关系中，我国追求的共同发展、共同繁荣，是各民族的“共赢”，而不是“优胜劣汰”。以此来看，“和谐”不是对“平等、团结、互助”的取代，也不是对它们的重复，而是对这些要素的补充和完善（《深刻理解和谐在我国民族关系中的重要意义》，《西南民族大学学报》第 8 期）。金炳镐、常勇也认为，和谐的社会主义民族关系既是民族地区和谐社会构建的基础，又是民族地区和谐社会构建中的一项重要内容，发展和完善社会主义民族关系事关民族地区和谐社会构建的大局（《发展和完善社会主义民族关系与民族地区和谐社会的构建》，《黑龙江民族丛刊》第 4 期）。

在对和谐民族关系的认识问题上，不少研究深入到历史文化层面和国家统一的高度。姜军认为：作为中国古典哲学重要命题之一的“和而不同”是中华先民政治智慧的集中体现。这一思想对中华民族多元一体格局的形成发挥了积极作用，并指导中国共产党在新中国的政治实践中取得了巨大成功。它所蕴涵的崇尚和平、强调和平、尊重不同文化、提倡共同进步的精神，对 21 世纪的人类发展具有特殊的启示意义（《“和而不同”在民族政治中的价值论》，《社会科学辑刊》第 2 期）。赵伟提出，在我国这样一个统一的多民族国家，构建和谐社会必须具备一定的要素。各民族成员对统一民族国家的认同是构建和谐社会的政治基础；正确认识和处理民族矛盾是多民族国家构建和谐社会的认识论基础；促进各民族间经济的共同发展是多民族国家构建和谐社会的经济基础；稳定有序是多民族国家构建和谐社会的社会基础（《多民族国家构建和谐社会的要素》，《甘肃理论学刊》第3期）。

除了这类分散性的研究之外，中国民族理论学会于本年度6月下旬与辽宁省民委联合举办的民族理论专题研讨会，也以“和谐社会建设与民族关系”为题对此问题进行了集中探讨，产生了一批相关成果。

在对和谐问题研究的同时，民族关系中的其他问题也在一些研究中得到深入。如龚学增、王钊冀在《中南民族大学学报》第4期发表《民族平等新论》，对民族平等提出了新的看法，认为民族平等和一般平等一样实质上是权利的平等分配。权利可分为基本权利和非基本权利，其分配要依据贡献标准来进行。每个民族都应该完全平等地享有基本权利，而非基本权利则需要各个民族在机会平等的条件下在竞争中获得。获利较多的要给予获利较少的相应补偿，以取得最终的结果平等。中国共产党十分重视通过缩小民族间发展差距进一步实现民族平等的问题。中央民族工作会议确定的各民族共同团结奋斗、共同繁荣发展的民族工作主题，集中体现了实现真正民族平等的宗旨。

三、民族区域自治研究

尽管国内对我国的民族区域自治又出现了一些否定性的看法，但中国共产党和中国政府对民族区域自治的态度是非常明确的。胡锦涛在本次中央民族工作会议的讲话中讲道：“民族区域自治制度，是我国的一项基本政治制度，是发展社会主义民主、建设社会主义政治文明的重要内容，是党团结带领各族人民建设中国特色社会主义、实现中华民族伟大复兴的重要保证……实践证明，这一制度符合我国国情和各族人民的根本利益，具有强大生命力。民族区域自治，作为党解决我国民族问题的一条基本经验不容置疑，作为我国的一项基本政治制度不容动摇，作为我国社会主义的一大政治优势不容削弱。”在此之前，2005年2月，国务院新闻办公室发表了中国的民族区域自治白皮书。白皮书阐述了民族区域自治在中国政治制度中的地位，民族自治地方的建立，自治权的内容，国家对民族自治地方的支持和帮助，以及民族自治地方各项事业的发展等，并表示，中国政府将从本国国情出发，坚持以人为本、全面协调可持续的科学发展观，进一步探索和健全民族区域自治制度的具体实现形式，完善《民族区域自治法》的配套法律法规，不断充实实行民族区域自治制度的物质基础，促进少数民族和民族地区经济社会的全面发展。5月26日，国务院又发布了《国务院实施〈中华人民共和国民族区域自治法〉若干规定》，对各级人民政府贯彻落实民族区域自治法提出了具体要求。中央的明确态度和一系列举措有力推动了中国的民族区域自治建设，也为这一问题的研究提供了良好的政治环境。

宪法是国家的根本大法，《民族区域自治法》的制定也是基于中国的宪法。中华人民共和国成立后已进行了四次宪法修订，这些修订对我国的民族问题和民族法制工作都产生了不同程度的影响。据此杨临宏和刘宁发表文章，对中华人民共和国第四次修宪在民族法制建设上的影响进行了论述。文章认为，第四次修宪顺应时代发展的需要确立了一些新的理念和制度，对于我国的宪政建设具有重要的意义。《民族区域自治法》是宪法关于民族区域自治制度规定的具体化，也是援引宪法条文最多的基本法。文章从“三个代表”重要思想、三个文明协调发展和保障人权入宪对民族区域自治理念和制度的影响等方面阐述了这次修宪对《民族区域自治法》的意义（《试论第四次修宪对民族法制建设的积极影响》，《广西民族研究》第2期）。

同样是对《民族区域自治法》的研究，陈绍凡著文对自治法规的报批、单行条例与地方性法规的关系、变通补充规定的定位等民族自治地方立法中的问题进行了论述。他认为，在赋予民族自治地方人大常委会以自治法规的制定权的基础上，改自治法规的报批为备案制，是完善民族自治地方立法体制的需要；理顺单行条例与地方性法规的关系，有助于民族自治地方立法的均衡发展；取消变通、补充规定这种立法形式，突出和强化自治条例和单行条例的作用，有利于实现民族自治地方立法的规范化、简约化和科学化（《我国民族自治地方立法若干问题新探》，《民族研究》第1期）。此外，康耀坤也对我国民族自治地方立法权问题做了专文论述。他阐述了民族自治地方立法权的主要内容，分析了民族自治地方立法权在我国立法体制中的地位，并指出了存在的问题，提出了相应的完善意见（《民族自治地方立法权问题研究》，《民族研究》第2期）。

改革开放和现代化的推进使我国的民族发展和聚居状况发生了重大的转变，城市化和散居化正在成为一种趋势。这些转变是社会发展的必然，是进步，但却为我国既有的民族区域自治模式提出了挑战。怎样认识和应对这些挑战，学术界也正在作出探索。朱玉福的《自治市法律地位刍议》（《广西民族研究》第2期）一文对民族地区城市化带来的"自治市"问题进行了讨论。文章认为，城市化程度的高低是衡量一个国家和地区现代化发展水平的重要尺度。随着世界城市化进程的不断推进，我国也迎来了城市化发展的黄金时期，城市化建设取得了巨大成就。但民族自治地方的城市化水平相对于东部发达省区乃至全国平均水平尚有不小的差距。制约自治地方城市化的因素是多方面的，其中，法律和制度上的制约是最为重要的因素之一。由于宪法和民族区域自治法没有把自治市纳入民族区域自治的范畴，导致自治市没有合法的法律地位，而制度体制内的自治地方一直都只是自治区、自治州、自治县三级。因此，文章建议宪法和民族区域自治法都应明确赋予民族自治市相应的法律地位，对民族区域自治制度进行创新，在民族区域自治行政区划中增加自治市。将自治市（包括地级自治市和县级自治市）纳入民族区域自治的范畴。自治州改建为地级自治市；自治县在县府所在地中心镇基础上直接发展为自治市。显然，这是解决自治地方城市化与民族区域自治矛盾的一个比较具体的设想。

我国的民族区域自治地方既有一个民族为主的自治，也有两个或两个以上多民族的联合自治，以往学术界对于这种一个和多个自治模式的差异及其相关的问题研究不够，因此本年度由罗康隆和朱兴文发表的《中国多民族“混居”自治区域权利样态研究》（《广西民族研究》第 2 期）一文特别引人关注。该文将两个或两个以上民族联合自治的地方称为“多民族混居自治区域”，认为多民族混居区域的各个民族政治、经济发展不平衡，历史文化也存在差异，对权利的理解和要求必然有所不同。我国数十部多民族混居自治区域的自治条例，关于权利的规定大多都是对宪法权利的重申，很少针对多民族混居自治区域的实际情况来规定，尤其是对多民族混居自治区域的权利的多元性、各个民族权利的特殊性和民族之间权利的异质性缺少关照，以至于人们在理解权利时，多从本民族的意识出发，在运用权利时，常常出现民族之间的权利冲突。随着社会的发展，多民族混居自治区域的权利意识必定增长，由此也会带来权利资源的严重短缺，并引发各民族之间的权利冲突。多民族混居自治区域具有特殊性，其权利也应有其特殊的内容，它关系到民族的发展和国家的繁荣昌盛。

应该说，这些探索和建议都是有益的。此外，由国家民委政法司和全国人大民委法案室编辑的《中国民族自治地方自治条例和单行条例汇编》一书也在本年度由东方出版社出版。该书分三大册，全面汇集了各民族自治地方的自治条例和单行条例，成为研究我国民族法制建设的一部重要工具书。

四、民族工作理论研究

民族问题始终是关系党和国家工作全局的一个重大问题，正确把握和处理民族问题是加强党的建设，特别是加强党的执政能力建设的重要问题。为此李德洙提出，要切实加强对新时期民族问题和民族工作的研究，要用三个眼光来观察和研究中国的民族问题：一是世界的宽广眼光，也就是说，要从国际大环境来观察和研究我国的民族问题；二是用历史的深邃眼光来观察和研究民族问题，也就是说，要总结历史的经验教训，以史为鉴；三是要用全局的战略眼光来观察和研究当代中国的民族问题。关于如何正确理解和把握党的民族问题基本理论和政策，他提出要把握六个问题：一是把握一条规律，就是要认识民族问题的普遍性、长期性、复杂性、国际性和重要性这五个特征；二是把握一个主题，就是共同团结奋斗、共同繁荣发展；三是把握一个核心，即发展是解决民族问题的核心；四是把握一个大局，即在我们这样的国家，一定要维护各民族的大团结，维护整个国家的大统一；五是把握一个关键，就是抓好培养少数民族干部的工作（李德洙：《切实加强对新时期民族问题和民族工作的研究》，《中央民族大学学报》第 1 期）。

全面小康社会建设是现阶段民族工作研究中的重点内容。刘磊撰文认为，随着全面建设小康社会伟大进程的推进，少数民族区域经济社会将得到超常规发展。但由于少数民族区域属于落后地区，实现全面小康的任务更艰巨，困难也更大。从一定程度上讲，我国全面建设小康社会的重点和难点在少数民族地区。因此，如何促进少数民族地区的小康社会建设是全面建设小康社会的一项战略任务。由于少数民族地区所处的经济和社会发展水平相对落后，所以，只有充分认识并吃透其基本情况，制定一揽子区域政策、编制周密科学的规划、选择适宜的发展路径，才能逐步缩小与发达地区之间的差距，最终实现共同富裕，全面建成小康社会（《少数民族地区全面建设小康社会的对策分析》，《黑龙江民族丛刊》第 3 期）。

关于全面小康社会建设中具体问题的研究，王希恩在其《中国全面小康社会建设中的少数民族人口流迁及应对原则》一文中对少数民族人口流迁问题做了论述。他认为，中国少数民族人口将在全面小康社会建设阶段发生较大规模的流动和迁移。这种人口流迁既会对民族地区和少数民族的全面小康社会建设起到巨大的推动作用，又会带来一些新的矛盾，成为新形势下民族问题新的表现形态。而以构建和谐社会为目标，坚持以人为本的理念，提倡解决问题途径的多元化和综合性，尊重特性、发挥优势，科学论证、慎重决策应是处理这些矛盾和问题的基本原则（《民族研究》第 3 期）。

发展滞后的少数民族地区何时才能全面建成小康社会？温军通过自己的研究力图回答这个问题。他说，自 20 世纪 90 年代以来，随着我国社会主义市场经济体制的全面建立，民族地区经济社会发展成就举世瞩目。但与此同时，城乡发展差距日益扩大、财政自给能力迅速下降，贫困问题依然十分突出，这势必严重影响今后全国经济社会的协调发展。如果从 2000 年算起，预计到 2040 年左右民族地区才有可能实现全面建设小康社会的基本目标，与全国相差近 20 年左右的时间。其中，由于各地条件差别较大，又可分为三类地区：一类为实现目标程度较高的省区，主要是内蒙古和新疆，预计分别到 2022 和 2026 年实现全面建设小康社会目标；另一类为实现目标程度中等的省区，主要有宁夏和青海，预计实现全面建设小康社会目标的时间为 2033 年；第三类为实现目标程度较低的省区，主要有广西、云南、西藏和贵州，它们应作为民族地区乃至全国全面建设小康社会的重点地区，其实现全面建设小康社会目标的时间预计在 2040 和 2050 年左右。总的来说，民族地区全面建设小康社会的任务十分艰巨（《少数民族地区全面建设小康社会有多远》，《开发研究》第 3 期），这类通过数据和科学分析得出的论点是有说服力的。

近年来，我国人口较少民族的发展问题得到了有关部门的重视和国家的大力扶持。王铁志就此发表文章，论述了对人口较少的民族进行研究的意义。他指出，人口较少民族具有的特点是，人口数量特别少，基本分布在边境一带，居住分散，但有小片的聚居区域，经济社会发展水平相对滞后。目前围绕人口较少民族的研究主要有三类，一是以解决人口较少民族发展实际问题为重点的决策性研究；二是研究制约人口较少民族发展因素的应用性学术研究；三是研究人口较少民族过程的纯学术性研究。这些研究都有其研究的重点，也都有一定的学术价值和现实意义。他介绍了2000年以来由国家民委组织开展的“中国人口较少民族经济和社会发展调查研究”活动，称从学者参与决策和产生的社会影响看，可以称得上是继20世纪50年代民族社会历史大调查后的又一次大规模学术调研活动。不论从政府决策还是从学术研究的角度看，这次调研活动都是非常有价值的（《人口较少民族研究的意义》，《黑龙江民族丛刊》第5期）。

除了上述问题之外，关于城市化中的民族工作，各类民族政策的发展和完善等在民族工作研究中也都有不同程度的涉及，但有质量的成果尚显不够。

五、基本概念研究

基本概念的讨论是民族理论的基本建设，但却是学科发展中的难点，然而本年度这方面的研究却显得比较突出。

朱伦发表在《中国社会科学》第4期的《西方的“族体”概念系统——从“族群”概念在中国的应用错位说起》，再一次阐述了自己在“族群”、“民族”等基本概念上的立场。他认为，来自西方的“族群”概念在中国的应用有严重的错位，它与“民族”有着不同的内涵和学理。在西方学术界和社会公共用语中，“nation”（国族）及其派生概念“nationality”（民族）是政治科学的分析单位，而“ethnos”（族种）及其派生概念“ethnic group”（族群）则是族类学（ethnology）的专业术语。这两组四个概念各有具体涵义和抽象定性，不可相互混淆或替换。我国社会媒体、学术界乃至官方机构对这些概念的应用常有错位，特别是以“ethnic group”取代“nationality”来界定我国55个少数民族的做法，既不符合我国民族结构形成的历史和现实国情，也有悖于我国基于马克思主义政治立场而形成和持有的民族理论。该文旁征博引、条分缕析，具有很强的说服力。

与此观点不同，叶江在《当代西方“族群”理论探析》（《华东师范大学学报》第5期）中认为，当代西方学术界基本同意“ethnic group”是指拥有名称的人们群体，它具有真实或假想的共同祖先，享有共同的历史记忆和一种或数种共同文化要素。虽然当代西方学者曾经比较普遍地将“ethnic group”定义为大社会中小群体或次群体，但是目前认为“ethnic group”也可以是主流群体或多数群体的观点渐成主流。因此，将目前汉语的“少数民族”和“56个民族”的“民族”英译成为“ethnic groups”是比较正确的，并且继续使用“The State Ethnic Affair Commission”来翻译“国家民族事务委员会”应该比较合适。

关于族群问题的其他研究也在走向深入。徐杰舜等人试图分析族群的结构，认为族群概念的引入和使用，极大地拓展了中国人类学、民族学研究的空间。运用结构主义的理论探讨“族群结构”问题，可以从结构角度解剖民族共同体、认识民族的整体性、把握民族的发展过程等，这些将会促进人们对族群理论的研究和应用（《族群结构简论》，《广西民族学院学报》第5期）。张永红、刘德一把“族群”与“国族”对应，认为族群主要属于文化范畴，而国族则属于社会政治范畴，在族群认同和国族认同之间既存在着一致的一面，又存在着冲突的一面。对于一致的一面，我们要善加利用，以利于国族的统一和稳定；对于冲突的一面，则要通过构建包容性的价值取向、平等的酬赏制度和各族群间的交流与沟通予以克服（《试论族群认同与国族认同》，《中南民族大学学报》第2期）。周传斌认为，人类学（anthropology）/民族学（Ethnology）传统上的核心概念是“文化”（culture），其学术传统与我国1949年以来的以“民族”为核心概念的“民族研究”有较大的区别。人类学中的族群理论（theories of ethnicity）虽非人类学传统的、核心的研究领域，但自20世纪70年代以来也成为一个热门话题，并有与我国的民族理论互相参照的意义。本文在回顾族群理论诸流派的基础上，重点论述了不同流派之间承袭与补充的关系，并指出，西方的“族群理论”与我国的“民族理论”分别代表主位和客位两种不同的视角，分别强调主观和客观两种不同的立场（《族群理论的流变及其与民族理论的关系》，《黑龙江民族丛刊》第5期）。

在对“民族”概念的研究中，龚永辉的《论和谐而有中国特色的民族概念》（《广西民族研究》第3期）一文因其特别的研究话语而十分抢眼。文章对民族概念在中国的演变过程进行了梳理，认为1949年以前，汉语“民族”一词和包括它的词素在内的古典民族概念表达形式构成了数千年生生不息的自组织系统，这个系统使得近现代舶来的西方民族概念纷纷本土化；1949年至1989年时期，毛泽东在斯大林模式干扰中保留了民族概念的中国话语权，费孝通在改革开放条件下创立了“中华民族多元一体格局”理论；1989年以后，封闭体系的解构和多元争鸣促进了中国民族理论的耗散变化，这一时期流行的“族群”可以看成中国民族概念系统中的一个分形元。文章最后从和谐系统的角度，给出满足国家语境、民间习惯、历史传统三个条件的定义：民族是人们在社会复杂作用下通过历史渊源或现实利益等多元认同而形成的有特定的族称和相应的文化模式的自组织系统。显然，这篇文章引入了自然科学的术语，增强了表现力，也带给人们一种方法论的启发。

在“族群”和“民族”的讨论持续了一段时间以后，一些研究者已开始对这种讨论所具有的现实意义进行反思。王东明在《关于“民族”与“族群”概念之争的综述》（《广西民族学院学报》第2期）一文中指出：这场争论的焦点决不仅仅是“族群”与“民族”概念的界定与使用，也不仅仅是为了避免对外交流的概念分歧，实质上已经涉及我国传统民族理论架构的根基，甚至牵扯到对我国民族政策体系的重新思考。概念之争的背后牵扯到复杂的社会群体利益，对其可能造成的社会影响必须加以重视，并有必要加以引导。李克建也认为，随着族群理论的引入，我国理论界关于“民族”和

“族群”的争议确实非常激烈。族群理论本身有很多观点值得国内从事民族研究的学者借鉴，其理论内涵和中国56个民族层面上的“民族”非常相似，值得我们认真剖析。但如果单纯从避免“民族政治化”考虑为中国的少数民族“更名”却值得我们进一步深思和论证。因为这不只是涉及民族群体称呼的变化问题，还将牵涉到历史和国情的巨大差异和很多民族权益问题以及相关的民族政策，因此必须谨慎对待。（《不同的视角，共同的焦点——对“民族”与“民族主义”概念的解读》，《西南民族大学学报》第9期）。

除了“民族”与“族群”之外，本年度对“民族过程”及与此相关的概念的讨论也形成一定的气候。如李天雪不但对我国民族过程理论研究作了介绍（《我国民族过程理论研究状况综述》，《西北第二民族学院学报》第3期），也尝试用民族过程理论来研究文化变迁问题（《民族过程：文化变迁研究的新视角》，《广西民族研究》第4期），贺萍对来自俄语的“民族过程”术语也提出了自己的不同看法等（《对术语译名“民族过程”的再思考》，《世界民族》第3期）。这些研究无疑是有价值的，但对既往研究状况做出准确和充分的把握，也是这类研究进一步走向深入必须加以重视的环节。

属于民族过程范畴的民族“同化”、“融合”等概念的研究也有一些成果面世，值得关注的是何叔涛的《民族过程中的同化与认同》（《云南民族大学学报》第1期）一文。他指出，民族之间的相互同化与民族内部成员的彼此认同是最重要也是最基本的民族现象。前者与民族一体化、民族融合、民族消亡乃至因民族矛盾与冲突产生的民族问题密不可分；而后者则和民族感情、民族心理、民族意识乃至民族识别、民族政策、民族立法密切相关。民族同化与民族认同之间不仅有联系，还有区别，有时甚至是相互背离的。同化与认同的不协调、不同步甚至相背离，是导致民族问题相互矛盾又并行不悖的症结所在，充分反映了民族问题的复杂性。

六、民族认同和民族意识研究

“民族认同”和“民族意识”也是民族研究中的两个基本概念，但本年度对它们的研究大多与现实民族现象和民族问题联系在一起，因此成了一种综合理论研究。

曾以“文明冲突论”引起世人关注的亨廷顿，在2004年出版了新作《我们是谁——对美国民族认同的挑战》。该书一问世，再次引起了各方面的关注，评议风起。不过，与亨廷顿其他著作不同的是，这部新作由以往的宏观国际视野转向了美国本土，以多元文化主义政策造成国内所谓“有色人种”对美国核心文化的挑战为主题，论说了美国人的民族认同（national identity）危机，进而试图为消除这种危机指明方向、提出对策。郝时远就此发表长篇论文予以评说。他认为，亨廷顿的新作是其“文明冲突论”的“美国版”，即“文化冲突论”。文章梳理了“两论”一脉相承的逻辑关系，结合其政治学理论的相关观点，分析了“文化冲突论”中有关“核心文化”、“美国信念”、移民问题、多元文化主义等论说中的实证矛盾和理论悖论，驳议了亨廷顿解决美国民族认同危机的外敌指向。文章深刻揭示了亨廷顿的新作是立足于种族主义立场、张扬美国民族主义的宣示，其实质则是以退为进的全球霸权主义。同时也指出了它具有的参考价值，即这本书对多元文化主义在美国实践的举证，为我们全面认识美国等西方国家在处理族际政治中所推行的多元文化主义政策产生的利弊，提供了新的参照系。它提醒我们，既不能按照亨廷顿对美国多元文化主义的评判，去认识当代美国的族际关系以及被他危言耸听夸大的民族认同危机；也不能无视多元文化主义、族群认同（ethnic identity）在美国产生的社会分裂作用，而片面地沉浸于对美国多元文化主义成功消弭族际纷争的“文化化”的想象和颂扬之中（《民族认同危机还是民族主义宣示——亨廷顿〈我们是谁〉一书中的族际政治理论困境》，《世界民族》第3期）。

其实，如果摈弃种族主义和霸权主义立场，亨廷顿强调本国的民族认同是完全可以理解的，因为当代世界仍是一个以民族国家为基本政治单元的世界，以爱国主义为内核的民族认同是增强国家凝聚力的必要精神建构。据此罗运璇撰文论述了国家软实力中的民族意识问题。他认为，软实力在一个国家强盛衰亡中发挥着举足轻重的作用，而包括民族意识在内的思想理念、价值观念都是软实力的重要构成。今天中国正处在和平崛起的关键时期，社会发展需要进一步调集民族意识的充分表达，需要在国家软实力的聚集中充分提升民族意识、民族精神。当代中国提倡新的民族意识的构建是完全可能的，与中国共产党所主张的意识形态的与时俱进也是一致的。新型民族意识的表达，使中国共产党代表最广大人民利益的宗旨表达找到了一个新的结合点。民族主义在全球化发展的今天并非已经过时，并非已经退出世界政治舞台，相反，它正以多种的形式和多样化的内容在不同类型的国家和民族中，与政治意识更密切地结合并继续发展着。因此，中国重视民族意识的表达，并使其更加符合现实世界的走向，使其更具有开放性、进取性至关重要（《试论国家软实力中的民族意识问题》，《贵州民族研究》第 1 期）。

与此相应，陈晓婧在《浅析中华民族多元一体格局中的民族认同》（《广西民族研究》第 4 期）中论述了中国民族认同的层次问题。文章认为，认同着重揭示个人与群体、群体与群体之间的归属，而民族认同研究是有关认同在群体水平上的一种研究取向。在我国，个体对各自族群的认同属于族群认同的范畴，而 56 个族群对中华民族的认同则属于民族认同的范畴。民族认同即为各族群与组成中华民族的各族群间的相似感以及对于中华民族的忠诚。个体成员对本族群的认同是产生中华民族认同的前提和基础，而各族群对中华民族的认同，则是各族群在发展过程中的必然选择。

民族精神研究与民族意识研究密切相关，以往民族理论对民族精神的研究关注不够，但在其他领域却十分热烈。龚永辉对此撰文认为，民族精神研究和民族意识研究两个论题冷热反差极大，却有十分密切的联系。十年以来，民族精神研究力量在学科格局上具有绝对优势，相应时期的民族意识研究具有一定的专业优势。民族精神研究的薄弱环节是系统性、实证性、比较性、时代性和建构性的缺乏，民族意识研究也存在着方法论、概念界定等方面的误区。双方的困惑都可以归因于民族理论的薄弱：民族意识研究陷入误区是由于民族定义的僵化，民族精神研究则基本上还处在民族理论学科的盲区。共同解决这两个难题，根本途径是实现民族理论及其相关学科的"学术自觉"（《民族精神研究与民族意识研究》，《青海民族研究》第1期）。

除了宏观论述之外，关于民族意识也有一些个案研究。如李静、沙良波通过在少数民族地区的问卷调查、个案观察和访谈，分析了民族意识的内在体验形式和外在表现形式，并进一步探讨了民族意识发展的特征。具体而言就是：认同感是民族意识的内在体验形式，民族成员对自己本民族的文化、服装、历史具有很强的认同感；群体性是民族意识的外在表现形式，民族成员大多数不愿意离开自己的民族群体而让自己"落单"。（《民族意识的内在体验和外在表现研究——一项关于民族意识的内在体验和外在表现的调查》，《广西民族研究》第3期）显然，这些研究都是有意义的。

七、全球化中的民族问题研究

本年度关于全球化中的民族问题研究成果较多，涉及问题的深度和广度也有明显增加。

全球化是当代世界的一个特征，而作为人类社会一个方面的民族现象、民族过程在全球化时代属于怎样一种状态，无疑也需一个适当的概括。为此，王希恩以"族性张扬"作出了尝试。他认为"族性"是个外来语，有不同的理解，但它在汉语中的涵义应该明确，即指能够构成各种族类群体的基本要素，包括血统、语言、传统文化、祖籍地、宗教、种族等。"族性"包含着"民族"的成分，但又超出了它的范围；与各种文化现象都有联系，但又始终不离

“族”这个核心，这种若即若离的模糊性正是我们为现今的民族现象进行概括所需要的。族性张扬是当代世界民族现象和民族过程的基本特征。以族性为中心的阵营组合和竞争的加剧，基于族性的传统文化的着意弘扬，“政治族性化”的日渐盛行，原生族体的碎片化及大范围扩散等构成族性张扬的突出内容。族性张扬有着全球化的背景支撑，也是世界宏观民族过程的一个阶段性内容。基于族性的分析，作者也对现今民族理论中的其他一些重大问题作出了自己的回答（《族性与族性张扬——当代世界民族现象和民族过程试解》，《世界民族》第4期）。

谈全球化问题往往也涉及民族认同的话题。戴晓东认为，当今全球化日益深化，世界正经历剧烈的重组，民族认同的危机更显突出。这种危机首先归咎于传统上占主流的、带有浓厚种族主义色彩的同化主义，其次是当下流行的、包容但却有内在分裂倾向的多元文化主义，再次是作为全球化整合力量代言人的美国化的冲击。全球化时代的民族认同较以往更具有反思性和开放性。他赞同“世界民族主义”。认为世界民族主义是以族裔为根基，以民族为皈依，以世界为观照的多重认同模式，是世界主义与民族主义的有机结合。对于民族国家来说，这一模式不仅为少数族裔维持原有身份开辟了渠道，也为整个民族建构文化认同提供了契机，同时还呼应了全球化的历史背景。全球化的辩证法预示着世界向统一与多元并存的方向发展，它要求民族国家在全球整合与分化的两股力量中找到合适的支点，达到一种历史的平衡。世界民族主义较好地把握了时代的脉搏，回应了它的诉求（《当代民族认同危机之反思》，《世界经济与政治》第5期）。

与上述论点相近，于文杰也撰文认为，必须用世界历史的眼光审视当代民族国家及其社会发展的共存与互融问题。文章从政治观念、宗教信仰、学术研究以及意识形态、价值取向等角度分析了世界主义的社会根源、历史形态和发展趋势，揭示了世界主义由亚洲西部、欧洲南部和西部向整个欧洲和美国扩展，最终由西方中心主义向全球化过渡的历史进程，提出要让世界主义问题的研究有效地推动人类社会向着和谐、进步与幸福的方向发展（《论世界主义思想的历史形态》，《世界民族》第6期）。

民族主义是当代世界与全球化纠合在一起的突出现象。陈露、刘秦民撰文指出，在全球化背景下，民族主义社会动员日益彰显。民族主义动员的方式主要有教育动员、传媒动员、政治参与动员。这种社会动员具有正负两极走向，全球化时代应引导民族主义社会动员走上理性、健康的发展之路（《论全球化背景下的民族主义社会动员》，《贵州民族研究》第2期）。而雷勇、刘忠山则对冷战后民族主义的特点提出了自己的看法。他们认为，冷战后民族主义的表现首先是形式上更加多样化，其次民族主义的性质更加复杂化，再次，民族主义的内容和涉及面更加向多层面的方向发展。由于这些特点，它对主权国家的国内关系和国际关系的影响较以往已有了很大的不同（《论冷战后民族主义的新发展》，《贵州民族研究》第2期）。

如何认识全球化与民族文化的关系是全球化研究中的一个重要问题，也是本年度民族理论研究中一个讨论较多的话题。马平在《全球化格局下的民族文化多元化发展趋势》（《青海民族研究》第1期）中认为，全球化是一个历史潮流，我们一方面要认识到它对民族文化的冲击势不可挡，不以人们的主观意志为转移，另一方面也要认识到全球化与民族文化多元化之间并非是必然的对立关系，并非不可协调。对于民族文化，不应是没有发展的保护即消极的保护，而是要实现有保护的发展，有发展的保护。从理论上说，人类是可以实现全球经济一体化与文化多元化的和谐共生的。姜淼在《全球化背景下的我国民族文化建设》（《广西社会科学》第1期）中也认为，民族文化不仅关系到民族的生存与发展，还关系到国家的前途和命运。在全球化趋势越发明显的今天，我国的民族文化建设也日显重要，已成为社会主义现代化建设事业的一个重要组成部分。我们应该在合理继承自身文化和必要借鉴其他文化的互动中，在尊重文化发展客观规律的基础上，与时俱进，创造性地建设有竞争力、有发展活力、具有中国特色的社会主义先进文化，以适应全球化背景下我国社会主义现代化建设的需要。网络是全球化时代的一种重要文化现象，它对包括少数民族文化在内的我国民族文化的影响十分深刻，这一点也得到了本年度民族研究者的重视。如谢治菊就在其《浅析网络文化对我国少数民族文化的冲击及对策》（《贵州民族研究》第2期）中做了专门探讨。

此外，全球化对我国民族地区经济的影响，对民族区域自治制度的影响等也有文章探讨。但总的来看，在全球化与民族问题的研究上，尚缺少紧密联系我国民族问题实际的有分量、有深度的成果。

2005年民族法学研究

方　慧

2005年民族法学方面研究文章数百篇，除了对本学科的一些基本问题继续进行研究外，还提出了一些新问题，研究领域有所扩大，研究深度有所加强。下面分别综述如下：

一、关于民族法学基本理论研究

2005年关于民族法学基本理论的文章十余篇，主要集中在民族法学的研究对象、基本概念、研究内容等方面。

（一）民族法学研究的基本理论

吴宗金在《略论中国民族法学的命运与使命》（《西南民族大学学报》第3期）一文中认为，“民族法制”、“民族法学”等专门名词的出现，以及赋予现代法治概念的意义，是从20世纪80年代才开始的。对民族法学研究中经常涉及的“民族法”、“国家民族法”、“国际民族法”、“民族习惯法”几个概念，文中也作了界定和区分，并结合新中国建立后的立法实践，提出了“民族法学是以民族法律为主要研究对象的法律科学”，民族法律包括了民族法律规范和民族法律关系。民族法学的学科使命集中于基础建设和使命建设两个方面。基础建设是多方面的，最主要的是组织建设，其次是目前最需要的体现在“民族法权文化”的研究成果；使命建设主要体现在“民族法制建设”的一系列课题。马继军的《关于加强民族法学研究的思考》（《青海民族研究》第2期）一文，从作为以调整民族关系的民族法律现象为研究对象的新兴学科的角度，探讨了民族法学研究与民族法制建设的关系问题，提出要注重民族法学研究自身的学科特点，在民族法实践的基础上，立足于时代，立足于发展，以此推动民族法学的研究。此外，彭建军《民族地区法制建设与小康社会建设》（《中南民族大学学报》第1期）、从涛《民族法制发展——西部开发背景下民族法治化新趋势的思考》（《贵州民族研究》第2期）、杨晓松《试论加入WTO后少数民族法的调整》（《贵州民族研究》第2期）等文章也从不同角度对此问题提出了看法。

（二）关于民族法学的学科建设

2005年在这方面有一组文章引人注目。宋才发在《论中国少数民族经济法及其研究》（《民族研究》第5期）一文中提出建立中国少数民族经济法的一些设想。认为中国少数民族经济法是中国少数民族和民族地区经济法律制度的总称，是一个新兴的法学学科和正在逐渐形成的法律部门。它是民族法的重要组成部分，属于跨学科的、特殊的交叉研究领域，具有特定的研究任务、研究对象、研究范畴和研究方法。该文明确提出，目前国内已经初步形成了一支从事中国少数民族经济法研究的支撑力量，如云南大学、中央民族大学、兰州大学都有自身的研究特色与相应的学术团队，取得了一些研究成果。宋才发《民族经济法若干问题刍议》（《青海民族研究》第4期）一文认为，民族经济法是调整民族地区在经济发展过程中产生的各种经济关系的法律规范的总称。在建立社会主义市场经济体制的背景下，民族经济立法具有重大的意义。而当前民族经济法的数量、效益及民族地区经济落后状况更迫切要求以民族性原则、民族利益原则和民族自治原则为指导，加强民族经济立法工作，为实现各民族共同繁荣提供强有力的法制保障。这些原则对民族法律体系的建设也具有指导作用。李占荣《论民族经济法的适用》（《广西政法管理学院学报》第1期）一文提出：民族经济法适用的特征表现在四个方面：首先，民族经济法适用是通过保护性法律关系实现它的活动；其次，民族经济法适用具有强制的经济性内容；再次，民族经济法适用是按法定程序进行的专门活动；最后，民族经济法适用具有一定的民族性。他指出，民族经济法渊源的多元性特点决定了其适用过程中，应当协调好不同性质的民族经济法的关系，包括国家制定的民族经济法与民族经济习惯法之间的关系。这些分析不仅对研究民族经济法有理论和现实意义，而且对民族法理论研究也有启示。臧兴东、普建中《民族经济立法若干问题的思考》（《贵州民族研究》第3期）分析了民族经济立法的重要性，并对民族经济立法的民族经济利益、民主性与合法性等原则进行了分析，剖析了当前民族经济立法工作中存在的不足，提出了参考性的建议。民族地区的经济发展立法是社会主义市场经济法律体系的重要组成部分。刘佳《试论民族地区经济发展立法》（《黑龙江民族丛刊》第3期）、黄伟《科学发展观与民族经济立法的价值导向》（《贵州民族研究》第2期）提出民族地区经济发展立法应当以效率与公平统一、与WTO接轨的市场化取向为价值取向，分析了民族地区经济发展立法中存在的问题，并认为完善民族地区经济发展立法的途径是在宪法、民族区域自治法的原则指导下加强法律的可操作性，在明晰民族地区立法权基础上完善变通立法权和构建民族地区经济发展立法体系。

二、关于民族法制建设研究

（一）关于民族立法的研究

2005年，对我国民族立法问题的研究涉及地方少数民族的教育立法、少数民族经济立法及经济立法之价值取向、自治法规和单行条例以及变通补充规定的地位和关系、散居少数民族立法的完善、少数民族法律援助的立法等问题的研究。牛文军《论民族立法存在的基础与空间》（《广播电视大学学报》第2期）从立法学角度提出民族立法是特色立法，认为民族问题的特殊性奠定了民族立法的基础，严格界别民族立法与地方立法是廓清民族立法独立空间的关键。陈伯礼《民族地方立法研究三题》（《贵州民族研究》第5

期）从理论上研究了概念、表现形式（名称）、生命力依托等民族地方立法的基本问题。从规范意义上，调整民族关系的法律可称之为民族法，而民族法的制定活动则为民族立法，应将民族自治地方制定规范性文件的活动统称为民族地方立法；为规范民族地方法文件的表现形式，一般不应当使用“变通”和“补充”字样来命名法文件；说明变通规定和补充规定不是民族地方立法新的法源形式，分析民族地方立法的生命力以妥当选择立法项目、注重立法民主、突出立法内容的特定性为依托。

朱玉福《加强藏族地区民族立法，保障藏族地区全面建设小康社会》（《西藏研究》第2期）结合藏族地区民族立法存在的基本情况和问题，分析了藏族地区民族立法的重要性和紧迫性，提出西藏自治区制定自治条例和自治法实施办法势在必行，应当明确制定、修改自治法规的指导思想和原则，制定、修改自治法规要结合实际，兼顾社会经济效益、加强立法的民主化、公开化、科学化、地方化及具体化，充分行使变通或补充法律法规自治权，加强自治法规的实施、监督。

徐曼《试论完善我国散居少数民族立法》（《中央民族大学学报》第3期）分析了我国散居少数民族立法的基本情况，提出散居少数民族立法的主要内容应当包括保障散居少数民族平等的政治权利，促进散居少数民族经济的发展，提高其生活水平，发展散居少数民族的文化、教育、卫生事业，尊重少数民族风俗习惯和宗教信仰等方面。

过去学界对于民族法律援助问题的关注不多。马升《民族法律援助的立法思考》（《青海民族研究》第1期）提出民族法律援助立法问题应当是我国今后法律援助制度完善的重要内容。这是法律援助精神的需要，也是民族团结、社会稳定的必然要求。

少数民族地方教育立法研究是“十五”规划的一部分。陈立鹏《我国地方少数民族教育立法研究》（《民族研究》第1期）以《楚雄彝族自治州民族教育条例》的制定为个案，在翔实的资料基础上以实证的方法分析《楚雄彝族自治州民族教育条例》的立法背景、主要内容和特点、实施情况，提出《楚雄彝族自治州民族教育条例》修改的思路及重点。

（二）对民族地区民族法治发展的趋势和当地民族法的调整建设的理论探讨

随着全面建设小康社会的开展、西部大开发的推进、中国参与经济全球化进程的加速，民族地区的政治、经济和社会文化生活发生了重大变化。学者们针对西部大开发、中国加入WTO等时代背景对民族地区民族法治发展的趋势和当地民族法所应当进行的调整建设问题进行了一些理论探讨。尚晓玲《论WTO规则与我国民族自治地方立法的发展》（《内蒙古社会科学》第1期）、杨武松《试论加入WTO后少数民族民族法的调整》（《贵州民族研究》第2期）等文章认为建立健全与WTO规则和我国加入WTO承诺相一致的法律体系是加入WTO后的重要任务。对于民族地区而言，应当使民族自治地方立法和中央立法保持一致，对WTO规则作完整的理解，高度注意它的例外规则和选择性规则；清理法规工作立足实际，着眼长远，进一步完善立法程序；切实启动立法法设置的法律监督程序，维护法制统一，不断提高立法质量，以促进民族地区政治、经济、文化的发展。宋才发《西部民族地区退耕还草的法律保障探讨》（《贵州民族研究》第2期）提出了对西部民族地区自然资源的法律保护手段和完善措施。

（三）少数民族权益的法律保障

少数民族权益的法律保障始终是我国法治进程中的一件大事。文化权是少数民族最基本和最重要的权利之一。张钧《文化权法律保护研究——少数民族地区旅游开发中的文化权保护》（《思想战线》第4期）通过对少数民族地区旅游业的参与观察和调查分析了旅游开发中存在的忽视少数民族文化权保护的问题，提出法制建设应增强少数民族文化权保护的内容，赋予当地少数民族表达自己真实愿望的权利，并保障他们与主流宣传媒体对话中的平等地位，对盗用、滥用文化权的行为做出明确的禁止性规定，并设计出切实可行的救济途径。罗康隆、朱兴文《中国多民族“混居”自治区域权利样态研究》（《广西民族研究》第2期）在大量翔实的数据基础上对多民族“混居”自治区域的权利样态进行了实证研究。文章提出多民族“混居”自治区域具有特殊性，其权利也应有其特殊的内容。李锦芳《论中国少数民族有使用和发展自己的语言文字的权力》（《广西民族研究》第2期）提出了中国少数民族享有使用和发展自己语言文字的权力，认为这一权力可以使传统文字继续得到使用和发展，并提出通过政府立法、积极扶持民族语文教育、培养人才，建立相关的民族语文编译、新闻出版机构并主动为少数民族创制、推行文字并成立大批相关机构等措施来实施少数民族使用和发展自己语言文字的权力。城市少数民族的权益保障是民族工作的重要组成部分，也是城市工作的重要内容。凌锐《城市少数民族的权益保障探析》（《武汉科技学院学报》第4期）认为城市少数民族的权益保障是巩固和发展新型民族关系的需要，是当前城市少数民族现实生活状况的要求，是我国对少数民族人权保护的体现；文章论述了现行少数民族权益保障工作中存在的问题和不足，并提出了从理论建设和机制建设、干部的培养等方面加强和完善此项工作。另外，邓行《试论发展权与少数民族流动人口的权益保护》（《贵州民族研究》第1期）提出对少数民族流动人口这一特殊群体的法律保护。滕星、马效义《中国高等教育的少数民族优惠政策与教育平等》（《民族研究》第5期）对少数民族教育平等权和高等教育的少数民族优惠政策的实现等进行了探讨。

（四）对少数民族地方法律实施和法制建设环境的研究

2005年学界对少数民族地方法律实施的理论研究和实证调查的成果不多。张晓辉、王启梁《少数民族地区农村的社会控制与法治建设》（《思想战线》第2期）在民族村寨调查的基础上以法人类学的方法分析了在少数民族农村中存在性质不同、类型多样、机制复杂和作用各异的社会控制体系，认为，民族农村的社会秩序不是某种社会控制机制单项作用的结果，而是多元的规范和不同性质的社会控制机制之间复杂的互动所构建的。民族农村法治建设的关键是处理好不同社会控制之间的关系。

（五）有关少数民族犯罪问题的研究

今年民族法制理论研究的一个亮点是关于少数民族犯罪问题的探讨。少数民族犯罪的产生及其控制是个复杂的问题，其中与少数民族的传统文化，尤其是法律文化有密切的关系。学者对该问题的研究也不是仅仅局限于刑法学的角度，从民族法学、法律人类学角度进行的研究越来越多，为我们开拓了一条认识和解决少数民族犯罪问题的新思路和角度。

吴大华在《中国少数民族犯罪社会控制的实践与反思》（《湖北民族学院学报》）第1期）一文中提出，对少数民族犯罪的社会控制已开始从国家本位的控制方式向社会本位的控制方式转型，因此对少数民族犯罪的控制应当重视非刑法规范的功能、倡导社会而非政府主导的控制模式，尊重民族政策、关注民族因素。在具体的措施上，作者提出在少数民族范围的社会控制实践中应当：第一，尊重民族习俗处理重婚案件；第二，发挥调解手段的功能；第三，发挥民族上层人物作用；第四，从宽处理封建迷信犯罪；第五，特殊情况特殊处理。在少数民族犯罪社会控制体系的完善上，作者建议：第一，发挥少数民族传统习俗的积极作用；第二，利用和改造少数民族中原有的某些组织形式；第三，利用民族地区的宗教组织形式；第四，发挥少数民族上层人物的作用；第五，尊重和倾听本民族群众的意见。在吴大华《论少数民族犯罪的司法控制》（《云南大学学报法学报》第1期）一文中，对少数民族犯罪如何实现司法控制，对少数民族地区的严打问题、非犯罪化与轻刑化问题以及如何对少数民族犯罪进行矫治问题，提出了结合民族地区实际具体处理的原则和具体对策。吴大华在《论少数民族犯罪的立法控制》（《云南大学学报法学版》第2期）一文中，又从立法角度，提出通过刑事变通立法和民族刑事习惯法实现对少数民族犯罪的有效控制。文中还详细探讨了民族变通立法的性质、效力级别、归属、形式及体系地位等问题，对民族习惯法的由来、形式、民族刑事习惯法的犯罪规定、刑罚规定也进行了初步探讨，并提出民族刑事习惯法传承与创新的若干原则。邓建民、敖惠在《民族传统文化与现代法律文化冲突下的民族地区未成年人犯罪——以贵州省松桃苗族自治县为例》（《四川理工学院学报》第2期）一文中，通过对贵州省松桃苗族自治县的实证研究，提出少数民族的传统文化对青少年犯罪的发生和不断增多具有重要的影响。如作者提出少数民族传统文化中的民俗文化、巫教文化、鬼神文化与现代法制文明的矛盾和冲突是导致青少年犯罪的重要原因。

犯罪问题通常被认为是只能由刑法解决的问题。从上述学者的研究我们可以看到，少数民族法律文化对于少数民族犯罪问题的认识和防止也具有重要的作用。

三、关于民族区域自治制度的研究

民族区域自治作为预防和缓解民族冲突、协调民族关系的一种有效的政治措施和制度，目前已为许多国家所认可。民族区域自治制度作为我国三大基本政治制度之一，一直是学者们关注的焦点。2005年我国第一次向世界发布《中国的民族区域自治》白皮书，国务院颁布了《国务院实施〈中华人民共和国民族区域自治法〉若干规定》，又掀起了研究民族区域自治理论的新高潮，研究成果颇多。

（一）民族区域自治理论与现时代的结合

郝时远的《构建社会主义和谐社会与民族关系》（《民族研究》第3期）一文从构建社会主义和谐社会与各民族共同繁荣发展的关系出发，对巩固和发展社会主义民族关系，坚持和完善民族区域自治制度，加快民族发展与“两种资源”保护三个问题进行了论述。同时，针对学术界在观察、思考我国民族问题方面及相关的国际比较研究中存在的“政治化”和“文化化”等观点，结合国内外民族问题的理论与实践做了分析和讨论。彭谦也在《民族区域自治与和谐社会》(《西南民族大学学报》第8期)一文中指出，民族区域自治是和谐社会的重要保障，民族区域自治要从完善自治地方立法体制、确定自治条例的立法基础、完善法律实施的监督机制和监督环境等方面不断深化和发展，才能实现社会的和谐。周建波《坚持和完善民族区域自治与民族地区和谐社会的构建》(《黑龙江民族丛刊》第4期)则结合构建民族地区和谐社会，从民族区域自治的含义及基本特点出发，重点阐述了民族区域自治对构建民族地区民主法制的和谐社会的必要性和重要性，以及当前的主要任务和措施。黎莲芬在《全球化对我国民族区域自治地方的影响和对策》(《广西师范学院学报》第4期)一文中剖析了“全球化过程中的市场原则将弱化民族区域自治的政策优势，其效益导向将使民族区域自治地方面临被‘边缘化’的威胁，全球化的推进将使处于弱势地位的少数民族传统文化受到侵蚀”的危险，提出了“民族区域自治制度应在全球化背景下的发展和完善，制定特殊政策和措施参与全球化”的建议。

(二)民族区域自治制度的发展与完善

在对我国民族区域自治制度特点的把握上，吴仕民向中外记者介绍了我国民族区域自治的特点和原则：我国的民族区域具有民族因素与区域因素、政治因素和经济因素、历史因素和现实因素相结合的特点，体现了民主、平等法制、实事求是、团结统一、发展繁荣的原则(吴仕民：《中国民族区域自治的特点和原则》,《中国民族》第3期)。金炳镐、龚志祥《论我国民族区域自治的创新与发展的几个问题》(《黑龙江民族丛刊》第1期)从我国民族区域自治制度的组织形式、实现形式、自治机关民族化和自治机关设置、民族区域自治法律制度及政策等方面讨论民族区域自治的创新与发展。孔志俊《对坚持族区域自治制度的理论思考》(《新疆社科论坛》第1期)提出了我国民族区域自治制度的具体实践面临着亟待解决的一些新问题：一是根据有关法律规定的民族自治地方应当享有的自治权利还未能得到充分行使；二是有关民族区域自治的政策尤其是涉及少数民族和民族地区经济权益方面的优惠政策急需进一步强化；三是妥善处理坚持与完善民族区域自治制度同城市化的关系。

（三）民族区域自治的法制建设

王涪宁《解读民族区域自治法的形式合理性》（《西北民族研究》第1期）借助于法理学上的法的形式合理的理论，从内在和外在要求出发，考察了我国现行民族区域自治法在体系统一性、价值取向正义性、规则完整性、法律语言的明确性、严谨性、专门性和专业性，认为我国的民族区域自治法在发挥巨大作用的同时，也存在缺陷，主要表现在法律体系不健全（主要是自治条例和单行条例不完善），自治法可执行性不强，主体正义性得不到充分实现，缺乏程序性规定，程序正义得不到实现、规则不完整缺乏制裁部分等内在形式的不合理现象，以及法律用语存在不严谨、不规范，缺乏用语的专门化和专业化的外在形式的不合理现象。周贤伍在《论自治条例的精神》（《中南民族大学学报》第3期）一文中阐述了自治条例的自治、平等、人权精神，建议以此为基础完善我国的民族区域自治法。徐合平《论民族区域自治地方自治立法的一般性原则》（《兰州学刊》第5期）则结合民族区域自治法的内容，用以说明《立法法》规定的遵循宪法原则、法制统一原则、民主立法原则、科学立法原则的具体运用。敖俊德在《民族区域自治法中两种变通权之间的联系和区别》（《中央民族大学学报》第1期）一文中分析了“对法律和行政法规的变通”与“对政策的变通”的联系和区别，明确界定了这两种变通权，有助于自治机关正确行使这两种变通权。

《国务院实施〈中华人民共和国民族区域自治法〉若干规定》（以下简称《若干规定》）从2005年5月31日起施行，这对我国新时期的民族关系、民族法制、民族理论、民族政策和民族工作将产生深远的影响。金炳镐、田烨在《贯彻“国务院实施〈中华人民共和国民族区域自治法〉若干规定”，坚持和完善民族区域自治制度》（《黑龙江民族丛刊》第5期）一文中对《若干规定》中加快经济发展、民族教育、民族民间文化的保护、少数民族干部和人才的任用培养问题的新规定作了说明，同时指出今后围绕这些方面的工作重点。戴小明《民族区域自治法制建设的发展——“国务院实施〈中华人民共和国民族区域自治法〉若干规定”的解读》（《中南民族大学学报》第4期）解读了《若干规定》在促进民族区域自治地方社会经济发展，强化民族区域自治法律实施监督方面的创新和具体举措，同时建议构建民族区域自治法律的解释制度。徐晓光《重庆市民族法制建设问题研究》（《贵州民族学院学报》第5期）则结合本地区的特点研究民族法制建设，例如重庆市作为唯一辖有众多散居少数民族和少数民族自治县的直辖市，面临着许多民族自治建设的新问题，建议尽快清理过去的地方性法规和地方政府规章，及时制定修改自治地方的自治条例。

（四）民族区域自治与经济发展

耿钢、张鼎良在《论解决发达地区与民族自治地区统筹发展问题》中说明，建设民族地区小康社会要从加快培育新的区域合作机制，改革中央资金在发达地区和民族自治地区之间的分配体制，优化民族自治地区的投资环境，帮助民族自治地区贫困人口充分就业等方面注意发达地区与民族自治地区经济与技术的统筹发展问题。另一些学者则集中研究国家对民族地区的财政支持，宋才发在《民族自治地方财政管理自治权再探讨》（《学术论坛》第1期）中对民族地方财政管理自治权进行了探讨，强调改革和完善民族自治地方财政管理体制是实现财政管理自治权的基本前提，民族自治地方财政管理自治权的适用范围必须同民族自治机关的职权相适应。

四、少数民族法律文化研究

我国少数民族法律文化是少数民族传统文化的重要组成部分，是各个少数民族在长期的生产与生活中逐渐形成的法律方面的经验和知识的总和。少数民族法律文化近年来是我国民族法学研究者研究的重点问题，2005 年学界对该问题的研究主要体现在以下几个方面：

（一）对少数民族法律文化特点的研究

对少数民族法律文化特点的研究大多是在研究某一个少数民族法律文化的特点后提出来的，如张晓辉、方慧主编的《彝族法律文化研究》（民族出版社）一书提出，彝族法律文化具有以下特点：第一，呈现一种多元的格局，具体来说体现在内部制度（如本民族的）和外部制度（如国家的等）、法律的多层次性、法律的不平衡性、多元法律之间的互动性等；第二，多元一体性；第三，民族性和地域性；第四，内在性；第五，流变性。也有一些专门性的研究，如方乐、缪文升在《少数民族法律文化形态与现代化——以云南少数民族村寨为例》（《中南民族大学学报》第 3 期）一文中对少数民族法律文化的特点进行了专门的研究。他们提出少数民族法律文化具有两方面的特点，一方面它具有多元性、乡土性、原始性和层级性，另一方面具有资源丰富，底蕴深厚，转型后可持续发展的潜力很大等特点。卫绒娥、杜莉梅在《西藏传统法律文化对现代社会的影响》（《西藏大学学报》第 2 期）一文中提出西藏传统法律文化具有宗教性、道德性的特点。她们还提出西藏传统法律文化尽管在整体上是不适应现代社会要求的，但是“西藏传统法律文化是西藏传统文化的重要组成部分，是西藏建设现代法律文化的重要因素，是构筑法制社会的重要前提和基础”。

（二）少数民族习惯法研究

少数民族民间法或习惯法是少数民族法律文化的重要组成部分，也是少数民族法律文化的主要载体和表现形式，2005 年学者们对习惯法的研究内容广泛。

首先，是对习惯法概念的探讨。致力于民间法或者习惯法概念科学界定的学者，通常从民间法或习惯法的形成方式、基本内容、特色以及功能等角度揭示民间法或习惯法的内涵。如吴大华在《论民族习惯法的渊源、价值与传承——以苗族、侗族习惯法为例》(《民族研究》第6期)一文中提出，“民族习惯法是由少数民族或民族地区的社会组织约定的一种民族性、区域性的人们的行为规范。关于民族习惯法，有不同的称谓。有的叫规约，有的叫款约，有的叫章程，有的叫古法，有的叫榔规，有的叫民法，有的叫规矩，有的叫料条（规条），有的叫阿佤理。”覃主元在《壮族习惯法及其特征与功能》(《贵州民族研究》第3期)一文中提出，习惯法是指少数民族“在长期的历史发展过程中自然形成的，主要为调整、平衡民族内部社会关系，维护社会稳定，具有一定强制性、习惯性和普遍约束力，并为广大（少数民族）人民共遵共循的行为规范的总和”。其他研究还有陈金全的《试论中国少数民族习惯法的性质与特征——以西南少数民族习惯法为中心的分析》(《贵州民族研究》第4期)，严志亮、廖君湘、严志钦《习惯法与民族社会控制》(《兰州学刊》第1期)，郭武、高伟《藏族环境习惯法文化与环境保护》(《甘肃政法学院学报》第5期)，周相卿的《黔东南雷山县三村苗族习惯法研究》(《民族研究》第3期)，王凡的《习惯、习惯法、民间法、国家法的区别与联系、冲突与融合》(《成都教育学院学报》第5期)等。学者通过对民间法或习惯法概念的确定，一方面试图使其与国家法相区别，另一方面也试图与风俗习惯以及其他社会规范相区别。当然也有少数学者，将民间法或习惯法与习惯等混同起来研究，如衣家奇在《民族习惯及习惯法的规范价值》(《社科纵横》第4期)一文中就将民族习惯和习惯法混同起来研究它们的规范价值问题。

其次，是对习惯法特点的研究。学者对少数民族民间法或习惯法特点的研究是很多的。有的学者研究民族民间法或习惯法的一般特点。如李可在《习惯法——一个正在发生的制度性事实》(中南大学出版社)一书中提出了较为完整的有关习惯法特点或特征的观点。他认为习惯法具有以下特点：权利义务性、非成文性与成文性并存、伦理性和自然性共存、地域性与普遍性共存、不平等性与平等性共存、属人性、经验主义与实用主义取向、高度广场化、团体本位、偏爱调解、生命力强。陈金全在《试论中国少数民族习惯法的性质与特征》（《贵州民族研究》第4期）一文中对少数民族习惯法的特点也有较为全面的阐述。他认为其特点主要有：第一，内容的完整性与形式的片段性；第二，成文的习惯法与不成文的习惯法；第三，阶级性与社会性；第四，家族主义以及超越家族甚至对异族的平等原则；第五，伦理道德性与神意性；第六，普遍性、恒久性与乡土性；第七，民族习惯法的民主性与阶级统治的专制性；第八，融合性与冲突性。覃主元在《壮族习惯法及其特征与功能》（《贵州民族研究》第3期）一文中指出，壮族习惯法具有如下特点：植根的乡土性、内容的生活性、管辖的地域性、运作的强制性、法规的不成文性、程序的不完善性。衣家奇在《民族习惯及习惯法的规范价值》（《社科纵横》第4期）一文中研究民族习惯和习惯法的规范价值的时候，对于它们的特点也有阐述。他认为习惯法或习惯具有以下特点：民族精神和意志性、特殊适应性、义务本位性、人治性和法律超越性。

有的学者则研究某方面民族习惯法的特点，如雷伟红在《论畲族婚姻家庭习惯法》（《中南民族大学学报》第2期）一文中提出，畲族婚姻家庭习惯法具有民族性、地域性和变异性三个特点。周相卿在《黔东南雷山县三村苗族习惯法研究》（《民族研究》第3期）一文中指出以禁忌形式存在的习惯法具有以下特点：言行与结果之间被认为有一种神秘关系、在生产和生活过程中自发产生。其他相关研究还有雷伟红的《论畲族婚姻家庭习惯法与国家制定法的关系》（《丽水学院学报》第1期），廖君湘的《侗族传统社会外部控制诸方式》（《贵州民族研究》第4期）。

再次，是对习惯法作用的讨论。2005年对民间法或习惯法的作用研究最为系统的是李可的著作《习惯法——一个正在发生的制度性事实》（中南大学出版社）。在这本著作中，李可将习惯法的作用与功能相区别，认为习惯法的功能表现在：第一，作为法律解释的标准；第二，作为漏洞补充的工具；第三，作为价值判断的依据。习惯法的作用则表现在：第一，作为国家法成长的基础；第二，补充国家法的不足；第三，节约国家法的立法成本；第四，在国家法之外形成秩序。

其他学者的研究主要有：徐晓光在《从苗族“罚3个100”等看习惯法在村寨社会的功能》（《贵州民族研究》第1期）一文中，运用法律人类学的方法对贵州苗族村寨现今还存在的“罚3个100”等惩罚习惯进行了仔细的分析和研究。他指出习惯法的惩罚形式具有惩罚、警诫、教育、宣泄、娱乐等社会功能。这里的社会功能实质上就是指习惯法的规范作用。衣家奇在《民族习惯及习惯法的规范价值》（《社科纵横》第4期）一文中提出，习惯和习惯法具有极大的规范价值，首先它们具有重要的社会价值，即告诉人们应当怎么行为，不应当怎么行为以及维护各种社会关系和秩序；其次它们具有经济价值，即习惯和习惯法是低成本的“节能型”规范资源；第三，它们还具有文化价值，即习惯和习惯法是传递民族文化的主要手段和方式。张晓辉、王启梁在《少数民族地区农村的社会控制与法治建设》（《思想战线》第2期）一文中提出：“在少数民族农村，存在着性质不同、类型多样、机制复杂和作用各异的社会控制，构成了一个复杂的社会控制体系。民族农村的社会秩序不是某种社会控制中一向作用的结果，而是多元的规范和不同性质的社会控制机制之间复杂的互动所建构的。在具体的纠纷个案中正式社会控制与非正式社会控制具有相互替代的可能，但是就秩序建构的总体过程来看，二者又不可相互替代，民族农村法治建设的关键是处理好不同社会控制之间的关系。”在作者看来，少数民族民间法或习惯法所代表的是一种不同于国家法律制度的社会控制方式，就少数民族社会的社会控制来说，这种社会控制方式是不可或缺的。廖君湘在《侗族传统社会外部控制诸方式》（《贵州民族研究》第4期）一文中指出：“侗族社会有着稳定的严密的外部控制机制，由组织控制、社会舆论、风俗习惯控制以及法律控制几个部分组成。”最后作者指出：“侗族习惯法在民间社会往往内化为一种个体自律的行为规范，形成了自觉遵守习惯法、自我教育、自我管理、自觉地维护和遵守良好的社会公德的习惯；具有维护民族地区正常的人际关系和社会秩序保障社会生产和生活正常进行防范或惩治破坏社会安宁不良行为的社会强力控制功能。”

在研究民间法或习惯法作用的众多学术作品中，有很大一部分是研究环境保护方面的。不少学者认为，民间法或习惯法在现代社会中的重要作用首先体现在环境保护方面。如牛绿花在《藏族部落习惯法对西部生态环境的保护》（《社科纵横》第2期）一文中对与生态环境保护有关的藏族部落习惯法进行了仔细的梳理。主要有下列内容：第一，由藏区政教合一的政府所制定颁布的保护生态环境法律；第二，各地形成的旨在保护生态环境的习惯法；第三，藏族寺院为保护生态环境而制定的规则。我们可以从中看到一个具有较长历史的，体系较为完整的环境保护习惯法体系的存在。专门对历史上有关环境保护的习惯法进行研究的作品也不少，如黄华均、刘玉屏在《从古代蒙古法中蠡测游牧民族对生态的保护——兼谈统筹人与自然的和谐发展》（《黑龙江民族丛刊》第1期）一文中对古代蒙古族习惯法的相关研究提出：古代蒙古族有关环境保护的法律（包括习惯法）“其保护的范围包括自然环境和人为环境。由于古代蒙古社会是以动物为中介，以人、自然为要素而构成的，法律特别重视对动物，尤其是家畜——马的重点保护。”可见，不同的民族，不同的生产方式和生活方式在生态环境的保护方面，其侧重点也是有很大区别的。白兴发在《少数民族传统习惯法规范与生态保护》（《黑龙江民族丛刊》第1期）一文中则对众多少数民族有关生态环境保护的习惯法作了介绍，并将它们分为宗教禁忌与生态保护，法律规范（习惯法）与生态保护两方面进行论述。作者在文章中提出：“我国少数民族非常重视人文生态环境，为与自然界和谐相处、互相调适，他们在衣食住行及意识形态方面进行了许多比较成功的文化适应与创造。在自然生态保护方面，少数民族制定有许多习惯法规范。这些植根于宗教禁忌、神灵崇拜的规范，对民族自身的生息繁衍和生态环境的保护，产生着积极的作用和影响。”其他相关的研究还有：张继宗的《乡土社会中的传统与现代——藏区民间宗教、文化习俗背景下的生态法》（《青海社会科学》第4期），张国庆、闫振民的《生态环境与古代东北少数民族习俗文化》（《辽宁大学学报》第1期），瞿州莲的《浅论土家族宗族村社制在生态维护中的价值》（《中南民族大学学报》第3期），韩牡丹的《略论我国少数民族习惯法的效力》（《内蒙古电大学刊》第2期），张胜冰的《环境伦理观念对少数民族传统生活方式的影响》（《中南民族大学学报》第3期），古开弼的《我国历代保护自然生态与资源的民间规约及其形成机制——以南方各少数民族的民间规约为例》（《北京林业大学学报》第1期）等。

（三）少数民族法制史研究

对少数民族法制史的研究是2005年学界研究的重点之一。从发表的研究成果看，既包括一些系统的研究，也包括对一些专门问题的研究。

所谓系统的研究是对某地方或某民族历史上法律文化的系统研究，其研究的内容非常广泛。其中有代表性的有，方慧主编的《云南法制史》（中国社会科学出版社）。该著作是我国第一本民族地方法制通史。《云南法制史》从研究的内容看分两大部分：第一部分是对云南历史上自秦汉到新中国建立初期各个朝代法律制度和文化的历史研究，第二部分是对云南法制史的专题研究。在历史研究部分，作者对各个朝代的立法指导思想、行政法律、刑事法律、经济法律、民事法律、对外缔约结盟、司法制度，尤其是民族习惯法进行了深入的研究。在专题研究部分，作者对西盟佤族、纳西族的习惯法，元明清时期傣族、彝族、云南藏族的法律制度以及杜文秀起义军、民主革命时期根据地的法律制度进行了细致的探讨。作者希望通过对云南法制史的研究对加强各民族之间的团结，加快边疆民族地区的民主法制进程起到积极的作用。胡兴东所著的《生存范式：理性与传统——元明清时期南方民族法律变迁研究》（中国社会科学出版社）则从动态角度对元明清时期南方民族法律的变迁进行了研究。该著作在占有大量历史资料的基础上研究了元明清时期南方民族法律变迁的背景、原因、资源、形式以及南方民族社会组织制度、刑事法律、民事法律和纠纷解决制度的变迁。张晓辉、方慧主编的《彝族法律文化研究》（民族出版社）对彝族法律文化的历史发展及其现代意义进行了研究。彝族在历史上形成了发达的法律文化，该著作研究了先秦、南诏、大理国、元明清时期以及民国时期的彝族法律文化，研究了彝族传统法律文化在现代社会的变迁及其对现代法治秩序建构的启示。

对少数民族法制史的专题研究较多，涉及的内容也较为广泛，主要包括：对少数民族法文化起源的研究，如廖杨在《西北古代少数民族宗法文化起源的主要特征——北方古代游牧民族宗法文化研究之一》（《青海民族研究》第1期）一文中，对西北古代少数民族宗法文化产生的原因进行了研究，提出龙山时代前后西北地区生态环境的变化以及中原宗法文化的传播是西北古代少数民族宗法文化产生的主要原因。另外，作者还提出："宗法文化的同步起源及其形成发展的差异性是中华民族'多元一体'文化格局形成的重要基因。"对少数民族土官土司制度的历史研究，如张晓松《论元明清时期的西南少数民族土司土官制度与改土归流》（《中国边疆史地研究》第2期）一文对元明清时期南方少数民族的土司土官制度的形成和发展、少数民族地区郡县官制和羁縻官制二元结构的职官制度以及改土归流进行了研究。该文不但对少数民族重要的政治制度即土司土官制度进行了深入探讨，而且揭示了国家郡县制度和少数民族土官土司制度的复杂关系。

总的看来，2005年民族法学研究取得了丰硕成果，体现在研究领域的扩大和研究工作的进一步深入，民族法学研究更加引起社会各方面的关注，研究队伍年轻化，结合民族地区的实际情况提出的一些新问题颇引人注目，也开始有了一些研究专著问世。不足之处在于，有的研究工作还处于现象描述的初级阶段，缺乏进一步深入的剖析和研究，同时在民族法学研究中具有权威性的标志性成果尚未出现，我们相信，通过大家的努力，明年这方面的研究工作一定能取得长足的进步。

（本文由云南大学民族法学专业博士研究生马雁、朱艳英、龚战梅、王鑫帮助收集资料，特此说明，并致谢忱。）

2005年民族经济研究

龙远蔚

2005年度，民族经济研究的主流依然是抓住当前少数民族和民族地区经济社会发展的热点开展应用性研究。从全年发表的论著看，有关学科建设的基础理论有所增加，应用性研究的热点主要是少数民族及民族地区全面建设小康社会、生态环境建设及可持续发展、农牧区经济发展、城镇化建设、旅游经济、人力资源开发问题等。与往年略有不同的是，本年度以民族文化为背景探讨经济发展的论著有较大幅度的增加。西南民族大学中国西部民族地区经济发展研究中心组织本校经济学、民族学、社会学和法学等方面的庞大学者群，以《民族研究文库》的形式出版的一套全面探讨中国少数民族地区经济社会发展的系列丛书成为本年度基础性、应用性研究的突出亮点。①

一、学科建设和基础理论研究

本年度，民族经济学界在学科建设和基础理论研究方面的讨论明显增加，有关学科地位（或定位）、研究对象、理论与方法、研

---

① 该丛书由四川出版集团、四川人民出版社出版。主要有：郑长德、钟大能等著《中国少数民族地区发展财政研究》，时光著《中国少数民族地区资本形成研究》，刘晓鹰、唐永智著《中国少数民族地区国土资源开发研究》，马江著《中国少数民族地区发展循环经济研究》，涂裕春著《中国少数民族地区对外贸易研究》，刘兴全著《中国少数民族地区全面建设小康社会研究》，马艳霞、范钛著《中国少数民族地区旅游经济研究》等。

究视角等方面的讨论一改往年各说各话的习惯，不同的学术思想开始交锋，产生了一些具有较高学术水平的论著。其中，代表性的研究主要有叶坦的《全球化、民族性与新发展观——立足于民族经济学的学理思考》(《民族研究》第4期)，王文长的《论民族视角的经济研究》(《民族研究》第4期)，曹征海的《和合加速论：当代民族经济发展战略研究》(民族出版社)，邓艾、李辉的《民族经济学研究思路的转变》(《中央民族大学学报》第2期)等。

叶坦从经济文化的全球化与民族性关系出发，分析了民族经济研究的一些缺憾，认为目前我国的民族经济研究基本上都是以“区域”而非“民族”为基点，不能凸现区域经济与区域民族经济的差异；而单纯研究“经济”忽视经济与文化的关系，尤其是忽视区域民族经济的差异与民族的历史文化传承及民族特性积淀的联系，将直接影响到国家民族政策的制定和发展模式的选择。因此，民族经济研究应该突显经济与文化的关联性，重视文化因素的作用，结合民族文化、传统习俗、习惯心理等“非经济因素”，重视由民族文化特征所赋予其的价值观念、道德意识、行为偏好等，亦即作者多年来反复强调的“经济文化一体性”。在此基础上，作者从新发展观的视野探讨了我国民族经济学的学理价值、科研特征与应用前景，认为民族经济的现代化与保持各民族的传统文化、经济特性之间应当能够走上并存互助之路，从这个意义上讲，民族经济学研究对于中国现代化的贡献，不仅表现在研究对象本身，而且对整个现代化进程以至于对中国经济学、民族学等学科的发展以及西部大开发等实践具有重要意义。作者的立论对民族经济学的学科定位有重要的启示。

王文长在论文中提出，从民族的角度切入经济研究领域，早在一百多年前的1885年就由马克斯·韦伯在题为《民族国家与经济政策》的讲演中提出，即在德国的不同民族中，心理与体质上的差异使其对经济和社会条件的适应能力不同，而能够获得胜利的则是那些更能够适应经济和社会条件的民族。作者认为，民族生存的自然环境和民族认同的文化特质构成民族概念的内在现实，并呈现为民族经济生活自然差异和文化差异二重性，这是以民族为经济分析基础框架的民族经济学与以“经济人”为抽象分析前提的古典经济学以及新古典经济学分野的岔道口。沿着“差异二重性”的方向，作者绘制了“民族角度的经济分析框架图”，认为：各民族在各具特色的生产力结构基础上呈现出各具个性的生产方式、制度结构、生活方式、经济伦理、生产组织、产业结构、市场形式和经济运行状态。在封闭系统中，民族经济的差异表现出它的典型性，并主要以历史的姿态出现；而在开放系统中，市场竞争与要素流动使民族经济的差异性表现出相对性。因此，把握民族概念内在规定及其呈现的经济生活差异二重性，是构建中国少数民族经济或民族经济学的分析框架，也是学科理论从种子萌芽成长为树木的关键。作者的基本思路与叶坦有些相似，是一篇创新性的论文。

曹征海的著作提出了民族经济体的“和合加速发展论”。作者以民族经济体发展为研究对象，其内涵包括了多民族国家中以区域为载体的“文化民族”和单一民族国家中以国家为载体的“政治民族”等经济体的发展。“和、合”二字是中华民族传统文化精华，作者将之与民族经济体组合，赋予“和合”以特殊含义，即民族经济体内部或民族经济体与外部不同要素之间在冲突过程中形成新的统一体。作者提出，民族经济体“和合加速发展”的基本要求包括三个方面，即：民族与民族和合，加速共同发展；民族与社会和合，加速全面发展；民族与自然的和合，加速可持续发展。据此，作者分章探讨了民族经济体和合加速发展的战略体系，民族经济体和合加速发展的依据、发展目标和发展途径，并从资本积累、技术进步、人力资源开发等方面分析了民族经济和合加速发展的要素配置，阐述了对外经济关系和制度安排等民族经济和合加速发展的支撑体系，探讨了民族文化对民族经济和合加速发展的内在推动作用。应当说，这是一部构建民族经济理论体系的力作。

与上述论著强调从“民族（文化）视角”构建民族经济学理论

体系的思路不同，邓艾、李辉认为，民族经济学有两种结合方式，即以民族学为主和以经济学为主。过去二十多年的理论探讨表明，民族经济学采用以民族学为主的研究思路，难以解决民族因素与经济因素的有机结合问题，难以建立起民族经济学的基础理论框架。民族经济学的进一步发展，依赖于总体研究思路从民族学范式向经济学范式转变，民族学与经济学、民族因素与经济因素的结合，应当是经济学框架的结合。民族经济学是研究多民族国家内部少数民族聚居地区经济社会发展的经济学，主要研究稀缺性资源在少数民族地区经济发展、社会进步、政治稳定三大目标之间的优化配置问题。

参与学科建设讨论的还有黄健英的《民族经济学研究中的几个问题》(《中央民族大学学报》第6期)、庄万绿、陈敏、马秀琴的《关于构建民族经济学学科建设的思考》(《西南民族大学学报》第5期）等。这两篇论文均对民族经济学的学科地位和性质、理论与方法、研究对象与内容，以及民族经济与民族文化的关系等方面进行了很有意义的探讨。其中，黄健英的文章不赞成邓艾、李辉的观点，认为民族经济学作为一门交叉学科，应当是民族学与经济学的“综合”，只是由于研究者的学术背景及其侧重点不同，才形成了不同的研究视角和方法。作者显然偏向于“从民族方面来研究经济问题”，即研究“民族”的经济问题，研究的对象主体是“民族”，客体是“经济问题”。而在民族经济与民族文化关系的问题上，黄健英认为，民族经济学对文化的研究重点应放在民族文化对各民族经济行为的影响或特定文化条件下的民族经济行为问题，发展战略、发展规划的合理性与文化适应性问题，以及经济发展中的民族文化保护问题，但不能过分强调文化在民族经济学研究中的地位，这不是民族经济学研究所要解决或所能完成的，而是其他学科所需完成的任务。

此外，参与争论的还有周兴维的《“中国少数民族经济学”难题二则》(《西南民族大学学报》第5期)。作者犀利地指出了民族经济学在学界内部和外部的难题及其“尴尬”处境，但这种难题或“尴尬”正是民族经济学或中国少数民族经济研究的贡献尚不显著的表现，为此也需要进一步加强学科建设。应当看到，不同见解或学术观点的交锋对学科建设的意义是难以估量的。

应当关注的研究还有郑长德、贾兴元执笔的《邓小平民族经济思想研究》（《西南民族大学学报》第1期），唐皓的《邓小平发展民族经济思想与构建和谐社会浅论》（《贵州民族研究》第4期），马玉英的《邓小平的发展观与我国西部民族地区的经济社会发展》（《青海民族学院学报》第1期），王珏、吴定勇的《关注民族地区发展进步的视野互动与观点交锋——“中国少数民族地区社会与经济发展”理论研讨会综述》（《西南民族大学学报》第1期）等。《广西民族学院学报》第6期发表了一组有关经济人类学的论文，主要有张有隽的《论人类学的经济学》，施琳的《经济人类学理论前沿综论》，黄应桂的《作物、经济与社会：东埔布农人的例子》，美国学者理查德·韦尔克著、黄娟译的《经济、生态人类学与消费文化研究》等。这些著述对吸收不同的学术思想、促进学科建设具有重要参考价值。

二、全面建设小康社会研究

党的十六大提出“全面建设小康社会”奋斗目标的几年来，全面建设小康社会即成为民族经济学界的研究热点。相对其他学科而言，民族经济的研究既包括了单个具体的少数民族，也包括民族自治地方，因此应注重少数民族地区全面建设小康社会的特性及不同的单个少数民族和民族地区如何全面建设小康社会问题。与往年相比，本年度民族经济学界比较重视从经济社会指标方面探讨少数民族地区的小康建设。

代表性的研究主要有：刘兴全著的《中国少数民族地区全面建设小康社会研究》（四川出版集团、四川人民出版社出版），温军的《少数民族地区全面建设小康社会有多远》（《开发研究》第3期），王慧君的《新疆全面建设小康社会指标的实证分析》(《新疆社会科学》第2期)，张晓琼的《在发展与变迁中构建少数民族和谐社会》(《西南民族大学学报》第8期)，黑龙江省民委课题组的《关于我国赫哲族聚居区推进全面建设小康社会进程的调研报告》(《黑龙江民族丛刊》第2期)，熊坤新、李秀英的《小康发展进程中少数民族妇女地位问题研究》(《青海民族学院学报》第3期)等。

刘兴全从全面建设小康社会的科学内涵和少数民族地区全面建设小康社会指标体系的设计及构建入手，较系统地探讨了少数民族地区全面建设小康社会的特殊性、优势和困难、发展战略模式选择、体制创新、可持续发展、实现途径，分析了少数民族地区全面建设小康社会与全国小康社会建设的和谐统一，阐述了少数民族地区在全面建设小康社会进程中应该如何针对自己特定的环境和背景，采取特定的策略和措施，实现特定的目标。该著作具有一定的理论意义和实践价值。

温军在运用数据分析了20世纪90年代以来民族地区经济社会发展的态势后，以我国全面建设小康社会确定的控制指标为依据，充分考虑民族地区经济社会发展落后的现实，坚持科学发展观和“五个统筹”的基本要求及民族区域自治制度的基本原则，通过设计经济指标、社会指标和公平指标，建立了民族地区全面建设小康社会各项指标实现程度的计算公式。作者根据“趋势外推法”、“等距离法”和“层次分析法”，分别测算出民族地区全面建设小康社会衡量指标的发展速度、标准值和权数，并以2000年为起点的过去10年的年均增长率进行外推，最终得出2020年民族地区全面建设小康社会应该达到水平的综合测算结果。根据作者的测算，如果将实现经济目标、社会目标和公平目标视为同等重要，其权重分别为1/3，预计到2040年左右民族地区才能实现全面小康社会，但各民族省区实现全面小康在时间上差异很大。因此，加快民族地区经济社会发展仍然是全面建设小康社会的长期任务。

王慧君的论文在充分吸收已有研究成果的基础上，结合新疆经济社会发展的现状及未来趋势分析，对全面建设小康社会的指标体系进行了综合研究，从社会结构、经济与科教发展、人口素质、生活质量和生态环境等五个方面选取了具有代表性的20个指标，并对相关年度各个指标的目标值进行了测度，建立了一个既符合全国小康社会精神，又能体现新疆区情特色的比较全面的评价指标体系。

黑龙江省民委课题组的调研报告以本省的5个赫哲族行政村为调查样本。这5个行政村聚居有赫哲族农渔民1331人，占全国赫哲族总人口（2000年普查人口4640人）的相当大比例。课题组采取入户问卷调查、典型访谈、听取情况介绍和座谈会等方式，对赫哲族聚居区各村的经济和社会事业状况、农渔民家庭经营和生活状况、村民的政治态度等进行了调查。在获取大量调查数据的基础上，课题组从赫哲族聚居区的资源和环境、经济和社会事业发展、农业基础设施和公共服务设施、农渔民生活水平等方面，对赫哲族聚居区全面建设小康社会进行了评价，其结论是：我国赫哲族聚居区正在加快推进全面小康社会的进程，并有望如期或提前实现全面小康社会的目标。报告对如何推进赫哲族聚居区全面建设小康社会进程提出了对策建议。该报告的第一手资料丰富，对我国人口较少民族经济社会发展的研究具有重要参考价值。

相关的研究还有：关立卓的《黑龙江省少数民族和民族地区全面建设小康社会的理论与实践》（《黑龙江民族丛刊》第3期），李忠斌的《科技进步与民族地区全面建设小康社会》（《中南民族大学学报》第1期），刘磊的《少数民族地区全面建设小康社会的对策研究》（《黑龙江民族丛刊》第3期），郎维伟、庄万绿的《构建社会主义和谐社会的理论与实践》（《西南民族大学学报》第8期），唐皓的《构建社会主义和谐社会对解决我国现阶段民族问题的重大意义》（《西南民族大学学报》第8期），陈志刚的《对口支援与散杂居民族地区小康建设——来自江西省少数民族地区对口支援的调研报告》（《中南民族大学学报》第3期），钱力的《甘南藏族自治州小康社会建设面临的问题及对策》（《甘肃民族研究》第2期），曾铮、刘友松的《对民族地区农村全面建设小康社会的思考》（《中南民族大学学报》第5期），汪丽萍的《西部地区农村小康建设问题探讨》（《青海民族学院学报》第1期）等。这些论著以不同的方式和视角探讨了少数民族和民族地区全面建设小康社会、如何构建和谐社会等问题。

三、生态环境及可持续发展研究

民族地区的自然环境多样，但总体上属于生态比较脆弱的地区。其基本特征是西北民族地区干旱缺水、荒漠化问题严重，西南民族地区生态环境则以石漠化、水土流失等问题为主，而经济发展和工业化进程则进一步恶化了部分民族地区的生态环境。因此，如何解决民族地区生态环境脆弱和经济发展落后两难矛盾，实现可持续发展，构建人与人之间、人与自然之间的和谐社会，近几年一直是民族经济学界关注的热点。

本年度的代表性研究主要有马江著的《中国少数民族地区发展循环经济研究》（四川出版集团、四川人民出版社），刘晓鹰、唐永智著的《中国少数民族地区国土资源开发研究》（四川出版集团、四川人民出版社），李志刚的《西部高寒民族地区生态环境及农牧业发展——以甘南藏族自治州为例》（《地理科学》第5期），葛少云的《民族地区生态经济协调发展之探析》（《西北民族大学学报》第4期），刘秀玲、苗芳等的《次区域经济合作与边境民族地区可持续发展》（《国际贸易问题》第4期），庄万绿、陶亚舒、王康的《四川民族地区生态建设产业化之研究》（《西南民族大学学报》第7期），胡力平、李健的《资源环境安全：内蒙古自治区实现可持续发展的基础》（《内蒙古社会科学》第4期）等。

马江基于民族地区经济发展与生态环境保护的两难矛盾，认为民族地区实现可持续发展必须以科学发展观为指导，引入并推广循环经济理念，深化发展适应民族地区要素禀赋结构的循环经济理论模型与实践模式，对产业结构进行合理布局和优化升级，真正实现全面、协调、可持续的整合发展。为此，作者分析了循环经济的研究现状和国内外发展循环经济的模式，提出了我国民族地区发展循环经济的思路和对策，分专章对我国民族地区的生态环境、发展循环经济的条件、发展循环经济的理论模式和民族地区发展循环经济的实践模式进行了探讨。刘晓鹰、唐永智的著作则以可持续发展理念探讨民族地区的国土资源开发问题。作者首先系统地分析了民族地区的土地资源、水资源、矿产资源、森林资源、草地资源、旅游资源和野生动植物资源，探讨了民族地区不同资源环境下的国土资源的分区开发策略、国土资源优先开发的重点区域、国土资源开发的城镇化战略和工业化战略等，进而提出了民族地区的可持续发展战略。这两部著作均有较高的理论水平和应用价值，有助于充实中国少数民族经济研究的理论基础。

李志刚以江河上游重要水源涵养区和生态屏障的甘南藏族自治州为案例，分析了该地区严峻的生态问题，认为甘南州草场“三化”严重、森林资源遭到破坏、水资源日益紧张、生物多样性锐减，水土流失加剧，其根源主要是生态环境脆弱和人们对自然资源的不合理利用造成的结果。作者提出，西部高寒民族地区生态环境及农牧业发展必须实施可持续发展战略，树立生态思想，追求生态效益和经济效益的有机结合，探索符合高寒生态规律的资源利用方式和地域农牧业体系。为此，作者从治理草场“三化”，建设畜牧集中育肥基地，建立有效的生态建设机制，依靠科技调整农牧业地域结构，发展特色农牧业和推动产业化与城镇化进程等6个方面提出了对策建议。

葛少云的文章认为，西部民族地区生态环境极其脆弱，经济发展相对滞后，必须认真解决好生态与经济发展的协调关系，以促进民族地区全面建设小康社会的质量和进程。作者提出：生态经济协调发展需要运用定量手段，故此以西方学者在20世纪七八十年代经过反复讨论、验证的IPAT方程，作为一种定量计算方法来实施生态与经济协调“度”的有效监控；同时，要变翻越“环境高山”为穿越“环境高山”，以降低环境制约的难度；大力发展循环经济，以“减量、再用、循环”（3R）为准则，运用生态学规律组织“资源一产品一再生资源”的反馈式流程，促进生态与经济协调发展；对生态环境保护与建设，应实施有效的后续政策，为协调发展夯实基础。

刘秀玲、苗芳等人的文章探讨了中国参与次区域经济合作对边境民族地区可持续发展产生的直接影响，并以民族地区经济可持续发展为着眼点，提出加强区域各国和地区的多边协商，制定共同的次区域可持续发展战略；调整产业结构，实施绿色产业计划，促进产业结构升级；改善贸易和投资环境，促进贸易和投资的便利化；积极谋求国际经济组织各方面的支持等四个方面的对策。

庄万绿、陶亚舒、王康的文章提出，生态建设区域有两个问题不容回避：一是生态建设的国家补贴有一个明确的时间段；二是生态建设的国家补贴只能够维持生存而无助于脱贫致富奔小康。因此，这些区域全面建设小康社会、实现各民族共同富裕的目标如何完成依然是个未解的难题。看不到这两个问题的严重性终究要出问题的。作者认为：解决上述问题的关键在于实现生态建设的产业化，包括两方面的含义，其一是生态建设与相关产业的发展相结合，形成生态或绿色产业，促进地方经济发展；其二是区域内的所有产业都必须生态化，即符合生态环境保护要求，如生态农业、生态旅游业、生态工业和生态城镇等。文章提出的问题很值得学人思考。

民族经济学界探讨生态环境及可持续发展的视角比较宽泛。例如，有些学者从立法或法律视角来探讨民族地区的生态环境建设问题。主要有宋才发的《西部民族地区退耕还林还草的法律保障探讨》（《贵州民族研究》第2期），马志荣、李锋敏、哈红玉的《试论西部民族地区生态环境保护的法律构建》（《西北民族研究》第4期）等。宋才发在文中提出，我国制定“退耕还林还草”战略决策的最主要目的，就是为了给西部地区营造一个新的生存和发展空间。实施这一战略决策，必须尊重群众意愿，确保林草的成活率；必须遵循自然规律，因地制宜，宜林则林、宜草则草，实施综合治理；严格执行国务院关于“退耕还林、封山绿化、以粮代赈、个体承包”的法律措施，认真落实保护农民土地经营权的法律法规，树立生态环境可持续发展的法律协调观；建立和健全西部民族地区生态效益补充机制，充分利用价格杠杆的作用促进西部民族地区的生态平衡。

应关注的相关研究还有：张雄的《论西部民族地区可持续发展的公平原则》（《云南民族大学学报》第6期），袁晓文的《三峡库区民族地区的工业生态经济》（《中南民族大学学报》第6期），马志荣的《西部民族地区资源、环境与经济社会协调发展的路径选择》（《开发研究》第3期），李春花、周强的《江河源头湿地生态系统退化机制及保护对策刍议》（《青海民族研究》第1期），刘海威的《西部民族地区生态环境保护与社会经济可持续发展》（《青海民族学院学报》第4期），恩和的《蒙古高原草原荒漠化的文化学思考》（《内蒙古社会科学》第3期），李皓的《论生态移民与民族地区现代化》（《黑龙江民族丛刊》第1期），李泉的《中国西部地区产业经济生态化发展研究——兼论西部开发的生态经济支撑》（《思想战线》第5期），张红岩的《西部大开发对青海少数民族人文生态环境的要求》（《青海社会科学》第3期），成艾华的《少数民族人口增长与可持续发展研究》（《中南民族大学学报》第6期），杨维军的《西部民族经济可持续发展的几个关键问题》（《西北第二民族学院学报》第1期）等。文章较多，不再一一赘述。

四、民族文化与民族经济发展研究

“民族”概念具有一定的文化内涵，“民族经济”概念亦然。然而，我国民族经济学界从民族视角探讨少数民族和民族地区经济发展的著述长期以来一直较少，这在一定程度上影响了民族经济研究的深化及其理论构建。可喜的是，近几年从民族或民族文化视野研究少数民族经济社会发展的著述显著增加，本年度更是成为学界研究的一个突出特点，著述的数量已具有相当的规模。这方面的研究主要包括民族文化与经济发展、生态环境建设的关系，少数民族文化资源的开发利用等方面，探讨具体少数民族经济发展的论著也比较多。

代表性的研究主要有姚魏、马岳勇等著的《新疆少数民族社会心态与民族地区发展研究》（新疆人民出版社）。作者运用问卷调查的统计成果对新疆的维吾尔族、回族、哈萨克族、蒙古族等少数民族的文化心态走势、群众文化心态，以及政治心态、经济心态、竞争心态等进行了分析，并对新疆少数民族的社会心态与经济社会发展关系进行了很有意义的探讨。该成果的研究基础扎实，调查问卷的设计采用了维吾尔、汉、哈萨克和蒙古四种文字，调查对象包括各种不同学历和职业群体的新疆维吾尔族、回族、哈萨克族、蒙古族等少数民族，调查时间历时一年，有效调查问卷965份。该书附有调查问卷表和调查统计资料，可为其他研究者提供很有价值的参考。

玉苏甫江的《经济文化类型与少数民族经济发展》（《新疆社会科学》第2期）运用制度经济学剖析了以哈萨克畜牧业推进现代化、城镇化建设的成功案例——“阿克塞现象”，认为“阿克塞现象”的根本原因在于其发展遵循了制度经济学的基本理论——路径依赖，而这种路径依赖是基于少数民族经济文化类型对民族发展的重要影响。文章的研究方法把经济学与民族学融为一体，值得学人借鉴。

陈茂昌的《联产承包责任制与民族文化的调适》（《贵州民族研究》第3期）探讨了我国的土地政策与民族文化的关系。作者认为：联产承包责任制是我国改革开放以来行之有效的土地管理政策，符合我国大田农作区的文化传统，因而获得了很大的效益。但是在非大田农作区的西部民族地区，该政策在短期内也可收到一定效益，但从可持续发展看则潜藏着诸多隐患。例如降低土地资源的利用效率、制约民族经济发展、诱发生态环境恶化或激化社会矛盾等。因此，联产承包责任制在西部民族地区的实施须针对不同的自然和人文背景作适当调整，与当地民族文化形成合力，才能发挥其最大的经济效益和社会效益。

从民族文化视角探讨生态环境建设和可持续发展也很多。这方面的研究主要有：杨忠实、文传浩的《民族文化与生态环境的互动关系》（《思想战线》第5期），赵珍的《清代青藏高原的生态保护与宗教习俗》（《中国藏学》第4期），刘红叶、刘燕华的《西北民族地区文化生态环境与经济发展的相关性研究》（《西北民族大学学报》第4期），周鸿的《生态文化建设的理论思考》（《思想战线》第5期）等。其中，杨忠实等人的文章理论性较强，作者分析了生态环境与民族文化的联系，认为文化的存在与发展总是与生态环境的发展变化有关；乡土文化模式的重构推动着民族文化与生态环境良性互动。

相对作为集合体的“少数民族”而言，还有不少学者探讨具体民族的文化、习俗与生态环境建设的关系，主要有袁伊玲的《瑶族特种生存技能在喀斯特石漠化山区可持续发展的实践价值》（《贵州民族研究》第4期），杨宗亮的《云南壮族的自然崇拜及其对生态保护的意义》（《云南民族大学学报》第2期），马宗保、马晓琴的《论回族文化中的生态知识》（《开发研究》第6期），王云的《从格头苗族生态文化看雷公山自然保护区的维护及发展》（《贵州民族研究》第4期），马尚林的《少数民族生态移民中的文化变迁——以凉山州盐源县长坪子村为例》（《西南民族大学学报》第4期）等。这方面的研究主要以案例为主，如袁伊玲的文章以瑶族中的布努瑶支系在天然岩洞中驯养蜜蜂和在石漠化陡坡上种植小麦为个案，对这种生存技能在喀斯特石漠化山区可持续发展中的实践进行探讨。

有关民族文化资源的开发、利用或保护的文章也是学界的研究热点。这方面的研究主要有：杨正文的《黔东南苗族传统服饰及工艺市场化状况调查》(《贵州民族研究》第3期),段超的《再论民族文化生态的保护和建设》(《中南民族大学学报》第4期),王明东、刘宇的《云南少数民族手工文化的困境及对策》(《云南民族大学学报》第6期),廖杨的《旅游工艺品开发与民族文化商品化》(《贵州民族研究》第3期),符娅、王德清的《西南少数民族地区传统手工艺的保护与开发》(《贵州社会科学》第6期),金毅的《论民族文化旅游资源的开发》(《中南民族大学学报》第4期)等。其中,杨正文的文章以贵州台江县施洞市场和新庄的调查为案例,认为该地区苗族传统服饰及其制作技艺为代表的传统文化资源的市场化,已经有相当长的发展历史,表现为不同类型的市场方式,并对市场产生了依赖性。然而,传统技艺所依赖的市场是以农耕经济为主导的市场,是以大众所具有的手工染布技艺为基础的一种大众化消费,当全社会的主导经济发展变化,某种大众消费减弱时,原来具有广泛群众基础的技艺也就随之衰落成为仅有少数人掌握的技艺。这是在倡导非物质文化资源保护时应当引起足够重视的问题。

其他应关注的研究还有:陈伟明、侯波的《华南少数民族利用自然资源的方式和特点》(《贵州民族研究》第1期),张原、汤芸的《民族地区的消费文化研究与田野调查实践探索》(《贵州民族学院学报》第2期),周相卿的《经济因素对雷山地区苗族习惯法文化的影响》(《贵州民族学院学报》第5期)等。其中,陈伟明、侯波分析了大量史料,认为包括广东、广西、海南、台湾等地的华南少数民族,在特定的生态地理环境和相对落后的社会发展阶段,充分利用华南地区丰富的自然资源维系了本民族的生产与生活,逐步形成了华南地区少数民族利用自然资源的传统与特点,促进了华南地区各民族社会的发展进步。而张原、汤芸的文章通过梳理当代人类学对消费文化的相关理论和方法,结合民族地区的社会现实与作者的实地调查,对当前民族地区消费文化研究的田野调查方法进行了很有意义的探讨。

五、农村、农业和畜牧业经济研究

“三农”问题是我国政府和学术界普遍关注的重大问题，民族经济学界亦然。但与其他学科不同，民族经济学界对“三农”问题的关注，基本上是从经济学和民族学两个视角切入，探讨的热点主要是农村、农业、畜牧业的发展和农牧区劳动力转移等问题。

（一）农村和农业经济发展研究

民族地区农村、农业具有突出的多样化特征，这在学界研究的主导思想中表现得非常明显。较有代表性的研究有廖国一的《壮族农村经济社会转型的新模式探析》（《广西民族学院学报》第4期）。作者通过调查广西南、北部壮族农村经济社会转型的案例，揭示了那桑村的现代农业“种植联合体”、平安寨的观光农业综合开发和坳背屯的文明生态村等三个村寨的成功发展模式。这三个村寨的自然和人文条件不同，那桑村位于亚热带地区，适合亚热带水果的大规模种植；平安寨有著名的世界奇观龙脊梯田，适当调整农业结构即可发展旅游业；坳背屯有秀丽的自然风光和壮族古民居，可以把文明村屯建设与生态旅游相结合，促进经济社会发展。作者认为，由于壮族地区农村的自然条件和人文环境不同，在经济社会转型时期可能会遇到各种各样的困难，但如果能够因地制宜，探讨适合本地特点的发展模式，无疑有利于壮族农村经济生产方式的转型和社会文化的进步。

刘秀兰的《西部地区农业布局的协调化问题研究》（《西南民族大学学报》第7期）认为，西部民族地区农业是在全国产业结构中构成比重较高、农村劳动力最集中的地区，第一产业比重的下降不可能一蹴而就，因而西部地区还必须重视第一产业结构的调整。为此，作者分析了影响西部地区农业布局的因素，重点探讨如何根据西部比较经济优势逐步理顺粮食作物、经济作物、畜牧作物的比例关系，进一步做好生态环境优化与农业开发的协调发展，同时在西部农业优化布局中应加强市场机制与政府干预的结合。

相关的研究还有王小君的《发展特色产业，加快民族经济发展——“火烧坪”经济腾飞之探析》(《甘肃农业》第2期)，杨明洪的《西藏农户经济演化特征：基于农村住户调查资料的实证分析》(《中国藏学》第3期)，徐平、曹志安的《西藏农村的新变化——以帕拉庄园所在村庄的调查为例》(《中国藏学》第3期)，赵琳琳的《民族地区发展农业产业化的对策研究》(《黑龙江民族丛刊》第2期)，顾华详的《民族地区农民增收问题研究》(《青海民族学院学报》第2期)，王小君的《数字农业与我国西部民族地区农业的可持续发展》(《中南民族大学学报》第5期)，罗义云的《西南民族地区农业发展与城市化》(《中南民族大学学报》第1期)等。

（二）牧区和畜牧业发展研究

民族地区的畜牧业是严重依赖草原的产业，草原的生态环境直接关系到畜牧业的可持续发展。因此，学界对牧区和畜牧业经济的研究非常注重探讨如何实现畜牧业经济的和谐发展。代表性的研究主要有拉灿的《关于我国西部民族地区“三牧”问题的思考》(《西南民族大学学报》第5期)，乌日陶克套胡的《论蒙古族游牧经济的特征》(《中央民族大学学报》第2期)，刘明远的《论游牧生产方式的生产力属性》(《内蒙古社会科学》第5期)，戴正、闵文义、才让加的《少数民族牧区农村经济社会可持续发展对草地资源利用影响的实证研究——兼评论甘肃少数民族牧区县农村经济社会可持续发展水平》(《西北民族大学学报》第2期)等。

拉灿的文章分析了牧区和畜牧业的发展状况，认为我国牧区产业结构调整步履艰难、牧业增产不增收、牧区经济发展落后、牧民收入增长缓慢，“三牧”问题逐渐显露，经济发展与生态保护的矛盾日益突出。“三牧”问题作为我国“三农”问题的组成部分，不仅关系到牧区经济社会与生态协调发展，关系到广大牧民增收致富奔小康的问题，也关系到国家生态安全、民族团结、边疆稳定和实施西部大开发战略的大局。制定和调整解决西部民族地区“三牧”问题的政策措施，寻求西部民族地区经济增长与草原生态之间协调发展的政策支持已是迫在眉睫。

乌日陶克套胡的文章认为游牧经济是游牧民族的经济基础，是畜牧业经济发展到一定程度的产物。蒙古族游牧经济曾经正确处理了人与自然、人与牲畜、自然与牲畜的关系，保持了生态环境的可持续发展。蒙古族游牧经济具有游动性、均衡性、分散性、脆弱性等特征。考察和研究蒙古族游牧经济及其特征有助于重新认识内蒙古或其他牧区草原畜牧业的可持续发展。

刘明远的文章不赞同乌日陶克套胡的大部分看法。作者认为，作为生产组织的社会结合方式之一，游牧生产方式曾经是草原地区先进生产力的代表，它对促进草原畜牧业的发展、保护生态发挥过重要作用。然而，随着现代科学技术在畜牧业中的应用，它逐渐失去了先进生产力的性能而成为中性生产力，与分工、协作一样成为先进生产力发展的基础。由于受人口、草场面积、产权结构、经济形态、社会组织、农耕等一系列苛刻条件的限制，传统游牧业不可能再现。但现代草原畜牧业则可以利用游牧生产方式的合理结构——轮牧制——有效地保护和利用草场。

其他应关注的文章还有：丁生喜、张宏岩等的《青海青南藏族地区畜牧业产业化发展研究》（《开发研究》第1期），李丽的《关于内蒙古农村牧区专业性合作组织的思考》（《内蒙古社会科学》第3期），周亚成、阿依登的《哈萨克族经济转型中的贫富差距调查——以胡阿根村哈萨克族为例》（《中央民族大学学报》第4期），任洪生的《游牧经济的机动性分析——以古代蒙古族的游牧经济为例》（《西北民族研究》第2期），韩光明、焦国波的《民族地区畜牧业可持续发展的探讨》（《黑龙江民族丛刊》第6期），张伟的《关于我国牧业区建设全面小康社会的新思路》（《青海民族学院学报》第1期）等。

（三）农牧区人口和劳动力转移研究

本年度学界对农村、牧区劳动力转移的研究以案例调查分析为主。代表性的研究主要有包智明、孟琳琳的《生态移民对牧民生产生活方式的影响——以内蒙古正蓝旗敖力克嘎查为例》(《西北民族研究》第2期)，王戈的《青年农民进城行为微观动因的人类学考察——以广西百江屯为例》(《中南民族大学学报》第1期)等。

包智明、孟琳琳经过两次对敖力克嘎查(行政村，锡林郭勒盟围封转移工程中第一个实施整体搬迁的嘎查)的调查，认为敖力克嘎查是生态移民和异地扶贫移民相结合的具体实践。生态移民尽管作为一种改善民众生存质量的经济行为出现，但其实质上是人与自然环境关系的调整，这必然牵扯到民众的当前经济利益和长远的可持续发展，涉及改变民族生产生活方式等一系列问题。而改变牧民千百年来遵循的传统生产生活方式及固有的观念和习俗，比教会牧民一种生产技能更加困难。因此，如何在牧区有效实施生态移民工程，对政府部门和学术界来说都是需要长期探讨的重要课题。任国英的《内蒙古鄂托克旗生态移民的人类学思考》(《黑龙江民族丛刊》第5期)也对牧区的生态移民问题进行了较深入的研究。

王戈以广西武鸣县玉泉乡百江屯的田野调查为案例，运用人类学的方法探讨了青年农民进城行为的动因，认为早期外出打工者的示范、家庭的支持、村落居民普遍存在的“面子观”等是影响青年农民外出的重要微观因素；进城行为对青年农民来说是一个“通过仪式”，是其人生的一个重大转折。

相关的研究还有：田敏、沈再新的《论少数民族劳动力打工的原因及其影响——以鄂西南革勒车乡桐麻村为例》(《广西民族学院学报》第5期)，马沛霆的《关于保安族地区农村剩余劳动力转移的调查与研究——以积石山县大河家镇大墩村为例》(《甘肃民族研究》第3～4期)，田孟清的《民族地区劳务输出的现状、问题与对策——恩施州农村劳动力流动与异地转移的调查与思考》(《中央民族大学学报》第4期)，妥进荣的《临夏州劳务输出情况调查》(《甘肃民族研究》第3～4期)等。

(四) 人口较少民族的发展研究

这方面研究以具体的人口较少民族的调查研究为主。代表性的研究主要有王铁志的《德昂族生活习俗的变迁——德昂族经济和社会发展研究报告之三》（《西北民族研究》第4期），黄润柏的《毛南族的资源生态、土地制度与农民收入的变迁——广西环江南昌屯毛南族社会经济发展状况个案研究之三》（《广西民族研究》第1期），石锐的《景颇族传统农业的变迁》（《云南民族大学学报》第6期），李少波的《土族农村的经济状况调查——以互助县东沟乡大庄村为个案》（《青海民族研究》第2期）。相关的研究还有吴海鹰、马夫的《我国人口较少民族的贫困与扶贫开发》（《云南社会科学》第1期），郭殿雄的《加快西北地区小民族现代化的几点思考》（《青海民族学院学报》第2期）等。

王铁志通过考察德昂族村寨的民居、服饰、饮食等文化现象，描述了德昂族生活习俗的特点、习俗的变迁及所受影响因素，并对这种变迁进行了比较深入的理论思考。黄润柏通过对地处大石山区的南昌屯毛南族的调查，较系统地分析了南昌屯的资源生态特征、土地制度改革等影响农民收入的重要因素，对石山区毛南族农民收入变迁的制约因素和发展潜力进行了合理评估，认为提高当地土地单位面积产量、鼓励山区人口向资源相对丰富的地区转移、鼓励山区劳动力向非农产业转移是实现资源与生态永续利用和山区农民收入可持续增长的重要途径。石锐、李少波的文章分别对景颇族、土族的农村经济社会发展进行了很有意义的探讨。

六、城镇化建设研究

民族经济学界对城镇化建设的研究视野非常宽泛，涉及民族地区城镇化建设的特殊性、民族文化、法律保障、发展规划以及城镇化进程等各个方面，其核心是如何推进少数民族地区的城镇化进程。

代表性的研究主要有王文长的《城市化批判——走出认识误区，开拓西部城乡协调发展新格局》（《广西民族研究》第1期），梅方权的《非工业化与藏区的城市化：以西藏昌都地区为例》（周大鸣、马建钊主编《城市化进程中的民族问题研究》，民族出版社），杜发春的《论新型城市化的生态观：以珠江源地区为例》（周大鸣、马建钊主编《城市化进程中的民族问题研究》，民族出版社），刘晓鹰、杨建翠的《欠发达地区旅游推进型城镇化对增长极理论的贡献——民族地区候鸟型“飞地”性旅游推进型城镇化模式探索》（《西南民族大学学报》第4期），王燕祥、张丽君的《中外边疆毗邻城市的功能互动与少数民族地区经济发展》（《黑龙江民族丛刊》第1期），高永久、刘庸的《西北民族地区城市区域系统的流态研究》（《黑龙江民族丛刊》第5期）等。

王文长批判的“城市化认识误区”值得学界同仁深思。作者认为，我国理论界对城市化的研究成果丰富，取得了诸多共识，但也存在着一些认识误区，主要表现在三个方面：其一是城市化滞后于工业化，把城市化的客观过程演绎为主观动机；其二是把城市化等同于城市建设，把投资集聚演绎为政府的行为意志；其三是忽视城市化内涵的摩擦、矛盾及其代价。作者认为，正确地认识这些“误区”，重返城市化之本义，重新认识城市化的内涵，以信息化带动乡村建设，开拓城乡协调发展的新格局，是促进中国、特别是西部民族地区城市化健康发展的内在要求。

梅方权用人类学的方法剖析了西藏昌都地区城市化进程，认为城市化道路是由不同的文化和地域特色所决定的，人类学的视角能够摆脱常见的一些“文化中心主义”观点，真正从区域和民族的内在特征和外部环境思考问题，广泛吸收当地人参与甚至是主导当地的城市化，引导文化变迁也需要与当地的发展步调相一致，否则容易出现事倍功半的现象。昌都乃至整个藏区缺乏发展工业的生态条件，完全可以通过发展畜牧业、特色产业和旅游业等来推动城市化进程。这种发展战略的好处是可以化解城乡二元对立，促进农牧区的发展繁荣，真正实现内源的、可持续的发展。

杜发春对传统工业化和城市化所导致的环境劣变、气候变化、能源危机、社会两极分化等弊端进行了反思，提出了构建新型工业化和城市化理念。亦即：充分利用高科技、信息化和经济增长来保持和重建环境生态系统，建设新型工业文明，改变长期存在的二元经济结构和日益扩大的城乡差距，以新型工业化实现民族（人）的发展与社会进步；改变传统的“精英”工业化道路的利益分配格局，建立公平、透明、一致的民众工业化和城市化机制。在此基础上，作者提出了新型城市化的生态环境观，并对建立和完善珠江源生态补偿机制、促进珠江流域经济带的联合协调发展进行了深入探讨。

刘晓鹰、杨建翠探讨了民族地区的一种特殊城镇化模式。作者认为，候鸟型“飞地”性的旅游推进型城镇化模式与城镇工业化推进的经典理论，有截然不同的理论依据。旅游推进型城镇人口的增长呈现明显的季节性，显示出一种规律性潮汐式的变化，旅游流动人口数量可以是城镇常住人口的数倍甚至10倍以上，但这种城镇化推进过程和现象，所推进发展的作为增长极的城镇，其产生的集聚扩散效应与工业推进模式却是基本一致的。

王燕祥、张丽君对中外边境城市功能互动的概念、形式、意义及其发展对策等进行了探讨，认为在沿边少数民族地区实施沿边开放战略过程中，其所属的边境城市与毗邻周边国家的边境城市之间的功能互动，是实现区域整体发展的集中体现和关键所在。高永久、刘庸探讨了宁夏、青海、新疆、甘肃西部四省（区）城市区域系统的人口、物质、技术、信息和资本流动的现状及其对西北民族地区经济社会发展的影响。作者力图通过对上述五种要素的流动形态的分析研究，寻求民族地区顺利实现城市化及现代化的最佳途径。

其他应关注的著述有：周大鸣、马建钊主编的《城市化进程中的民族问题研究》（论文集，民族出版社），李涛的《西藏乡村城市化分析——兼论麦基的亚洲城市化模型（Desakota）》（《西藏研究》第1期），房若愚的《新疆乌孜别克族经商传统与人口城市化》（《新疆社会科学》第5期），马玉英的《青藏高原的城市化与可持续发展》(《青海民族研究》第2期),柏贵喜的《小城镇的成长与民族地区区域经济社会发展》(《中南民族大学学报》第1期),章立明的《西南边疆少数民族地区城市化进程中的消费结构》(《广西民族研究》第3期),朱玉福的《民族乡小城镇建设的几点思考》(《甘肃民族研究》第1期),蒋彬的《试论四川藏区的城镇化与文化变迁》(《西南民族大学学报》第8期)等。其中,周大鸣、马建钊主编的论文集收录了"城市化进程中的民族问题"会议(2008年人类学民族学世界大会筹备委员会组织召开的系列研讨会中的第一场)的26篇论文,涉及民族学、民族理论和民族经济的广泛内容,对学界同仁探讨民族地区城镇化建设问题有重要参考价值。

七、其他方面的研究

民族经济研究作为一门交叉学科,研究的领域非常广泛,涉及各少数民族、不同层面的民族地区以及不同经济领域或部门、行业的改革与发展问题,而且研究者对某专题的研究也往往是相互交叉、渗透,难以进行简单分类。因此,除上述研究热点外,应关注的研究成果还有以下几个方面:

(一)投融资机制和财政问题研究

近几年来,少数民族地区的财政、金融问题日益引起学界的关注,学术成果的数量增长很快。本年度代表性的研究主要有:郑长德、钟大能等著的《中国少数民族地区发展财政研究》(四川出版集团、四川人民出版社),时光主编的《中国少数民族地区资本形成研究》(四川出版集团、四川人民出版社),任志军的《民族地区发展小额信贷的经济学思考》(《云南民族大学学报》第5期),陈景辉、成艳彬的《民族地区投融资机制的构建与经济可持续发展》(《经济问题探索》第8期)等。

郑长德、钟大能等首先分析了我国少数民族地区的经济发展和财政收支状况,政府在民族地区经济发展中的特殊作用,进而分专章探讨了民族地区的公共物品供给(基础设施、基础教育、公共卫生等），民族地区生态环境建设的利益补偿和财政支持、税收政策、财政转移支付、国债资金的利用、扶贫开发的财政支持等方面，并就再造民族地区地方政府、提高行政治理效率、促进民族地区经济发展进行了深入探讨。它是一部系统研究我国少数民族地区财政问题的专著。

时光主编的著作运用资本形成理论分析了资本形成与区域经济发展的关系、资本形成对少数民族地区经济发展的制约，分专章探讨了少数民族地区资本形成存在的问题，少数民族地区的财政、银行信贷、农村信用合作社等方面与资本形成的关系，以及民族地区利用外资与资本形成的特征、资本市场与资本形成等方面存在的问题，在此基础上，作者提出了民族地区的资本形成战略以及实施该战略的对策措施。

任志军采用经济学研究方法，对民族地区发展小额信贷的意义、存在的问题进行了深入分析。作者认为，农户小额信用贷款是解决民族地区农民贷款难、促进农民增收的有效制度安排，发展民族地区小额信贷具有极强的公共性和外部性；但是金融机构资金来源不足，小额农贷的利率扭曲，垄断性的小额农贷市场结构，小额农贷的高风险等因素限制了民族地区小额农贷的发展。为此，作者建议完善资金供给机制，实现利率市场化，加大政府支持力度，建立竞争性农贷市场结构。

陈景辉、成艳彬的文章认为：金融日益成为现代经济的核心，资本形成对经济增长具有重要作用。民族地区作为一个金融抑制较为严重的地区，在经济社会发展的历史进程中，必须通过投融资机制创新为资本形成创造出更为广阔的空间，充分发挥金融对促进民族地区经济可持续发展的重要作用。

应关注的研究还有：李景铭的《民族自治地方资本形成问题探讨》（《民族研究》第6期），梁积江、张瑞哗的《民族地区财政决策目标的确立》（《中央民族大学学报》第3期），张志恒、毛阳海的《和平解放以来西藏外生金融发展的实证考察》（《西藏研究》第

4期），张跃平、周基农、刘荆敏的《民族地区农户小额信贷的产生理论与成效分析》（《中南民族大学学报》第4期），杨海燕、辜晓川、鞠晴江的《外资利用与民族地区资本形成》（《内蒙古社会科学》第5期），王清先的《对投资拉动西藏经济增长效应的初步分析》（《中国藏学》第3期），段晓红的《新时期发展民族地区经济的财税法思考》（《中南民族大学学报》第5期）等。

（二）旅游经济发展研究

代表性的研究主要有张河清著的《民族地区旅游开发的理论与实践》（中国文史出版社），马艳霞、范钛著的《中国少数民族地区旅游经济研究》（四川出版集团、四川人民出版社），张晓萍主编的《民族旅游的人类学透视》（南开大学出版社）等。

张河清以涉及民族旅游开发的相关热点、难点为线索，以科学发展观和可持续发展思想为指导，将旅游开发理论与民族旅游开发实践相结合，从旅游开发在促进民族地区经济发展及全面建设小康社会进程中的功能优势、民族旅游开发的迟发展效应与后发优势及创新对策、民族旅游开发的可行性研究、民族旅游目的地的形象策划、民族旅游品牌建设等方面对民族旅游开发和发展战略进行了建设性、前瞻性的思考，提出了我国民族地区旅游发展的一些新思想、新方法和新模式，可供借鉴和争鸣。

马艳霞、范钛首先分析了民族地区经济发展的特点和民族地区发展旅游经济的意义，采取理论分析与实证案例剖析相结合的方式，分专章探讨了民族旅游客源地、民族旅游目的地、民族旅游市场与管理、民族旅游经济发展模式、民族地区旅游经济发展战略与可持续发展，民族地区旅游投资及效益评估等方面，并对民族地区旅游经济的发展进行了展望。是一部系统研究民族地区旅游经济发展的专著。

张晓萍主编的著作从不同角度介绍了20世纪70年代以来西方旅游人类学的发展轨迹、学术流派和价值取向，并融入了作者的批判思考，挖掘出云南丽江、石林、宁蒗泸沽湖等富于启迪的本土旅游人类学案例，既是对已有学术研究的补充或修正，又体现了文化人类学对中国旅游发展现实问题的理论关怀。该书在综述当代西方人类学研究成果、探询旅游人类学中的关键问题以及结合本土研究方面，汇集了一批有分量的成果，很值得民族经济学界的关注和借鉴。

应关注的相关研究还有：丁赛的《民族地区旅游经济可持续发展分析》（《西南民族大学学报》第4期），吕君、刘丽梅的《对草原旅游发展的影响因素探讨》（《内蒙古社会科学》第4期），吴铀生、程玲俐的《西部民族地区旅游开发战略选择》（《西南民族大学学报》第4期），贺星岳、顾华详的《我国民族地区与周边国家加强旅游业区域合作的战略思考》（《宁夏社会科学》第5期），肖星、侯佩旭的《论西部旅游开发与民族地区的社会经济发展》（《中南民族大学学报》第1期），黄秀琳、王利琴的《试论我国民族文化旅游发展模式的选择》（《甘肃民族研究》第1期），王兆峰的《湘鄂渝黔边旅游市场开发与合作营销研究》（《中央民族大学学报》第2期），张英的《湘鄂渝黔边旅游业建设投融资对策研究》（《中南民族大学学报》第5期）等，分别从宏观或微观视野对民族地区旅游业的发展进行了探讨。

（三）人力资源开发研究

较有代表性的研究主要有峻峰、李文武的《西部地区人力资源开发与管理研究》（中国经济出版社），李具恒的《中国西部民族地区人力资本投资及制度因素分析——来自新疆、甘肃、宁夏民族地区的问卷调查分析》（《贵州民族研究》第1期），王美萃的《论西部少数民族地区人才成长环境建设》（《内蒙古大学学报》第2期）等。

峻峰、李文武从经济学、民族学、社会学等多学科角度，通过对我国民族地区人力资源和经济发展的历史及现实的实证分析，揭示了西部地区人力资源与经济增长的关系。其基本立论为“用人力资源和经济增长理论研究西部经济问题是确定西部大开发战略的一个重要的理论根据和支撑点”，并以此为主线，探讨了西部地区经济增长的资源约束和资本约束、人力资源开发与西部地区经济增长、西部地区经济增长中人力资源因素及其效应分析、西部民族地区反贫困问题与人力资源开发、西部地区人力资源管理与制度创新等方面，对人力资源开发与经济增长问题进行了全面系统的探讨，提出了一些很有意义的见解。

李具恒分析了1500份问卷调查，就西部少数民族地区人力资本投资的制度供给、制度绩效和对策建议进行了论述。作者认为，人力资本积累是西部大开发战略得以实施的关键和突破口；西部少数民族地区人力资本投资的制度供给是相对丰富的，但正式制度短缺与非正式制度短缺仍然是人力资本投资的瓶颈制约。为此，西部民族地区必须解放思想、更新观念，增强教育法律制度供给，创新经济制度，加大教育投资，形成人力资本开发的多元机制。

王昊、吴颖的《民族地区人力资源开发战略若干问题研究》（《内蒙古社会科学》第6期），梅端智、张和平的《青海少数民族地区人力资源开发环境与对策研究》（《青海社会科学》第4期），朱乾宇、姚上海的《民族地区反贫困战略中人力资本投资的经济学分析》（《黑龙江民族丛刊》第1期），阿班·毛力提汗的《新疆贫困地区人力资源开发与扶贫战略》（《新疆社会科学》第2期），耿静、陈启源的《经济社会发展水平对人才资源开发的制约——四川阿坝藏族羌族自治州人才资源开发个案分析》（《西南民族大学学报》第9期）等分别对民族地区的人力资源开发战略或者案例进行了探讨。

除上述研究领域外，本年度民族经济学界在民族地区的资源开发、反贫困、工业化进程、产业结构、非公有制经济、经济发展的法制化、区域经济合作、少数民族人口与就业等方面也有较丰富的成果。一些著述具有较高的学术水平或应用价值，如李甫春的《西部地区自然资源开发模式探讨——以龙滩水电站库区为例》（《民族研究》第5期），黄毅等著的《中国少数民族地区新型工业化道路研究》（四川出版集团、四川人民出版社），宋才发的《论中国少数民族经济法及其研究》（《民族研究》第5期），李晓明的《我国山区少数民族农民贫困代际传递的基本特征》（《内蒙古社会科学》第6期），程晓娟、张霞的《贫困地区致贫因素指标体系研究》（《开发研究》第2期），谢丽霜的《产业梯度转移滞缓原因及西部对策研究》（《中央民族大学学报》第5期），萨茹拉、曹仁祥的《西藏人口经济发展初探》（《中国藏学》第1期）等。限于篇幅，不再一一列举。

总体而言，我国民族经济研究的成果在数量上增长很快，笔者每年一度概述其研究进展也愈发感到力不从心，唯恐有重大疏漏和评述不当。但这种疏漏和评述不当又偏偏难以避免。故恳请学界同仁在批评、斧正和理解的同时，在学术成果的沟通方面尽量给予支持。

2005年民族学人类学研究

色 音

2005年度，我国的民族学人类学研究得到了平稳发展，尽管在人类学理论与方法方面没有明显的新突破，但在分支学科和应用研究领域有新的进展。在田野调查方面，与往年相比有明显的进步，这标志着田野调查已经成为我国民族学人类学研究领域的新的生长点。众所周知，田野工作是民族学人类学研究中的最基本的基础工作，对田野调查的普遍重视必将有力地推进我国民族学人类学研究的进一步发展。民族文化专题研究本年度继续受到重视，无论是涉及内容的广度，还是学术探讨的深度，都有明显的进展。下面分别介绍民族学人类学研究几大领域的主要研究成果和代表性的学术观点。

一、理论与方法研究

2005年，人类学理论与方法方面的学术专著比较少。王铭铭的《西方人类学思潮十讲》（广西师范大学出版社）收录了作者对西方人类学家提出的有关文化、社会、人的描写问题的研究述评十篇，对西方人类学理论和方法进行了系统的介绍。本书内容尽管和作者以前出版的著作有所重复，但也有不少新增内容和新的见解。因此值得作为本年度的一部人类学理论与方法方面的重要成果来介绍。

作者首先介绍了20世纪60年代以前的人类学思潮，使读者对人类学的发展状况有一个初步的把握，在对一些重要理论转变的探讨中了解传统人类学的局限性以及新的理论取向的基本定位。随后，作者介绍了近30年来人类学思潮的情况：评介了美国文化人类学解释学派；通过萨伊德《东方学》一书的解读，把西方人类学的思潮放在知识与权力的框架中评论；西方人类学对“异文化寻求”的反思及由此推动的“回归西方本土社会研究”的潮流；谈到两篇关于文化与变迁之间关系的文章，它们从相反的角度表达了人类学对于“全球化”的探索等。

乔健主编的《文化、族群与社会的反思》（北京大学出版社）一书分文化与认同、族群概念与族群关系、从乡村到城市、社会关系与行为等部分，收有《转化中的文化身份》、《中国传统“族群观”与先秦文献“族”字使用浅析》、《香港人身份的形成与转变》、《华人社会中人己、群己关系中的利他人行为》等论文。

此外，孟宪范、冯小双主编的《中国社会科学文丛——民族学·人类学·宗教学卷》（中国政法大学出版社）和庄孔韶主编的《汇聚学术情缘——林耀华先生纪念文集》（民族出版社）的出版也是2005年度民族学人类学研究领域值得庆贺的大事。

本年度较有代表性的民族学人类学理论与方法方面的论文有如下几篇。

兰林友的《人类学再研究及其方法论意义》（《民族研究》第1期）一文就民族志田野工作点的样本选择、民族志文本、本土实践与学术对话以及人类学再研究的方法论意义等几个方面进行了探讨。作者认为，人类学再研究取向有可能成为中国社会人类学研究的新范式。关于人类学再研究，当前存在多种提法，如重访、回访、再研究、追踪研究、追踪调查、回访调查等。事实上，这些提法的基本含义区别并不大。为了便于探讨，他将人类学再研究大致分为两种类型，即重访与再研究，并指出重访（revisit），顾名思义就是田野工作者对自身田野工作点的再次访问，即对自己原先的田野工作点的回访。人们平常所说的追踪调查大多属于此类。这类重访一般强调对社会文化变迁的考察，如雷蒙德·弗思（RaymondFirth)、玛格丽特·米德（Margaret Mead)、罗伯特·雷德菲尔德（Robert Redfield)、费孝通、林耀华等，都曾对自身的田野工作点进行过重访。再研究（restudy)，则通常是对他人的调研点进行重新调查研究，也就是在他人原先的调研点做田野工作，以期与先行研究进行学术对话。尽管有时也把人类学者对自身田野工作点所做的重新调查称为再研究，但相对来说，人类学再研究更多地是指对他人田野工作点所开展的再研究。简单而言就是一位人类学者对另一位人类学者先前的田野工作点展开的重新研究。人类学的再研究实践表明，同样内容的田野资料，可能因时代、理论、视角、年龄、性别、地位、身份、民族等诸多因素的不同，而导致对某一民族文化图景的截然不同的建构。因此，深入探索人类学再研究所具有的魅力及其在学术实践上所具有的方法论意义，自然就有很大的学术价值。

马翀炜、张帆的《人类学田野调查的理论反思》(《思想战线》第3期）一文认为，不同的田野工作会因其所遵循范式的不同而呈现出不同的特点。人类生存方式的多样性必然要求人类学调查者采用不同的方法。参与式观察法在人类学调查中具有重要的地位，但并不具有普适性。知识是经验与理性的统一，简单的经验积累并不会带来人类知识的增加，人类学知识亦然。生活意义的多样性要求人类学对此做出历史与逻辑相统一的解释。

岳天明在《浅谈民族学中的主位研究和客位研究》(《中央民族大学学报》第2期）一文中指出，民族学对于异文化的关注使“田野工作”成为必然。“马林诺夫斯基革命”促成了对于“主位研究”和“客位研究”的深入认识；哈里斯的“主位研究”和“客位研究”自有其学理内容和旨趣。从民族学研究中的人道思想出发，这种研究视角上的区分会使研究者为精彩的平民文化和平民精神而欢欣鼓舞，并对自身和许多自我固有的观念进行必要的反思，从而保持为学和为人的高度自觉。

刘朝晖的《村落社会研究与民族志方法》(《民族研究》第3

期）一文回顾和反思了社会学和人类学对村落研究的经验，检讨了其中的理论得失和方法论上遭遇的挑战。文章认为，已有的村落社会研究成果主要体现于村落社会的民族志以及在此基础上抽象出来的“问题意识”和理论对话。作者认为，民族志研究要秉承三个原则，即民族志的“问题意识”、民族志的时空构架以及民族志的“人本问题”。在全球化的影响下，未来对村落社会的研究应该在“超越乡土社会”的基础上，走向更高层次的“文化自觉”和文化对话。

罗康隆在《文化相对主义述评》（《贵州民族研究》第4期）一文中指出，文化相对主义的产生及其理论的应用，使美国文化人类学有了自己的理论体系，形成了自己的研究方法。由于鲍亚士及其门生对文化相对主义的不断充实与发展，使它替代了进化学说和传播理论，使其理论在一定时期成为权威性的解释而广为流传。这在一定程度上有自己的进步性和合理之处，对丰富文化人类学的研究和推动文化人类学的发展作出了一定的贡献。文化相对主义远不是文化人类学思想的终结，它显然存有理论研究的缺陷和方法论上的不足。

刘晓春的《在异域与本土之间——人类学视野中的文化批评》（《广西民族研究》第1期）一文探讨了进化论、民族志、结构主义以及回归本土的人类学研究等范式的文化批评传统。人类学研究在“异域/本土”之间的跨越或回归，人类学家具有了一种宏阔的跨文化视野，发现了世界上存在着丰富多样的文化生态，与此同时，西方人通过异文化反观自身，认识到自身文明的诸多缺陷。文章指出，作为以研究异文化起家的人类学，最后呈现回归本土的文化批评，表面看来，似乎从对象上否定了人类学研究存在的合法性，其实不然。人类学的研究有着一以贯之的文化批评传统，无论是19世纪的跨文化的比较研究，或者是迈向异域社会的民族志描述，都渗透着一种强烈的文化批评精神，异域/本土之间的跨越或回归，提供给人类学家一种宏阔的跨文化视野，不仅仅只是认识了世界上存在着如此丰富多样的文化生态，也让西方人通过异文化反观自身，认识到自身文明的诸多缺陷。

二、分支学科的新进展

2005年，我国的民族学人类学研究在分支学科领域有新的进展，研究水平也向纵深发展，出现了一些新的亮点。可以说，本年度分支学科领域的成果既有厚度，又有力度，甚至出版了两部填补空白的人类学分支学科方面的专著。

陈云生著的《宪法人类学》（北京大学出版社）一书以全新的视角来认识和解析了人类社会的宪法现象，将传统宪法学与当代方兴未艾的文化人类学、法律人类学、哲学人类学相结合，在建构既与传统宪法学密切相连又具有自身独立特点的宪法人类学理论体系方面，进行了开拓性的探索和尝试。

胡小明、陈华编著的《体育人类学》（高等教育出版社）一书包括绪论、体育人类学的理论与方法、人类的发展阶段与体育形成、民族体育与文化、竞技与人类学、体育与人类的发展六部分内容。

张晓萍主编的《民族旅游的人类学透视》（云南大学出版社）一书收录了有关旅游人类学文章若干篇，有《西方旅游人类学研究述评》、《旅游人类学在美国》、《用人类学眼光看旅游》、《论旅游的精神文化本质》等。

本年度分支学科领域的论文较多。下面介绍具有代表性的几篇论文。

张伟明的《历史记忆与人类学研究》（《广西民族研究》第3期）一文指出，当今中国的人类学者更多的是应用历史记忆于研究对象中，但是，对于历史记忆究竟在人类学的哪些方面产生可值得探讨的影响则缺乏更多的理论研究。该文认为，历史记忆有利于人类学理解历史的真实，有利于加深对人类学本体论和方法论的认识。人类学对历史的关注是一个断裂和延续的过程，对记忆的关注则是一个渐进的过程。早期人类学家热衷于考察人类和社会制度的起源问题。因此，他们经常利用历史资料来建立人类发展所经历的社会阶段，例如摩尔根对蒙昧和野蛮的划分。这些持进化论思想的人类学家把历史当作一种推论工具加以利用，把人类的发展史建立在推测的基础上，从而被美国博厄斯的历史特殊论和英国的功能学派所批判。在认识到并不存在没有历史的社会，以及越来越多的人类学家进入有丰富历史的田野之后，现代的人类学已经脱离了非历史主义的阴影，并发展出了历史人类学这一分支学科。

周泓的《历史人类学：从历史文本到意义主体》（《广西民族研究》第3期）一文考察了历史民族志的社会文化本体研究和后殖民人类学历史文本的多声道反思；论述了历史人类学的主观建构和批判的属性；认为主体的意义的历史是历史人类学的本质，意义的主体及其能动应是历史人类学研究的本体。文章指出，历史人类学与历史学的重要区别，在于前者因为与现时相连，因此其相当部分不仅可以由文献资料、而且是由人们的记忆构成衍发的，即人类学以主体感知将过去与现在相联结，是对过去和现在影响了人们行为的社会、政治、经济和文化过程做跨文化、跨时空的比较性理解。在此，没有今天的昨天和没有昨天的今天都是没有意义的。历史的相当部分不仅是由文字记载体现，而且是由活着的人们的记忆构成，以感知和认识历史及其现实线索；代际间的口述、口传是其记忆延伸、延续的主要形式，因而成为人类学考察历史的重要内容和组成。

朱和双、李金莲在《试论马林诺夫斯基的性人类学研究》（《广西民族研究》第1期）一文中认为，性人类学主要针对部落社会以及其他技术不发达的非西方文化中的性实践进行系统的描述和分析，关注的主要是生物的、心理的因素和产生性爱冲动、性吸引以及某种特定性行为的文化因素之间的互动关系。马林诺夫斯基是性人类学研究的第一位大师，他对异域社会性实践的田野考察建构了一种文化差异，为的是让人们找到反省本土文化的机会，从而作出建设性的自我批评并抛弃掉那些既武断又矛盾的陈旧观念。马林诺夫斯基对性问题的田野研究，使人类学对性问题的关注成为一种可能。后来的人类学家进一步拓宽和深化了人类学对性问题的研究领域，从而促进了整个分支学科的发展。

周泓、黄达远在《历史人类学：中国史学研究方法的新诉求》（《广西民族研究》第1期）中指出，一些西方史学范式丰富了中国史学研究的理论与方法，但它们大多带有“西方中心论”的色彩，不是建立在“中国经验”基础之上。以历史人类学的角度和方法来观照历史，符合中国研究对“历史记忆”的“精致化”需求，日渐成为中国史学研究的新取向。唯物史观作为史学研究的理论与方法，在20世纪20年代被介绍到中国知识界，引起了广泛的瞩目，随之诞生了一批以历史唯物主义为指导的史学家，如郭沫若、范文澜等，他们撰写了诸多在中国产生极大影响的著作，使20世纪后半期唯物史学占据了中国史学的统治地位，成为具有“范式”意义的理论体系。

彭兆荣在《旅游人类学视野下的“乡村旅游”》（《广西民族学院学报》第4期）一文中就乡村旅游所涉及的一些问题和因素进行探讨，认为乡村旅游与其说是在“乡村空间”里旅行，还不如说是在“乡村概念”中旅游。“乡村魅力”对于都市人群来说或许并不是换一个“地方”，而是换一种体认“价值”。全球化是当代不可阻挡的一种潮流。“不可阻挡”只表明当代历史发展的一种趋势，却未必表明它来自人类理性的、负责任的判断和评价；也许正是这种趋势生长出“畸形的果子”，就像我们无法阻止世界范围的战争和恐怖主义，却不能说它们符合“道德和道理”一样。“全球化”本身就充满诡谲的悖论。从旅游人类学的角度看，全球化理论的矛盾与悖论在旅游活动中体现得同样非常突出：一方面，商业旅游愈加国际化、全球化，给游客带来的便利就愈多；另一方面，文化旅游在理念上的追求与“全球化”在很大程度上正好相反，表现出强烈“地方化”的个性价值。

施琳的《经济人类学理论前沿综论》（《广西民族学院学报》第6期）一文，纵览经济人类学学说和学科发展历程，系统梳理和分析其中多次重要的前沿性探索，特别对全球化背景下经济人类学的理论拓展与重构，以及当前经济人类学界所关注的热点、难点问题，作了综合阐述与分析。经济人类学是一门新兴边缘学科。时至今日，其整体理论框架尚未定型，一些重要的概念、术语和理论观点仍处于发展变化过程中，例如，即使是关于最基本的学科定义，亦存在着多种理解与阐述，难有定论。另一方面，经济人类学的广阔研究视域、独特的交叉视角和跨学科探索，令其理论启发意义和现实意义受到越来越多的重视与肯定，学术影响超出本学科界限，学术地位呈不断上升趋势。

张有隽在《论人类学的经济学》（《广西民族学院学报》第6期）一文中指出，经济人类学是人类学中与经济学对话的部分。它以人类的经济行为为研究对象，但与经济学对经济的理解不同。由于经济是嵌合在社会制度中的，经济人类学必须从人类全盘的风俗和制度中来着手自己的研究。它的领域比较广泛，不仅描述人们的生产、交换、分配和消费方式，以及这些系统如何组织、动作，还包括建立理论来描述制度脉络和影响，经济运作的动力等。

杨春宇在《看的方式——从视觉角度解读人类学史》（《思想战线》第3期）一文中认为，尽管人类学家对现代视觉手段的使用几乎从这个学科的起步时就有了，但是除了为它辟出一块“影视人类学”的领域之外，关于人类学知识中的视觉机制却殊少学者讨论。直到近些年来，就人类学家们观看世界的方式所做的反思才兴盛起来。作者认为，这种对视觉关系的敏感或许是在“语言学转向”引发对民族志文本的批评之后，“图像转向”的思潮在人类学内部所引发的共鸣。

三、民族文化专题研究

文化研究一直是我国民族学人类学研究的重点领域。本年度，在民族文化专题研究领域出版了一些具有较高学术价值的专著和论文集。其中，揣振宇、杨荆楚主编的论文集《汉文化、多元文化与西部大开发》（民族出版社）收录了30篇具有较高学术价值和理论水平的论文，是本年度出版的非常重要的学术论文集之一。这标志着汉文化、多元文化的研究已成为我国民族学人类学研究领域新的生长点。

本年度发表的论文所反映的内容较多地侧重在少数民族的宗教信仰和民俗文化方面。

郭淑云在《北方物候历与萨满祭祀》（《西北民族研究》第1期）一文中指出，北方民族在长期的渔猎生产中逐渐形成了以物候确定年岁、季节的自然物候历，用以指导人们的生产与生活。由于萨满教仪式常常与经济活动的节律相关，北方民族萨满祭祀的时间、内容和祭祀重心都一定程度上受到经济活动以及物候历的影响，反映了原始萨满教与自然科学的密切关系。寒暑的变更、四季的交替，周而复始。自然界中动物和植物的生息行止多与这种变化有关，从而形成了特定的生态规律。北方民族在长期的渔猎生产中逐渐观察、摸索出一些与自己生产生活息息相关的动植物生长变化规律，并以此指导生产，逐渐形成了以物候确定年岁、季节的自然物候历。物候历法和萨满观测季节征象是北方人类世代探索自然规律的经验总结，它们建立在人类对自然物候细心观察，并初步掌握了这些物候生长变化以及与生产的密切关系等规律的基础上，又反过来指导生产实践，训育后人，成为北方各民族各自安排生产大体遵循的自然法则。其中有些对自然现象的观察颇为精细，对自然规律的认识也有着相当的准确性，很有科学价值，从中可以看出北方各族萨满在积累、传播自然科学知识方面做出的贡献。

方鹏的《关于海南岛黎族妇女纹面的几个问题》（《贵州民族研究》第2期）一文对有文字记载以来的海南岛土著文身历史进行分析后认为，海南岛黎族妇女文面应出现在唐末宋初，至今天不过一千余年；黎族妇女文面的背景是岛内冲突加剧，原因是为了防止外人掳掠，以文身求自保。20世纪30年代，德国人史图博和中国人刘咸先后深入到海南岛黎族地区，对黎族妇女文面这一现象进行了深入的田野调查。从那时以来，关于黎女文面的讨论持续了几十年。但是，在所有这些讨论中，人们大多注重于对文面图式的分析与比较，而忽略了对一些基本问题的研究，如关于黎女文面出现的时间、黎女文面的历史背景、文面与文面、雕题的区别等。作者指出，黎族妇女文面，从现象上看，是出于妇女自我保护的需要，而更深层次的原因，则是来自本族群男性同胞强大的精神压力，是维护本族群男性同胞共同自尊的需要。更为重要的是，文面使黎族各族群内部增强了凝聚力，在血缘上保持了一定程度的纯洁性，并一直繁衍生育至今。

牟钟鉴在《从宗教学看壮族布洛陀信仰》（《广西民族研究》第2期）一文中认为，壮族布洛陀信仰属于原生型巫教，可称为原生型民族民间宗教，它与壮族的生存与发展紧密联系在一起，是壮族特有的文化传统。布洛陀信仰的活动在社会批判运动连续不断的年代，曾一度销声匿迹。改革开放以来，由于宗教理论的改进和宗教政策的宽松，由于社会对民族文化（包括宗教文化）的重视和对民间信仰的关注，由于布洛陀信仰研究的开展，壮族地区布洛陀信仰开始了它的重建的过程。以广西田阳敢壮山为中心，壮族民众自发地恢复布洛陀祭祀和相应的文化活动，规模越来越大，并得到学者的理论支持和政府的理解。这种民族信仰重构现象，表现了壮族民族文化主体意识的增强和布洛陀信仰的旺盛生命力及其对新的时代的调适能力，如引导得当，会丰富中华民族多元一体的文化内涵，推动两个文明建设，充实壮族人民的文化生活。

周亚成、王景起的《哈萨克族定居前后文化生活比较研究——以阿什里哈萨克民族乡胡阿根村为例》（《西北民族研究》第4期）一文指出，阿什里哈萨克民族乡胡阿根村哈萨克族，定居前文化生活以传统的内容和方式为主，定居后文化生活向着多样化的方向发展，不仅传统文化生活被移植到新的环境中，现代文化生活也逐步被村民接受。文化生活的丰富对胡阿根村村民文化素质的提高、经济的发展、人际关系的和谐起到了重要作用。进一步加强文化设施建设，提高文化生活的质量，是发展胡阿根村小康文化生活的基本保障。新疆从20世纪80年代开始，开展了以人工草料基地为中心的牧民定居建设，在水土、交通条件较好的地方修建牧民定居点，并逐步在定居点进行交通、能源、水电、文教、卫生等建设。牧民定居，是对传统的牧业生产方式和游牧生活方式的变革，极大地促进了牧区经济的发展和牧民文化素质的提高。特别是定居后，牧民居住相对集中，组织文化活动更为便利。电视、电话、广播等传媒手段促进了牧民信息量的增长，牧民的文化生活日益丰富多彩。哈萨克族是一个古老的游牧民族，牧区哈萨克族定居后，改变了过去因居住分散，而且以山区为主造成的文化生活单调、信息贫乏的局面。该文以昌吉市阿什里哈萨克民族乡胡阿根村的调查资料为依据，比较分析了哈萨克族定居前后文化生活的变化。

尚衍斌的《泼水节溯源与传播小考》(《中央民族大学学报》第3期)一文指出，泼水节是中国西南地区的傣、布朗、德昂、阿昌等民族的传统节日。该节之缘起，应从“泼寒胡戏”说起，它是古代伊朗即波斯民众为庆贺甘雨降而凶旱退的一种传统仪式，后经西域传入中国中原地方。传入西南的途径也许是经印度、缅甸而至滇南。今人大多知晓泼水节是我国西南地区傣、布朗、德昂、阿昌等少数民族的传统节日，却很少有人深究其产生的历史背景及其渊源关系。《中国大百科全书·民族卷》所列“泼水节”词条言其起源时说它“与小乘佛教的传入有密切关系，其活动包含许多宗教内容。但就其以泼水为主要活动的原始意义来说，也反映出人们征服干旱、火灾等自然力的朴素愿望。”

宗雪飞在《黎族图腾崇拜与黎族传统体育》(《中央民族大学学报》第3期)一文中认为，黎族是一个有着悠久历史的民族，它经历了原始社会发展的阶段，有着一种信仰体系，即对图腾的崇拜与对美的追求。这种图腾崇拜的遗迹，至今仍然表现在现实生活的各个方面，顽强地影响着一个民族的性格和审美心理。黎族的民间传统体育产生于黎族人特有的生产方式和生活环境中，具有显著的民族特色，特别是舞蹈和竞技都呈现出图腾崇拜的痕迹，具有独特的审美价值。从黎族图腾崇拜的遗迹看，黎族图腾崇拜与图腾在黎族生活、生产实践中的地位和作用是分不开的。同时，由于黎族图腾崇拜渗透于生产生活类传统体育之中，黎族传统体育也必然传承着黎族宗教信仰。

乌仁其其格的《蒙古族火崇拜习俗中的象征与禁忌》（《中央民族大学学报》第5期）一文认为，崇拜和禁忌是同一事物的一体两面，均由事物本身的象征意义所决定。在萨满教的多神信仰体系中，火承载着诸多的象征意象：火是光明、圣洁之神，是家庭的保护神，可为人们带来福祉；同时，火又具有难以驯服和不可控制的魔力，冒犯火神则会招致惩罚。在蒙古人的生活习俗中围绕火盆、炉灶等有着一系列祭礼和禁忌，从中可以看到萨满教对蒙古族传统文化持久而深远的影响。信奉萨满教的古代蒙古人认为，火是天神赐给人类的圣物，是生育能力和生命力的源泉，是家族延续的象征。火的这些象征意义，使得火在蒙古人观念中处于神圣不可侵犯的地位。这一观念不仅体现于日常生活习俗中，也贯穿于狩猎、放牧的生产习俗中。在尊重火给人间带来的恩惠的同时，人们又把森林草场的火灾以及病人发烧等疾病视为火神发怒的结果，更加畏惧它对人的惩罚报复，因而火神远比其他自然神更经常受到崇拜和供奉。有关火的诸多禁忌亦由此而来。

刘夏蓓在《区域文化的人类学解析——以西北安多地区为例》（《思想战线》第5期）一文中指出，四川安多地区是一个多民族的混居区，通过长期的民族文化交流，各民族逐渐将异文化因子转化为本民族稳定的心理因素，并通过语言等中介，使各民族的知识经验、社会规范与价值体系得以相互吸收，并转化为不同个体的知识和经验，形成了价值观念、信念理想，显示出中华民族的多元一体、薪尽火传、兴灭继绝的文化底蕴。

王明亮的《人类学视域中的法律移植》(《广西民族学院学报》第6期)一文认为，立法是法律移植动态过程中的一个环节。只有经过长期的调适，实现与文化系统其他方面的有机整合之后，移植之法才能成为民众“共有的习惯性行为模式”。我们不应仅仅将法律当作是实现社会变革的工具，还应考虑与历史的衔接，同时，必须保持“文化自觉”，以确保人类文化的多样性及发展的可持续性。从人类学的角度来看，法律移植是一个文化传播、文化变迁的过程，这种变迁以文化融合的形式出现，是一个长期的过程。法律移植是否完成的判断依据，是该外来法律文化是否被整合，是否成为受体文化的一个有机组成部分，是否成为当地民众“共有的习惯性行为模式”。换句话来说，移植而来的“书本上的法律”要成为人们“行动中的法律”，绝不是由立法机关颁布通行即可，而是一个复杂的社会动态过程。

四、应用研究

近年来我国民族学人类学界普遍关注重大的现实问题，在旅游开发、非物质文化遗产保护、参与式社会评估、城市外来少数民族文化适应等方面的研究已成为我国目前应用人类学领域普遍重视的热点问题。

王文章主编的《人类口头和非物质文化遗产丛书》(浙江人民出版社)第一批丛书共8本，分别介绍了我国获得联合国教科文组织评审公布的人类口头与非物质文化遗产代表作昆曲、古琴艺术，以及新疆木卡姆、年画、少林功夫、热贡艺术、藏戏、南音等8种传统艺术和文化现象。8本书分别介绍了该种文化遗产的形成衍变、基本面貌、表现形态、美学或工艺上的主要特点、目前有代表性的主要传人，同时按照联合国教科文组织的申报惯例，也简要介绍了当地政府为保护这一文化遗产所做的工作和未来的计划。这是目前国内第一套专门介绍非物质文化遗产的丛书。它的正式出版，对于目前正在开展的非物质文化遗产保护与遗产代表作申报工作，将起到很大的鼓励与促进作用。丛书的每册均包括数百幅图片，与文字混排，与目前坊间常见的图多文少的图文书相比，丛书对文字部分的要求更高；非物质文化遗产代表作的认定与保护是一项学术性、政策性很强的工作，相关材料都经过专家学者精心推敲，保证了丛书以高质量的面貌呈现在世人面前，因此丛书一问世就深为业内外人士所瞩目。

周大鸣、秦红增著的《参与式社会评估：在倾听中求得决策》（中山大学出版社）一书也是应用人类学的重要成果。作者以自己在中国从事应用研究的实际经验为基础，以实践的参与式发展项目为实例，介绍人类学应用研究在中国的一般情况，探讨人类学方法与参与式发展、社会评估的关联。

张继焦的《城市中少数民族的民族文化与迁移就业》（《广西民族研究》第1期）一文通过调查研究少数民族在民族文化村和具有民族特色私营企业中的就业状况，指出少数民族迁移者因为自身民族文化在城市就业中具有一定的优势。他们不但是城市中的“就业迁移者”，而且是城市中的“民族文化携带者”。从进入城市的角色看，他们不但是“就业移民”，而且是“文化移民”。当我们从民族学和人类学角度，去调查和分析具有不同文化特色的少数民族同胞时，我们惊喜地发现，在就业方面，少数民族同胞除了具备与一般城市迁移就业者一样的劳动能力，他们还拥有与众不同的民族文化，具有一定的就业优势。少数民族因为自身民族文化的优势在城市中获得了两种不同类型的就业机会：一种是大型国家投资或股份公司（如深圳的民族文化村、北京的中华民族园、昆明的民族村等）的组织性招聘就业，另一种是以民族特色经营为特征的私营企业（如一些民族风味饭店、歌舞团等）的招聘就业或亲缘关系型就业。

陈晓毅的《城市外来少数民族文化适应的三层面分析模式——以深圳“中国民俗文化村”员工为例》（《贵州民族研究》第5期）一文在田野调查资料的基础上，描述了深圳中国民俗文化村的少数民族员工在物质维度、制度维度和精神维度的文化适应状况，提出了适用于文化适应研究领域的三维分析模式。文章认为，在面对纷繁复杂的文化适应现象时，三维分析模式能为研究者提供一个层次分明的观察基点。

安学斌在《大理白族口头与非物质文化遗产解析》（《贵州民族研究》第4期）一文中指出，大理白族口头与非物质文化遗产，具有广阔的生存环境，历史悠久，形式多样，内容丰富，主要包括白族语言、民间文学、音乐、舞蹈、游戏、神话、礼仪、习惯、手工艺、建筑艺术等。它们是白族文化的重要组成部分，也是中华民族的一份珍贵遗产，具有重要和多重的抢救与保护价值。按联合国教科文组织提出的新的要求与标准，来重新界定与类分我国的文化遗产，并不断使保护与开发工作科学化，是关系我国文化遗产事业健康持续发展的一件大事。

田俊迁的《关于旅游开发中的少数民族传统文化保护问题——由喀什部分老城区被拆除引发的思考》（《西北民族研究》第4期）一文分析了旅游开发中少数民族传统文化被冲击破坏的原因，并提出了一些关于少数民族传统文化保护的相关对策。作者认为，少数民族的传统文化是宝贵的旅游资源，开发少数民族传统文化旅游产品既可以带动少数民族地区经济的发展，又可以更广泛地传播少数民族的优秀传统文化。只要我们在开发过程中找到恰当的保护方法，少数民族传统文化必将焕发出新的异彩。

马自祥的《东乡族小经文“拜提”的人文资源价值》（《西北民族研究》第3期）一文认为，东乡族是全民信奉伊斯兰教的民族。伊斯兰教宗教文学在东乡族中的长期传承过程中，呈现出它的变异特征，首先表现在原有的阿拉伯语、波斯语吟诵讲述变异为东乡语的吟诵讲述，这就为伊斯兰宗教文学打上了鲜明的民族性标记。小经文是以阿拉伯字母来记述东乡语的文字，“拜提”是诗歌之意。东乡语小经文的“拜提”有它产生、发展、消亡、濒危的自身规律，研究它的这种轨迹和它的主要作品《哈散与侯赛尼》、《战黑娜姆》、《奂利夫》、《和者阿姑》、《葡萄蛾儿》、《诗司乃比》、《来拉尕黑》所表现的文化意蕴，对我们思考“抢救保护”少数民族文化遗产工程有许多新的启示。对于当代中国的少数民族文化建设而言，它的许多古籍和口碑资料是一种极其重要的人文资源，如何利用，使其充分发挥文化艺术效应，以推动少数民族大众文化水准和精神素质的提高，确实是一个值得深思的人文话题，应该认真地讨论。尤其是在大力提倡抢救保护民间文化遗产、弘扬传统文化的今天，视民间文化遗产为爱护精神家园的不能拒绝的神圣使命，已成为有识之士之共识，而“文化力”对于发展生产力所具有的重要的推动作用亦毋庸讳言。当前在保护抢救少数民族文化遗产的有利时机中，再来重新认识东乡族小经文“拜提”的文化意蕴，给我们思考当前的抢救工程和少数民族文化建设的继承和创新问题带来一些新的启示和紧迫感。

史继忠、何萍的《论云贵高原山地民族文化的保护与发展》（《中央民族大学学报》第1期）一文认为，生活在云贵高原的民族依靠自己的聪明才智创造出各具特点的山地文化，其中所包含的独特价值是今天开发与建设这片土地所不可或缺的智慧源泉。为适应山地环境，各民族在建筑上都有独特创造。山地民族的“原生态”文化是世界文化的珍宝，它的意义不仅在于让人们了解人类文明的起源和发展历程，还在于它保存了许多富有生命活力的文化，对于当今的物质文明和精神文明建设有重要推进作用。对这些“原生态”文化的保护，关键在于发展，发展才能有效地保护。

宗晓莲、保继刚在《解构纳西古乐神话——对一项民族文化资源转化为文化商品的人类学分析》（《广西民族学院学报》第4期）一文中指出，在由资源转化为商品的过程中，作为文化商品的纳西古乐与曾经是纳西人生活一部分的丽江古乐已经有了本质的差别。纳西古乐神话只是文化资源市场化运作中一种营销手段、一种宣传结果。我们必须把作为商品的纳西古乐与原生的音乐相区别，不能让前者以后者的名义妨害了后者的生存。为此，必须整合市场、政府和民众三方面力量，而政府有关部门应该在其中发挥主导作用。

石奕龙的《浅谈民族传统文化保护的若干问题》（《中央民族大学学报》第1期）一文认为，在现代社会中已经不存在所谓的“原生态文化”，而只存在着各种传统文化，它们所代表的是那些还未受到现代文明急剧冲击而变迁的文化的面貌。要抢救、整理出这些民族传统文化的资料，应由专业人士来从事，这样才能真正实现目的。而在保护民族传统文化的行动中，应注意与可持续发展结合，以达成在低成本的状态下，既保护民族传统文化，又使该族群有所发展的最佳效果。目前，民族传统文化的保护工作已经逐步开展，也有一些很好的做法，如建立民族文化生态村就是一个例子。但是，建立民族文化生态村的做法也有一些自身难以克服的缺陷。

五、田野调查报告

田野调查是人类学民族学的非常重要的研究方法，是取得第一手资料的主要手段。本年度出版了几部很有分量的田野调查报告。

李明欢主编的《福建侨乡调查：侨乡认同、侨乡网络与侨乡文化》（厦门大学出版社）一书的结构分为上下两编：上编是“类型篇”，在乡村共同体层面上选择三个侨乡进行了个案调查研究；下编则是“专题篇”，分别从社会经济学及社会人类学角度对福建侨乡进行了学理性研究。

周大鸣的《渴望生存：农民工流动的人类学考察》（中山大学出版社）一书共十三章。内容有：农民工研究的回顾，理论与实践，珠江三角洲人口移动研究，农民工外出对输出地的影响，农民工的性别分工等。该书是在扎实的人类学田野调查基础上完成的农民工研究的力作。

还有一些学者在细致深入的田野调查基础上发表了具有较高学术价值的论文。

陈建樾在《“台湾村”：一个移民村落的想像、构建与认同——河南邓州高山族村落田野调查报告》（《民族研究》第5期）一文中指出，根据第五次全国人口普查资料，18.61％的大陆高山族人口聚居在河南省邓州市。作为一个移民群体，邓州的高山族在近三百年的落籍垦邓期间经历了一个“闽营化”、“邓州化”乃至“大陆化”的多重本地化过程。这样一个深具涵化意义的历史过程使得邓州高山族在风俗习惯、宗教信仰等诸多方面日渐迷失民族的文化表征。它在1983年以来的族群性重建，又验证了一个弱势移民群体经由想像、认同而得以重新构建的图式。陈朝虎高山族身份的申报和陈氏家谱的发现，无疑成为“台湾村”高山族从族性迷失走向族性张扬的一个转折点，来自“台湾村”之外的各方面的关注又进一步加速了这种反身追寻和张扬光大的进程，而民间知识分子在其间的阐释与构建更引发了“台湾村”高山族族属意识在更大意义上的想像、构建和认同。

丁明俊在《阿拉善草原信仰伊斯兰教的蒙古族穆斯林》（《西北民族研究》第4期）一文中指出，蒙古族穆斯林是我国较为独特的一个民族群体，主要分布居住在内蒙古阿拉善左旗东北部的罕乌拉、敖伦布拉格、巴彦木仁、乌素图、宗别立、巴音浩特等苏木（即乡级行政单位）和镇，人口有两千多人。巴彦淖尔盟也有少量蒙古族穆斯林，当地人们称他们为“蒙古回回”或“缠头回回”。他们的语言、文字、生产生活方式基本同于蒙古族，以放牧为主，但信仰伊斯兰教，饮食习俗基本同于回族，只不过他们与其他蒙古族一样喜食奶制品。婚嫁习俗也和蒙古族相同，不同之处是要请阿訇主持婚礼，有少量伊斯兰教程序。新中国成立以前，他们一般不与异教徒的蒙古族、汉族通婚；若通婚，对方必须加入伊斯兰教。与回族通婚则不受约束，但由于受地理环境、生产生活方式的制约，与回族通婚者不多。自20世纪60年代以后，随着伊斯兰教在该地区的衰微，教职人员减少，与蒙古族通婚者渐多。

20世纪50年代的民族识别是一项理论性、政策性、科学性很强而又直接关系到落实民族平等政策的基础工作。我国的民族工作者以马克思主义民族理论为指导，从中国各民族的实际出发，对我国极其复杂的各人们共同体，进行了科学、全面、系统的调查、论证，确定了族体。20世纪50年代，中国少数民族社会历史调查组派人前后两次至左旗，专门调查了解这部分蒙古族穆斯林。在广泛听取社会各界和群众意见的基础上，依据这部分穆斯林通用蒙古语言文字，风俗习惯方面除伊斯兰教基本禁忌外，吃、穿、住等与阿拉善蒙古族区别不大，以及人口又少，民族族属不甚清晰等情况，调查组认定这部分信仰伊斯兰教的群众是蒙古族，不能因宗教信仰不同而称为其他民族。这一决策还是符合当时客观实际的，对加强民族团结起到了良好的作用。民族识别主要依据斯大林关于民族的四个特征，即共同地域、共同语言、共同经济生活以及表现在共同文化上的共同心理素质，但也考虑过其他因素，诸如自我认同与行政管理上的方便。自从民族识别工作基本完成，至今已过了近半个世纪，不论当年民族识别的依据如何，阿拉善左旗操蒙古语的穆斯林，已成为内蒙古民族区域自治政策中一个真实的统一体。过去被忽略的伊斯兰教信仰，已经在某种程度上被认同，他们除是蒙古族一个组成部分之外，还具有中国穆斯林民族属性。这部分蒙古族穆斯林或许因人口太少，或许不被人们所了解而被忽略。在我国出版物中只要谈到中国穆斯林，大多都这样表述："中国有10个信仰伊斯兰教的民族，他们是回、维吾尔、哈萨克、塔吉克、塔塔尔、乌孜别克、柯尔克孜、东乡、保安、撒拉等族。"这种提法到处可见。那么这种传统的提法究竟有什么问题呢？很显然，它将这部分为数不少的蒙古族穆斯林没能包括在内，还有藏族等其他几个少数民族中信仰伊斯兰教者也没有包括在内。该文着重对蒙古族穆斯林的历史来源、伊斯兰教在阿拉善左旗蒙古族穆斯林中的传播与发展、民族认同进行了探讨。

兰世辉的《对民间宗教价值的反思——以湖南文江为案例》（《广西民族研究》第3期）一文在实地调查的基础上分析了民间寺庙的三种类型——一是较为自发和简易的"三间房"类型；二是带有象征意味的较为雄壮气派的类型；三是带有旅游参观性质的具有

一定官方背景的类型。文章分析了各种类型寺庙的建立原因，分别给予理论上的解释，由此进一步讨论了民间宗教的功能及其价值。

罗用频在《民族学视野中的村落资源分析——以南盘江畔的巴结村为例》（《贵州民族研究》第1期）一文中指出，村落资源是村落生存与发展的资源体系。“为我所用”的民族村落资源体系正在面临着许多前所未有的遭遇。在现代化进程中，具有数百年历史的巴结布依族村落的消失就是民族村落资源丧失的一个代表。民族村落资源如何走向共同繁荣，是民族社会生存与发展的紧迫而重要的话题。

马宗保、高永久的《乡村回族婚姻中的聘礼与通婚圈——以宁夏南部单家集村为例》（《民族研究》第2期）一文以作者在宁夏南部一个回族聚居村单家集所开展的调查为基础，对乡村回族婚姻中的聘礼和通婚圈进行了分析。作者认为，如果在研究聘礼的同时留意它与嫁妆之间的互动关系，就会发现其中包含着补偿、互惠和财产转移等多重经济意义。在嫁娶过程中，男女双方父母的部分财产以实物、现金等形式转移到了新郎和新娘组成的新家庭中，从而为新家庭的生存和发展奠定了一定的经济基础。宁夏南部乡村回族社区的通婚圈是在地理交通、经济发展水平和亲友网络等多种因素的交互作用中建构起来的。

龚锐的《南传佛教与原始宗教的并存及互通——西双版纳三村调查》（《民族研究》第4期）一文以西双版纳的三个自然村为田野调查点，通过不同的个案介绍了西双版纳傣族地区南传佛教与原始宗教在仪式上的并存及互通，并认为这是宗教生活世俗化的一个新特征。

刁统菊在《亲属网络与性别建构——以红山峪村为例》（《西北民族研究》第1期）一文中指出，红山峪村村民的亲属关系，除了同一宗族关系以及姻亲关系之外，还有仪式亲属，即干亲和结拜带来的结拜兄弟、结拜姊妹这两种亲属关系。该文还以同学关系以及近年来由于外出就业产生的朋友关系以及制度化的同事关系为佐证，分析了一个村落的男女两性的亲属网络，指出造成男女两性亲属关系差异的根本原因在于从夫居制度以及社会性别制度。

王俊敏在《狩猎经济文化类型的当代变迁——鄂伦春族、鄂温克族猎民生计调查》（《中央民族大学学报》第6期）一文中指出，进入21世纪不久，随着中国最后一个狩猎部——敖鲁古雅鄂温克民族乡猎民的整体生态移民，狩猎—采集作为一个独立的经济文化类型，在中国悄然消失了。这一文化变故，不仅对于当事民族来说是头等大事，而且对于整个中华民族的文化生态系统来说，也应该具有不小的震动。通过鄂伦春族狩猎文化经济类型的当代变迁、敖鲁古雅鄂温克民族乡生态移民、吉登嘎查鄂温克族猎民村弃猎转牧三个个案的调查，展现出狩猎经济文化类型所走过的坎坷道路和猎民目前的困难处境，并探讨成功弃猎转牧的条件和途径。

马宗保、金英花的《乡村回族社区的权力结构及其功能——以宁夏南部的单家集村为例》（《西北民族研究》第4期）一文以作者在宁夏南部单家集村所做的田野调查为基础，着重运用政治社会学的理论和方法，对回族村庄社区中的权力结构及其功能进行了初步分析。作者认为，回族村庄社区中至少存在着村干部、乡老集团和阿訇阶层三种权力，这三种权力的互动与运营状况不仅关系到村庄公共资源的配置效率和国家政策在地方社会的实现程度，而且直接影响着乡村回族社区的社会秩序和现代化进程。

2005年民族史研究

刘正寅　扎　洛　方素梅

民族史作为一项基础性的学科，其发展水平和研究成果对民族研究中的其他学科都会产生影响。2005年度的中国民族史研究总体上看，在研究的选题、成果的质量和数量等方面大体保持了平稳发展的态势。尽管研究的热点依然分散，但在台湾少数民族问题、吐蕃历史等领域不乏创新之作，值得回顾与总结。

一、综合性研究

陈玉屏《略论中国古代的“天下”、“国家”和“中国”观》（《民族研究》第1期）认为，中国古代先民心目中包含“中国”和蛮、夷、戎、狄五方之民在内的“天下”具有某些现代国家的属性。“中国”一词之“中”，并非源自地域位置，而是源自“以我为中心”的政治理念。在春秋大一统学说中，“中国”和“天下”终究是要合一的。王文光《“五帝”世系与秦汉时期“华夷共祖”思想》（《中国边疆史地研究》第3期）考察了“五帝”世系和“华夷共祖”思想的具体内容，产生的历史、文化背景及其影响、意义。文章认为，《史记》构拟的“五帝”世系和所反映的“华夷共祖”观念，是秦汉时期大一统思想与实践的必然产物；它的产生和确立对后世产生了深远的影响，即使在我国群雄割据的魏晋南北朝时期，这一思想也不曾动摇；它对中华民族凝聚力的形成和发展有积极的意义。

罗贤佑主编的《历史与民族——中国边疆的政治、社会和文化》(社会科学文献出版社)一书为“中国社会科学院重点学科建设工程丛书·民族学人类学系列”之一，收入了郝时远《清代台湾原住民之民族志——〈番俗六考〉》等论文23篇。这些论文都属于民族史专题研究的范围，其中大多为新作，有些虽是刊载过的文章，但在选编时都作了或多或少的补充与修改。书中所收辑论文涉及的内容颇为广泛，既有对文献资料的揭橥，也有对历史人物的评价；既有对民族关系的阐述，也有对重大事件的剖析；既有对制度、名物、地望的考释，也有对基本史实的论定，从不同的侧面探究了民族历史中的各种问题。

崔明德的《中国古代和亲史》(人民出版社)一书，全面论述了中原王朝与少数民族政权之间、少数民族政权相互之间的和亲史实，同时也重视对具有和亲性质的跨境联姻的探讨。该书提出了“和亲文化”等新概念，并对“和亲文化”的形成、主要内容、功能及其相互影响等问题进行了阐述。从该书征引的资料来看，既有中文资料，也有少数民族文献资料，还有一些外国文献资料，凡是与和亲有关的资料，均能逐一梳理，纠正了史书记载中的一些舛误或前人研究中的一些失误。

管彦波的《文化与艺术：中国少数民族头饰文化研究》(中国经济出版社)一书，从符号学和历史民族学的角度，对民族头饰这种文化现象进行爬梳剔抉、系统研究。该书对头饰发生的思维基础与社会基础进行了深入细致的探讨；以头饰外化的物质形态和文化丛结为主纲，具体而微地揭示了中国少数民族头饰的丰富内涵；深入地探究了头饰的多维属性与社会功能，以及头饰文化与生命礼俗、文物考古、民俗心理、民族意识、语言文字、图腾崇拜等社会文化现象之间的关系。该书强调头饰的艺术性传承，从历史发展的纵向上对我国边疆地区诸如敦煌莫高窟艺术、北方契丹绘画、东北集安高句丽壁画、剑川石窟艺术、丽江东巴画上所保存和再现的中华各民族的衣冠服饰特别是发式和发髻的丰富素材，进行了逐一的揭示，而且还把头饰作为民族审美心理的一种特定符号，进行了美学意义上的探讨。

二、北方民族史研究

本年度北方民族史的研究取得了丰硕的成果，出版有多部相关专著和一批学术论文，内容涉及民族史研究的多个方面，探讨的深度和广度都有所进展。兹择要分述如下。

（一）民族族源、族别研究

族源、族别的研究是民族史研究中的重要组成部分，且难度较大，历来颇受学者关注，本年度有关族属问题的研究有专著及数篇论文推出。徐文堪著《吐火罗人起源研究》（昆仑出版社）一书，在相关考古学、人类学、分子生物学和语言学研究成果的基础上，以吐火罗语和吐火罗人以至印欧人的起源与迁徙为中心展开论述。该书系作者十余年来有关吐火罗人起源及相关问题研究的结集，分为“总论”、“揭开吐火罗人起源之谜”、“对新疆古尸的探讨”、“相关问题研究”、“基因、人群与语言”、“学术信息和相关论著评介”、“国外学者重要论著译介”以及“书目”等部分，共30余篇。马兴的《北狄渊源考》（《西北民族研究》第4期）指出先秦时期的北狄分为赤狄、白狄二支；赤狄可上溯到商代的鬼方，白狄的族源可追溯到商朝的𢀛方。文章认为过去将赤狄、白狄、长狄并列为北狄三大支的说法是错误的，长狄特指属于赤狄的鄋瞒族，长狄名号的得来是因为鄋瞒族中的几位首领个子较高而已。

陈勇的《〈史记〉所见“胡”与“匈奴”称谓考》（《民族研究》第6期）指出《史记》中所见“胡”与“匈奴”两种称谓的含义有明显差别，战国时匈奴及北亚草原各游牧部落，大多以“胡”为名。“胡”的称谓泛指或分指“诸胡”，“匈奴”的称谓则专指匈奴。文章认为秦汉之际匈奴在政治上统一了北亚草原，汉人的观念也随之发生变化，“胡”与“匈奴”两种称谓频繁互换，出现了严重的混淆。“匈奴”的称谓既指匈奴，也指汉朝北境“诸胡”。而《史记》以“匈奴”指代战国“诸胡”的做法，正是司马迁用汉人观念解释旧史的结果。

《晋书》记载公元3—4世纪在西域焉耆、龟兹一带，存在着一个叫“猃胡”的部族。马冬、吴洪琳的《猃胡与哌哒》（《西域研究》第4期）一文，通过对“猃胡”人口规模、武器装备、生存策略和族名等方面的分析，认为他们可能与后世的哌哒存在族属同源关系，并对哌哒早期历史的一些问题进行了探讨。辛迪的《段氏鲜卑起源考》（《内蒙古大学学报》第1期）认为段氏鲜卑不是由血缘部落发展而来的民族，而是由鲜卑族的段氏家族招集多个少数民族组成的地域集团，它可以被称作段部、段国，却不是鲜卑族的民族共同体。杨浣的《论〈辽史〉中的唐古部族》（《民族研究》第6期）指出《辽史》中关于党项人的称谓并不完全统一，在涉及部族时也使用“唐古”一词，认为“唐古”的族称可能是契丹借自突厥或回鹘，通常用来指那些被纳入辽朝国家体制的党项部族，这些部族主要来源于帝国早期对党项部落的扩张和掠夺战争。在行政和军事意义上，唐古诸部已经属于辽代国族（契丹人）的一种。

阻卜与鞑靼之谜堪称世纪难题，王国维力倡的阻卜即鞑靼说获得了学界的广泛认同，但他同时提出的阻卜乃鞑靼二字之有意倒置的假说，却遭到人们的普遍质疑。刘浦江的《再论阻卜与鞑靼》（《历史研究》第2期）认为，辽金汉文石刻里发现的阻卜一词的异译，为这一争讼提供了确凿的证据，说明辽、金史中的阻卜绝非元朝史臣凭空杜撰。通过对契丹小字和女真字石刻材料中阻卜一词的解读，可以推断该词原本出自契丹语，后为女真语所因袭。蔡凤林的《蒙古篾儿乞部族源考述》（《黑龙江民族丛刊》第5期）在论述古代北方东胡系民族西迁历史的基础上，认为辽金时期迄13世纪初，在蒙古草原活跃的著名的篾儿乞部人在族源上应包含有众多的西迁人之后裔。

苗普生的《塔里木盆地边缘地区的民族融合和维吾尔族的形成与发展》（《西域研究》第4期）论述了历史上不同时期塔里木盆地边缘地区居民的同化和融合状况，指出八九世纪及其以后，伴随大批操突厥语族语言的民族部落南下，以及回鹘西迁和伊斯兰教在西域的传播，塔里木盆地边缘地区的居民开始回鹘化和伊斯兰化的过程，塔里木盆地边缘地区的在政治、经济、语言、文化和宗教诸方面逐渐统一，促进近代维吾尔族的形成。钱伯泉的《畏兀儿人的族源传说研究》（《喀什师范学院学报》第1期）一文，将中外历史文献中记载的畏兀儿人的族源传说，与汉文中有关回鹘上古史的资料进行比较研究，肯定维吾尔族的族源为丁零，维吾尔族的发祥地为蒙古高原北部的色楞格河流域和蒙古高原中部的鄂尔浑河流域。胡振华的《哈卡斯部落的划分与黑龙江柯尔克孜族姓氏的来源》（《黑龙江民族丛刊》第6期）一文，介绍了哈卡斯族的形成及其部落划分的简况，并对我国黑龙江省富裕县柯尔克孜族的姓氏来源作了分析，对研究富裕县柯尔克孜族有一定的学术价值。

（二）古代民族研究

匈奴是我国的一个古代民族，在战国至秦汉时期曾活跃于北方草原地区，在中国民族史领域享有重要的位置，历来为学者所重视。武沐的《匈奴史研究》（民族出版社）一书是作者近年有关匈奴史研究的一个结集，拾遗补缺，写成了这本书。全书分族源族属篇、制度篇、杂谈篇，并附参考文献，对匈奴历史的特点、匈奴经济、社会生活以及匈奴民族发展变迁等问题，作了新的探讨。同一作者的《对匈奴收继婚制度的再探讨——匈奴婚姻制度研究之一》（《中国边疆史地研究》第1期）探讨了匈奴收继婚问题，指出它有着相当严格的法则和收继顺序，不仅是一种婚姻制度，而且还是匈奴身份继承制度的重要组成部分和一种赡养制度。何天明的《对匈奴创建政权若干问题的探讨——匈奴政权始自冒顿单于说质疑》（《内蒙古社会科学》第1期）指出，按照现在能够检索到的历史文献的记载，全面观察匈奴政权创建时期的历史，将匈奴政权列为北方民族政权建设之一是有道理的，但在匈奴建立政权的时代甚至之前，还有无其他政权存在？如同时代的月氏、东胡。文章还认为匈奴政权的创立者应该是头曼单于甚至早于头曼单于，冒顿时期是全面完善的阶段，否定了以往研究多认为是冒顿单于的观点。马利清著的《原匈奴·匈奴历史与文化的考古探索》（内蒙古大学出版社）从考古学的视角系统探寻了匈奴文化的总体特征、发展脉络以及匈奴主体民族人种及渊源，阐述了匈奴各时期的文化特点及历史发展规律。田广金、郭素新的《北方文化与匈奴文明》（江苏教育出版社）在北方文化的大背景下讨论了匈奴文明的兴衰。全书共分十章：中国北方文化地理环境；北方地区的远古文化；新石器时代北方地区的原始文化；北方地区早期文明孕育形成；夏商时期北方方国文明的出现；两周时期的夏家店上层文化；北方戎狄诸族文化；匈奴族的崛起；匈奴帝国的建立；匈奴帝国的衰亡和南匈奴归汉。

《魏书·序纪》是考察鲜卑拓跋部早期历史的珍贵史料，但是由于它所采口传史的叙事特征及其限制，也由于建立北魏之后的拓跋族在追述其先世历史时所受到的中原传统政治文化的影响，这篇历史资料包含着诸多难解之处。姚大力的《论拓跋鲜卑部的早期历史——读〈魏书·序纪〉》（《复旦学报》第 2 期）一文，在研读“序纪”的基础上，对拓跋先世史上的若干重大问题作了清理，使我们的认识能更接近当时的实况。杨军的《粟末靺鞨与渤海国》（《中国边疆史地研究》第 3 期），认为粟末靺鞨被高句丽打败以后，主体部分降隋进入中原，后随安史乱军南下居于华北地区，多融入汉族之中；一部分粟末靺鞨人投降了高句丽，在唐灭高句丽后迁居辽西，并在后来渤海建国过程中起领导作用，但其人数并不多。

肖爱民的《关于契丹左大部与右大部——契丹遥辇氏阻午可汗二十部研究之三》（《内蒙古民族大学学报》第 2 期）指出，左大部和右大部是契丹遥辇氏部落联盟和辽朝早期历史中一个悬而未决的问题，二者实际上是遥辇氏部落联盟中的两个特权部落的称号，左大部又称北大部、北大浓兀，即迭剌部，右大部即乙室部。佟宝山的《论契丹人在蒙元时代的影响》（《青海民族研究》第 3 期）认为在蒙古攻金、西征、灭宋的战争中，契丹人为蒙古统一全国做出了贡献，在元朝统一后他们“勤劳于国，诚节如一”，对元朝的文治也发挥了深远影响。

荣新江的《西域粟特移民聚落补考》（《西域研究》第2期）根据近年来考古新发现和粟特文资料的新解读成果，对粟特人在怛逻斯、碎叶、弓月、勃律、渴槃陀、于阗、楼兰、龟兹、焉耆、高昌等地留下的遗迹做了仔细的勾稽和讨论，指出不论是北方草原路上的弓月，还是南向印度的洪札河谷；不论是葱岭高原上的渴槃陀，还是塔里木盆地中的神山堡，都成为粟特人的商贸点、货物集散地甚至聚居地。

魏良弢的《突厥汗国与中亚》（《西域研究》第3期）全面论述了突厥的族源与族名、突厥的兴起、突厥汗国的形成与发展、突厥汗国的内部结构与部族构成，讨论了突厥汗国的政治制度与风俗文化，研究了突厥汗国的兴衰对中亚的影响。华涛的《喀喇汗王朝祖先传说的历史解读》（《历史研究》第6期）认为，11世纪70年代喀喇汗王室将自己的祖先与波斯传说人物阿甫剌西牙卜联系在一起，借助阿甫剌西牙卜的"突厥化"，通过与这位"突厥语部族英雄"的血缘联系，抛弃了北方草原突厥语部族原有的如狼祖先和树祖先传说的文化传统，以新的显赫身份，推动了突厥语部族的文化转型，从而形成与高昌回鹘和萨曼王朝—哥疾宁王朝—塞尔柱王朝的对抗。文章指出，这一"历史失忆"的行动，可以解释国内外学术界对喀喇汗王朝早期历史的一些争论。李树辉的《高昌回鹘王国史考辨（上）——乌古斯和回鹘研究系列之八》（《喀什师范学院学报》第2期）认为乌古斯人是东部天山地区的土著居民，高昌回鹘王国的起止时间为965—1280年，并讨论了其辖境的大致范围及其变化。

（三）历代民族政策和民族关系研究

夏增民的《西汉前中期的夷狄观与民族政策之演变》（《内蒙古民族大学学报》第6期）论述了西汉前中期关于民族关系的不同态度，或以民族平等的政治实体，或坚持"华夷之辨"，或主张建立以"五服制度"为核心的册封体制，这些思想观念随着历史的发展逐步演变，并深刻影响了这一时期的民族政策变化。侯丕勋的《哈密国“三立三绝”与明朝对吐鲁番的政策》（《中国边疆史地研究》第4期）论述了明朝前期的哈密地区哈密国与哈密卫二制并存的现象，探讨了哈密国“三立三绝”与哈密卫徙址的原因，认为吐鲁番之所以敢于“三绝”哈密国，根本在于明朝的“羁縻”政策。胡凡的《论明世宗对蒙“绝贡”政策与嘉靖年间的农牧文化冲突》（《中国边疆史地研究》第4期）论述了嘉靖年间明世宗拒绝和蒙古通贡互市，使得嘉靖十一年（1532年）以后整个北边防线战争不断，并最终导致“庚戌之变”。认为明世宗对蒙“绝贡”政策是违背历史大势的错误政策，给双方都造成了不利的影响。

余梓东的《论清朝的民族政策》（《满族研究》第3期）阐述了清代进行民族管理的政策，认为清朝民族政策的制定和实施，切合当时的社会现实和民族问题实际，有力地维护了多民族国家的统一和社会稳定，在民族事务管理和民族问题处理方面取得了巨大的成就，并对后世产生了非常深远的影响。穆崟臣的《试论清朝治理东蒙古的政策和措施》（《内蒙古社会科学》第3期）认为清朝治理东蒙古的政策及措施主要集中在政治联姻、盟旗制度、“画地而牧”与封禁蒙地、宗教控制等方面。这些政策、措施促进了当地社会的发展。刘为的《试论摄政王多尔衮的朝鲜政策》（《中国边疆史地研究》第3期）一文认为，从顺治元年开始，摄政王多尔衮成为清朝主要决策者，及时调整了朝鲜政策，使得清与朝鲜的关系由征服与被征服者的关系开始向传统的宗藩关系转变。文章主要从多尔衮摄政这一时期对皇太极制定的朝鲜政策的继承与调整以及其个人对政策实施的影响两个层面来阐述天聪年间至顺治初年的清廷对朝政策。柳岳武的《康乾盛世下清廷对准噶尔投诚人政策研究》（《青海民族研究》第4期）研究了康乾盛世下的准部投诚人政策，探讨了康、雍、乾三代帝王是如何运用投诚人政策来为统一大业服务的。

李大龙的《简论曹操对乌桓的征讨及意义》（《史学集刊》第3期）指出乌桓和袁绍势力的联合是导致曹操征讨乌桓的主要原因之

一；曹操北征乌桓的胜利，不仅将北疆分立的各政权纳入自己的管辖之下，实现了对北部地区的统一，而且为整军南下对付割据南方的孙权、刘备等解除了后顾之忧，但更重要的是中断了乌桓实现民族统一的历史进程，为乌桓人最终融合于汉等其他民族提供了前提。刘国石的《十六国时期少数民族贵族的汉文化修养》（《社会科学战线》第6期），通过对十六国时期包括匈奴、卢水胡、羯族、鲜卑慕容氏、秃发氏、氐族、羌族等少数民族贵族的论述，认为当时接受汉文化是北方少数民族的普遍现象，对于缓和北方民族关系和促进民族融合、北方统一准备了条件。

李强、梁俊涛的《从宿卫制度看唐朝的民族关系》（《青海民族研究》第3期）探讨了唐朝经略边疆的宿卫制度，指出唐蕃双方都利用此制度来对对方施加影响，其中唐朝所得利益最大，但它强调华夷之别必将导致民族离心，并非长治久安之策。杨铭的《唐代吐蕃与突厥、回纥关系述略》（《西南民族大学学报》第6期）指出，在吐蕃攻占河陇及西域的过程中，曾与活动于这一地区的突厥、回纥等西北民族密切交往，双方在政治、经济、文化上相互影响，吸取对方民族的文化精华，客观上有益于各民族的文化交融和中华文化的形成与发展。同一作者的《吐蕃统治鄯善再探》（《西域研究》第2期）一文，引用一批新近刊布的古藏文写本材料，对鄯善出土的古藏文文书、吐蕃驻鄯善的部落、官吏系统等，作了进一步研究。王继平、杨富学的《唐宋时代回鹘社会的发展与转型》（《新疆大学学报》第2期）阐述了回鹘的西迁与汗国的建立和瓦解的过程，提出由于受唐朝影响，回鹘社会的经济、文化面貌和民族性格发生转变，兼有农耕文化和草原型文化，易于接受来自中原的、西藏的、印度的、波斯的、中亚的不同文化，为北方草原民族所接受，这正是西夏、蒙古在立国之初重用回鹘人的重要原因。

秦永章的《甘宁青地区多民族格局形成史研究》（民族出版社）是一部从西北甘宁青地区多民族关系史的角度来阐述“中华民族多元一体格局”理论的专著。该书以元、明、清三个历史时代为经，以各民族的发展状况及政治、经济、文化等方面的民族关系为纬，在广泛收集征引有关史料、吸纳前人研究成果的基础上，多视角、多层面地对甘宁青地区多民族分布格局形成的历史过程进行了探讨，分析总结了这一地区多民族分布格局形成的诸多原因与特点。任崇岳的《元代中原地区的民族融合》（《中州学刊》第5期）认为，蒙古人入居中原后实行汉法，提倡理学，促进了蒙汉之间的文化交流，而迁徙、通婚、赐姓名以及对汉文化的认同，则加速了民族融合的进程；元朝末年，契丹人、女真人、西夏人已融入汉族，蒙古族虽未被融合，但语言、服饰、风俗习惯已和汉人无异了。蔡凤林的《元西域人蒙古化考》（《内蒙古民族大学学报》第1期）论述了13世纪初蒙古帝国军队西征后，西域人移居蒙古草原并接受蒙古文化融化为蒙古人之一部分的过程。到北元时期，在蒙古各部中仍有很多西域部族名称存在，但实质上已作为地道的蒙古人出现，并积极参与北元政治军事活动。

路虹的《明代宁夏镇“哱拜之乱”述论》（《宁夏社会科学》第1期）论述了明朝以镇压叛乱为核心，对河套、松山地区蒙古诸部犯边活动进行反击的“哱拜之变”的过程及其意义。李文君的《浅析西海蒙古与明朝的通贡互市》（《青海民族研究》第2期）指出西海蒙古多次向明朝求贡，但都遭到拒绝，隆庆年间明蒙议和后，才获得了与明朝互市的权利。齐清顺的《18世纪前半期清朝与准噶尔对吐鲁番地区的争夺》（《西域研究》第1期）详细论述了18世纪前半期，清朝在统一天山南北过程中与准噶尔政权为争夺吐鲁番地区的控制权而进行长期战争的过程，双方政治、军事斗争较量的结果，最终以清朝消灭准噶尔政权、统一天山南北，并确立在吐鲁番地区的统治地位而告终。郭欣婷的《浅析清政府平定准噶尔叛乱前后与哈萨克诸部的关系》（《伊犁师范学院学报》第2期）通过众多的历史材料阐明清政府在与哈萨克的接触之初以及在平剿叛乱中，二者的关系得以改善和进一步发展，表明历史上清政府与哈萨克诸部友好相处的事实及清廷对西部边疆和平、稳定的关注。栾凡的《清前期的满族民族意识与满汉文化交融》（《学习与探索》第1期）认为，满族建立的清王朝面对汉文化，不是被迫地同化，而是积极主动地学习接受汉文化，同时还自觉地、清醒地抵拒汉文化的包容和侵蚀，极力保持满族本色，利用本民族的政治优势，按照本民族的民族意识将满族文化的影响渗透到汉文化之中，在汉文化厚重的画布上涂抹本民族的色彩，使满汉文化的交流在一个新的层面、新的内涵上达到最终的融合。

（四）政治制度史研究

李大龙的《西汉王朝藩属体制的建立和维系》（《学习与探索》第3期）指出，西汉上承秦制，不仅在中原地区因袭郡县统治体制，而且还将边疆民族纳入统治范围。处理与边疆民族的关系是西汉王朝构筑藩属体制的主要目的，也是其边疆政策的重要内容。西汉初期建立的由“藩臣”、“外臣”、“敌国”构成的藩属体制，其建立基础极不稳固，武帝以后藩属体制逐步趋于完善，确立了以藩属郡县化、设置属国、特设管理机构、外围藩属体系为核心的一套新的藩属体制。这套藩属体制所建立的不同管理方式对维护中原地区乃至边疆地区的安定起到了重要作用，而管理方式的不断内地化则表明西汉统治区域不断向边疆拓展，中国古代疆域就是在这种边疆内地化趋势中逐渐形成的。李炳泉的《两汉农都尉的设置数额及其隶属关系》（《中国边疆史地研究》第2期）对两汉农都尉进行了研究，认为它是设在边郡专门主持屯田事务的长官，并对其始置时间、初设地点和发展格局及其职守进行了探讨。

曹旭东的《东汉初年西北边郡的省并与徙吏民问题》（《中国历史地理论丛》第2期）阐释了省郡、徙民、徙吏的意义，边郡的放弃，意味着行政体系在空间上的收缩；徙民则是指农耕居民向内地迁移，意味着农耕区的内缩；徙吏则体现了行政机构的撤销，意味着行政建制的部分省弃，认为省郡可以涵盖徙民与徙吏，但是徙吏民并不代表省郡。作者还指出东汉初年的省郡和徙吏民并非消极退让之举，而是保民安边之策，并为西北边防形势的好转创造了条件。

杨红伟、沈祯云的《汉唐明时期中原王朝在西北的边防设置述要——兼论西北开发的重要意义》(《宁夏大学学报》第6期)叙述了汉唐明中央王朝在西北地区构筑了大量的军事设施及其意义，认为实施西北开发对于维护国家稳定与国家安全有重大意义。

李文学、王希隆的《吐谷浑地方统治制度的演变》(《民族研究》第5期)对吐谷浑的地方统治制度进行了系统研究，指出其地方统治制度大约经历了三个发展阶段，即酋邦部落制，酋邦、宗族部落制并行和汗国宗族部落制阶段，并对各阶段涉及的一些具体问题进行了考证。李方的《关于唐西州蒲昌府问题》(《西域研究》第3期)主要讨论唐代西州蒲昌府的等级问题，作者从蒲昌府的地团、蒲昌府的员外折冲和员外果毅、蒲昌府官员的仗身人数、出土文书的有关记载四个方面进行了论证，认为应该是上府，而不是以往研究者认为的中府或下府，文章还对蒲昌府官员的身份及辖境的镇、戍等军事机构进行了探讨。

程尼娜的《元朝对黑龙江下游女真水达达地区统辖研究》(《中国边疆史地研究》第2期)探讨了元朝对东北东部与北部边远地区的女真水达达人聚居地的管理，初设女直水达达等处宣抚司、女直水达达万户府，后独立建置女真水达达路，下辖万户府和千户所，“随俗而治”。蒙古统治者在占领女真水达达地区后，还设立了军事统辖机构征东招讨司，驻军镇守东北边陲。乌云毕力格的《喀喇沁万户研究》(内蒙古人民出版社)以历史的批判的研究法，对有关喀喇沁万户的17世纪蒙古文文书、满文档案和汉文档案进行充分研究，对喀喇沁万户的形成、发展、灭亡各阶段一些重要问题提出自己的见解。李文君的《西海蒙古中的永谢布》(《内蒙古师范大学学报》第6期)论述了蒙古右翼三万户之一的永谢布。它的一部分部众在明朝中期移居西海，在永邵卜大成台吉等首领的领导下，一度成为西海最强盛的蒙古部落，后因与火落赤的内讧而衰落，最终为固始汗收编。

杜家骥的《清朝满族的皇家宗法与其皇位继承制度》（《清史研究》第1期）一文认为满族皇家宗法的特点是严嫡庶之分、长幼之序，清初尤为明显，汗（皇）位传承及竞争只在嫡出者之间进行，且有一个由兄终弟及向父死子继的转变过程，这与辽、金、元等少数民族政权及汉族早期王朝的情况相同，符合一般规律。清入关后，皇子之间嫡庶身份差别趋于缩小，在废嫡或无嫡的情况下皇位传于庶出者，与两汉、唐、两宋、明等朝多庶出者继承皇位的状况也相同。邸永君的《清代满蒙翰林群体研究》（黑龙江人民出版社）一书指出，清代翰林中包括了规模可观的满洲、蒙古和八旗汉军籍成员，是中国历史上规模最为庞大的少数民族高级文官集团和上层知识分子群体，使清朝的翰林乃至整个士大夫集团出现了与历朝历代以汉族翰林为主的士大夫群体不同的性质与特征。该书将对社会群体的研究与制度史的研究结合在一起，是在对制度研究的基础上进行的群体研究，二者相辅相成，相得益彰。该书还注意到满蒙翰林群体与传统意义上的汉族士大夫群体在性质上的不同。

1634年，后金将大部分察哈尔人编入八旗，形成八旗察哈尔；又封林丹汗子额哲为和硕亲王，以其直属部众编旗，设立察哈尔旗。达力扎布的《清代察哈尔扎萨克旗考》（《历史研究》第5期）指出，从蒙古文档案记载可知，察哈尔旗是一个外藩扎萨克旗。现存蒙古文察哈尔官员世职敕书进一步证明，察哈尔旗的职官和待遇始终与其他外藩扎萨克旗相同。察哈尔旗的后两任扎萨克阿布鼐和布尔尼父子作为蒙古大汗后裔，不甘于屈从清朝的统治，导致了察哈尔旗的覆灭。

田卫疆的《关于明代吐鲁番史若干问题的探讨》（《中国边疆史地研究》第3期）对明代东察合台汗国如何完成对吐鲁番地区政教合一的统治，占据吐鲁番的蒙古汗与明王朝争夺哈密卫的原因和结果，以及16世纪以后吐鲁番地区政局的衍变对于同时期西域整个局势的影响等几个问题进行了深入的研究探讨。王东平的《关于清代回疆伯克制度的几个问题》（《民族研究》第1期）对清朝回疆的伯克制度进行了进一步深入探讨，运用新材料考订伯克制度的名称、实际执掌及其变化，提出了新的见解。张世才的《清代新疆“燕齐”制度的起源——兼议indjŭ（引者）制度研究》（《新疆大学学报》第6期）认为清代天山以南维吾尔社会的“燕齐”制度来自indjŭ制度，indjŭ一词当起源于突厥语，而13—14世纪波斯与高昌畏兀儿地区的indjŭ制度则与蒙古入侵有直接关系。“燕齐”制度实际上经历了一个历史发展的过程。

（五）经济史研究

周伟洲的《两汉时期新疆的经济开发》（《中国边疆史地研究》第1期）根据历史文献和考古资料，论述两汉时期西域诸城郭人口、城镇和经济状况的发展变化，以及两汉政权一系列开发西域的措施，揭示这一时期西域经济开发的概貌和成就，认为这是新疆历史上第一次开发高潮。李清凌的《隋唐五代时期西北的经济开发思想》（《西北师大学报》第6期）认为隋唐五代时期军需供应是官方开发西北经济的动因和动力，中央王朝在西北屯田以益军储、养马以壮国威、贸易以睦四邻的开发思路和实践，对后代开发西北经济提供了经验，对调节民族关系、促进民族心理认同等都具有非常重要的意义。

张久献、段小强的《晚唐五代敦煌寺院与中原田庄比较研究》（《西北民族研究》第2期）通过晚唐五代时期敦煌寺院与中原田庄在阶级构成、经济生产、社会关系等方面的比较，认为此时之敦煌寺院为不完全之田庄。

关于金代银铤上常见的“使司”戳记，学界有不同解释。或谓“使司”是检验戳记，此类银铤的性质是称量货币；或谓“使司”银铤是转运司或盐使司的税银。刘浦江的《金代“使司”银铤考释》（《中国历史文物》第2期）认为“使司”系盐使司之外其他诸使司的通称，凡此类银铤皆为“院务税”、“院务课程”，其性质属于征榷税银。杨蕤的《北宋初期党项内附初探》（《民族研究》第4期）认为北宋初期党项内附凸显了宋夏沿边地区农牧并举的经济形态，引起宋夏沿边人口的增加，使大面积山地得到开垦，对当地的生态环境以及下游的黄河泛滥产生一定影响。史金波的《西夏农业租税考——西夏文农业租税文书译释》（《历史研究》第1期）指出，新发现的部分草书西夏文租税文书说明，西夏黑水城地区有以耕地多少缴纳农业税的固定税制，缴纳杂粮和小麦的比例为4∶1；西夏的“佣”和有地区特点的“草”也以耕地多少负担，农户的租、佣、草账是逐户登记，以迁溜（类似“里”）为单位统计造册；西夏农户还有负担较重的人头税；西夏实行以耕地为标准的实物租税，秋后统一征收，然后入库管理。

朱普选的《明清河湟地区城镇的形成与发展》（《西北民族研究》第3期）从政治、军事、贸易、宗教四个方面，分析了河湟地区在明清时期城镇演变过程中的作用，认为政治军事因素是城镇演变的主要因素，民族贸易的作用不容忽视，宗教的社会影响虽然很大，但在城镇演变中的作用并不明显。梁丽霞的《清前期阿拉善蒙古盐务述论》（《民族研究》第2期）以阿拉善左旗档案馆馆藏清代档案为主要资料，结合同时代其他历史资料，理清清前期阿拉善蒙盐发展的轨迹，通过对阿拉善蒙盐不同发展时期和若干发展阶段的分析，探讨了其对内地相关盐区的影响，剖析了清政府对其态度及政策的转变等相关问题。

周卫平、孟楠的《清末新疆禁毒研究》（《中国边疆史地研究》第1期）探析了清朝末年新疆烟毒泛滥的情况、历史原因以及新疆地方政府采取的禁毒措施，并总结了禁毒的经验教训。关毅的《盛世才主政新疆时期的农牧业政策及其成效述论》（《新疆大学学报》第2期）主要论述了盛世才主政时期（1933—1944年），任用毛泽民等中国共产党人担任财政经济方面的工作，同苏联合作，引进先进技术和人才，采取恢复和发展农牧业的政策和措施，这不仅有利于巩固盛世才的统治地位，而且为新疆农牧业机械化和畜牧业的改良奠定了一定基础。魏长洪、周红的《新疆三区革命后期的经济建设》（《新疆大学学报》第1期）指出，三区革命政府从农牧业生产、财政金融整顿和工商交通发展方面取得了经济建设的恢复与发展。

（六）社会文化史研究

刘文锁的《说一件佉卢文离婚契》（《西域研究》第3期）研究了新近调查得到的一件佉卢文离婚契约的格式、内容，由此分析3—4世纪之精绝及鄯善所实行的婚姻法及离婚问题，认为在财产关系处置和女方在离婚中所具有的主动地位为其明显特征，这与敦煌“放妻书”所反映的婚姻文化有很大差异，但与中亚粟特地区有某种相似性。葛承雍的《论唐代长安西域移民的生活环境》（《西域研究》第3期）从唐人对待藩将、胡艺、胡商、胡俗等的态度阐述了唐代长安西域移民的社会生活环境变迁，由初唐的胡汉融和到盛唐的大国心态，逐渐变化为中唐“屈辱”的社会心理与晚唐的受到排挤、被压制的变化。

秦升阳的《高句丽法律问题研究》（《中国边疆史地研究》第3期）以典籍中的一些记载和有关史实为依据，对高句丽的法律内容作出概括、论证，揭示了高句丽法律和司法的特征：渊源的多元性、内容的原始性、实施的残酷性。《喀尔喀法规》是一部清代喀尔喀地方法规的汇编，达力扎布的《〈喀尔喀法规〉制定原因及实施范围初探》（《中央民族大学学报》第1期）认为，清廷为笼络喀尔喀部哲布尊丹巴呼图克图，稳定喀尔喀，允许土谢图汗等部王公制定了这部法规。该法规有关哲布尊丹巴呼图克图特权和宗教事务方面的内容被奉行于整个喀尔喀。世俗方面的内容，主要在哲布尊丹巴呼图克图大库伦和土谢图汗部实行，后来只限于大库伦内。策·巴图的《〈蒙古——卫拉特法典〉与蒙古族传统的财产分配习俗》（《新疆大学学报》第6期）一文，对《蒙古——卫拉特法典》中的财产分配法与蒙古族传统财产分配习惯进行了对比和分析，以相关文献记载为例阐述二者的关系、发展趋势和社会作用。王欣的《〈回疆则例〉研究》（《中国边疆史地研究》第3期）主要研究新疆建省前清朝处理新疆南部民族事务的地方性民族法规《回疆则例》，认为《回疆则例》的修订反映了清朝对新疆治理的不断深入，还充分体现了清朝“因俗而治”的统治思想，及在多元文化背景下新疆各种法律文化之间的互相调整与适应，并对其历史作用进行了探讨。

郑小容的《慕容鲜卑汉化过程中所保留的本族文化》（《西南民族大学学报》第2期）考察了慕容鲜卑在汉化的同时所保留的牧业、本民族语言、族内婚等本族文化，从同化量化标准的角度给予解释，指出由于汉族社会组织的封闭性，慕容鲜卑汉化的途径只能是从外部学习汉族文化，最后把自己的社区变成与汉族相同的社区；汉化不等于非汉族文化变为零，因为汉族文化本身不统一，中国地方文化系统可以兼容一些非汉族文化因素。杨富学的《少数民族对古代敦煌文化的贡献》（《敦煌学辑刊》第2期）从探讨“敦煌”与“莫高窟”的名与义入手，论述了古代少数民族对敦煌文化的贡献，并分别对敦煌历史上活动时间长、文化遗产保留多而且影响比较大的几个民族（月氏、吐蕃、粟特、回鹘、西夏等）的历史文化贡献进行了钩稽，论述了敦煌少数民族在中西文化交流史上的能动作用。

姚崇新的《唐代西州的私学与教材——唐代西州的教育之二》（《西域研究》第1期）对西州的私学资料进行分析研究，丰富了我们对唐代私学教育的认识，指出西州的教材具备一定“地方特色”，可能与高昌国的文化传承有关。乌兰的《托忒学——清朝有关边疆民族的专门教育机构》（《中国边疆史地研究》第2期）主要考察了“托忒学”产生的时代背景、设置经过及其建制，分析了其与卫拉特蒙古的强盛及托忒文在中亚诸民族中盛行的关系，指出这是当时外交政治形势的需要。

准噶尔汗国时期是卫拉特蒙古的重要发展阶段，在政治、经济、文化的各个方面都做出了重大的贡献，创造出丰富、绚丽的文化财富。刘正寅的《准噶尔汗国的建筑、绘画、书法及书籍艺术》（《卫拉特研究》第1期）一文结合相关史料，阐述了准噶尔汗国期的建筑、绘画、书法和书籍艺术等方面的发展与贡献。耿世民的《古代维吾尔族的书写文化》(《喀什师范学院学报》第2期)根据作者多年从事古代维吾尔古文献研究的经验，概述了古代维吾尔族古代文献的形式、种类，使用的文字、插图、纪年以及书写材料、使用的工具等。厉声、许建英的《近代以来新疆艺术述论(1840年——1999年)》(《中国边疆史地研究》第2期)分阶段对各艺术种类的演变概括研究，探讨了新疆艺术和中国政治社会变化关系密切；虽然新疆艺术受东、西方文化和艺术潮流的影响，但是此时期中国内地艺术的影响深刻而全面。

史金波的《最早的藏文木刻本考略》(《中国藏学》第4期)认为最早的藏文木刻本书籍应该出自西夏。自吐蕃时代佛教传入西藏以来，可以推测吐蕃社会一直具有大规模刻印佛经的需求，然而，长期以来似乎未发现明代以前的藏文刻本，给学术界留下难解之谜。作者在研究俄藏黑水城西夏文献时发现了多种藏文刻本以及木刻本护轮图。其中藏文刻本的装订包括梵夹装、蝴蝶装等。西夏时代藏文刻本的发现对研究藏族文化史具有重要意义，同时也表现出当时我国各民族之间文化交流的状况。

(七)宗教史研究

季羡林的《鸠摩罗什时代及其前后龟兹和焉耆两地的佛教信仰》(《孔子研究》第6期)指出佛教传入中国初期，龟兹和焉耆曾起过中介作用。鸠摩罗什前，龟兹佛教已进入前期鼎盛，此时统治龟兹的是小乘律。鸠摩罗什学问由小乘转为大乘，是其一生极为重要的关头，这期间，龟兹戒律也转为大乘，此为罗什影响所致。鸠摩罗什后，龟兹和焉耆两地的佛教依然兴盛，只是龟兹已渐转为小乘律了。薛宗正的《古代于阗与佛法初传》(《西北民族研究》第2期)指出古代于阗的三个名称于寘、于阗与瞿萨旦那，于寘是他称，是主要反映当地居民之一的族名；于阗是城邦自称，主要反映城邦名及其同美玉之乡的历史联系；瞿萨旦那则是塞人入主和田绿洲所建王朝名，亦即汉文史书中的于阗尉迟氏王朝。在瞿萨旦那第二代君休莫霸时期，佛教东传，至魏、晋时期，于阗才成为西域的大乘佛教中心。

崔红芬的《浅析西夏河西佛教兴盛的原因》（《敦煌学辑刊》第2期）从河西地区佛教基础、西夏与吐蕃的历史渊源、民族政权、境内民族信仰、统治者的提倡和河西地区相对稳定的环境等几个方面论述了西夏佛教兴盛的原因。史金波的《西夏文物的民族和宗教特点》（《中国历史文物》第2期）指出，西夏是多民族王朝，西夏文物从人物形象、服饰、生产、生活、文字、科技、丧葬等方面都反映出多民族的特点，以及各民族间的交流与融合，其石窟、塔寺、文献、雕塑、绘画等还反映出以佛教为主，兼有道教和原始宗教的宗教信仰特点。崔云胜的《酒泉、张掖的西夏土主信仰》（《宁夏社会科学》第3期）考证得出西夏土主庙祭祀的是西夏齐国忠武王李彦宗，认为西夏统治者用羌人最崇拜的图腾标志，把李彦宗神化了，企图透过他彰显本民族的特性。

赵志忠的《北方民族与萨满教》（《黑龙江民族丛刊》第3期）从北方古代民族的萨满教信仰论起，直到现代民族的萨满教传承与遗存，对北方民族与萨满教的关系进行了阐述。孟凡云的《耶律阿保机的神化活动及特点》（《北方文物》第4期）指出耶律阿保机在契丹族内外矛盾尖锐之际，以萨满教为基础，并利用萨满教引进新的宗教理论和实践规范，进行了一系列的神化活动，提高自己的威信和号召力，达到了化家为国的目的。那木吉拉的《额尔古涅—昆传说的神话原型——蒙古、突厥语民族狼图腾神话传说探讨》（《中央民族大学学报》第1期）分析该传说的历史文化内涵，与古代突厥语民族狼图腾神话比较，指出此类神话传说不一定是突厥语民族所独有，更不是蒙古“拾突厥之唾余”。李进新的《萨满教在新疆少数民族中的遗留》（《新疆大学学报》第4期）探讨了古代西域信仰萨满教的情况，以及后来其他宗教兴起后，萨满教的习俗观念也保留，萨满教巫师宗教活动仪式及祭祀、文化生活等情况，反映了这种原始宗教形态在新疆地区长期流行并与其他宗教交融、吸收的结果，不会很快消失。

丁明俊的《阿拉善草原信仰伊斯兰教的蒙古族穆斯林》（《西北民族研究》第4期）着重对蒙古族穆斯林的历史来源、伊斯兰教在阿拉善左旗蒙古族穆斯林中的传播与发展、民族认同进行探讨。

（八）边疆史地研究

马大正的《东北边疆历史研究的回顾与思考》（《北华大学学报》第1期）认为近年来关于东北边疆历史问题的研究日益引起学者们的关注，成就斐然，研究领域不断拓展，科研纷纷立项并完成，已经成为我国边疆研究不可或缺的重要组成部分，但同时也存在着一些问题，如未能将东北边疆历史研究置于中国边疆研究全局中加以考察、研究力量分散、研究工作易受外界因素干扰等等，在以后的研究工作中应予以加强和改进。

宋秀英、李大龙的《刘渊政权的出现与北疆民族主动认同“中国”的开始——中国古代疆域形成理论探讨之二》（《中国边疆史地研究》第2期），认为匈奴人刘渊建立的汉政权的出现既是匈奴人长期和汉族保持密切关系的结果，同时也是匈奴人认同“中国”，并进而主动进入中华民族形成历程的标志；汉政权的出现对中国古代疆域形成的影响是巨大的，不仅促进了北疆民族之间的融合，推动了中国传统治边思想和方式的发展，而且也是边疆民族主动进入中华民族形成历程的开始，由此也奠定了北疆和中原地区融为一体的牢固基础。

王小甫的《新罗北界与唐朝辽东》（《史学集刊》第3期）一文指出，有唐一代辽东即鸭绿江南北的高句丽故地主体仍然属于中原王朝，渤海国仅据有一部分高句丽旧地，认为所谓“统一新罗与渤海国的相互敌对很像一个被分割国家的南北两部分”这样的说法是对历史的误解。

余太山的《裴矩〈西域图记〉所见敦煌至西海的“三道”》（《西域研究》第4期）对《西域图记》的成书年代、撰写目的及所述的敦煌至西海间北道、中道、南道所经诸地进行了详尽考证。艾冲的《唐代河曲粟特人“六胡州”治城的探索》（《民族研究》第6期）通过分析粟特人移居区“六胡州”及其后继行政建制的沿革，并结合历史文献记载、文物普查和实地调研资料，说明粟特人“六胡州”地区行政单位的治城前后共有12处，文章还重点探索了各个府州城的地理位置。薛宗正的《从疏勒到伽师祇离》（《新疆社会科学》第2期）指出，疏勒初本汉代喀什噶尔地区诸城邦之一，因班超定西域曾以此为据点，遂知名汉史，直至唐朝，都误以为是今喀什噶尔地区的统称。其实，这一地区的历史上族群变化很大，疏勒称霸仅乃西汉末至东汉初年事，至臣磐入主喀什噶尔，渠沙已取代疏勒成为这一地区的盟主，其后又出现了竭石、奇沙、伽师祇离、伽师佶黎等新名称，今喀什噶尔即竭石、伽师祇离、伽师佶黎的继承和演变。

钱伯泉的《“塔克拉玛干”的历史及名称含义》（《新疆大学学报》第4期）通过历史文献的研究和语言学的分析，追溯“塔克拉玛干”的历史，澄清人们对“塔克拉玛干”含义的误解。樊明方《唐努乌梁海历史研究》（中国社会科学出版社）论述了唐朝以来中国历代政府对该地区的统治，重点论述了清政府对唐努乌梁海的有效管辖以及中俄条约所确定的唐努乌梁海一带的中俄边境线走向。贺灵的《西域历史地名浅论》（《西北民族研究》第1期）论述了西域历史地名文化的地位，西域历史地名产生和形成的基础及其阶段性特点，西域历史地名的文化意义和历史价值、其他特点和构成形式等。

樊明方的《清末外蒙新政述评》（《西域研究》第1期）论述了20世纪初清政府面对外蒙地区落后的经济状况和深重的边疆危机推行“新政”的问题，探讨了外蒙古新政的意义和结果。同一作者《海山与1911年外蒙古“独立”》（《中国边疆史地研究》第4期）论述了海山在策划1911年外蒙古“独立”过程中的角色及其活动，说明他是借外蒙古“独立”牟取私利的投机分子。

（九）文献研究

余太山撰《两汉魏晋南北朝正史西域传要注》（中华书局）一书，包括《史记·大宛列传》要注、《汉书·西域传》要注、《魏书·西域传》要注等，为两汉魏晋南北朝正史西域传有关西域的记载提供了一个系统的注解。李锦绣《〈通典·边防典〉“吐火罗”条史料来源与〈西域图记〉》（《西域研究》第4期）对《通典·边防典》“吐火罗”条史料来源进行较详细的注释，并复原了《西域图记》有关吐火罗国的一条佚文，探讨了《隋书·西域传》与《西域图记》的关系及《通典·边防典》“西戎”门的编纂特点。韩世明、都兴智校注《〈金史〉之〈食货志〉与〈百官志〉校注》（中国社会科学出版社）一书，以1975年中华书局点校本《金史》为底本，并参考其他版本。书中涉及少数民族的人物则注明其族属，如女真人、契丹人、渤海人等；属不同政权的人物亦注明其国别，如宋人、西夏人、高丽人等。该书汇集古今有关《金史·食货志》和《百官志》研究的主要成果，反映了迄今为止对两志研究的状况。

耿世民的《古代突厥文碑铭的发现和解读研究》（《西北民族研究》第1期）综述了古代突厥文碑铭的发现和解读研究情况，为进一步的深入研究奠定了基础。王媛媛的《新出汉文〈下部赞〉残片与高昌回鹘的汉人摩尼教团》（《西域研究》第2期）根据目前已发表的几件吐鲁番汉文摩尼教文献的内容和时代，以及吐峪沟的摩尼教洞窟，整理了在大谷文书中心新发现的一件汉文摩尼教《下部赞》残片，推测该残片出土于吐鲁番盆地，大致为公元9世纪前后的抄本，它的出现进一步证实了高昌回鹘境内汉人摩尼教团的存在。在山田信夫刊布的回鹘文买卖契约中，有一个词出现过六次，它的转写字有三种，均译作“甥”。刘戈的《释回鹘文契约中的yǔgǔn》（《民族研究》第6期）则认为汉译应该是“嫂子”或“婶子”，这个词组多出现在违约赔偿的句子里，即发生了违约现象，当事人的兄弟、子女、嫂（婶）子、叔（舅）都要承当后果。这个现象反映出在古代吐鲁番的普通家庭里，作为妇女的嫂子或婶子是有一定的社会地位的。

薄音湖的《明美岱召泰和门石刻考》（《民族研究》第5期）依据更为充分的史料和更广阔的视角，对明代蒙古土默特地区的美岱召泰和门石刻文字中的“元后”、“敕封”、“大成台吉”、“五兰妣吉”、“大明金国”等词语和人物做了进一步的研究，提出了自己的见解，旨在使这份弥足珍贵的石刻文字在明代蒙古史研究中起到更大的作用。党宝海的《关于元朝犹太人的汉文史料》（《中国史研究》第3期）回顾了学界对元朝犹太人的研究，包括术忽、主鹘、竹忽、主吾等不同译名的来源以及政书、正史、文集、碑刻中关于元朝犹太人的记载；文章第二部分论述了元至正四年（1344年）刊本《至正金陵新志》中的江南行御史台监察御史珠笏氏亦思哈为犹太人，他的名字可构拟为Isaac；本文第三部分以“亦思哈”人名为线索，检索了元明碑刻、文集、方志中的有关资料，指出充分利用上述文献有助于将相关研究推向深入。何启龙的《哈勒不浑－巴勒哈孙古城出土蒙文佛经之中的蒙元因素》（《西北民族研究》第2期）考察了哈勒不浑－巴勒哈孙古城出土的蒙文佛经所使用的字母、译音和文章格式，判定它们源自蒙元时代。

阿布尔·哈齐·把阿秃儿汗著、罗贤佑译的《突厥世系》（中华书局）是有关内陆亚洲史的最重要最基本的史料之一。该书于17世纪中叶用察合台突厥文写成，内容涉及广泛，对内陆亚洲史、蒙古史、中国西北民族史研究等都具有极其重要的参考价值。我国学术界早就对这一史著给予高度的重视，但由于能够阅读察合台文或法文的学者并不多见，致使这部珍贵的史料文献在国内并没有能得到充分的利用。汉译本的出版大大方便了学界对这一重要史料的使用，从而推动我国中亚史、蒙古史、民族史等诸多有关领域研究的进一步深入展开。

（清）徐松著、朱玉麒整理的《西域水道记》（外二种，中华书局），是有关西域历史地理的名作。“外二种”为《汉书西域传补注》、《新疆赋》。三种著作体裁各异，对象相同，内容有机相连。

《西域水道记》记载西域各条河流发源、流域、所入湖泊等详细地理资料，对流域内的政区建置沿革、典章制度、厂矿牧场、卡伦军台、名胜古迹、重要史实、民族变迁等都有详细的考证。而《汉书西域传补注》的撰述，考订古代地名沿革，以今证古，与《西域水道记》注重当代地理互有分工。《新疆赋》记叙乾隆以来平定西域，开疆辟土的功绩，也对新疆南北二路的山川地理作了提纲挈领的描述。中华书局《西域水道记》（外二种）利用徐松手定稿本、修订本作汇校整理，将徐松的签改、修订按体例加以整合。

（十）其他

王继光、刘迎胜在《中国古代北方民族史的学科体系》（《西北民族研究》第 4 期）一文中谈及《中国古代北方民族史》的编撰设想，认为该书要打破现行北方民族史或以中原王朝断代，或分民族叙述的编写框架，始于匈奴族的崛起及与中原民族的明确分野，终于明清王朝的北方经略和北方民族格局的形成。探索中国北方民族变迁的大趋势，建立新的体系结构，以展现中国北方民族史发展的主线与规律。

水涛的《西域史前文明发展的若干理论问题》（《西域研究》第 4 期）对涉及西域史前文明发展的理论问题进行了讨论，探讨了西域史前文明的主要特点，指出西域史前文明的发展演变在于不断接受来自周边地区古代文明中心的影响作用，同时，也受环境因素的极大制约。

屈文军的《元史领域有待加强研究的几个宏观问题》（《西北师大学报》第 4 期）指出，元史学界对如下几个宏观问题的探讨不够深入，需要加强研究。（1）大蒙古国与历史上蒙古高原游牧政权有根本区别的社会制度是怎样形成的；（2）大蒙古国的政治制度是如何过渡到元朝的政治制度的；（3）元代的经济在中国经济史上的地位如何；（4）元代汉族知识阶层是怎样看待蒙元王朝统治的合法性的？

三、南方民族史研究

本年度南方民族史研究关注的论题与往年大体雷同，主要集中在古代民族源流、吐蕃史、民族政策、民族关系、土司制度、台湾少数民族等领域，其中在吐蕃史和台湾少数民族研究领域取得了可喜的进展。

（一）古代民族研究

本年度学术界对于南方古代民族的研究，主要包括源流、族称、迁徙与融合等方面的内容。

关于楚人的渊源，学术界众说纷纭，主要有东来说、西来说、苗蛮土著说、中原北来说等，其中又以苗蛮土著说、中原北来说为主。造成这样的分歧，主要是源于记载传说时代材料的紊乱而形成不同的理解。赵炳清的《楚人先民溯源略论》（《民族研究》第1期）认为在传说时代，不管是诸夏集团、东夷集团、西羌集团还是三苗集团都不是纯铁板一块，而是一个动态的相互交融的局面。因此，本文结合文献资料、考古资料和民俗资料，论述了楚人先民的演变发展过程，证实楚人的族源是多元的，并认为楚人先民的南迁当于禹征三苗之时。

林亦修的《东瓯的族群迁徙与融合过程述论》（《贵州民族研究》第2期）探讨了浙南东瓯族群迁徙与融合经历了瓯人、徐人、瓯越、东瓯、东越、山越等过程，提出：温州自古就有原始族群生活，瓯人是夏、商、周时期浙南地域族群的称谓；瓯越的族群称谓开始于战国，结束于西汉，约110年时间，是“越以此散”后瓯人与越人大融合的标志；东瓯为瓯人国名，分为前、后两个时期。第一个时期开始于公元前473年，为越王勾践所封。公元前334年越为楚败，东瓯成为越族御北的主要据点，分封地位淡化。秦统一后王废为君，更名闽中郡。短算140年，长算250多年。第二个时期开始于公元前192年，汉惠帝复立，公元前138年迁国，存在50多年。东瓯国的存在标志着东瓯族群共同体和政治、经济、军事、文化共同体的存在。东越是商周时期瓯人地望的别称，西汉东瓯迁国后成为瓯、闽地域的国名。秦闽中郡和西汉东越国的建立，标志着瓯人与闽人亲密的地缘关系和族群的进一步融合。山越是三国时期对残留在东南山区越人的称谓，包括那里的瓯人。

彭邦本的《姑蔑国源流考述——上古族群迁徙、重组、融合的个案之一》（《云南民族大学学报》第1期）通过考论，认为姑蔑源于本是中原地区的古老部落豕韦氏，属于传说时代的华夏集团，并作为其重要支系，很早就已播迁分布于黄河中下游和广大东方地区。入夏以后，姑蔑曾长期是中原王朝共主政治秩序下的亲信邦国，并在三代时期的夷夏互动关系中、尤其是改朝换代之际扮演过重要角色。其居于黄河下游的支系，因久与东夷杂处，渐染夷俗，以致被后世视为夷人。周初东征践奄，姑蔑族作为被征服国族，一部分留居今山东省泗水县一带，在鲁地逐渐融入华夏；其余支系或被分割迁徙，其主体部分则因周人驱迫，与黄河下游的徐奄等夷人诸族群辗转南下，最终进入越境，落脚于今浙江龙游一带，并在越国的军事政治活动中发挥过重要影响作用。楚灭越后，越地经战国纳入统一的秦汉帝国版图，其境内的姑蔑族也在汉晋以后逐渐完成了最终融入汉民族统一体的曲折历史进程。

西南夷最早见于《史记·西南夷列传》。据该书记载，当时的西南夷部落主要有夜郎、靡莫、滇、邛都、巂、昆明、徙、筰都、冉駹、白马等。石硕的《汉代西南夷之“夷”的语境及变化》（《贵州民族研究》第1期）通过对史料的梳理和分析比照，发现西南夷之“夷”这一概念在《史记》中的含义与语境同《后汉书》、《华阳国志》两书存在明显差异。在《史记》的语境中，“夷”是对西南各部落人群的一个泛称，而在《后汉书》和《华阳国志》中“夷”则演成一个明确的族属类别称谓。该文就造成此变化的原因及所涉及的相关问题作了讨论，指出《后汉书》和《华阳国志》中“夷”作为与“氐”、“羌”、“越”相并列的族属类别称谓出现之事实，对人们进一步认识“西南夷”部落人群之族系面貌有重要意义，值得引起高度重视。

南平僚为唐代剑南诸僚主要支系之一，地著于渝州巴县之南界。唐太宗因南平僚内附，遂名其地为南平州。关于南平僚与僰人之关系，曾经引起学术界的争论。四川大学历史系教授蒙默于20世纪70年代末期在《凉山彝族奴隶制研究》上分两期连载《僰为僚说》，以“南川、綦江的僰人就是南平僚”作为重要证据之一论述其创见，构建出西南民族史研究中的一家之言。罗荣泉的《南平僚非僰人辨——兼论播州杨保与南平军僰人为同一族类》（《贵州民族研究》第4期）对此提出不同看法。他认为唐宋时期南平僚之风俗与分布于下川南道之僰人有明显区别，就历史上南平僚分布地域及其播迁活动而论，亦不容与毗邻之僰人混为一谈。罗荣泉认为蒙文回避了南平僚与僰人风俗迥异之实况，特别是对其所据史料之解释在时间及空间上均有错位，与实况不符。他提出僰溪虽因有僰人而得名，但僰溪之僰人并非南平僚。僰溪得名在前，僚人徙居其地在僰溪得名之后；且南平僚所在之南平州与僰溪所在之南州非同一地望，故此项论据不能成立。针对蒙默先生另曾指认播州杨保为僚人的观点，罗荣泉还论证了宋代南平军僰人为播州杨保同族之另一分支。

学术界普遍认为先秦时期生活在华南一带的西瓯、骆越两大族群是百越族系的成员，是壮侗民族的远祖；西瓯、骆越与其后的乌浒、俚、僚、僮，构成一脉相承的关系。但是，这种学术的共识是否反映了具有社会性和民族性的集体记忆？覃德清的《瓯骆族裔——壮侗语民族的族群记忆与人文重建》（《广西民族研究》第3期）认为，作为西瓯、骆越族群的后裔，壮侗语族群历史记忆渊源久远，壮侗语族各民族作为单一民族地位的确立，并非只是现代政治建构的产物，而是对被遮蔽的潜隐的民族文化主体性的确认。但是，由于各种因素的影响，瓯骆族裔记忆之链在某个时段出现了断裂，导致当今壮侗语族群的官员和普通民众对于瓯骆文明曾经拥有的辉煌知之不多；对瓯骆族群后裔历经的民族苦难也逐渐淡漠。针对西方“族群建构理论”对中国民族识别的“他者”解读，覃德清提出有必要强化基于“我者”叙事的族群记忆，同时，更需面向未来，整合瓯骆族裔的文化力量，建构富有生机活力的文化系统和人文世界，维护民族文化的自主性延续。

唐代，西北、东北和西南等地有大量的民族内迁。王韵的《论唐代东北和西南民族的内迁》（《青海民族研究》第4期）分析和论述了唐代东北和西南民族内迁的情况、原因及其特点，认为这些民族的内迁从一个重要侧面反映了唐政府和东北、西南地区民族的关系以及唐代在不同时期的民族政策。这些民族内迁的原因有相似之处，即主要是唐朝对少数民族实行招抚政策，以优待政策吸引其内附，并在内附的民族地区建立羁縻府州进行统治。从对内附民族的安置来看，东北、西南民族内附后，唐政府多将其安置在原有的少数民族边疆地区，大多数并没有迁徙到黄河流域以南的中原地区，而是在当地建立羁縻州县，并委派原有的少数民族酋长担任长官，使这些内附的民族能在当地安定下来，为唐戍边，加强了唐边疆的稳定。这和西北少数民族的内迁后的地理安置有很大不同。东北和西南少数民族的内附对唐朝和这些民族的关系、唐朝统治的稳定以及这些少数民族自身的发展，产生了相当重要的影响。

（二）吐蕃史研究

与往年一样，吐蕃史研究仍然是藏族史研究中的热点和难点，今年在此领域出版专著两部，论文多篇，且多创新之处，令人欣慰。

张云所著的《上古西藏与波斯文明》（中国藏学出版社）专门探讨上古西藏及吐蕃王朝时期西藏与古代波斯文明的关系问题。在古代西藏与周边地区、民族的关系中，中原汉地、古代印度一直被认为是最为重要的，与此同时，人们也发现古代西藏文明与古代波斯也有着渊源深厚的联系，并且陆续有一些论文问世，然而，由于相关史料的零散、稀少，使人们一直对二者之间的关系缺乏系统的认识。事实上，由于研究此问题涉及多文种的文献以及错综复杂的中亚史地，因此也是吐蕃史研究中的一个难点。《上古西藏与波斯文明》是张云集多年之功推出的专门研究古代西藏与波斯文明之间关系的学术力作。该著分为上、下两篇。上篇主要探讨象雄文明与波斯文明的关系，作者首先通过对相关文献的考证，认为象雄、波斯等地民族在迁徙、活动中，曾经互相接触，波斯祆教因之传入象雄，对本教产生影响；其次，作者通过对本教中有关“雍仲本教来自大食”、“本教祖师辛饶米沃”、“本教圣地魏莫隆仁”等观念，以及对本教的一些基本教义的分析，对本教中诸如“gshen”、“rmu”、“btsan”、“khri”、“nam”、“gtsug”等关键词的考证，重点探讨象雄雍仲本教与波斯祆教的关系，认为本教与波斯祆教之间具有诸多共同之处，如：具有共同的宗教圣地、相同的二元论观念、相类似的创世纪传说、近似的修行和丧葬习俗等等。下篇主要探讨吐蕃与波斯之间的联系。作者首先勾勒了波斯祆教和中亚其他宗教传入吐蕃的历史线索，随后根据两地的古代文献论述了吐蕃与波斯之间的军事对抗、商业往来，以及文化交流，特别是对传入吐蕃的波斯医学、服饰、马球、婚姻习俗等作了独到的考证。该著虽然从总体上仍未能为我们提供古代西藏与波斯关系的清晰脉络，但是，其中所提供的证据已经有力地证明我们在探讨古代西藏文明的起源时，波斯文明是一个不容忽视的因素。

杨铭所著的《唐代吐蕃与西域诸族关系研究》（黑龙江教育出版社）则专门探讨吐蕃王朝与西域、中亚、南亚各国家、民族之间的关系问题。吐蕃王朝的发展过程就是一个不断向外扩张、征服的过程，这种扩张、征服的历史也是其不断扩大对外交往的历史。关于吐蕃与唐朝、南诏关系的研究一直是中国学术界的热点，已有较多成果面世。该著则充分利用前人的研究成果，较为系统地梳理了吐蕃与西域诸族如吐谷浑、白兰、党项、突厥、突骑施、回纥、沙陀、鄯善、于阗等以及南亚、中亚的国家如泥婆罗、天竺、勃律、迦湿弥罗、护密、吐火罗、康、大食等的政治、经济与文化交流，显然该著内容对于我们认识唐代时期内陆亚洲的历史十分重要。此外，该著还就许多与主题相关的专题进行了考证与探讨，比如专门研究了吐蕃文书中所见的于阗王（li-rje）、东叶护可汗（ton-ya-bgo kha-gan）、将（tshan）、曹（tshar）等西域职官和称号以及吐蕃文书中所见的通颊（mthong-khyab）、粟特（sog-dag）、南山（lho-bal）等西域部落和吐蕃部落。作者还就吐蕃的对外交通进行了研究，其中关于吐蕃简牍所见西域地名的考证、关于吐蕃—勃律道、吐蕃与中亚国家的所谓“麝香之路”以及唐蕃古道等交通线路的考证与研究，使我们对吐蕃王朝的对外关系有了更深层次的认识。本年该作者还发表了《唐代吐蕃与突厥、回纥关系述略》（《西南民族大学学报》第6期）、《吐蕃统治鄯善再探》（《西域研究》第2期）等相关论文。

本年有关吐蕃史研究的重要论文如下。

林冠群的《吐蕃赞普墀祖德赞研究》（《中国藏学》第4期）。藏族历史上的宗教史学家们将墀祖德赞与松赞干布、赤松德赞并称为“三法王”，但是，作者认为从历史功绩来说此三位赞普并不能等量齐观。文章首先根据墀祖德赞之名中含有“墀（khri）”字认为其以王储身份继任赞普之位，而藏史中常见的热巴巾一名当为臣民恭赠的“尊号”，因为他不喜欢披头散发，而是结成发辫，故而得此尊号，但此说并不见于当时之文献中。而为人熟知的所谓其崇敬僧人，让人坐于发辫丝带上而得名的说法亦属于无根之谈。其次，作者探讨了墀祖德赞的生卒年，认为该赞普生于806年，卒于838年或839年，作者认为在藏文文献在纪年方面极不可靠，因此必须参考其他文献。文章的重点是从墀祖德赞的成长环境及当时吐蕃的内外形势等方面入手，分析墀祖德赞即位后的所作所为。认为墀祖德赞即位之时，吐蕃并未进入过去学界所称的“衰世”，相反却颇具中兴气氛。但是，墀祖德赞以10岁之龄幼年即位，加之体弱多病（文献中皆称“有心疾”），因此，他一方面不得不依靠佛僧辅政，一方面期望通过佛僧之祈愿以摆脱疾病。墀祖德赞在赞普之位上的作为大体概括为二。一是以国家强制力推展佛教，制定了政府出资供养僧人、“七户养僧”等崇佛制度，同时，极力推崇信奉佛教的大臣，将从墀德松赞开始设立的僧相制度推向极致，这一举措破坏了吐蕃原有的政治生态，直接影响到传统贵族的利益，激发了吐蕃政坛的倾轧斗争。二是在对外关系上，文章质疑后世藏文文献中对墀祖德赞开疆拓土业绩的描述，通过考证认为他在对外关系中是消极被动的，在他执政期间吐蕃全面与敌对外国达成和解协议。总之，文章认为推崇墀祖德赞为一代贤君，只不过是佛教学者的立场，而历史事实是他的统治可谓横征暴敛，是一位十足的暴君。其历史功绩实无法与松赞干布、赤松德赞相媲美。

才让太的《再探古老的象雄文明》（《中国藏学》第1期）。作者继10年前发表那篇广泛为人引用的《古老的象雄文明》一文后，本年集多年功力再次对古代象雄历史的若干问题进行了考证。第一，考证藏文中有关大食的名称以及大食与象雄、吐蕃的文化联系，作者指出藏文中四种关于大食的称谓中 stag-gzig 和 rtag-gzigs 两种都直接出自象雄苯教经典。而有关麝香贸易的记载和祆教对早期苯教的影响也说明象雄与大食曾有着密切联系。作者指出随着研究的深入，发现大食对象雄的影响比我们想象的要大得多，但是，将大食作为苯教的起源却缺乏足够的证据。苯教文化是一个根基于古象雄的原始文明并吸收邻近民族的文化后形成的文化体系。第二，探讨象雄的名称及其地理位置。作者认为“象雄”是个古老的象雄文词汇，“象（zhang）”是地方或山沟的意思，“雄（zhung）”是雄侠（zhung-zhag）部落名的缩写，翻译过来就是雄侠的地方之意。作者分析了文献中有关象雄的历史疆域及其区域划分的三种分法：即里象雄、中象雄、外象雄；右象雄、左象雄、中象雄；上象雄、下象雄；还探讨了苯教文献中所谓的“象雄十八王国”。认为在雅隆部落崛起之前，象雄曾经是西藏高原上最大的王国，其疆域南达拉达克、克什米尔，西及巴基斯坦东段的巴尔提斯坦，北至那曲高原甚至包括今青海省的玉树的一部分，东到以丁青为中心的那曲和昌都地区。第三，辨析有关雄侠部落的主人穹氏家族后裔的历史和传说。文献和田野调查发现，今天藏区广泛分布着据称是穹氏家族的后裔。作者认为这种现象是苯教东传过程中由于穹氏家族扮演重要角色而形成的。第四，对苯教宣称的理想世界——沃摩隆仁进行探究，认为沃摩隆仁是藏族先民对中亚历史地理的整体记忆，是象雄中部的地理地貌和佛家西方极乐世界的启示相结合的产物，是古代中亚各国民族文化交流的结果在藏族苯教文化中的深层积淀。值得指出的是，作者引用了多种文献资料特别是数种手抄本资料，并充分吸收了前人的研究成果，一定程度上反映了当前有关古代象雄历史文化研究的最新进展。

陆庆夫、陆离的《论吐蕃制度与突厥的关系》(《兰州大学学报》第4期)。吐蕃立国后一系列规章制度的建立，我国学术界多年来认为主要受到唐朝的影响，本文对此提出不同看法，并从以下几个方面举例论证：1. 吐蕃军政合一的行政区划“茹（ru)”、“东岱（stong-sde)”与唐朝的府兵制区别较大，而与突厥汗国的“设”更为接近。2. 吐蕃的职官制度如设奎本（khos-dpon）以及贡论、囊论、喻寒波以及地方官域本（yul-dpon）之设与唐朝职官系统在职能上并不相同，而是源自突厥。从历史交往来看，吐蕃与突厥的交往早于与唐朝的交往，受突厥影响的可能性更大。3. 吐蕃实行兵民合一，以十进制编制军队，设千户、万户，制定严刑峻法，犯罪必施以重刑，对盗窃罪按盗窃之物的数倍或几十倍追征等做法，均来自突厥之制。4. 在本教丧葬仪轨中以羊马作为献祭品同样与突厥有渊源关系。作者最后认为藏文古代史籍指出吐蕃“自北方霍尔、回鹘取得了法律及事业之楷模”的记载是确有所据。文章通过对吐蕃、唐朝、突厥史料的梳理对比得出上述结论，表现出较为广阔的视野，同时对已有的学术著作中的某些观点进行了反思。

此外，北京大学考古文博学院、青海省文物考古研究所编著的《都兰吐蕃墓》(科学出版社)，郑炳林的《晚唐五代敦煌地区的吐蕃居民初探》(《中国藏学》第2期)，廖祖桂的《〈大唐天竺使之铭〉词语释读辨析》（《中国藏学》第2期），格桑央京的《敦煌藏文写卷ch.9.Ⅱ.19号初探》（《中国藏学》第2期），郎措的《吐蕃与于阗关系考述——于阗和鄯善地区吐蕃部落的族属及特点》（《西藏研究》第4期），古格·其美多吉的《小考吐蕃798—804年历史》（《西藏研究》第2期），许新国的《郭里木吐蕃墓葬棺板画研究》（《中国藏学》第1期）等都有一得之见，值得一读。

（三）历代民族政策和民族关系研究

历代中央政权的治边政策一直是中国民族史研究中的重点，本年度该领域中的成果集中体现在中央王朝对南方民族地区的开发和经营，而汉王朝对于南方民族地区的治理成为一个小热点。

西南夷地处边陲，其正式纳入汉王朝版图，是从汉武帝刘彻对“西南夷”经略开始的。孙长忠的《试论汉武帝的“西南夷”民族政策》（《信阳师范学院学报》第1期）提出，汉武帝时期，随着汉王朝的强盛，经略“西南夷”的条件日趋成熟。汉武帝通过如下几个措施，对西南夷地区进行了有效的开发和管理。首先是派遣使者和平谈判、设置郡县加强管理，使汉王朝的力量首次进入“西南夷”地区，并受到广泛的欢迎。其次是实行“故俗治”，各民族按照各自的风俗进行管理，这在当时既有利于中央集权，也有利于改善民族关系，这种政策一直延续到隋代。第三是在初郡实行“毋赋税”政策，扩大和巩固了对民族地区的统治，推动了这些地区生产力的发展。第四是募兵屯垦，民工、士兵、商人也进入“西南夷”地区，这些措施在客观上有利于少数民族和汉民族之间的经济文化交流，促进农业、矿业、手工业的发展，为消除民族隔阂，增进民族融合提供了有利的条件。第五是开凿民族地区的交通干线，沟通了“西南夷”与祖国各地的经济与文化交流，为西南各民族的繁荣和进步创造了条件。这一系列开明的政治、经济、文化政策，促进了西南地区经济与文化的发展，促进了西南各民族的团结与融合，加快了“西南夷”地区进入封建社会的步伐。

程印学的《试论西汉对西南夷地区的经略与开发》（《理论学

刊》第5期）也认为西南夷很早就与巴蜀和中原地区有着密切而广泛的经济文化联系，并开辟了“西南丝绸之路”。但是，当时西南夷与巴蜀和中原地区的联系更多地停留在民间交往的阶段，而密切广泛的政治联系则始于秦灭六国，特别是西汉王朝对西南夷的经略与开发之后。西汉王朝对西南夷地区的经略与开发是其建立强大的多民族统一国家的重要一环，在长达一个多世纪的经略与开发中，表现出了极为鲜明的特点。一是巴蜀为基地。西汉王朝充分利用了巴蜀特殊的战略位置，利用了巴蜀的人力、物力资源，更重要的是在西南夷内属前后，西汉王朝统治者还充分利用巴蜀作为传播先进文化的重要基地。二是道路先兴。西汉王朝对西南夷地区的经略与开发，仍然继承了“道路先兴”的传统策略，极为重视道路的修建，使中央政府的政令得以在西南夷地区迅速地推行，使西南夷地方官吏能够迅速上奏。正是在这种官道开辟、信息互通的基础上，中央政府与西南夷地区的政治联系得以加强，内地与西南夷地区的经济和文化的联系也空前密切。三是充分利用中原王朝地大物博、人口众多、资源丰富的优势，对各个少数民族实施“利益驱动”，即以丰厚的赏赐吸引各族首领，争取他们的内属，自觉自愿地加入到统一国家之中。四是西汉王朝对西南夷的经略与开发，也使西南夷各族人民均经历了一个痛苦的适应过程。历史的发展已经证明，西汉王朝对西南夷的经略与开发，有利于西南地区政治的统一，有助于经济文化的发展和各民族的团结进步，有利于中华民族大家庭的发展与巩固。

施铁靖的《试论马援对古代民族地区的贡献》（《广西民族研究》第3期）根据史实，论述了东汉伏波将军马援在古代民族地区的重要建树，包括治陇6年，镇抚边众，开渠引水，郡中乐业，开创了安抚少数民族、团结少数民族并与之和睦相处的羁縻政策，为后世封建王朝羁縻制度的形成提供了成功的范例。他认为马援是中国历史上第一个用法律形式巩固自己斗争成果的将军，其经略岭南3年，百越民众“奉行马将军故事”，有力地推动了岭南百越地区郡县制和封建生产方式的发展，为岭南地区社会进步和民族和谐做出了杰出的贡献。

元明清时期，中央政权对南方民族地区的经略进入了新的时期，其实行的民族政策与前代相比有了较大的发展和变化。随着中央政府对南方民族在政治上强有力的统治，导致南方民族社会控制体制发生了质的转变。胡兴东的《元明清时期南方民族基层社会控制制度的变迁》（《中南民族大学学报》第5期）提出，元明清时期在南方民族中不管是土司制度的设置还是改土归流，重点都是要把南方民族纳入中央政府的控制之下。国家通过设立土司制度或改土归流，在行政、司法、财政制度上建立起对南方民族新的社会控制体系。但这些制度都是在国家行政层面上，而对基层社会的控制体制上这个时期的变化是什么呢？他认为，元朝以前，南方民族基层社会控制主要是由各民族群体内部自己进行，很少有外来控制体系。元朝以后，南方民族基层社会控制体系的变迁主要是中央政府把外来制度移植到南方民族中，同时南方民族固有的制度对此也产生了本土化的作用。这个时期南方民族基层社会控制体系的变迁表现出三个特点，即积极推进中央政府对南方民族的社会控制的力度和深度；有限承认南方民族各自固有制度在本身社会中的控制作用，特别是在基层社会控制中的作用；积极推进国家的控制力度，有限承认各民族的固有控制体系，追求实效而不是形式。元明清时期南方民族在基层社会控制上发生的重大转变，对南方民族的社会产生了深远的影响和作用。

明代总督之设始于西南，但明代西南总督之制的研究，以往学术界关注不够。黎小龙的《明代西南总督与民族社会冲突调控》（《民族研究》第4期）在对明代30余任西南总督的统计基础上，对明代督抚制度及其与明代西南民族地区治乱的关系进行了系统的探讨，提出明代西南总督之设缘起于边疆民族地区大规模社会冲突，是明王朝平定这些社会冲突的一种特殊举措。从明英宗正统六年王骥肇其始，明代西南跨省性总督的设置，几乎都与西南民族地区的社会冲突有着直接的联系。终明一代，西南总督之置罢更替，辖区之宽狭，事权之大小，调控力度之强弱，无不与西南民族地区社会冲突的状况息息相关。文章最后指出，西南总督之设，以及西南民族社会冲突主要依托西南数省之力调控，皆反映了明中央王朝重北轻南的边疆战略思想；西南总督之设，虽有维护边疆民族地区统一和稳定之意义，但大军征讨所带来的破坏与影响甚为沉重，是为史鉴。

西南地区长期处在各大小土司的统治之下，自顺治六年（1649）清军入关后，由于政局动荡不安，土司更加疯狂地压榨土民。在贵州，各土司不但“虐使”、“抄袭鬻卖”土民，而且还将其“人并家属分卖给各部为奴”。人口转让、买卖现象时有发生，不断危及到贵州“生苗”社区人民的生命安全，导致当地苗人与过往人贩的冲突现象不断升级。张中奎的《略论满清政府严禁西南人口贩卖政策之流变——以“改土归流”前后的贵州为例》（《贵州文史丛刊》第3期）认为，清政府针对长期以来人口贩卖给西南地区造成的巨大动荡，于雍正年间在西南少数民族地区推行改土归流政策的前后，辅之实施了一项严禁人口贩卖的政策，希图达到“以靖地方”，进一步巩固在西南少数民族地区统治的目的。然而，清政府严禁西南人口贩卖，只是为了一时政治上的需要，以加强对西南少数民族地区的统治，他们实施的政策实际上都是一些治标而不治本的做法。在改土归流中时间过长、俘虏众多、军饷缺乏、军纪败坏、流官贪婪成性等诸多因素的影响下，特别是在清朝初期还广泛地存在着养奴制，在这样一个社会大背景下，清政府根本治理不了西南人口的贩卖，其严禁西南人口贩卖政策最终流变。不仅如此，清政府最终还成为人口贩卖的主犯，恶化了与当地少数民族之间的关系，导致民族冲突不断升级。

方铁的《边疆民族史探究》（中国文史出版社）是一部关于西南地区边政和史地研究的著作。书中着力探讨了历代中央政府和南诏、大理地方政权开发与经营西南边疆地区的治边思想和政策，深入分析了南诏与唐朝，南诏、吐蕃与唐朝，以及濮与越、蜀与巴等之间的关系，考察了西南地区及其少数民族的历史与文化，体现了作者在这一领域的学术成就。

在民族关系史研究领域，学者们关注的论题依然集中在中央政府与少数民族地方政权、少数民族与汉族以及少数民族之间的关系等几个方面。王文光、龙晓燕、陈斌的《中国西南民族关系史》（中国社会科学出版社）从宏观的角度，对远古至清代今云南、贵州、广西乃至西藏这一广大区域各民族关系史进行了探索，认为生态环境和由生态环境所决定的生产方式、社会发展程度等构成了西南民族关系的基本发展背景和基础；西南民族关系与中国历史的发展紧密相关，其发展历程可以划分为先秦及秦汉、魏晋南北朝、唐宋、元明清及近代等几个重要阶段。书中把西南诸民族间的关系概括为中央政权与少数民族政权、各少数民族之间、汉民族与少数民族之间、少数民族内部民间的关系几种类型，指出这些关系表现了分布上的大杂居与小聚居、政治上的多元一体性、社会发展的不平衡性、经济上的互补性、文化上的多元交融等特点。

1253 年，忽必烈南征大理，这是具有重要历史转折性意义的事件。不过，蒙古与大理国的历史关系并不肇始于此。在相当一部分中外史料中，都有关于忽必烈南征以前蒙古对大理用兵或大理国归附于蒙古的记载，不过这些记载往往是史实与讹误相杂，含混不清，其真实性、准确性都尚待考订。曾现江的《蒙古与大理国早期关系探析》（《贵州民族研究》第 4 期）经过逐一考辨，认为成吉思汗时期蒙古与大理国之间基本上不可能发生历史联系。文章指出面对纷然而至的蒙古南下大理，“斡腹入寇”的传闻，南宋主政者对蒙古会大规模进攻大理表示了怀疑。但实际上，经过至 1238 年以来的多次试探，蒙古经藏彝走廊南下进攻大理，“斡腹攻宋”的条件已具备，只是当时蒙古国内政局混乱，无暇大规模对宋用兵而已。蒙哥在 1251 年即汗位后，采取果断措施，结束了蒙古自 1242 年以来“法度不一，内外离心”的混乱局面，随即着手大举攻宋，并由忽必烈在1253年秋率军穿越藏彝走廊，迅速灭亡大理国。

明清时期，汉族移民进入南方民族地区的浪潮达到顶峰。李晓斌的《清代云南汉族移民迁徙模式的转变及其对云南开发进程与文化交流的影响》（《贵州民族研究》第3期）指出，明代云南的汉族移民模式是一种强制移民模式，清代汉族移民入滇的浪潮继续发展，但汉族移民的迁徙模式已发生了根本性的转变，也就是由强制性向自发性转变。出现这种转变的原因在于双方经济互补性的存在，主要表现为内地丰富的资金、人力、技术资源与云南丰富的土地资源、矿产资源的互补。迁徙模式的转变加速了清代云南的开发进程，这主要体现为开发进程由平坝城镇向山区的推进，同时，随着汉族移民流动性、多圈层性的形成，文化的传播与交流打破了由于地理环境的隔离或由于从事定居农业而在封闭性地域发展格局中形成的各民族群体分割聚居的封闭性，在更广阔的范围内实现了汉族与少数民族的交流。

云南壮族主要居住在文山壮族苗族自治州，曲靖市的师宗县、会泽县，红河州的部分地区以及金沙江沿岸等地。元代以来中央王朝在这些地区实行土司制度，利用壮族首领治理壮族人民。明朝洪武十五年（1382）开始对壮族地区进行改土归流后，壮族地区政治制度与内地汉族地区逐渐趋于一致。李彦萍的《明清时期云南壮汉民族文化的交流方式》（《云南民族大学学报》第5期）认为，改土归流为大批汉人进入壮族地区提供了政治条件。自明末清初起，汉族以前所未有的规模和速度大量移入云南壮族地区，并在壮族地区生息繁衍，人数为之大增，使得汉族文化对壮族产生了广泛和深刻的影响，壮族地区的社会面貌发生了比较大的变化。这些进入壮族地区的汉族移民包括官员、农民、手工业者和工商业者。流官是汉文化的倡导者、引导者；一般汉族移民融入到壮族民间，构成了壮汉民族文化交流的主体。不过，壮族文化的特点并没有消失，在基层社会中，大部分村寨都能把汉族文化与壮族文化很好地结合，充分体现了壮族文化对异文化具有较强包容性的特点。另一方面，迁徙到壮族地区的汉族移民也受到壮族文化的熏染，逐渐融入壮族社会之中。

明清时期中国西南的峨昌（阿昌）是近现代的阿昌族和部分景颇族的先民，系由唐宋时期的寻传蛮发展而来。明清时期是峨昌（阿昌）分化与融合的重要时期，而这种分化与融合受中央王朝和周边民族影响很大。伍莉的《明清时期峨昌（阿昌）与中央王朝及周边民族关系研究》（《贵州民族研究》第4期）对明清时期峨昌（阿昌）与中央王朝及周边民族关系进行了研究，提出了几点看法。一是这一时期中央王朝通过土司制度与峨昌（阿昌）民族上层建立起政治隶属关系，峨昌（阿昌）土司倾心归附，并以其特殊的身份，在一定程度上起到了联系中央与地方、稳定和凝聚边疆少数民族的作用，在抵御外族、反对分裂、维护边疆和本地区的稳定等方面，发挥了十分重要的作用，为封建中央王朝在西南边疆构筑起一道坚固的防线。部分峨昌（阿昌）与内地各民族在政治、经济和文化各个方面逐渐出现一体化趋势。二是在异族土司统治下，受汉族、傣族等强势文化影响，峨昌（阿昌）族体进一步向着同源异流的方向发生分化，部分发展为阿昌族，其他发展为景颇族中的载瓦、喇期等支系和彝族支系莨峨人。三是在民间，峨昌（阿昌）群众与其他民族群众处于相对平等的地位，因而各民族之间能进行较为正常的经济文化交流。各民族在日常生活中互相帮助、互通有无、共同发展。在这种发展过程中，峨昌（阿昌）从汉族、摆夷等民族文化中吸取了营养，丰富了自己的文化，使这种文化具有多元复合的特点。

陈楠所著的《明代大慈法王研究》（中央民族大学出版社）是明代中央与西藏地方关系研究的重要成果。大慈法王本名释迦也失（1354—1439年），是藏传佛教格鲁派创始人宗喀巴大师的近侍弟子，因为主持修建拉萨色拉寺而闻名西藏，他多次应明朝皇帝之诏入朝，并于1434年获得“大慈法王”封号。释迦也失不仅是藏传佛教格鲁派发展史上一个重要的人物，在宗喀巴圆寂之后的20年间，他是该派实际上的领袖。同时，他也是明代中央政府与西藏地方关系中的一个重要人物，他两次受到明朝中央的册封，并多次朝贡。他还在南京、北京、五台山以及青海、甘肃等地弘传佛法，有力地推动了汉藏文化交流。此前由于相关史料的缺乏，学术界对于这样一个重要历史人物的研究较为薄弱。该著作者集多年之力，掌握了丰富的相关史料，如藏文文献班钦·索南扎巴的《大慈法王传》、噶举巴·洛桑泽培的《蒙古佛教史》、恰木巴·图布丹宗泽的《色拉教法史》，以及诸多常见的藏文文献等。作者在研读史料的基础上，剔抉爬梳，潜心研究，提出了许多独创性见解，如：认为释迦也失在皈依宗喀巴之前，原是噶当派僧人而非噶举派僧人；他第一次入朝是在南京而非北京等，并对他生平许多史实作了精到的考证。该著是作者在博士论文基础上修改补充而成的，有力地深化了学术界对明代诸法王的历史、明代中央与西藏地方关系的研究。本年该作者还著有《元代西藏地方政教关系变革新论》（《中央民族大学学报》第2期）、《关于明成祖遣使召宗喀巴史事补证》（《中国藏学》第1期）等论文。

曾现江的《先取西南诸蕃，后图天下——蒙古对藏彝走廊的军事征服》（《西藏研究》第4期）专门探讨蒙古对藏彝走廊地带的经营。蒙古为攻取中原，绕道西南，攻取大理之举为史家熟知之事，然而很少有人指出此前蒙古军队经略西南已非一日之功。本文系统探讨了蒙古军队先后30年间对西南的征服过程。文章认为，1211年开始蒙古军队大举南下攻取金国，却被金军所阻。于是成吉思汗向金国降将郭宝玉“问取中原之策”，郭答“中原势大，不可忽也。西南诸蕃勇悍可用，宜先取之，借以图金，必得志焉”。由此揭开了蒙古用兵西南的历史。1234年蒙古灭金，蒙古军队继续坚持“先取西南诸蕃，斡腹攻宋”的战略。1227年至1254年间蒙古军队多次进入西南藏彝走廊地区，并进入西藏地区。1259年兀良合台率军从云南经广西到鄂州与忽必烈会师，宣告“先取西南诸蕃，后图天下”战略的结束。文章较详细地论述了蒙古征服西南地区的历史过程，并对这一战略的历史意义进行了总结，认为这一战略使蒙古从西南地区获取了人力物力资源，对蒙古的统一大业起到了支撑作用；同时，在藏彝走廊的军事行动对征服、统治卫藏地区也产生积极影响。

此外，值得关注的论文还有：刘丽楣的《文硕密折的保藏抗英情结》（《中国藏学》第4期），白文固的《清代对藏传佛教的禁约和整饬》（《中国藏学》第1期），肖爱树的《论清末中央政府与西藏地方之关系》（《中国藏学》第2期），永红的《清代治藏政策的特点及其演变》（《中国藏学》第2期），杜常顺的《明代留住京师藏传佛教僧人》（《中国藏学》第2期），邓锐龄的《读〈西藏志〉札记》（《中国藏学》第2期），冯智的《略论五世班禅在康雍治藏中的历史作用》（《中国藏学》第1期），《清朝用兵驻兵西藏制度的形成、发展和影响》（《西藏研究》第2期），孙悟湖的《元代藏传佛教对汉地佛教的影响》（《中央民族大学学报》第2期），张双志的《孙中山与西藏》（《中国藏学》第4期），才让的《信仰与扶持——明成祖与藏传佛教》（《西藏研究》第4期）等。

（四）土司制度研究

张晓松的《论元明清时期的西南少数民族土司土官制度与改土归流》（《中国边疆史地研究》第2期）认为，元明清时期，少数民族职官制度达到了新的高度。一方面，继续推行以流官为代表的郡县官制，使更多的少数民族地区实现职官制度上的划一；另一方面，继续实行羁縻职官制度，并使之达到更加完备的程度。从元政府开始的土司土官制度，就成为元明清诸朝对少数民族实行羁縻统治的基本形式。以羁縻为核心的土司土官制度是中国特定历史条件和民族特点的产物，它的实行逐步改变了一些少数民族各不相统、各自为政的分散局面，从而保证了国家政权的统一和领土的完整，缓和了封建王朝与少数民族之间的直接矛盾和冲突。因此，元明清时期的西南少数民族土司土官制度是诸朝历代羁縻职官制度的进一步发展和集大成，是皇权统治下二元结构的职官制度，也是最终将少数民族纳入统一职官制度管理的一种过渡和准备。皇权统治下的西南地区二元结构的土司土官制度与流官制度，有着内在的二重性。一方面，二者表现在一定历史阶段内的和谐统一；另一方面又表现为二者的矛盾对立。土司土官制度与流官制度的和谐并存，加速了内地与少数民族地区以及少数民族之间的政治、经济、文化交流和民族地区的开发。随着中央王朝对少数民族控制力量的增强和二元官制矛盾冲突的加剧，流官制度与土司土官制度在少数民族地区并存的基础发生动摇，土司土官制度必将逐渐被全国划一的职官制度模式所取代。改土归流是封建王朝在少数民族地区实行的政治、经济、文化等方面的改革活动。改土归流的结果有利于中央王朝的统一管理，有利于巩固国家的统一和职官制度的划一，有利于中央政府的政令畅通，有利于民族地区的开发与发展。另一方面，改土归流毕竟是封建剥削制度下的产物，不但充满了封建统治阶级和大民族主义的民族压迫和歧视，而且始终伴随暴力和镇压，给少数民族人民造成了严重的灾难。

丽江木氏自宋理宗保祐元年（1253 年）率众迎降忽必烈并随蒙古军队平乱和征伐，被任命为茶罕章管民官、茶罕章宣慰司、军民总管府等职起，正式登上了滇西北政治舞台。明代洪武十五年（1382 年），丽江木氏再次归附明王朝，被任命为丽江府土官知府，为自己赢得了更大的发展空间。经过 200 多年的经营，明末清初丽江木氏势力范围远远突破了明初通安、宝山、兰州、巨津四州和临西县，达到了维西、中甸、永宁、蒗蕖，乃至四川巴塘、里塘一带，其势力达到了全盛。闵红云、段红云的《清代丽江木氏改土归流及行政管理变革》（《思想战线》第 2 期）对丽江木氏土司进行了个案研究。文章指出，明末清初，由于丽江纳西木氏的不断扩张，激起了被征伐地区各族人民的反抗，也违背了中央王朝设立土职守土安边的初衷，威胁到清政府在滇西北的统治。在各地土民的反抗浪潮和滇西北新一轮的政治交锋中，木氏走向了衰落，最终于雍正元年（1723 年）被清政府以和平的方式改土归流，结束了对丽江长达471年的统治。改土归流后，清政府冲破了木氏“开门节度，闭门天子”封闭壁垒和统治秩序，设立汛塘关哨，移民驻守，保甲制度等管理制度也深入纳西地区。清政府还进行了大规模的清查户口，把原先置于木氏统治下的土民正式纳入了国家的编户齐民。杨馝、管学宣等新任的流官知府大力兴修水利，鼓励垦殖，兴办学校。改土归流顺应了丽江纳西社会的发展，推动了丽江地区农业、商业、交通等的全面进步，汉文化逐渐下移到纳西社会当中，纳西社会在经济文化多元化特征的基础上加快了发展的进程。

元明清以来，随着土司制度在南方少数民族地区的推行，相伴而生的土流并治政策也随之产生。土流并治，即在同一个区域流官政权和土官政权同时并存，土官、流官同时进行统治。胡绍华的《土流并治的典范——清末民初西双版纳土流并治研究》（《中南民族大学学报》第5期）认为，土流并治是元明清王朝及民国中央政权统治南方少数民族的基本政策，这种统治政策延续了近700年，在中央王朝统治南方少数民族的历史上起过重要作用。在土流并治的政权中，以西双版纳地区最为突出。西双版纳地区从清朝改土归流始，土司政权和流官政权就并存，到清末民初土流并治统治达到极盛时期。这种特殊的统治政策在西双版纳地区起到了突出的作用。一是土官、流官分工明确，使政令统一，办事效率提高。二是土官、流官和平共处，流官有效地控制了土官，土官有效地控制了土民，稳定了地方。三是加强了外交，维护了边防的安全。因此，土官、流官共存，土官、流官共同治理政权，事无大小土官、流官共同负责，对西双版纳地区政令的统一、地方的稳定、维护边防的安全起过重要作用，是为土流并治的典范。

壮族地区从明代开始也逐步改土归流。黄家信的《改土归流对壮族社会的影响》（《广西民族学院学报》第4期）认为，在实行土司制度时期，壮族人身依附关系严重，社会等级森严，社会成员流动少。改土归流之后，壮族核心居住区逐渐朝着多民族聚居的特点发展；壮族地区的政治、经济、文化开始与中原地区划一；壮、汉民族之间既有融合，也有同化，但是壮融入汉是主流；大约从明代起，壮族逐渐对壮、汉文化抱等距认同的态度，并在族际交流中维持自己的族群边界。改土归流的结果是使壮族看起来与汉族无异，但却实在又是一个特点突出的民族。

（五）涉藏外交史

涉藏外交史研究历来是西藏历史研究中的重点，近年来随着与国外的学术交流逐步扩大，中国学者利用国外资料日益方便，这种便利直接促进了学术研究的发展。

伍昆明的《1914—1917年英国政府向西藏地方当局供应武器的政策》（罗贤佑主编《历史与民族——中国边疆的政治、社会和文化》，社会科学文献出版社）深入地探讨了英国政府在1914—1917年间对中国西藏的政策变化。英国政府对西藏地方当局供应武器的政策，是辛亥革命后英国制订并实施的分裂中国西藏总政策的一部分。但是，这一政策的实施并不是始终如一的，而是根据形势的变化而变化的。本文既利用翔实的英文、藏文档案，逐年梳理了1914—1917年间英国供应武器政策的这种变化。1914年，英国由于在西姆拉会议期间与西藏地方当局代表秘密换文，捞取诸多利益，因此，赠送西藏5000支枪和50万发子弹。1915年，虽然西藏地方当局请求继续供给枪支，但是，由于第一次世界大战爆发，英国自己需要大量武器；英国认为上年供应的武器足以“抵御中国进攻”；以及十三世达赖喇嘛对英国的不信任引起英人的不悦等原因，使得英国采取暂不供应政策。但是，鉴于十三世达赖喇嘛亲自写信要求，英国批准卖给西藏20万发子弹。1916年，英国则停止了对西藏的武器供应，其因有三：1. 袁世凯之后中国内政出现军阀割据和混乱状态，英国认为西藏不可能受到内地军队进攻；2. 英国正投入世界大战，无法拿出多余枪支以供西藏；3. 针对西藏地方当局与日本的接触，英国不准日本插手对西藏的武器供应，以确保对西藏的独霸。1917年上半年，由于中央政府更迭以及军阀混战，英国认为“中国政府对待西藏很好”，因而用不着供给西藏武器。然而，下半年，由于藏军大举东扩，使英国政府认为支持西藏当局扩大地盘的时机到了，于是决定免费赠送50万发子弹作为礼物给西藏地方当局。作者通过对4年间英国供应西藏武器政策变化的考察，指出英国提供武器是为了支持西藏亲英势力对抗中国中央政府，反对中央政府对西藏的主权管理；而不提供武器则是为了要挟十三世达赖喇嘛更好地听从英国政府的指令，按照英国分裂中国西藏的政策去做。无论采取哪种政策，其主旨皆是为了把西藏从中国分裂出去，使之成为大英帝国的附属国。文章虽以武器供应入手，但是，内容论及中央政府、西藏地方以及英国、日本等复杂的关系变化，以小见大，论证自有独到之处。

秦永章的《日本涉藏史——近代日本与中国西藏》（中国藏学出版社）专门研究近代时期中国西藏与日本的关系。有关近代以来涉藏外交史的研究，以往学术界侧重于对英国、俄国侵藏史的研究，而对于美国、日本这些新兴资本主义强国在西藏的活动关注较少。秦永章通过数年的努力，根据大量的日文文献对近代日本在西藏的一系列活动进行了系统梳理。

李晨升的《“披楞”考——1840年以前中国对英国在喜马拉雅山地区活动的反应》（罗贤佑主编的《历史与民族——中国边疆的政治、社会和文化》，社会科学文献出版社）探讨了1840年前英国与中国在喜马拉雅山地区的交往及双方所持的政治理念。著名喜马拉雅地区史专家兰姆曾指出，英国人最初在喜马拉雅山地区的活动，除了了解当地政治、社会外，最主要的目的就是企图经由西藏与中国建立联系渠道，以改变他们在广州贸易中给中国政府留下的恶劣影响，从而扩大贸易。但是，中国政府对其在该地区的活动充满猜疑。然而，作为当事一方的中国当时的反应究竟属于何种性质呢？作者考察了清代汉文文献中有关“披楞”（即指英国东印度公司）的记载，认为早在乾隆年间抗击廓尔喀侵藏战争期间清朝已经认知“披楞”即英国，但是，在“宗”“藩”观念影响下，清朝并未刻意留意“披楞”的活动，而只是把它归为恭顺来朝的藩邦而已，以至到嘉庆年间，又提出了与乾隆年间同样的问题，即“披楞”所指何方？因此，认为清朝政府一直对英国的活动充满猜疑的观点是缺乏历史根据的。作者梳理了清代文献中关于“披楞”的记载，对我们认识清代的涉藏外交有积极意义。

本专题研究中值得关注的论文还有：扎洛的《颇罗鼐平息不丹内乱始末》（罗贤佑主编《历史与民族——中国边疆的政治、社会和文化》，社会科学文献出版社），周锡银、郎维伟的《蒙、藏、回、满等少数民族对抗日战争的杰出贡献》（《西藏研究》第3期）等。

（六）经济社会文化研究

管彦波的《云南稻作源流史》（民族出版社）是在其博士学位论文基础上修撰而成。中国云南省拥有独特的自然环境与人文传统，在生物多样性和文化多样性方面均为世人所瞩目。澄清云南稻作的起源，揭示云南稻作文化的发展历程和特点，这对于理解云南地方各民族民众的生活文化史，揭示云南稻作文化在中华农耕文明谱系中的地位以及云南各少数民族对中国历史与文化的贡献，均具有不言而喻的重要性。亚洲稻作文化的研究原本有着很深的国际学术背景，赴日访学使得作者有机会汲取了大量有关此课题领域的国外研究所积累的学术成就，从而使本书从一开始就拥有了较高的起点。作者大面积地参考了前辈学者们相关的参考文献和多学科、多方面的研究成果，较为全面地掌握和梳理了相关的学说和理论，在此基础上将云南稻作的起源问题置于全中国乃至世界原始农耕起源的大背景下进行深入的追溯，并倾向于得出云南是稻作起源地之一的结论。但管彦波并未把自己的视野局限于稻作起源的讨论，而是在此基础上致力于建构一部完整的从新石器时代直至清末的云南稻作文化史，并在许多具体问题的论述上提出了独到的见解。

管彦波在另一部著作《中国西南民族社会生活史》（黑龙江人民出版社）里，从历史学和民族学的角度，对西南民族社会生活史进行了系统的研究。开篇绪论从民族史学发展的全新高度，对民族社会生活史的学科属性、研究内容、对象以及民族社会生活史与其他学科的相互关系等一系列理论问题，进行了深入的探讨。继而分别以衣食住行等社会生活的重要内容为切入点，运用了大量的文献和田野调查材料，对西南历史上各种不同的民族共同体的经济生活与文化生活的内在规律和外在现象，进行了较为全面、系统的剖析，把被传统史学界忽视的民族社会生活史这一研究领域，提高到了应有的地位。

清初中央政府对贵州东南部“苗疆”的开拓和经营，是具有重要历史意义的事件，对区域社会的发展带来了极为深刻的影响。通过雍正年间的大规模军事征剿，先后设立“新疆六厅”，中央政府逐步在清水江流域这一“化外之地”建立起了王朝的统治秩序。随之而来的，是清水江流域木材采运贸易的兴起和持续发展，而整个流域尤其是中下游地区，逐渐形成了一种以木材生产和贸易为中心的区域经济繁荣景象。构成木材采运重要一环的杉木种植，也成为区域社会土地经营中最为重要的活动，并围绕山林土地权属及利益分配出现了异常复杂的买卖租佃关系，从而也留下了浩繁的山林土地契约文书。这些保存下来的文书资料，对于了解清水江流域村落社会的经济生活、人群关系等，都具有不可替代的文献价值。贵州省锦屏县文斗寨是清水江下游锦屏县河口乡的一个苗寨，在20世纪60年代的民族社会历史调查中，研究人员就已经在这里收集到两百多份乾隆至同治间的山林买卖契约和租佃契约。不过由于种种原因，这些文书并未引起学界足够的重视和深入的研究。张应强的《清代契约文书中的家族及村落社会生活——贵州省锦屏县文斗寨个案初探》（《广西民族学院学报》第5期）选取文斗寨某家族所保存的自清代乾隆以来的约五百份契约文书，进行初步的梳理和分析，试图从中揭示该家族发展的一个基本轨迹，及村寨内部不同人群之间的互动关系，并力图展示一个以村落为中心的区域社会发展过程中的某些重要侧面。这批契字合约主要是该姓家族自清代乾隆以来的购置山场、佃山分成、承买栽手股份，或卖木分银的各种契字合约，它们反映了文斗上下寨不同家族间的互动关系，以及村落社会生活的其他方面。从中可以了解到，区域社会以木材的种植与伐运为中心的经济生活中，王朝国家推行的土地制度及相关政策，塑造或改变了地方社会的地权观念以及以地权关系为中心的社会关系。

罗洪洋的《清代黔东南锦屏苗族林业契约的纠纷解决机制》（《民族研究》第1期）也对清代黔东南锦屏苗族林业契约的作用进行了探讨。他认为这一时期苗族人工林业中的财产关系主要依靠林业契约进行调整，而林业契约之所以能够良好地发生作用，并不在于有国家法的保障，而在于林区苗民形成了一套本地的契约纠纷解决机制，寨老等民间头人在契约纠纷解决中担任着重要角色，而苗族习惯法则是契约效力的后盾。当然，林业契约之所以能在人工林业的生产阶段发挥作用，还与清朝官府此阶段的“放任”密切相关。除了“宏观引导”和创造外围条件之外，官府将人工林业的生产阶段完全交给苗族社会和民间法自己去调整，这既与当时封建政府的控制力有关，也与中国封建政府的历来的统治策略有关。应该说，皇朝政府对当时的林业生产阶段采取“放任”态度并非是一种积极和经过深思熟虑的行为，也即皇朝政府之所以“放任”和“不干预”，其原因并非是因为其意识到林业生产阶段是“私域”、是其权力的“界限”，而是因为封建皇权自身的“控制力”力不从心。而恰好是皇权的“力不从心”，也恰好是因为“力不从心”之下的“放任”，使林业契约等非正式制度充分发挥了作用，也使锦屏的林业生产获得了一种相对自由的空间，市场这只“看不见的手”抓住机会发挥出了最大效用，调动了各方面的积极性，从而极大地促进了林业生产。

中国南方是瘴气和瘴病高发地区，古代汉族对此深以为惧。关于瘴气与瘴病的研究，以往学界主要集中在疾病学、历史地理学以及医疗社会史范畴。张文的《地域偏见和族群歧视：中国古代瘴气与瘴病的文化学解读》（《民族研究》第3期）指出，由于所谓的瘴气与瘴病并非一种疾病，而是一组包含多种地方性疾病在内的复杂疾病的统称，因而这一研究便失去了可靠基础。事实上，所谓的瘴气与瘴病不过是以汉文化为主体的中原文化对于南方尤其是西南地区的地域偏见与族群歧视的“形象模塑”，它更多的是文化概念，而非疾病概念。随着近代医学知识的普及和中国文化优势意识的减弱，瘴气与瘴病的概念也渐趋消失。

20世纪上半叶，由于西南边疆危机严重等原因，曾出现对西南边疆少数民族调查的热潮。调查分为民国政府组织的官方调查、学术团体的调查和个人的调查三类。过去有学者对民国时期学术团体与学者的西南少数民族调查做过介绍，但对民国政府组织的官方调查却没有人进行过研究，有关调查资料亦未得到合理的整理利用。马玉华发表了一系列文章，对此进行了考察和研究。其中《20世纪上半叶民国政府对西南边疆少数民族的调查》（《中国边疆史地研究》第1期）收集了相关档案史料，就民国政府对西南边疆少数民族调查的背景、调查情况和成果做初步研究，分析调查的成绩与不足。文章认为，民国政府在统治大陆38年短短的时间内，先后对西南少数民族组织过多次的调查，反映了民国政府在当时的历史背景下，对西南边疆少数民族的重视。这些调查不仅规模较大，而且都是按照人类学（民族学）的调查规范进行，调查形成的资料较翔实可靠，调查的内容全面、丰富。由于时代的局限，民国政府的西南少数民族调查也存在不足。一是民国时期这些调查没有按语言系统进行分类，导致民族名称繁杂，种类很多。二是由于每次调查都有很强的针对性和目的性，故在全面性和客观性方面有欠缺。三是反映出了当时办事效率的低下。尽管有以上不足，但作为中国历史上最早由政府官方组织的民族调查，在西南民族学史、中国民族学史上仍写下了光辉的一页。这种政府组织的调查，突破了以往国内民族学调查中的学术团体及研究者个人考察的局限性，以大规模的系统调查来搜集全面的边疆少数民族资料，有利于进一步的研究。西南少数民族的调查，不仅为当时的民国政府制定边疆民族政策提供参考，为制定开发边疆计划提供依据，而且所保留下来的边疆少数民族调查资料，对于我们今天研究民国时期西南少数民族的历史也有非常重要的价值。这些资料为中华人民共和国成立后的民族识别、地方志的编纂，以及民族地区的社会、经济、文化、教育的建设和发展，提供了可资利用的宝贵材料。马玉华的《试论民国政府对贵州少数民族的调查》(《贵州民族研究》第2期）及其与万永林合著的《试论国民政府对云南少数民族的调查》(《思想战线》第2期)，则分别对民国政府对贵州与云南少数民族的调查进行了考察，分析了其取得的成就、存在的不足和产生的影响。

（七）台湾少数民族史研究

近二三年来，台湾少数民族史研究受到国内学者的极大重视，取得了不凡的成绩，本年度在此领域又有重要进展，特别是关于河南省邓州“台湾村”高山族历史源流的研究，可谓是突破性的成果。根据第五次全国人口普查资料，18.61%的大陆高山族人口聚居在河南省邓州市。这些高山族人口都是20世纪80年代以后才开始填报高山族民族成分。1983年全国第三次人口普查，邓县构林公社卫生院干部陈朝虎（出生于张村镇上营村）在“民族成分”一栏上填报了高山族，由此成为邓州第一个填报高山族的人。同年，邓县召开全县少数民族先进工作者表彰会，当地文化工作者涂征经过一番调查，先后撰写了《中原的“台湾村”》、《邓州有个“台湾村”》等多篇文章在报刊上发表，邓州高山族由此逐渐为外界所关注。2001年，张村镇上营村陈家的陈堂三发现陈氏家谱，随后又有7部家谱陆续面世；2003年6月，上营村建立了写有“台湾村”字样的牌坊，“台湾村”由此在海峡两岸名声大噪。在中原腹地发现台湾高山族后裔聚居的村庄且有家谱传世，这的确是一件令人欣喜且惊异之事。因此，围绕河南“台湾村”和这部家谱的报道不断刊布、转载，反映了这些发现的确具有很强的新闻价值和特殊意义。中国社会科学院民族学与人类学研究所的几位学者从历史学、民族学、政治学等角度，分别对邓州“台湾村”高山族的历史源流和族属形成等，进行了科学的探讨。

杜世伟的《河南邓州高山族“闽营”背景初探》(《民族研究》第5期）对邓州高山族的“闽营”进行了初步研究。河南省邓州的8部高山族家谱记述了一个共同的历史背景，即康熙三年（1664）郑成功部将黄廷降清；七年，黄廷所部奉命屯垦中原、落籍邓州。黄廷部下有来自台湾的阿美、泰雅、布农、邹族的将士兵勇，是为今天邓州高山族的祖先。当时，落籍邓州的郑氏降部俗称“闽营”。而“闽营”这一聚落，现在仍存在于邓州地区，邓州高山族的主要分布，也不出“闽营”的范围。杜世伟在收集考辨地方志材料和实地调查的基础上进行了分析，认为河南邓州的“闽营”现象源于300多年前清廷对郑氏降部遣散屯垦的政策，这些从沿海地区迁入中原内陆的人口，经年继世已经在语言、饮食、风俗习惯等诸多方面“河南化”甚至“邓州化”了，只是在婚丧嫁娶的一些形式内容上还掺杂着一些不同于当地人的闽南习俗。事实上，即便黄廷所部确实有来自台湾的“土番”，他们也势必先经历了“闽南化”再“河南化”的过程，而后一过程与其他“闽营”人的经历则是共同的。杜世伟指出，在中国历史上，因为战争而发生的人口迁移现象屡见不鲜，其中由于北方游牧民族的南下所推动的北方人口向南方的迁移最为普遍。但是，从南方向北方，特别是从台湾向大陆的移民现象（尽管规模很小)，却并未引起重视。黄廷所部落籍河南，牵出了台湾“土番”迁移大陆、落籍中州的线索，为人们打开了一个历史移民的新视野。因此，对河南邓州“台湾村”的调查，引发了人们对大陆高山族来源更广泛的思考。

郝时远的《河南〈邓州台湾土番垦屯陈氏家乘〉考辨》(《民族研究》第5期）根据《邓州台湾土番垦屯陈氏家乘》原件文本，对该家乘的内容进行了析述，并就其基本史实加以考证。《邓州台湾土番垦屯陈氏家乘》自2003年面世以来，虽然其主要内容已见诸报刊，但是对这份家谱所提供的历史信息的准确性和真实性尚无辨识考究。鉴于河南邓州“台湾村”和记载清代台湾少数民族落籍大陆的家谱，关系到海峡两岸互动关系的一段重要史实，对这份家谱进行科学研究不仅具有重要的学术价值，而且也有很强的现实意义。这份发现于2003年的《邓州台湾土番垦屯陈氏家乘》为陈氏第七世传人陈道平于清同治六年（1867年）所纂。据卷首目录，原书当有“序”、“大清邓州垦兵参军副将依那思罗传”、“觅亲祭祖记”、“邓州台湾土番垦屯陈氏宗谱”、“列传”、“后记”诸篇，其“列传”、“后记”今本已佚。作者通过对《邓州台湾土番垦屯陈氏家乘》所涉及的一些重大历史事件、台湾少数民族番社和番俗等内容分别加以考释，提出了几点看法：第一，家谱系以血缘家族为传承的民间历史，其史料价值不容忽视。第二，陈氏家乘中所提及的台湾郭怀一起义、郑成功收复台湾、周全斌回厦击陈豹、黄廷降清、黄廷所部移垦落籍邓州、平三藩吴逆、施琅攻台、湖广之乱、捻军过邓州这些关涉海峡两岸的重要事件，在时间上无一有误，在事件本身方面也有史实可证。第三，陈氏家乘中对其祖籍地台湾番社的习俗虽然笔墨不多，但涉及的要素却不少，这些番俗要素和地名涉及台湾少数民族“平埔番”、“高山番”不同地域和不同族群的特点，而非一族一社所属，关涉这些“番情”的内容必然有文字依据参酌。至于这些文字依据是什么则无以考究，至少目前不得而知。第四，无论陈氏家乘何时、何人所修，但它所揭示的这一段清季海峡两岸民间互动之事，的确有可能。此外，康熙二十一年平台后，郑氏家族及其部众均内迁大陆，其中亦有遣散于河南等地者，这些部众中有“闽南化”的台籍“土番”也不无可能。因此，对这一家乘考证的意义不仅在于辨其真伪，而且还在于由此展开了研究清季海峡两岸人员互动关系的一个新视野。

陈建樾的《“台湾村”：一个移民村落的想像、构建与认同——河南邓州高山族村落田野调查报告》（《民族研究》第5期）也对邓州“台湾村”高山族的历史源流和族属意识的形成进行了考察。他认为通过检诸史料，“台湾村”高山族的番社归属大多稽不可考，随明郑将领黄廷降清并落籍屯垦邓州之事更未见诸于正史和历朝官修志书，仅见于邓州“台湾村”高山族各姓氏的家谱之中，“台湾村”之称谓在官修志书当中自然也没有记载。作为一个移民群体，邓州的高山族在近300年的落籍垦邓期间经历了一个“闽营化”、“邓州化”乃至“大陆化”的多重本地化过程，这样一个深具涵化意义的历史过程使得邓州高山族在风俗习惯、宗教信仰等诸多方面日渐迷失民族的文化表征。以1983年陈朝虎申报高山族一事为标志，“台湾村”的高山族才真正开始“权且上治祖祢之尊尊，下之子孙之亲亲，承缵世统，启迪后冀”（陈氏家谱语）这样一个族群性重生的历程。由于子辈融入主流社会的时间已经太久，自己的传统忘记得太多，孙辈们自然要通过想像来进行某种构建，以满足其“自立愿望”。“台湾村”高山族这种不再愿意被同化的“自立愿望”，首先来自于中央政府以1982年宪法为标志的民族政策调整和诸多优惠政策的出台，其次也来自高山族在解决生存问题之后接续发展的利益驱动，最后还来自地方政府对少数民族事务的特别关照。它在1983年以来的族群性重建，又验证了一个弱势移民群体经由想像、认同而得以重新构建的图式。陈朝虎高山族身份的申报和陈氏家谱的发现，无疑成为“台湾村”高山族从族性迷失走向族性张扬的一个转折点，来自“台湾村”之外的各方面的关注又进一步加速了这种反身追寻和张扬光大的进程，而民间知识分子在其间的阐释与构建更引发了“台湾村”高山族族属意识在更大意义上的想像、构建和认同。

对于历史上台湾少数民族社会发展状况及其变迁，学者们继续给予关注。郝时远的《清代台湾原住民民族志——〈番俗六考〉》（载罗贤佑主编《历史与民族——中国边疆的社会、政治和文化》，社会科学文献出版社）以3万字的篇幅，通过对清代黄叔璥《台海使槎录》中的《番俗六考》进行详尽的考察与分析，揭示了这部堪称汉文史料中第一部比较全面记录18世纪20年代台湾少数民族社会生活、文化习俗及其变迁的民族志的学术影响和史料价值。黄叔璥于康熙六十一年（1722年）任首任巡台御史，次年任满后又留任一年，其足迹几乎遍及台湾，对台湾的自然地理、风土人情、“番民”状况等有着深入、全面的观察，并据此写出了《台海使槎录》。该书后4卷为《番俗六考》和《番俗杂记》，专门记录了他巡台期间对原住民“番社”巡访所见所闻，其中《番俗六考》约3万多字，内容十分丰富具体；《番俗杂记》则大多摘录前人著述的记载，是为《番俗六考》的补充。因此，《番俗六考》因其“采摭最富，后之修郡志者，率区资焉”，在某种意义上可以说是对台湾少数民族系统记录的奠基之作。作者在文章中，首先对《番俗六考》成书的原住民社会背景进行了考察，特别指出17世纪20年代至18世纪20年代百年间台湾少数民族社会生活所发生的变化，在书中得到了比较充分的反映；清代所谓“生番”、“熟番”之称，应该是在康熙末年随着“理番”政策及其实践在台湾少数民族社会的深入而通行起来的。其次，文章介绍了《番俗六考》对原住民的分类，认为其分类体现了中国历史上民族学记载的传统。其三，文章详细考察了《番俗六考》所记的少数民族生活习俗，认为其对台湾少数民族社会生活和文化习俗的差异性描述翔实地反映了18世纪初期台湾少数民族的社会生活状况，为后人了解当时少数民族各个部落社会文化的异同提供了可作比较的具体资料。其四，文章对《番俗六考》反映出来的少数民族生活习俗变迁和番汉关系进行了分析。在这些研究的基础上，文章着重分析了《番俗六考》对少数民族的认知和理解，以及黄叔璥重体恤、重教化的“理番”思想，进一步揭示了这部民族志著作的影响和价值。

刘正刚的《清代移民开发边疆与少数民族关系——以台湾为例》（《中国边疆史地研究》第3期）对清代移民开发台湾及其对汉族与少数民族关系的影响进行了分析。他认为清代移民向台湾的迁徙属于汉人向边疆地区的拓展，移民在台湾的开拓就是汉族与少数民族相互接触、冲突、融合的过程。自清初至日据时代，汉、番界线一直在变动之中，汉人垦殖的区域越来越大，而少数民族的生活区域反而愈加窄小，汉族移民入台实际上是分享与占有了土著居民地和生活资源。随着移民数量不断增加，土著居民土地被汉族侵垦不断增加，汉番冲突日趋激烈。台湾移民与土著居民关系的紧张引起了官府的高度注意。乾隆中期以前，台湾西部海岸平原的平埔族原有土地在汉族不断垦殖下，已几乎殆尽，随后清廷重新配置平埔族土地于西部平原东侧沿山附近生番边界一带，加以保护，并利用平埔族“熟番”防守“生番”及镇压汉人在台湾的动乱；对高山族的“生番”则实行消极的隔离封禁政策，直到晚清才对番地进行保护开发。移民和原住民经过相当长时间的接触交往，彼此间逐渐认同乃至融合，在这一过程中，官方的政策也起到了不容忽视的作用。

2005年民族语言文字研究

徐世璇

2005年民族语言的研究呈现出以下几个明显的特点：首先，对具体语言或语言现象的共时描写分析是研究的主流，相关的研究成果在全部成果数量中占极大的比重。这表明，民族语言研究注重语言实际的分析，倾向于语言共时面貌的描述和分析，这一倾向同民族语言的研究现状和发展需要是相吻合的。我国的语言现象丰富多样，只有立足于语言实际的分析，对各具特点的语言或语言现象进行详细的描述和准确的解释，才能正确无误地展现我国语言的面貌，为今后研究的深化奠定良好的基础；其次，在共时研究领域中，语法研究成为主要内容，成果数量比以往有极为显著的增加，这表明以以往研究为基础，语言的深层结构越来越受到重视，各种语言系统正在被深刻地认识，语音、词汇、语法几方面的研究齐头并进、均衡发展；另外一个值得注意的特点是，历史比较研究明显深化，对于汉藏语言的历史探讨，少数民族语言和汉语的结合更加密切，论证更加深入细致，多种语言材料相结合为原始共同语同源成分的追溯提供了卓有成效的途径。下面按照研究内容分别论述。

一、共时描写研究

对语言的结构系统进行共时描写分析是语言本体研究的主要内容之一，在这一语言研究的基础领域，2005年的研究成果特别突出，无论是专著还是论文的数量都占绝对优势。这表明，对丰富多彩的语言现象进行理论联系实际的描写分析，在民族语言研究中仍然占主导的地位。

从研究内容上看，共时结构描写分为对语言系统的全面分析和对某一语言现象的深入探讨两大类。对一种语言进行全面分析的成果以专著为主，对语言现象进行专题讨论的成果以论文为主。这两类成果在研究方法的框架和理论上，都出现了不同于以往的创新，显示了共时描写研究的新发展。

（一）结构系统的整体性描写

语言结构的整体描写大多以专著形式为主，由于所描写的大多是新发现语言或濒危语言，因此绝大多数是所描写语言的首部——很可能是唯一的一部研究性著作，学术价值是不言而喻的。各部专著虽然写作框架和侧重点有所不同，但都以语言的共时系统为主要内容，采用国内传统的描写方法分别从语音、词汇、语法等方面进行分析，揭示其基本结构规律，展现其整体面貌。各书包括了语言使用者的社会历史等人文背景情况，以及词汇、语法例句、长篇自然话语材料，为这些语言留下了宝贵的资料。对于衰退或濒危状态语言，相关的专著增加了新的内容，就是对这些语言的使用现状、语言濒危程度和原因等进行不同程度的论述，有的还在社会调查的基础上对统计数据进行分析，为语言的衰退濒危程度提供直观的证据。

语言描写专著中，民族出版社出版的《中国新发现语言研究丛书》有以下6部新作：

《克蔑语研究》（陈国庆著）和《布庚语研究》（李云兵著）分别对分布于云南省西双版纳和文山州的两种南亚语言进行描写。王庆丰著的《满语研究》在对黑龙江沿岸的黑河市以及嫩江沿岸的三家子屯和逊克县的宏伟村等地进行调查的基础上，以黑河市爱晖镇大五家子为主要调查点，采用首次刊布的材料对现仅存于黑龙江省的满语进行了全面详尽的分析。其余3部专著所描写的都是汉藏语系藏缅语族的语言，它们是戴庆厦的《浪速语研究》，浪速语分布于云南省德宏傣族景颇族自治州，属于缅语支；孙宏开，刘光坤的

《阿依语研究》，阿依语分布于云南省怒江傈僳族怒族自治州，属于彝语支；江荻的《义都语研究》，义都语分布于西藏察隅县丹巴江一带及“麦克马洪线”的另一侧，同景颇语支的达让语较接近。

其他的语言描写专著还有：周德才著的《他留语研究》（云南民族出版社），该书在语言描写的基础上通过语音、语法、词汇等方面的详细比较，论证了他留语同彝缅语言、特别是彝语在发生学上的亲疏关系，不仅揭示了他留语的系属地位，同时为进一步探索他留人群体的族源关系提供了语言学依据。何学娟著的《濒危的赫哲语》（黑龙江教育出版社），赫哲语是处于消亡边缘的典型的濒危语言，这本书从问卷调查和抽样调查结果的统计、共时结构描写、社会背景分析等多方面对赫哲语的使用现状，语言结构特点、濒危原因分析、濒危的状况和程度进行综合描述。中央民族大学出版社出版的《仙岛语研究》（戴庆厦、丛铁华、蒋颖、李洁著）和《仙仁土家语研究》（戴庆厦、田静著），分别对云南省德宏州使用人数极少的仙岛语和湖南省保靖县的土家语进行描写。仙岛语使用者现在我国只剩下 26 人，是一种严重濒危的语言。保靖县的仙仁是目前土家语北部方言通行区域的边缘地带，语言使用状况和结构变异比中心地带显示出更为明显的衰退迹象。两本专著反映了处于濒危和衰退状态的语言所具有的一些特点。游文良、雷楠、蓝瑞汤著的《凤凰山畲语》（吉林人民出版社）对某一地点的畲语进行描述。许伊娜、吴宏伟著的《新疆撒拉语》（新疆大学出版社）从语音、词汇、语法各方面对阿尔泰语系的撒拉语作了系统的描述。田中山编著，曾思奇、李文甦译注的《台湾 Amis 语话语汇编》（民族出版社）是对语言材料的记录整理，这些汇编成书的丰富翔实的自然话语材料将为进一步的分析研究提供坚实的基础。此外还有相关的论文集《汉藏语系语言研究》（罗江文、木霁弘、马京主编，云南民族出版社）。

对语言整体面貌的描述还有《民族语文》语言概况栏目中发表的一系列语言简介，这些文章从语音、词汇、语法三个方面反映新的语言材料及结构特点，既有对语言的描述也有对某种语言的一个方言或者土语的分析。2005 年先后发表的语言概况有：分布于西藏中印边界地区的藏缅语言《苏龙语概况》（李大勤，载第 1 期）；分布于云南中泰边界的《金平傣语概况》（刀洁，载第 2 期）；分布于湖南省泸溪县，属于苗语东部方言一个土语的《小陂流苗语概况》（戴庆厦、余金枝、杨再彪，载第 3 期）；分布于四川省凉山州的《彝语水田话概况》（朱文旭、张静，载第 4 期）；分布于海南、同黎语润方言接近的一种土语《黎语坡春话概况》（符昌忠，载第 6 期）。此外，陈丽勤的《英壮语言三要素的异同》（《广西师范学院学报》第 2 期），从语言要素的角度对英语和壮语的类型学异同进行综合的共时对比。

对某种语言的方言进行研究的有，朱文旭著的《彝语方言学》（中央民族大学出版社），这部专著对错综复杂、内部差异极大的彝语方言进行分析论述，是第一部以方言为专题的彝语研究专著。对一种语言的某一方言进行整体描述的论文有：阿依达尔·米尔卡马力的《察布查尔哈萨克语的特点》（《民族语文》第 4 期），论文对同哈萨克书面语有差别的新疆察布查尔县的哈萨克语进行分析，对不同于书面语的语音、词汇和语法特点作了简要的比较和解释。常山的《论蒙古语科尔沁土语形成与演变》（《内蒙古民族大学学报》第 5 期），对科尔沁蒙古语的特点及其历史源流进行了阐释。

（二）语言现象的专题性研究

对一种语言现象进行深入分析一直是共时描写的重要内容。2005 年共时描写的专题研究显示了一个突出的倾向，即有关语法的研究成果在数量上独占鳌头，不仅分析语法的论文同有关语音、词汇的论文相比分别超过一倍，占所有共时研究论文的一半以上，而且还出版了多部专著和论文集，显示出描写研究的重心从语音向语法的转移，完全改变了长期以来民族语言共时研究以语音描写为主，语法分析一直处于薄弱地位的偏斜。这是多年来积累的结果，表明民族语言学界对语言现象的认识和研究已经从语音层面向更深层次的语法结构展开的趋势，例如罗安源著的《松桃苗话描写语法学》(中央民族大学出版社) 就是以苗语一个土语的语法系统为研究对象进行全面描述分析的语法专著。另一个引人注目的变化是关于词汇的研究也有很大发展，仅仅有关构词和借词的论文数量就同语音研究论文平分秋色。这两个变化显示出共时描写研究在结构系统的语法、词汇、语音三个方面都得到了均衡的发展。

1. 语法

有关语法研究的论文可以分为句法研究、词类研究、语法化现象分析和研究方法探讨这四个方面，其中对句法和词类的研究占主要地位，下面分别论述。

(1) 对不同语言的句法进行分析研究的专著有两部，一部是以汉藏语系语言判断句为专题的《汉藏语系语言判断句研究》(张军著，中央民族大学出版社)，判断句是汉藏语言中很具特色的句式，各语言的表现形式有同有异，既复杂多样，又存在共同的规律，分析方法和观察角度不同，描述的结果也会出现差异，运用同一尺度对汉藏语言的判断句式进行综合分析，有助于剖析其共性和个性特点，获得同中有异的整体认识。另一部语法专著《苗语与古汉语特殊语句比较研究》(张永祥、曹翠云著，中央民族大学出版社) 将苗语和古汉语中的特殊语句进行对比分析，从而揭示两种语言在某些语法表达上所具有的特殊方式。

关于句法的论文数量不少、内容丰富，主要集中在句法结构、语序、被动句及被动义的表达方式，以及否定句、差比句等句式和述补结构等方面，还有对语法范畴和语气等的描写。

力提甫·托乎提的《生成语法框架内的维吾尔语句法》(《民族语文》第 6 期) 一文，运用生成语法理论观察维吾尔语的句法结构，将维吾尔语等突厥语的格附加成分、后置词、静词化成分和人称、时态词缀等功能成分看作独立的语类，把语态附加成分看作轻动词，提出了不同以往的新的语法框架。一种语言的句法结构同语义结构存在一定的对应关系。毕玉德、李承子的《朝鲜语的句法结构和语义结构》（《民族语文》第4期）将两者结合起来讨论朝鲜语的句法，获得了一个新的分析角度：从语义看，动词制约与其相关的其他语义成分的数量和性质，从而形成不同的语义结构；从句法看，动词本身的性质还对各语义成分在句法结构中的投射位置有所限制，从而形成不同的句法结构。

语序是一种重要的语法表现手段，因而也是语法研究的重要内容之一。白语的基本语序据以往论著认为有SVO、SOV、OSV几种，赵燕珍、李云兵的《论白语的话题结构与基本语序类型》（《民族语文》第6期）运用话题结构理论分析，认为SOV、OSV是句法结构的受事性论元话题化的表现形式，是话题结构，因此现代白语的基本语序是SVO。研究语序的论文还有银云忠的《仫佬语定中结构及名词修饰语语序简析》（《中央民族大学学报》第6期），对仫佬语中的名词性短语进行语序分析。张定京的《汉语与哈萨克语的语序》（《语言与翻译》第1期）对汉语和哈萨克语的语序进行对比分析。

被动句式和被动意义的表达方式在不同的语言中往往存在着多种多样、各具特点的差异，有的语言通过一种特定的句型表示，例如李洁的《被动句是拉祜语的一种独立句型》（《云南师范大学学报》第3期）对拉祜语的被动句进行了描述。通过语法范畴表示被动态是常见的现象，严格意义上的被动态范畴往往依据动词本身的形态变化来减少其论元的数量，即通过动词的不及物化来实现，但是胡素华在《凉山彝语被动义的表达方式》（《语言研究》第4期）一文中提出，凉山彝语（北部方言圣乍话）虽然有声调的屈折变化，也常被误认为是形成被动义的手段，但实际上只是动词与名词性成分间的不同关系，即不同的语义指向在语音和谐上的表现，因此凉山彝语没有严格意义上的被动态范畴。可见被动句和被动态并非在所有的语言中都有典型的表现形式，对此，戴庆厦、李洁的《藏缅语的强调式施动句——兼与汉语被动句对比》（《语言研究》第3期）一文就被动句和施动句进行了对比，并指出强调施动句的形成原因与该语言的分析性特点，包括谓语动词的形态状况，谓语动词与施受者的关系以及语序等因素有密切关系，在此基础上提出藏缅语一些语言没有被动态和被动句，但有强调施动句。对两种语言的同一种句式进行对比，不失为语法分析的一种有效方法，将汉语同其他语言进行对比分析的论文有：黎意的《苗语的述补结构——兼与汉语对比》（《中央民族大学学报》第3期）和德力格尔玛的《汉语带结果补语的述补结构在蒙古语中的表达方式》（《中央民族大学学报》第5期），两篇文章都对述补结构进行对比分析；曹春梅的《汉语维吾尔语否定句的分析和对比研究》（《语言与翻译》第3期）则对比了两种语言的否定句式。

研究其他句式的论文有：胡素华的《凉山彝语的差比句》（《民族语文》第5期），文章对差比句的结构形式和充当差比句各要素的语法成分进行分析，并论述了差比句的构成要素，认为凉山彝语差比句的句法特征多数符合SOV型、话题型语言的类型学特征，但也有不同的特点。冯英的《水语的动结式》（《民族语文》第1期）提出水语中动结式结构句法层面发展不充分，但词汇层面已有“动词性成分＋结果补语”的结构，是受汉语动结式复合词影响的结果。此外还有一些文章对语法范畴、语气等进行描述，如：江荻的《藏语拉萨话的体貌、示证及自我中心范畴》（《语言科学》第1期），扬承兴的《维吾尔语“非目睹”陈述语气式的发展与分化》（《喀什师范学院学报》第1期），严木初的《试论嘉戎语梭磨话的后缀》（《西南民族大学学报》第3期），张燕的《时间隐喻的类型学试析——以汉藏语系语言为例》（《中央民族大学学报》第5期）等。

（2）词类是语法分析的重要内容，对词类的研究主要集中在量词、名词、动词等几个实词的类别上，其中量词作为汉藏语言的重要特点，尤其引起关注，相关的论文最多，其中一部分收入了由李锦芳主编的《汉藏语系量词研究》（中央民族大学出版社），还有一部分发表在不同的刊物中，这些论文分别从演变机制、结构形式、特点或作用等多方面对量词进行讨论。

杨将领的《藏缅语数量短语的演变机制》，（《民族语文》第3期）运用认知语言学典型范畴理论知识，探讨藏缅语数量短语从CN型向NC型的演变机制，认为藏缅语言数量短语原始的组合顺序可能是“量词＋数词”型，后来部分语言演变成了“数词＋量词”型。量词的演变有时会发生虚化，即演变为非量词的语言成分，壮语中就表现出这种情况，覃晓航在《关于壮语量词的词头化》（《民族语文》第3期）一文中论述了这种演变现象，早期壮语量词在发展过程中分化出两类成分：一类仍是量词，另一类则虚化为词头，量词在“词头化”演变之后，失去表示事物单位的意义，因此成为性质不同的另一种语言成分，而不能视为量词的兼类现象。讨论壮语量词的文章还有吴超强的《浅谈壮语量词的作用》（《三月三少数民族语文论坛》第6期）。

在量词中数量占绝对优势的名量词其来源和构成都最为复杂，经常成为研究的主题，以名量词为专题的论文有：黄成龙的《羌语的名量词》（《民族语文》第5期），文章对羌语名量词的语义、形态和语用进行多层面的分析和描写，提出羌语名量词主要做名词的修饰成分，一般出现在名词后面，在特定的语言环境中，可以做名词短语的中心词或句子的核心论元而成为话题和焦点，有回指或有指功能。藏缅语言中普遍存在一种结构形式上具有反响型特点的名量词，戴庆厦、蒋颖的《论藏缅语的反响型名量词》（《中央民族大学学报》第2期）对多种藏缅语言中具有这种共同特点的量词进行了综合性的描写。对量词中某一次类进行探讨的文章还有胡素华、沙志军的《凉山彝语类别量词的特点》（《中央民族大学学报》第4期），类别量词是从功能上对名量词的分类，名量词有的以计量为主，有的以别类为主，在一些语言中，量词的类别功能显示出比计量功能更为重要的作用。

名词是各种语言中最重要的词类，描写名词的论文有以下多篇：石林、黄勇在题为《侗语的形态学特征》（《民族语文》第4

期）一文中，讨论侗语名词声母的屈折变化可成为动词，动词命令式的形态特点和名词、量词、动词、形容词重叠形式的语法意义。熊仲儒在《彝语名词短语内部语序》（《民族语文》第4期）一文中指出，彝语功能范畴D（su33）的EPP特征较强，迫使其补足语移到指示语的位置，因此占据D指示语位置的成分实际上是补足语，补足语显示了谓词论元的句法实现，由于彝语谓词在后，所以形容词、动词位于su33的补足语的末尾；由于领属短语中存在抽象谓词，所以作为抽象谓词外部论元的领有者位于作为内部论元的领有物之前，从而构成了“名词或代词＋中心语”的结构形式。

方位词是名词中一个很具特点的次类，覃凤余以《壮语方位词》（《民族语文》第1期）为题，对壮语的这类词进行描写。与汉藏语言不同，阿尔泰语言的名词具有“格”范畴，张定京在《哈萨克语名词的第八种格》（《中央民族大学学报》第4期）一文中，对哈萨克语名词的“格”进行了详尽的分析。

动词不仅是实词中的重要词类，而且内部组成相当复杂，判断词、助动词、副动词常常同一般的行为动词不相一致，在不同的语言中也各具特点。以动词为主要研究内容的文章主要集中在北方语言，如《满语研究》第1期上发表的多篇：《满语判断标记词及其句法功能》（唐均），《谈满语动词后缀ci》（王小虹），《关于赫哲语副动词-m，-re与biren的搭配关系》（李林静）。此外还有《语言与翻译》第2期上的《论维吾尔语动词条件式的历史嬗变》（马小玲）。

关于词类研究的论文还有以下数篇。陈国庆的《孟高棉语人称代词的形态特征》（《民族语文》第6期），文章对现代孟高棉诸语人称代词的形式进行分析，指出其形态变化的语法手段主要是语音屈折，有人称、数、性等语法范畴。马德元的《汉语和维吾尔语的代词对比》（《语言与翻译》第3期），通过对比的方法观察汉语和维吾尔语代词的异同。巩晓的《汉维语兼类词对比研究》（《喀什师范学院学报》第4期）运用对比的方式，对汉语和维吾尔语中共有的兼类词现象进行描述。李泽然的《哈尼语的宾语助词》（《语言研究》第3期）对哈尼语的宾语助词进行了全面分析。哈尼语有三个宾语助词，它们在使用频率、使用范围、宾语长短等方面各有差别，是哈尼语句法结构的一个重要语法成分，宾语是否带宾语助词同宾语的生命度（生性）、主语和宾语之间的选择性、谓语的语义、句型及句子的长度等有密切关系。

（3）语法化现象是近年来语法研究中的一个热点，对语法化的讨论有的是根据多种语言中某一种语言形式共同的语法化演变进行普遍规律的探索，有的是对一个特定语言中多种成分的语法化过程进行分析。前者如石毓智的《被动式标记语法化的认知基础》（《民族语文》第3期），论文运用类型学和认知语言学的方法，对古今汉语和少数民族语言的被动标记进行比较研究，着重探讨汉语被动式同其他语言之间的共性与个性。后者如唐黎明的《浅谈凉山彝语的语法化现象》（《民族语文》第1期），主要讨论凉山彝语中比较常见的语法化现象：实义构词语素语法化为词缀，实词虚化为语法功能词。类似的讨论还有［日］中岛干起的《满语的实词化》（《满语研究》第1期），潘立慧的《壮语上林语 pei（去）的语法化》（《三月三少数民族语文论坛》第6期）。

（4）对于语法研究理论的探讨和海外一些研究方法的介绍有以下两篇论文。刘丹青的《形容词和形容词短语的研究框架》（《民族语文》第5期），从形容词词类地位问题出发，讨论如何从跨语言对比（包括语言共性与类型差异两个方面）的角度尽可能客观地认识形容词的词类属性，建立相对合理、广泛适用的形容词和形容词短语的研究框架。黄成龙的《语法描写框架及术语的标记》（《民族语文》第3期）主要介绍当前境外描写语法的主流倾向和分析语料的方法，为了读者方便起见，文章中还提供了形态学和句法学常用的一些术语和缩写形式。

2. 语音

对语音的研究可以归纳为元音、辅音或声母、声调、语流音变几个方面，有的是对共时系统或现象的描述，有的是根据所显示的特点进行寻根溯源的探索。

以北方语言的元音为专题的论文以米娜瓦尔·艾比布拉的《撒拉语元音的特点》(《民族语文》第6期)一文为代表，论文根据音位理论较为详尽地描述了撒拉语元音的清化、长元音、紧喉元音及其伴随音等音位变体和增生的过渡音等特点。朝克的《关于锡伯语口语单元音系统》(《满语研究》第1期)以锡伯语单元音为对象进行系统描写。关于南方语言的元音研究有王朝晖的《仙岛语和阿昌语元音对应关系》(《民族语文》第4期)，论文通过仙岛语与阿昌语开音节和闭音节中元音的比较，探讨仙岛语和阿昌语元音历史演变的轨迹，解释仙岛语和阿昌语的发生学关系。元音的松紧对立是缅彝语言的重要语音特点，但在不同的语言中又存在着大同小异的差别，周德才的《彝语方言松紧元音比较研究》(《云南民族大学学报》第5期)对彝语的松紧元音进行了专题性的讨论。

有关辅音或声母的论文有呼和的《蒙古语辅音腭化问题研究》(《民族语文》第2期)，文章指出辅音腭化是舌腭接触面积受外来因素影响而有所增加的现象，不能混淆"腭化辅音"和"腭化变体"这两个既有联系又有区别的概念，蒙古语察哈尔土语出现在前元音前后的辅音都可以视为腭化变体，以便与出现在央、后元音前后的辅音(非腭化变体)形成对立。哈斯巴特尔的《满语辅音c/j探源》(《满语研究》第2期)对满语一种音类的源流进行了深入的探索。南方语言的辅音声母有着复杂多样的形式，例如先喉塞辅音声母在藏缅语言中是较为特殊的一种语音现象。周德才在题为《他留话先喉塞鼻边音声母探究》(《民族语文》第2期)的论文中，通过他留话同彝缅语言的比较，提出他留话先喉塞鼻边音声母是从复辅音演化而来，并向单一的辅音声母演变的观点。王朝晖以《仙岛语和阿昌语声母比较》(《语言研究》第2期)为题，通过仙岛语和阿昌语声母的比较，分析两种语言声母演变的轨迹及其分化过程。覃晓航的《从壮语ʔd到ʔd的多元变体看语融音变规律》(《中央民族大学学报》第3期)从壮语声母一种声类的变体现象探寻一般规律。此外，张洋的《维吾尔语区别特征的原则》（《民族语文》第3期），依据区别性特征的理论对维吾尔语的元音和辅音的分类发表了自己的见解。

音高和声调是汉藏语言普遍具有的语音特征，藏缅语族嘉戎语组的语言普遍存在词汇和语法层面的丰富的音高别义现象。孙天心的《嘉戎语组语言的音高：两个个案研究》（《语言研究》第1期）根据多年调查获得的语料，系统介绍了草登嘉戎方言和蒲西拉坞戎方言单音节和多音节音调现象，分别对两种方言中音高的音系功能进行详尽的描述，指出两种重音系统类型虽不一致，但重音位置，形态语法范畴，标志语法的功能相同。在此基础上对这种现象进行探源，认为草登话和蒲西话虽然关系十分密切，但重音现象并无同源关系，均为独立的音韵创新。黄行的《汉藏民族语言声调的分合类型》（《语言教学与研究》第5期）对汉藏语系语言声调分化与合并的类型进行描述和归纳，提出声调分化与合并的类型往往因语言或方言的不同而异，因此具有分类的意义，并对四声八调型声调产生的语言发生学机制和语言接触机制做了一些初步的评价。

语流音变是一种重要的语音现象，在语言中普遍存在，因此也是语音研究的重要内容，例如土家语句子中的语流变调现象就十分丰富。徐世璇、鲁美艳的《土家语句子中的选择性语流变调》（《语言科学》第6期）通过对大量语言材料的详细描写，分别从发生变调的语音条件和成分类别进行分析，归纳句子语流变调的规律，提出土家语句子中的语流变调具有选择性的特点，在同样的语音条件下，语流变调现象不是强制性的，而同语法功能和结构成分有密切联系，因此土家语句子中的语流变调既是一种语音现象，又是一种语法现象，揭示了语音和语法的内在联系。海南村语也有较复杂的变调现象，并且也是受调类配合、调值高低、语法关系等多种因素的影响有条件地发生的，符昌忠的《海南村语的连续变调规律》（《语言研究》第3期）对此进行了系统的描述。甘春妍的《博罗畲语的前缀变调》（《民族语文》第6期）对畲语前缀的变调现象作了介绍，博罗畲语前缀可根据后一个音节声调的高低升降出现固定的变调，文章对这一现象进行了详细的分析。同语流音变相关的文章还有卢勇斌的《谈谈壮文声调在朗读中流变的正音问题》(《三月三少数民族语文论坛》第 6 期)。

对语音进行讨论的还有赵岩社《佤语音节的配合规律》(《云南民族大学学报》第 3 期)，廖冬梅的《在新疆汉语方言中维吾尔语借词的读音》(《民族语文》第 1 期)，黄理、周炜《(贵港) 大黄壮语读书音系》(《三月三少数民族语文论坛》第 6 期) 等文章。

3. 词汇

2005 年词汇研究的明显特点是，有关借词的论文数量占有很大比重，几乎同构词和词汇系统分析的论文平分秋色，这同现代社会语言接触现象日益普遍，语言相互关系日益密切是分不开的。

我国民族语言中的外来借词以汉语词为主，这种一致性是显而易见的，因此对借词的研究大多以汉语借词为对象。例如拉珈语中的汉语借词就有着很长的历史跨度，蓝庆元在《拉珈语汉借词层次分析》(《民族语文》第 6 期) 一文中将有关的词分为现代层、近代层、中古层和上古层四个大层次，并且理清了这些层次的方言来源，提出现代借词是从西南官话的金秀话和桂林话中借入的；近代借词有两个次层次：广府片粤语层为清朝末年陆续借入，勾漏片粤语层为明朝以后陆续借入；中古借词来自一种未知的古代南方汉语方言；上古层次的性质尚有疑问，可能是借词也可能是汉语、侗台语同源词，较为清晰地展现了拉珈语词汇来源的构成。波·索德的《蒙古语科尔沁土语中的汉借词》(《民族语文》第 5 期) 简要讨论了蒙古语科尔沁土语中的汉语借词问题，认为汉语对科尔沁土语的影响甚至比察哈尔土语和书面语的影响更大。赵富荣、蓝庆元在题为《佤语中的傣语和汉语借词》(《民族语文》第 4 期) 的文章中指出，佤语中有相当数量的傣语借词，古汉语借词多通过傣语借入。符昌忠的《村语中的汉语借词》(《西南民族大学学报》第 6 期) 对分布于海南的村语中的汉语借词进行描述。

语言接触现象是错综复杂的，除了汉语之外，其他语言之间也有着程度不等的接触关系，因此各语言中的外来借词都不是单一来源的，讨论其他语言借词的文章有以下多篇：符昌忠的《儋州方言中的侗台语词》（《民族语文》第3期），孙娜的《壮傣语借词来源比较》（《三月三少数民族语文论坛》第6期），赵金萍的《德昂语借词的变化——以户弄德昌语为例》（《云南民族大学学报》第5期），杜曼·叶尔江、吉合台的《西部裕固语中的藏语借词》（《民族语文》第3期），周银霞、杨富学的《回鹘文〈罗摩衍那〉及其梵语借词研究》（《语言与翻译》第1期），波·索德的《蒙古语科尔沁土语中的满语借词考》（《满语研究》第2期）。以上文章充分显示了我国语言接触关系和词语借贷现象的复杂性和多元性。

词的结构形式是词汇研究的重要内容，各语言的构词方式和结构特点丰富多样。例如：在汉藏语言的很多语言中，普遍存在四音格结构的词汇，这种语音形式工整、内部结构紧密的表现力极强的词汇在有些语言中数量很多，成为明显的词汇特色，孙艳的《汉藏语四音格词研究》（民族出版社）对这种现象进行了综合性的描写。壮侗语族语言中有一类带后附音节的复音动词，它们的功能是描写动作的状态或模拟动作发出的声音，冯英不仅以《壮侗语带后附音节的复音动词》（《民族语文》第5期）为题对壮侗语言中的这类词进行描述，而且在《复音词的产生与复音化的关系——汉藏系语言词汇复音化思考》（《云南师范大学学报》第1期）一文中作了进一步的扩展，对汉藏语系语言中的同类现象进行综合性研究。对南方语言词汇的研究还有符昌忠的《村语与黎语词汇差异成因初探》（《广西民族学院学报》第5期），闫松的《细化与泛化——德堡壮语词汇的两种表义特征》（《三月三少数民族语文论坛》第6期）。

对北方语言词汇的研究以维吾尔语及回鹘语言词汇为主，相关的论文有：木哈拜提·哈斯木的《现代维吾尔语方言词拾零》（《民族语文》第5期），论文对现代维吾尔语吐鲁番、伊犁、罗布等地的一些方言词的特点进行比较，并说明它们不同于书面语的特点。

此外还有对维吾尔语词的结构形式、词源、构词理据和语义等多方面的讨论，如：艾尔肯·肉孜·艾尔图其的《俄、维语词缀及附加成分对比研究》（《喀什师范学院学报》第5期），柳元丰的《浅析维吾尔语的零派生构词法》（《语言与翻译》第4期），李祥瑞的《现代维吾尔语复合词和词组的界定》（《语言与翻译》第1期），常红的《维吾尔语 iʃtan 一词的词源探析》（《语言与翻译》第1期），李少平的《维吾尔语词理据的再探讨》（《喀什师范学院学报》第4期），胡传成的《论维吾尔语中词汇手段与语义模糊》（《语言与翻译》第1期）及《维语语词的重叠与语义模糊》（《喀什师范学院学报》第4期），赵永红的《回鹘文献语言词汇的特点》（《语言与翻译》第2期）。对北方语言进行词汇研究的还有：波·索德的《蒙古语科尔沁土语基本词汇的特点》（《内蒙古民族大学学报》第5期），敖特根其其格的《满语复合名词的构词特点》（《满语研究》第2期），李兵的《满—通古斯语言的最小韵律词》（《满语研究》第1期），［美］罗杰瑞著、朱麟译的《满语词源二例研究》（《满语研究》第2期），高娃的《满蒙汉谚语语义比较》（《满语研究》第1期）。

二、历史比较研究

汉藏语系作为历史比较语言学中的一个假设，一直是我国语言研究的一个重要领域。2005年的汉藏语言历史比较研究表现出两个特点，其一是对某些具体词语的考证十分深入细致，通过循流溯源，探索同原始共同语的关系和古音面貌；其二是更多地将汉语同民族语言结合起来，运用汉语和藏语、藏缅语言的材料，从语系的层面开展研究，这两方面的成果有效地推进了汉藏语系研究的深度和广度。

对汉语介词“于”的讨论开始于1997年，当年郭锡良在《介词“于”的起源和发展》（《中国语文》1997年第2期）一文中提出汉语介词“于”是由动词虚化而来的观点。论文发表后引起学术界的关注，一些学者先后提出不同的看法。时兵的《也论介词“于”的起源和发展》(《中国语文》2003年第3期）认为“于”可能是来源于共同汉藏语的向格动词残余。梅祖麟的《介词“于”在甲骨文和汉藏语里的起源》(《中国语文》2004年第4期）同意这个词是由动词虚化而来的，但提出远源是共同汉藏语“往”义动词，并对动词虚化的过程提出了不同意见。2005年这个讨论仍然继续，郭锡良以《汉语介词“于”起源于汉藏语说商榷》(《中国语文》第4期）为题，对两人的说法进行商讨，论证了起源于共同汉藏语说的不可信的地方，并进一步分析了动词“于”演变为介词的语法化过程。

汉语和台语之间的关系是近年来汉藏语研究中的热点，两者之间究竟是同源关系还是接触关系迄今为止尚无定论。丁邦新的《说“五”道“六”》(《民族语文》第3期）介绍了李方桂先生关于汉台语同源论的主要内容，然后从数字中的“五、六”两字说明台语的读法不可能是汉语借词，并且运用《汉藏语同源词库》的资料，进一步拟测原始汉藏语“五、六”两字的古音。

利用民族语言的材料研究上古汉语的文章有金理新的《汉藏语的完成体后缀＊-s》(《民族语文》第2期），论文结合藏语动词的体范畴及其表现形式，提出上古汉语动词也有未完成体和完成体之分，动词的完成体同藏语一样，也通过附加＊-s后缀表示。罗杰瑞的《闽方言中的来母字和早期汉语》(《民族语文》第4期）通过苗瑶语和侗台语中的早期汉借词对汉语古音加以论证，指出闽方言中来母有l-、t-和s-三种读法，来自较早的l-和lh-，共同闽语的lh-来自早期汉语包括清塞音的复辅音声母，这些古音痕迹保存在早期借进苗瑶语言和壮侗语言的汉语词中，因此靠文献构拟早期汉语的传统方法不是探究古音的唯一途径。黄树先的《从核心词看汉缅语关系》(《语言科学》第5期），从核心词中的同源词考察语言的亲疏关系。

语音的历史面貌和历史演变是历史研究中的重心所在，2005

年的汉藏语言音韵研究也十分注重汉语和民族语言的结合。朱晓农的《元音大转移和元音高化链接》（《民族语文》第1期）指出，上、中古汉语过渡时期发生了高化式的元音大转移，高化链移一般是推链式的，说者启动和听者启动是音变的两种可能的起因。讨论语音链变的论文还有辛世彪的《海南闽语精庄章组声母的塞化与底层语言的影响》(《民族语文》第1期)，但所讨论的是声母的演变，论文提出海南闽语中古精、心、邪、庄、生、章、船、书、禅九母塞化为t-的过程，先是精庄章母塞化，然后是其他声母，塞化自北而南逐渐展开，并且认为这种演变是在临高话影响下音位重组时发生链变的结果。研究古代汉语声母的还有吴安其的《精母的谐声和拟音》（《民族语文》第1期）一文，文章指出精母主要有精心谐声、精山心谐声和精见谐声，精母偶尔也与喻母、来母、泥母、端母及唇塞音声母字谐声。与山母来母谐声的精母字上古音是＊s C r-，与见母及喻四谐声的上古音是＊sk l -，汉语古音构拟中以藏语等的读法为依据是不妥的。通过其他语言的材料研究古代汉语语音的文章还有赵美珍的《韩国汉字音中的汉语上古音》（《民族语文》第5期)。此外田口善久的《三江史门勉语的音韵特点》（《民族语文》第2期）描述广西三江史门勉语的音韵特点，论文通过比较说明史门勉语与交公勉方言、优勉方言的亲疏关系，并认为史门勉语与交公勉方言有接触关系。

对南方语言进行历史比较研究的成果还有高永奇的《几种南亚语的词源统计分析》（《民族语文》第1期)，论文运用词源统计分析方法对我国的几种南亚语系语言进行分析，并通过无根树和在此基础上生成的有根树的比较，讨论这几种语言的系属分类情况及有关的其他问题。覃晓航的《侗台语族谱系分类史略》(《广西民族学院学报》，第1期）对侗台语言的谱系分类研究史进行了梳理。

北方语言的历史比较研究有对古代语音的追溯，有对某一语言的方言划分，有对原始共同语或共同成分的探讨。李树辉的《突厥语历史音变的五条基本规律》（《民族语文》第1期）一文提出，ʁ

＞b/v/w/j＞ɸ、m/b/p＞v/w/f＞ɸ、g＞v/w/j＞ɸ、q/ʁ＞x＞ɸ、aʁa/axa＞aː＞a是突厥语历史音变的五条基本规律，古代不同部落和不同地域的语言中所具有的不平衡性形成了现代语言的不同特点。耿世民在题为《试论中国哈萨克语方言的划分》（《民族语文》第5期）的论文，依据以往多次田野调查所积累的材料，对我国哈萨克语的方言划分提出初步意见，认为可以分为东北和西南两个基本方言，并且指出方言的分布同哈萨克族的部落结构有密切关系。关于北方语言历史比较的研究还有耿世民的《阿尔泰共同语、匈奴语探讨》（《语言与翻译》第2期），关忠保、陈潮华的《浅谈阿尔泰语系几个共同词》（《满语研究》第2期），孙伯君、聂鸿音的《契丹语语音的历史地位》（《满语研究》第2期）。

三、文化语言学和语言人类学研究

文化语言学和语言人类学都是语言学中新发展起来的分支学科，在研究方向多元化和研究方法多样化的趋势中，这些边缘性的年轻学科迅速发展，研究成果逐年增加，呈现出方兴未艾的勃勃生机。

张公瑾的《文化语言学视野中的民族语言研究》（《湖北民族学院学报》第1期）作为一篇纲领性的论述，对民族语言研究在文化语言学中所处的地位、发展空间和前景等进行了全面的理论阐述，对今后的研究和学科发展具有指导性的意义。

语言中的文化含义在很大程度上是通过词汇体现出来的，这方面的专著有黄中祥的《哈萨克词汇与文化》（中国社会科学出版社）对哈萨克语词汇的文化内涵进行了深入的发掘。为数不少的论文也分别对不同语言中的词语进行意义解析，揭示其丰富的文化内涵。吴安其的《汉傣天干研究》（《民族语文》第4期）将语言研究和文化研究互相结合，指出傣历天干十字的读法虽然与汉语不同，但都是古代语言肢体记数法的遗存，而且两种记数法都是从“指甲”开始到“头”，利用身体不同部位记数，从对语言的分析展示出独特的文化现象。论述傣语和傣族文化的论文还有保明所的两篇文章：《南传上座部佛教对西双版纳傣语的影响》（《湖北民族学院学报》第1期）和《傣语谚语的文化透视》（《内蒙古民族大学学报》第3期），王扬的《傣语中的水文化》（《湖北民族学院学报》第1期）。有关其他语言和文化的研究也都是通过语言和文化的内在联系，探寻语言中所蕴含的文化意义，揭示文化内涵在语言中的表现，例如：丁石庆的《从语言看达斡尔族农耕文化的特点》（《满语研究》第1期），李少平的《维吾尔语词语的文化附加义及其相关探讨》（《喀什师范学院学报》第1期），天峰、王玉霞的《浅谈蒙古语词的文化涵义》（《内蒙古民族大学学报》第6期），王德怀的《从熟语看维吾尔族的好客习俗文化》（《喀什师范学院学报》第2期）等。

地名中往往包含着丰富的文化历史信息，因此常常进入语言学和文化学的研究视野，覃凤余在《壮语地名及其研究——壮语地名的语言文化研究之一》（《广西民族研究》第4期）中论述了这一研究的意义。盛爱萍、王建华在题为《从地名看温州的移民》（《民族语文》第4期）的论文中，运用具体的材料对族群迁徙的历史进行了探讨，浙江南部温州一代在春秋战国时期居住着“瓯越之民”，魏晋之后闽方言使用者分布于此，唐以后又有畲族的移民，这一地区来自不同语言的地名留下了这些古代族群迁徙的历史印迹。

语言中的某一类词常常具有一定的文化内涵，折射出某种特定的文化现象，最为典型的当数亲属称谓了，因此亲属称谓历来就是观察社会和文化的一个重要视点。这方面的文章有艾尼瓦尔·艾合买提江的《谈维吾尔语喀什话的亲属称谓特点》（《喀什师范学院学报》第2期），赵志忠的《试析满族亲属称谓》（《满语研究》第1期），范丽军的《蒙古语内蒙古方言亲属称谓词中汉语借词特点》（《中央民族大学学报》第6期）。宗教词语和隐语讳称也是极富文化含义的词语，以下两篇文章就是相关的研究成果：普忠良、李崑的《彝族毕摩祭祀用词研究》（《民族语文》第5期）认为："毕摩"是彝族宗教信仰活动的中心人物，文章扼要阐释了彝族祭司名、祭祀用词及毕摩祭祀词所映射的文化理念；同类论文还有陈国光的《凉山彝语中的避讳》（《民族语文》第6期）。关于维吾尔族的语言和文化研究有下述多篇论文：买买提吐尔逊·阿布都拉的《汉维语中动物词语的文化内涵及差异》（《语言与翻译》第2期），阿不力米提·优努斯、庄淑萍的《维吾尔语数字的文化含义》（《语言与翻译》第2期），伊力哈木·克比尔的《维吾尔体态语词及其含义初探》（《语言与翻译》第3期），古丽扎尔·吾守尔的《维吾尔人名的历史特点》（《民族语文》第3期）。

语言人类学是近年来新兴的研究领域，这方面的成果从下述多篇论文可见一斑。唐戈、岳巍的《北方通古斯语"柱"与汉语"家"的语言人类学比较研究》（《满语研究》第1期）认为，"柱"是通古斯语言中表示本民族居住建筑的词语，文章通过同汉语中相应的词"家"进行对比，观察两个民族的人类学特点。李泽然的《从语言学解释哈尼族的族称》（《中央民族大学学报》第3期）从语言学的角度对民族自称的文化内涵进行剖析。巫达的《尔苏语言文字与尔苏人的族群认同》（《中央民族大学学报》第6期）以具体实例显示了语言同民族心理和文化背景的密切的内在联系。木仕华的《东巴文M为邛笼考》（《民族语文》第4期）认为东巴文中的M当为古羌的"邛笼"，从语言和文化方面考察西南的族群源流，提出纳西族同羌语支族群有同源关系。对语言中某个词语进行考证的文章还有吴小奕的《释古楚语词"灵"》（《民族语文》第4期）、徐时议的《"喽啰考"》（《语言科学》第1期）。

四、语言接触研究

随着语言接触的日益广泛和深入，对语言接触及影响的研究也越来越受到关注，成为重要的研究内容。纵观我国的语言实际，可以看到在我们这个多民族共处的统一国家里，语言接触和融合的历史由来已久，各种语言、包括汉语各个方言的发展演变都包含着语言接触的结果。例如在汉语东南方言中一些特有的词语，可以在“古百越语”（今壮侗语）里找到读音相近、语义相同的说法。李如龙在《关于东南方言的‘底层’研究》（《民族语文》第5期）一文中指出，一些仅见于东南汉语方言中的先喉塞音，精清读为t、th和透定读为h，是早年壮侗语言影响的不同程度的留存，这些底层现象应该是上古到中古之间先后形成的。古代北方的回鹘语文同契丹语关系十分密切。杨富学的《回鹘语文对契丹的影响》（《民族语文》第1期）通过对史书中见于记载的契丹语言现象的剖析，考察历史上回鹘语文对契丹语的影响。

语言接触必然引起语言之间的影响，从而发生程度不等的结构变异，因此相邻的语言在结构类型上往往具有区域性的趋同倾向。黄行在《语言接触与语言区域性特征》（《民族语文》第3期）一文中，通过语言地理数据描述中国不同地区语言的结构特点，对因语言接触而引起的语言区域性趋同变异现象进行了阐述。这方面的其他研究都是从特定的语言出发所作的具体的分析论述，大都是汉语对其他民族语言的影响，例如：申东月的《汉韩语言接触对韩语语音发展的影响》（《民族语文》第6期）指出，汉语与韩语的长期接触使中世纪韩语书面语中产生声调的对立，进而使现代韩语产生了长短元音的对立。李云兵的《论语言接触对苗瑶语语序类型的影响》（《民族语文》第3期）运用语言接触变异理论结合语序类型学的基本理论和方法，探讨语言接触对苗瑶语语序类型的干扰，认为在长期的接触中，汉语语序类型对苗瑶语产生了深远的影响，从而使得苗瑶语的语序类型发生了较大变异。在语言的相互接触中，处于强势地位的汉语也受到其他语言一定的影响，因此汉语史研究中一个十分重要的问题是，语言接触对汉语语法的发展产生了怎样的影响，对此李崇兴以《论元代蒙古语对汉语语法的影响》（《语言研究》第3期）为题进行了考证和论述。论文根据实际例证阐述汉语语法在以下几方面受到的蒙古语影响：（1）定中结构的复杂化；

（2）“动＋了＋宾”全面取代“动＋宾＋了”；（3）“着”的“方式化”用法的产生；（4）介词带“着”。

由于语言存在强势和弱势的差别，语言接触的结果不可避免地会引起语言融合、语言转用、弱势语言的衰变和濒危等等错综复杂现象。以下文章分别以不同的语言为例，对语言影响的复杂结果进行分析和论述：季永海的《从接触到融合——论满语文的衰落》（《满语研究》第1期），周国炎的《贞丰县坡帽村仡佬族双语类型转换个案研究》（《中央民族大学学报》第1期），戴庆厦、杨再彪、余金枝的《语言接触与语言演变——小陂流苗语为例》（《语言科学》第4期），何学娟的《濒危状态的赫哲语》（《中央民族大学学报》第3期）。

五、古文字文献研究

2005年古文字文献研究成果颇丰，其特点是专著数量同论文数量相当，表现出研究的系统性。下面分古文献和古文字两个方面分别论述。

（一）古文献研究

古文献的研究情况分别从对文献内容的解释和对文献语言的分析两个方面来看。

耿世民著《古代突厥文碑铭研究》（中央民族大学出版社）是近年来出版的一部关于古文献研究的重要专著，这部专著对第二突厥汗国和回鹘汗国时期的《翁金碑》、《铁兹碑》、《苏古碑》等9通碑的碑文进行了系统的注释和解读，较为全面地展示了那一段历史时期突厥文碑铭的概貌。耿世民的另一个研究成果是论文《回鹘文〈大白莲社经〉残卷（另二页）研究》（《中央民族大学学报》第1期）。

古文献的其他研究专著或资料整理集有：刘凤翥著的《遍访契丹文字话拓碑》（华艺出版社），莎日娜主编的《蒙古学金石文编题录》（内蒙古大学出版社），及《水书：丧葬卷》（贵州省民族古籍整理办公室、贵州省黔南布依族苗族自治州民族宗教事务局、贵州省三都水族自治县人民政府编，王品魁、潘朝霖译注，贵州民族出版社)，《彝文文献翻译与彝族文化研究》(王继超著，贵州省毕节地区民族事务委员会、贵州省毕节地区彝文翻译组、贵州省毕节地区彝学研究会编，贵州民族出版社)，《彝族古籍释名集》(王运权编著，贵州省毕节地区民族事务委员会、贵州省毕节地区彝文翻译组、贵州省毕节地区彝学研究会编，贵州民族出版社)，《西南古籍研究·2004年》(林超民主编，云南大学出版社)。上述专著或资料集涵盖了北方的契丹文、蒙古学金石文，南方的水书、彝文、西南古籍等多种文字的文献，显示出研究的广度。此外还有何丽著的《中国少数民族古籍管理研究》(辽宁民族出版社)。

对古文献的研究还有两篇重要论文，一篇是聂鸿音的《西夏文藏传〈般若心经〉研究》(《民族语文》第2期)，论文首次全文公布西夏译本《摩诃般若波罗蜜多心经》，这部佛经译自藏文，里面使用了一些逐字对译的藏式词语，其含义此前尚不为西夏学界所知，论文为这部经书作了详细的解读和注释。另一篇是张铁山的《敦煌出土回鹘文〈大乘无量寿经〉残页研究》(《民族语文》第5期)，文章首次刊布敦煌莫高窟北区出土的四件回鹘文《大乘无量寿经》残页，对回鹘文原文进行拉丁字母转写、汉译和注释，附汉语全文翻译，并对残页的成书年代、版本和翻译方式等问题提出自己的看法。

对文献语言进行探讨和拟测也是古文献研究的一个重要内容，这方面的成果有张铁山著的《回鹘文献语言的结构与特点》(中央民族大学出版社)，专著以回鹘文献为基础，对语言的结构和特点进行分析描述。有关的论文有：牛汝极的《元代景教碑铭和文献及叙利亚文突厥语的语音系统》(《民族语文》第2期)，文章介绍我国发现的元代景教徒用叙利亚文拼写的突厥语碑铭和文献，并对其语音系统进行拟测。根据文献分析语音的还有江桥的《满文元音之汉语注音》(《满语研究》第1期)。孙伯君的《契丹语词缀 *-gin/

＊-γin 及其他》（《民族语文》第 2 期）则对《辽史》契丹人名词尾普遍使用“堇”、“坚”、“隐”、“衍”等字进行考证，这些汉字所代表的契丹语词缀可拟为＊gin 或＊γin，文章通过对史籍中表音汉字对音规律的分析以及与阿尔泰语系其他语言的比较，考证了“堇”、“隐”等汉字所代表的契丹语词缀＊gin/＊γin 等，提出这个词缀相当于契丹语“贺跋支”的“支”，鲜卑语“可薄真”的“真”，其意义是“从事某种职业或活动的人”。

（二）古文字研究

对古文字的研究分别涉及西夏文、东巴文、女书、契丹大字和契丹小字、八思巴文等，专著数量超过论文，详细情况分述如下。

龚煌城著的《西夏语言文字研究论集》（民族出版社）收录了作者多年来研究西夏文的研究成果，体现了西夏文研究的最高水平，是这一领域的重要著作。纳西族东巴文是深受学术界重视的南方最主要的古文字之一，有关东巴文的专著有两部，分别是郑飞洲著的《纳西东巴文字字素研究》（民族出版社），周斌著的《东巴文异体字研究》（华东师范大学出版社）。颇具文化意义的女书虽然研究开展的时间不长，但近年来一直受到关注，研究热潮持续不退，2005 年又有三本新的研究著作或资料汇编出版，即：［日］远藤织枝、黄雪贞主编的《女书的历史与现状——解析女书的新视点》（中国社会科学出版社），赵丽明编著的《中国女书合集》（五册）（中华书局），刘忠华主编的《闺中奇迹——中国女书》（黑龙江人民出版社）。

古文字研究的论文数量虽然不多，但都十分重要。韩小忙的《西夏文中的异体字和讹体字》（《民族语文》第 4 期）以现存的 9 种西夏文原始辞书作为基本材料，对西夏文中的异体字和讹体字进行归纳整理。丛艳双、刘凤翥、池建学的《契丹大字《多罗里本郎君墓志铭》考释》（《民族语文》第 4 期）一文，对契丹大字《多罗里本郎君墓志铭》所涉及的多罗里本的生、卒年及家人情况进行考释，并构拟了两个契丹大字的音值。宝玉柱的《契丹小字 183 号

227号原字研究》(《中央民族大学学报》第2期)对两个契丹小字进行详尽的考证。正月的《摆腰台吉碑文八思巴文释读》(《民族语文》第6期)对一个碑铭中的八思巴文进行音义的解读和注释。

六、语言运用和语言规划

(一)语言运用

语言运用随着文化教育的普及和科学技术的发展,所包含的内容也越来越丰富,近年来,语文信息化处理和语言数据库的建设这两项具有时代特点的新内容,在现实需要的促进下迅速发展,成为当前语言运用性研究的重要领域。江荻、孔江平主编的《中国民族语言工程研究新进展》(社会科学文献出版社)是一部相关的综合性论文集,所收录的22篇学术论文主要包括应用语言学、计算语言学、实验语音学三个方面的内容。

对语文信息化和文字问题的探讨既有理论性的思考,又有方法论的探索,还有对传统文字的讨论,例如:崔军民的《藏语文现代化的若干思考》(《中央民族大学学报》第6期),买买提艾力、佟加·庆夫、亚森·伊明的《信息交换用维吾尔文、哈萨克文、柯尔克孜文字体字形标准研究法》(《语言与翻译》第4期),黄爱萍的《浅谈壮语言文字在我区民族传统文化中的作用》(《三月三少数民族语文论坛》第6期),韦树关的《从古壮字中的借形字和形声字谈古壮字创制的时代》(《三月三少数民族语文论坛》第6期),朱文旭、马娟的《彝文中的借汉字研究》(《三月三少数民族语文论坛》第6期)。除了上述对我国文字的研究之外,景永时、贾常业编著的《基于方正典码之上的西夏文录入系统使用手册》(香港社会科学出版社)为西夏文的录入提供了实用性的指导。孙桂梅的《境外突厥诸语言的基里尔字母文字》(《民族语文》第2期)以国外的文字为借鉴,简要介绍前苏联境内操突厥语诸民族使用的基里尔字母文字及其使用情况和存在的问题。

语言数据库为语言研究提供了现代化的手段,因此数据库的建设作为语言研究的基础正在受到越来越多的重视，不少语种都进行了语言学和科技手段相结合的尝试和探索，以下几篇文章从不同的角度反映了语言学家和计算机专业人员在这个新领域中的各种实践：玉素甫·艾白都拉、阿布都热依木·沙力的《现代维语语料库的词类标注研究》（《民族语文》第4期）讨论维吾尔语语料库加工的初步标注标准、所用规则集及应用问题。才让加、吉太加的《藏语语料库的词性分类法研究》（《青海师范大学学报》第4期）对藏语词性的分类进行探讨。陈雁捷、闵红云、袁帆的《论云南地方少数民族文字文献数据库构建》（《云南民族大学学报》第1期）对建立多种文字文献的综合数据库进行了论述。

试验语音学是随着科技发展形成的一个新的分支学科，对语音的声学分析使语音研究具有了以精确的数据定性定量的实验科学性质。石锋、周德才的《南部彝语松紧元音的声学表现》（《语言研究》第1期）对彝语南部方言元音松紧的对立在声学上的表现进行考察，得出中平调的元音松紧差异不明显，低降调中的松紧差异很显著的实验结果，这表明松紧元音的对立是发声类型的差异，也就是喉部的松紧状态，彝语南部方言在音高和时长方面的声学表现跟北部彝语的表现是一致的。易斌的《现代维吾尔语元音o的声学特征分析》（《语言与翻译》第3期）描述了对维吾尔语中一个元音所作的声学实验及其结果分析。

在多民族、多语言的地区和国家，双语现象和双语教学已成为现代社会日益普及的现象，因此对语言使用情况和双语教学的调查分析在了解语言生存状况，预测语言发展前景，制定语言政策等多方面都具有重要的意义。袁炎、赵云生的《多民族杂居语言使用情况探究——新平漠沙个案研究》（《云南师范大学学报》第3期）从一个具体个例的剖析，考察在多民族、多语言复杂地区语言使用的普遍规律。张和平的《对贵州双语文教学现状的思考》（《三月三少数民族语文论坛》第6期）结合民族地区基础教育中的实际对于双语文教学中的问题进行探索。班昭的《关于母语和本族语》（《民族语文》第 3 期）对两个使用越来越广泛的语言学术语进行辨析，以求这两个语言运用研究中经常涉及的基本概念获得准确和同一的共识。此外还出版了两本语言教材，分别是：王伟、周国炎编的《布依语基础教程》（中央民族大学出版社），戴庆厦、岳相昆著的《景颇语基础教程》（中央民族大学出版社）。

翻译、编辑、词典编撰等都是直接关系到语言使用的重要问题，《少数民族系列词典》2005 年出版了周耀文、方峰和、郗卫宁编撰的《德宏傣语同音词典》，为傣语文的使用又增加了一部工具书。蓝若洲、黄甫芳、刘益堂的《〈汉壮词典〉的设计与编辑》（《三月三少数民族语文论坛》第 6 期）一文则是对词典编撰问题的讨论。有关翻译、编辑的应用性文章有：韦彩珍的《汉语复杂定语的壮译法》（《三月三少数民族语文论坛》第 6 期），覃祥周的《稿件编辑中的状语方言词》（《三月三少数民族语文论坛》第 1 期），陆发圆的《处理壮文稿件中方言词的指南》（《三月三少数民族语文论坛》第 2 期）等。

（二）语言规划和语言立法

语言规划和语言立法是政策性和法律性的工作，但为政府部门和有关机构提供相关的对策性建议也是语言学界不可推卸的责任。对语言规划和语言政策提出建议的有：孙宏开的《少数民族语言规划的新情况和新问题》（《语言文字运用》第 1 期），文章简要分析了近十年来少数民族语言文字规划中的新情况和民族语文工作中的新问题，提出了解决这些问题的一些思路。李锦芳的《中国濒危语言研究及保护策略》（《中央民族大学学报》第 3 期）针对当前引人关注的濒危语言现象提出了相关对策。

关于语言立法的两篇文章分别对我国最大的少数民族自治地区语言文字的立法工作进行回顾和总结，周庆生的《新疆的语言立法》（《语言文字运用》第 4 期）一文描述新疆语言法规产生的社会历史背景、新老语言法规产生的过程，颁布语言法规的意义，以及语言法规的内容。周炜的《西藏的语言文字立法》（《语言文字运用》第4期）重点研究了西藏自治区语言文字立法工作的起步、发展和成就，从多种角度揭示西藏语言文字法律的基本特征和内容，以总结我国少数民族语言文字立法工作的成功经验。

2005年还出版了两部个人文集：《道布文集》（上海辞书出版社）、《史金波文集》（上海辞书出版社）。两部文集分别收入了两位民族语文专家几十年中具有代表性的研究成果，是蒙古语和西夏语文研究的重要论著。

2005年世界民族研究

姜德顺

从已发表的论著来看，2005年度我国世界民族研究领域的成果数量相当多，所涉及地域很宽，对许多专题的讨论具体而深入。现以一些刊物2005年所载相关文章，以及本年出版的相关重点专著作为资料来源，对本年度世界民族研究逐一简要总结如下。①

一、学科基本理论研究

最近十多年来，学科基本理论研究一直是学者们关注较多的领域。本年度发表了几篇很有深度的文章。

郝时远的《民族认同危机还是民族主义宣示——亨廷顿〈我们是谁〉一书中的族际政治理论困境》（《世界民族》第3期）一文，通过解读2004年出版的亨廷顿新作《我们是谁——对美国民族认同的挑战》，结合其政治学理论的相关观点，分析了“核心文化”、“美国信念”、移民问题、多元文化主义等论说，认为该书主旨是亨廷顿在《文明的冲突与世界秩序的重建》一书中所阐释的“文明冲突论”的缩小版，即美国本土的“文化冲突论”。作者指出，“两论”有着一脉相承的内在联系，是立足于种族主义立场的美国民族

① 此外，在2005年9月和5月分别于武汉和北京召开的“中国世界民族学会第八届会员代表大会暨全国学术讨论会”和“第三届土著/少数民族国际会议”上，各有数十篇与会者提交及宣读的论文，其中涉及世界民族研究领域者不少，因已有相关综述发表，具体情况在此不赘述。

主义宣示，目的都是为了维护美国在世界上“独一无二”的地位：在多文明的世界上，西方国家面临非西方文明的挑战，必须维护美国“核心国家”的领导地位并团结一致；而在美国国内多种族、多族裔的文化格局中，面临“有色人种”对自我认同挑战的美国，必须维护以盎格鲁—撒克逊新教文化为代表的白人“核心文化”的中心地位和同化能力。作者还指出，亨廷顿此书“反映了他自我设定的两副面孔、两种身份的内在矛盾和自我冲突”；“这种‘双重身份’的困境，最终使亨廷顿的‘学者’身份落入了‘爱国者’设下的种族政治和民族主义的牢笼……使这部著作变成既非严谨的学术文本，又非实用的政治指南，充其量是一本重述种族主义同化史、鼓吹民族主义霸权的宣言”。

朱伦的《西方的“族体”概念系统——从“族群”概念在中国的应用错位说起》一文（《中国社会科学》第4期），视野广阔，立意深远，言而有据，自成一说。该文采用实证分析与学理分析相结合的方法，对于“族群”（ethnic group）与“民族”（nationality）这对概念，围绕其各自母体概念“族种”（ethnos）与“国族”（nation）赋予它们之本质内涵，加以明确而细致的区分。该文在学理辨析基础上，把 nation、nationality 与 ethnos、ethnic group 分别归属于政治学与族类学（ethnology）两个不同的族体概念系统。该文不仅重点谈及西欧的“一族一国论”及其实践问题，而且在考察“民族”（nationality）概念的起源与流变过程时，以大量篇幅涉及在此过程中至关重要的东欧地区即沙皇俄国和奥匈帝国时期该地区民族构成之特殊性，并回顾第一次世界大战前奥地利社会民主党和奥地利马克思主义学派的观点，以及俄国共产党和俄国马克思主义者的观点。该文讨论了斯大林对民族所下的定义，指出该定义中有一个长期被人们忽视的问题，即斯大林把法国学术传统的“国族”（nation）概念与奥地利传统的“民族”（nationality）概念糅合在一起。该文引述了相当多的西班牙及拉丁美洲的相关资料，并援引作者本人在西班牙的实地考察经验为例证，而这正是很珍贵的信息源，可对于长期以来中国人类学、民族学界译介国外相关论著时，大多来源于英语和俄语资料的情况，予以弥补。作者认为，“族群”这个概念大约于20世纪20年代在墨西哥产生。文中还附有一张“西方族体概念的多维比较”表格，从词源、原指、语义、演义、特征、成因、实例、异议、学科归属、研究要点、基本话题、重要方法、理论流派、学术人物、介入学科等15个方面，条分缕析进行对比，令人耳目一新。在该文的“结语”部分中，也结合中国共产党的民族理论和民族政治实践，指出：中国共产党的民族理论坚持“统一的多民族国家”理念，该理念的核心思想可概括为“多民族国族”观。总之，该文对于读者开启和扩大思路，多有裨益。

王希恩的《族性及族性张扬——当代世界民族现象和民族过程试解》（《世界民族》第4期）一文对“族性”的理解是“构成各种族类群体的基本要素，包括血统、语言、传统文化、祖籍地、宗教、种族等”。该文对族体成员与生俱来的自然和文化属性即族性的“原生性”，对“泛民族主义”或“宏观民族主义”的具体内涵，以及对移民的实质，都进行了独到剖析。该文还阐释了“族性政治化”、“政治族性化”以及原生族体的普遍“碎片化”。该文认为，开始于20世纪90年代的世界性的“族性张扬”，是当今世界进步的重要推动力量之一。

在民族认同问题上，李明明的《试析欧洲认同与民族认同的关系》（《欧洲研究》第3期）一文所探讨的是近年来颇为引人注目的、似乎朝向消除民族国家界限的欧洲一体化。该文认为，欧洲认同包括三个部分。一、文化认同，它源于共同的文化和历史遗产，如古希腊罗马文化、基督教传统、文艺复兴的人文主义精神等等；它以一套共有的价值观和生活方式为基础，并表现为一些共有的象征和意象。二、欧盟成员国身份与公民身份。三、国际认同，主要是指欧盟作为一个国际关系独立行为体的身份问题。但是，在欧洲一体化进程中，出现了一系列问题：欧洲认同与民族认同之间是相互冲突还是能够共存发展？欧洲认同能否取代民族认同？作者通过分析认为，围绕着这些问题有三种观点：超国家主义、国家中心主义和多元主义。“超国家主义者认为一个统一的‘新欧洲’必然取代现有的民族国家的地位，欧洲认同作为一种正在发展中的超国家认同属于未来，而民族认同则属于过去”。国家中心主义者则持有与此针锋相对的立场，他们并不认为欧洲认同能够取代民族认同的地位，因为“尽管全球化、区域化产生了一些新的跨国的社会变化，但是这并没有改变国际体系的无政府状态，民族国家仍然是国际关系中的主要行为体”。而且全球性、地区性的集体认同先天不足，内容空洞。多元主义者则认为欧洲认同与民族认同是“多元共存”关系，两者相互兼容且功能互补。该文还分析了 1996 年、1999 年、2002 年三个年度“欧盟 15 国民众选择民族认同与欧洲认同的比率”，并指出“只有极少数的人不再认同某个国家，而只认同欧洲。绝大多数人保留了对本国的认同。其中，把欧洲认同放在民族认同之前的人数比例也很低。这说明民族认同对于人们来说仍然是一种最为重要的积极的认同形式”。而且到 2002 年，“越来越多的欧盟公民认为欧洲认同和民族认同的共存发展是可能的”。作者最后指出，多元主义这种折中观点，“把发展欧洲认同和尊重、维护民族认同的要求融合在一起，比较符合当前欧盟超国家性质和政府间合作并存的现状”。

戴晓东的《当代民族认同危机之反思——以加拿大为例》（《世界经济与政治》第 5 期）一文，论述了与当代民族认同危机相关的三种思潮及其对应策略，即同化主义、多元文化主义、美国化，并以加拿大为例予以实证考察。文中所述“民族认同”中的“民族”，是指民族国家层面上的“民族”。该文认为，民族国家在建构集体认同过程中总要进行适度民族同化，但许多国家实行民族同化时，片面强调民族的同一性，如美国早期在印第安人中实施的惟英语教育、加拿大长期推行的盎格鲁化、前苏联一度奉行的大俄罗斯主义等。同化主义在民族融合中起到某些积极作用，但它肆意践踏少数族裔的文化权利，往往导致各族裔族际关系紧张，进而引发民族认同危机。文中转引康奈尔和哈特曼（Stephen Cornell & Douglas Hartman）的观点，指出族裔与同化之间的关联："就族裔而言，同化论有几个重要的命题。第一，同化论认为族裔在本质上是文化现象。第二，族裔不应该被理解为某种根植于生物特性、经久不变的造物，而应该被看作扎根于社会文化，不断发展变化的东西。第三，同化是普遍的，少数族裔身份最终将消失。"在同化论的诸多倡导者中，1910 年至 1920 年间出现的芝加哥学派影响最为突出，此派所建立的同化模式显示：少数族裔在与居于多数的群体的遭遇过程中，要么沿着"接触－容纳－同化"这条路径顺利行进，要么沿着较为曲折的"接触－冲突－竞争－容纳－融合"线路，融入到主流社会中。同化论遭到批判之后，逐渐形成多元文化主义思潮。该文指出："多元文化主义的独特之处在于它以公民身份（citizenship）统合族裔，凝聚民族。公民认同是一种新型的、与族属意识和族籍身份相互分离的政治认同。"但是多元文化主义也有其局限性，主要表现为以下几点。一、没有消除文化差异与社会平等之间的矛盾，它为少数族裔维持差异提供了方便，但却使他们失去了一些改善社会地位的机会。二、具有内在的分裂倾向，它以民族政治认同统合族裔文化认同，比同化论更为包容，然而当民族认同从文化关系向政治地域关系转变后，"想象的共同体"就会变得空洞，不再有强大的亲和力，常常使原有的族裔文化认同变成可怕的分裂势力而削弱民族共同体。三、陷入激进的文化相对主义，不能客观地反映不同文化的发展状况，也不利于各文化群体的交流与对话。而"美国化"在历史上主要是指对于来自非盎格鲁撒克逊主流文化国家移民的同化，当今则指美国通俗文化对其他民族国家文化的冲击。当代一些外国学者就全球化时代的民族认同转型，提出一些见解，其中，简·阿特·肖尔特（Jan Aart Scholte）的论断似乎更为切实可行。肖尔特关于民族认同的重构，遵循七项原则：宽容、承认、尊重、互利、负责、克制、抵制。最后，作者根据吉登斯

“世界民族主义”的思路，以肖尔特的七项原则为参照，提出了“世界民族主义认同模式”。

本年度发表了许多涉及民族主义的学术论文。马俊毅的《论二战中的极端民族主义和种族主义——纪念世界反法西斯战争及抗日战争胜利60周年》（《民族研究》第5期）认为，“民族国家的建立并不是民族主义的最终目标，也不意味着民族主义的终结”，19世纪之后，“资本主义世界内部各个民族国家的矛盾加剧了，在以民族国家为核心单元的竞争态势中，民族主义成为最好的理论武器”。该文着重分析了德国民族主义的源头，随即指出，德国的民族主义具有与文化民族主义（分裂割据的德国面对外来文化的入侵，知识分子自觉抵制，通过挖掘古日耳曼的光荣来寻觅维系民族感情的血脉，促成了文化民族主义的成长）密切联系的特点，并由于德国武力统一而进一步带上强烈的军国主义色彩，后来则演变为二战时种族主义成分突出的极端民族主义。该文指出，二战时期德国的法西斯极端民族主义，根源于资本主义民族国家的民族主义思想，实质是帝国主义的极端民族主义和种族主义。而在当今世界，在上层社会有较多支持者的新法西斯主义、新种族主义逐渐抬头，具有理论上更加精巧、趋向于非常规的暴力恐怖活动以及借助互联网快速传播等特点。为了构建和谐的民族国家关系，必须从维护人权和民族平等的角度，反对和杜绝一切形式的极端民族主义和种族主义。

杨宁一的《世界历史视野中的民族主义》（《历史教学》第10期）认为，民族主义内容包括“强调本民族内部的同质，强调本民族与其他民族的差异，对民族的认同和忠诚，要求建立民族国家，渴望民族富强”。民族主义具有原发型和传导型两种基本类型，发展中国家的民族主义属于后者。发展中国家的民族主义同样追求民族富强，于是有人将其称为“经济民族主义”。作者认为，不能简单地把此种民族主义概括为“经济民族主义”，因为新兴独立国家不仅需要处理与邻国的关系，而且在获得了政治独立之后，建立民族国家的任务并没有真正完成，还需要妥善处理内部的民族问题，进行社会整合，加强经济联系，实现民主，确立民族认同感。该文还指出：新兴独立国家中的民族主义存在着反现代化倾向，因为现代化过程所引起的全面社会政治经济变革，必然触动一部分传统势力的利益，它们就会利用社会变动引发的民众不满，把现代化斥责为西方化而加以排斥，主张恢复民族的传统。“这种反现代化的民族主义在新兴独立国家中有一定的市场，伊斯兰原教旨主义是其中比较有代表性的表现之一”。

二、国别和地区研究以及其他民族问题

国别和地区民族问题研究是世界民族研究的基本内容，自本分支学科创始起就已存在，至今持续不断。

本年出版的重要著作《二十世纪民族问题报告·典型篇 I》（葛公尚主编，民族出版社）是中国社会科学院重大 A 类研究项目《二十世纪世界民族问题报告》的中期成果。这部共 48 万字的论文集由陈联璧等 16 位学者撰写。全书所收各篇文章反映了该课题选定的近 70 个世界民族热点问题当中的 30 个，按地理范围划分，涉及南亚的 4 篇、东南亚的 3 篇、中亚和西亚的 4 篇、东欧和俄罗斯的 5 篇、非洲的 6 篇、大洋洲的 2 篇、中美和南美的 4 篇，以及西欧和美国的各一篇。据该书“前言”称，全书是按照六种类型的民族问题排列各篇文章先后顺序。这六种类型是：与国家独立、统一和主权完整相关的民族问题，如《苏联解体与民族问题》等；多民族国家内部的民族问题，如《索马里部族冲突与内战》等；跨界民族和地区性民族问题，如《土耳其与泛突厥主义》等；种族歧视与种族主义问题，如《种族歧视与马丁·路德之死》等；移民和难民问题，如《印尼的民族与华人问题》等；世界土著人问题，如《智利的马普切人问题》等。各篇文章对所探讨问题的历史与现状都有扼要叙述，并指出其中关键所在。全书汇集老中青几代学者各家精粹，融最新研究成果为一体，可令读者较为全面地了解当今存在的各种类型民族问题的概貌和要害。

2005年国内出版的世界民族方面专著极为稀少，但有一部很有分量的著作问世，即侯艾君的《车臣始末》（世界知识出版社）。这部35万字的专著，除了“前言”及随附“车臣历史大事记”和“参考文献”之外，正文共分为13章，几乎涵盖了车臣问题的所有方面。在时间跨度上，该书从车臣人的起源、族称、早期社会状况，到19世纪中叶的沙米尔伊玛玛特教长国、高加索战争之后俄罗斯帝国的殖民征服期，再到十月革命后的“山民共和国”以及苏联时期的民族自治，直到苏联解体后的分离主义运动、两次车臣战争以至2004年9月1日发生的别斯兰人质事件，各个阶段无所不及，史料至为详备具体。该书不仅从历史学角度出发，还结合了社会学、政治学的基本理论以及国际政治学、地缘政治学等多个学科进行多方面阐述。

唐桓的《越南的上人问题及其影响》（《世界民族》第2期）探讨了越南西原地区民族分离主义运动。越南中部西原地区土著民族统称“上人”，意指生活在高原上的人，包括巴拿族等29个土著少数民族。法国殖民统治时期，殖民当局挑拨上人与当地越人之间关系，使该地区开始出现民族分离主义运动。1947年，法国殖民者在该地区建立了未纳入越南版图的“西圻自治区”，并在少数民族中建立武装组织“Goum”，埋下民族冲突的隐患。1958年，西原上人中爆发了反对吴庭艳政权、要求民族自治的“巴嘉拉嘎”运动，成为该地区第一个分离主义组织。该组织受到镇压后，其残部于1965年在金边重组为分离主义武装组织“福洛”，其宗旨是争取建立“独立的德伽共和国”。1992年“福洛”最终解散后，骨干成员400人移居美国，成立“德伽上人协会”等三个民族分离主义组织，并于2000年在美国科罗拉多州成立“德伽共和国”，随后还在越南西原各省设立秘密组织。近年来，该组织在西原地区屡屡制造骚乱，意图把该地区从越南分离出去而独立建国。经济开发引起的土地纠纷以及外来移民（主要是越人）与上人的贫富差距是该地区民族矛盾的主要根源，而上人与外来移民信奉不同宗教或不同教派则加剧了民族矛盾。2001 年和 2004 年由“福洛”煽动并组织的暴乱，致使共一千多名上人逃到邻国柬埔寨，其中一小部分人被联合国难民署驻金边办事处收容。逃到柬埔寨的上人究竟是否属于难民，究竟应该遣返越南还是居留于柬埔寨或送往第三国，已成为令越南与柬埔寨两国棘手的问题，这一问题也在柬埔寨与联合国难民署之间产生摩擦。同时，美国借机插手，将该问题与“民主、自由、人权”挂钩，加大了问题的复杂性。更为严重的是，目前美国已接纳近千名逃入柬埔寨的上人在美定居，实际上是鼓励其他越南上人继续逃往柬埔寨，使这一问题上升为更大的国际政治问题，以此作为筹码便于长期干涉越、柬两国内政。该文作者最后认为：“如果美国继续干涉，则该问题势必产生更加消极的影响，在印度支那半岛掀起新的波澜”。

庄礼伟的《印度尼西亚社会转型与族群冲突——亚齐民族分离运动个案研究》(《世界民族》第 1 期）一文，从分析亚齐法律地位的历史变迁以及亚齐人的族群记忆与族群文化特性入手，接着指出，亚齐人与爪哇人之间的严重敌意以至亚齐分离运动，有着几重现实原因。第一，亚齐的地方自治地位始终未得到保障，这一问题自印尼独立运动期间和 1949 年设计联邦制时就已埋下伏笔。第二，印尼中央政府长期以来对亚齐苛刻盘剥，亚齐丰富的石油、天然气、森林资源所获利润绝大部分上交中央政府，例如亚齐每年天然气开采可获利润达 21 亿美元，几乎全部上交中央政府，返还亚齐使用者仅为其中 1.6%。第三，军队镇压与人权问题。第四，苏哈托下台后历届政府较为“弱势”，对分离运动多采取安抚与寻求和解的措施。第五，国际势力的干预，如分离主义分子在国际上得到道义和财政支持。该文最后论述了苏哈托下台后哈比比、瓦希德、梅加瓦蒂三届政府对亚齐独立运动所采取的对策。

伍文侠的《印度尼西亚的民族分离主义运动》(《世界民族》第 2 期）剖析了当前对印尼的稳定与安全构成严重威胁的“亚齐独立运动”、西伊里安地区“巴布亚独立组织”、马鲁古地区的分离主义运动。这三个分离主义运动均以谋求民族地区的独立为目标，且均与印尼政府展开了武装对抗，屡经镇压而难以平息。作者将印尼民族分离主义运动的原因概括为如下几个方面。第一，印尼地域广阔，诸多民族分布在近6000个岛屿上，历史上各民族聚居地相对固定，容易与地处爪哇岛的中央政府形成离心倾向。第二，人种、文化、宗教信仰及风俗习惯的差异，难以形成全国性的统一民族认同。第三，荷兰殖民者统治时期350多年“分而治之”的政策，使该国国内各族产生仇视，且由于西方文化及基督教的侵蚀，加剧了原有隔阂。第四，印尼政府长期实行中央集权制，对各地资源开发、利用及财政上对少数民族地区利益照顾不周，加重这些民族的不满。第五，全球化、新自由主义、民主化的国际环境影响，尤其是东帝汶独立并获国际社会承认，使分裂势力产生错觉和幻想。第六，世界各地民族分离浪潮的推动。第七，民族问题、宗教问题及恐怖主义交织在一起发生作用。作者最后还就如何遏制印尼的分离主义提出五个方面设想。

涉及广布全球各地犹太人的问题，是一个较为特殊的民族问题。毛远臻的《时代变迁中命运沉浮的苏联犹太人——评析第二次世界大战中和战后初期苏联政府对境内犹太人的政策》（《首都师范大学学报》2005年增刊）一文，以大量材料为基础，比较完整地回顾了有关苏联犹太人的史实，并做了简要分析。1939年与1940年并入苏联的波兰东部与波罗的海三国大约有200万犹太人。在这些地区，苏联政府推行了“苏维埃化”政策，对犹太人进行改造。1941年6月德军入侵苏联，卫国战争开始后，苏联建立了犹太人反法西斯委员会，接纳甚至在一定程度上鼓励犹太文化自治。战后，苏联政府逐步调整了对境内犹太人的政策，掀起了排犹运动，产生了较恶劣的影响：背离了苏联政府一贯坚持的严厉打击反犹主义和坚持民族同化的政策，严重地破坏了发展苏联各民族平等、尊重、互助关系的原则；苏联政府以阶级矛盾代替民族矛盾，用阶级斗争方式处理民族问题，20世纪七八十年代大批苏联犹太人纷纷移居以色列，与此不无关系。

近年来，我国学术界关于国外土著民族的研究有一定的起色。本年有刘承军的《拉丁美洲印第安人运动的崛起》（《拉丁美洲研究》第5期）和梁茂春的《加拿大土著人口的特点及生存状态》（《世界民族》第1期）两文发表，前者类似随笔散记，含有大量第一手实地见闻直观资料；后者资料主要借助于网页，数据信息较为丰富。

对于美国亚裔参政问题，已有美国学者发表过若干论著，但对这一问题的研究在我国尚不多见。本年度，陈奕平就此问题发表了《当代美国亚裔参政问题分析》（《世界历史》第4期），它与此前关于“亚裔美国人”概念、亚裔美国人运动及华人参政方面的文章均有所不同。该文所论“参政”，不限于亨廷顿和内尔森对“参政”（political participation，也译为“政治参与”）所下定义即“平民试图影响政府决策的活动”，还考虑到了（美国亚裔）政府官员、政党骨干、政治候选人和职业院外活动分子的活动。该文分述了如下几方面亚裔参政情况：一、参加选举登记和投票的人数增加；二、从民选及获得任命官员情况看，人数在增加，而且亚裔参与的地区逐渐扩大且参与的族裔也更多元化；三、亚裔捐款的作用；四、亚裔组织增多；五、参与政党活动。另外，该文还对亚裔参政水平低于黑人、西语裔的状况做了介绍，并从政治经济、社会环境、政治心理学和政治文化学、机制影响与歧视这四个方面分析了此种差异的原因。

探讨国别和地区研究以及其他民族问题等方面的文章，还有刘金源的《布莱尔当政后的北爱尔兰和平进程》（《世界民族》第1期）、赵龙庚的《别斯兰人质事件与俄联邦的民族、宗教问题》（《世界民族》第5期），德全英的《试析纳扎尔巴耶夫的民族政策观》和李淑云的《地缘政治与中亚五国民族问题》（均载于《俄罗斯中亚东欧研究》第4期），杨玲的《乌克兰大选中的民族因素》（《俄罗斯研究》第1期），姜恒昆和刘鸿武的《种族认同，还是资源争夺——苏丹达尔富尔地区冲突根源探析》（《西亚非洲》第5期），杨洪贵的《二战后澳大利亚非英语移民政策的演变》（《世界民族》第5期）等。

三、跨国民族问题

跨国民族、跨境民族问题是近年来我国世界民族研究界关注的一个重要方面。在这方面，张晓的《跨国苗族认同的依据和特点》（《西南民族大学学报》第10期）一文为具体入微的实证探讨。在中国境内，苗族总人数约达740万（1990年人口普查数据）；此外，还有几百万苗族分布在东南亚、美国、法国、加拿大、澳大利亚。苗语分为东部方言、中部方言和西部方言。这三大方言区，可视为苗族的三大支系。该文作者为贵州生长的苗族，操苗语中部方言。该文开头以作者一段亲身经历，引出跨国苗族认同问题。“事实上苗族认同的问题和疑点，并不存在于居住在中国以外的各个国家的苗族（简称‘国外苗族’）之间，也不存在于国外苗族和中国云南苗族之间，而仅仅是存在于国外苗族与云南苗族以外的中国苗族的认同关系上”。因为国外苗族绝大多数先是从中国云南迁往东南亚国家，此后又有一部分从东南亚迁往欧美各国。该文从三个方面对跨国苗族认同问题予以回答。作者认为，五千年来，三大支系的苗族，虽历经迁徙，逐步形成目前的分布格局，然而“已经形成了‘苗’这个共同的族称，各支系的苗族不会忘记自己的先民曾经同是一个部落集团”。这种共同的历史记忆，“是跨国苗族认同的一个重要依据”。而芦笙、以开襟衣和百褶裙为主并具有统一格调的苗族服装，以及苗族古歌和杀牛祭祖习俗，则是苗族共有的文化标志，形成国内外苗族的另一组认同依据。此外还有一组认同依据，“各地苗族心理素质都有许多共同特征……如果只用一个特征来概括，那就是‘厚道’”；苗语虽然分为三大方言、七个次方言和十八种土语，但“实际上苗语的三大方言仍还有50％左右的同源词”。因此，作者认为“苗族各支系相异的是浅层文化，而相同的是深层文化，文化的差异是后期的历史造成的”。该文还论及作者本人与美国、法国苗族交往的多个实例，并把跨国苗族认同的立足点归纳为“族源”，认为“族源”认同分两个层次，“一个层次是家族的‘族源’，另一个层次是民族的‘族源’。国外苗族认同中国云南苗族，是在‘家族’这个层次上进行；认同中国贵州、湖南等地苗族，是在‘民族’这个层次上进行，反之亦然”，这是跨国苗族认同的主要特点。

玉时阶的《美国瑶族社会文化变迁》(《中央民族大学学报》第5期）一文，是根据作者在美国实地调查所得资料，论述20世纪80年代之后，因为战乱而被联合国难民署安置到美国居住的东南亚一带的瑶族，在美国政府的指导、帮助下，在和西方文化的接触中，实现民族文化转型，社会文化发生巨大变迁的过程。该文所论对象，为移居美国后，以分布在加利福尼亚州、俄勒冈州、华盛顿州各州州府及周边城市为主的瑶族，文中涉及劳动生活方式的变迁、物质生活方式的变化、语言文字的变化、社会组织的演变、婚姻家庭变迁、节日礼俗的变迁、宗教信仰的变迁等七个方面。

以上两文所涉及的“跨国民族”对象，已非跨国比邻而居的民族，而是特殊的跨境少数民族。

王士录的《缅甸的“果敢族”：族称、来历、状况及跨国互动》(《世界民族》第5期）一文所探讨的“果敢族”，其族称为1983年缅甸政府正式确定。果敢地区居民80％以上为清代初期以来从中国云南移居的汉族后裔。作者认为：“果敢族”就是现今生活在缅甸果敢地区的汉族，事实上就是缅甸华侨、华人中的“云南帮”。该文在论述果敢地区基本社情、民情以及该地区与我国边境地区的互动关系之后指出，缅甸政府将这一群体定为“果敢族”，有多方面原因，但有一点是可以肯定的：“将特殊地理区域内的这一特殊群体与缅甸其他地区的人数达60万之众的华侨、华人区别开来，使他们在政治和经济上失去对母国的依赖以及寻求母国保护的可能，以利于对他们实施管理。”

胡尚哲、高永久的《中亚国家独立前后跨国民族的迁移对其民族结构的影响》（《中国边疆史地研究》第3期）一文，论述苏联解体后中亚五国人口跨国迁移的状况，并分析由此造成的后果。中亚各国人口跨国迁移始于20世纪70年代初，但规模较小，未产生较大社会影响。1989年至1991年期间发生的一些重大政治事件的发生，致使各国人口的跨国迁移相继进入了高潮期。20世纪90年代中期以来，中亚各国跨国迁移的人口数量呈持续下降势头，但一直没有中断。中亚国家独立前后人口跨国迁移的高潮具有一些共同特点：第一，迁出者多，迁入者少；第二，外迁者中，主要是非主体民族人口，其中俄罗斯族人与日耳曼人分别占第一位与第二位；第三，迁出者中知识分子所占比例较高。由于大量非主体民族人口外迁，中亚五国人口构成出现“主体民族化”态势，即由先前外来民族人口占相当大比例甚至超过一半，变为各国均为主体民族居于多数。2000年以后，虽然跨国迁移的人口数量在逐年减少，但总体趋势并未改变，各国的民族结构仍朝着主体民族化的方向发展。人口民族构成的主体民族化态势，有利有弊。一方面，它壮大了主体民族队伍，削弱了非主体民族的实力，因而使先前存在的主体民族与非主体民族之间矛盾得到缓解。同时，在各国人口出生率较高条件下，由于外迁人口较多，有利于暂时缓解居民失业带来的压力。但是，另一方面，此种态势破坏了社会自然形成的人口分层结构，不利于社会的长治久安。具体而言，以欧洲族裔为主的各国非主体民族人口，原来大多分布在城市，其中大多数人从事非体力劳动，因而在社会阶层分化过程中处于中间层次，但由于这类人口大量外迁，使这种人口分层结构遭到破坏，中间阶层缓冲群体不断缩小，使各国的官僚阶层最终不得不直接面对本民族最广大的农村贫民阶层，于是，社会稳定进一步受到严峻考验。而且，由于原来在中亚各国的政治、经济和教科文卫等各个领域中发挥着重要作用的非主体民族特别是俄罗斯族人大量外迁，人才外流，导致掌握高技能的劳动力缺乏，使许多工业企业不能正常生产，科研、教育、文化和卫生保健等事业也陷入萎缩，既不利于中亚各国尽快摆脱经济危机困扰，也不利于其科教文卫等各项事业的后续发展。

吴宏伟的《中亚国家与中国的跨界民族：人口与分布》（《世界民族》第5期），先分别回溯中亚维吾尔族、东干族、朝鲜族等民族跨界而居的历史过程，继而详细罗列在中亚各国和中国跨界而居的乌孜别克族、哈萨克族、塔吉克族、吉尔吉斯族（柯尔克孜族）、土库曼族（撒拉族）、维吾尔族、俄罗斯族、东干族（回族）、朝鲜族、鞑靼族（塔塔尔族）的人口数据及分布地域简况，为这方面较完备之资料。

这方面的文章，还有闫文虎的《跨界民族问题与中国的和平环境》（《现代国际关系》第5期）。

四、国际移民及海外华人华侨研究

国际移民研究是当今国际人类学、民族学研究的一个重要领域，属于该领域独特一支的海外华人华侨研究近年纳入我国人类学、民族学学科范围后，颇受重视。

（一）国际移民研究

被《新华文摘》转载详细摘要的李明欢的《国际移民学研究：范畴、框架及意义》（《厦门大学学报》第3期）一文，理论性较强。该文以国际移民局所发布数据为基础，描述当今国际移民概况，进而界定国际移民学的基本研究范畴，介绍其主要学术框架，剖析其中难点与热点。该文作者认为，国际移民学的基本范畴可定义为："国际移民学的直接目标，是在合理解读移民行为的基础上，推动移民政策的合法制定，进而达到移民个人或群体在大社会中的和谐生存与发展"；而其最终目标是"全球资源的合理有效共享，全球人的和平共处，共赢共荣"。国际移民学探索两个最基本的问题："其一，何时、何人、为何、如何跨国迁移？其二，跨国迁移对迁移者个人、家庭及相关群体、地区、国家乃至整个世界可能产生什么影响？"而国际移民学的热点与难点，均衍生于移民个体或群体实现其利益过程中与跨国利益发生碰撞，因此可能导致一系列不可调和的矛盾。就经济方面而言，“国际移民学的热点在于力图建构起具有解释力度的模型，确立影响移民经济的主要自变量和因变量，求解左右或评价移民经济的指数”。在政治层面的焦点则涉及“国家政策法规的指定及实施，通过国家机器的有效运作，控制移民的流入或流出”。其热点问题有：国家对移民控制力的主要因素，移民、国家安全及国家对外政策之间的关系，国家对于把移民整合在本土社会中所起作用，移民对社会公共政策可能会有什么影响等。作者认为，“要解读当前发达国家移民政治中的难点，需要抓住国家战略、人权信条及实利驱动三大关键因素”。由于国际移民必然与文化碰撞和文化交融相伴生成，因而，怎样对待“消除差别”的种族主义比如“强迫同化论”，并识别及批判在“多元文化论”旗号下以“褒扬差别”而使民族差别固化的做法，就是国际移民学在文化方面的难点。

［美］周敏、［日］中文楚雄的《美国洛杉矶地区的日裔社区》（《思想战线》第3期）这篇个案研究，首先介绍自从1841年有日本人在美国落籍以来，到1970年至1990年“日裔平权索赔运动期”，美国的日本移民史已大致经历5个时期。该文以洛杉矶县（下含洛杉矶市、托兰斯市、蒙特里公园市、长滩市等88个规模不等的市）为例，考察该地区日裔社区的变迁，找出该地区日裔社区的一些特点、存在的问题以及将来走向的趋势。文中选采3个日裔社区为样本，该文主干部分即此3个样本的详细材料及相关分析。该文最后指出：构成日裔社区人口者为两大部分，一部分为日语所称之“日系人”，即持有美国护照的日裔美国人；另一部分为日语所称之“邦人”，主要是指日资企业的日方职员及其家属、各种驻美办事处的职员及其家属、各大学及语言学校的留学生、研修生和访问学者等。“日系人”当中的第一代移民平均年龄在77岁以上，第二代即在美国出生者也正进入高龄，而第三代和第四代是在美国出生的青少年。由于异族间通婚以及在美国文化环境下成长，年轻

"日系人"大多不谙日文，对日本文化的兴趣比较淡薄，对日本国的认同程度也比较低。而"邦人"为暂居美国，大都不打算长期居住在美国，在工作和学习结束后几乎全都回到日本，因而融入美国社会的程度也较低，在这一点上与其他亚洲国家和地区来美的年轻人大为不同，这是日裔"邦人"一个显著特点。在分析了多种原因之后，作者认为，从长远来看，日裔社区能够稳定地生存和发展下去。

（二）海外华侨华人研究

黄昆章的《海外华人的"落叶归根"观念回潮了吗》（《世界民族》第1期）一文，是针对近年来一些学者认为中国对海外华人的吸引力和凝聚力加强，回归中国的华人日益增多，于是当代海外华人中呈现"落叶归根"和"再华化"的观点所作的驳论。该文对海外华人当中"落叶归根"与"落地生根"这两种截然不同的价值取向及相应行为进行分析后指出，"落叶归根"回潮的观点缺乏足够证据，具体表现为以下几点。(1) 二十多年来，估计中国内地有上百万居民合法申请到外国，他们是带着永久定居于外国的心态出国，与早期移居外国的中国人不同。(2) 已在居留国生活数十年的第一代中国移民，多数已加入当地国籍。(3) 出生于当地的第二代以后的华人从生活方式到思维习惯都已当地化，对于他们而言，落叶归根到中国是不可思议的。(4) 中国留学生还不能算严格意义上的移民，而是可能在居留国取得国籍的"准移民"，况且58万中国留学生中已有15万人回国，而已加入外国国籍的"海归派"并非打算在中国内地永远定居，且"海归派"在留学生中也不占多数。(5) 一些海外华人企业家到中国内地投资，主要目的是获取利润，爱国、爱乡并非其主因。

郭玉聪的《日本华侨华人二、三代的民族认同管窥——以神户的台湾籍华侨、华人为例》（《世界民族》第2期）一文所指的"民族认同"，主要是王赓武教授所说的种族及文化认同。该文以1992—1993年和2001年10月先后两次在神户所做问卷调查为依据，对当地华侨华人的民族认同四个要素即语言、地域、宗教、共同意识做了分析。所调查项目为“选择居住神户的原因”和“在神户感到亲切的场所”，其中后者含有10个选项。神户中华同文学校在两项调查中均被受调查者作为首选。作者指出，受调查的台湾籍华侨、华人当中，毕业、肄业于该学校者，以及就读过神户华侨幼稚园者，合计占总数87.8%，显示出他们是为了以此学习民族文化，确立中国人意识。起源于19世纪70年代的神户南京町（中华街）是中国地域的象征，在二战时遭空袭而荒废，1981年在日华侨、华人积极致力于复兴南京町。有60.9%的被调查神户台湾籍华侨、华人对于南京町感到亲切，仅次于对中华同文学校的亲切感。令被调查者感到亲切的第三个场所是关帝庙这一宗教信仰场所，其中，选择因关帝庙而聚居神户的台湾籍华侨、华人之比例远远高于其他华侨、华人。台湾籍华侨、华人聚居神户的第四个主要原因是由于该地有华侨总会和同乡会，此种社团是他们共同意识的象征。

邓兰华、张红的《俄罗斯华侨华人与俄联邦的移民政策》（《华侨华人历史研究》第2期）一文，回顾自17世纪中、俄接壤后沙俄及苏联时期各阶段在俄华侨华人简史，论述苏联解体后俄罗斯华侨华人的状况，将十多年来在俄十余万华侨华人划归为私人企业家及个体经商户、个体打工族、国家大型企业及大公司驻俄代表处的工作人员、国家教育科研部门的互换学者和公派及自费留学生四大类，并着重介绍居于多数的第一、二大类人员情况。该文还分析了俄罗斯存在的“中国移民威胁论”，同时援引多位俄罗斯学者的意见，指出这种“威胁论”根据不够充分。该文以俄罗斯联邦政府于1991年12月成立移民人口委员会，直至2002年6月21日国家杜马通过“俄罗斯联邦外国公民法律地位”这十多年来俄罗斯的多项移民政策为线索，指出：“俄罗斯的移民政策由刚开始的敞开大门、接纳一切愿意来的人，演变为逐渐有限制、有选择接纳投资者、专家、科学技术人才和国家短缺的劳动力，有计划地消化、解决前苏联解体后遗留下的人口国籍问题，并制定详细的法律条文加以制约，实施严格的监察措施，防止对国家无用、有害的移民流入，或者滞留以及抑制、排斥移民在经济领域或就业领域对本国公民的竞争。”

加拿大籍华裔学者赵世玲的《面对文化歧视的加拿大华人》（《思想战线》第5期）一文首先回顾1788年开始有华人移居加拿大以来各时期的加拿大华人移民史，随后指出：20世纪70年代时，当华裔人口剧增，经济和政治地位上升之时，加拿大华人对自己的族群意识有了清晰的理论表述，完成了对“华裔加拿大人”这一概念的建构。加拿大首位本地出生的华人牧师Andrew Lam于20世纪60年代在《华埠新闻》上撰文，谴责“同化理论”，主张种族平等，首次提出了“华人民族性”的概念，认为接受加拿大人身份并不意味着完全放弃少数族群文化。1971年10月，多元文化理论正式成为官方政策和国家意识形态，对于“华裔加拿大人”理论的建构至关重要。多元文化政策实施后，华裔寻到了自己的根，积极参与建构“华裔加拿大人”这一概念。1971年中华人民共和国恢复在联合国的合法席位，1973年特鲁多总理访华，以及中加建交，在加拿大华人社区中造成巨大的积极影响，并促使一些华裔加拿大人重新建立起与祖祖辈辈居住的故乡中断了数十年的联系。

罗勇的《文化与认同——兼论海外客家人的寻根意识》（《西南民族大学学报》第2期）一文，以海外客家人的宗亲社团、姓氏宗祠、族谱续修、方言固守等文化事象为例，论证客家民系的认同，并辨析了均可作为认同依据的血缘与文化这二者之间关系，既而指出“客家人的认同是文化上的认同，而不是血缘上的认同；换言之，认同的基础是文化而不是血缘。因此，作为同一个民系的客家人，也许血缘上会有所不同，但对客家文化的认同却是一致的”。

另外，王子昌的《华人移民与美国政治的发展》（《世界民族》第1期）一文，论述了自1882年起至1970年以来四个时期华人移民在美国参政的情况，最后将20世纪70年代以来华人移民参政活动空前高涨的原因，归结为在美华人人数增多、文化素质提高、经济地位提高三个原因，并附带表格说明。曾少聪的《美国华人新移民与华人社会》（《世界民族》第6期）一文，主要对于华人新移民促使美国华人社区扩大、新移民改变华人传统职业结构、新移民引发华人侨团变化特别是组建政治团体和职业团体等方面做了阐述。李其荣、王春的《美国等五国“华人三重性”的比较研究》（《世界民族》第4期）则是受到韩方明在《华人与马来西亚现代化进程》一书中所阐释的“华人三重性”即中华性、本地性、国际性的启发，对美国、印尼、马来西亚、新加坡、泰国这五国的华人在文化、政治、经济方面差异加以比较，并追寻其原因。

在海外华文教育方面，张向前、朱琦环、吕少蓬的《世界华文教育发展趋势及影响研究》（《云南师范大学学报》第4期）和［美］周敏、［中］黎熙元的《族裔特性、社会资本与美国华人中文学校》（《世界民族》第4期）两文内容较为丰富。前者侧重于文献，为全方位历时性总论；后者则以1994年至2003年间在洛杉矶、纽约、华盛顿三地的实地考察、面对面访谈，以及华文学校网页和美国华文报刊为素材进行分析，且由于作者之一周敏是洛杉矶加州大学社会学系教授，该文所采用的社区力、社会资本、族裔环境、溢出效应等分析元素，为中国民族学界所不熟悉，颇值得国内相关学者借鉴。

国际移民及海外华侨华人研究方面的论文，还有范宏伟、刘晓民的《国籍·民族主义·“社会主义”：战后缅甸华侨国籍个案研究》（《东南亚研究》第6期），王寅的《美国的爱尔兰和意大利移民比较研究》（《世界历史》第4期），朱陆民的《从制度视角看马来西亚华人的参政空间》（《世界民族》第2期），石沧金的《试析马来西亚独立后华人社团与华人文化发展的关系》（《世界民族》第3期），侯松岭和喻慧的《浅析国际移民对现代国家民族性的影响》（《贵州民族研究》第3期）等。

本年度各期《华侨华人历史研究》刊载了一些综述，分别对年内举办的相关学术活动如“海外华人与侨民教育”国际学术研讨会、“华侨华人在丹麦的移民历史和生活情况”讲座、“美国华人研究的新视角——文化社区观点探讨”学术讲座、“美国与日本华人研究的比较：一个留日居美学者的审视”讲座、“郑和下西洋与华侨华人论坛”、“中国和平发展与海外华侨华人研讨会”、“海洋亚洲与海外华人（1405－2005）”国际会议，以及“中国世界民族学会第八届会员代表大会暨全国学术讨论会”上第三组的“国际移民与海外华人研究”讨论，均较为及时的评介。这从一个侧面反映出当前我国华人华侨研究界学术气氛相当活跃的局面。

·学术热点问题座谈·

“生态移民与环境影响评估”国际研讨会综述

2005年9月27—28日，“生态移民与环境影响评估”国际研讨会在中国社会科学院学术报告厅召开。会议由中国社会科学院民族学与人类学研究所（简称“社科院民族所”）和日本民族学博物馆联合主办，日本国立综合地球环境研究所协办。这是中日双方学者第二次在北京召开生态移民国际研讨会，参会代表40余人，其中日本学者8人。在9月27日上午的开幕式上，社科院民族所所长郝时远教授致开幕辞并发表主旨演讲，日本国立民族学博物馆小长谷有纪教授、日本综合地球环境研究所洼田顺平教授分别代表日方主办者和协办者致开幕辞和发言，国家发展与改革委员会国土开发与地区经济研究所宋建军研究员、宁夏大学王朝良教授分别从宏观、微观的视角探讨了生态移民与环境的关系。开幕式由社科院民族所色音教授主持。9月28日下午，会议举行了闭幕式，社科院民族所党委书记揣振宇同志到会致闭幕辞，代表社科院民族所对会议的成功召开表示祝贺，认为这次会议的召开对于推动中日两国学者在这个领域的学术交流将产生积极作用；色音教授、小长谷有纪教授分别代表中日双方组织者对会议发言和讨论进行了总结，认为这次会议在生态移民研究的质和量方面有了更进一步的深化。会议还决定2006年中日双方继续举行生态移民国际研讨会。

本次会议进一步探讨了生态移民的内涵和动因、生态移民政策与地方实践，移民村庄与文化变迁，生态移民与扶贫，退耕还林还草与环境影响，环境评估与管理等方面的问题。会议收到论文30篇。

一、生态移民的内涵和动因

在2004年7月召开的第一次中日生态移民国际研讨会上，许多学者对于生态移民的内涵进行了讨论，但没有形成统一的界定。2005年9月第二次中日生态移民会议则在这方面有了较成熟的观点。

（一）生态移民的内涵和分类

郝时远在主旨演讲中认为，生态移民是当代社会发展进程中产生的一种现象，但自古有之，只不过我们在现代社会把它作为一种科学的观点加以概括并且进行了系统的研究，同时影响着国家的行为，即国家通过政策有组织地来实施生态移民。在古代历史上，特别是在中国古代历史上，由于自然灾害、战乱、生态环境恶化等原因，也由于政府所推导的一些开发性政策等原因，如移民戍边、屯垦戍边等均产生了移民问题，而这些移民问题又是和生态直接相关的，只是我们目前在资料的发掘和整体线索的勾勒等方面存在着一些弱点。郝时远指出，生态移民从大的范围来看属于移民研究范畴，由于其动因被定位于生态环境及其所引起的问题上，因此生态移民属于移民研究中的特殊类型。同时，生态移民研究与地理学、环境学、经济学、社会学、民族学、人类学等学科相交叉，任何单一学科的学者都很难对其作出全面科学的阐释，故它属于一个交叉的综合性研究课题。

截至目前，在中国学术界对于生态移民的内涵尚未形成统一的界定。一般认为，生态移民包含两方面的含义：一是指生态移民这一行为，即把位于生态脆弱区或重要生态功能区的人口和经济活动向其他地区迁移，以保护和恢复生态环境、消除贫困、发展经济的实践活动。二是移民的主体，即那些在生态移民实践中被转移出来的农牧民。中国学者主要从移民行为这一角度来进行探讨。

宋建军（国家发展与改革委员会国土开发与地区经济研究所研究员）的观点很具有代表性。她认为，生态移民是指为消除贫困、发展经济和保护生态环境为目的，把位于生态脆弱区或重要生态功能区的人口向其他地区迁移，从而实现经济、社会与人口、资源、环境协调发展。生态移民的实质是人与自然关系的重新调整。她指出，按移民的迁出地和迁入地，生态移民可以划分为两大类型。从迁出地来说，生态移民分为生态脆弱区移民和重要生态区移民。生态脆弱区包括极度干旱、半干旱或生态环境严重退化地区；重要生态区主要指江河源区、生态屏障地区和自然保护区，将这些地区的居民逐步迁移出来，可以缓解人口对生态环境的压力，实现经济发展和生态环境保护的双赢。从迁入地型来说，又分为就地移民和易地移民两种。就地移民是指在本乡本土范围内就地安置移民；易地移民则是指离开本乡本土，到其他地方定居。

许多学者在会上认为，生态移民不仅仅是一种经济行为，而且包括了文化语境。任国英（中央民族大学副教授）认为，生态移民尽管作为一种改善人民群众生存质量的经济行为出现，但其内涵和外延不仅仅局限于经济行为。生态移民的实质是人与生态环境的关系调整问题。而人与生态环境关系的重新调整，必然牵扯到人民群众的当前经济利益和长远的可持续发展。特别是牧区的生态移民，更涉及民族传统文化的改变等一系列问题。改变千百年来所遵循的文化和传统，比教会一种生产技能更困难。如何在牧区有效地实施生态移民工程，无论对政府部门还是对学术界来说，都是需要长期深入探讨的重要课题。

（二）生态移民的动因

实际上，在前述关于生态移民的内涵探讨上，已经涉及生态移民的动因。郝时远在主旨演讲中指出，导致生态移民的主要动因有以下几点。（1）生存条件恶化。在这方面涉及的自然条件本身就不适合人类居住，如严重干旱和缺水，此外由于人为活动所造成的草场退化、土地沙化等。(2) 生态环境与环境治理，如自然保护区内生物的多样性。(3) 自然资源利用和开发，如水利、电力资源的开发。(4) 古迹文物保护等。

杜发春（社科院民族所副研究员）认为，现行生态移民的动因大致可分为三类：一是保护性移民，即为了特殊环境保护需要而从保护区的特定区域移出居民。二是恢复性移民，即将生态环境脆弱地区的居民迁移到适居地，以恢复原住地的生态条件，如西北部分地区实施的移民项目。三是开发性移民，即基于资源开发（包括自然资源开发、旅游资源开发等）的需要而从项目实施地区移出居民，如三峡电站的建设等。然而，鉴于开发性移民的目标是经济利益为主导，所以不能将其与生态移民相混淆，更不能借口解决开发区的贫困问题粉饰开发行为的正当性，如近两年云南的怒江建水坝之争就是典型案例。

王朝良（宁夏大学经济管理学院教授）则以宁夏“吊庄移民”为个案，分析了生态移民的动因主要来自于环境的恶化和异地扶贫两方面。他说，中国生态移民在1980年代初期与异地扶贫相伴而生。1982年，宁夏回族自治区南部山区因生态环境的极端恶化，致使当地的部分回、汉居民无法保障正常生活，被中国政府确定为“特困地区”，当地居民在国家的组织下被迁居外地，实行“吊庄移民”。这一以扶贫为目的移民政策，自1980年代中期后被引入到甘肃以定西为代表的中部干旱地区和河西走廊地区，进行区域综合性扶贫开发。1994年，中国开始实施了“八七扶贫攻坚计划”，易地扶贫也随之得以推进。大部分省区都进行了以反贫困和保护生态环境为目的的易地扶贫试点，尤其是宁夏、内蒙古、云南、贵州等自然条件较差、贫困人口比例较高的西部省区，移民数量相对较多。

生态移民在中国的流行则是2000年西部大开发战略实施后，尤其是为治理沙尘暴、退牧还草而把内蒙古阿拉善盟草原的牧民迁往外地，中国最后一个狩猎部落——内蒙古敖鲁古雅鄂温克猎民从大兴安岭深处移到根河市郊区等事例被媒体报道后，“生态移民”才被大量使用。

值得一提的是，日本学者对生态移民的关注直接起因于我国西北黑河流域的生态环境变迁和恶化。小长谷有纪说，2001—2004年，日、中双方学者对黑河流域的生态环境进行了考察，内容涉及气候与冰川研究、区域水循环、生态环境与生态水文研究、社会经济发展中的水问题等。我们在黑河流域的调查后，多数研究者提出的实际报告中显得最突出的共同的话题是“生态移民”这四个字。这个问题一直困扰着我们。从大局考虑，即使是正确的政策在具体实施时也未必能保证充分稳妥，很容易向错误的方向转变，在实践过程中发生的一些实际问题在任何国家都有可能发生。为此，2004年7月我们召开了“生态移民：实践和经验”国际会议。会后，为提高研究的深度，我们把掌握的调查资料进行综合分析，汇集成论文集，已用日、中两种文字出版。这次，我们遵循在2004年会议上达成的“从生态、经济、文化三方面对政策进行事前评估”的共识，共同举办第二次生态移民国际会议。

二、生态移民的地方实践及其成效

自实施西部开发战略以来，在政府的主导下通过实施“退耕还林还草”和“异地扶贫搬迁安置”等政策，中国生态移民推进的速度加快。本次会议上提交的论文中，涉及黑河流域生态移民、敖鲁古雅鄂温克生态移民、内蒙古其他地区的生态移民、宁夏吊庄移民、江西贫困山区移民等。

（一）黑河流域的生态移民

继2004年生态移民会议重点讨论了黑河流域生态移民后，本次会议又有6位学者进一步对黑河流域的生态移民进行了探讨。

色音（社科院民族所研究员）在会前对黑河下游的内蒙古额济纳旗的生态移民进行了调查。他介绍说，自2001年来，额济纳旗累计搬迁农牧民713户。其主要措施有：将胡杨林区和直接从事畜牧业生产，居住在自然条件恶劣、生产环境差的地区的农牧民列为重点搬迁对象。按照“人口向城镇集中”和“农牧业向绿洲集中”的要求，几年来额济纳旗集中黑河生态移民、易地扶贫、退牧还草、胡杨林保护等项目资金3859.36万元，在旗府达莱呼布镇、黑河下游灌区赛汉陶来苏木红星队、巴彦宝格德苏木305库、苏泊淖尔苏木富泉队、策克队建成五处移民小区，主要以二、三产业的发展来安置移民。近年来，随着一些大公司、大企业相继落户额济纳旗，策克口岸升级，旅游资源的开发，额济纳旗二三产业发展较快，为移民从事餐饮、商贸、旅游、加工等二三产业拓宽了就业增收渠道。

儿玉香菜子（日本名古屋大学研究生院博士研究生）的论文，通过额济纳旗过去50年的自然环境和社会环境的变迁来谈生态移民的必要性。她认为，黑河下流的额济纳旗过去50年间有着惊人的自然环境和社会环境的变化。自然环境的变化主要是黑河流域水量的急剧下降和土地的荒漠化方面。2001以后在额济纳旗还在进行大规模开垦和大量使用地下水资源。这样现象的背后隐藏着的是以农业生产为基础的生态移民政策。

夏循祥（北京大学社会学系博士研究生）探讨了黑河下游地区内蒙古阿拉善盟的生态移民。他认为，阿拉善生态环境的恶劣使其成为沙尘暴的三大源头之一，也使中央政府、地方政府乃至全国各地关心关注环境问题的学者、企业家和其他有志之士都参与到这场人与环境的大战中。但与过去“人定胜天”的理念不同，人类开始追求“天人合一”的理想境界。夏循祥主要探讨了阿拉善生态移民后存在的一些主要问题和面临的挑战。

迈丽莎（日本立教大学讲师）在发言中对黑河中游的甘肃省肃南裕固族自治县明花区的生态移民进行了探讨。她说，河西走廊中部的戈壁沙漠地区是环境保护的重点区域，近年出版的中国甘肃省地图把这一地区已经纳入“黑河流域生态保护区”。近年来，随着中国环境保护工程的实施，肃南裕固族自治县明花区成为河西走廊国家级农业综合开发区的一部分。为了调整当地的人口布局，近年来对当地牧民传统的牧业实施转换，由此出现了规模较大的生态移民。上述工程的实施是以使当地少数民族摆脱贫困、改善牧民生活为宗旨的，实际上这也是人们同意移入的条件，特别是对有孩子的家庭来说，移入地较好的学校教育环境也是诱发他们移入的重要原因。

中村知子（日本东北大学研究生院环境科学研究科博士研究生）以黑河中游地区的甘肃张掖西部开发及其农业变化为例，分析了政策实施过程中的政府机关的作用。她说，执行生态移民有关政策的各级政府机关的作用有较大的差异。中央政府（国家）制定了恢复植被保护生态环境的有关规划，省政府大体与国家观点相同。县政府以《恢复草原》代替了国家所提倡的恢复植被的“森林”部分。乡政府以《保护生态环境》的同时将着重点放在使移民政策具体化方面。当地牧民将视点从争夺牧场转向“移民”问题。在实施西部开发政策过程中国家的政策已定，省政府又一定程度的具体化，再往下就是各级政策在选择与当地相适合政策。承担这些任务的政府机关应根据不同时期的情况对政策进行调整，使政策的方向性机能更加合理化。

洼田顺平（日本综合地球环境研究所教授）则以黑河流域农业开发为例，探讨了生态移民对水环境影响的预评估。

（二）敖鲁古雅鄂温克猎民生态移民

作为我国最后一个狩猎部落，2003 年夏天开始实施的内蒙古敖鲁古雅鄂温克猎民的生态移民在国内外引起了较大的反响。

在本次会议上，郝时远的主旨演讲中专门就其进行了阐述。他强调，2003 年敖鲁古雅的移民，除了驯鹿难以为继外，另一个很重要的原因就是根河市激流河的水患对周边乡村所造成的威胁，也促使地方政府下决心作出了将敖鲁古雅猎民搬迁到根河市西郊的决策。对于这支具有典型的数量较小的很有特色的生态移民，国内外学术界都有关注。但是，如果我们不去深入地多学科地综合研究，而仅一味地指责政府为了某种目标来搞生态移民，这是不符合事实的。中国政府的所有生态移民项目都是出于维护生存权和发展权这个基本目标。有的文章说政府打着“维护生态、消灭落后”的旗号来搞敖鲁古雅的生态移民，我认为这与事实不符。因为当地政府对敖鲁古雅，无论从经济社会的投入，还是对其文化的研究都作了大量的工作。在森林深处的一个很小的鄂温克民族乡，从电视发射塔、养老院、幼儿园、学校、兽医院等等几乎所有的设备都是齐全的，而且他们的住房政府已经盖了三轮，均是无偿的。当然，目前敖鲁古雅驯鹿的圈养，对于国家和敖鲁古雅猎民来说都是新的课题。

另外还有三位代表对敖鲁古雅生态移民进行了探讨：祁惠君的《敖鲁古雅鄂温克生态移民的民族学考察》，吉尔格勒的《敖鲁古雅鄂温克猎民们的游牧与定居问题研究》，谢元媛的《敖鲁古雅鄂温克猎民生态移民后的状况调查》。

祁惠君（中央民族大学民族学系副教授）于2005年7—8月带领研究生深入到敖鲁古雅“驯鹿鄂温克人”的新地址——敖鲁古雅鄂温克族乡进行了人类学调查，她在会上介绍了有关情况。敖鲁古雅乡在根河市西南4公里处，其中鄂温克人234人（这其中还有37人来自农区和牧区的鄂温克人），占全乡总人口的16.8%。中华人民共和国成立后，鄂温克猎民经历了三次定居：第一次是1957年，政府在齐乾建立了民族乡。第二次为1965年，因为齐乾乡在中俄边境上，到了1965年政府在敖鲁古雅建立了民族乡。第三次是2003年的生态移民，为了在市场经济中把驯鹿的传统生产方式进行下去，2001年根河市政府决定对“驯鹿鄂温克人”实施整体生态移民。该工程于2002年7月开工建设，历时1年竣工，总投资1600万元，工程建设有住宅31栋62户，全部实行集中供热、供水；鹿舍48个，办公楼、博物馆、鹿产品加工厂房各一座。2003年9月，62户猎民整体搬迁到新乡，其他居民移民至根河周边其他乡镇。移民后，政府为每户发放了近300元生活补助费，无偿提供了液化气灶具和小灵通手机；动员社会力量为每户解决了电视机、电视柜、床和沙发；鄂温克族学生享受助学金，孤儿全部免费上学。同年，敖乡猎民人均收入为3953元，扣除全年上级补助的金额，猎民纯收入1307元。

吉尔格勒（内蒙古自治区党校教授）在发言中说，2004年8月，我们课题组经过入户调查和猎民点专项调查表明：敖鲁古雅鄂温克民族乡顺利地完成了从旧址向新居的总体搬迁，彻底改善了猎民们的生产条件和生活环境，获得了现代性，猎民们有了电、有线电视、小灵通、自来水、冬季采暖、学校、图书馆、文化站、畜牧改良站、卫生所、鹿棚和猎民新居。

（三）内蒙古其他地方的生态移民

本次会议有4篇论文对内蒙古其他地区的生态移民进行了探讨，包括敖仁其的《内蒙古牧区生态移民的现状及其未来模式》，阿拉腾的《生态环境恶化原因及生态移民必要性考察：内蒙古乌审旗的案例》，任国英的《内蒙古鄂托克旗的生态移民问题及其对策》，闫秋源、包智明的《生态移民中的社区构建：内蒙古棋盘井生态移民社区案例研究》。

敖仁其（内蒙古社会科学院牧区经济研究所研究员）对内蒙古牧区生态移民的现状进行了概括。他认为，牧区生态移民的最早雏形是一项扶贫移民整体搬迁工程。2002年后，一些地方将这一工程提升为“围封转移”战略，其主要目标和形式是：将那些因生态条件极度恶化、失去基本生存条件的牧民，整体搬迁到城镇郊区或交通条件、饲草料条件较好的地区，从事奶牛、育肥的集约化经营。生态移民工程在实际操作过程中，其目标和形式均遇到多重限制条件。

其他几位学者主要就内蒙古生态移民存在的问题和面临的挑战进行了讨论。

（四）宁夏吊庄移民

王朝良教授对宁夏吊庄移民及其环境影响进行了研究。他指出，吊庄移民及其农业开发对环境造成了直接影响。从其积极影响来看，主要有三个方面。(1) 通过旱地改水地直接提高了土地产出能力，有利于移民迁入、迁出两地生态环境的改善。吊庄开发的区域或是种植多年的旱作农田，或是未曾开垦过的荒漠，原来土地产出率很低，引水灌溉能够显著提高土地产出能力。从人口与土地资源合理配置来看，提高了土地产出能力，也就提高了人口承载能力，有利于解决好人地关系。移民一旦在吊庄上定居下来，其原住地的人口负荷自然就会减轻，因而也有利于移民原住地改善生态环境。(2) 通过对吊庄自身生态环境的建设，建成了一片片适合人类居住的新社区。任何一片人工绿洲的出现，都是对人类宏观生存环境的贡献。20 世纪 80 年代，作为县内吊庄的同心县河西灌区，不仅做到了农业产出能力和植被覆盖率同步提高，还根据回族伊斯兰文化特点建设回族社区，使其民居院落颇具民族特色。红寺堡移民开发区更是重视搞好环境治理，所建社区规划合理、环境优美。(3) 与治理生态环境相结合，积极发展生态型特色产业，有利于移民脱贫致富，也有利于生态环境建设持续地进行下去。通过对发展模式的不断探索，吊庄现今发展的已不是传统农业，而是能够发挥当地资源优势的生态型特色产业，如枸杞中药材产业、草产业、养畜业、葡萄产业、桑蚕产业、菌草产业等。这些产业的经济回报较高，能够有效地增加农民收入，产业本身也具有改善生态环境的作用。伴随着生态型特色产业的发展，移民得以脱贫致富，家庭经济实力得以增强，生态环境治理就会有源源不断的动力源泉。加之对部分区域实行封育林草，吊庄生态环境建设的步伐很快。

诚然，当代吊庄移民也有值得注意的生态环境负面影响。主要是：吊庄移民活动较多地从自身利益出发考虑生产和发展，容易忽视与老灌区乡村和城市保持和谐发展的重要性。比如，因为开垦农田而毁掉草原，会对区域环境产生直接影响；以多级扬水方式发展灌溉农业，会与老灌区发生争水问题；在地势低洼地段扩大种植，会加重土壤盐渍化；部分吊庄开荒使邻近乡村的草场面积大为缩小，造成了牧业生产的萎缩，等等。

（五）甘肃、江西的移民案例

赵旭东（中国农业大学社会学系副教授）带领研究生李勇平等对甘肃省 9 个县（市）的 12 个村庄进行了调研，包括移民迁出地的永靖县和东乡县，移民安置地的靖远县、景泰县、张掖市、金塔县、玉门市、安西县和敦煌市。他们认为，大规模的人口迁移，生活环境的变化，随之而来的必然是生活方式的改变，主要体现在以下几个方面。（1）劳作方式的改变。移民从自然条件恶劣的地区，尤其是干旱少雨的山区迁移到可以灌溉的平原地区，他们的劳动生活方式发生了巨大的改变，过去平均每户都有几十亩土地，移民说只要“撒把种子就行了”，而现在他们平均每户只有不到 10 亩土地，但要平整土地，加上浇水、上肥料、除草等日常管理，劳动强度比起以前要大很多，种植结构也有差别，经济作物的比重上升很多，收入增长。有的移民由于地理位置靠近市场，甚至弃农从商。（2）消费方式的改变。首先是支出增加，主要用于浇水、购买化肥和农用机械等生产性支出，另外家里耐用消费品逐渐增多，摩托车、电视机和电话更加普及。（3）基础设施有所改进，移民生活更加方便。首先，居住条件明显改善，用水用电更加方便。另外，移民之间居住距离以及与市场、学校和医院的距离大大缩短。（4）交往方式的转变。问题突出地表现在少数民族与迁入地的融合上，例如酒泉地区玉门市小金湾乡的来自东乡族自治县的移民，由于其信仰和风俗习惯和当地居民存在较大差异，通婚范围仅限族内婚，移民存在较重的依赖感，并把自己的贫困完全归咎于环境，认为政府的扶持力度不够。一旦政府不能够提供相应的扶贫救济，他们就会从非正常的渠道获得生计上的补偿，比如偷窃、贩卖毒品之类。

来自中国农业大学社会学系的熊春文、赵劲、李敏三位硕士研究生，交流了他们对江西省遂川县深山区移民的调研成果。他们从移民扶贫的成本上进行了社会学分析，认为扶贫移民不仅要考虑经济成本，还要考虑环境成本，要把心理成本、文化成本降到最低。

关于生态移民的地方实践，与会学者讨论热烈，大家从不同的角度探讨了生态移民的安置形式、特点等。近年来我国的生态移民实践呈现出以下特点。①规模不一。从数百人、数千人到数十万人，如宁夏根据扶贫规划从2001年到2010年移民将达30万人。②模式多元。有政府主导型、居民自发型和企业参与型，目前以政府主导为主。③安置方式灵活。有就地迁移、异地迁移等数种。

综上所述，从黑河流域、敖鲁古雅、内蒙古、宁夏、甘肃和江西等省区不同迁移的移民案例，可以得出这样的结论：生态移民作为中国政府主导的一项旨在改善环境和减缓贫困的政策，随着在各地的展开，取得了一定成效。

三、生态移民实践中出现的问题及其原因分析

在本次会议上，大多数学者都肯定了生态移民的必要性，但对其可行性和有效性并未形成共识，甚至争议很大。多数学者认为，尽管一些地方的生态移民工程实施后取得了成效，但鉴于生态移民的复杂性，总体而言中国生态移民仍然处于试点、探索之中，在实施过程中还面临着如移民回迁、后续生计、城镇适应和文化传承等许多挑战。一些地方的移民项目存在着缺乏科学规划、移民安置补偿低、牧民改行择业空间小等问题。有的少数民族搬迁到政府免费为他们建的现代化住房，但不久又返回大山，使地方政府官员遭遇尴尬。

（一）移民回迁问题

据《北京青年报》2004年8月15日报道，我国最后的狩猎民族鄂温克人下山后，有的第二天就返回了大山。就此，来自内蒙古自治区党校的吉尔格勒教授指出，敖鲁古雅生态移民在不到一年的时间由于驯鹿无法圈养和舍饲，驯鹿群有了一定的损失。无奈，刚刚定居的猎民们不得不随着驯鹿走向新的牧场、走向山林、走向远离新居的新的猎民点，这就是人们常说的“移民回迁”或“移民返迁”。

杜发春认为，移民回迁是移民安置不尽如人意或非有效安置的体现，指移民从迁入地又返回到原居地（迁出地）生活的一种继发性迁移。对于移民返迁的成因，目前学术界已有不少关于水库移民回迁的研究成果，归纳出来的原因包括移民搬迁前后的经济收入差异、迁入地和迁出地的区域文化差异、移民的人际互动关系、社会关系的重组、环境因素、制度因素等。显然，实际上移民回迁的根本原因还是移民的后续生计难以保障、移民对迁入地文化难以适应等问题。

针对敖鲁古雅鄂温克猎民的“移民回迁”问题，吉尔格勒教授指出，猎民们不是不懂得新居的舒适和舍饲的轻松，不是不眷恋自己的亲人和家园，不是天生就热爱艰苦的野外生活，而是新居和鹿棚无法使驯鹿“定居”下来。只有驯鹿定居了，才能使猎民们定居下来。要使驯鹿定居下来，关键在于解决驯鹿的喜食苔藓问题。几千年来，猎民和驯鹿已经适应了高寒带地衣苔藓的自然环境和植物种落，自然环境培育的习惯深刻地影响和作用于猎民的生活和驯鹿的习性。为什么敖鲁古雅鄂温克猎民们经过三次整体搬迁和定居，至今还处于定而不居的状态？究其根本，首先要解决驯鹿喜食的地衣苔藓的问题。地衣苔藓属于低等植物，生长于热量条件差、无霜期短的大兴安岭地区，生长期缓慢。因此，不可能把地衣苔藓像牧草一样收割和冬储，只有研制开发驯鹿的配合饲料。挪威、加拿大等西方国家成功地研制和开发了驯鹿的配合饲料，使驯鹿处于家养的状态，驯鹿肉业和鹿产品的开发成为一种朝阳产业，具有较广阔的市场和发展前景。如何吸纳发达国家先进的科研成果和社会实践经验，成为振兴敖鲁古雅乡社会经济文化发展的重要课题。

谢元媛（北京大学博士）在会上发言说，敖鲁古雅鄂温克生态移民是发生在国家发展观转型时期的事件。对于这一事件的新闻报道和媒体评论众说纷纭。这让人产生了许多疑惑——鄂温克猎民在生态移民之后的情况到底是怎样的？——是欣然返回山林还是欣然接受政府安排的城市生活？带着这个疑问我开始了一年的田野工作，经历了复杂的心路历程，并完成了博士论文。我以这个社区特别突出的“抱怨”现象为焦点展开研究，“抱怨”分为两种：一是“现代猎民”针对“规划”的后果而发的抱怨，二是“传统猎民”针对“规划”本身而发的抱怨。“抱怨”方式包括有声的话语和无声的抵抗即移民回迁。由此谢元媛得出这样的结论：政府的“规划”行为与猎民的“抱怨”之间有必然联系。导致鄂温克猎民今天生活状态的原因是政府一直以来在搞“规划现代化”，而政府的“规划”必然导致猎民的抱怨和抵抗，因为“规划现代化”忽视了“传统猎民”的主体性。

（二）移民的后续生计问题

可以这样说，任何一种移民行为所面临的首要问题是移民的后续生计，即移民后靠什么来维持生活，因为原有的生产方式或赚钱门路由于移民搬迁已经全部或部分被改变。如天然放牧变成圈养，牧民变为农民或工商业者。如前所述，敖鲁古雅鄂温克猎民的移民回迁问题的根本原因在于，猎民长期以来靠驯鹿为生，圈养驯鹿目前还无法解决驯鹿的饲料（苔藓）。另一方面，圈养驯鹿还遭到了驯鹿的强烈抵抗，驯鹿不愿意呆在棚圈内而把鹿角顶得头破血流。这样，猎民不得不牵着驯鹿返回山林。

同样，对于搬迁到城镇周边的牧民来说，由于移民后其生计出路面临困难，尽管政府为他们盖好了条件优越的移民村，但有些人迫于生计压力又重返草原放牧。

阿拉腾（社科院民族所博士）在会上交流了2005年7月他对内蒙古乌审旗乌兰套勒盖镇（简称“乌镇”）巴音高勒嘎查移民点的调研情况。他说，根据政府“易地扶贫”计划，乌镇在巴音高勒嘎查实施移民。该嘎查共有牧民300多户，计划移民70多户，实际上只完成移民44户，但44户中只有10户牧民是完全迁移了出来。这10户是一些无畜或少畜户，了解其心态，主要是为了能得到一套廉价的住房。他们在故乡也没有多少收入，搬迁出来后还可寻找一些机会。其余的34户则是在移民点与移出地之间作往返运动。这一部分移民则主要持观望态度，在移民点如果没有脱贫可能的话，就准备返回原地去。

任国英（中央民族大学副教授）就内蒙古鄂托克旗的生态移民进行了交流。为了缓解生态环境的不断恶化和帮助农牧民脱贫致富，从2002年起鄂托克旗逐步计划和实施生态移民工程。但鄂托克旗在实施生态移民过程中，受各种因素的影响，生态移民扶贫工程没有真正起到扶贫作用，经济效益和社会效益不明显。此外，实施生态移民还暴露出许多问题。

色音在会上谈到了额济纳旗生态移民现存的问题主要有：舍饲养殖缺乏饲料保障，大规模开展舍饲养殖的环境还没有形成，影响了农牧民搬迁发展舍饲养殖业的积极性；2002年以后的移民住房未能配备舍饲棚圈；移民转产（从牧业转移到二、三产业）的压力较大；移民缺乏社会保障和基本福利等。

针对以上生态移民过程中出现的一些问题及其原因，敖仁其（内蒙古社会科学院牧区经济研究所研究员）在会上进行了较深入的阐释。他指出，生态移民工程在实际操作过程中，其目标和形式均遇到多重限制条件。（1）奶牛、肉牛的集约化经营必须有成本较低的高产饲料基地，而大多数牧区不具备种植高产饲草料基地的条件。内蒙古多数牧业区为干旱和半干旱地区，地上水和地下水比较稀缺，而一些地区靠打深井开发饲料基地，其结果入不敷出。也有个别地区，因种植饲料基地，导致草原荒漠化。（2）项目选择单一，成本较高。生态移民项目多为奶牛饲养业，而高产奶牛的价格较高，生态移民户多为低收入家庭，至多能买1～2头奶牛，形不成最起码的经济规模。有些牧户仅靠贷款买牛，除去饲草料成本，还本付息，几乎没有从奶牛饲养中获得收入，甚至一些牧户亏损经营。（3）不少奶牛饲养移民区，因交通不便或乳业企业的运输成本高，出现“卖奶难”的问题。

（三）移民后的环境效益低，有的地方形成新的环境破坏

许多与会代表指出，生态移民的主要目的之一是为了阻止生态

脆弱地区的生态环境继续恶化，改善生态，实现可持续发展。但在实践中这一目的并非能够实现。一些地方政府却把生态移民看作是单纯的人口搬迁过程，忽视了对迁出区生态环境的治理。敖仁其说，有的地方存在土地侵权问题，以政府招商引资的名义，将围封后的草场，未经牧户的同意，转包和租赁给一些企业。个别企业以生态建设为名，对承租的土地掠夺式经营。

夏循祥（北京大学社会学系博士研究生）的调查报告认为，部分退牧的草场被政府或嘎查承包或租给企业或个人进行矿产开发，这符合经济学和市场规律，但不符合生态移民的目的，从而使移民做出的牺牲没有得到应有的回报。而且政府和嘎查认为迁移出去的牧民对承包或租赁收益没有享用权，这同时剥夺了牧民对承包地收益的享用权。此外，在非退牧地区，一些头脑比较灵活的年轻人能够在城镇中立足，所以放弃承包地或牧场，举家搬迁。这是大规模退牧之外的小范围退牧，有些嘎查干部则将这些退牧之地转包给外地人耕种或开矿，既是对牧场的更严重破坏，也是对自主退牧家户不尊重，并对其他家户产生负面影响。

夏循祥还认为，草场单纯地闲置，也容易导致草场的另一种破坏：鼠害和火灾隐患。没有人类活动和羊、骆驼的游牧，草原鼠害变得肆无忌惮。而部分毒草在夏季的疯狂生长，容易导致冬季火灾隐患。闲置草场必须按照科学的计算放养最小数量的牲畜，以减轻两类隐患。蒙族人认为“草长出来天生就是给羊吃的”。另外，外来人口在这些退牧无主草原上进行苁蓉、发菜、甘草、根雕等不负责任的挖掘或开采，导致生态的另一种破坏。再有，一些移民迁回牧区，这样势必再次造成草场的退化。

另一方面，移民后对迁入地造成了新的环境破坏，这在会上已经成为共识。

迈丽莎以甘肃省张掖市肃南裕固族自治县明花区为个案，探讨了生态移民后的贫困形成机制以及破坏环境的新机制。她的调查报告指出，生态移民的宗旨是使当地少数民族摆脱贫困、改善牧民生活，但是，通上自来水、电及压水管道，实现了生活改善的移民村，却出现了大多数移民不得不常年外出打工，不少适龄儿童失学的现象。与此同时，为了维护新的生计方式，移民不得不把家园周围的大面积草场开垦为农田，并打深井，与周边农业区争夺地下水。当今的生态建设中，当地少数民族的谋生方式及生态观受到质疑，并有加以改造和取缔的趋势，而异文化（汉族的农业模式）又被广泛推崇。政府动员牧民，放弃传统生产生活方式，树立市场竞争意识。为了大力发展短期育肥的肉羊及加速牲畜出栏率，移民村将周边天然草场大面积开垦为人工草场，大力建设以种植农作物秸秆为主的饲料基地。短短几年，牧民开始依赖并大量消费本来与其无缘的农药、化肥、能源等高支出生产资料。这种多消费性的生产生活方式，扰乱了牧民固有的经济构造，也使原有的支出与收入的合理关系开始失调。卷入市场经济漩涡中的生态移民们为了生存和竞争，不断开垦新的土地，不断加大投资，从另一个角度看，可以说，现在的生态保护区实际上又出现了一种破坏环境的新机制。

任国英也指出，从鄂托克旗生态移民过程中还暴露出以下诸多问题：迁出区移民不联片搬出，迁出后草场不封闭，生态移民起不到保护草场的作用；鄂托克旗生态移民迁入区的选择仅凭个人经验使然，缺乏严格的科学论证；生态移民造成新的生态破坏；生态移民工程实施过程中出现了政策与行为的偏差；生态移民中忽视少数民族的“地方话语”；等等。

（四）移民的城镇适应和文化传承

生态移民及其相伴随的城镇化过程，将对牧区的自然生态、经济结构和产业配置、社会文化等方面产生较大影响，必然使根植于草原文明的牧区少数民族经济生产方式、社会和文化发生变迁。牧区生态移民后，实际上面临着两种生产生活方式的对抗。夏循祥的解释可能有一定的代表性。退牧之后，政府采取的是变牧为农的方式。但长期以来，牧民的生产、生活方式都不同于农耕，价值观、生活观念、世界观都不同于农民。要其完全从游牧生活转变为农民，需要一个持续而艰难的过程。如传统蒙族观念认为“大地是母亲”，要其种地便是挖开“母亲”的身体，在宗教理念和传统观念上是一个很艰难的决定。另一方面，游牧以分散居住为主，农耕以聚居为主。闲暇时光的增加和居住空间的邻近，使生活水平有明显下降的蒙族，容易导致集体对政府的怨恨，从而培养了一大批“怨民”而违背初衷。文化生活和娱乐方式的不同，也导致民族之间的偏见。蒙族人爱喝酒，农业给予了相对更为漫长的闲暇时间，而聚居在一起对生活的不满可能导致酗酒事情的更多发生。生态移民关注的是整个中国社会视野乃至世界视野下的大环境，但移民聚居点的小的生态环境也需要关注。牧民对生活垃圾的处理问题以及一些生活习惯如洗澡、如厕等问题方面也需要引导，否则聚居点的生态环境将直接影响到移民的身心健康，与追求更大范围内的生态环境目的背道而驰。

由于生态移民的迁入地在城镇周边，因此农牧民迁入城镇后面临着城镇适应问题。张继焦（社科院民族所研究员）认为，移民在城镇的适应包括两方面：一是进入城镇经济、社会、文化的适应过程；二是在城镇环境中与其他民族的交往、合作和竞争的适应过程。农牧民移入城镇，其原有的生产生活方式都发生了变化，这是一个多么艰难的过程，由此产生了大量的经济社会问题就不难理解了。

研讨会上，许多学者都谈到了生态移民的复杂性，基本上形成了这样的共识：生态移民不仅是生态环境问题，更是一个社会和文化问题。由于中国进行生态移民的主要地区是少数民族聚居的西部地区，故实施生态移民不仅是环境保护和环境治理的必然要求，而且关系到生物多样性与文化多样性问题。生态环境恶化必然会导致文化的消失，尤其是传统文化中的生态智慧会消失。显然，生态移民既是经济行为，又包含文化意义，因为文化本身存在着重要的生态意义。

四、生态移民的应对策略

如何解决生态移民过程中出现的各种问题？研讨会上讨论热烈，仁者见仁，智者见智，与会代表纷纷发言提出了不少新的见解，现归纳总结如下。

（一）保护区域文化生态，动态地把握民族文化多样性现象

文化生态是尊重差异和刺激创新的一种人类环境，一个地方的文化生态是指这个地方的整体历史文化风貌，是这个地方区别于别的区域的根本文化特质。对区域文化生态的保护，不能仅仅理解为对文物保护单位、自然保护区的保护，而应该是整体的区域人文血脉的延续。在生态移民过程中，要注意“人”对环境的影响、适应与抉择的关系，要把游牧民族中的“草原学”看成是文化人类学、文化生态学等，不能停留在经济学的层面上。

小长谷有纪教授认为，提到地球环境问题，人们似乎只把它当作一个纯自然界范畴内的问题，而事实上它是一个人类本身的问题。人类应追求的是“人类的睿智”。应认真地思考人类能为地球做些什么。从减少人口负担的角度来讲，现在日本出现的“少子化”现象也绝不是一件坏事。善待地球是人类唯一的选择。就此来讲，我们或许在亚洲率先实践这种选择。无论孩子们多么少，青年人不能就业，老龄化问题多么严重，只要能给世人拿出一个切实可行的计划，而且能够向世界提供先进经验的话，就完全有可能贡献一部对国际社会有意义的“地球环境学”。

生态移民是由人为及外部社会引起的环境恶化造成的，要从文化角度看待环境问题。新吉乐图（日本国立民族学博物馆博士）也认为，环境问题在本质上是涉及文化机能是否健全的问题。支撑各种社会构造的根基是人类的文化。当某种文化的社会机能在实质上无法得到发挥时，或者当一种文化被另一种文化取代，而另一种文化无法使该社会正常运转时，该社会所处的自然环境本身就会陷入危机的境地，进而会引发其他问题。准确把握环境问题的文化理

解，可以确立生态移民政策事先评估中文化基准。

要对各民族长期以来形成的生态智慧加以系统总结，这将会对当今的生态建设、生态保护和文化保护有很大裨益。比如，吉尔格勒教授认为，鄂温克人的驯鹿文化具有生态文明的科学思想和合理内涵，它是自然可持续性发展的一种文明类型，猎牧的鄂温克人游牧的地方自然形成了天然保护区。如果没有鄂温克猎民长期牧放驯鹿于大兴安岭山林之中，就不可能保留下举世闻名的大兴安岭森林地带。鄂温克人不仅是森林民族，而且是森林“保护神”。提高鄂温克猎民的综合素质、生活水平和保留驯鹿文化，不仅仅是几个猎民和几头驯鹿的事情，还是当今世界可持续性发展的重要组成部分，也是以驯鹿文化为文化底蕴带动和辐射根河市地方经济和社会发展的根本途径。另外，蒙古族的草原文明值得进行深入研究，游牧是自然可持续性的发展过程。

多数学者指出，对生态移民应从移民的经济、社会、文化和心理等各个方面来理解，要充分认识移民成本应包括经济成本、文化成本、环境成本和心理成本等。夏循祥、谢元媛等代表指出，尤其在少数民族聚居区实行生态移民，更应该充分考虑民族、文化、宗教、社会、传统、心理等多方面的因素。少数民族生态移民要尽可能在民族自治区域内部考虑相对集中安置，以利于相同民族与文化、风俗习惯的认同、适应与融入。特别是对那些与村落社区内社会整合有关的宗教信仰、传统和重要的风俗习惯，更是不能掉以轻心，否则会引出许多矛盾，甚至会影响到整个移民安置。

（二）推进移民制度创新，移民规划与区域产业布局相结合

敖仁其等学者认为，要建立长效、稳定、自主选择的人口转移制度。对“围封”后的草场，应建立生态补偿金制度，保证迁移牧户的最低生活水平。目前在一些地方如“三江源”地区，生态移民得到的补偿是，5 年内可以享受到国家给予的人民币及粮食补助，另外还有部分住宅建设补贴。由于缺乏持续性激励机制和制度安排，在度过了 5 年的安逸生活之后，牧民必将面临生存考验。目前

所采取的财政转移支付，是对人们保护和建设生态环境这种公益劳动报酬的支付，仅仅是一种补贴，是一种输血式生态补偿机制，并不是真正意义的生态补偿机制。因此，必须解决移民的后续产业支撑。生态移民代价不应完全由移民来承担，需社会各界的援助。而移民后的原有草场、耕地及移民的生产生活要采取有效措施合理安排。在反思历史教训中，应该将移民政策做事前的评估，建立国家生态保护区、完善生态补偿机制，建立支柱产业实现综合协调发展。

政府在实施生态移民政策中，应从生态环境、生产生活、基础设施建设、公共服务设施建设等方面进行规划，并与地方产业布局紧密结合起来。杜发春等学者认为，要充分调动和整合各方资源，把移民安置与培植产业、推进城镇化、基础设施建设、生态旅游业开发及新农村（新牧区）建设等结合起来。在生态移民区，急需率先建立牧区社会基本保障制度。建立牧民职业培训制度，提高自主就业能力。在生态移民集中安置区新建学校，开设相关教育课程，提高农牧民文化素质和思想素质。如果一个移民家庭其中有一个人有职业技能，将可能保障家庭后续生活与发展问题。要理顺土地承包制度管理机构的职、权、责，保障土地承包制度的永久化，承认土地的继承权。

（三）探讨建立生态移民的动态评价指标体系，深化生态移民研究

如前所述，大多数学者都肯定了生态移民的必要性，但对其可行性和有效性并未形成共识，甚至争议很大。一些学者认为，关键在于还没有一个科学的量化评价指标体系，现在迫切需要完成这一工作。杜发春提出以移民社区为单元，指标体系的初步框架包括：环境和资源评价指标、经济发展评价指标、社会发展评价指标、文化和心理评价指标四方面，并把每方面指标再细化分解。选择若干个具有代表性的移民村，完成移民户调查问卷，在此基础上计算移民村“和谐度”，从而提出移民村和谐发展的思路。

闫秋源、包智明（中央民族大学社会学系）的论文也认为，需要加强对移民社区的研究。他们从通过对内蒙古鄂托克旗生态移民实践和棋盘井生态移民社区构建过程的考察和分析，认为棋盘井生态移民仅仅具有社区构建的初步意义。生态移民只是在社区形成阶段发挥了作用，并且，在目标理念上也未表现出对生态环境的足够重视，这导致生态移民在目标及其实现上的有限性。从环境社会学的角度认为，生态移民及其社区构建在实践中需要体现持续性，即加强后续工作，进一步为社区构建提供有利条件。在理论上需要实现转换和提升，即强调生态环境建设的目标理念，并进一步体现在实践之中。生态移民及其社区构建的理论和实践，都要求对相关问题进行更深入的探讨和研究。

来自中国农业大学人文与发展学院的朱启臻和高春凤主张从探讨移民村庄自组织现象的成因，来深化生态移民的研究。他们认为，移民村庄自组织现象的出现，不仅有利于村庄形成有序的结构，同时有利于村庄稳定和可持续发展。研究自组织现象的条件具有多方面的理论和实践意义，就其实践意义而言表现在两方面：一是避免自组织现象的消极后果，自组织现象导致的有序并不必然是有益的，就像自然界作为自组织现象的台风和传染病一样是我们极力要避免的，通过自组织现象条件的研究，我们可以在一定范围内实现对自组织现象的控制；二是通过对自组织现象产生条件的研究，为积极引导移民村庄和谐、有序发展提供依据，使自组织现象在增强移民新村凝聚力以及村庄的稳定方面发挥应有的积极作用。

五、退耕还林还草与环境评估

本次研讨会除了探讨生态移民的理论和实践外，还重点探讨了退耕还林还草及其与环境影响的关系。诚然，推广还林还草政策与生态移民是紧密相关的。

（一）退耕还林还草与环境影响

单平（内蒙古经济社会发展研究中心研究员）分析了内蒙古的

退耕还林还草政策及其实践。她认为，实施退耕还林，加快西部地区生态环境建设，是根治长江、黄河流域水旱灾害以及中国北部风沙源的治本之策。在生态环境建设保护的前提下，推动了农村牧区经济结构和产业结构的调整，广大农牧民开始由广种薄收转向精耕细作，由过去以种植业为主转向种养结合、为养而种，由传统放牧转向舍饲圈养、划区轮牧、加快周转出栏，带动了粮食单产的提高，饲草种植比重的增加，畜种结构的调整，从而提高了效益，增加了农牧民的收入。在退耕还林、退牧还草政策的实施中有如下几点值得注意：把全面推进和重点突破结合起来，退耕还林地段要相对集中、连片治理、按流域推进，确保区域生态环境在短期内有较大改善；统筹规划对后续产业的宏观指导，兼顾农民增收和粮食安全；活化政策机制，为后续产业发展创造良好的外部条件；依法规范后续产业开发行为，维护投资者利益。

方向京（云南省林业科学院副研究员）对滇东北退耕还林工程影响因子与治理模式功能进行了探讨，他的研究结论如下。（1）滇东北金沙江流域山区地貌复杂，山脉交错，岩层破碎，河流切割强烈，山高谷深，人口密度大，贫困程度高，人地矛盾非常突出，普遍采用陡坡顺坡垦殖，水土流失严重，生态环境呈恶化的趋势。通过实施退耕还林工程，恢复植被，减少水土流失，改善日益恶化的生态环境，调整农村产业结构，增加农民收入，是滇东北山区实现社会经济可持续发展的必由之路。（2）在退耕还林影响因子中，坡度和植被覆盖是主要的自然影响因子。人为因子中，陡坡耕作、乱砍滥伐和草场超载三种对资源的不合理利用方式占到 79.6%，是造成水土流失的主要原因，其中又以陡坡顺坡耕作影响最为严重，达到 43.7%。（3）滇东北自然条件复杂，要做到适地适树、因地制宜，必须在多树种选择的基础上，结合不同的立地类型和山区农户的意愿，采用多种配置模式进行综合治理。（4）滇东北部分区域，因环境的严重恶化，已丧失基本的生产条件甚至生存条件，建议国家将退耕还林与生态移民结合进行。（5）滇东北山区尽管林业用地比例较高，但由于林木结构不合理，低质低效的灌木林和疏林占到林地面积的50%以上，对山区的坡耕地没有充分发挥森林的屏障功能，而采用低产林改造方式进行治理又因涉及一系列的政策问题而暂时无法开展。建议国家将低质低效林（含生态公益林区）改造纳入工程计划，并配套相应的改造所必需的采伐政策。

鉴于上述结论，方向京博士提出在实施退耕还林过程中，要事前对当地的地理环境、自然生态环境及经济发展状况等进行分析评估，根据不同的类型制定相应的治理模式。

（二）关于环境变迁的评估与管理

本次会议上，有三篇论文对黑河流域、三江源的气候变迁等进行了探讨。他们是：洼田顺平的《生态移民对水环境影响的预评估——以黑河流域农业开发为例》，秋山知宏、中尾正义、洼田顺平的《黑河下游河川放流量对地下水位植被活性度的影响》，张继焦、李宇军的《气候变化对长江源地区生态环境的影响评价——青海省玉树州调查报告》。

洼田顺平（日本综合地球环境研究所教授）以黑河流域农业开发为例，探讨了生态移民对水环境影响的预评估。他指出，由于生态移民使半干旱草原地区出现了从游牧到圈养的转变，或从畜牧业转向农业生产方式的转变，圈养后需要生产饲料或农业生产移住新地等，由此增加了水的需求。引起水环境恶化的原因有多种，因此，生态移民的事先评估主要正确预测和评估移住地新的水需要影响水环境。

根据洼田顺平的研究，处于水源地带的黑河流域的过去40年间的降水量、气温均有增加的趋势。另外，1986年以后由于中游区的河水和地下水合并用于灌溉后稍稍有下降的趋势。可是下游区的河水流量继续下降，下游区出现了极其严重的缺水现象。1990年地下水的抽水量急剧增加到2000年后占全部灌溉水量的20%～25%，抽水量的急剧增加对转变耕种经济作物的张掖周边的扇状地中部和下部带来了水位的明显下降。独享黑河水恩惠的中游区也面临了地下水的过度利用而导致水环境的恶化。从黑河的现状清晰地看到，近年来的农业开发是依靠水资源的，即这样的依靠直接影响到水流量很多地区。另外，半干旱和干旱地区用于农业的大量水消费容易带来土壤的盐碱化。他强调，避免发生盐碱害的方案很少。因此，黑河中游地区农业是通过灌溉而暂时提高其产量，可是持续性是相当脆弱的。

秋山知宏（日本名古屋大学研究生院环境学研究室）在会上发言，认为中国西北沙漠地区的地下水源是源于强有力的暴雨，黑河下游年平均水位下降程度是受河川放流量的多少决定的，而地下水位的高低又决定植被的成活率。

张继焦、李宇军（中国社会科学院城市发展与环境研究中心）的发言则集中阐述了气候变化对长江源地区的影响。他们通过对青海省玉树藏族自治州的实地调研，主要发现以下几点。(1) 气候变化在长江源地区表现得很显著，并产生了许多不利的或负面的影响。其对当地生态环境的明显影响主要有：河流水量、鼠害、牧草质量、草地等。气候变化对长江源地区牧民的生计产生了一些明显的不利影响，表现为：牧草质量在变差、鼠害在增加、牲畜疾病在增加。气候变化对长江源地区的生态环境也产生了一些负面的影响，如严重的草场退化、沙化和减少等。(2) 气候变化及其影响在长江源地区存在着地域差异性。长江源地区幅员辽阔、各地差异很大。一方面气候变化在不同地方有不同的表现。如在治多县，最明显的气候变化特征是冷季下雪减少，而暖季下雪增多；而在曲麻莱县，最明显的气候变化特征是冷季和暖季的刮大风都在增加。另一方面，气候变化在不同地方也产生了不尽相同的影响。如气候变化对当地生态环境最为不利的影响，在高寒沼泽草场和高寒草甸草场是草质变差；在高寒干草原草场是鼠害增加。因此，在长江源地区实施生态环境项目时，应该考虑到地域差异性问题，以便区别对待。(3)“过度放牧导致长江源地区生态环境恶化”的说法不完全属实。实地调查发现，无论是当地牧民，还是畜牧干部都不认为当地存在着牛羊数量过多或过度放牧的问题。现实中，有些牧民或由于牛羊数量过多或由于放牧方法不当，确实导致一些草场的生态环境恶化，但这只是个别案例或局部现象，并不是一个普遍的、严重的问题。换言之，既然牛羊数量过多和放牧方法不当等人为因素不是造成长江源地区生态环境恶化的主要原因之一，那么当地气候的剧烈变化和生态环境本身的脆弱性因素就更值得调查和研究了。

综上所述，本次生态移民国际研讨会集中探讨了生态移民的内涵和动因、生态移民政策与地方实践中的主要问题、原因及其对策，取得了许多突破性进展。同时，在退耕还林还草与环境影响、环境评估与管理等方面的问题的分析也有了诸多新的发现。与会代表的发言和提交的论文对于深化生态移民及其环境影响方面的研究，产生了积极的推动作用。

（杜发春）

·学者访谈·

纪大椿先生访谈录

华祖根（以下简称华）：您是 20 世纪 50 年代分配到新疆工作的。这半个世纪的变化很大，当时乌鲁木齐各方面条件尤其是科研条件是怎么样的，能不能谈谈当年的情况？

纪大椿（以下简称纪）：1953 年我从上海同济中学毕业，考入天津南开大学历史系，四年本科毕业，正赶上 1957 年的“反右”运动。毕业班提前“反右”，随后宣布了毕业分配名单，我们 5 人被分配到新疆工作。没有人说我们的分配同“反右”有关，但是多半挨过“批”，尽管没有谁戴“帽子”。我只是说了几句“不合时宜”的话，在全班批了 6 名“右派”之后，和另外 2 人一起，在各自小组里接受了一整天的“重点帮助”和检讨。

当年上大学都是公费，包括看病，后来虽然伙食费要自己负担一部分，整个学习费用是由国家包下来的。如果没有这样的规定，以我的家境（父亲一人工作），养活全家 5 口人已属不易，还要供应 3 个孩子上大学是不可能的。既然是公费学生，学成之后服从国家分配是理所当然的。当年高校虽有“流行语”：“宁去天南海北，不去新西兰”，意思是愿意去天津、南京、上海、北京，不去新疆、西宁和兰州；真正顶着不服从分配的还没听说过。支援边疆建设，学校里经常讲，具体说是到新建的内蒙古大学任教。将我们分到筹建中的中科院新疆分院，路途比内蒙遥远得多，思想准备不足，但是都接受了命运的安排。

我们是由中国科学院直接分配的，没有通过新疆的教育部门和人事部门。从天津到乌鲁木齐有4000多公里的路程。那时铁路只到甘肃，坐飞机也需在兰州过夜。毕业生分配工作不能乘坐飞机、不能使用卧铺，只能坐硬座。我们坐了4天火车：先到北京再换车到兰州，因等候临时营运的客货混合列车前往老君庙（玉门东），在兰州休整了一天；接着是5天半的敞篷卡车，白天颠簸在茫茫戈壁滩上，夜晚睡在“地窝子”（半地下室）的土炕上。整整10天半，将我们送到了天山脚下的乌鲁木齐。

这一年，中科院新疆分院已筹建一年了，其中有历史组。在我们到来之前，已经有了几位少数民族干部，还有西北民院分来的维语系的毕业学生；加上我们5人，一共大约有十多人。分院的办公楼已经建成，还没有交付使用。在新落成的职工食堂里，筹委会副主任谷苞召开会议，宣布历史研究室成立，自兼室主任；下分资料组、历史组、民族组3组。我被分在民族组。

当年的中心任务是参加全国人大民委组织的新疆少数民族社会历史调查组的工作，不管哪一组都要参加。调查组结束后我又到乌鲁木齐县的东风公社做牧区调查。1960年5月，历史室升级为民族研究所，并迅速扩充到60多人；不满两年便大搞精简，全所缩减成20个编制。民族组撤销，我被调到资料组。1963年底，我被新疆军区借调去整理历史资料，干了整整一年，于1964年底回所。这时，按照中科院哲学社会科学部第四次扩大会议精神，民族研究所从新疆科学分院分出，改制为自治区民族研究所；原先的历史组也同时分为古代史和近代史2个组，我被安排到近代史组。这以后，我的专业方向才大体上稳定了下来。

华：现在请您谈谈具体的工作，请一项一项地谈。当年参加新疆少数民族社会历史调查，你在哪一组？承担了一些什么工作？有什么工作体会？

纪：新疆的历史调查组的工作始于1956年。当年新疆科学分院历史组的一些同志在谷苞、乌依古尔·沙依然（筹委会副主任兼党组书记）的领导下到和田地区墨玉县开展工作，重点调查那里夏合勒克乡的庄园制度。那里的徭役制经济在土改和合作化运动中解体了，需要及时将刚刚逝去的一段真实历史记录下来。我1957年秋分配到新疆之后，就参加了和田调查的个案资料整理工作，了解了新疆农村社会的一些基本情况。

1958年，调查规模扩大，全国的调查组大概从8个扩大到16个，也就是调查范围由8个省区扩大到16个省区，全面铺开。新疆调查组也分成好多组，遍及全疆，除了科学分院、新疆学院（今新疆大学）的人员外，还安排了北京大学和中央民族学院（今中央民族大学）历史系的高年级学生来新疆参加调查。新成立的中科院民族研究所（今中国社科院民族学与人类学研究所）冯家昇教授是新疆组的组长。他和侯方若主任跋涉在南北疆各地，亲自督查和指导各组的工作，还深入到我们组所在的察布查尔。

我参加了锡伯组的调查。任务是撰写《民族问题五种丛书》中的《锡伯族简史简志合编》和《察布查尔锡伯自治县概况》。这个组成员有萧育民、黄治国和我，萧任组长。锡伯族是乾隆年间从东北迁来的，在伊犁察布查尔已经居住了两个世纪；在东北还有很多锡伯族居民，北大学生陆国俊在那里调查后到新疆来同我们会合。这是第一次察布查尔之行。第二次是1959年，领队的是中央民院张锡彤教授，参加者有刘伯鉴、王守礼和我。在那里，我度过了一年光景。

可以说，历史调查组是我跨入科研殿堂的起步台阶。这样的经历，同当年许多同志一样，很值得怀念。

体会谈不上，教训倒有些。那就是两次调查都没有整理出任何资料。“大跃进”打破常规的种种做法，要我们将调查资料直接往书稿上写。除了写到书稿上的，其他资料统统留在记录本里，时间一久，自己都难以辨认解读，别人更是无从利用了。当年还创造了“流水作业”的程序，完成初稿后交由其他高手去修改定稿，原来的撰稿人无权、无暇过问。最关键的在于“浮夸风”盛行，许多资料严重失实，据此撰写的书稿最后都不能使用。后来印了一批“白皮书”，发行范围很窄，我们还弄不到自己撰写的那一本，更不用说凑齐一套了。这些都是时代的遗憾，不是任何个人的差错，也没人批评我们；但是，几年的努力见不到成绩，心情总也不舒畅。

华：你们的《新疆简史》学术界对它的评价还不错，是什么时候开始编写的，当年的情况如何？

纪：《新疆简史》这一项目的提出，正是在历史调查组工作行将全部结束之际，经领导同意后于1964年开始着手编写。地方史的撰写和出版，新疆还算走在前面，当时内蒙有《内蒙古历史概要》，湖南有《湖南省志》的《历史沿革卷》，总之有地方简史问世的省区不多。这一项目，由科学院新疆分院副院长兼民族所所长谷苞和民族所副所长李泰玉主持。分上下两册，从原始社会写到和平解放，计划写20万字。上册是古代部分，由郭平梁、王治来承担；下册是近代部分，由李炳东承担。1964年上级机关调动了李的工作，他留下只写到“五四”运动的7万字草稿，新民主主义革命时期的一段历史还没来得及写。

这一年，我被新疆军区某部借调去整理历史资料。与先前的社会调查相比，大有“回归”专业的感觉，工作起来得心应手。该部的领导对我完成的任务予以肯定，这使我看到了自己的能力，心头的落寞一扫而空。年底，我带着愉悦的心情回到研究所，新任副所长陈慧生找我谈话，将下册的书稿交给我来继续完成。经过一年半的努力，到1966年初夏已完成了续写和增补修改，篇幅同上册相当。上册经修改后由新疆人民出版社出了“征求意见本”，因“文革”开始而没有获得“内部发行”的许可；下册只完成了打印稿，还没有来得及征求意见，便锁进了研究所的资料柜。

“文革”期间，科研工作都停顿了，所有领导都被打成“黑帮”，成天劳动。《新疆简史》没有被打成“毒草”已属万幸，等到再次被人们提起，已经是1974年了，有人提议用它来作为1975年新疆维吾尔自治区成立20周年的“献礼”。

3名原作者中，有2人在西安，负责摘录《清实录》中有关新疆的史料。这时突然接到研究所“革命领导小组”的来信，命令我们将任务交给西北大学，尽快返回研究所。我们不得要领，不知发生了什么大事。经商议后大家认为，西北大学肯于接待我们、并同意将《清实录》借出来摘抄实属破例，我们不能将自己的任务推诿给别人；何况剩余工作量已经不多，理应善始善终。西安之行的负责人是郭平梁，大家的意见由他写信反映回去，所里也复信同意了我们的请求。两三个月之后，我们结束了在西安的工作。动身返回新疆之前，想顺道看看敦煌千佛洞，没有获得允准。

回到研究所，才知道是要修改《新疆简史》。首先想到的是去书店联系，将不准发行的上册买一些回来，不料一本都不剩了。这一事实无形中告诉我们，社会上需要这样的书，赶紧写出这本历史书正是我们义不容辞的责任。

但是当时的思想实在混乱。“文革”将史学界糟蹋成“重灾区”，贯穿古今的“儒法斗争”、无所不在的“路线斗争”等，弄得我们无所适从。我们摆出了一连串的难题，记得其中之一是要求上面开列一个谁是儒家、谁是法家的名单，以便遵行。上面将“皮球”踢了回来，让我们自己拿出方案、自己讨论解决。

有了这样的“授权”也不错。讨论之后很快达成共识：按照已经掌握的史料展开论述，字数不要限制得太死；第二册只写旧民主主义革命时期，但必须增加编写人员；新民主主义革命时期一段，图书资料欠缺，以后再写；少数民族文字史料必须即刻着手组织翻译。当时主持民族所的是“革命领导小组”组长王汝刚。经过研究，完全同意了我们的要求。第一册原班人马不动，第二册增加了蔡锦松、陈慧生等人。这样的修改，其实都是重写，框架结构全变了。

于是一切都按部就班地开始了，而“文革”的干扰却无时不在。白天没完没了的会是属于“抓革命”的，只能在不开会的晚上和星期天可以用于“促生产”。警惕“白专道路”回潮的告诫时时能听到，其他“棍子”和“帽子”倒是不见飞舞了。然而想要在1975年拿出来“献礼”，已经成了不切实际的幻想。

前一段时间我从事的资料工作和参加《沙皇俄国侵略西北地区史》的讨论，为《新疆简史》的撰写提供了很好的准备。“文革”结束前不久，陈华被调来主持民族所工作。此后，又经过“拨乱反正”，我们的思想认识也渐渐地纠正过来，这大大有利于我们撰写任务的完成。1980年，《新疆简史》第一、第二两册同时由新疆人民出版社出版发行，两册书合计47万多字，比先前的篇幅增加一倍有余。我在第二册中承担了11万字的撰写工作量。两册《新疆简史》在1986年获得新疆社科联首届著作特等奖，后来增印过一次。第三册由陈慧生、蔡锦松合作撰写，1988年出版。1997年出版社将三本书全部重印了一次，还出了精装本。

华：从立项到出版经历了17年，真是好事多磨。那么在撰写过程中您遇到哪些疑难问题，又是怎样加以解决的?

纪：根据1974年《新疆简史》撰写的分工，我承担从19世纪中叶农民起义到新疆建省的那一段，其间包含阿古柏与沙俄的入侵和新疆人民的反侵略斗争，包含中俄边界条约的签订和领土的割让等。有关沙俄侵略和不平等条约的签订，有新的成果可资借鉴；有关阿古柏入侵，学术界先前展开过一些讨论，发表过不少文章，也可参考利用。除了这些通史涉及范围之外的地方历史，大都需要进行新的探索。

分歧意见最大的是关于1864年新疆农民起义的定性问题。否定意见占上风，论据主要是恢复了“政教合一”的地方割据政权和勾结阿古柏入侵，所以应该定性为叛乱。认为应该定为起义的并非没有，只有论点没有论据，难以获得大家的认同。在内地出版的一些近代史著作中，只说是“反清起事”或“反清斗争”，不作性质上的认定。这样的提法，反映了史学界对边疆历史、对少数民族历史研究的欠缺和不足，同时也说明了学者们治学的严谨，为后人的进一步探讨留有余地。

在讨论《沙皇俄国侵略西北地区史》时，我见到了中科院近代史研究所（今中国社科院近代史所）的吕一燃先生，同他就上述问题交换了看法。我简单地介绍了初步掌握的一些史料，认为参与起义和后来抗击外来入侵都是各族人民的共同行动。他认为新疆的同志应该根据自己所能掌握的资料，展开充分的研究，提出自己的见解，有“百家争鸣”方针，无需刻意回避，而且也是回避不了的；他还说，地方史和民族史研究是通史研究的基础，必将丰富和充实通史研究的内容。

在新疆从事民族史和地方史的研究，有义务、有责任发掘和利用本地少数民族文字史料，这是自身的优势所在。我仔细研读了所内同志推荐和译出的民族文字史料，并将它同汉文和外文资料相互参证，发现大多可以互为补充。同时，又从《德国农民战争》等马列著作中获取理论指导。这样一来，眉目就逐渐明朗了：从19世纪40年代到60年代，新疆各地反抗封建差徭的斗争此落彼起、接连不断，而且呈现出越来越频繁的态势，最后在太平天国和陕甘回民起义的影响下爆发了大规模的武装起义。参与农民起义的不仅有维吾尔、回和哈萨克族人民，还有众多汉、满等族人民；斗争矛头不仅指向清朝官员，也同样指向本民族的王公伯克。维吾尔文史料还记述了：面对浩罕匪徒阿古柏和沙俄军队的入侵，新疆各族人民进行了艰苦卓绝的殊死搏斗。不同文字史料还都记载了：清军来到时，新疆各族人民同仇敌忾协同配合，迅速将入侵之敌逐出国门之外。这一切都无可争辩地证明了：新疆农民起义是全国人民反帝反封建斗争的一个组成部分。思路清晰了，落笔成文就比较顺手了。

“文革”之后百废待兴，北京一些刊物先后复刊，有的还派人来新疆组稿；一些学术研讨会也适时召开，学术气氛空前活跃。我在《新疆简史》有关章节的基础上形成两篇论文，先后都发表了。

一篇是《阿古柏对新疆的入侵及其覆灭》，提交给前来组稿的《历史研究》编辑。兰州召开中俄关系史讨论会，我提交了一篇《中俄伊犁交涉的真相》，用以驳斥一位苏联学者的文章。主持讨论会的同志一定要我谈谈阿古柏问题，他们知道我还是旧观点。此前社会上出现了一种新观点，说阿古柏主要是俄国走狗。两种不同观点的交锋，便于将讨论引向深入。我指出，阿古柏侵入新疆，主要是得到英国人的支持，与俄国也有勾结，但与后者又有较深的矛盾。我发言完毕，记不得是哪位老师说：看来坚持旧观点也是需要勇气的。《历史研究》的编辑也对我说，新观点当然需要支持，但总得拿出过硬的史料来说服人。他要我参考讨论会上的意见，将论文修改完善，尽快寄给他。其实，我这篇论文的要点不在于谈论阿古柏与英、俄的关系；而在于新疆各族人民同仇敌忾与阿古柏入侵匪徒进行艰苦卓绝的殊死搏斗，最后在清军进剿下将入侵之敌赶回了浩罕——已经被俄国吞并了的浩罕。文章中使用了维文史料，也挖掘了许多汉文史料，都是以往的相关论文中未见和少见的。这篇论文刊登在《历史研究》1979 年的第三期上。

另一篇是《试论一八六四年新疆农民起义》，那是为出席在南京召开的太平天国史学术讨论会而写的。出席会议的《民族研究》编辑马大正先生将此文索去，发表在该刊 1979 年的第二期上。此文将《新疆简史》中的有关内容集中浓缩成一篇论文，史料充分，说服力很强。尤其是引用俄文史料揭示，太平天国的告示曾出现在新疆塔城的城墙上，引起了大家的关注。这篇论文的刊出和随后《新疆简史》的出版发行，使得新疆农民起义的认识逐渐趋于一致，并得到了史学界广泛认可。1986 年，此文获得了自治区社科联论文二等奖，后来《中国大百科全书·中国历史》卷的编辑来信嘱我撰写相关词条的释文。

此外，清军进入南疆后在各地建立"善后局"的事，过去的论著中很少提及，更没有予以正面评述。我在《新疆简史》中给予了充分的评介，认为它的职能不仅在于处理善后事宜，更重要的还在于行使着临时政府的职能，为各道、府、厅、州、县的成立准备了条件，是新疆建省得以顺利实现的重要举措。在以往论著中一些含混不清的问题，在撰写中尽可能地予以澄清。比如新疆建省的年代就有多种说法，莫衷一是，我将它界定在清廷谕令刘锦棠为首任新疆巡抚的1884年。

当然不足之处也有不少，如对于左宗棠进军新疆的历史作用，就不敢充分论述。当时“文革”结束不久，自己和许多人在思想上还有许多顾虑，“左”的思想影响还是存在的，这只能在今后的作品中加以阐述，予以订正。

还有一些问题，在撰写《新疆简史》时，或则限于篇幅不能充分展开论述，或则限于时间还来不及弄清楚。它们都存记在我的心头，后来就写成几篇文章，先后都发表了。

譬如，关于阿古柏的死就有多种说法，我没有采用汉文史籍中的“仰药自毙”的说法，也没有采纳维文史料中所说的被部下在茶中“投毒”而死的说法，而采用了俄文资料中所说的在与近臣的斗殴中被击昏而死的说法。因为，当年随着阿古柏匪徒的败亡，他的一批亡命之徒都投奔到俄国去了。俄国人从他们嘴里搞到许多真实情报，这些情报被学者们在著述中引用，可信程度较高。一篇《关于阿古柏之死》的短文发表在《新疆大学学报》1979年第2期上，《新华月报·文摘版》同年第8期有它的摘要。

又譬如，对沙皇俄国在新疆几处领事馆的设立年代，写《新疆简史》时还是以准许设立领馆的条约签订年代为依据，这也是当年一些论著中的通常说法，这里忽略了建馆设领的时间差。后来继续翻检史料，查明各地建立领馆的时间都在条约准许设领时间的若干年之后；在自治区档案馆查阅旧档时，弄明白了乌鲁木齐领馆的设置详情，还弄清了乌鲁木齐领事馆之前确实有一个短时间的吐鲁番领事馆存在的事实；只是阿勒泰俄领馆的建立年代没有完全搞清，只得存疑。于是《沙俄驻新疆各领事馆的建立年代》成文了，它刊载在《新疆社会科学》1982年第1期上。

还有，就是关于新疆建省的一组论文，它们是：纪念建省100周年的《论清季新疆建省》，载《新疆社会科学》1984年第四期（1985年的《新疆年鉴》刊有摘要）；《论新疆以建省为中心的改革——清季治新政策研究》，载《西北民族研究》1990 年第 1 期；以及《新疆建省余事述议》，载《新疆社会科学》1990 年第 1 期。主要观点是：新疆建省是清季统治新疆政策的一大转变，顺应了历史潮流，促进了新疆经济的恢复和发展，还直接影响到其他边疆地区的行省制度的实施；但是，评价也不宜拔高，统治者只是将内地行将被推翻的旧制推行于新疆罢了，而且还有“后遗症”：设立新疆巡抚的同时没有彻底废除伊犁将军，造成两者之间的掣肘。在其他边疆地区建省时，这样的局面就没有发生。

华：包尔汉的回忆录《新疆五十年》是你帮他整理完成的，这本书的影响很大，当年是怎么找到您的？

纪：包尔汉回忆录涉及的一段经历主要是民国史的范围之内。我在 1964 年接手《新疆简史》时已对民国史有所涉足；后来研究所人手增多，大家有了分工。我在旧民主主义革命时期一段历史积累的资料多些，新来的同志就在新民主主义革命时期的那一段历史用力较勤。人们都在寻找研究领域中相对薄弱的环节，用以弥补缺漏，也容易做出成绩。

1982 年，新成立的新疆社科院院长谷苞同志来到我的办公室，要我立即去北京协助全国政协副主席包尔汉完成回忆录的撰写。我以研究室有分工和正在撰写《中国历史大辞典》新疆民族史辞条释文为词，打算推托。谷苞直言相告：这是王震副主席出国路经新疆时交代的任务。还说：包老年事已高，耽误不得，回忆录的前面一半早已发表过了，估计只是后面一部分稿子，需要花费的时间不一定太长；又说这是同乌依古尔书记商量过后的意见，已经同所长陈慧生打了招呼。听完之后，觉得此事非同寻常，连所长都只有听从“招呼”的份，如果因为我的推辞而误事，责任可担负不起！所以这是被“逼”着从事民国史研究的，研究的范围就延伸到了新民主主义革命阶段。

包尔汉回忆录的前面两部分，曾经在《文史资料选辑》上发表过，我是认真看过的。既然叫我加工后面未发表的部分，准备工作就比较好做了。经过短时间的准备，我立即进京，前往包尔汉府上报到。他正准备赴北戴河休假，嘱我过两天与他同行。到了北戴河，我看到了包老回忆录的第四部分底稿。我修改了一两个小节作为“样本”，请包老和他的家人看看这样改下去是否可行。

一天，包老在海边偶感风寒，当地医生建议他返京诊治，我便请求同他一起回北京。到京时已是华灯初上，新疆驻京办事处已经没有空余床位，就下榻在包老府上，占用了他秘书的办公室和床铺。伏案两个多月，我将增补后的稿子送交全国政协的文史资料出版社（今中国文史出版社）。看来编辑们还算满意，先将第三部分叫我增补和修改，后来又将第一、第二两部分稿子让我修改。最后答应了我的请求，让我取回全部书稿，从头到尾顺了一遍，同时将译名用字一致起来。

交稿的时候约定，我暂时回新疆搜集必须补充的资料。编辑部审稿之后立即通知我进京，以便作最后的定稿。返新后一直没有北京方面的音讯，我就重新捡起了“历史大辞典”的未完项目。两个多月过去，转眼到了1983年。新年一过，连续3次急电催我迅即赴京，到京后又要我一个月之内交稿，经协商之后才准我顺延一个月。后来终于获悉，还是“文革”旧观念作祟，有人对出版包尔汉的回忆录持怀疑态度，阻力不小。年前，政协和出版社先后得到了王震同志给包老的信和为回忆录撰写的序言、获悉了邓力群同志的有关谈话，“绿灯”方始一路亮起，回忆录终于顺利地于1984年出版发行。德高望重的包尔汉出版一本回忆录居然也是一波三折，事先无论如何也想象不到！

这是新疆少数民族领导干部的第一本回忆录，出版之后立即引起很大的反响，新疆竟一时脱销。我也感到十分荣幸，包老还亲笔签名送了我一本。同时也发现了一些错误，我想如果不是催促过甚，其中的某些错误原本是可以避免的，于是再赴京修订。包尔汉见到并认可了修订后的稿子，却没能见到1994年修订版的面世。

《新疆五十年》是我提供的几个备选书名中的一个，我问过包老，是否打算再写《北京三十年》作为续集。这30年中，包老作为中国人民的和平使者奔波在亚非拉各国，度过了他一生中最为辉煌的岁月；也被当作“黑帮”和“外国特务”在新疆遭受数年之久的牢狱之灾。回忆这一段与共和国同辉煌同苦难的历史，为后人留下一份真实的记录，肯定是极有价值的。他不无遗憾地告诉我：日记等个人资料在“文革”中统统被抄家的人拿走了，返还的只有区区几本，其余绝大部分不知下落，光靠日渐衰退的记忆是写不成的了。

离休后回兰州的老院长谷苞依旧情系新疆，常常返新指导工作。有一次，同我谈起包老回忆录的事，他说：出不了回忆录的续集，不妨帮他编一册《包尔汉选集》。经过联系并获得了授权，我约请两位同志协助，匆匆忙忙编了出来，送京请包老审阅。谷苞又函请邓力群作序，交由民族出版社出版。待到1989年出版发行时，包老还是没能赶得上亲眼见到。

1994年是包尔汉的百年冥诞，全国政协和新疆政协都主持召开了纪念会。新疆政协文史办将纪念会上的发言和此前组织的文稿汇集起来，计划出版一册纪念文集。北京要我去当“特约编辑”，对书稿进行编辑加工。这就是《回忆包尔汉》一书，1999年由中国文史出版社出版。

通过对包老回忆录的增改，我同他们一家情谊日增，每次出差到京，包老府上是一定要去拜访的。我称包老夫人拉希达为“阿帕”(大妈)，她给我取名“巴哈尔”(春天)，并一直这样呼唤我。除了上面提到的3本书之外，还替包尔汉代笔著文《天山万里故乡行》，发表在1985年建国30周年的《红旗》杂志上。伊丽苏娅和她的夫君眼下正在为出版包老的画册全力张罗，其中需要一篇包尔汉的传略，他们要我提供包老在新疆省人民政府主席任职期间的一段经历。写建国后的历史，我是十足的外行，初稿是勉强完成了，他们为修改增补肯定将花费不少的精力。

华：三区革命是新疆近代史上的一个敏感问题，您好像写了两三篇论文，连题目都毫不含糊地点明它与苏联的关系。您是在怎样的情况下进入这个领域的？

纪：最好还是从包尔汉的回忆录谈起。

包尔汉的从政生涯开始于民国年间，新疆虽然没有牵入内地军阀混战，却也并非太平无事，甚至有苏联军队的几次入境作战和长期驻扎。在整理包尔汉的回忆录时如何叙述苏军入境的史事，是按照此前的做法继续装聋作哑，还是按照历史事实秉笔直书，颇费踌躇。我的想法是：当地居民尽人皆知的事，境外中外文著述中早已披露过的事，学者们不应当一再保持沉默。蓄意回避史实真相无异于"造假"，历史就不成其为历史了。有条件接触和掌握历史资料的史学工作者有责任厘清史实、澄清误传，将真实的历史客观公正地告知人们。这是史家的"史德"问题。

然而，当时的说法是："学术无禁区，宣传有纪律"。我按照前面半句话的精神，将包尔汉回忆的真实历史当作学术问题写进书稿里，我不想删去，也无权删去。按后面半句话的精神，政治人物的回忆录是否涉及宣传，建议政协的有关领导去请示邓力群同志。邓在新疆工作过，对新疆情况很了解。得到的回话是按历史事实写！于是苏联介入新疆政治争端，苏军入境助战和驻扎等等，在解放后我们的出版物中第一次给予了适当披露，没有继续回避。

这表明，党的"实事求是"优良传统已经回归，一切隐瞒历史真相、曲解历史事实，甚至搞"影射史学"的做法都应抛弃。在新疆近代史上最为"敏感"的话题，就是苏联与新疆的三区革命问题。既然在包尔汉的回忆录中没有回避，那么在学术论文中加以探讨，也应该是被允许的，于是就想将《苏联与新疆三区革命》一文拿出来见见天日。

这篇文章的撰写，起因于1979年的兰州中俄关系史学会的学术研讨会。与会的著名史学家黎澍同志认为，中俄关系史的研究应当延续到中苏关系史。第二年我就写出了《苏联与新疆三区革命》的初稿。此后在一些学术研讨会上曾就这一主题做过发言，引起与会学者的极大兴趣。中国社科院边疆史地研究中心的同志听到了我的发言之后想看看我的全文。我一面努力将文章写得更充实，更具有说服力，一面请示院长杨发仁同志。杨非常重视，又请示了上级，并得到了上级领导的口头同意和书面批复，于是将我的论文打印了几份，分送有关领导参阅。一位亲身经历三区革命的领导同志看到之后当面对我说：写得很好，就是这么回事！我将打印稿寄到北京，后来他们以某种方式刊布了出来，时间正是苏联解体的前一年。

这时，离我动手撰写此文已经过去了整整10年，是我字斟句酌最久、放置时间最长的一篇文章。记得求学期间听老师说过，写了文章不要急于发表，放它一段时间，看看有什么史料没有用够，有什么疏漏需要弥补。我的文章大体上都是遵照严师的训导去做的，特别是这一篇。在这一段时间里，我主要考虑的是怎样将事实说清楚，而不在于如何评价和议论，不在于措辞的严厉与和缓。如对于苏联顾问团，我只需指明其领导人是库兹洛夫中将即可；至于谁能指挥调动得了一位中将，史家没有依据不能轻易下结论，读者无妨自行判断。

这一段历史谜团太多，有许多史事还应该继续澄清。在三区革命爆发50周年之际，我撰写了《新疆三区革命与中国共产党》，发表在《西域研究》1994年第四期上。为纪念抗战胜利50周年，我撰写了《抗战胜利前后的时局与新疆和平的实现》，主要叙述国内外时局变化对新疆的影响，其中牵涉许多与苏联有关联的事，发表在《西域研究》1995年第三期上。这两篇文章都曾在乌鲁木齐有关纪念集会上做过发言，同《苏联与新疆三区革命》（《新疆近世史论稿》）一起，构成了我探讨新疆三区革命历史的一组论文。

民国史是很值得研究的课题。除了上述问题之外，我还写过纪念辛亥革命的《团结战斗迎共和——纪念辛亥革命运动中的迪化起义和伊犁起义》（《西域史论丛》第一辑，新疆人民出版社，1985年）和纪念新疆和平解放的《一场和平的战斗——纪念陶峙岳、包尔汉领导新疆和平起义40周年》（《新疆社会科学》1990年第一期），为纪念新疆解放50周年而写的《对新疆和平解放的再认识》（《新疆近世史论稿》）。之外，我没有更多的讨论新疆民国时期历史的文章。

华：《新疆近世史论稿》中收录你的论文30来篇，除了晚清和民国史之外，还有不少清代中期甚至前期的论文，您又是在什么情况下涉足这些方面的？

纪：承蒙边疆史地研究中心的好意，主任马大正嘱我编一个自选集，我定名为《新疆近世史论稿》，经他们审定后辑入《边疆史地丛书》，由黑龙江教育出版社于2003年出版，全书34万字。文章确实杂一些，那时我的兴趣有些宽泛，当然也有其他原因。

从事科研的人，多半不愿将自己的专业局限甚至禁锢在一个窄小的范围之内，这对于研究工作没有什么好处。此前的少数民族历史调查人人都参加了。派人去西安摘抄《清实录》，研究隋唐史的郭平梁欣然接受；到牧区做社会调查，专攻汉代的、元明的还是什么朝代的，也都去了。这时是“支左”的军代表说了算，然而以我当时的心情来说，与其将精力耗费在没完没了的“文革”和两派纷争之中，还不如走出门去实实在在做些事情好。奇怪的是：在所内因“派性”而形同路人，出差在外依然像先前一样和睦相处，其乐融融。可见大家的心情是一样的。

将清史拦腰切成两段，我总觉得并不十分妥当。在晚清史的研究中无法不牵涉清代的前期和中期。比如清代在新疆的政策、方针到具体措施，大多是在乾隆时期确定下来的，不追溯到清代中叶，历史发展变化的脉络都不明白，后面一段历史就难以叙述清楚。这就从业务上“逼”得我往上探索求解。

作为一个研究机构，经常会收到请求解答疑问的信件和电话，有个人提出的，更多的是兄弟单位提出来的。他们在自身业务工作范围内发现了问题，却苦于没有可资查考的资料，只好求助于我们。我自己在翻检史料的过程中也会不断发现和提出一些新问题。

凡此种种，都促使我去探索和求解一些疑问，其范围不完全是我可以限定得了的。

比如新疆的人口问题，最初是某单位询问解放前新疆和乌鲁木齐的人口数字，予以回复之后想想，这还真是一个值得进一步探讨的问题。于是就扩大搜寻资料的范围，最后形成《近世新疆人口问题的历史考察》一文。南疆维吾尔族的度量衡问题也类似，有人询问：书刊上的换算方法不一，究竟应以哪一种说法为准；当时就事论事地做了简单的回复。刚好有一个学术讨论会要召开，就趁热打铁完成了《近世新疆通用的计量制度和工具》。这两篇文章都追溯到乾隆嘉庆年间甚至更早，而且涉及经济史，需要运算之处很多。还有一篇历法比较的文章，也需要数学运算。我这点可怜的数理知识用来对付历史研究中遇到的运算问题，还算勉强可以，当然计算器的使用为我提供了极大的方便。

又如《“安南工”地名的来历》是米泉县编写县志的同志提出来的，翻检史书后得知，确有一批越南贵族在政争中失败，逃到中国后被清政府安置在新疆等处地方。玛纳斯湖的历史旧名有多种，因见一册历史地图中阙如，便写成《阿雅尔淖尔考》一文提出来予以探讨。《论松筠》（《民族研究》1988年第3期，获1991年自治区社科联论文二等奖）和《“回回国王阿卜都里什特”世系考》是自己在读书中发现了问题，却没有其他文献可资查考，只好自己加以探讨以求解答。这些也都涉及乾隆嘉庆时期，最后一文追溯得还更早。

值得一提的是《喀什“香妃墓”辨误》一文。记得在“文革”后期，有一外国友人来新疆访问，喀什的同志向他介绍了“香妃墓”的情况，不料人家听了说不是那么回事！当地的同志将疑问反映到上面，于是上级革委会就要求我们研究所给予解答。任务交给了古代史组的同志，他们曾问过我，也给我看过他们写出的回复。我觉得“不过瘾”，但一时又说不到点子上去。此后就留心有关资料，在《新疆简史》脱稿以后，才有时间写出这一篇文章，1979

年在本所办的内部刊物上发表。此文详尽地考证了当地称作“阿帕克和卓墓”、清代文献中称作“和卓坟”的墓园，是什么时候、在什么情况下被误会成了“香妃墓”的，以及“容妃”怎么得到“香妃”的诨名等等。此文引起了很多人的兴趣，予以摘录和转载的就有几处。1982 年，经过修改补充，正式登载在新疆人民出版社编辑的《新疆历史论文续集》里，1985 年书目文献出版社出版《香妃》一书时又将它辑入其中。

华： 您前面提到了《中国历史大辞典》，只是开了个头，是否还没有说完?

纪： 编纂《中国历史大辞典》是全国重点项目。从 1980 年的太原会议起，我们所承担了民族史卷新疆部分的撰写，明代及以前由郭平梁负责，清代由我负责。参加撰写辞条释文的有新疆和内地的学者很多人，花的时间也比较长。幸亏交稿时间没有太严格的限定，因为整理包尔汉回忆录花了我将近一年的时间，也就是说我将大辞典释文的完成推迟了一年。1984 年，郭和我携带全部修改稿到北京，在你们所刘荣俊先生的指导下完成定稿。大辞典分卷本的出版已是 90 年代，民族史卷可能最晚，最后出版《中国历史大辞典》两卷本是 2000 年。

清朝前期和中期的历史我接触不太多，撰写历史辞典的释文应该说是比较系统的一次。起初在资料室工作时，除了应付日常琐事以外还认真读了一些书。从所里实际情况看，汉唐等各朝都有好几位同志在研究，而清代仅有一位老先生在研究，力量相对较弱，我就等着当“接班人”了。因为没有明确的任务，可以从容地做卡片做笔记，积累下来居然不少。它们在后来的工作中大体上都能够用得着，至少使我知道应该到哪些书里去寻找，否则我哪敢接受“历史辞典”这样的任务！资料的积累就是学识的积累，是没有“白费劲”一说的。

华： 您几次都提到了从事资料工作，能不能谈得具体些?

纪： 这正是新疆工作的特点。解放前新疆没有科研机构，所有科研单位都是解放后逐步建立起来的。资料的积累，非一朝一夕所能成功。有幸能在新建的科研院所从事工作的人，必不可少地要做些资料工作，否则科研工作也无从谈起。即使是担任院领导的谷苞也必须为资料建设到处张罗。

贯彻“八字方针”时，我被调到资料组，工作了一年多的时间，工作比较杂乱。值得一提的是，在领导的支持下，1962 年申请到了一笔图书购置费，并为研究所开立了账户。头一笔图书经费只有区区 200 元，一年还没有花完，在那个特殊年代没有那么多书可以供应给我们，尽管新华书店的发行部门对科研院所还相当照顾。我第一次去南疆，也是为了资料工作。听说喀什、和田的公安部门积累有一批资料打算销毁，领导报请上级同意之后，就派买买提·赛来和我前往挑选，充实研究所的收藏。

研究所的经费，往往时松时紧。渡过了“三年困难”时期之后，经费逐渐宽裕，可以到内地专门从事采购了。尽管我已离开了资料室，也曾被要求利用探亲假赴沪的机会，在上海古籍书店买过书。我们所的图书资料室就是在大家的辛勤参与下，积累起了一定的规模，具备了从事研究工作的初步条件。改革开放初期经费依然那样，订购了两套中华书局新版《清实录》，购书款却长年拖欠，最后他们来人拿走了一套，折价扣抵欠款。

大概是 1972 年，研究所的“革命领导小组”传达上面的通知，要求开展沙俄侵华历史的研究。由西北大学牵头，联合了兰州大学、西北师院、新疆大学和我们所“三省五家”协作编写《沙皇俄国侵略西北地区史》。我没有参加此书的编写，但是在乌鲁木齐召开的几次研讨会我大致都参加了，从中学得了许多有益的东西。这是全所的重点项目，为了提供资料，安排我们从《筹办夷务始末》、《清季外交史料》和《清代外交史料》中摘录有关新疆的资料，我负责道光朝。

后来觉得这样做意义不大，不如摘抄《清实录》。此书卷帙浩繁，当年只有西北大学有收藏，摘抄出来大家都可利用，对我们研究所来说，也是一项基础建设。于是同西北大学西北史研究室联系，经校方允准后，郭平粱和我等人便前往西安，住在该校的学生宿舍。郭负责清初到嘉庆，我负责道光到宣统，凡是有关新疆的，就夹上纸条注明需抄录之处；由雇请来的六七位待业在家的高中学生负责抄录和初校。我们在西安度过了隆冬和炎夏，历时约 10 个月，摘录了大约 400 万字资料。

1978 年，研究所出资将它铅印，定名为《〈清实录〉新疆资料辑录》，到 1981 年印完，共 12 册。那时还是计划经济时代，印出来之后分赠有关高校和科研单位，个人购买酌收工本费。2002 年，新疆大学出版社申请到古籍整理专项经费，组织人力据中华版《清实录》校定后重新排印，2003 年冬先将最后的“光绪朝宣统朝卷”一册印行出版。听说经费不敷应用，连点校费都付不出，想要出齐 12 册，还需要有足够的毅力和耐心。

《中西回俄历表》是在这一期间完成的。前面提到，在研究工作中需要将各种文字的史料互相参证，而不同文字的史料用的是不同的历法纪年，必须进行换算。研究所购有陈垣先生的《中西回史日历》，我觉得用起来不够方便。我希望有一本荣孟源先生的《中国近代史历表》，在上面添注“回历”便于自己应用即可；可是在新疆却无法购求，在京沪等地搜寻旧书也无以觅得。《新疆简史》的重新上马，使我下定了自己动手编历表的决心。

有了决心，就着手设计框架，决定将节气、俄历、周日等内容都添加进去。这一工作困难不大，只是必须认真仔细，容不得半点疏忽。“文革”期间蹉跎了大好时光，此时已入中年，深怕再一次被岁月抛弃。与我同样心情的显然不仅我一个，钻研业务的空气大为高涨。讥讽和指责还是能听到一些，“沉默是金”，不予置理；有一次实在听不下去，便适当回敬了几句，聒噪之声从此消失！

1978 年我将《中西回俄历表》1820 年到 1951 年的那部分稿子交到新疆人民出版社，一年之后发行面世；后续部分编到 2020 年，是在退休之后才完成的，于 2002 年出了增补本。将 4 种不同历法汇集于一书，似乎还没有见到第二本。至于《中西回俄历法比较研究》（《中亚学刊》第六辑，新疆人民出版社，2002 年 3 月出版）一文，那是一个“副产品”，顺便将自己对各种历法的了解作了整理，或许对大家有些用处。

华：您在前面还几次提到牧区调查，是蒙古牧区，还是哈萨克牧区，能不能具体介绍一下？

纪：我没有去过蒙古族牧区和柯尔克孜族牧区，只做过哈萨克牧区调查，先后参加过两次。

第一次是在 20 个世纪 60 年代初，地点在乌鲁木齐县东风公社。那一带俗称南山，是半农半牧区，离市区不远，是当年自治区党委农工部的驻点单位，如今是著名的旅游景区。我们去的目的是写一本“公社史”，反映那里在解放后的发展，以及哈萨克牧民在生产和生活中的变化。当年编写“四史”（厂史、社史、村史、家史）是一项极有来头的指示，从事历史教学和科研的人是一定要参加的。

我参加到这一课题组时，已有王守礼、陈大俊等人在做调查了。这对我来说，是相当陌生的课题，只能边学边干。可是时机不佳，正值“精兵简政”的年代，先后参加调查的有十多人，往往一两个月就换人，不是调动了工作，便是被“下放”了。最后课题组撤销，连研究所里相关的民族组都撤销了，我被调到资料组。这是一个有始无终、不了了之的课题，花费了时间和精力却见不到成果，弄得我灰溜溜的。

第二次调查已是“文革”期间了。那是一个否定一切、否定自身的年代。军代表传达了自治区革委会的指示，派我们去阿勒泰牧区做调查，说是要为“牧区划分阶级”进行“民主改革补课”做准备。阿勒泰地处新疆最北部，是典型的牧业地区，自然是做牧区调查的极佳去处。可是应该做哪些方面的准备、做怎么样的准备？请示之后得不到任何明确指示，只是说让我们自行考虑。经过讨论，我们建议先做牧区社会基层组织的“阿吾勒”调查，得到了上面的同意，指定我拟定调查提纲。为此，我将《资本论》中有关封建地租形态的章节认真研读了一番。

1972 年 1 月，军代表宣布“命令”：由王守礼任组长，王治来和我任副组长，总共 7 人立即前往阿勒泰。当年阿勒泰的交通很不方便，长途客运因寒冬而停顿，仅有安—24 小飞机可通。在地区革委会，接待我们的是军分区副参谋长瓦哈孜，“三结合”的哈萨克族军官。他赞扬我们敢于在最冷的时候到最冷的地方来，是“勇敢的人”。当他得知我们没有也买不到皮裤时，就没有让我们进牧区，而是先安排去档案馆看资料。

抄了半个月的档案，做了两个月的调查，时间已到了 4 月中旬。我们正在整理调查资料，公社干部催我们快走，说是过几天河水解冻、大地解冻，一个月之内就别想挪窝了。我们赶紧整理行装第二天就骑马上路、涉冰过河去了布尔津县城，在那里完成了调查报告的撰写。解放前以血缘关系为纽带的“阿吾勒”，经过合作化和公社化运动已经完全解体了，在我们的笔下又被重新勾勒出来。调查报告共 4 篇，反映了解放前不同类型阿吾勒的内部结构，以及他们的生产和生活状况。我执笔两篇：《哈巴河县团结公社、胜利公社调查材料》和《布尔津县长征公社调查材料》。

在布尔津，王守礼打长途电话请示对下一步工作的安排，得到的回答是调查完了就回来。对此我们并不过分意外，因为从广播中听到的是对过去牧区社会主义改造的肯定，没有听到什么“补课”和牧区“划分阶级”的种种说法。看来，上面将我们派到阿勒泰去也只是为了应付甚嚣一时的极“左”势力的嚷嚷。而我们则利用这一机会实实在在地做了一回牧区调查，就我个人而言，也算弥补了上一次牧区调查无果而终的缺憾！

我们将抄录的档案资料送到誊印社去打印，不料遭到偷儿的光顾。他们在继续作案时被捕，对偷窃誊印社的事供认不讳，目的是钱和粮票；这一沓资料看看没啥有趣，被用来点炉子了。我们抄录的旧档和王治来执笔撰写的调查总结一起化作灰烬，幸好这 4 份调查报告还在修改，再也不敢拿到外面去打印了。“文革”结束后，4篇调查报告先后被收入1987年新疆人民出版社的《哈萨克族社会历史调查》和1988年农村读物出版社的《新疆牧区社会》两种牧区资料汇编中。

抄录的档案资料，都是当年县工委书记们亲自作的调查，反映了解放前阿勒泰的牧区社会状况。当地干部告诉我们，那时的书记很辛苦很敬业，带一名翻译就往牧民帐篷里跑，公章就在挎包里，人在哪里县工委就在哪里办公。那是一批真正的第一手资料，经过我们的筛选大约抄录了一二十万字，编一本阿勒泰牧区资料不成问题。我们的劳动化为乌有，非常可惜！

华：你们怎么不招研究生？那么，有没有在高校兼过课？

纪：好像是80年代初期，所里议论过招收研究生的事。当时我们研究所还在科学院新疆分院的大院里，三层“筒子楼”占了半栋，招了研究生没处住，建议同新疆大学历史系合招，可以发挥各自的优势。后来没有下文，是什么原因，没有人跟我们讲过。

新大历史系倒是找过我们所里的人，其中有我。先是办进修班，以提高留校工作的工农兵学员的业务水平，后来又招了硕士生班，都请我去讲过课，主要是讲《新疆近代史籍解题》和新疆近代史。后来，他们“青黄不接”状况已逐步改变，不再需要在校外请人了。我又在所内担任了行政职务，也不太挤得出时间去授课了，学术报告还应邀去讲过几次。

华：社会科学往往要解答社会上出现的热点问题，这方面您是否也做过一些工作？

纪：这方面做的工作要比在高校讲课多得多。

20世纪80年代晚期，社会上出现了一些错误思潮，新疆也不例外。这引起上级领导部门的严重关注。在一次座谈会上，我谈到这些错误思潮的根子，就是解放前在新疆一度泛滥的泛伊斯兰主义和泛突厥主义。没料到，竟然引起了与会同志的兴趣，一定要我前去他们那里做专题报告。会后我加快完成了《泛伊斯兰主义、泛突厥主义的产生及其对新疆的渗透与破产——兼述分裂主义旗号“东突厥斯坦”》一文的撰写。它揭示了新疆分裂主义势力在思想上同外国侵华反华势力的关系，揭示了新疆老牌分裂主义分子的罪行，讴歌了各族人民在反分裂主义斗争中的作用。后来就这一主题在一些单位做了几次报告，对澄清思想统一认识或许起过一些作用。

根据形势的需要，院里搞了一个《泛伊斯兰主义泛突厥主义研究》的综合科研项目，获得了新疆软科学项目和国家社科基金的资助。这一项目由院长杨发仁主持，下面分几个子课题，分给历史所的是《泛伊斯兰主义泛突厥主义在新疆传播的历史考察》。我安排陈超等3名同志承担，在他们交出的初稿上，我再增改两遍然后定稿。这一子课题获得1995年自治区社科联的二等奖，整个项目也在1996年获得了自治区人民政府颁发的科技进步二等奖。

《新疆自古以来就是中国领土不可分割的一部分》一文则是按照自治区党委宣传部的安排，面向一般干部和青年学生所做的爱国主义教育讲座。我从正面阐明了新疆与祖国的历史联系，新疆历来是多民族聚居地区和多种宗教共存地区，各民族人民在共同的开发边疆、保卫家园的斗争中结成了坚不可摧的血肉长城。从1988年起，在每年一度的“民族团结月”活动中，曾受邀到一些单位（包括部分文科院校）做辅导报告。此文经修改后发表在何富林主编的《维护祖国统一简明读本》（新疆人民出版社，1996年）当中，这一读本在1997年9月获国家第六届精神文明建设“五个一工程”图书奖。新世纪到来后，在新疆开展的“反分裂再教育”活动中，我又受邀连续做了二三十场辅导。

在迎接香港、澳门回归的时候，我都撰写了纪念文章，《洗百年屈辱，迎香港回归》和《澳门的昨天、今天和明天》，分别刊登在院刊《西域研究》1997年第二期和1999年第四期上；同时还在院内和一些兄弟单位做过报告。

应新疆人民出版社之约，我在研究所内外组织了《新疆历史词典》的编撰，参与其事者有新疆和内地学者30多位，得100万字，老院长谷苞为此书撰写了序言。这一工具书于1994年出版，第二年获自治区社科联工具书一等奖。

除此之外就是做了一些历史知识的普及工作，对象是具有中等文化水平的普通读者。最初是应院长谷苞之约，为他主编的《新疆历史人物》（1～5辑，新疆人民出版社1983～1993年陆续出版）撰稿。后来我担任所长之后，向《新疆日报》编辑建议，在报上开辟《新疆近代百年史话》专栏；得到同意后，便组织所内同仁写稿，从1990年3月起，文章陆续刊出，大约总共采用了二三十篇。

1997年，新疆美术摄影出版社来组稿，约我撰写《新疆历史百问》。此时我已卸所长之任，还不让退休。征得所内同意，约请齐万良、贾丛江执笔写稿，最后由我统改两遍、补写了几个问题而成。此书于1997年10月出版，一年半内连续印刷4次，1999年获自治区图书三等奖，2006年1月出了第二版，累计发行量超过5万册。对于普及历史知识的通俗读物，专家学者实在不应该小觑。

华：能不能谈谈个人的成长道路？

纪：如果一定要谈，也只能简单地说一点。首先，没有家学渊源。祖父是一个小职员，父亲刚进了大学就被日本侵略者剥夺了求学的权利，全家随祖父供职的单位从杭州老家迁到上海“租界”。那一年我3岁，后来上小学和初中，都是在离家不远的私立学校。前几年旧地重游，两处小洋楼都还在，静悄悄的，可能已经恢复为私宅了。

其次，我之所以能上大学和进入科研单位，完全是解放后的机遇。1951年我上高中，私立学校每学期学费120元（币制改革前是旧币120万），公立学校是16元。我考进了同济大学附中（今同济中学），在江湾五角场，离家很远，必须住校。因为经办伙食的人手脚不干净，在校方没有聘用到合适的人选之前，伙食暂时由学生自己经办。我在高二时经同学推举办过一个月的伙食，耽误了两个月的功课，数理化成绩落下来了。报考同济附中时，是抱着想进同济大学医学院的梦想，3年后填报高考志愿时胆怯了，就报考了历史专业。我们那个年级的同学都上了大学。当时的想法是：反正都是公费住校，不如往北方跑，绝大部分同学都跨过长江。我也从众，放着上海的高校不考，北上天津进了南开大学。四年后毕业分配到新疆从事研究工作，也是意外的机遇。

最后，无论是同济还是南开，如今都是百年老校。师资强，教学环境好，图书资料丰富，有教书育人、授业解惑的传统，有深厚的学术积淀。我庆幸在中学时打下了良好的基础，在大学里学得了治学的方法，养成了严肃的作风和严谨的学风。我们曾经在系主任郑天挺教授家里看了他制作的文摘卡片，并聆听指教，印象很深。还记得老师们说过：没有新资料和新观点，不要轻易写文章；文章写完之后不要急于发表，放一段时间再看，必然会发现许多缺失需要弥补。这些看似漫不经心的话语，包含着老师们切身体验的无私传授，指导着我毕生的工作。近年来提倡创新精神，在这一点上，我自信是合格的。我的著述，不敢人云亦云，不敢无的放矢，更不敢以“急就章”应付差事，都是经得起推敲和检验的。当然，新疆的史学研究起步晚，可资探索的课题中，很多都是前人未曾涉足和未曾解决的，这也是一个不可否认的客观因素。

华：您在新疆工作了半个世纪，是否有过调动工作离开新疆的打算？

纪：萌生去意自然有过，还不止一次。

最早是在 60 年代初期。那时主要是做社会调查，首先遇到的是语言障碍。想脱产进修维吾尔语文，领导同意进短期训练班，可是当年找不到这样的训练班。社会调查的方法也不好掌握，干了五六年还看不到成果，心情沮丧。加上市场的商品供应差，浮肿病连年都犯，无法安心工作。但是走不脱，因为还有“两地分居”的六七位同事在等待调动。所长坦率地对我说：即使有机会也轮不到我，劝我死了这份心。

改革开放初期也曾经想走，那时已经有一些同志调动了工作返回了内地。我也有若干行动，已经联系到接纳单位，无奈这里的领导不放，致使前功尽弃。当时的政策就是这样，只有“单位人”，没有“个人”，个人在此面前实在无能为力。

如今政策较前宽松。退休之后不再存在调动与否的问题，我也回上海住过一阵，无事可做的滋味并不好受。在新疆还多少有些事情可做，晚年并不寂寞。

华：您对科研工作有什么体会？今后有什么打算？对年轻人有什么期望？

纪：能从事科学研究真是一种幸运。掌握丰富的历史资料是从事史学研究的必要前提。如果说，在内地大城市公共图书馆有浩如烟海的藏书可资利用，那么在资料匮乏的新疆就困难得多了。没有国家的投入，没有科研院所的集体力量，个人是很难有所作为的，要想取得预想成绩就更是难上加难了。

有幸从事科学研究的人，也有别人难以体会和企及的喜悦。那是在翻检爬梳史料的过程中，不经意间获得了一条有价值的史料；是在经过自己辛苦求索之后，证实了一个未经证实的新观点、否定了一个相沿已久的错误观点，并且得到学界公认的时候。这样的喜悦只可能奉献给学有专长的人！

作为个人来讲，我真诚地感谢学校老师的教育，使我能够打下比较扎实的基础，使我能够懂得从事研究的基本知识；否则，很难胜任交付给我的任务。也很感谢我的领导，在我还没有显露出科研能力的时候，能够给我以信任，使我能够在科研道路上摸索，积累学识和经验。同时也要感谢一起合作共事的同仁，没有众人的切磋研讨，难以提高自己的业务能力；没有一定的学术氛围，也难以形成竞争向上的风气，获得共同的进步。

正是在这样的环境下，我从研究实习员晋升到副研究员、研究员；获得了新疆社科联几次集体的和个人的奖励；获得了自治区优秀专家、人事部有突出贡献中青年专家的称号，获得了国务院颁发的政府津贴；经历了长期的锻炼，成长为科研队伍中的先进分子而参加共产党，还被选举为出席自治区党的第四次代表大会的代表。

我的智商不高，为了弥补这一缺陷，唯一的办法便是“笨鸟先飞”。我常常用“不能干得比别人差”来鞭策自己。所里也确实有几位同仁是我学习的榜样，所谓三人行必有我师。我夜以继日地工作，星期天也常常被当作“星期七”，结果便是精神和体力的“透支”。我的血糖、血脂、血压“三高”，就是1975年落下的病根。那时，白天参加“文革”、晚上为业务工作奋力拼搏，压力很大。疾病之初还容易控制，自己也颇为得意；若干年后病情逐渐加重，可见年龄不饶人！

退休是每个人的必经之路，我65岁退休已经令人羡慕。这时，我在自治区重点项目《新疆百科全书》中担任历史分编的主任，这一部分的初稿刚刚完成，定稿尚待进行。这一项目完成之后，我的科研任务大体上结束了。此后只是做些力所能及的工作，继续回报社会，譬如普及历史知识，这在新疆更有现实意义。

在20世纪50年代来到我们研究所的高校毕业生中，如今都早已告别了科研第一线。时代赋予我们的使命是：在新疆创建第一个史学研究机构。我们从无到有地实现了“零的突破”，在边疆史、民族史的某些领域填补了若干空白，成败得失自有后人评说。至于创建新的业绩，实现新的腾飞，那是后来者的历史使命。

如今的青年科研人员，各方面的条件都比当年好得多，多劳能够多得。改革开放带来的社会进步确实有目共睹。当然，眼下在分配问题上的不公又形成新的矛盾需要加以解决。

当前令人忧心的问题是“浮躁”。“浮躁”现象的出现与分配问题上的新弊端有联系。对此，媒体上已有不少文章予以抨击，谈得相当中肯，无需赘言。如果一定要说，那么从个人角度而言，就是必须“戒躁”。“戒躁”的良方就是实践已故老前辈范文澜同志的教导：“板凳要坐十年冷，文章不写一句空”。我当年也这样时时警醒自己，在此愿同大家一起继续共勉！

（访问者：华祖根）

孙进己先生访谈录

华祖根（以下简称华）：孙先生，您搞了一辈子民族史研究并颇有成就，可否谈谈您是怎样走上研究民族史道路的？

孙进己（以下简称孙）：说起来，我走上研究民族史道路的过程是很复杂的，既有很多偶然因素促成，也有一定的必然性。

我出生于1931年，是在江南水乡无锡长大的。1949年无锡解放后，我最初考入大学，读的是中文系，后因病退学。1950年考入华东人民革命大学，以后参加过青年团的工作和工会工作，在工作中我读了很多马列主义理论书籍，开始转变，立志研究马列主义理论。1953年再次考大学，要报考马列主义专业，没有招考的，只能改报了历史专业。

考入东北人民大学历史系后，在校期间，我把主要兴趣放在中国和世界历史的共同规律上，当时想探索人类历史发展的共同规律。

1957年我看到很多学生因在党整风中提了些意见，被定为右派，认为这违背了毛主席一贯主张的“言者无罪，闻者是诫”，认为即使他们说了一些错话，也属于思想认识问题，并非想反党。我公开发表文章要求分清敌我，并找校长建议对这些学生采取团结教育态度，结果自己也被认为是严重“右”倾受到了批判，毕业后又补定为右派。但当了二十年右派，1979年改正时才知道并未正式履行手续。

当时，学校分配我到吉林省博物馆，但博物馆因我是右派拒收。经我自己要求去工厂劳动，省人事厅批准了我的请求，让我到长春搪瓷厂劳动一年。在厂期间我除积极劳动外，还用业余时间写了《前资本主义的土地占有形态》等文。

1959 年省人事厅重新分配我到海龙师范教历史。我因为想在教学中增加一些乡土史内容，就在邻近数县进行了考古调查，利用寒暑假到北京、上海、大连、沈阳等地查阅资料，写成了《海龙乡土史教材》，经县委宣传部批准，印发各校参考。我并写了《海龙沿革考》一文。

1961 年“右派”摘帽后我回上海休假，就把《海龙沿革考》一文寄给了复旦大学谭其骧先生，谭先生回信召见了我，鼓励我从事东北历史地理的研究。次年，我写成了数万字的《吉林省舆地图说》送呈谭先生，他认真做了批改，并再次要求我研究整个东北历史地理，并告诉我打算调我到复旦大学参加历史地图的编辑工作，并具体告诉我的任务是来往于上海复旦、北京民族研究所（当时东北图由他们承担）及东北考古学界之间，搜集考古资料，并用考古资料验证历史地理所定的点。但调档后，政审不合格，未能去成。

1964 年我得知民族研究所陈述先生招考“东北民族历史地理”的研究生，我即报了名，并把以前所写的各文改编成十万字的《东北民族历史地理》寄给了陈先生，1964 年夏，陈先生告诉我，他已决定录取我，但民族所人事处政审通不过，他说他可以收我为门外生，鼓励我长期坚持研究。从此，我走上了研究民族史的道路，并试图撰写一本《东北民族史》。

“文化大革命”中，我因走白专道路等罪名，连续挨整五六年。我在被批斗之后、强迫劳动之余，坚持研究东北民族史。十易其稿，终于在 1977 年写成 20 万字的《东北民族史稿》上册，由我年老的父母为我刻印后，分送各科研单位专家征求意见。不久，中国社会科学院考古研究所佟柱臣先生及民族研究所吕光天先生分别代表该单位，给我回了信，对我所写的《东北民族史稿》给以很高的评价。

当时，陈述先生拟推荐我到民族研究所，未成，就转推荐给辽宁社会科学院朱子方先生，同时，辽宁省博物馆馆长李文信先生也向朱子方先生推荐了我。这时正值海龙开展平反工作，我在全县大会上被宣布平反，辽宁社会科学院依据这些决定调我去该单位研究东北民族史。

1978 年我到辽宁社会科学院后，就一直从事东北民族史研究。1991 年从辽宁社会科学院退休，我又和朋友们创办了沈阳市东亚文化研究所，后被沈阳市委改为沈阳东亚研究中心。这时，我进一步扩大研究范围，研究东北亚民族史和中国民族史，2000 年后又进一步扩大为研究人类文明发展的理论。

华：您能否谈一下在您正式走上研究民族史的岗位后，主要取得了哪些成果？

孙：我从 1964 年到 1978 年间，因当时正值“文化大革命”，条件太差，我十四年才写了 20 万字的《东北民族史稿》，当时仅是油印稿，1987 年始全书编入《东北历史地理著汇编》第一辑。

1978 年我到辽宁社会科学院后，感到自己前些年条件差，很多书没读到，因此，1978 年到 1980 年主要是补课，我读了很多有关东北民族史的国内外著作。当时，辽宁省图书馆的一位工作人员说：“你差点把我们的书库翻个底朝上了。”同时也开始写一些论文，我第一篇公开发表的论文是 1979 年在《社会科学战线》上发表的《海龙女真摩崖石刻》，我第一篇在全国学术会议上宣读的论文是 1981 年在香山中国民族关系史座谈会上宣读的《我国民族关系史中的若干问题》。

1980 年到 1985 年我陆续在各刊发表了数十篇论文，1984 年到 1985 年达到高潮，每年发表十多篇。迄今为止，我发表的论文共计达 300 篇。

我从 1985 年开始撰写专著。当时接受老同学袁闾琨的建议，一个一个民族写，一个一个专题写。1985 年我与人合著了《室韦史研究》，由黑龙江文物出版社编辑出版；1986 年合著了《女真史》，由吉林文史出版社出版；1987 年独著了《东北民族源流》，由黑龙江人民出版社出版；1989 年合著了国家“七五”规划项目

《东北历史地理》，由黑龙江人民出版社出版，我承担了其中的东北历代民族分布等近三十五万字；1992 年合著了《东北各民族文化交流史》，由春风文艺出版社出版；1994 年独著了《东北亚民族史论研究》，由中州古籍出版社出版；1995 年写了专著《东北民族史研究》，由中州古籍出版社出版；1996 年写了专著《北方民族史研究》（已排版因缺经费当时未印），后由中州古籍出版社出版；1999 年完成了高句丽研究系列七卷，无经费，未印；2000 年和林干等人合写了《中华民族的形成与发展》；2002 年我主编的《北方各族人物传》七卷，由辽海出版社出版；2004 年与孙泓合写了《韩国朝鲜国民族史》，由国家社会科学基金会批准列入国家社会科学后期研究基金项目；2005 年和干志耿合写了《文明论》，提出了民族是文明的主要载体。

此外，还主编、出版了数亿字资料如《北方史地资料》、《中国民族研究集成》、《中国考古集成》等。

华：东北民族史是您一生的主要研究方向，成果也较多，您认为在这一领域具体取得了哪些成就？

孙：关于我四十多年来研究东北民族史的成就与体会，我曾作过多次总结，主要体现在《东北亚民族史论》的前言和小传、《东北民族史研究》（一）的前言及 1998 年我访日时在东洋文库的演讲稿中，后发表于《民族研究》1999 年第 5 期，现以最后一稿为主，略加修改，简述于下：

其一，对东北民族史研究范围的确定。对这一问题的认识有一个变化过程，最初我认为应该依据历史上当时实际的管辖范围作为东北民族史的范围，到 1999 年我尚如此认识。但后来发现这种划分对一些历史上曾经管辖到的地方、但现今已不属于我国东北范围，已属其他国家范围，容易引起国际争端。最后，我认为还是应以现行国土为范围，凡是今天国土范围上的古代东北民族，都应写入我国东北民族史。而古代从今国土范围外迁来或从今天国土范围迁到外国的，或历史上参加归我国管辖的民族但今天已不属我国的，都不应列入我国民族史。但为说明当时的情况，可在当时历史中作为附录，简述一下这些民族迁出、迁入的经过或当时归属中国，后来已不归中国的情形。国际上对归属有争议的、不在我国现今领土范围内的民族，则简单说明一下这些民族在今天哪国范围内，当时归谁管辖的不同看法及个人看法即可，不应断然地论述当时是中国民族。也不应和今天领土上的古代民族混同处理。

其二，对民族史研究内容的确定。长期以来研究民族史者众多，但很少有人探讨民族史究竟应写什么，不少人把种族看作民族，所写民族史实际上是种族史；或者把民族史和国家史不分，把民族史写成国家史。实际上民族史应该是研究民族共同体形成发展的历史，其主要内容必须围绕民族的基本条件和基本特征来展开，研究其发展演变过程，但由于对民族史的基本任务、基本内容不明确，很多民族史都未能完成这一任务。我在研究东北民族史中发现了这一问题，并开始在《东北民族史研究》中试图解决，最后在《高句丽族史》和《高句丽国史》中拿出了第一套区别民族史和国家史的样本，本来还想写一本和现今众多渤海国史不同的渤海族史，可惜未能挤出时间来写。

其三，关于东北民族源流的研究。过去研究民族源流者，大都认为一个民族只有一个源一个流，实际上任何一个民族都是多源多流的。因此，许多学者各持一源，争论不休，其实两者都是这民族的源，只是其中一个是主源，一个是次源而已。同时，对如何确定何者为主源，也一直各持不同标准，争论不休。我在研究中提出了确定主源、主流的标准是语言的沿袭，即哪一个民族的语言在以后的民族中传承下来了，他们就是主源、主流关系，没有保持固有语言的就是被同化的次源。同时，由于过去把一些庞大的族系实际上是种族，看作一个单一民族。因此把本来极为复杂的多个系列的民族源流，合并为一个源流，结果就把一些仅是叔侄关系的民族说成是父子关系的民族，混淆了民族的源流，其中典型的例子是把肃慎——号室——朱理真——女真一系和挹娄——胡里改——兀良哈一系、黑水——乌底改——赫哲一系等通古斯语族中不同民族的源流，看作一个民族来讨论其民族源流，造成了很多混乱。

其四，关于东北民族形成的研究。我在研究东北民族史中发现过去不少人常把一些具有共同语言和共同族性的种族看作为民族，而误把民族的形成提前到原始社会。但实际上民族是上述种族分解为若干以血缘为基础的部落联盟及部族（Volk），再进一步转化成以地域为基础的民族（Nation），这大都是在各族进入阶级社会，建立国家之时。国家的形成过程对民族的形成有促进作用，但不能把一些多民族国家看作为一个单一民族的国家。多民族国家中血缘、语言、文化不同的部落、部族的一体化为统一民族，是国家建立后很长时期的事，通常最初仅是一些血缘、语言、文化相近的部落、部族首先结合为民族。我以此理论，分别研究了高句丽、渤海、契丹、女真，基本上都符合这一发展过程。

其五，关于东北民族分布的研究。民族分布有五个要素：时代、起点、方位、距离、四至，以往的文献记载往往对这五个要素记载不全，记载不清，就造成了对历史上许多民族分布的不同看法。而其中最关键的是时代，即民族是在不断迁徙中的，同一民族在不同时期不一定分布在同一地点。过去往往用后一时期的记载去讨论前一时期的民族分布，就必然会造成误差。起点、方位、距离是确定一个民族所在的三点依据，但记载不明往往使我们的推论产生误差，只有通过多个民族的分布相互比较才能得出比较正确的结论，这就要求在全面考查各民族的分布中去确定某个民族的分布。文献记载的民族分布往往是记载其中心地点，但这一民族的分布通常大于这个中心地点，这就要同时考查其四至。但有时文献所载的这个民族的四至，却往往是一群相近民族的四至，必须具体分辨。由于总结出了这些民族分布的理论，就使我得以比较正确地确定了历史上东北各族的分布，订正了前人的许多误差。这对确定各民族生活的地理环境、经济文化特点、确定该地区的考古文化族属都有很大的帮助。同时也可通过互相验证来进一步纠正对民族分布上的误断。

其六，对东北民族语言分布的确定。语言是民族的主要特征，是确定民族源流和族系的主要依据，但以往研究非常薄弱，大都是缺乏证据的个别推论。我依据文献所载东北民族语言的相互关系，先理出了一个总的设想，然后再用各方面资料去验证，大体证明我的假说是正确的。辽东地区的民族主要是汉—夷语族，吉林省西部到内蒙主要是蒙古语族，吉林省东部到黑龙江流域是通古斯语各族，黑龙江下游才是古亚细亚语。指出了过去认为秽貊语是属古亚细亚语的不合理。并指出有人认为高句丽—貊起源于高人，与高句丽语的族属非汉系不合，等等。使东北各族的源流、族系有了语言谱系关系的证实，更为科学。

其七，关于东北民族体质特征的研究。过去研究民族者往往忽视每一民族具有共同体质特征这一点，但实际上民族是由多族融合而成，但仍保存其共同体质特征。有时他的混合体也正反映了这一民族体质特征的特点，体质特征往往和语言是相印证的。大体上有同一体征的人总是说同一语言，我无法测定古人类体质特征，但依据文献记载的各族的体质特征，大致形成了一个东北各族的种族谱系，再以语言谱系相验证，总算形成了一个对东北各民族种族谱系的大体认识。

其八，关于东北民族经济的研究。一个民族的经济文化类型是一个民族的重要特征。但长期以来学者对东北各民族的经济文化类型往往简单化地分为农业、畜牧、狩猎三大类型。但实际上各民族的经济文化类型往往不属于单一类型，而大都是多种类型结合，如汉族主要是以农业为主，也有少量的畜牧饲养；蒙古系各族以畜牧为主，兼营狩猎；秽貊系各族是农业结合牧猎；肃慎系各族是牧猎结合农业；黑龙江下游各族才是渔猎结合。这种不同经济类型在各族接壤处是极为复杂多样的。因此必须具体分析，简单笼统地对待往往就不能全面地把握他们的经济文化特点及差异。经济发展阶段通常应用原始制、奴隶制、农奴制等，但实际上在各族的实际发展过程中，往往是多种成分共存，除汉族很早进入阶级社会并发展了封建制以外，其他各族大都长期停留在原始社会晚期，而又接受汉族经济影响，具有了一些新的成分。当他们居住地接近汉族时，经济迅速发展，向阶级社会过渡。但一般真正进入封建制却往往是在进入汉族地区接受先进经济文化影响之后。许多较后进的民族，往往是其中一部分发展起来了，就进入汉族居住区，融入汉族。一些较后进的民族又迁来，长期重复着相同的发展过程。因此，有人称之为“从头越”。但实际上并未“从头越”，是不同民族的不同部分重复经历同一过程而已。

其九，关于东北民族文化的研究。文化是一个民族的主要特征之一，各民族都有其自身文化习俗的特点。但地理环境相同，起源于同一民族，或长期互相交流，就往往会产生一些文化习俗的共性。过去往往把一些在文化习俗上相近的民族看作同一民族，或认为有源流关系。我在研究中发现了这点，开始注意在认定其存在共性的同时，进一步比较其差别，找出其各自的特点，这帮助我逐渐认识了有一些所谓同一民族者，如肃慎、挹娄、勿吉、靺鞨实际上是一群文化习俗相近的民族，并非同一民族，这使我对东北民族的区别及族系有了进一步认识。

其十，关于东北考古文化族属的研究。长期以来发现，大量考古文化在没有确定其族属以前，就无法应用于补证民族史的研究。而过去由于对考古文化类型本身的研究不够，区别不清各种考古文化的差异及其关系；又由于把一些文化相近的民族误作同一民族，更重要的是往往没有经过很好研究，随便引用了一些对东北各族分布的错误提法，就使东北许多考古文化的族属与实际族属出入很大。结果就出现了用别一民族的考古文化来说明这一民族的历史，当然更增加了混乱，我经过数十年研究大致论定了东北各考古文化的族属，使这一问题的研究摆脱了混乱，但有些文化的族属还有待进一步验证。

其十一，关于东北民族政权史的研究。东北各民族有不少新形成自己的政权，但过去研究东北民族史者往往把东北各族政权史看作民族史，似乎很重视，却实际上并未总结出其特点来，我在研究东北民族史论时总结东北民族政权形成发展的特点：一是它们都是在汉族强烈影响下建立起来的，因此有些民族政权的建立往往超出它本民族的经济发展水平，提前形成了政权形式，但其内容仍保留很多原始特点。二是东北各民族所建政权，大都从一开始就依附于汉族所建中央政权，是以中国的地方政权形式出现。三是中国中央政府对东北各族长期采取羁縻等，因此有些政权形式似和中原相同，内容却有其民族特点，而更多的东北各族政权往往有其自身的特点，形成所谓特殊的民族建置。如千户、百户、猛安谋克之类。四是东北各民族所建政权往往和中国一样都是多民族政权。这些特点的揭示帮助我们认清了东北民族发展史对研究中国其他边疆民族政权也有可借鉴之处。

其十二，关于东北民族关系史的研究。民族关系的研究是东北民族史的重要内容，但过去往往把民族关系简单看作政治关系，而忽视了研究各族间的经济关系和文化关系，更有些人仅把各民族上层人之间的往来看作民族关系的全部内容，而不把民族关系看作各族人民间整体的关系，同时有人把东北民族关系说成各大族系互为雄长的历史，而没有认识东北民族关系首先是各族经济文化互相交流互相促进的历史。同时又往往把东北各族在政治上的统一与各族的最后融合为一个民族相混，实际上民族间政治上的统一仅是为民族融合创造了条件，还不等于民族已融合。

我关于东北民族史研究的体会主要就是如此，我的基本做法是从一个族的历史中发现一些具有理论性的问题，总结出一些规律，然后应用到别族史中，加以检验，符合的进一步推广，不符合的修正后再检验。因此，这里所谈的是我的一些理论上的认识，具体各族运用这些理论产生的新认识就不一一论了。

华：听说您还研究了北方民族史，您是怎样拓宽到北方的？这方面又有些什么体会和成就？

孙：我研究北方民族史，最初并非拓宽新领域，实际上只是从东北民族史中分出来本应属于北方民族史的部分，在过去所谓东北民族史，是把东胡、乌桓、鲜卑、契丹、奚、室韦都列入于东北民族史中的。我长期间也是按这划分的。因此在我前几十年研究东北民族史时也一直把这些民族列入我的研究范围，直到1994年我最后写《东北民族史》时才感到这些民族放入东北民族史中并不合适，应分出列入北方民族史中。才决心把这些民族分出，另写一本北方民族史。但这样一来，就又面临一个新问题，北方民族史的西界和北界到哪里?

首先，我确定了陕甘宁青新及其北部应属西北民族史，不应列入北方民族史中。

其次，我确定了过去有些人认为蒙古才独立几十年，它只有近代史，没有古代史的提法是不妥当的，既然承认了蒙古国是一个独立国家，就应承认它有权继承蒙古国土地范围内古代的历史。其划分范围就是现今蒙古国的领土，超出这范围就不属它的历史。如成吉思汗似可作为蒙中两国共同的历史，而以后进入中国现今领土的蒙古族的历史，就成为中国历史一部分了，而不再属蒙古国的历史，它可以是蒙古族的历史，但不是蒙古国的历史。同样匈奴、鲜卑、突厥、回族等族当他们活动在今蒙古国土地上时，应该是蒙古国历史的一部分，而它们不在今蒙古国领土的其他部分及这些民族离开今蒙古国土地，进入他国领域活动的历史就不属于蒙古国史而属于其他国历史了。同样作为中国北方的民族史，也应是这些民族活动在中国北方时，当它们离开中国北方范围和同时在中国北方以外的活动就不应列入中国北方民族史。

这样，我认为匈奴、鲜卑、突厥、回族、蒙古等民族的历史并非全都属中国北方民族史，我们只应研究和写其中有关的部分和有关的时间。

这样就大致确定我的北方民族史的研究范围，这和过去一些对北方民族史划分就有很大区别。

但同时，我又发现过去长期把我国北方的汉族史划在中国北方民族史之外是不妥当的，汉族实际上是中国北方的一个重要民族，不仅在长城以南，在长城以外也有着悠久的活动历史。我把长城以北的汉族及其先人的历史作为中国北方民族史的重要部分写了进去。而且重点写了北方汉族和其他民族互相融合的历史。我认为这样才是一个完整的中国北方民族史。

另一个重要的认识是进一步认识了中国北方各族的融合过程。过去我曾有一个误识，认为匈奴、鲜卑、突厥、回族、蒙古等族都是一个迁走了，一个又兴起了，但研究中发现并未如此，匈奴西走了，但遗众有十万余落自属鲜卑。鲜卑南进了，但留下的混入了柔然，柔然灭亡，突厥兴起，他同样接受了柔然的大量遗民，回族、蒙古也同样是如此，因此过去说室韦是蒙古的祖先，并非如此，室韦只是蒙古王室的祖先，蒙古并吞的许多部落，并非全是由室韦发展而来，因此，我把这些不断混合的群众，另起了一个名即鞑靼，我认为鞑靼正是许多民族遗民混合的产物，这样我写的北方民族史就不是一个又一个孤立的民族，而是众多民族不断混合和融合的历史，这里主要是草原上各族的融合，但也有草原上各族与汉族的融合，正是这些融合为中华民族的最后形成作了准备。

同时通过研究我也对游牧民族文明的形成和发展有了新的认识，游牧民族完全能够进入文明社会，北方民族的历史也完全证实了这点，但由于畜牧经济的特点，他一块土地所能容纳的人口有限，因此要进一步发展就受到限制。随着畜牧经济的发展，人口的繁殖，他们就必然分出一批又一批人向农业地区迁移，这通常是他们中的先进部分，这部分迁入农业地区后，很快和其他族融合，并进入了更高的文明，而余留下的部分则又在比较原始的基础上继续向前发展，这样似乎畜牧民族永远停留在较低的发展水平，但实际却不然，他们一批又一批把其先进部分送入了农业地区，他们也是在不断发展中。

这些北方民族发展的特殊规律，却只有通过对北方民族史的综合研究才能认识。

华：您曾担任中国辽金契丹女真史研究会会长，想来您在这方面一定有相当研究，可否谈一下？

孙：我在这方面是作了长期研究，但由于我研究的领域太宽，有好些东西未完成出版，因此说成就还是有限。

我参加此会，最初并非因为我搞辽金史，而是因为我研究的东北民族史包括契丹史和女真史，所以我在这会中长期间主要研究契丹史和女真史。1986 年我和几位同志合写了一本女真史，也算国内第一本女真史专著吧。我写的契丹史原来是我写的《北方民族史研究》的一部分，2000 年抽出来印了一些抽印本，发给会员，这就算我的主要成就吧！女真史中我承担的是古代部分，包括肃慎、挹娄、勿吉、靺鞨等女真先世，如果说有点创新的话，主要是我提出了肃慎、挹娄、勿吉、靺鞨只是当时一个部落的名称，但都被作为当时许多部落组成的一个大族系的名称，不能把肃慎、挹娄、勿吉、靺鞨、女真都看作一个民族一脉相承，实际上他们由许多小的族系组成，他们各自有不同的分布地域。至于在契丹史中我的主要成就是探讨了契丹氏族胞族部落的发展史，澄清了过去的一些混乱，指出了契丹人的婚制是胞族（萧和耶律）外婚制，不是氏族外婚制，同胞族的氏族不婚配，只有异胞族的氏族才相婚，契丹族的部落都由两个胞族组成，互为婚姻，但不同部落的氏族只要不同胞族也可互为婚姻，并把契丹族部落的演变理出了一个头绪。

我主要是搞契丹史、女真史，但也不等于说不研究辽史、金史，因为我要研究辽代、金代的契丹族和女真族就不能不研究辽史、金史，同时也不能不研究辽代、金代的汉族、奚族、渤海族、室韦、阻卜、蒙古、胡里改，研究辽代、金代各族相互关系的历史。

正由于我研究的着眼点不同，因此先后提出了两大理论观点。其一，是我在 1983 年提出了应把辽金史和契丹史、女真史区别开来，辽史、金史是断代史，是研究这一时代的各族人民的历史，不仅是契丹史、女真史，而女真史、契丹史是民族史，要研究这两个民族从形成到消亡的全部历史又不局限于辽代和金代。其二，是我在 2004 年又提出了要把辽史、金史放在中华各族总的历史中来研究。不能把辽史、金史看作仅是契丹国家、女真国家的历史，更不能把辽史、金史看作是中国以外的历史，这样辽史所继承的应是唐代各族的历史，而不仅是辽以前契丹族的历史，它的接替也不是西辽，而是元、明、清。而金史同样继承的不仅是金以前女真族的历史，而是继承了辽、宋各族的历史，承接它的不仅是女真国，而主要是元、明、清。同时我又提出了辽史不能主要写辽代契丹族的历史，而要写辽代各族人民的历史，金史不能仅写金代女真族的历史，而要写金代各族人民的历史。而汉族的历史都应在辽金史中占主要地位，因为辽金史主要统治的人民多数是汉族。

华：您什么时间开始研究中国民族史的，在这方面有些什么成就?

孙：我本不想研究中国民族史，感到很多资料都是我不熟悉的，而且研究中国民族史有成就的也大有人在。但 1997 年沈阳东亚研究中心从原来沈阳社会科学院改为直隶市委宣传部后，一次市委宣传部长刘迎初同志和我谈到沈阳东亚研究中心的未来科研规划时，他提出你们应该研究中华民族的形成发展，这在当前有重要意义，让我报个计划，并当即把市委宣传部的理论处长找来，让他到各方面跑一下，拨个几万元给东亚研究中心作为研究这问题的经费。

回来后我考虑，要我们一下子从研究东北民族史跳到中国民族史难度很大。我就采取了一个取巧的办法，邀请全国著名学者共同来搞。我分别向田继周、林干、张博泉、尤中等人发出邀请，请他们分别就本地区写一篇关于本地区民族加入中国统一多民族国家和中华民族大家庭的过程，很快都回信同意赐稿。我自己也就中华民族的形成发展及中国统一多民族国家的形成发展，写了两篇稿。不到半年，一本高质量的论文集形成了。

但不料市委宣传部刘部长却被人诬告经济上有问题，受审查二年之久，虽最后弄清刘部长是一个难得的清官，并无问题，并提拔为沈阳市委书记，但答应拨我们经费却落了空。到现在我还无法向各地的同志交差。我想申报个项目，但凭论文集是不行的，得弄本专著，又一时写不出来，只好拖了下来，但我也不断在积累。

我把我的两篇文章先后投《史学集刊》给发表了，在这两篇文章中我讨论了如下问题：

其一，何谓中华民族，我认为要把中华民族作为一个单一民族而言显然尚未形成，因为目前我国还有56个民族。因此只能把中华民族看作中国各族的总称，所谓“多元一体”应解释为一体是指中国这一多民族国家，多元是指中国这一多民族国家的许多民族。但也可以把中华民族作为一个正在形成中的民族。因为历史上许多民族已经融合为一，今天的许多民族也正在不断融合中。这样逐步中华民族就成为一个多源一体的中国国族，到时中华民族已最后形成为一体，而其他各族就都成为这统一民族的多源，但不再有多元了。我并依据这一认识探讨了中华民族的形成过程及其分期，大体上分为五期，先秦以前是中华民族开始形成，秦汉至魏晋是第一次民族大融合，隋唐至辽金是第二次民族大融合，明清至“民国”是第三次大融合，从中华人民共和国成立以来进入第四次大融合。

今天的汉族并非都是华夏子孙，已经融进了许多非华夏子孙。我探讨了融合的多种方式，有其他民族融入汉族，汉族融入其他民族，其他民族互相融合等。

同时对中国统一多民族国家的形成也提出了自己的看法，认为中国这个概念是在逐步发展的，不断从小到大。不能认为中国自古到今就一直是这样大，它不断加入进新的民族，中国各族加入中国统一多民族国家的过程是个逐渐的过程，一批又一批民族共同加入进中国统一的多民族国家。同时提出这些民族加入中国统一多民族国家和加入中华民族是两个过程，各个民族是加入中国统一多民族国家，然后经过一个时期逐渐融合为一。

随着中国的主体民族逐渐扩大，又扩展吸收了新的民族。这样两个过程互相促进，逐步形成了今天这一庞大的多民族统一国家和庞大的中华民族核心，这并非某一个朝代某个帝王个人的力量造成，而是我国历史长期发展的结果。

对中国民族史的研究，我还涉及了两个课题，一是中国国史范围的研究和历史上中国范围的研究，这个问题是20世纪50年代以来许多学者一直在争论不休的，当时白寿彝同志的观点取得了胜利，认为应以今天中国疆域为划定范围。但长期受到一些同志的责难，认为今天的范围是历史上的归属决定的，单用今天为范围，对历史上中国曾经管到的地区、不在中国境内的怎么办？因此我曾赞成谭其骧先生提出的所谓历史上的传统疆域说，并强调要以历史上当时的归属来确定历史上民族和政权的归属。但用这思想指导的研究都在高句丽问题上碰了钉子，我们依据高句丽的归属中国，而把高句丽说成自古以来就是中国的，与朝鲜、韩国无关，得到了韩国学者的非议。在我进一步研究中，我逐渐认识到我们是把两个问题弄在一起了，一个是今天中国国史的范围，这毫无疑问只能用今天国界来定，今天不在国界范围内的就不是今天中国的历史，一是历史上的中国，这是以历史上不同时期中国的管辖范围而定，当时归中国管辖的就是当时中国历史的一部分，但历史上的中国不等于今天中国的历史，不能把历史上中国曾管到的地方都称作今天中国的历史，他们过去曾是中国历史的一部分，但有些后来分出去了，就不再是今天中国历史的一部分了。而有些地区当时虽不在当时中国政府管辖范围中，但以后进入了今天中国的版图，就也成为今天中国的历史了。

分清今天中国的历史是属于现实的政治问题，是我国的主权，不容他国侵犯。而历史上的中国现今已在别国领土内的部分，就已承认别国今天的主权，虽然在历史上曾属于我们，但这是一个学术问题、一个历史问题，只要超过一百年就与现实政治无关了。

对中国民族史最后研究的一个问题是中国民族源流。我曾在

1987年写了一本《东北民族源流》，对东北民族的源流及民族源流的多源多流、主源主流提出了自己的看法，以后我又陆续研究了我国北方民族的源流、西北民族的源流。我一直想逐步再研究南方民族的源流，逐步形成一个对中国民族源的整体认识。

但我感觉要研究中国民族源流必须抓住多源多流这个关键，不能把多源多流中的某一源流看作唯一的源流，他仅是主源主流。而要研究主源主流关键在于语言的继承，我从东北亚各族源流的研究中得到一个结论，不管某一类别的人数有多少，凡是能把其语言传承下来的就是主源。而其他成分人数虽多，但不能传承自己语言，而接受了别族的语言者就不是这个民族的主源。

我以这个标准检验了中国许多民族的源流，基本上都符合，我感到如果这一理论标准能最后成立，要说明中国民族源流并不困难。

总之，我对中国民族史的研究，因为起步较晚，至今不到十年，有很多问题仅是认识，而没有形成成果。已发表的一些也较分散，不成系统，因此还很难有真正的成就。

华：听说您从进入21世纪后全力转入研究《文明论》，这是否意味着您改变了研究方向，不再研究民族史了？

孙：我并没有放弃民族史，我认为人类文明形成发展的理论就是世界各民族形成发展的根本理论，不弄清人类文明形成发展的理论是无法真正研究好民族史的。

其实，我很早就开始研究人类文明形成发展的理论，但当初我是把它作为民族形成发展理论来研究的。当20世纪90年代初挚友于志耿动员我和他一同研究人类文明形成发展的理论，我还曾怕影响了我对民族史的研究。但当我真正开始研究人类文明形成发展的理论后，认识到两者实际是同一理论。

民族是和文明同步形成的，民族的形成实际上也是文明的形成，民族是文明的载体，文明的多种类型正是各个不同民族形成的基础，世界上有多少个民族就有多少个文明，过去许多学者在研究文明分类时把若干民族结合成的地区或国家作为文明的载体，划分为八大文明。但实际上这所谓几大文明区、几大文明古国，实际上这是指这些地区、这些国家的某一民族，这些文明仅是这些地区和国家某民族的文明，当一个地区一个国家只有一个民族的，也只有一种文明，当一个地区一个国家有许多个民族，实际上有许多个文明，而我们只是以其主要民族的文明作为这个国家的文明而已。例如所谓中国文明实际只是指中国汉族的文明，并不包含中国其他民族的文明。

民族的发展过程和文明发展过程也是同步的，民族随着其文明的发展而发展，而民族的进一步扩大，也正是不同文明进一步融合的过程。

因此研究人类文明形成发展的理论，实际上就是研究世界民族形成发展的理论。我才改变了过去把两者分割，打算应付一下挚友就回来搞民族史研究的想法，转而集中全力研究人类文明形成发展的理论，并把我长期以来对东北民族史与东北亚民族史、中国民族史的研究和文明理论的研究紧密结合起来。力争把我从民族史研究中得出的所有理论上升为人类文明的理论，又把人类文明的理论放在我研究的各民族历史中去检验，并作为我研究民族史的指导。

因此，我研究文明理论，并非放弃民族史研究，而是我研究民族史的一个飞跃，我一下子从研究某一地区某一国家的民族史转而扩大为研究全世界的民族史，我从研究一些民族的具体历史上升到研究世界各族的共同规律。

华：听说您一生中编印了许多有关民族史的资料，您是怎么做的？

孙：我在多年研究民族史的过程中，深深感到资料是研究的基础，有了充足的资料才能保证研究的速度和质量。过去有些人研究的速度所以较慢，质量较差，就因为没有掌握足够的资料。但过去那种每个研究工作者根据个人选题的需要，独立搜集资料的方法实在是少慢差费，往往很多人为了相近的题目，甚至相同的题目，搜集大致相同的资料，做了不少重复劳动。而资料用后即废弃了，并不能为人所利用。因此1983年在抚顺召开东北民族源流与分布学术讨论会时，我把这情况反映给与会的谭其骧先生，谭先生也颇有同感，就在会上作了“协作搞好资料，避免重复劳动”的倡议，得到与会大多数人的赞同。以后我就自告奋勇承担起了组织东北学者集体编汇资料的工作。1985年在四平召开了“东北民族、考古、历史、资料信息交流工作会议”，会上讨论了东北各地区各部门协作编汇资料的设想，成立了东北民族历史、考古资料信息研究会，我被推为常务副理事长，开始主持协作编汇资料的工作。在大家共同努力下，我们编印了《北方史地资料》三千万字。如张志立编的《北方八省考古论著汇编》，冯永廉、冯季昌等人编的《东北历史地理论著汇编》，孙海等人编的《东北历代人物论著汇编》、《东北科技史论著汇编》，王欣等人编的《渤海史论著汇编》，冯继钦等人编的《契丹史论著汇编》，陈国良等人编的《金史语汇索引》，刘竞编的《辽史索引》等，参与此项工作的有东北近百名学者。

同时我还在邗江古籍印刷厂周光培同志和辽沈书社的郭守信同志参与下，编印了《东北古史文献资料丛编》，计划从先秦到明清编十二册，五百万字，但结果由于经费所限，仅编成了前八册，印出了前四册。

为组织这些工作，我投入了大量劳动，甚至动员了我的妻子儿女都来参与此事。但看到编印出来的资料为大家研究提供了方便也于心欣慰。

90年代初我们成立了沈阳东亚研究中心，又重提此事，首先决心编辑出版《中国考古集成》，先上马了东北卷，没想到仅东北卷就三千多万字，中途经费接续不上，只得整日靠借高利贷维持下去。幸得沈阳市委宣传部投资一百万元。出版后又被韩国出版商盗印，堵住了我们的销路，我们几乎破产。我们艰苦奋斗，甚至节衣缩食，总算渡过了难关。以后又陆续出版了华北卷Ⅰ、Ⅱ，西北卷Ⅰ、Ⅱ，西南卷，华南卷，再有两卷（东南卷，综合卷）就算结束了。这套书共一百多册，全书总字数三亿字。这一工作后来我已不再参与，主要由我儿子孙海、女儿孙泓及其他一些同志共同完成。实际上我仅参与了东北卷的工作，华北卷还多少参与点，其他各卷就根本未参与。据所知这套资料销往海内外，便利了许多研究工作者查阅考古资料的需要，国家科委主任宋健在中南海接见了我们主编、副主编，夸奖此书是一个基本建设。胡锦涛主席参观书展时，也在此书前翻阅了长久，都表明此书的成功。

我们又编印了《中国民族研究集成》。先编辑出版了《高句丽渤海研究集成》六册近八百万字，还编成了《契丹史论著汇编》、《女真史论著汇编》、《东胡乌桓鲜卑史论著汇编》，但都因财力不足而未能出版。

编印这些资料的关键在于销路和成本。只要销路广就能印，没钱也可借钱印，将来印出后还上。但考古集成总算勉强能够本，因此我们坚持下来了。《民族研究集成》则怎么样也印不了上百套，这必然要赔，我们无钱可赔，所以就无法印。我们曾向各单位呼吁合作，很多单位也有各自的困难，所以这事恐怕难于完成了。

华：孙先生您搞了一辈子民族史研究，在治学方法上应该有些体会，是否可以谈一谈？

孙：我于1999年曾在长春一次学术会议上谈了我的一些治学体会，现介绍如下：

其一，从微观着手，从宏观着眼，任何研究都是一些具体问题着手，研究的往往仅是某一时期、某一地区、某一民族的某个问题，但各问题之间是有联系的，我们只有把每一个具体问题放在总体历史上观察才能看得更清楚，孤立地研究一个问题是很难真正研究明白的。我年轻时谭其骧先生和李文信先生都教育我，要上下左右融会贯通，我几十年的实践体会，这确实是真理。

其二，继承前人成果，避免重复劳动。任何研究都不是从我而始，很多问题是前人研究过的，因此为了避免重复劳动，就必须在研究之始了解一下我们研究的问题，前人已研究得怎样，哪些问题已解决？哪些问题未解决？分歧在哪里？哪些资料前人已用过？哪些资料前人未用过？真正做到了解了前人的研究才能超过前人。对前人成果既不能一笔抹杀，也不能完全照抄，应该客观地继承其成功处，发现其疏漏处，才能真正前进。

其三，要区别假说和定论。任何研究都是从假说开始，即已有一定证据，但还不足以成为定论，就要逐步寻找更多的证据，来证明已有的假设，逐步使之成为定论，但必须明白前人和自己的研究成果，哪些属于假说，哪些属于定论，误把前人的假说视为定论，就无法使自己的研究超越前人。误把自己研究的假说视为定论，也就困住了自己，无法再前进。假说需要进一步检验完善才能成为定论，但也有可能被否定，产生新的更好的假设或定论。有些早已视为定论的，往往实际上还仅是假说，只有分清假说和定论，研究才能不断前进。

其四，存同求异和求同存异。个人研究时要存同求异，才能使自己的研究有所前进，学术讨论时却要求同存异，才能有共同语言。这就是说研究中对和前人相同的就不要了，要找出自己和别人不同的新见解，而在讨论中却要善于发现和别人的共识，把分歧处留下来自己进一步研究。

其五，扬长避短和扬长补短。人都有长有短，在确定研究之初必须扬长避短，才能事半而功倍。但从长远发展而定却必须要扬长补短，即从自己已经确定事业方向，而检查自己这一专业方向还有那些短？要补自己的短，甚至变短为长，才能使自己在研究中不断前进。

其六，理论和实际结合。在这问题上长期以来存在两种倾向。一种是过分崇拜前人提出的理论，认为都是不可更改的真理，研究历史时只是用历史来证明已存的理论，即使史实不符也只是怀疑史实错了。另一种倾向是否定理论的价值，认为历史并无所谓共同规律，更不存在放之四海而皆准的真理，认为研究历史只是叙述史实，说明史实。这两种倾向都否定了理论和实际结合。真正的理论和实际结合，应该是用科学的观点、方法分析历史，用历史史实来检验过去的理论，对检验后证明是正确的理论进一步丰富发展，对检验中证明已过时的不正确的理论则加以修订，提出新的理论，然后再用历史史实检验新的理论，使我们认识不断前进，形成更符合史实的理论。

其七，历史和现实结合。这就是说我们研究不仅是为了说明过去，而是要用说明过去来揭示未来、指导现实，目前我们大多数人对历史的研究只做到了前者，而未做到后者。同时历史为现实服务还可以通过总结历史经验教训来为现实借鉴，树立历史上正反形象来教育人民。总之，只有历史能真正做到为现实服务，我们的历史研究才有出路，而民族史的研究更承担着为我国各族的发展、团结稳定服务的任务。我在这方面过去也做得很不够，近年开始注意，但仍不够，希望在晚年能做出些成绩来。

华： 孙先生，听了您的介绍，感到您一生确实走得很艰难，但您能在艰难困苦中，做出这些，确实很不容易，我们介绍出去，可能会对大家有些启迪，谢谢您的合作。

（访问者：华祖根）

杨学琛先生访谈录

揣振宇（以下简称揣）：杨先生，知道您是满族史、清代民族史专家，您是从什么时候开始做研究工作的？又为什么选择这两个研究领域的呢？

杨学琛（以下简称杨）：我于 1955 年从四川大学历史系毕业后，分配到中央民族学院（现中央民族大学）研究部和历史系当助教，教中国史。1958 年派到辽宁省少数民族社会历史调查组工作。满族是辽宁省的主要少数民族，从这一年起开始了对满族社会历史的调查研究。1978 年调到中国社会科学院民族研究所，参加修改满族简史、满族社会历史调查报告，编写中国少数民族一书。之后，参加翁独健先生主编的国家重点科研项目《中国民族关系史纲要》的研究和编写工作，我分在清代部分。于是开始思考中国民族史、清代民族史及民族关系问题。做民族工作的时间，算起来有四十多年。我研究的项目，主要是领导分配的任务，也就是说总是随任务一步步向前走的，当然，我对交给的科研项目，有信心，也感兴趣，才能比较好地完成。

揣：从您写的书和论文看，主要是研究满族史和清代民族史。据说“文革”前您在《历史研究》发表两篇论文，在史学界很有影响，您能谈谈吗？

杨：几十年来，我在满族史、清代民族史研究方面出了些论著，有些收获，也可能起了一点点作用，但与同辈的其他学者相比较，差距还是比较大的，做得不够。下面我先讲对满族历史的研究情况吧。

我对满族历史的研究在几个方面有些收获。一是关于旗地的研究，二是八旗王公贵族的研究，三是清代的“逃人法”，四是清代的满汉关系。今天只侧重讲旗地和八旗贵族。要讲旗地，就要从调查组谈起。1958—1959年辽宁调查组在全面调查过程中，了解到关外满族居住区如锦州、兴城等地的满人说：我们这里的满人，大多数是随先祖到此后，世代耕种庄地，由庄头上缴皇粮。兴城县边地的满人说，此地有王爷的庄子，还有“美好庄”是供王府所用的。在关内调查京郊县、镇的满人，多半是说，先祖“从龙入关”，圈地编庄后就是耕种庄地的壮丁，有交皇粮的，也有缴纳王差的。清实录记载，清初，圈占京郊民地，由皇帝、王公、官员及八旗兵丁，按等级分地，其中，上层满族人是编庄经营，役使壮丁耕作。因此，才有圈田所至，田主登时逐出，庐舍田园，顿非其故的记载，民众哀嚎之声惊天地而泣鬼神。从这些资料，使对满族史研究没有入门的我，开始考虑清代满族的社会结构和经济生活等问题。1959—1960年，调查组长傅乐焕教授、辽宁省民委晏露莎主任（调查组副组长），组织满族问题的学术讨论会，全组成员要写出专题论文，进行讨论。我第一次写的论文，是《关于清代官庄的几个问题》。尽管论据不足，表达又不清楚，基本的、核心的材料更不够，也列入了学术讨论会的议题（因此题目对满族史编写用得上）。之后，继续搜集资料，在东北档案馆、图书馆、中央档案馆、北京图书馆等处，阅读、摘抄了大量资料，特别是康熙五十年晓谕众庄头档、乾隆九年内务府会计司档，记载了皇庄的皇糧、杂差繁多，内务府奏准放出大批壮丁出旗为民。这些资料对旗地、皇庄的研究很重要，对满族史上悬而未决的问题，作了清楚的答案，对满族简史的编写起到很大作用，这对我的工作是很大鼓励，决心把清代旗地这一大项目研究下去。1963年调查组编好满族简史、满族自治地方概况、满族社会历史调查报告，整理好调查资料，收拾行李回北京了。之后，我在恩师傅乐焕教授指导下，写成《清代旗地的性质及其变化》一文，三万多字，在《历史研究》1963年第3期上发表。接着又修改《关于清代皇庄的几个问题》（四万多字），在

《历史研究》1965年第3期上发表。当年9月，还在民族问题唯一的刊物《民族团结》发表《清代的八旗兵丁和余丁》一文，受到民族史学界前辈的鼓励。还接到人民出版社约稿的信函，后因特殊社会条件的变化而中断了研究工作。

你提知名度问题，实不敢当。是“文革”前，学术刊物较少，专门登载史学（包括中国古史、近现史、思想史、世界史、民族史）的学术论文的刊物，只有《历史研究》一家，文章作者基本上是教授专家，中青年研究人员和教师很少能在此学术刊物上发表文章的，当时我是一个小助教，能在它上面发表约七万字的文章，自然受到教学研究人员的关注。这不能说明文章写得好，而是当时文章很少。

揣：您对满族史的研究重点是旗地、八旗贵族。旗地论文是成名之作，能谈谈它的基本内容、主要论点及学术价值吗?

扬：旗地，是总的名称，它包括皇庄、王庄、八旗官员庄田和八旗兵丁份地四个类型，后两者又称一般旗地。旗地的文件主要收藏在宗人府、内务府、八旗都统衙门档库中，内阁、军机处档库也藏了一部分。清人的奏议、文集、方志、笔记中记述旗地的材料比较少。清会典、清文献通考、八旗通志等官书记载旗地资料也比较简要，因而关于旗地问题很难阐述清楚。60年代以前，专门论述旗地的文章很少，而且都没有收集和运用极为丰富的档案资料，所以对旗地的认识和论述不够全面深入。我第一次大量引用中央档案馆（中国第一历史档案馆）和东北档案馆（辽宁档案馆）有关旗地的档案资料和调查材料，结合《清实录》、《清会典》、《八旗通志》等官书，对旗地的形成、性质、生产关系、阶级结构、阶级斗争及发展变化，进行了论述，提出自己的见解。

旗地的形成。满族入关以前，清太祖努尔哈赤将辽省地区大量的汉人贬为包衣（奴仆），编隶拖克索（庄），每庄男丁13名，牛7头，耕地百晌，20晌供官，80晌庄丁自食，建立起了大批农奴制庄子，归汗、贝勒、八旗官将占有，同时，也将大量辽东汉民田地，“计丁授田”，分给八旗兵丁，这些土地统称为旗地。顺治元年（1644 年）清军入关后，到康熙八年（1669 年），清廷先后三次大规模地圈占畿辅汉民的土地，免去田赋，设立皇庄、王庄和八旗官员庄田，拨给八旗兵丁份地。其中八旗官员庄田和八旗兵丁份地，多达 14 万余顷。皇帝所占有的庄田数目很大，在入关之前就掠占民田，编庄设丁耕种，以供其享用。入关以后更是大规模圈占汉民的田土，扩大庄园，满足皇室之用。皇庄的总数在不断增加，到乾隆年间，约有一千余所，役使七万余名壮丁耕种，供奉皇粮。此外，皇帝还有多处牧厂和山场，每处牧厂和山场动辄占地几十里。王公贵族的庄园也遍及关内外。皇庄、王庄、八旗官将的庄园和旗兵的份地，形成特殊的土地占有形式，统称之曰旗地。

旗地的性质。清朝初年的皇庄，每庄有壮丁 10 名，会一人为庄头，领地 720 到 780 亩，每庄给牛 6～8 头，量给房屋、器皿、田种衣服，第一年还发给口粮，各庄壮丁纳粮当差，缴纳皇粮。之后，各庄的庄地、赋额和壮丁人数多少不一。庄头、壮丁是皇室的包衣，姓名均载内务府档册，子孙世代充当，不得逃走或冒入民籍。庄头、壮丁必须按照规定的赋额交纳皇粮（粮、米、银、豆、瓜、果、菜等），严禁拖欠，违者照章枷号鞭打（应征钱粮，分为十分，欠一分者，枷二十日，鞭四十）。皇室可以将庄头、壮丁分赐皇子、陪嫁公主，或调遣边地垦荒，或随军出征。庄头、壮丁身份低贱，无权赴考应试。这样的皇庄是农奴制剥削方式的庄园，庄头、壮丁是农奴性质的奴仆。大多数庄头是如此，但也有一小部分带地投充的庄头，情形有些特殊。清军入关之初，有些汉族地主或汉人带地几千亩或上万亩投入内务府，自己充当庄头，他们虽然也是皇室的包衣（奴仆），但并不役使壮丁耕种庄地，而是叫原佃续种，或招新佃，征收租银，上交皇差。皇室因其是带地投充，故按照民田交国赋标准征收差银。这样的庄头，就具有双重身份，一方面，他是皇室的包衣，另一方面，又是出租庄地，征收租银，将租银的一部分交纳带有国赋性质的皇粮，从而得到大量的收入，实际上是个大中型的地主，这种庄园，是采用一般封建租佃关系的庄子。因此，我们说清初的皇庄，其经营方式和生产关系，是比较复杂的，它以役使壮丁的农奴制庄园为主，也夹杂有一定数量的一般的封建租佃关系。王庄的经营方式与皇庄相似。八旗官将的庄田，也是设庄头拨丁耕种，纳租当差。壮丁除纳粮养主之外，还要牧马放牛，或随主出征充当厮役，遭受家主的奴役。但是，壮丁不是奴隶，家主不能杀死，违者惩治。这类庄田也是采取封建农奴制剥削方式。八旗兵丁的“份地”，经营方式不太一样，部分旗兵占地较多，设立庄子，派包衣隶庄种地，实行农奴制的剥削方式。大多数旗兵没有包衣，由家属（余丁）耕种土地。由此可见，入关以后，清帝在畿辅强制移植和扩大农奴制剥削方式，建立起大量农奴制庄园，封建农奴制剥削方式在清初占据了主导地位，但也存在部分封建租佃关系和小农经济。

揣：清代特设的皇庄，是生产以供皇室之用，剥削很重。但从一些著作或戏剧看，一般称赞康熙是好皇帝，很节约，这是怎么回事？

杨：康熙皇帝不止一次地宣称：明朝户部每年向皇宫进献百万两“金花银”，今已将此银，“悉充兵饷”。明朝光禄寺每年送献宫内白银二三十万两，现在每年只用三万余两。“明朝一日之用，足供朕一月之需”。这固然是事实，但他之所以用国库的银比明朝少了很多，是与皇庄提供的巨量银、米、瓜、果、菜、鸡、鸭、鹅、鱼以及山珍海味、貂皮、狐皮、人参、冬珠等“皇差”、“皇粮”有密切关系，不全是为国为民而自己及皇室成员节衣缩食。

皇庄的“皇粮”，与民间的地租，虽然都是封建性质的剥削，但两者是有很大差别的。“皇庄”的租役剥削有以下几个比较明显的特点：一是正额“皇粮”很重，国赋与私租合二为一。二是折变项目异常繁琐，敲诈盘剥倍于正额。例如，畿辅领地十八顷的粮庄庄头，一年租额是250石，但是，其中的185石6斗7升租谷，要改折交芝麻、苏子、麦子、绿豆、黄豆、黏米、谷、高粱、小豆、荞麦、黍子、油麦、豇豆、稗子、红粳米和送圈豆子。按时价计，这些折交的芝麻、绿豆、苏子等，当值银238两，可购谷476石，约超过正额（250石）的一倍。三是附加租名目繁多。以康熙年间畿辅头等粮庄为例，每庄要交鹅、鸡、鸭72只，鹅蛋、鸡蛋、鸭蛋1012个，跳大神猪两口，以及灯油、红花、扫帚、笤帚、瓢、芥子、蓼菜芽子等，还有秫秸1033捆，草2000束。四是皇庄的杂差很重、种类繁多。例如畿辅粮庄正项负担的车马人夫物料征调，有奉震苑拉船车、拉石头子车，庆丰司拉牛犊车，都虞司拉网拉鹿车，畅春园拉补栽各样树木车等。皇室所需种种差派，加重了各计的负担。五是皇粮品目繁多，数量巨大。康熙中期，畿辅粮庄年纳租谷十余万石，交鸡、鸭、鹅6万余只，蛋40余万个，草和秫秸80余万束，灯油3万余斤，猪两千头。畿辅银庄每年交额银38900余两。盛京、热河等地的粮庄，年交租谷20余万石。此外，还有瓜、果、菜园和牲丁、四户、蜜户各种役户，每年贡进上百万条鱼、雉、鹿、麅、瓜果、人参、珠子、貂皮等等。品种之多，数量之巨，是历朝少有的。基本上能够满足宫内皇室贵人们所需要，也为康熙皇帝宣扬自己节约省钱，提供了物质条件保证。

揣：清统治集团进入关内，在北京坐上皇位，就把京畿大片良田变成农奴制庄园，这种经营方式能一成不变地延续下去吗？

杨：你提的问题，切入八旗土地制度的关键之处。事物不可能一成不变，正确的一定会发展，错误的终归会消失。中国历史发展到明朝后期，已进入到资本主义萌芽阶段。换了个清朝，统治者为了本民族私利，圈地编庄，扩大了农奴制，这是历史的倒退，农奴制是不可能延续下去的。

旗地由农奴制向封建租佃制转化。在这里，我要再次提到壮丁的处境，也必须谈谈清初五大弊政之一的“逃人法”。清朝时期的“包衣”（奴仆、壮丁、庄丁、旗下人）是家主役使之人，耕田、种地，在家服役，或赠送、买卖，都听从主人的调遣，没有人身自由。这些由汉民被强迫变成包衣的人，统统是主人的工具，听其使唤，“任情困辱，非刑拷打”，“衣食不周”。若有离主逃亡者，就按政府法令“逃人法”处之。“逃人法”规定：包衣（壮丁）逃亡，初次，鞭一百，交还本主。第二次逃走，仍鞭一百，交还本主。第三次逃走，“本犯正法”，窝留逃人者严惩。即是把同情壮丁困难处境予以收留的人，初定斩杀，后改籍没家产，流放边区。在中原地区长期实行租佃制的汪洋大海包围中，落后的农奴制必然失败，严刑峻法也阻挡不了历史前进的车轮。在农奴制庄园被奴役的壮丁，冒着生命危险，要找出一条生路，逃亡是反抗斗争形式之一。清实录记载：“逃人多至数万”，“逃亡已十之七”。历史档案记载了京畿各处均有壮丁逃亡，例如满洲镶黄旗牛录章京格儿兔等家。在河间县北梁屯的庄子的包衣（壮丁），周五等男女老幼108名，携带牛、骡、马45头（匹），“子女盈车，田器俱载”，“荷锄灶而逃”，谎称灾民，逃到山东平度州，“佃地分种”和垦荒种地。壮丁大批地、不断地逃亡，致使农奴制庄园缺少劳动力，不得不采取招民佃种交租，这是壮丁斗争的胜利，也是封建租佃关系对农奴制的胜利。

这样一来，八旗官员庄田和八旗兵丁份地的一般旗地，封建租佃关系迅速发展起来，到乾隆初年，一般旗地占主导地位的生产关系已经是封建租佃制了。皇庄也相应发生变化。由于皇庄壮丁的逃亡，遗下庄地，留在庄子的壮丁不可能全部耕种，又“妄生事端”，反对庄头，以致曾为皇庄之主要劳动力的壮丁，绝大多数成为“无益农务”，庄头“不肯养赡”的拖累。据内务府会计司档案记载，乾隆九年，畿辅460余名庄头报告，他们所辖16800余名壮丁中，“驱使年久，有益农务”的壮丁，仅有290余名，不到壮丁总数的百分之二。庄头无力耕种庄地，只好把庄地出租与旗、民佃户耕种，收取租银，缴纳皇差。皇庄役使壮丁生产的农奴制剥削方式已经衰亡了。乾隆九年清廷决定释放皇庄的大部分壮丁，出旗为民，庄地招民佃种输租。王庄也随之改变。这就是“清实录”记载的旗地主要是采取“资佃耕种，收取租息”的封建租佃制的经营方式了。

揣：辛亥革命，末代皇帝溥仪逊位，中华民国国民政府对旗地是怎么处理的？

杨：清帝退位的条件之一，是民国政府承诺保护皇室、王公财产，皇庄是溥仪的私产，王公庄园也属王公的私产，他们可以继续收租。由于佃户纷纷抗租“霸地”，庄头也欠租或典卖旗地，迫使皇室将皇庄“丈放”。民国四年（1915 年），奉天成立全省官地清丈局，正式颁布丈放内务府庄地章程。规定：正额、浮多一并丈放。庄地先尽庄头交价承领，庄头无力领取，准原佃承领。上则地价大洋七元；中则五元；下则三元。所收取的“正额地价拨解皇室”，“浮多价款收归国有”。至此，满族统治集团独创的、特殊的土地制度——“旗地”，剥削满汉劳动人民，阻碍社会经济发展，横行将近 300 年。1911 年辛亥革命，推翻了中国历史上几千年来君主专制的最后一个皇帝，从此，满族统治集团拥有的八旗土地（旗地），在中华大地上彻底消亡。

揣：您在“文革”后不到十年时间里，做了多项研究工作，还出版了《清代八旗王公贵族兴衰史》。听说颇有影响。能谈谈吗？

杨：1986 年出版了第一部《清代八旗王公贵族兴衰史》，印了 12000 多册，人民日报、光明日报、《中国图书评论》都发表了学者对此书的评论。他们认为，此书是第一部全面系统论述八旗贵族的学术专著，具有三大特点。第一，它第一次详细论述八旗王公贵族兴起、发展、衰落及其后代在解放后得到新生的全部历史，勾画了几百年间王公贵族沧桑变幻的基本轮廓。第二，对若干重大问题，如八旗贵族的形成，宗室贵族与异姓贵族的权势消长，八旗贵族的阶级特性，王公庄园的建立、发展、性质及其“丈放”，八旗贵族衰落的原因及其后代在解放后的新生，八旗贵族在政治、军事、文艺、书画及史学方面的成就和贡献，都进行深刻的剖析，发表了颇具新意的见解。第三，史料翔实丰富，尤其是运用大量的档案材料、调查材料和其他重要文献，不少亲王、郡王、贝勒、贝子及其子弟亲手撰写的昔日宝贵豪华往境，哀叹民国年间一败涂地的苦难，欢庆解放后的新生。这一切，对研究贵族史、庄园史提供了许多鲜为人知的宝贵资料。另外，表达清晰，图文并茂，载有豫亲王多铎、大学士一等子范文程、辅政大臣一等公索尼等人的画像，及王府、墓碑、册文等照片30多幅。《八旗贵族兴衰史》于1986年12月被评为“第一届北方十五省市自治区哲学社会科学优秀图书一等奖”。

揣：说起八旗贵族，八旗子弟，我有一些问题不太清楚。

扬：请讲。

揣：八旗贵族集团是什么条件下形成的，过去民间常有“龙生龙”、“凤生凤”之说，难道清代的那些王爷、侯爷的祖辈都是公侯之家？

杨：不是。清代的八旗王公贵族分为两大类，一类是“宗皇贵族”，是爱新觉罗家族。另一类是“异姓贵族”，主要是开国元勋有功之臣和皇亲国戚。这些王爷、侯爷的祖先，可以说没有一家是出身于帝王将相的府第。以宗室王公贵族的第一代来说，入关前封了七位亲王，一位郡王，其中，代善、阿济格、多尔衮、多铎四王是太祖努尔哈赤之子，豪格、岳托、萨哈廉是太祖之孙，济尔哈朗是太祖之亲侄。被尊为太祖的努尔哈赤，只不过是一位家道中落“自幼贫苦”只有几个“包衣”的女真人。后来其子清太宗皇太极回忆兴起之前的家庭状况时说道：“在先代上下贫苦时，日行围用兵则乐，有仆从者甚少，各自看守马匹，煮饭，敷陈马鞍而行。”既说“上下贫苦”，有奴仆者很少，看守马匹，煮饭、铺马鞍，这些活皆由后来的贵为亲王、郡王、贝勒、贝子等“宗室王公”自己干，可想而知，“宗室贵族”不过是一群普普通通的甚至是“贫苦”之家的子弟而已，谈不上是什么龙、什么凤的。

揣：前些时间播放的“太祖秘史”等清宫戏，称赞和硕睿亲王多尔衮如何文武双全、英勇善战，是真的吗？

杨：“太祖秘史”等电视剧，虽然是文艺作品，不是历史著作，与历史实际有些差别，但其中讲到努尔哈赤、多尔衮父子兄弟南征北战，英勇厮杀的情节，还是可以作为第一代宗室王公奋斗创业时的形象。从努尔哈赤1583年以遗甲13副、部众30名起兵，到入关前夕的六十年里，努尔哈赤与皇太极带领子孙叔侄，奋发图强，几经鏖战，统一东北，建立金国，后改为清。在此阶段，爱新觉罗家族表现出三个特点，一是父子兄弟一齐上阵，二是幼年从征，勇往直前，三是治国安邦，人才辈出，出现了代善、阿济格、阿巴泰、豪格等能征善战的将领和多尔衮、岳托、萨哈廉等智勇双全文武皆优的统帅。

顺治年间，清帝先后派了奉命大将军、定国大将军、靖远大将军、平南大将军等21位大将军，统兵南征北战，统一全国，其中有15位大将军是多尔衮、多铎等宗室王公担任的。所以《清史稿》称："国初开创，节风沐雨，以百战定天下，系诸王是庸"。这些战将是"宗室贵族"，但不是出自王侯之家。

揣：《康熙大帝》等小说、戏剧中讲到辅政大臣一等公鳌拜是员勇将，历史事实是这样的吗？

杨：提到鳌拜，自然就要讲讲"异姓贵族"，即开国元勋等有功之臣和皇亲国戚。鳌拜是员勇将，任至辅政大臣，封一等公，是八旗王公贵族中之"异姓贵族"集团的重要人物，他和绝大多数第一代"异姓贵族"一样，先祖也不显赫。鳌拜的先祖不是王侯之家，祖父是领有500户部众之长。他自己是个普通的满洲人，行伍出身，骁勇善战，军功卓著，从普通一兵升至护军统领、领侍卫内大臣（官阶一品），封一等公，赐巴图鲁称号（勇士）。另一位第一代"异姓贵族"的重要人员额亦都，更是贫穷的诸申，年幼之时，依靠姑母生活，他是一位拼死厮杀，百战百胜的猛将，史称其"用兵四十余年，未当挫衄"。在满洲兴起，清朝建国的过程中，作为"异姓贵族"集团的清初"五大臣"八旗将领，如费英东、安费扬古、额亦都、杨古利、何和礼等人，朝气蓬勃，骁勇善战，顽强奋斗，父子弟兄全家上阵，为建立金国、大清国，建树了伟大功勋，被清帝封授公、侯、伯、子、男爵位。他们都不是王侯世家之子孙。总的看来清国第一代八旗贵族，不管是“宗室贵族”还是“异姓贵族”，在建国过程中，凭自己的能力，艰苦奋斗，由贫家子弟升至王公大臣地位，史书记载的“五大臣”、“八大铁帽王”等，哪一个都不是出身富豪世家。

揣：人们常说清代有“铁帽王”或“八大铁帽王”。“铁帽王”是什么意思，他们有多大权势？

杨：八旗贵族的权势从“铁帽王”、“侯门深似海”等词语，就可表达其权势之大，地位之高。八旗“宗室贵族”又分为“军功勋旧诸王”和“恩封王公”两类。“军功勋旧诸王”指的是打下江山的开国王爷，他们在崇德、顺治年间分别封授亲王、郡王的爵位，“世袭罔替”，不能削爵，不能降级袭封。如礼亲王代善、郑亲王济哈朗、睿亲王多尔衮、豫亲王多铎、肃亲王豪格、克勤郡王岳托、顺承郡王勒克德浑、承泽亲王硕塞（后改封号为庄亲王），这八位王爷就是人们常说的八大“铁帽王”。“恩封王公”，指的是皇子皇孙，因系“天潢贵胄”，被封授亲王、郡王、贝勒、贝子、公。他们的爵位不能世代袭承，而是降级袭封，如亲王的“世子”降封郡王，郡王的嫡子降封贝勒，等等。“异姓贵族”中的公、侯、伯、子、男爵位，是因其效忠于清帝，有功于朝廷，才能授封爵位。如汉军正白旗续顺公沈志祥、镶黄旗汉军一等公佟图赖和年羹尧，镶蓝旗汉军三等侯李国翰，镶黄旗汉军三等靖海侯施琅，正白旗一等伯石廷柱，镶红旗汉军三等忠勤伯黄廷桂，等等公、侯、伯、子、男爵位，正是由于他们为朝廷立了功才封授的。清代的八旗王公贵族是执掌国军大权的统治集团。在很长一段时间里，宗室王公拥有议处国政，统军出征大权，“凡诸王、贝勒、贝子、公等，皆股肱亲臣，出则授命专征，入则参赞庶政”。由开国元勋、安邦功臣等组成的异姓贵族，也是佐治国政，领兵出征，裁处司法，分任要职，权势显赫。以辅助清帝具体处理国政的军机处而言，从雍正七年设立军机处起，到嘉庆四年71年里，先后担任领班军机大臣有11人，其中有一位亲王，五位一等公，两位三等伯，只有三位是无爵位的满汉大臣。八旗贵族还领有丰厚的俸银禄米。亲王岁俸白银万两，米5000石；郡王银5000两，米2500石；贝勒银2500两，米1250石；一等公银700两，米350石；一等侯银610两，米305石；一等伯银510两，米255石。

揣：八旗贵族权势很大，他们在清初五大弊政之一的圈地运动中起什么作用？占地多少？

杨：八旗贵族的庄园在清初圈地运动中扩大了。圈田所到，"庐舍田园、顿非其故"迫使原住居民远走他乡，所以才有哭声满道的记载。但是贵族集团为占地的好坏，进行内部斗争，又掀起为换地而再圈地的浪潮，逼民、扰民，坑害老百姓，真是可悲又可恨！光绪《大清会典事例》卷159载称，宗室王公有庄园2252所，占地133万余亩，遍布畿辅和盛京。这个数字本来就已经够大的了。顺治年间封的亲王、郡王、贝勒、贝子、公共有90余个，占有133万余亩庄地，平均每个王公占地1.4万余亩，数量已经够多的了，但这133万余亩只不过是宗室王公庄地的一部分，即清初分封的免交国赋的旗地（亦称老圈地），而不是王公庄园的全部。例如，以清朝末年还保存下来的王庄地亩档册看，仅铁帽王庄亲王一府就有庄地55万亩。另一个铁帽王肃亲王，有直隶、奉天"耕作地"30余万亩和"察哈尔牧场地"126万亩，还在热河有170余万亩土地所有权。铁帽王顺承郡王，庄园遍布关内外，田地多达30余万亩。异姓贵族也同样占有大量庄园。据范府《关东地亩人丁册》等档案记载，久任大学士的清开国功臣一等子范文程家，嘉庆、道光年间，范府在关东有庄地5万余亩。

揣：《红楼梦》里有庄头乌进孝向贾府老爷进贡大量银、米及山珍海味，真是有这种情形吗？

杨：《红楼梦》五十三回说：宁国府庄头乌进孝向贾府老爷贾赦呈进的贡单，载有"常用米一千石"和"御田胭脂米"、碧糯等100石，"外卖梁谷、牲口各项折银二千五百两"。贡单还写有贡品大鹿、獐子、狍子、暹猪、汤猪、龙猪、野猪、家腊猪、野羊、青羊、家汤羊、家风羊等310只。还有鸡、鸭、鹅、野鸡、兔子1600只和熊掌、鹿筋、鹿舌、海参、对虾、榛、松、桃、杏等山珍海味及柴炭三万余斤。乌进孝庄头的贡品，虽是《红楼梦》描述的，但却在相当大程度上反映了王公庄园的租役剥削情形，王公贵族拥有大量庄园和各色人丁。

康熙六年规定，分封皇子，各按爵秩分给府第、太监和庄园。十四年规定，分给亲王旗下满蒙汉佐领和内务府佐领15个，关内外粮庄、银庄、瓜苹果园30所，带地投充人200户，采捕户20名，灰军、炭军、煤军300名。郡王、贝勒、贝子、公依次减给。这些庄园和人丁，应交租谷6000余石和成千上万的猪、羊、鸡、鸭、鹅、鱼、雉鹿、蜂蜜、水獭皮等山禽野兽和数以万计炭煤石灰。

异姓贵族也占有大量庄园和包衣。平南王尚可喜仅在顺治十七年为其子尚之隆娶和硕公主，派往京城服役的“包衣闲丁家口”，就有815名。关东种地家人680名，看守王坟家人143名，“和硕公主、和硕格格陪嫁之人”307名。尚王府在奉天海州有庄地5万余亩，在关内通州、涿州、乐亭有“公主陪嫁地”7000余亩，还有供尚之隆弟兄“养赡家口”的五个包衣佐领分得的土地7万余亩。尚王府的庄园早期采用编丁隶庄的方式，役使壮丁（包衣）耕种纳租当差。在海州石青铺的粮庄庄丁冯国祥等，每丁交粗粮6石，麦子、苏子、京米各2斗，猪一口，鹅2只，鸡鸭各三只，大柴一车，秫秸150束，干草50个，炭10包，差银1两5钱。

清代的八旗贵族集团，无论是“宗室贵族”，还是“异姓贵族”，凭借权势，享有俸银禄米，还广占良田，设立庄园，役使庄丁耕种当差，差租种类繁多，足供王爷及其子孙享用。

揣：有权有势，田连阡陌，赀财巨万的八旗王公贵族能在治国安邦等大事上有所作为吗？

杨：八旗王公贵族的阶级特性是随着时间的推移越渐暴露的。他们为巩固和扩大自已的权势，网罗党羽，骨肉相残，相互倾轧，大案迭起。如摄政王多尔衮逼死亲侄肃亲王豪格，霸占其妻。辅政大臣一等公鳌拜绞死另一辅政大臣苏克萨哈，并斩杀其6个儿子和1个孙子。康熙中期以后，皇子们各结党羽，争夺嗣位，皇太子允礽依仗位高权重的大学士索额图，结成“太子党”。皇八子贝勒允禩之党，有皇九子允禟、皇十子允䄉、皇十四子允禵和领侍卫内大臣一等公佟国维等，形成反对派。两派明争暗斗，都是为夺取政权扩大自己势力而互相残杀。更为甚者是皇长子直郡王允禔奏请斩杀二弟（太子允礽）。这些皇子、大臣们只想到抢权，夺取皇帝位子，哪儿还考虑安邦治国。其次，王公贵族之中，有的揽权纳贿，贪赃枉法、卖官鬻爵，盘剥属员、包衣和佃户，聚敛财富，如一等公首辅和珅的家产，在嘉庆初被查抄时的清单记载：和珅有白银元宝、白银、元宝银、苏元银1848万两，赤金元宝、赤金、生金沙592万两，值银8866万两，地8000顷，估银800万两，房3851间，其中有取租房1280间。还有当铺75座，古玩铺15座，玉器库2间，银号42座，另有绸缎库、瓷器库、洋货库、铜锡库、皮张库（有狐皮3.7万余张）、珍馐库、药材库、玻璃器皿库以及貂皮衣1360多件，等等总值当在亿两以上。清朝末年的报纸登载领班军机大臣庆亲王奕劻私有金银珠宝衣饰清单，估计当值现金1亿多两白银。另外，有的王公贵族腐朽堕落，挥霍奢侈，横行不法。顺治以后的亲王、郡王、贝勒、贝子、公，都是承袭父兄的爵位而得封爵的，有权有势，赀材巨万，凡事皆由属员、包衣效力，自然形成了一掷千金，挥金如土的恶习，不图上进，唯知花天酒地，恣意横行。康熙、雍正年间，简亲王雅尔江阿，“人甚卑鄙”，致被削爵。其弟神保住袭爵后，酒色过度，并“凌虐伊兄忠保之女”又被削爵。平郡王纳尔图“素行暴戾”，活活打死无罪之人罗米，折伤菩萨保、杨之桂手脚。孝诚仁皇后之弟一等伯爵心裕，凶狠殴打包衣，致死者三十余人。嘉庆以后的王公贵族更加腐朽堕落，吸鸦片、嫖妓女，有的聚赌抽头，“行劫拐骗”，无所不为。

揣：八旗贵族如此寄生腐朽，清朝政权从1644年清军入关至1911年辛亥革命结束，怎么能延续268年呢？

杨：这是由于能臣勇将人才辈出。八旗贵族中有一批人员善于学习，勇于斗争，在建设祖国，保卫边疆的战斗中起到重大作用，是贵族集团中之佼佼者。如：施琅，任内大臣、福建水师提督，于康熙二十二年率军统一台湾取胜，授靖海将军、封靖海侯，世袭罔替。三等公彭春（开国五大臣之一何和礼四世孙），偕一等子郎坦，于康熙二十四年率兵攻雅克萨，罗刹头目降。当年冬天，俄军复来犯境。二十五年，彭春、郎坦率兵包围俄军，逼其遣使来谈判，后签订"尼布楚条约"。平定"三藩之乱"时，定远平寇大将军康亲王杰书，定浙江，取福建，迫使耿精忠归降。之后，定远平寇大将军、贝子彰泰统领三军，攻占滇黔，平定了"三藩之乱"，阻止国家分裂，立了大功。康熙五十九年，延仪（肃亲王之孙）授平逆将军、统军由青海进入西藏，击败准噶尔大将策零敦多卜，将其军逐出西藏，让藏民安居生活。康熙帝赞扬延仪说："平逆将军延仪领满洲、蒙古、绿旗各军，经自古未辟之道，烟瘴恶溪，人迹罕见，身临绝域，歼夷丑类，勇略可嘉，封辅国公"。雍正即位后，摄抚远大将军印，进贝子，再进贝勒，授西安将军。

乾隆年间，两征金川、平准定回，用兵缅甸、两征廓尔喀等"十全武功"，统一新疆，驱逐了侵入西藏的廓尔喀军，使西北、北方彻底安定，西藏严格隶属中央，四川、青海宁谧，贵州改土归流得以坚持，云南南部民族地区牢固内附，从而最后奠定了近代中国的版图。强大的、地域辽阔的中国屹立于东方。在此重大的战斗中，一等武毅谋勇公、定边将军北惠，一等诚谋英勇公、大学士、定西将军阿桂，一等嘉勇公、大将军、两广总督福康安，一等诚勇公、定北将军班第，一等毅勇公云贵总督明瑞，一等超勇公、领侍卫内大臣海兰察等等将帅，统军征战，立下卓越功勋，明瑞、班第战死疆场。还有一批宗室王公身居要职，佐治国政。如怡亲王允祥（雍正帝之弟），是第一任领衔军机大臣，议处军国大事，并协助执行改革政策（改土归流，摊丁入地，等等），有一定的贡献。乾隆帝之子仪亲王永璇总理吏部，成亲王永瑆总理户部三库，并一度担任军机处“领班”。道光帝之第六子恭亲王奕訢任议政王，领军机处，“总理各国事务衙门”，第七子醇亲王奕環总理“海军衙门”，节制沿海水师，裁处政务。奕環之第三子载沣袭醇亲王爵位，其子溥仪（末代皇帝宣统）登基，载沣为“监国摄政王”，主持军国大政。八旗贵族子弟，除了拥军治政之权，还善于学习，出现了一批很有造诣的文学家、书法家、画家和史学家。如清太宗之子镇国公高塞，“不恋荣华”，居住盛京，“嗜文学”，“善文翰，诗多清警”。康熙帝的皇子慎郡王允禧，诗、画皆优，受后辈尊崇。乾隆帝之皇六子慎亲王允瑢“工画”、“兼通天算”，画有《长江帆影图卷》，是一幅描绘祖国壮丽河山千娇万姿景象的艺术珍品。皇十一子成亲王永瑆，是位大书法家，他的书法，“名重一时”，“为海内所共推”，“士大夫得其片纸只字，重若珍宝”。礼亲王昭梿，诗文甚多，著有《啸亭杂录》，详细、具体地叙述了清朝前期政治、军事、经济、文化、典章制度等情形以及王公贵族文武官员的遗闻轶事和社会风俗习惯，内容丰富，记事谨严，受到学术界好评。现在研究清史的学者也把《啸亭杂录》列为必读的历史文献。

揣：辛亥革命后，清朝皇帝逊位了，八旗王公贵族的俸银停止了，庄园“丈放”了，生活怎样？

杨：清朝的皇帝虽已逊位，但清内阁总理大臣袁世凯与民军曾达成了赞成共和清帝逊位协议，签订了优待皇室和皇族条件，规定皇帝原有私产和皇族私产仍归他们所有，民国政府予以保护。假如那些王爷公爷不挥霍奢侈，有理财持家的本领，他们状况不会坏，能继续过着非常优裕的生活。因为，即使原来每年领取的白银万两，禄米几千石被停止了，但是，他们还有大量庄地存在，可以收取租银过活。由于丁、佃抗租霸地，很难收到地租了，王公们纷纷卖庄地，又遇到丁、佃极力反对，卖地也不顺利，只好请求民国政府制定“丈放”王庄条例，规定原额地价归王公所有，“浮多”地价归政府。

俸禄、庄地都没有了，保留的是豪华府第房屋几千间，价值几十万白银和数不清的金银珠玉、古玩字画、别墅、店铺。有了这样巨大的财产，坐着享受，哪里会倒憋城门洞，饿死大路边？可是，实际情况恰恰与想像的相反，豪门大户在民国年间很快地就败落了。造成这种局面的主要原因有两个。一是权势尽失，再也不可能像过去那样揽权纳贿，霸占民产，聚敛财富了。正因为无权，遭到庄头、壮丁、佃户抗租霸地，军阀政府又不肯支持，过去的“王谕”不管用了，延续了两百多年的八旗王公贵族庄园化为乌有。二是几百年王公世代养尊处优的豪华生活，养成了一批王侯公子的寄生腐朽、庸懦无能，环境变迁了，还是照旧摆排场，奢侈腐化，只有坐吃山空，变卖家产，日趋没落。以睿亲王府为例，这个王府的始祖是皇父摄政王和硕睿亲王（铁帽子王）多尔衮。睿亲王府第在北京东城石大人胡同，有房五百多间，西郊还有一所别墅，王府收藏了大量的古玩、字画，仅存古玩的房子就有百间。王府在河北和东北有三十余万亩庄地，每年收租两万银元。民国初年的睿王爷是中铨，虽然俸银、庄地都没有了，还是照旧摆着王爷的架子，与其弟中铭吸大烟、赌钱，大肆挥霍，斗富比阔，放着八抬大轿不坐，还花了巨资买了两部汽车和八辆马车。1919 年已把城里的家财用尽，就卖西郊的别墅，得银两万元，到天津去玩，连销带赌博，又吸大烟，没有多久，就把银元用尽了。中铨是穷途潦倒，“衣食不周”而死去，三个小侄子（小王子）只有摆小摊，做短工，处境艰难。另一个铁帽子王顺承郡王，有庄地 30 多万亩，府地在北京西城麻线胡同，藏有大量金银珠宝和不少价值连城的古玩字画，在二十多年间已全部卖光了，王子们生活艰难，只能靠画画卖钱养家，贫穷困苦。在军阀统治时期不少的王公贵族及其子孙后代，家道衰落，处境艰难，生活无着。只有醇亲王府还有一些财产可以维持中上等生活。清朝皇帝封的亲王、郡王、贝勒、贝子、公，在民国年间大都是衰落了，所以当时才有“世子王孙倒毙城门洞”的新闻。

揣：这些王爷的后代，以后是怎样生活的？难道都因冻饿而死了吗？

杨：没有。1949年全国解放后，在党的民族政策光辉照耀下，各民族一律平等，八旗王公的子弟们也从衰亡没落的绝境获得了新生，政治地位和经济条件都发生了很大的变化。例如：惠亲王绵愉之孙贝勒载润家境困难，北京市人民政府安排他到文史馆工作，工资优厚，全家人生活得到改善。睿亲王多尔衮十三世孙金寄水，虽然才华出众，诗文皆优，当过编辑、记者，但王府一败落，失业了，其弟摆小摊维持家庭生活，处境艰难。解放后，《文艺报》请他当编辑，撰写文章，生活很好。惇亲王府的溥雪斋、溥毅斋、溥松斋弟兄都当上中国画院画士，他们画的《普天同庆图》、《嵩岳图》、《山水图》、《双马图》，水平相当高，被收入1983年出版的《毛泽东故居藏书画家赠品集》。晚清监国摄政王载沣的七弟加郡王衔的贝勒载涛，1954年被选为第一届全国人民代表和人民政协委员，当上了军马局的领导。溥仪之弟溥杰，1983年被选为第六届全国人大代表、人大常委和人大民族事务委员会副主任。从1583年努尔哈赤以遗甲13副起兵，到1983年溥杰被选为人大代表和常委，标志着八旗王公贵族经历了兴起、发展、衰落到新生的全过程。

揣：从您的著作看出您前段工作，主要是满族社会历史调查研究，出版了专著和有关的论文多篇。后一段拓宽了研究领域，对中国民族史、清代民族史、清代民族关系史研究，出版了三本书。您能谈谈当时对研究工作的构想和写作思路吗？

杨：我对清代民族史、清代民族关系史的研究，是从参加了翁独健先生主编的国家重点项目《中国民族关系史纲要》，让我负责清代部分之后，才开始考虑的。当时我的想法，一是难度较大，该怎么做起。因为，中国是有五千多年历史的文明古国，多民族国家的形成、发展，是经过漫长的岁月，走过曲折而又十分艰难的历程，错综复杂的变化，到了清代，统一的多民族国家得到进一步的发展。要研究清代的民族关系，必须要从中国古代民族、民族关系全面系统地考量。所以，我是从中国民族历史开始思考、研究，勾画出比较清楚的各民族形成、发展过程中的民族关系问题着手的。我认为贸然就写清代民族关系史，是有难度的。二是从需要和效果考虑，都应该有长远计划、有坚定信心去完成民族关系史的研究工作。我国是统一的多民族国家，到了清代，中华民族大家庭的56个民族成员，活跃在祖国各地，涌现出许多杰出人物。各族之间，既有马驼络绎不绝，来往贸易，“胡越一家”，同耕畴，又有唇枪舌剑，刀光斧影，爆发多次生死鏖战，还有喜烛高照，笑结良缘，拜认干爹等欢乐之事。论述各个民族的发展和贡献，分析民族关系的主流，赞扬各民族相互支持，在共同进行反帝反封建斗争中表现出的中华民族凝聚力，总结经验教训，共同前进，是历史工作者应尽之责。不管从哪个角度讲，都该尽职尽责完成任务。三是由远到近的工作步骤，先写中国民族历史概况，再写各民族之间的关系。从古到今，依时间顺序先勾画出中国民族史轮廓，之后，粗线条写清代民族史，才正式为《中国民族关系史纲要》一书写清代民族关系史。几年时间里，在翁先生指导下，和历史室几位同志一起完成了国家项目《中国民族关系史纲要》之后，又花了几年时间，修改、补充、调整与清代民族关系史有密切关系的三本书，即《中国民族史》、《清代民族史》、《清代民族关系史》，都是在《纲要》出版之后，陆续出版了。与其说是三本书九十多万字，还不如说是为写《中国民族关系纲要》打基础、做铺垫工作更确切。

揣：满族居住东北，人口少，经济、文化相对落后，怎么能建立起统治全国的清王朝呢？

杨：清朝的政权是以满族为主体建立的中央集权的封建专制政体。提起这个问题，必然要讲满族形成、发展。满族是以女真为主，吸收部分汉、蒙等族成员，于明朝末年形成的一个新的民族共同体。商、周时期的肃慎，以后史书记载的挹娄、勿吉、靺鞨和女真与满族人有渊源关系，亦可说是满族的先人。到了明代，女真人分为建州、海西、野人（东海女真）三大系统，下又各分为若干部。明朝政府在女真人居住区设卫所，管辖整个黑龙江流域和乌苏里江的广大地区。建州三卫的女真人居住在今辽宁浑河上游的苏子河流域，三卫首领是明帝的臣仆，必须效忠朝廷，应调从征，擒盗平叛，管辖属人，按时朝贡，守臣节，遵法度，不许谋叛和掳掠。三卫女真人对明朝尽忠尽职，从征、朝贡。女真人在明政府的管辖下，完全处于受压迫、受奴役的地位。建州左卫首领董山的五世孙努尔哈赤，因祖父觉昌安，父塔克世，随明军征战，被明军误杀，冤仇难报，反被明军指责，气愤已极，于1583年以父遗甲13副起兵，攻打尼堪外郎的图伦城，开始进行统一女真各部的事业。

当时，海西、建州女真各部“皆称王争长”，争执频仍，干戈不息。“甚至骨肉相残，强凌弱，众暴寡”。分裂涣散，互相残杀，严重地破坏生产力，阻碍女真人丁增长和社会进步，因而各部的统一，便成为女真人的迫切愿望。努尔哈赤顺应了时代要求，进行了统一女真各部的事业。他起兵时几十名“诸申”，在女真部落中，屈居末位。但是，努尔哈赤制定了正确方针、政策和策略，适应了形势的需要，因而不断发展，迅速地由少到多，从小变大，由弱变强。努尔哈赤实行的基本政策，就是以武力为后盾，剿抚并用，以抚为主。他初起兵，就率部众奋勇冲杀，下甲板（嘉班），取萨尔浒，灭兆嘉，亡马尔墩，战无不胜，攻无不克。1593年，海西部女真人叶赫、哈达、乌拉、辉发及蒙古科尔沁9部联军3万，攻打建州努尔哈赤。努尔哈赤毫不畏惧，带领士卒奋勇厮杀，以少胜多，大败九部联军。他在60岁时回顾戎马生涯说：“吾自幼于千百军中，孤身突入，弓矢相交，兵刃相接，不知几经鏖战”。1593年，努尔哈赤统一建州女真各部，辖区迅速扩展，包括抚顺以东，至鸭绿江、长白山南侧地区，继而灭海西女真之哈达、辉发、乌拉等部，又派兵征讨东海女真，至此，努尔哈赤实际上已成为女真之王。1616年，努尔哈赤称英明汗，年号天命，国号金，史称后金。

金国在努尔哈赤领导下，定国政，编八旗，出现了新兴起的政权形式，尤以八旗制度最为突出。八旗编制是以牛录为基础，先设黄、白、红、蓝四旗，继将黄白红蓝四旗镶为八色，成正黄、镶黄、正白、镶白、正红、镶红、正蓝、镶蓝八旗，金国全部人丁都编入八旗，分别隶属于牛录额真、甲喇额真和固山额真。八旗军民人数众多，军威大振。金国汗努尔哈赤于天命三年（1618年），以“七大恨”上告皇天，誓师伐明。七大恨主要内容是杀父、祖之仇，扶叶赫，压迫建州之罪等，实际上就是努尔哈赤和广大女真人坚决反抗明王朝的压迫和侮辱，愤怒谴责明王朝破坏女真的统一事业，正式向明王朝发起进攻。出师告捷，攻下抚顺，明军大败。从此，取消了建州女真臣属于明朝的隶属关系，开始出现了金与明对峙的局面。

1619年，明朝政府调集10万大军（号称47万），兵分四路，各路由总兵率领，围剿努尔哈赤，“务期尽贼而还”，即全部杀尽努尔哈赤率领的八旗军于萨尔浒。后金军数量不及明军，但努尔哈赤在敌众我寡的形势下，采取“任你几路来，我只一路去”的集中兵力，各个击破的方针。首先在萨尔浒消灭了明西路主力军，随即击溃其他三路明军，领兵总兵官或逃窜或被杀死，明军以彻底失败而结束。至此，明朝与后金的关系发生本质性变化。后金获得了主动权，士气高涨，粮草充足，甲仗堆积如山，马匹遍于原野，俘获甚众，军威远扬。明军损兵折将，耗银巨万，陷入了被动困窘的境地。萨尔浒之战的胜负，当然由很多原因决定的，其中最主要的是明政府腐败，皇帝昏庸无能，将帅贪生怕死，战略布局犯有轻敌和分散兵力的错误。而努尔哈赤领导后金国全部军民是为本民族的存亡而战，所以，战略有方，万众一心，终于打败了明军。

萨尔浒之战后金国取胜，军威大振，努尔哈赤乘胜出兵，攻打开原、铁岭，灭叶赫，扩大管辖地盘。1621年攻取沈阳、辽阳，辽河以东鞍山、海州、耀州、盖州等大小70余城官民，俱剃发降后金。次年，攻取广宁、锦州、松山、杏山等40余城堡，明军官兵相继投降后金。1625年，后金迁都沈阳。第二年，努尔哈赤统率八旗军十三万渡过辽河，席卷关外城堡，直捣山海关。

揣：后金国的八旗军，在努尔哈赤的率领下，对关外城堡的进攻，势如破竹，宁远城在袁崇焕的领导下能抵挡吗?

杨： 能。袁崇焕不仅阻止了后金的进攻，而且打败了号称长胜的八旗军。当时的明朝政府，政治腐败，宦官专权，国库如洗，民不聊生。关外重要城堡除了袁崇焕力拒后金之外，其他按明政府旨意撤退，这就使八旗军过辽河以后，如入无人之境，直抵宁远。宁远已是一座孤城，前后左右都被后金军隔断，守城之兵不到两万，面对六倍于己的八旗军，在袁崇焕等官兵的坚守下，却挫败了努尔哈赤的进攻。八旗军死伤惨重，大汗也负重伤，被迫撤军，宁远之战，以后金失败而结束。征战40余年的“英明汗”努尔哈赤，突然败在小小的明朝文官袁崇焕手下，究其原因可以从两方面来看：一方面是努尔哈赤在军国大政上犯了方针政策性的错误，他进入辽沈以后，骄傲轻敌，以人力攻坚城，以箭矢对枪炮，并因战争频繁而出现了“兵主怠惰”的情况。同时，努尔哈赤镇压汉民，排斥汉官，滥加屠杀，搞得后金国统辖之区“百业凋敝”，田园荒芜，粮食奇缺，物价高涨（斗米价银八两），出现人相食的悲惨局面。另一方面，袁崇焕“刺血为书，激以忠义”，团结全城官兵，誓死抗后金，他采纳官兵的建议“塞门死守”，充分发挥火炮之长处，“炮过处打死北骑无数”。八旗军在宁远战败，加重后金困难，六十八岁的努尔哈赤，伤病交加，气愤成疾，于当年八月十一日去世。

皇太极继承汗位，改元天聪，革除“父汗”之弊政，整顿军纪，竭力改变困局。1629年他统兵攻明，克明遵化、永平、滦州等州县，直抵北京，又施用反间计，促使明崇祯皇帝冤杀了抗金名将袁崇焕。金军屡次获胜，军威复振。天聪九年（1635年）十月，皇太极定族名为满洲（后称满族），并于第二年四月，即帝位，改国号为清，年号崇德，大封宗室、元勋、功臣，国势强盛，版图辽阔，策划进攻北京，统一全国。

揣： 从努尔哈赤以父遗甲13副起兵，到皇太极改国号为清，在东北地区经过53年刀光剑影的斗争，民族关系发生了什么样的变化?

杨：东北地区民族关系发生了根本变化。从明初以来，东北地区的居民主要是汉族，蒙古次之，女真族最少。在满族兴起以前，汉族、蒙古族、女真族等的关系中，汉族占主导地位。明朝皇帝是女真、蒙古等少数民族的“大皇帝”，统辖各个民族。东北地区的蒙古族，有时臣属于明，听从明政府的旨意，有时又与明矛盾。女真族各部林立，纷争涣散，多次遭到明军的征剿，又经常成为蒙古的附庸，随同掠明。因此，在蒙古、女真中长期流行着这样一句成语：“八十万尼堪（汉人），四十万蒙古，三万女真”。这句话形象地反映了后金天命元年（1616 年）以前，东北地区各民族力量对比及其主从关系的真实情况。努尔哈赤、皇太极多次率八旗劲旅，大败明军，连下城堡，进驻辽东，席卷关外大小城镇，汉族官民剃发投降，听其役使，违者斩杀，其妻女入宫为奴，清军牢牢掌握了主动权。明政府则损兵折将，屏障尽失，“人心汹汹，天下大乱”，完全陷入了被动挨打的困境。东北地区的满汉民族关系，发生了根本的变化，“主奴颠倒，强弱易位”形成明、清对峙的局面，腐败的明政府处于弱势地位。满蒙关系也发生根本变化。漠南科尔沁、喀尔喀等部，首先向清太祖、太宗称臣纳贡。察哈尔林丹汗之子额哲又被迫归顺，献上元朝传国玉玺，漠南蒙古完全臣服于清。东北建州、海西女真各部以及“野人女真”的大部分，也编入八旗之内，索伦、达虎尔、鄂伦春等部落亦臣服于清。满族成为东北地区起主导作用的民族，东北的其他民族都成为它统治下的民族。

揣：明、清两军对峙，战争一触即发，清军能一战打垮统治 267 年的明王朝，夺取中央政权吗？

杨：出于统治者意料之外的是，李自成领导的农民军抢先夺权了。提到这段历史，真是一出不需加工的戏剧。1643 年清太宗皇太极病死，皇九子福临年幼继位，由睿亲王多尔衮、郑亲王济尔哈朗辅理国政。当他们准备进军北京，夺取中央政权之时，李自成农民军迅速发展，建立大顺政权，取陕西、甘肃、宁夏、青海广大地区。1644 年正月，李自成于西安称王，国号大顺，封功臣，定军制，严军纪，有兵马上百万。二月，李自成率50万大军东征，渡黄河，取道山西，经大同、张家口直抵北京，所向披靡，进展非常迅速。三月，取昌平，攻北京，十九日攻下京城，明崇祯帝朱由检自缢于煤山（今北京景山）。农民军推翻明王朝之后，正在积极进行政权建设之时，清王朝的摄政王多尔衮还安住沈阳，梦中盘算他的入关夺权大计。四月，多尔衮听说形势巨变，急忙领军12万离沈阳西征，军至辽河，始得知李自成领导的大顺军早已占据北京。正筹谋之际，突然收到明将领吴三桂遣人送信给多尔衮，乞求清廷出兵共谋镇压农民军。多尔衮利用这一机会，迅速向山海关进军，并致书吴三桂，承诺事成之后，封为藩王，世代子孙，长享富贵。吴三桂降清，随即按多尔衮的命令先率领部队攻击农民军，李自成布阵山海关的20万军队还击，双方苦战，相持不下，多尔衮命清军乘机突袭，“万马奔跃，矢石雨堕”，李自成方知清军与吴三桂配合，其势难挡，只好策马退兵。四月二十六日，李自成率领布阵山海关的军队回北京，二十九日举行登基大典，即帝位于武英殿。三十日领军离北京西行，入潼关，归西安。五月初一清军抵通州，初二入北京。从此，开始了清王朝对全国的统治。

1644年九月，多尔衮迎福临从沈阳到北京，登上皇帝宝座，小小的福临，当上大中华亿万民众的皇帝，这就是中国历史上的清朝，这个政权是以满族为主体建立的中央集权的封建专制政体。清初的一切政务由皇父摄政王多尔衮主持，实行的方针、政策和措施，自然出自多尔衮之手。他首先派军追杀农民军，同时实行“圈地、投充、逃人、剃发、易服”五大弊政，对汉人实行残酷的统治，强压汉人服从命令，“遵依者为我国之民，迟疑者同逆命之寇”，不愿剃发的汉人，一律治以斩杀之罪。所以才有“扬州十日”，嘉定三屠的惨案发生。多尔衮还在顺治三年，下达非常严厉的命令，“有为剃发、衣冠、圈地、投充、逃人牵连五事具疏者，一概治罪。”五大弊政是民族压迫和强迫同化政策的具体表现，搞得冤狱繁兴，囚车络绎，杀无虚日，流离失所，怨声载道。

顺治七年（1650 年）多尔衮死后，顺治亲政直到康熙年间，对满汉民族关系有些调整，提出“满汉一家”、“满汉通婚”等政策，比起“杀无赦”的野蛮政策和手段，对广大汉人来说，缓和了很多，至少是给以一定的空间谋生或发展。康熙、雍正、乾隆诸帝，多次宣称“满汉一家”，“不分满汉，一体眷遇”，“满汉人民，皆朕赤子”，“满洲根本，满汉一家”，辅之以“旗民有别”。从政策的精神理解，即是满族人当上统治全中国的皇帝，自然就该把亿万汉人作为他的臣民，不能当异类处之，这就在某种程度上缓和了社会矛盾，对推进生产发展有利，所以才有康、乾盛世的出现。

揣：这些年来，有关清代的电影、戏剧看得不少，人们在闲谈中常有对“康乾盛世”之称赞者。清朝真出现过“康乾盛世”吗？能否谈谈呢？

杨：我没有专门研究清史，只在研究满族史过程中，看过一些康乾时期资料，谈得不一定准确。所说道的“康乾盛世”，实际是指清朝康熙、雍正、乾隆掌政期间社会经济发展情况。上面提到的三位皇帝的勇于进取和励精图治，一大批满、蒙、汉能臣勇将革弊兴利，南征北战，各族人民辛勤劳动和奋勇卫国。所以自康熙二十年到乾隆六十年（1681—1795 年）的 114 年里，出现了“康乾盛世”，即乾隆皇帝常说的“大清国全盛之势”和“我大清正当全盛之时”。

“康乾盛世”之盛，主要体现在以下几个方面。第一，国家强盛，疆域辽阔，令行禁止。无论是漠北喀尔喀蒙古，漠西厄鲁特蒙古，漠南蒙古，天山以南的维族，西藏、青海、四川、云南的藏族，还是南方的苗瑶彝壮等族以及台湾的高山族，中华民族大家庭的 50 多个民族成员，都是大清国家的臣民，直接受清朝中央政府的管辖，一个拥有 1300 万平方公里的统一的多民族的强大的中国，屹立于东方。

第二，耕地增加，人口迅速增长，生产发展，城市繁荣。自秦汉到明代，全国人口始终在一亿上下，到了清代乾隆五十五年，人口已突破三亿。不管是内地，还是边疆地区，农业、手工业都有很大发展，城市相当繁荣。

第三，经济发展，收入增加，国库充盈。康熙帝即位之时，国库如洗，岁缺兵饷400余万两。此后，存银不断增加，康熙十二年国库已有存银2300万两，从康熙二十三年起，基本上每年国库存银都在4000万两以上，四十五年更多达5000余万两。雍正年间，大体上是5000万两上下，七年、八年更多达6000余万两。乾隆二十八年以前，每年存银在4000万两上下，二十九年为5400余万两，以后的31年里，每年存银都在7000万两上下，其中三十六年，更多达8000余万两，国库存银之多，持续时间之长达110年，在封建社会历史上是前所未有。

第四，文化发达，人才辈出。康雍乾三个皇帝都是勤学不倦，博学多识，诗文书画兼优，“留意典籍，编定群书”，组织编纂了《四库全书》、《古今图书集成》、《明史》、《五体清文鉴》、《康熙字典》、《皇舆全览图》等等大型书籍。曹雪芹、吴敬梓、蒲松龄、纳兰性德、纪昀、戴震、郑板桥等文学巨匠，诗词领袖，书画奇才，创作了《红楼梦》等伟大的文学作品，对丰富祖国文化宝库，作出了重大贡献。

总起来看，国家统一，版图辽阔，国力强盛，政治、经济、文化各方面都有显著的发展，全国各民族共同前进，堪称盛世。

揣：清朝政府对全中国几十个民族，采取了什么样的政策呢？

杨：清朝政府对少数民族，是根据它的总方针，采取不同的政策。在统一全国的总方针之下，对不同地区、不同民族、不同宗教信仰等问题，采取不同的民族政策。如对以蒙古族的北方民族，主要采取“联姻婚娶”、“蒙古八旗”、“盟旗制度”等政策。对南方的苗、瑶、彝、僮等族，采取“改土归流”。对西北维、回，西南藏族，又采用不同的策略。东南的台湾高山族则是另一种方式。

1616年，努尔哈赤建立后金国，1636年皇太极改国号为清。后金、清，对漠南蒙古东部的政策主要是联姻婚娶。漠南科尔沁部明安归顺，努尔哈赤以礼相待，并娶明安之女为妃，部长奥巴率族人归附，以德相报，与其会盟修好，并将侄女嫁与为妻。皇太极继承汗位后，先后迎娶科尔沁博尔济特氏女册为后、妃，这就是历史上颇有名气的孝端文皇后和孝庄文皇后，并封其族人为亲王、郡王，给以高官厚禄，巩固科尔沁与大清联盟。同时编蒙古八旗、汉军八旗和满洲八旗构成清代八旗制度的整体，是保卫和巩固清政权的坚实基础。内喀尔喀恩格德尔台吉来贡，努尔哈赤以侄女下嫁，招为额附，促使其率部来归。古尔布什、莽古尔台吉率众来归，均以公主、格格嫁与为妻，授为总兵官之职，并明确规定其子孙代善、皇太极、岳托等11位贝勒与莽古尔等结为亲家。对漠南蒙古西部主要是以武力征服。漠南西部以察哈尔势力最强，权力最大，曾居宗主地位。察哈尔部长林丹汗有统一漠南之志，无意归附于后金，皇太极多次派军征伐，察哈尔部无力抵抗，林丹汗逃至青海，病死于青海大草滩。1635年皇太极又派多尔衮西征，追到河套地区，消灭了林丹汗余部，降服其子额哲及林丹汗之妻苏泰太后，获元朝传国玉玺。曾受林丹汗统治的各部全归顺于后金、清，1636年，漠南蒙古各部首领会集于盛京（沈阳），拥戴皇太极为蒙古的“共主”，从此，漠南蒙古全部归入清的管辖范围。

漠北喀尔喀蒙古分土谢图汗、扎萨克图汗、车臣汗三部，在清崇德初年，土谢图汗衮布、车臣汗硕雷遣使至沈阳，贡异兽、名马、甲胄、貂皮，议结和好，与清商定了“岁贡白驼一，白马八，名为九白之贡”。此后，双方来往不绝，贸易关系日益增加，三部与清政府之间，遇到矛盾冲突，很快地得到解决，各部之间若有争执，呈请“大众之主”清帝裁处。康熙初年，喀尔喀部扎萨克图汗成衮与土谢图汗察浑多尔济因部众归宿问题发生争执，成衮奏报“大众之主”裁处。康熙帝念及喀尔喀“累世恭顺”，长年朝贡，“不忍其子弟人民离散”，敕谕达赖喇嘛调解此事，又命理藩院尚书阿喇尼前往喀尔部劝解两汗“尽释旧怨”，友好相处。土谢图汗、扎萨克图汗及济农、台吉等，都表示尊重“大众之主”康熙皇帝的教诲，并立誓为盟，决定永远和睦相处，其流散之部众各归原主。不料漠西蒙古准噶尔部噶尔丹汗，挑起喀尔喀内乱，乘机袭击，侵占其部。遭到土谢图汗的反击，噶尔丹借口发兵进攻土谢图汗。他的行动与沙俄制造事端侵略喀尔喀部遥相呼应。土谢图汗率兵迎战，众寡不敌，连战连败，被迫抛弃庐帐、器物、马、驼、牛、羊，仓惶南逃。噶尔丹汗穷追不舍，喀尔喀部大乱。土谢图汗察晖多尔济与哲布尊丹巴胡土克图率喀尔喀台吉30余人及人口、牲畜2万多，于康熙二十七年九月，进入汛界，“诚心请降”，求清帝收养。接着，车臣汗部乌默克率部众驱牲畜归附于清。扎萨克图汗策旺扎布为逃避噶尔丹袭击，亦率部降清。康熙皇帝接受喀尔喀三部的请求，安置其部众附牧于苏尼特、乌珠穆沁、乌喇特诸部，并发给大量的米粮、银两、牲畜、衣物，进行赈济，又“指授膏腴之地，令其种植”。康熙皇帝于多伦诺尔与喀尔喀土谢图汗、哲布尊丹巴胡土克图、扎萨克图汗、车臣汗会盟，宣布喀尔喀三部按旗编制，分层管辖，这就加强了清朝中央政府对喀尔喀部的管辖，对巩固祖国边防起了重大作用。

漠西蒙古（厄鲁特蒙古）分准噶尔、和硕特、杜尔伯特、土尔扈特四部，其中以准噶尔、和硕特势力较强。势力强大的准噶尔部与清政府的关系真是瞬息万变，有时朝贡互市，转眼间，又是刀光剑影，激烈战争。清崇德年间，在准噶尔部巴图尔浑台吉主持下，于塔尔巴哈台召开有厄鲁特各部首领和喀尔喀三汗参加的大会，制定“卫拉特法典”，主要内容是调整蒙古各部相互之间的关系，向清政府遣使修好，保持和睦关系。在相当长时间，准噶尔部和清政府关系较好，使臣来往、贸易交流，友好相处。巴图尔浑及其子僧格之后，噶尔丹夺取了准噶尔部的统治权，登上了雄踞西北、统辖辽阔地区的博硕克图汗宝座之后，便把进军的矛头针对漠北喀尔喀部，并直接指向清朝政府。康熙二十九年六月，噶尔丹依仗沙皇俄国的支持，举兵南侵，深入漠南的乌珠穆沁，逼近乌兰布通（今内蒙古昭乌达盟克什克腾旗南境），直接威胁清朝北京。康熙帝率军亲征，采取分兵合击的战略，向乌兰布通进军，经过激烈战斗，噶尔丹败逃，清军伤亡也很大。但是，噶尔丹未从战败中吸取教训，继续与沙俄勾结，声称“借俄罗斯鸟枪兵六万，将大举内征漠南”，整顿兵马器械，一再“欲举兵内入”。1696 年康熙帝再次率兵亲征，昭莫多一战，彻底摧毁了噶尔丹的主力军。此时，噶尔丹之侄策旺阿拉布坦反噶尔丹，占据伊犁，截断了噶尔丹的归路，并遣使向清朝中央政府表示臣服。噶尔丹走投无路，服毒自杀。策旺阿拉布坦掌握准噶部汗权之后，经过恢复和发展，势力逐渐强盛起来，不仅控制天山南北路，而且进军西藏，杀死和硕特部在西藏的汗王拉藏汗，使西藏社会秩序一度陷于混乱之中，康熙帝命清军进藏和西藏人民一起打败策旺阿拉布坦，恢复西藏社会秩序，西藏人民得到安宁。雍正五年（1727 年），策旺阿拉布坦死，其子噶尔丹策零继承准噶尔汗位。经过两年整顿，生产发展，人民殷庶，兵马强壮，一片大好景象。清军趁策旺阿拉布去世的机会，攻打准噶尔部，噶尔丹策零被迫迎战，打败清军。过了两年之后，清军在大将军傅尔丹的率领下又进攻准噶尔部，军至距科布多 100 多公里的和通淖尔，被准噶尔军层层包围，这一战又是清军失败、死伤惨重。噶尔丹策零乘胜攻击喀尔喀，遭到喀尔喀亲王丹津多尔济和额附策零的沉重打击。雍正十二年，准噶尔部和清政府罢兵议和。乾隆初，噶尔丹策零死后，准部发生内部矛盾，斗争结果是阿睦尔撒拉掌握准噶尔部大权，要求自己成为漠西蒙古的总汗。这与清政府的方针相背，由矛盾演变成激烈的战争。乾隆二十二年（1757 年），阿睦尔撒拉失败外逃，他的部属中，有的在形势急变之下，仍返回旧地，外逃者，死于沙俄境内。至此，清与漠西蒙古准噶尔部长达大半个世纪的战争才算结束，清政府统治准噶尔部地区。

和硕特部首领固始汗及其继承人达延汗、拉藏汗等，从清朝开国起，一直与清政府保持友好关系。康熙五十五年，准噶尔部首领策旺阿拉布坦杀死在西藏的拉藏汗，清政府在处理蒙藏贵族集团之间的斗争中，采取了各种措施，结束了和硕特部在西藏的统治权，又逐步加强对青海和硕特部的管理，这就使固始汗之孙罗布藏丹津争雄称霸的野心受到严重打击。因此，罗布藏丹津于雍正元年(1723年)，公开发动部众和僧人反清。清政府为防止事态扩大，出兵制止和硕特部制造混乱，罗布藏丹津本人失败逃走。清政府在和硕特部聚居的青海设西宁办事大臣，管理青海事务。从此，青海地区完全置于清朝中央政府的直接管辖之下。

杜尔伯特部与清政府的关系一直是友好的。因为长期受准噶尔部的控制和侵犯，更促使杜尔伯特部摆脱准噶尔，归顺清朝政府。从顺治到康熙经过将近四十年，杜尔伯部逐渐转为倾向于清。乾隆十八年，准噶尔部的达瓦齐抢劫杜尔伯特部，杜尔伯特部长车凌、台吉车凌乌巴什、车凌孟克率众归清，完全摆脱了准噶尔部的统治，受到清政府的隆重接待。一年之后，乾隆皇帝在热河避暑山庄宴请三位车凌，封车凌为亲王、车凌乌巴什为郡王、车凌孟克为贝勒，其余大臣皆有封赏，并将杜尔伯特部众按清制编为旗、佐，定居乌兰固木一带。

土尔扈特部原来游牧于雅尔克什尔努拉（今雅尔，在新疆塔城西北及俄国境内的乌尔扎），由于厄鲁特蒙古四部之间的矛盾斗争和沙俄扩张的威胁，17世纪30年代，在部长和鄂尔勒克的率领下，西迁至沙俄尚未控制的人烟稀少的伏尔加河下游。清朝定都北京之后，土尔扈特部长库尔岱青遣使入朝，表示“归顺”。康熙年间，土尔扈特汗和清政府保持密切联系，康熙皇帝特派图理琛等前往伏尔加河下游探望土尔扈特部众，双方关系更加密切。乾隆三十六年土尔扈特部在渥巴锡汗领导下，毅然举起反抗沙俄压迫的义旗，率领17万部众，踏上返回祖国的征程。他们冲破沙俄重重阻挠和残酷镇压，越过大原野，穿过重兵把守的奥琴峡谷，经过长达八个月的战斗征程，虽然伤亡惨重，但终于实现了回归祖国的愿望。清政府对土尔扈特回归，非常重视，特派官员到伊犁安插土尔扈特部众。乾隆三十六年秋天，皇帝在避暑山庄接见并宴请渥巴锡，封他为卓里克图汗，随来各部首领也被封为亲王、郡王、贝勒、贝子、公、台吉，并将土尔扈特部按清制编旗、佐，归清政府直接管辖。至此，漠西蒙古各部都归入清朝中央政府的管辖之下。

不可讳言，清政府在统一蒙古各部过程中，有时采用“兵临”手段，使蒙古某些部落和地区，遭到极其惨重的打击，这是应该严肃批评的。然而清政府对蒙古各部的总方针的确是对祖国的统一、对多民族国家的巩固和发展起到了不可磨灭的作用。

清政府对蒙古族的政策是维护国家的统一，蒙古族的安定。政策和相关的措施名目较多，但主要的是“八旗蒙古”、“盟旗制定”。它使蒙古人融于满族共同体或自觉服从清朝中央政府的管辖。漠南蒙古与满洲邻近，在后金、清建国之初，于联姻婚娶过程中，归顺于清，编立“八旗蒙古”和“八旗汉军”、“八旗满洲”，共同构成八旗制度整体，它是保卫和巩固清政权的坚实基础，也可以说，它们之间是战斗相随、荣辱与共、血融于水不可分割的关系。

漠南蒙古（西部）、漠北喀尔喀蒙古、漠西厄鲁特蒙古，各部矛盾斗争频繁，与清朝中央政府的关系，也是变幻无常，时儿通贡互市和睦相处，有时生死鏖战，几十年风云变幻，最终是服从清中央政府的管辖。清政府按统一全国的总方针，对蒙古各部就必须实行有严格的约束力而又不损害民族尊严的政策，就对蒙古族按照“归附以增其威”，“众建以分其力”，“分而治之”的政策建立“盟旗制度”。漠南蒙古从清太宗到康熙初年，共编49旗，以后略有增减，最后漠南共51旗，并在旗之上设6个盟。漠北蒙古，三部之汗先后归顺清朝，康熙帝嘉其归顺之诚，应允给以安居乐业，各得其所，并宣告仍然保留喀尔喀三汗号，其济农、诺颜、台吉等名号，一律取消，分封为亲王、郡王、贝勒、贝子、公等爵位。又按照漠南蒙古49旗之例，编为旗佐，给以安插，共建成4盟86旗。漠西蒙古四部，亦按漠南蒙古49旗之例，从雍正到乾隆几十年之内，先后编为八盟64旗。

清政府对蒙古族的政策，从清太宗到乾隆年间为止，经过一个半世纪，外藩蒙古三部，共编为18盟，201旗。盟旗制度是在原有各部的基础上建立的。由清政府从蒙古王公、台吉中决定人选，任命旗长，给以土地、牧丁、爵位、俸禄，仍然安置在原来牧区。各旗长统率部属，俨然若“君国子民”，政治权利世袭。各旗之间不相统属，甚至禁止相互交往。旗之上设盟，盟有盟长，副盟长。他们不能直接管理旗内事务。盟与旗之间无统率之权，军政大事一律由清朝中央政府裁决。盟长只有权按清政府的规定，定期在固定地点召集会盟。会盟时，必须由清政府理藩院派官员检阅。正如《乾隆会典》记载的会盟，简稽军实，巡阅边防，清理刑名，编审丁册。清政府对蒙古地区实行“盟旗制度”，使蒙古族地区服从清朝中央政府管辖，加强中央与蒙区的直接联系，促使内地满汉民族与蒙古族经济文化交流，缓和蒙古内部的矛盾和冲突，对民族团结，巩固边疆都起了很重要的作用。

揣：清政府对南方民族地区实行“改土归流”政策的效果如何？影响怎样？

杨：南方的少数民族，因为地理环境、历史条件的不同，民族之间的交往及其与汉族之间的关系也不一样，他们的社会发展水平自然就有很大的差异。因此，南方民族的社会经济结构各不相同，大致分为四种类型，即封建地主经济，土司统治下的封建领主制经济，云、贵、川保存的奴隶社会，云南、海南边境的原始公社。清政府的“改土归流”政策，主要是针对土司统治下“自王其地”的封建领主制进行的。清朝从康熙、雍正到乾隆经过一百多年之后，国家发展到“民国富”、“国泰民安”的时期，而南方少数民族地区还处于土司统治下，民众过着农奴似的生活，与整个国家的发展很不相称。在土司统治下的封建领主经济，“自王其地”、各据一方的土知府、土知州、土县承等土司、土目的统治下，人们过着农奴生活。凡土司统治的地方，土地这一主要生产资料，归土司所有，以份地等形式分给服劳役或纳实物地租的农民耕种。领份地的农民对土司（即政经合一的领主）有极大的依附关系。壮、傣聚居区的土司，“尺寸土地，悉属官基”，“地方水土，一并归附”。土民领地耕种，就被牢牢束缚在土地上，依附于土官，受土官的剥削。不管是耕种土官的“庄田”、“私田”或者是“膳田”、“公田”，种地人都要向土官交谷物，还要服名目繁多的劳役，奉送鸡、鸭、棉、豆、野物等礼品。土司凭借政治经济特权，竭力加重对土民的剥削。苗族地区的土司对土民的剥削，不只限于经济方面的盘剥，有的还把土民当作物品一样买卖、转让，或者和土地连在一起作为嫁女时之陪嫁品。甚至有的土司游猎时以土民为靶，祭神时杀土民为祭品，土民“犯罪”被杀，其亲属还要向土司交纳玷刀银。土司娶子妇，土民三年不能婚。土民之女出嫁，土司享有特权，生子必先登记，长大成人轮流给土司服役，无人身自由权利。

雍正三年四月，清云南总督高其倬疏奏苗疆情形时指出，南方民族地区在土司统治之下，各据一方，不仅促使“民、苗互相仇杀抢劫之事”，而且土司“往往将有粮之田作为无粮之土，卖与绅衿商民，以至完纳无觅，每至派累苗户”，加重苗民负担。他建议政府增兵驻扎苗区，清查有粮之地，解决民、苗之争。第二年，云贵总督鄂尔泰奏称：从贵阳到东川府土司统治的地区“三百六十里，人烟俱寂，鸡犬无闻”。既无村寨，又无居民，保有“隔三十里之处，有塘兵二三名，茅屋数间，而入山处古木参天，远山处平畴万顷，取用尽良材，垦治为美产”。但“田皆蒿莱，地尽荆棘，耕种不施，渔樵绝迹”。考其原因，在土司统治之下，“民不肯为，官不敢问”，以致“近城数十里内，肥饶之土亦半抛荒”。东川土府“风俗仍旧，贡赋不增”。乌蒙土府原定所纳钱粮银 300 余两，而取于下者高达百倍，一年四小派，三年一大派，小派计钱，大派计两。高其倬和鄂尔泰的奏疏，反映了在封建领主土司统治下，生产遭到破坏，人民生活非常困苦，国家政令难以推行。清政府要加强对南方民族地区的直接管辖，必须“改土归流”。所以雍正帝接受鄂尔泰等的改土归流主张，下诏将原属四川土府的东川、乌蒙，正雄改隶云南。从雍正四年开始，在南方民族地区，大规模推行“改土归流”政策，即把土司制改为一般的府、州、县，由政府派官管理，加强中央政府对民族地区的管辖和治理。

清政府实行“改土归流”过程中，采用两种方式：一种是大军压境，强制改流。另一种是招抚土司，纳土献田。对云南、贵州、四川是用前一种方式，湖广等地及其他地区则用后者。在云南东北部彝族地区的“改土归流”，是阵兵边境，革除东川土府，近逼乌蒙、镇雄。乌蒙土司禄万钟、镇雄土司陇庆侯等发动土兵反抗“改土归流”。鄂尔泰用武力瓦解土兵，压服土兵反抗，先后改东川、乌蒙、镇雄土府为府、州，设流官治理，派兵镇守。四年之后，乌蒙土司势力复起，煽动东川、镇雄及四川凉山少数民族反清。鄂尔泰奉命调集官兵1万余名，分三路进行围剿，使云南土司势力受到严重打击，从此一蹶不振。同一时期，在贵州苗族聚居区实行“改土归流”政策，开始是派兵入苗寨进行招抚，在黔南、北、西三面招抚1000多处苗寨。两年以后，又派熟悉苗区的张广泗率兵赴都匀、黎平、镇远、清平诸地，“导化群苗，相机剿抚”。两次大规模用兵，使贵州苗区基本上被清政府控制。雍正十年，由于清政府派驻苗区的官吏欺压苗民，强行苛派钱粮，激起各寨苗民聚集清江、台拱，进行反清斗争，随即攻陷凯里、黄平州、清平县等地，苗区震动。乾隆帝即位后，继续推行“改土归流”，又派张广泗去治理苗区。他要弄两面手法“暂抚熟苗，责令缴凶献械，以分生苗之势”，分兵八路进逼生苗，围困屠杀，使苗民死者不计其数。“复乘兵威，搜剿附近熟苗，先后扫荡，共毁除千有二百二十四寨”。清政府在贵州苗区的“改土归流”和“设治”政策，演变成对苗族人民的一场残酷镇压，给苗族带来极大的灾难。

清政府对广西、湖广及其他南方民族聚居区，通过招抚土司，纳土献田，改土府、土州、土县、土官、土目为汉区一样的府、州、县，派遣流官管辖。这里之所以推行“改土归流”政策的原因，主要有两方面，一是居住在广西、湖广、广东、福建等省的僮、瑶、土家、畲等族，受汉族文化影响较深，加上本身经济发展，要求改变与经济发展不相适应的土司制度。二是清政府对云、贵、川“改土归流”之例，使其他地区的土司慑服清廷的兵威，被迫接受改流。湘西永顺府土司彭肇槐“献土”，并呈请政府改流，以其地置永顺府。随后又废保庆、桑植二土司，设保庆、桑植两县，归永顺府管辖。清政府对南方少数民族地区的“改土归流”政策基本得到实行，革除了绝大部分地区的土司制度，改设流官管理。

清朝雍正初年开始大规模的推行的“改土归流”政策，对自王其地，割据一方的土司制度，给以彻底摧毁，政策得到实行，这就解脱了套在土民头上的枷锁，对生产发展有利，也促进了各民族之间的相互学习和经济文化交流，推动南方民族地区社会经济发展。更重要的是，加强了清朝中央政府对南方各民族地区的直接管辖和治理，这就对政令的畅通，国家的统一，边疆的巩固起到不可估量的作用。此外，由于清政府的官员，素质很低，施政为己，在执行“改土归流”的过程中，对民众滥加责罚，强行苛派，甚至发展到残酷镇压，激起了少数民族的反抗和大规模的起义。这只能说是部分官员的行为，在推行“改土归流”政策过程中，造成的负面影响。

清朝时期，藏区与中央政府的关系更加密切，政府在加强对藏区进行政治理管辖的同时，也支持藏传佛教宗喀巴创建的新教派（黄教）管理藏区。

清崇德年间的藏区，是达赖五世和崇信黄教的和硕特部固始汗联合执掌藏地政权，固始汗和达赖五世以及班禅四世等，乐于和辽东新兴起的清政府联系，于清太宗崇德七年（1642年），遣使至盛京（沈阳），与清通好，进贡方物。清太宗皇太极以礼相待，并赠送达赖、班禅和固始汗金、银、玉器、缎匹、雕鞍等物，以示和好。清朝统治全国以后，顺治皇帝遣使臣和喇嘛去迎达赖到北京，帝亲见于南苑。又派亲王迎送，并召集蒙古王公与达赖相会。固始汗和达赖贡献马匹等万物。双方以礼相见，和睦相处。顺治十年四月，清帝以金册、金印封达赖喇嘛为西天大善自在佛，即“领天下释教”的宗教领袖。同时，以金册、金印封固始汗为“遵行文义敏慧固始汗，作朕屏辅，辑乃封圻”的西藏汗王，即是辅助清朝皇帝治理好他所管辖的藏族地区。清帝的册封表明藏地与中央政府之直属关系。康熙五十七年，准噶尔部策旺阿拉布坦举兵侵入西藏，杀了和硕特部在西藏的汗王拉藏汗，使和硕特蒙古固始汗及其子孙在西藏七十多年的统治到此结束。准噶尔部策旺阿拉布坦占据西藏，烧杀抢劫，破坏佛教寺院，给西藏僧俗人等带来了很大的灾难。康熙皇帝两次派兵入藏，协助西藏人民打败了准噶尔的侵略军，适应僧俗人等的要求，派人护送住在塔尔寺的达赖喇嘛格桑嘉措到西藏布达拉宫“坐床”，藏族和蒙古族对此热烈拥护，感谢康熙皇帝“再造弘恩”。从此，结束了准噶尔汗对西藏的统治。康熙六十年，清政府决定废除在西藏总揽大权的第司职位，先后用康济鼐、阿尔布巴、隆布鼐、颇罗鼐和扎尔鼐五人为噶伦，主管西藏地方事务。清政府在西藏设立噶伦制度，一方面是防西藏权力过于集中，难以控制，同时，也是让西藏人民自己管理西藏。这对缓和民族之间的矛盾冲突，安定西藏社会秩序，促进西藏发展都起了良好作用。但噶伦之间矛盾冲突，两派形成尖锐的，你死我活的斗争，影响西藏政局，清政府帮助处理“叛逆作乱”事件之后，提高了颇罗鼐的地位，先后封为贝子、贝勒、郡王等爵位，任命他一人主持西藏事务，并派遣官员驻藏。

雍正六年，正式在西藏设“驻藏办事大臣衙门”。第一任驻藏办事大臣是僧格和马喇。驻藏大臣的设立，加强了清政府对西藏地区的管辖，使西藏地区社会秩序得到稳定。

乾隆十二年，颇罗鼐因病去世，其次子珠尔默特那木扎勒袭郡王爵位。他背叛父道，勾结准噶尔部图谋叛乱，被驻藏大臣傅清、拉布敦诱杀，其党羽发动了叛乱，杀害了两位驻藏大臣。达赖七世号召西藏人民很快就平息叛乱，清政府派兵处置了叛乱分子，嘉奖了达赖七世和有功人员，为纪念两位驻藏大臣，在西藏建立了“双忠祠”。乾隆皇帝从清政府和西藏建立起关系一百多年来，特别是近30年所发生的事件中，总结了分散权力于诸噶伦的弱点和集中权力于一郡王的危害，决定对西藏地方的体制进行改革。乾隆十六年，清政府在西藏正式设立噶厦（西藏地方政府），噶厦设四名噶伦，规定一僧三俗，共同处理日常事务。所有西藏重大事务必须请示达赖喇嘛和驻藏大臣，酌情办理。清政府正式授权达赖喇嘛掌管西藏地方行政事务。从此，黄教掌权的“政教合一”的制度正式确立。

乾隆五十六年，廓尔喀制造借口入侵西藏，逼七世班禅退居拉萨，将扎什伦布寺金、银、珠宝、粮食甚至佛塔上镶的珍珠、珊瑚等贵重物品洗劫一空。西藏人民遇到外来侵略，立即向清朝中央政府告急。清廷派遣大将军福康安和参赞大臣海南察，率八旗军和金川屯练（藏族）、达斡尔、鄂温克兵赴藏，同西藏人民一起打败和驱逐了廓尔喀侵略军，保卫了西藏地方的安全。次年，清政府以西藏地方各项制度松弛，无力抵抗外敌入侵，必须加以整顿。福康安等人领军入藏后，根据乾隆谕旨，考虑“善后章程大意”，告知达赖喇嘛。达赖喇嘛表示，“一切唯命是听，断不敢稍形格碍”。福康安等会同地方官员多次商议，共同制定章程内容，呈奏乾隆皇帝批准，最后的钦定西藏善后章程，是解决和处理西藏问题的指针和标准。善后章程包括的内容很多，但它始终围绕着三个基点而制定的。

第一个基本点，是全面制定了西藏地区的主要制度。如规定了西藏设唐古忒兵（藏兵）3000人，前后藏各驻1000，定日、江孜各驻500。藏军各级军官有代本1名、如本12名、甲本24名、定本120名，“递相统辖”，并禁止代本等官员“私令官兵服役”。“善后章程”对西藏地方设立的官职及其职责与升补问题，都作了详细规定，禁止私放和越次补放。对西藏铸钱、征收租赋、差派乌拉、制造火药、司法、外事、贸易等方面也作了具体的规定。

“善后章程”第二个基本点，是在肯定达赖喇嘛拥有很大政治、宗教权力的前提下，对其施加了约束，缩小其权限，取消了他的

“专主”地位。几十年来达赖的“专主”带来很多弊病，主要是达赖“诸事惟听左右近侍亲族及噶布伦等专擅，率意怪行”，以致“屡生事端”，故取消达赖“专主”，使其权力有所限制。乾隆皇帝定立“金瓶掣签”制度，使达赖转世的呼毕勒罕（灵童），再也不由“四大护法”利用降神附体来指定，而是由清朝中央政府派官员监督抽签决定，并要呈报清帝批准才算有效。这就表明达赖与清帝之间，是君臣关系，达赖的承袭必须由清帝批准，这就体现了清朝皇帝独主乾坤的最高地位。对达赖的权力、威望有所限制，也就从根本上动摇了他的“专主”地位。还有许多方面具体规定，达赖不能一人做主，必须会同驻藏大臣商议决定。

“善后章程”的第三个基本点，也是最主要的一点，大大地提高了驻藏大臣的权力和地位，使“一切事权，俱归驻藏大臣管理”。明确规定“除上山瞻礼外，其督办事务，应与达赖喇嘛、班禅额尔德尼平等，自噶布伦以下番目及管事喇嘛等，事无大小，俱禀之办理”。这是“善后章程”最关键的一条。驻藏大臣既与达赖、班禅“平等”督办事务，所有政、教事无大小俱向驻藏大臣禀报办理，这就为“一切势权”俱归驻藏大臣管理奠定了牢固的基础。西藏地方政府的官员，要由驻藏大臣和达赖喇嘛拣选人员，奏请中央政府任命，官员的升迁赏罚也由驻藏大臣处理。西藏对外事务，也由驻藏大臣全权办理。邻国人藏朝佛，达赖、班禅与邻国书信来往，必须由驻藏大臣处理，或与达赖、班禅商议酌情回信。凡边界重大事件必须按驻藏大臣意见办理。西藏财政归驻藏大臣审核，全面安排。

上述三个基本点，集中表明了一个关键性的问题，即“善后章程”明确规定了西藏是清朝中央政府直接管辖的一个地区，虽然它的某些方面拥有较大的自治权，但这个地区的藏族官民僧俗，皆是清帝的“赤子”，这就极大的加强了清朝中央政府对西藏的管理和统治。正如清朝著名的史学家魏源所说：“于是权始归一”。“自唐以来，未有以郡县治卫藏如今日者”，“自元明以来，未有以齐民治番僧如今日者”。清朝中央政府对西藏的直接管辖和治理，对保卫祖国的西南边疆，防御外敌入侵，增进藏族与内地各民族之间政治、经济、文化的联系和交流，加快藏族前进步伐，促进多民族国家的发展，都起了重大作用。

康熙二十二年清福建水师提督施琅领兵进入台湾，郑克塽降清，清朝中央政府统一台湾，建府、县，设官吏，屯驻军队，编审人丁，征赋佥役，奖劝农桑，垦荒修渠，建儒学，立义学，兴办书院，准许台湾人参加福建乡试，有条件地准允内地民人入台。福建、广东汉民大量移居台湾，乾隆初年已达100万人，嘉庆十六年增加到200余万人，到光绪十一年（1885年）建立台湾省时，人口多达320余万。

清朝时期，高山族人分为“生番”和“熟番”，“熟番”为“内附轮饷者”，与汉族接触较早，“生番”是“未服教化者”。早期“生番”较多，如在凤山县的124个番社中，只有8个社是“熟番”。清代总的趋势是“生番熟番化”，“番汉一致化”。高山族长期以狩猎采集为主，农耕者极少，不知使用铁犁、耙、锄、斧、钩、镰等农具，产量很低。汉民的大量入台，带去了数以十万计的耕牛、农具和先进的种植方法与科技文化，有的汉官汉民，还教高山族人授以“种植之法”，还帮助治疗疾病。高山族在汉人的影响和帮助下，进步较快，经济发展迅速。

移居台湾的汉民和土著高山族一起，披荆斩棘，辛勤耕耘，促进了台湾经济发展。康熙二十二年始设一府三县时，“管辖不过百余里”，且多是未耕之地。40多年以后，已是“开垦流移之众，延袤二千余里，糖谷之利甲天下”。嘉庆年间，全台湾已基本得到开发，每年产米七八百万石、糖七八十万担，还有价值200多万元的茶叶，以及盐、煤、硫磺、沙金、樟脑、水产品等，史称其“地性膏腴，兼之以山林之饶，薮泽之富，金石之美，渔盐之利”，实为“天府之国，蓄积丰，人民庶”。

在台湾开发的过程中，高山族付出了辛勤劳动，作出重大贡献，也学到了很多科学知识，使台湾经济发展很快。如台湾县的新港社等四社，“耕种工具如牛、车、犁、耙，与汉人同”。即是说“熟番”与汉民没有多大区别了。“生番”在汉民和“熟番”的影响下迅速转化为“熟番”，如凤山县116“生番社”，到了乾隆初年，已经转化为“熟番”，“亦知以稼穑为重”，将埔地“刈芟草莱成田园”，“亦学汉人筑圳”，以资灌溉，种获“使用镰铚”。在生产力水平提高的基础上，高山族人很快就接受了汉族的生产习惯和生产方式，典当、买卖田地、租地耕种，土地私有的情况很流行，封建租佃制迅速发展。高山族从原始社会末期过渡到封建社会，高山族和汉族之间已经没有多大差别。

高山族在文化艺术和风俗习惯方面，有自己的特点。他们有本民族语言，而无固定的文字。清政府在各府、县办“土番社学”，传播汉族文化，发展高山族文化事业。到了清末，高山族学汉语、读汉书的比较多。高山族口头文学极为丰富，诗歌很美好，绘画水平很高，其彩绘鹿皮画（藏国家博物馆），纵43厘米，横49厘米，是反映高山族社会生活状况的珍品。过去高山族有文身穿耳的习俗，不文身的男人、女人很难婚嫁。高山族是一夫一妻制，禁止近亲结婚，男女自由恋爱结合。高山族的宗教信仰比较复杂，既有原始宗教崇拜，每个姓氏都有图腾崇拜，又因受汉族的影响，信奉观音菩萨、玉皇大帝、土地公，也有一些人受基督教洗礼。

从高山族与内地汉族之间的兄弟情谊，在自古到今的历史发展中是共同劳动，相互学习，开发宝岛，建设祖国，保卫台湾的过程中，不知流淌了多少血和汗，这是台湾人民和东南沿海汉民，至今还铭刻在心而且是代代相传的。

揣：统一的多民族国家对民族关系有什么影响？清代的民族关系有哪些特点？

杨：清代民族关系呈现出几个显著的特点。第一，民族成员齐聚，命运相同。汉、满、蒙、回、藏、维、苗、瑶、壮、彝等中华民族大家庭里的56个成员，皆已集聚在大清朝辽阔版图之内，活跃在中国的各个地区。各个民族成员都受清政府的管辖，皆是清帝之“赤子”，纳赋当差，遵守国法，遇到重大战争，听命从征，披甲当兵，灾害发生，政府赈济，蠲免钱粮时，所在地区的民族成员，均享受恩惠。

第二，交往密切，共同开发。统一的多民族国家的发展，打破了过去少数民族尤其是偏僻地区的少数民族独处闭塞的困境，增强了民族之间的联系，吸收了先进民族的文化和技术，生产进步了，生活也有了改善。如乾隆时期对贵州的苗疆（占贵州省面积的一半），实行“改土归流”，宣布“永除新疆（苗疆）苗赋”，设立军屯，成效显著。台湾，原本是高山族居住地区，人口数万，主要从事于猎捕兽禽。随着汉民大量移入台湾，与高山族同处一地，务农经商，交往密切。高山族努力学习，进步很快，从狩猎为生转化为以农耕为主。汉族与高山族人民一起，辛勤耕耘，采矿制糖，共同开发了宝岛台湾。汉、满、蒙、维、藏、高山族等56个民族人员，为开发、建设祖国付出了巨大劳动，千辛万苦，功劳很大。

第三，各族人民群众共同反对清统治者的民族压迫。清顺治年间，实行的“薙发令”，“留发不留头”，激起了被压迫民族的强烈反抗，掀起的抗清斗争，席卷全国，以汉族为主的多民族成员，包括甘肃的回民和汉民一起参加这场反清斗争。雍乾时期对贵州“改土归流”，在执行政策过程中，政府官员滥杀无辜，激起各苗寨聚集群苗，揭竿而起反对清政府的民族压迫政策，受到邻近各族人民响应和支持。道光年间，太平天国反清斗争，是以汉族人为主体，有壮、苗、瑶、回等族参加和支持的反封建压迫的斗争，声势浩大，威震全国。

第四，同仇敌忾，共同抗击外国侵略。顺治、康熙年间，沙皇俄国来犯我东北边疆，企图侵占我国领土，清政府调动满、汉、鄂伦春、达斡尔、鄂温克将士击败侵略军，把沙俄侵略者逐出中国领土。乾隆五十六年（1791年），廓尔喀侵略西藏，烧杀抢劫，无所不为。激起西藏僧俗人等强烈反抗。清政府得到外敌入侵的消息，立即派遣大将军福安康率领八旗军和金川屯练及达斡尔等兵士进藏，同西藏人民共同抗敌，终于驱逐了廓尔喀侵略者，保卫了西藏人民，巩固我西南边疆。道光二十年（1840 年），英国侵略者发动鸦片战争，入侵我国广东，林则徐率领军民坚决抗敌，英军未能得逞，便沿海北上，抵达乍甫、镇江等处，企图一战取得沿海重镇。两江总督裕谦调集官兵、武器，决心抗敌。清军与军舰大炮齐集的英军，血战六昼夜，定海失陷，三总兵战死，裕谦殉难。提督陈化成日夜辛劳，校场督战，身负重伤，还亲自发炮，斗到中弹喷血而亡。总兵葛云飞得知重镇失守，敌人更加猖獗，义愤填膺，持刀冲入敌营，杀敌无数，后因中炮身亡。副都统海龄率领驻防军保卫镇江，官兵英勇牺牲，海龄全家殉国。在抗英斗争中满汉官兵，沿海民众，同仇敌忾，英勇杀敌的爱国精神，可歌可泣！在反对外国侵略的斗争中，不管是鸦片战争、中法战争、中日战争，还是八国联军入侵，我国各族人民团结一致、共同反抗外国侵略者的坚决斗争，成为清代民族关系的一个十分显著的特点。

（访问者：揣振宇）

汪宁生先生访谈录

范祖锜（以下简称范）：尊敬的汪先生，您是我国著名的民族考古学家。四十多年来，您在考古学领域或纠正古人之陈说，或冲破今人之误区，灼见屡出，新论迭生，成果丰赡，建树卓越。您的《云南考古》、《沧源崖画的发现和研究》、《铜鼓与南方民族》、《民族考古学论集》、《西南民族与历史文化》、《文化人类学调查》等著作以及译著《事物的起源》，对中国民族考古学的学科建设和事业开拓作出了重要贡献。在学术上要取得成就，最根本的是学者本人必须具有百折不挠、锲而不舍的艰苦精神，具有坚实深厚的学术功底，此外也有不少前辈学者还得益于独自的家学渊源。不知先生在这方面情况如何?

汪宁生（以下简称汪）：我 1930 年出生于江苏省南京市，家父寿龄公供职于国民政府经济部商标局，为一般职员，与学术相距甚远。我的少年时代适逢抗日军兴，家父随机关西迁，我随母亲回转原籍（江苏省灌云县板浦镇）故家。祖母吴太夫人率全家为避日寇辗转逃难于灌云县农村各地，备尝颠沛流离之苦。母亲许夫人（讳毓英）深知学问之重要，逃难途中仍亲自督课，令我习字读书。回转日寇占领下的县城，家人不愿让子弟入敌伪小学，我遂入私塾读书，塾师授古文，以《论语》、《孟子》、《古文观止》为教材，并开设英语等课程。今能沉潜中国古籍并稍涉猎英文书籍，实肇端于此。各位授业塾师之启蒙恩泽至今不敢忘却。抗战 8 年之中，由于生活困苦和缺医少药，妹沪生、弟建生夭折，全家 10 余人自祖母以下先后亡故 7 人。日本侵略战争给国家民族和个人家庭带来的灾难，在我心中留下了深深的印记。

范：如此说来，先生的前辈虽不治学，却知书达理，让你虽处于战乱中仍在中国优秀传统文化的熏陶下度过少年时代，为今后的治学之路初步奠定了根基。江南为我国传统文化积淀深厚之地，诗礼绵延，俊彦辈出。然而，先生故乡一非少数民族地区，二与少数民族相距甚远。先生如何走上“民族考古”之路？

汪：抗战胜利后，我在江苏丹阳高中部读书，1949 年毕业，先在无锡农村工作，后在华东水利学院（今河海大学）任职员。1954 年被选调报考高等学校，考入北京大学历史系考古专业。北大远绍清儒考证之学，近接五四后以科学方法整理国学之传统。北大历史系尤为中国古史及考古史学界著名学者集中之地，专职教授有向达、邓广铭、张政烺、商鸿逵、齐思和、苏秉琦、阎文儒等名家，兼课教授有夏鼐、唐兰、聂崇岐等耆宿。大学 5 年，在诸位先生的教诲熏陶下，稍窥读书门径，略知治学之乐。1959 年大学毕业，留校任助教。担任苏秉琦先生“秦汉考古”课辅导工作一学期后，突令考“隋唐史”研究生，有愤于个人于工作及专业毫无选择之自由，乃以“交白卷”方式表示无声抗议，时成为北大一大新闻。领导训斥、群众批判之后，分配至中央民族学院历史系工作。

1960 年 5 月，我作为中央民族学院的教师，奉派参加由全国人大统一领导的云南民族调查组。这是我接触民族研究之始。此时，总感到学非所用，以不能从事考古工作为遗憾。虽然身在民族调查组，但研究考古学和中国古史的夙愿始终未曾泯灭，兴趣仍浓，时常翻阅有关书刊聊以自娱。有一次看到顾颉刚先生抗战时期在昆明写成的《浪口村随笔》（不久就改名为《史林杂识》，由中华书局正式出版），心胸突然开朗起来。顾先生用藏族白族招赘习俗，证明古代赘婿实与奴隶无异；用傣族苗族丢包习俗，说明内地抛绣球择婿之风的由来；考证“披发左衽”，以蒙藏人民服饰作为实例；解释《老子》中“刍狗”一词，以喇嘛庙中酥油偶像作为比喻；主张“傻瓜”一词得名于“瓜州之戎”；“吹牛”“拍马”为西北方言；以黄河、柳江上所见的连舟搭桥解释古代的“造舟为梁”；以四川湖南民间住宅的天窗说明古代“中霤之制”等等。我才知道原来边疆少数民族保存的文化习俗，甚至残留于内地偏僻地区民俗学资料，到了顾先生手中都有用处，他能随手拈来，用以考证古代的问题。自己现在长年生活在少数民族之中，接触的“奇风异俗”更多，为什么不能用以研究考古学和中国古史问题呢？而且研究任何学问，贵在发现新的材料。记得在《中央研究院历史语言研究所集刊》上读过傅斯年先生一篇文章，大意是说一种学问若能扩张他研究的材料便进步，不能扩张便退步；还以打油诗一首，要求研究者“上穷碧落下黄泉，动手动脚找东西”。考古资料多是残缺的零碎的，中国古史上有些长期聚讼的疑难问题也多由于“文献不足征”。假如能适当地运用民族学资料于考古学或古史领域，无异为这些学科扩张大量研究资料。

有了这番认识，我对民族调查便发生了浓厚的兴趣，不仅不再厌烦，而是乐此不疲。每当到一个民族之中，除完成领导布置的任务外，自己总要“种一点自留地”，搜集一些可能对研究考古学有用的资料。

用民族学资料研究考古学问题，道理明确，不等于就能顺利进行，真是“说时容易做时难”。经常是调查以后回到昆明提起笔来想写点什么，会发现有些问题当时没有询问，不知详情，无法下笔，后悔不及。最后只能就事论事，做一些简单的描述，即使联系考古学问题也是浮光掠影，未能深入，因为所获材料有限。现在看自己最早写的东西，总是不免脸红。原来民族调查有自己一套方法，调查时应按科学程序办事，而我们民族调查组成员来自四面八方的不同专业，并未受到这方面严格训练。以我自己来说，在大学一年级上过《原始社会史》这门课，知道一些人类学普通知识，而对如何进行民族调查可说毫无所知。

范：民族学发展成为一门独立的学科虽然是19世纪的事，但它有着久远的历史渊源，有自己的学科体系、学科规范、学科方法。20世纪50年代，我们对这方面的认识确是颇有偏差。

汪：当时民族学（文化人类学）和社会学一起被划为“资产阶级伪科学”，中外民族学家人类学家成为批判的对象。而“无产阶级的民族学”究竟是什么样子呢？我们应如何进行调查呢？从无人作过指导。调查出发之前领导谆谆告诫的是“随时注意改造思想，结合中心工作，为政治服务，不要违反纪律”之类，要我们多读马列的书。恩格斯《家庭、私有制和国家的起源》几乎是当时调查工作者的“圣经”，当时是人手一册的。但仅靠那本书就能顺利进行调查吗？记得当时也曾看过一份油印的调查提纲，不知是哪位专家或领导人物拟定的，按生产力和生产关系、经济基础和上层建筑几个大问题列为调查项目。后来几千万字的调查资料丛刊，大多数按此格式而写，并非偶然，因为这是统一布置的结果。

按照这样的要求完成任务，写出一份调查报告，一点也不困难，因为没有人检查你的调查成果是否真实，是否真能“结合中心工作”。而要真能得到一些对研究考古学有用的东西，既无前人经验可以借鉴，又无现成的格式可以照搬，靠这样的野外调查是无法进行的。

生性好奇，既然过去的“资产阶级民族学家”也做过调查，写过书，那他们是如何进行调查的呢？适逢 1963 年和 1964 年上半年回到北京，中央民族学院当时几乎集中了中国民族研究领域的权威和著名学者——潘光旦、吴文藻、费孝通、林耀华、傅乐焕、闻宥、马学良等等，得以不时请教，获益良多。更重要的是这段时间给我一个难得的读书机会，靠着中小学打下的英文基础借助字典，翻阅了国外人类学和民族学的名著原文，等于自学一年民族学基础课，补学了基础知识，特别是调查方法的基础知识。

这里要说明的是虽然“资产阶级的”人类学和民族学遭受批判，这方面的书籍并未在中国大地上消失。当时如北大图书馆或北图收藏的这方面图书还能借阅。中央民族学院图书馆清规戒律较多，而且藏书较少。但上面说的一些老先生家中藏书还有保存，至少“文革”前是如此。这里要特别感谢林耀华、傅乐焕、宋蜀华等先生，慷慨帮助，我常从他们书架上借走想看的书。傅乐焕先生还赠送我一本德人利普斯著的《事物的起源》，后来我把它翻译出版。林耀华先生借我的英国皇家人类学会编《人类学的询问和记录》一书，对我学会调查方法帮助尤大。读了这本书我才知道调查工作原来大有学问，我才知道剖析一个社会应该调查哪些方面，调查某一方面时又应询问哪些问题，原来前人早就准备好全面的具体的调查提纲；而且对如何选择报告人和训练翻译，如何询问，如何记录，都有一套方法，前人早就总结出许多有用的经验。即文字记录也绝不是仅靠一个书记本，而是应该根据情况使用不同的记录形式（谱牒、日记、表格……）。这本书一直放在身边，成为调查旅途中的伴侣，直到20世纪80年代从国外找到更新的版本才把它还给林先生。

说到改革开放以前的中国内地还可以看到西方人类学民族学书刊，很多外国人表示不能相信。例如，美国人类学家顾定国先生在访问我时开始曾对此将信将疑，后来他才把这一点写入他的《中国人类学逸史》之中（见胡鸿保译本，228～229页）。当然在20世纪50年代到70年代，中国人能在市面上买到的民族学书籍只有从前苏联翻译过来的充满政治术语材料陈旧的几种，被称为“资产阶级的”民族学书刊在公私藏书架上网结尘封，少人过问。但任何有价值的东西总不会完全从世界上消失，而且任何时候偷吃禁果的人总是有的。

看了大批书刊之后，再回到田野之中，感到值得调查的问题实在太多，调查也变得容易起来，过去自己的调查简直是胡闹，浪费时间。掌握了正确的方法后，对过去调查过的问题重加调查，也会发现许多新的材料。

范：先生步入民族考古学领域，始于民族调查。应当说，民族调查是民族考古学的基本方法、基础训练和入门之途，在本学科的建设占有重要的地位。

汪：的确如此。就整体而言，中国考古学尚处于初建阶段。要使这门学科得到发展，必须多作田野调查，多作专题研究，没有什么捷径好走。有些先生不做多少专题研究，只进行概念争论，写大块文章，无助于学科的建设。至于那些未曾从事民族调查者也把自己在少数民族地区进行的一般考古工作称为“民族考古”或“民族考古学”，这是对民族考古学的误解。民族调查是民族考古学必不可少的田野工作。我可以自豪地认为自己毕生都在田野工作中度过。从20世纪60年代初一直到90年代，除了“文革”初期遭难那几年之外，几乎没有哪一年没有做田野工作。有时一年至少有半年是在少数民族地区度过的。

范：20世纪六七十年代，国家贫穷落后，科学工作者的田野考察面临十分困难的局面，其间的甘苦坎坷恐非常人能揣度。今非昔比，二者殊异，愿听其详。

汪：在民族考古中，考古调查和发掘是一项艰苦工作，但比较起来民族调查似乎更为艰苦，特别是在我做田野工作的时代。现在一些年轻人下去调查，出必专车，住必宾馆，餐有美食，日有补助，当年我们调查时的交通和生活条件，绝非他们所能想像。

先说交通。以云南为例，大概仅有部分县城可通汽车，从县城去乡村一般是无车可坐的，全凭双腿。由于老百姓家中缺少衣被，要深入基层必须自带行李，因此背着背包走路可说是当时调查者的常规交通方式。在有条件的地方能雇一条牛驮着行李，或随着马帮同行给点零钱把行李加在马驮之上，就会有幸福之感。而若骑马，当时会被视为“老爷作风”，回单位必遭批判；而且西南地区尽是山路，时有堕骑之危；加之这里少数民族习惯是马背上并不置鞍，只放一条垫子或毯子，马的脊骨与你的尻骨相摩擦，远不如走路安心。随着马帮走路，食宿都交给“马锅头”安排，途中和他们一起在露天吃“罗锅饭”，晚上和他们一起住“马店”，听他们讲故事，说“粗话”，谈各地风土人情，一切不用自己操心，对调查者来说是轻松惬意之事。若不然，县里派一位翻译或干部相伴而行，途中有人谈话，不会有迷路之虞，在当时也算是一种“优待”。我最怕是一人独行，又要问路，又要自己解决食宿问题，一路都处于紧张状态，若遇险恶山路，无人援手，时有生命危险。有一次从巧家到会泽，便险遭不测。

（范注：汪先生《西南访古卅五年》中收录1960年9月8日日记记载其事："8月30日搭货车去巧家，会见原副县长龙士林，了解彝族迁徙事，毫无所获。当时迄无客车与外地交通，想再找货车回会泽已不可得，留下又无事可干，不得已于4日晨循金沙江边山路步行。不意屡历险境，至今思之犹觉心悸。路宽不过丈余，上有沙石，且向外倾斜，稍一滑足便下坠江中。欲手攀崖壁，岩石久经风雨侵蚀应手而落。越走越怕，几至无法举步。险恶处手足并用爬行而过；或坐于路上两腿下悬，双手撑地而过。曾想爬上山顶另觅佳路，爬数十步即遇峭壁，退回原路时下望大江，更觉心惊胆战，深悔冒失。自思这样死去殊为不值，只有屏定呼吸，看准落脚点，确有把握再移步。如此行走两日，4日晚宿双河，5日抵蒙姑，宿小旅社，心跳极快，疲劳已极仍难入睡。蒙姑……为偏僻小镇，由于交通不便，完全保持原来面貌，风俗醇厚。白天去茶馆喝茶，众人见我狼狈不堪，精神委顿，前来问讯……有人请我晚上去家中吃饭，有人劝我多留几天慢慢想办法。还有人说：抗战期间一位外籍水利工程师为了勘测金沙江通航事，就在此路坠入江中。这使我毛骨悚然。"）

范：先生的经历惊心动魄，前辈学者在民族调查中克服千难万险，甚至作出了重大牺牲。中央民族学院一位同学就是在调查途中跌入怒江峡谷，长眠在少数民族地区的青山绿水间。

汪：前述巧家县为偏僻县城，自无班车与外界交通，而一些不算偏僻的地区也是如此，例如有一次从下关到永胜整整花了四天时间。

现在从下关到永胜乘班车数小时可达，而当时竟走四天时间，乘过汽车、马车、拖拉机、渡船几种交通工具，加上"11号车"（这是当时我们对走路的俗称），才到达目的地。即使有车可坐，不要认为是什么舒服之事。人各一座的公共汽车当时是奢侈之物，仅从省城出发的班车才保证有之。偏僻地区即使所谓“定期班车”实际上也不过是“解放牌”卡车一辆，并无座位。乘客纷拥而上，各以自己行李放在四周背靠车板而坐，这便是舒服的“软席”。若未带行李，只有席地而坐。

（范注：汪先生《西南访古卅五年》中收录1960年6月15日日记记载其事：“由西昌到盐源，150公里竟走一天，夜深始达。此间客运仍用卡车，旅客以行李堆放四周为座位。司机之旁仅有之座，必须是当地重要官员或与司机有特殊关系人士才能占有。说及这一众所向往之座位，一位旅客大摆‘龙门阵’：新中国成立初期木里藏族土司去京开会，经盐源去西昌，也只能乘这样卡车。为示优待，安排他坐于司机之旁，彼问明司机之职、身份，竟曰：我如何能与此类人并排同坐，何不在司机头上再安一座优待我？这样才合规则。众旅客大笑。”）

范：交通状况差自不待言，一路颠簸到目的地或驿站恐怕也难寻较好的解旅途劳顿的居所和可口的饭菜。

汪：作民族调查应该尽量接近调查对象，这是不言而喻的事。但不同国家、不同时代的调查者，包括居住、饮食在内的条件大不一样。像国外有些人类学家那样携带帐篷吊床、睡袋甚至汽车房屋一套装备，可以住在调查者附近而又有自己的空间，对当时我们来说，简直是“天方夜谭”。我们当时一般只能在小学、区乡政府，更多是老百姓的家中，打开自己的行李，使自己晚上有个安身之地。

若在老百姓家中住宿，给你单独一个房间，或在火塘之旁与主人家的老人并榻，是很幸运的事。经常是与主人全家不分男女合住一室，床铺紧接。

这并非出于怠慢，而是他们草屋之内不分隔房间，云南很多少数民族原来居住条件就是如此。睡在傣族的竹楼要比地板上清洁凉爽；尽管猪、牛、鸡就在楼下，气味难闻；但比起睡在有些民族的家中，这里可算“天堂”。

再说到饮食，我们并不奢望享受盛餐美食，但至少要求饱，保证基本营养，才有力气走路。但在60年代初的困难时期，几个月见不到油荤是常有的事。1960年5月14日的日记写道：“在成都已见供应紧张，著名‘天府之国’小吃店经常关门或‘卖完’。由成都赴凉山沿途更觉困难，唯一不必排队抢购者只有面条。每天定量一斤粮票，可食面条5碗，惟辣椒太多，无法下咽，只能要求‘免红’。面条上仅有一点‘哨子’亦被免去，入肚全为面粉别无营养，终日饥肠辘辘。”

（范注：汪先生《西南访古卅五年》中收录1962年10月14日记载其事：“晨起与（永胜县）兰遮村干部及群众告别，算清伙食费（每日一斤粮票3角钱）。陈某某说：你来天天喝菜汤，‘他鲁粑粑’没尝一个，‘油茶’没喝一碗，还要你钱，真对不起。十几天来，确是一天两碗红糙米饭，一钵菜汤佐餐，有盐无油”。）

每天能吃上糙米饭还算幸运，旅途上吃不上饭的事也非罕见。我毕生最难忘的一餐是在四川省盐源县附近山区吃的。一天赶到一个农村干部办的伙食团，交了半斤粮票几角钱，坐等开饭，等候良久，一木桶饭抬了进来，有人为我盛上一碗，竟是带稻壳的米饭，吞咽一口，喉如刀割，花了很长时间才吃完这碗饭。至今想起，嗓子还有痛感。我至今弄不明白这是因为当时断炊太久来不及舂米，还是因为不去壳可以多吃一点。至少这绝不是当地固有饮食习俗，而是那个特殊年代的“特殊食物”。

不习惯的饮食，不能适应的生活习惯，语言不通，初到时不为当地居民所接受，不能开展工作，在异文化环境产生的孤独和寂寞感等，都属于“文化冲撞”（“文化震动”）现象，是世界各地调查的人类学和民族学家必然经历而又必须克服的困难。从事民族考古学的人何可幸免？但改革开放以前在中国搞民族调查还要加上由于匮乏物质条件带来的上述交通、住宿和饮食方面的困难，这是今日青年学子无法想像的。

范：先生与前辈学者在令人难以想像的条件下坚持民族调查，为开创中国民族考古业不畏艰险、披荆斩棘，令后生感叹不已、钦佩至深。是什么力量支撑您以“虽九死其犹未悔”的执著精神，在崎岖的民族考古道路上奋然前行？

汪：我也时常思考这一问题。是为名利吗？这类冷僻的研究工作，好不容易写出一点东西，究竟有几个人阅读？能出多大的名？又能带来多大的利益？为了谋生吗？到了80年代初自己已在高等学校有了安定的工作，教书以外坐在家中随便作点研究，不必耗精费神，即可安稳度过后半生，何必还要千方百计争取一切机会下去调查？今日想来，支持毕生从事这项工作的主要动力就是兴趣，就是想将头脑中的疑问求得解答的愿望。当你调查有获，久思不得其解的某个问题豁然冰释，或者发现一意想不到的新鲜材料，那份愉快和兴奋非语言所能形容。这时，调查中所受之苦便会一笔勾销。

范：在科学的道路上攀登而有所发现、有所发明，不仅能给科学家带来惊喜，更能造福人类，给人们带来喜悦和启迪。先生在民族考古学探索中新发现甚多，能否略举一二？

汪：下面只是一些例子，也可以算是自己研究工作中“得意之笔”。我这一生不可能有什么轰轰烈烈大事可供回忆，用时髦的话说就是不曾有过什么“辉煌”。而下面这些发现带给自己的愉悦，却是终身难忘的。

（一）羊骨卜

中国远古文化遗存经常发现卜骨，占卜方法迄今未能作出很好的复原。当看到西南好几个民族仍然会用羊肩胛骨进行占卜时，似乎使我一下子回到了远古时代，看到古代“贞人”是如何行卜的。

最早是1960年在凉山布拖县彝族之中发现这一习俗的。当时还没掌握正确的调查方法，未能记录下太多有用的材料。1960年在云南永胜县彝族支系他鲁人调查时，遂请巫师表演其全过程，始知很多细节可与《史记·龟策列传》相印证，如祷祝要备祭品（他鲁人撒米，《龟策列传》记载用“粱”和“卵”）。又如祷祝词之结构（两者都是先颂扬占卜材料之有灵，次言卜问之事，再言吉或凶各呈何种卜兆）、卜兆部位之名称等。《龟策列传》这篇文章在《史记》中自来被视为“烦芜陋略”、“言词最鄙陋”，难以卒读，调查之后就能释其十之八九。原来其中除杂七杂八地叙录占卜的掌故、著名的卜者和卜例外，还记录了他鲁人占卜前念的祷祝词，又包括像纳西族占卜后用以验兆的卜书，而且应是两部卜书合抄在一起的。《龟策列传》虽是记载古代龟甲卜的情况，龟甲卜与远古骨卜有一脉相承的关系，而远古骨卜与西南民族骨卜之俗无疑属于同一类型。

特别是卜兆出现之后巫师用黑灰在其上涂抹一番使裂纹清晰显露，使我懂得古代“史定墨”（《礼记·王藻》、“史占墨”（《周礼·占人》）的“墨”字确切含义，原来“墨”就是甲墨显兆，然后由负责占卜的“史”来决定凶吉（《他鲁人的羊骨卜》）。几千年来聚讼未决的问题可由此得到破解，何快如之。以后每到羊骨卜曾经流行的地方，便继续进行调查，积累了很多材料。最后一次是1985年10月在西昌，由最熟悉彝情的前彝族土司岭光电先生作报告人，彻底解决了脑中的疑问。这些问题也是甲骨文专家时常感到困惑的问题；为什么同一件事要问许多次？为什么甲骨有成坑埋藏的现象？“卜”字象卜兆之形而“卜”字之音是否来源于甲骨烧裂之声（调查中有时未闻裂声，乃因卜骨未干）（参见《彝族和纳西族羊骨卜》）……

调查结束前我把学会的占卜方法像一个彝族“毕摩”一样在岭光电先生面前从头到尾做了一遍，看自己是否真正掌握。最后他说：“行了，你如会说彝话，也可替人占卜，得酒喝了。”

（二）数卜

八卦是中国古代文化一套特殊的符号，在社会生活很多方面留下烙印，它的来源常使文物考古工作者困惑不解。

我在凉山彝族调查羊骨卜时，发现他们有一套数卜法，可以解开八卦这个难解之谜。这种占卜的要点是巫师用细竹或小草秆一束，随手分去一部分，再数其余部分，看是奇数还是偶数，如此共行三次，可得三个奇偶数。或取一根树枝，以小刀随便划上许多刻痕，再任意分为三部分，细数每一部分之刻痕，亦可得三个奇偶数，由于数分两种而共卜三次，故有八种可能的奇偶数排列。后来又参考了前人调查材料，知道了凉山彝族过去人问“打冤家”时根据八种奇偶数排列情况以定吉凶的方法。因此，我认为八卦就起源于古代数蓍草占卜的筮法的八种奇偶数排列。每卦包括三个奇偶数，阳爻为奇数，阴爻为偶数。最初的“画卦阶段”只有八卦，到了“重卦”阶段，才有六十四卦（《八卦起源》）。多年之后，周原甲骨上发现了数字组成的符号，张政烺先生联系传世铜器及殷墟甲骨上同类符号，论证八卦是奇偶数组成的符号，就进一步证实了我的推想。关于八卦起源的解释和上述对骨卜的研究，不幸早逝的张光直教授称为中国考古学上运用民族学资料的“最好的例子”（《考古工作者要熟读民族学》，见《考古人类学随笔》，125 页，三联书店，1999 年）。

（三）特殊葬俗

埋葬遗存是考古研究的主要对象。在民族调查时我特别注意搜集一些特殊葬俗，了解其动机，并参考世界上其他民族的材料，对考古发现中同类埋葬遗存重新作出解释（《古代婚丧习俗丛考》）。原来普遍流行的二次葬包括作为其一种形式的洗骨葬，都基于这样一种信仰，即人死后灵魂尚在尸体之旁徘徊，必须待尸体腐烂才能远离，二次葬洗骨实为了防止死者作祟。崖葬及悬棺葬也基本是同样信仰，希望死者远离人间，不要危害生人。凶死别葬这一普通流行的葬俗，也是因为在初民思想意识之中凶死者的鬼魂特别凶恶（佤族、纳西族、布朗族均有这样的观念），必须葬在特殊地点或对尸体作特殊处理或举行不同的仪式才能禳解。儿童葬在家内（仰韶文化常在住宅附近发现儿童瓮棺葬，文献中有“下殇土周葬于园”的记载，西盟佤族、广东连南瑶族仍保留这样的葬俗）则因儿童未经过成丁礼不能与成人一起葬在正式的墓地，是为了区分儿童和成人的不同社会身份，即如《礼记·曾子问》所说：“以其去成人远，不就墓也”，不一定有什么不忍儿童远离之意。

（四）铜鼓

铜鼓是中国南方重要文物，从公元前7世纪到清代南方少数民族一直在制作，直到今日，铜鼓仍为少数民族所珍藏和使用。民族考古学在这一领域大有用武之地。

佤、壮、水、苗、瑶等使用铜鼓的民族我均作过调查。最重要的收获是发现铜鼓在这些民族社会生活中是财富和权力的象征，由此再来检查文献记载和考古发现，知古代铜鼓也是如此。正是由于这一社会功能，铜鼓才历两三千年流行不衰。早期铜鼓有一些写实图像，若参考少数民族习俗，多能作出比较合理之解释。特别是早期铜鼓面部主晕中的图像向来释者颇众而意见纷纭。现在我们已知，其中房屋顶上有鸟饰表示这是富豪之家，房屋的主人身份非同一般；舞蹈人形之旁敲击铜鼓和编锣，表示宾客盈门举行庆典；房屋之旁有人舂米，表示为宾客准备食物；全图表现一次“夸富宴”的情况，这与铜鼓的社会功能是相符的（《铜鼓与南方民族》）。

与早期铜鼓同一时代而且属同一文化系统的云南晋宁石寨山青铜器图像，也可参考少数民族习俗得以考释。例如，贮贝器盖上组雕场面中心常有柱形，应是表示事情发生在政治宗教中心，云南拉祜族佤族村寨常立有木柱，称寨心柱，全体居民集会、祭祀常围绕此柱进行；又如石寨山经常发现女佣手持一伞，且置于墓地最高处，这伞应是招魂用的，广西连南瑶族保留类似习俗。

范：以上问题与考古学密切相关，它们充分证明，借助民族学资料解开考古学之谜是一种十分有效的方法。同样，在民族学资料中，也可以找到解开古史之谜的钥匙。先生能否举例说明。

汪：下面有两个例子。

（一）耦耕

耦耕是中国农业史上长期争论的问题。论者多认为耦耕出于两人使用耒耜的需要。如细读有关文献，你会发现古代耦耕，并不都用耒耜，有时使用的是钱镈（锄）芟（大镰刀）之类工具。在少数民族之中有较长生活经历的人都会发现，他们在农业劳动中无论使用何种工具从事何种工作，常有两人合成一组进行协作的情况。这种劳动协作可以进行简单的分工，提高劳动效率，或合力从事一人无法胜任的工作。即使两人从事同一工种，也可以起除寂寥激励精神的作用。“干活没有伴”，他们会认为是一件不光彩的事。即使在很多人一起劳动的场合，仍然保持两人一组的习惯。这种协作又时常采取换工的形式，甲先帮乙，乙再帮甲，一工换一工。

我不禁想起耦耕，它是否也是古人一种广泛实行的劳动协作呢？这不是为了使用某种工具的需要，而是因为两人劳动协作本身就有很大优越性。细读有关文献发现，古代耦耕也常实行换工的形式。《左传·昭十六年》“庸次比耦”和《逸周书·大聚》“兴弹相庸”的“庸”字就是换工的意思，清人对此早有考证。假如我们没有民族学的视野，不知道初民的生活习惯，有用的文献记载往往会被忽略。

（二）阵前歌舞

“武王伐纣前歌后舞”，见诸史籍。过去都释为人民拥护武王载歌载舞，传为美谈。然牧野之战乃几十万人参加一次殊死战和大搏斗，人人生命攸关，何能有此从容不迫态度及轻松之心情？

调查发现，历上上景颇族、凉山彝族械斗时，都要有人充当先锋，在阵前大声吼叫、漫骂、高唱战歌，以及舞盾牌和刀矛，作出类似舞蹈动作，以此恫吓敌人。归来重读有关记载，始知所谓前歌后舞也是一种阵前歌舞，是一种和上述两个民族一样的灭敌威风长己方锐气的战俗。于是写成一文，题为《释“武王伐纣前歌后舞”》，发表于《历史研究》。此文现常为古史家所引用（《宗周社会与礼乐文明》，276～279页）。

参考民族学资料研究古史，有着广阔的天地。除上述两例之外，古代礼俗、生活习俗在少数民族之中均有痕迹可寻。例如，沧源佤族之中保存定期改火仪式，西双版纳爱伲人保存磔狗祭风仪式，佤族等有类似古代分胙的分食祭肉之俗，傣族等有类似古代献帛之礼的以布帛作为礼品敬献神佛之俗。通过今天的调查，我们可对上述仪式的习俗的实质有深入的了解，原来改火是预防火的灾害的禳解仪式，磔狗祭风是预防春风使人致病的禳解仪式，分胙是为了维系和加强同族或亲属之间的联系，献帛来源于简单社会之间礼物交换，具有建立或维系部落或个人之间关系的功能。

参考民族志资料可以研究古史，是否可用以考释古文字呢？在这方面我也作了一些尝试。例如，参考西双版纳傣族的“陇达”督耕制度，认为“臣”字原象睁目之形，即是监工的意思；参考佤族及其他民族中幼奴和其他奴隶的不同待遇，认为古代“小臣”（小臣或其祖先）即出生于幼奴，故能居高位，“小臣”之小即因此而得名；参考初民原始记事方法中将人倒绘表示死人或奴隶的习惯，认为“辛”字原是倒绘之人形而非如前人所说是黥面之工具（《释臣》、《“小臣”称谓之由来》、《释辛》）。

其实研究任何问题，均应以解决问题为旨归而不应拘泥于所用材料来自什么学科。王国维先生强调研究古史要用“二重证据法”，现在看来已经不能满足现实的需要。如现在研究中国古史问题总是除文献记载、古文字外，还参考考古发现，这已是“三重证据法”，很多学者都是这样做的。我们现在要提倡“多重证据法”，民族志资料也可用来进行类比，甚至只要有利于你的研究，自然科学成果也应加以利用。特别是中国远古历史上一些大而难的问题的研究，更必须如此。我研究文字、度量衡以及时间、空间和数字等概念的起源，就综合了文献、考古学、考古发现和民族志几个领域的材料，所得看法不一定完全正确，但至少扩大了研究材料，丰富了人们的知识，为后人进一步研究打下了基础（《从原始记事到文字起源》、《从原始计量到度量衡制度的形成》、《初民时间空间及数字概念探源》）。

范：1978 年底，中共十一届三中全会拉开了中国改革开放的大幕，中华民族以自己博大的胸怀向全世界敞开大门。中国的学术界也打破了闭关自守、作茧自缚的状态。在这样的大背景下，先生走出国门，从 1983 年起，先在美国宾夕法尼亚大学人类学系访问一年，又在德国海德堡大学教授东方艺术史多年。此后，多次出国访问、讲学、参加学术讨论会，参观博物馆、考察原住民保留地，与世界上一些著名的考古研究机构和考古学家建立了联系，或通信或互赠资料或会面交流意见。广泛的国际学术交流中先生一定收获甚多?

汪：走出国门，使我结识了外国同行，例如，美国的 Carol Krammer、W. A. Longacre，英国的 Ian Hodder 等学者，特别是美国亚利桑那大学的 Longacre 教授，我们一直保持着良好的联系。更重要的是，出国以后我才有机会接触大量民族考古资料，得以了解世界民族考古学的成就和研究方法，打开了自己的眼界，知道自己的不足。

原来西方的民族考古学作为“新考古学”的一部分，兴起于 20 世纪 60 年代，今已成为当代考古学不可分割的一部分，几乎每本考古学教科书都有专章讨论这一问题。各地专家还经常开会，交流意见。由于民族考古学的研究成果，特别是在澳大利亚原住南非昆一布须曼人、北极爱斯基摩人之中卓有成效的工作，使人们对狩猎采集阶段的远古人类社会生活有了较多的了解。在研究方面，他们很强调验证（testing）。在今天“活的社会”中看见考古发现中类似事物，不能就断定是一回事，可以记录搜集用作类比材料，最后结论尚有待验证，即从考古资料本身找到足以支持自己看法的证据。

选择什么样的民族志资料，他们也讨论颇多。有人主张要从考古发现的同一地区民族志之中寻找类比材料，这称为“直接的历史方法”。有人主张可从同地区的大量的民族志材料中归纳出普遍性的模式，这称为“普遍类比”。前者虽然具有更严密的逻辑性，但局限性很大。因为世界上大部分地区随着社会变化，已无后进民族之发布；而后者之可行就在于最后总是要经过验证这一程序，不会流于强作比附，胡乱推测。从实际情况出发，我认为在中国从事民族考古学研究，应采取“普遍类比”方法。因而在自己研究中越来越多从国外民族志中搜集类比材料，与此同时严格进行验证，为此自己曾提出“类比—假设—验证”三步骤的研究程序。

范：关于国外民族考古学的情况以及这门学科的方法，先生曾在《谈民族考古学》、《二谈民族考古学》、《三谈民族考古学》等文章作过介绍。能否举几个例子，展示上述方法的运用。

汪：我在《谈几件石器的用途和用法》、《再谈史前器物用途用法的复原问题》中介绍过这方面的情况。下面举几个例子。

（三）龟甲器

裴李岗文化、仰韶文化、大汶口文化中时见完整龟甲，内装小石子等物，对其用途迄今未有确解。

我访问加拿大易洛魁印第安人保留地时，了解其巫师作法用的一种响器即用龟甲制成。其制作方法是清除龟的内脏及四足，使其干却，把龟甲四边的皮缝合，放入坚硬小粒（玉蜀黍粒），从龟头部位插入木棒为柄。为了安柄牢固，要在背甲或腹甲凿出小孔，插入细木棒和柄绑扎在一起。这样做成一件龟甲响器，摇动木柄，便会发出响声。通过比较，中国远古文化遗存发现的龟甲似乎是同类之物，但只能是一种假设，不能遽加断定。直到逐一考察各地出土龟甲后，发现如把这些龟甲解释为响器，各方面情况无一不合：出土之龟背甲和腹甲也见小孔，正可证明原来安有柄部，小孔是为了插入小棒缚柄使更为牢固的。邳县大墩子的一件腹甲上还发现绳索痕迹，更证明其缚扎方法与易洛魁人龟甲响器略同。龟甲器发现于哪一部位并不固定，又可说明是手执之物而非佩带之物，龟甲响器因由死者手执以随葬，柄部腐朽后便可留在死者身旁任何部位。通过龟甲上的痕迹和出土情况进行验证以后，中国各地出土完整龟甲属于响器的看法才可以成立。

（四）三角形石刀

这种三角形石器多发现于江浙良渚文化遗址中，过去多释为“犁”或“破土器”之类耕作工具。1991 年对加拿大爱斯基摩人作短期访问，了解到他们有一种称为“妇人刀”的切肉和剥皮工具，原为石制，后为铜制或铁制。石制“妇人刀”形制与上述考古发现之三角形石刀可以相互类比。这时我们只能假定三角形石刀也是一种切割工具。后来山西襄汾出土同样的石刀，与木俎同出；又实验考古学也通过微痕证明，这些是使用刃部的工具。这一看法终于得到了验证。

（五）盘状器

中国各地新石器遗址中时常发现一种略呈扁圆形的打制石器，俗称“盘状器”，对其用途用法特别是如何安柄一直很不清楚。后来查阅世界民族志书刊发现，至少澳大利亚人和菲律宾的塔沙兑人之中有类似之物。它们是用一根竹篾或藤围绕器身，然后缚扎成柄，为了安柄牢固，器身两端时常敲出缺口。它们可以用于敲砸、砍劈、刮削、切割，是一种“多用途工具”。中国考古发现“盘状器”是否就是同类之物呢？我们重新细心观察各地“盘状器”的形制和特点，发现大部分边缘打出刃部说明它不仅用于敲砸，也可用来砍切和刮削；周边有刃就不便于手握，必须安柄。永靖泰魏家和大河庄等地出土者，也是两端微凹，可以证明它的安柄方法与塔沙兑人等的石器一样，是便于藤竹之类围绕器身而设；特别是赤峰药王庙出土的一件，器身安柄留下的痕迹尚依稀可辨。这样验证的结果，出土器物本身便能找出证据足以支持我们的假说。

范：先生有着坚实的学术功底，和多年民族调查的学术积淀，再加上走出国门，以海纳百川的胆识采撷世界学术之精华，确实使自己的研究步入全新境界。对比外国同行，我们有自己的优势，不必妄自菲薄；也不应盲目自持，看不到自身不足。您以为我国的民族考古学有何改进之处？

汪：与国外同行相比，我的民族考古学调查研究不足之处甚多。主要有以下两点：

第一，国外民族考古学有计划有目的地进行。例如，为了揭示远古社会某一阶段的全貌或解决考古学上一个重大问题，去一个相对应的“活的社会”作长期的调查研究。这样的调查研究在中国还不多见，我做的工作也多是“即兴的”，带有偶然的性质。当然有时发现线索后也是经多次持续不断调查才能取得成果，但与他们事先目标明确按计划有步骤进行工作，不可同日而语。

第二，国外民族考古学注意的是社会和文化的深层次问题。根据考古发现的物质文化遗存，以“活的社会”为类比，探索非物质文化范畴的问题。而我多局限于物质文化本身。如对器物只满足于探索该器物用途、用法及制作方法，而很少透过遗物及其相关现象研究当时社会问题。当然，学习了国外同行的经验归国以后，在这方面也略有改进。例如，对于云南傣族制陶，开始只注意以此研究考古发现陶器制坯方法、烧制方法及器物用途等（《傣族的原始陶术——兼谈中国远古制陶几个问题》，载《民族考古学论集》）；后来，我根据已掌握的线索，拟定计划对更多村寨进行多次调查，结果发现了两种新的类型。对于制陶如何从手制转为轮制，如何区分制作者和使用者，如何判断陶器交换的分配途径，关于陶器的专业化和标准化，利用陶器研究族群识别及社会变迁问题，进行新的探索（《傣族制陶的民族考古学研究》）。可是，这样的研究做得太少。现在脑中还蓄有不少很好的题目，再想有计划一个一个地继续进行研究，已感力不从心。尽管从事民族考古学的人应学习国外同行的研究方法和经验，应像鲁迅所说“多读外国人的书”，仍可从中国古人治学精神中吸取营养。中国古代学者也并不都是从书本到书本，还是有人注意走出书斋，接触社会。在这方面做得最好的是明末清初学者顾炎武，他研究中国古代社会制度和历史、地理，却重视调查，到各地游历和调查时又不忘读书，他那“竹笈双驼万卷书”的故事，永远激励着我们。希望今日民族考古学者永远继承古代学者“读万卷书，行万里路”的精神！

范：我想，今天的民族考古学者和一切真正致力于中国学术事业的学者，一定会将这种“读万卷书，行万里路”的精神薪火相传，发扬光大。

（访问者：范祖锜）

道布先生访谈录

邸永君（以下简称邸）：道老，我受《中国民族研究年鉴》编辑部委托，特为您撰写访谈录，非常荣幸您能接受采访。能当面聆听教诲，何幸如之！夙闻您国学功底深厚，而您又出身于蒙古族家庭。您是如何走上学术道路的？现在是否就先从您的家庭谈起？

道布（以下简称道）：好。我原名伯荣洲，笔名容舟、禹岩等。1934 年 11 月 15 日生于承德市。我的父亲名叫伯彦苍，蒙古族，当时在伪满洲国热河省政府工作。具体职务我不清楚。我的母亲名胡秀文，是家庭妇女。

我的老家在辽宁省凌源县热水汤村，原来属热河省卓索图盟喀喇沁左旗。据老人说，我的老家祖祖辈辈都靠给王爷看管温泉为生。我在上小学之前，曾回老家住过数月。记得那时我的祖母已经七十来岁，只会讲蒙古语，不懂汉语。大伯父已经去世，我从来没有见过。二伯父，我不知其名，在家务农。三伯父叫白崐璧，在伪满洲国喀喇沁左旗政府工作。土改时，我的老家被划为地主。因为我的老家各房从未分过家，所以我在新中国成立后填表时，一直把家庭成分填为地主。实际上，我的父母和我们兄弟都长期生活在城市，经济来源主要是父亲的薪金。

八岁以前，我跟着父母住在承德市。八岁时，父亲调动工作，我们到了长春。父亲到长春后，在伪满洲国蒙民裕生会任职，先是当人事科主事，后来当总务科长。蒙民裕生会是日本帝国主义在我国东北设立的专门管理蒙古民族事务的机构。日本投降后，他又参加美国间谍组织，从事反革命活动。1948 年夏，离开长春到沈阳。我和母亲、弟弟、妹妹在那年秋天离开长春，经过解放区，到沈阳找他。在沈阳时，我们住在旅馆里，大约有一个月光景。后来，他给我们买了飞机票，让我们到北京居住。而自己继续留在沈阳。1948年9月，我和母亲、弟弟、妹妹到了北京，住在什刹海附近白米斜街乌古廷家的后院里。后院里住着乌古廷的弟弟、妹妹。我们住在过道的一间屋子里。乌古廷是国民党的一个将军，蒙古族，北京解放前夕去了台湾。他跟我父亲既是同乡也是朋友。

到北京后，我们得知三伯父白崐璧也在这里。他和三伯母以及儿子铁生住在雍和宫院内。1949年春天，三伯父一家和我母亲、弟弟、妹妹一起回到凌源县老家。不久，我的母亲带着弟弟、妹妹重返长春。母亲先是做小商贩谋生，1956年，到长春市牛奶消毒站当工人。

1948年冬，沈阳解放。不久我父亲被政府逮捕，并被认定是沈阳美帝间谍案的主犯之一。罪行在《人民日报》上公布过。他被判处六年徒刑，在服刑期间去世。

我的三伯父白崐璧，解放后在镇压反革命过程中已被人民政府镇压。具体情况我不清楚。

我的母亲在新中国成立之前是家庭妇女，一直在城市居住。土改时她不在老家，没有给她个人定阶级成分。新中国成立后，她自食其力，成为一个普通劳动者，不久又成为国家职工。1981年退休。

我就出生在这样一个家庭。从我祖辈和父亲那里基本上没有获得什么学识，所学知识全来自学校教育。我1941年在长春市入小学读书。1948年秋天到北京后，入热蒙师范学习。1949年春天北京解放后，热蒙师范同国立蒙藏学校合并，我随着转入蒙藏学校初中三年级学习。1949年春天我母亲离开北京后，我开始独立生活。国立蒙藏学校的学生全体享受助学金待遇，除伙食、衣服、书籍完全由学校供给外，每月还有津贴费零用。大学期间也是享受助学金待遇。新中国成立后，我完全靠国家培养，没有用过家里的钱。

北京解放那年，我十五岁。国立蒙藏学校由党和人民政府接管后，改造成为培养少数民族青年的革命学校。第一任校长就是民族研究所前副所长黄静涛同志。可以说，我就是在这里走上革命道路的。新中国成立初期，通过学校里的政治课和参加政治运动，我接受了初步的革命教育。学习社会发展史，使我懂得了阶级和阶级斗争、革命和无产阶级专政等道理。我们的政治课老师岳寒（中共党员）给我们上课的情景至今仍然能够回忆得起来。通过学习，我对中国共产党、党所领导的革命运动、党的历史有了初步的认识。新中国成立后，群众扬眉吐气，社会欣欣向荣，青年学生积极要求进步，对党和人民政府衷心拥护，这一切都感染着我，吸引着我。我对党产生了崇敬的感情，认识到没有共产党就没有新中国。我愿意跟党走，积极参加学校组织的各种活动。1949年12月15日我加入了新民主主义青年团（后来改称共产主义青年团）。入团后担任过小组长，分支委员等工作。在蒙藏学校（1951年改为中央民族学院附中）学习这个阶段，给我树立革命人生观打下了基础。使我能够认清地主家庭的本质，与之划清界限。特别是入团后，通过听团课、过组织生活、做社会工作，进一步使我受到革命教育。

邸：由此看来，您的家庭并未给您带来事业上的帮助。而您从少年时代便能走出父辈的阴影，克服消极影响，跟上时代步伐，真令我钦佩。您是如何涉足少数民族语言研究领域的？

道：高中毕业后，我考入中央民族学院语文系学习。其间，自1953年9月到1954年底由中央民族学院派往北京大学东语系蒙古专业借读。1955年回到中央民族学院。在大学期间，担任过班长，团小组长、团支部委员等工作。我毕业后，被分配到少数民族语言研究所（我所前身之一）工作，从而正式跨入学术研究之门。1958年底定职称为研究实习员。那个时期对政治的重视程度要明显高于科学研究，从事政治活动的时间很长。我到研究所报到后，随即被下放到农村劳动锻炼。领导上让我和另外一位同志一起带队。起初在北京西郊八里庄。当时我只是埋头劳动，跟贫下中农接触不多。对下放劳动锻炼的意义也认识不清。半年后，转到河北省藁城县增村。到增村后，我们实行了“三同”，即与贫下中农同吃、同住、同劳动。在实践中，我努力提高思想认识，与劳动人民建立感情，在组织的教育和帮助下，逐步树立劳动观点，群众观点和阶级观点。前后一年零两个月的劳动锻炼，在我的成长过程中是一个转折。在此以前，我的认识多半是从书本上得来的。经过劳动锻炼，接触了实际，接触了社会，与劳动人民打成一片，我的立场、感情、观点才真正建立在坚实的基础之上。这终生难忘的十四个月，不但对提高我的政治觉悟、改造思想起了重要的作用，而且对我后来多次下乡进行语言调查也有很大助益。因为有了与贫下中农实行“三同”的经验，后来无论到农村还是牧区都能很快同群众打成一片，有利于开展工作。所以可以这样讲，我在此期间获得的进步主要是政治方面的进步，这对我后来的工作和研究影响也很大。

我在大学学习期间和到研究所以后，除了政治课和政治学习以外，还自学过一部分马列主义经典著作，像《共产党宣言》、《反杜林论》、《马恩选集》、《辩证唯物主义与经验批判主义》、《毛泽东选集》、《共产党员的修养》等，都读过不止一次。通过阅读这些经典著作，我对共产主义思想体系有了比较系统的理解，初步树立了共产主义的信仰。

邸：社会科学研究的确离不开政治，但那一段时间政治形势变化无常，您是怎样确立信念，如何应对种种变故的？

道：我对党和政治的认识是逐渐深化的，是有曲折的。新中国成立后，在基本完成社会主义改造的七年里，我都在学校中学习。当时作为一个共青团员，一面努力学习，一面积极做些社会工作，思想是比较单纯的。由于缺乏社会锻炼，思想也很幼稚。对党的认识也很肤浅，只满足于作党的助手和后备军，对自己没有提出更高的要求。

我在劳动锻炼的后期，亲身经历了大跃进和人民公社化运动，对“浮夸风”和“共产风”所造成的危害有所体会。在“四清”运动中，我对把阶级斗争扩大化和绝对化很不理解，心里有些问题总是解不开。为什么越是建设社会主义阶级斗争反倒越尖锐？为什么狠抓了阶级斗争生产还是上不去？什么叫走资本主义道路的当权派？后来，在“文化大革命”的十年中，随着动乱潮流的起伏，我更陷入苦闷、被动的状态。由随大流，跟着“造反派”造反，逐渐转变为不介入派性斗争。在当逍遥派期间，我阅读了《家庭、所有制和国家的起源》一书。回想起来，这大概是我在这段时间里做过的唯一一件有意义的事吧。下干校以后，更感到前途渺茫，我想不通为什么我们这些在红旗下成长起来的一代知识分子竟然成了“挖社会主义墙角的人”。总之，在这二十年中，出于对党的信任，我参加了各种政治运动，主观上还是要求在社会实践中改造自己的，希望能够跟上潮流。但是，另一方面，又总觉得这后二十年的政治运动与我在头七年所受的教育有不一致的地方，自己无论怎样努力，也跟不上运动的步伐。由于自己的政治水平、理论水平不高，当时还看不出问题出在哪里，只怕自己右了，根本不敢想是否“左”过头了。在这种精神状态下我提不出入党的要求。如果给自己排排队，自知当“左派”是没有份儿的，作个“中间派”恐怕也是偏右的。

粉碎“四人帮”以后，特别是十一届三中全会以后，思想上得到了解放。党从根本上冲破了长期“左”倾错误的严重束缚，端正了指导思想，重新确立了马克思主义的思想路线、政治路线和组织路线，抛弃了“无产阶级专政下继续革命”的错误理论，拨乱反正，对“文化大革命”和它以前的“左”倾错误进行了全面清理，果断地把党和国家的工作重点转移到经济建设上来，教育、科学、文化各项工作都走上正轨。我们的社会科学院也出现了崭新的面貌，科研工作不但得到恢复，而且还有所发展。就我个人来说，参加工作以来，这几年心情最舒畅，工作劲头最足，成果也最多。我衷心拥护十一届三中全会以来党的路线、方针、政策。我觉得党的威望在群众心目中得到了恢复和发展。党战胜了林彪、江青反革命集团，纠正了过去的错误，说明党是强大的，不可战胜的。党是可以信赖的。经过这样一个曲折过程，我对党的认识比以前深刻了。

十一届三中全会以来，通过学习党的路线、方针、政策，特别是学习《关于建国以来党的若干历史问题的决议》，过去思想上的苦闷和对一些现象的不理解，都找到了正确的答案。

现在，党明确指出，知识分子同工人、农民一样，是我们建设社会主义的依靠力量，知识分子已经是工人阶级的一部分。党这样看待知识分子，使我感到特别温暖，感情上同党贴得更紧了。我想，我不但要做一个爱国主义者，为祖国的现代化尽一份力量，而且要做一个共产主义者，用共产党员的标准来严格要求自己，争取做工人阶级的一名先锋战士。我开始有勇气提出入党申请。一方面，学习十一届三中全会以来的有关政策，认识到在新的历史时期，党根据三十年来实际情况的变化，宣布原工商业者已改造成为劳动者，并为现已改造成为劳动者的原地主、富农分子改定了成分；另一方面，也看到党确实吸收了一批出身剥削阶级家庭，但是表现好，符合党员标准的知识分子入党。这使我受到鼓舞，让我有了信心：只要我坚持不懈地努力，只要达到党员标准，党一定会考虑我的入党愿望的。

党的十二大提出全面开创社会主义现代化建设新局面的伟大任务。强调了建设以共产主义思想为核心的社会主义精神文明的重要意义。既要搞好文化建设又要搞好思想建设。思想建设是精神文明建设的支柱。要用共产主义的理想、道德和纪律来要求每一个共产党员和一切先进分子，并且通过他们去影响广大群众，保证我们的现代化建设能够坚持社会主义的方向。

总之，我要求加入中国共产党，是党长期培养、教育的结果。中间虽然经历了苦闷和曲折，但是一直跟党走过来了。在我们党又一次实现了历史性伟大转变的时刻，我要求加入中国共产党，是为了表达我对共产主义的信仰，对共产主义运动的拥护，为党的事业献身的决心。我要求加入中国共产党不是为了谋求私利，而是希望能够更好地为党工作，把一点一滴力量都用到党的事业上去，为实现全面开创社会主义现代化建设新局面做出自己的贡献，为实现共产主义社会制度这个最终目标而奋斗。1982 年 11 月 30 日，党组织经过认真考察，接纳我为中国共产党党员。从那时起，我就将我的一切交给了党，与之融为一体。随着年龄的增加，我越来越认识到，信仰是无条件的，你要经过长期、理性的抉择确立你的信仰，但一旦信仰，便不容再置疑。如果用怀疑的态度对待信仰，任何信仰体系都会在这种先入为主的充满怀疑的目光的审视中土崩瓦解。

邸：信仰无疑是重要的，但学术研究是我们的天职。无信仰的研究固然盲目，但无研究的信仰几乎近似于迷信。您的研究硕果累累，可否谈谈您的心得？

道：从 50 年代末到 80 年代初，我主要从事蒙古语田野调查和描写研究。运用结构主义理论和方法调查研究蒙古语巴林土语和察哈尔土语的语音和语法，提出了一些新的见解，受到国内同行的重视。在《蒙古语巴林土语的复辅音、过渡性元音和音节结构》(《民族语文研究文集》，青海民族出版社，1982 年）一文中指出：描写现代蒙古语口语的语音系统，应当注意研究成音节的复辅音和出现在音节末尾的复辅音。与此相联系，还应当对过渡性元音进行深入的探讨。我在这篇论文中，具体分析了巴林土语的二合复辅音和三合复辅音。在 63 种二合复辅音中有 15 种是“韵化”复辅音，即可以自成音节的复辅音。其余 48 种二合复辅音都出现在音节末，是“韵尾”复辅音。“韵尾”复辅音中有 39 种组合亲和力强，有 9 种组合亲和力弱。此外，还有 11 个长辅音，可以把它们看作是由相同辅音组合而成的特殊二合复辅音。巴林土语里多音节词的第一个音节以后常有过渡性元音出现。过渡性元音随着语音条件的变化或消失或移动或重现。过渡性元音的隐现规律与复辅音相联系，有的属于根词（非派生词）词干内部的问题，有的与词的形态变化（构词与构形）有关。在音节结构的分析中，我对词的第一个音节和后续音节的构成成分进行了具体比较，指出了二者之间的区别，并且肯定了口语中存在由“韵化”复辅音或长辅音构成的音节。在《蒙古语口语中的词首辅音弱化现象》（《民族语文》1981 年第 1 期）

一文中，通过方言材料的比较，用两个公式概括了词首辅音弱化的全部条件，对语音对应规律的形式化描写做了有益的探索。

我关于蒙古语语音研究的另一篇重要论文，是《蒙古语元音和谐与元音音位对立的中和》（《民族语文》1984年第2期）。此文从音系学原理出发，把音位理论的基本原则用到比音段音位更高的层次上，考察了蒙古语元音和谐问题。通过分析蒙古语元音音位的区别性特征，认为蒙古语的元音和谐是以松、紧对立为基础的。在多音节词的后续音节中，由于元音和谐导致元音音位对立的中和。我用“超音位”的观点解释了蒙古文正字法中的一些问题。此文将互补分布原理运用到蒙古语元音和谐的研究上，引起了蒙古学界的重视，认为这篇论文颇具启发性。我还在蒙古语言学界第一次提出口语中存在吸气音的问题（《民族语文》1980年第1期；《蒙古语简志》，民族出版社，1983年）。在语法研究领域，《蒙古语句子结构分析》（《民族语文》1979年第2期）一文把蒙古语的句子成分分为中心成分和扩展成分两大类。中心成分是谓语，扩展成分是状语、补语、主语。扩展成分是同谓语相联系的，在结构上受谓语的支配和制约。定语是下一个层次的扩展成分。这就打破了蒙古学界一向把句子成分划分为主要成分、次要成分两大类，以主语和谓语为主要成分的传统观念，提出了句子是以谓语为支撑点，谓语作句子结构中心，决定句型的新观点。在这篇论文中，我还将蒙古语的复句分为并列、偏正、包孕、引语4种基本类型，把句子成分的结构分为修饰、连动、并列、复指、复合5种关系。认为句子内部的各种结构关系并不都处在相同的平面上，分析结构关系要弄清楚结构关系的层次。我在《蒙古语简志》中把名词分为可变词干名词和不变词干名词两大类的做法，既继承了传统语文学的研究成果，又在现代语法学研究领域中进一步加以发挥，结合元音鼻化的处理方法，在语法描写上独树一帜。《蒙古语简志》关于名词数范畴的分析，把复数与不定数（不是单数）相对立，是一种结合蒙古语实际提出来的新观点，在蒙古学界得到了肯定的评价。关于蒙古语动词的时范畴，提出了过去时与非过去时相对立的二分法，与传统的过去时、现在时、将来时三分法有明显的区别。《蒙古语简志》是蒙古语口语描写研究方面的较为重要的著述，有一定的独创性。由于这本简志取材于察哈尔土语的代表点正蓝旗，也可以认为是比较系统、比较深入描写察哈尔土语的著作。

20 世纪 70 年代末，我开始把研究视野扩大到蒙古语古代文字上，此方面的工作对推动国内学术界研究回鹘式蒙古文及其文献起到了较为重要的作用。1972 年夏，从河南“五七”干校返回北京后，我开始利用中国科学院图书馆和北京图书馆的藏书，系统地收集国内外研究回鹘式蒙古文的文献和资料，花了将近 8 年的时间，编著成《回鹘式蒙古文文献汇编》（民族出版社于 1983 年用蒙古文出版）。在这部著作中，共收录了元、明两代 22 件回鹘式蒙古文文献。除刊布原件照片或拓本照本以外，还为每件文献写了题解，介绍其年代、发现地点、研究经过等有关情况，并且附有摹写本和现代蒙古文转写本，对文献中出现的与现代蒙古语不同的古词语作了注释。我在这部书的绪言中论述了回鹘式蒙古文的历史地位和国内外学术界研究这种文字的概况。这部书问世以后，受到蒙古学界和古文字学界的重视，认为这是迄今为止搜集资料最全、注释最严谨的一部回鹘式蒙古文文献汇编，是研究回鹘式蒙古文不可缺少的参考书。《回鹘式蒙古文〈云南王藏经碑〉考释》（《中国社会科学》1981 年第 3 期）是对保存在昆明筇竹寺的一通元代回鹘式蒙古文碑刻的最新研究成果，匡正了前人释读这道令旨的舛误。我在研究回鹘式蒙古文文献方面的另一心得，是对少林寺元代圣旨碑上三道回鹘式蒙古文圣旨的考释。《河南登封少林寺出土的回鹘式蒙古文和八思巴字圣旨碑考释》（连载于《民族语文》1993 年第 5 期、第 6 期和 1994 年第 1 期，与照那斯图合作，其中对 3 件回鹘式蒙古文圣旨的研究是由我独自完成的）一文发表后，在蒙古学界受到广泛重视，认为是近年来国内关于回鹘式蒙古文文献的重要发现。《中国民族研究年鉴》（1993 年）在一篇述评中说：道布对这几道圣旨所做的学术性很强的校注，特别是其中以蒙古语来解释元代汉语白话的部分，有助于对元代汉语白话词汇和语法的理解。1997年冬，我与照那斯图、刘兆鹤一起对陕西户县年阳宫的只必帖木儿大王令旨碑进行了考察，并由我执笔写了《回鹘式蒙古文只必帖木儿大王令旨释读》（《民族语文》1998年第2期）。这篇论文给回鹘式蒙古文文献研究又增添了新的内容。

从20世纪80年代中期起，由于工作需要，我开始重视对少数民族语言文字使用和发展问题的研究。作为“七五”全国哲学社会科学规划重点项目《中国少数民族语言文字使用情况和文字问题调查研究》的主持人，我承担了课题设计、论证、组织调查，协调编写和定稿的任务。这个项目的最终研究成果《中国少数民族语言使用情况》、《中国少数民族文字》、《中国少数民族语言使用和发展问题》（以上三部著作均由中国藏学出版社于1991年至1994年间先后出版），是中国关于少数民族语言文字使用情况的第一套基本著作，不仅为研究少数民族语言规划，贯彻执行党和国家的民族语文政策提供了科学依据，而且为建设有中国特色的社会语言学打下了基础。“八五”期间又主持了全国哲学社会科学规划重点项目《建国以来少数民族新创和改进的文字试验推行工作总结和理论研究》，并亲自赴云南省和贵州省参加调查总结。在担任全国人民代表大会代表期间，牵头提出制定少数民族语言文字法的议案，并受有关部门委托代拟了少数民族语言文字法草案稿。以后，我陆续发表的关于少数民族语言文字使用问题的论文有《少数民族语言文字在社会主义初级阶段的地位和作用》（笔名禹岩，《民族语文》1989年第2期）、《第二步战略目标与民族语文研究》（《民族语文》1991年第5期）、《团结奋斗，努力开创民族语文工作新局面》（《民族语文》1992年第1期）、《认清形势，抓住机遇，推进少数民族语言文字工作》（《民族语文》1993年第6期）、《重视少数民族语言文字的使用和发展，为建设有中国特色社会主义服务》（笔名文敏仕，《民族语文》1997年第6期）、《关于创制少数民族文字问题的几点反思》(《民族语文论坛》2000年)、《语言活力、语言态度与语言政策》(《中国社会科学院学术委员会集刊第一辑(2004)》)等。

1983年至1986年，我参加中国社会科学院语言研究所、民族研究所与澳大利亚人文科学院合作项目《中国语言地图集》的编绘工作，任中方总编辑之一，协助傅懋勣先生、王均先生组织少数民族语言地图草图的绘制和文字说明的编写，并且执笔绘制了蒙古语方言分布图，编写了这张图的说明。1984年至1986年，参加《中国大百科全书·语言文字》卷的编写工作，任《中国诸民族语言文字》编写组副主编，协助傅懋勣先生、王均先生、马学良先生组稿、审稿、定稿。1996年受聘为《辞海》编辑委员会委员，任少数民族语言文字分科主编，修订了全部少数民族语言文字方面的词条。

另外，我还对语言比较研究的宏观理论问题进行过探讨。《关于语言比较研究的几点思考》(《民族语文》1997年第3期)一文吸收了作为现代自然科学理论思维的成果——混沌学的基本观点，并且结合民族学关于原始社会的研究成果，对语言的起源与演化问题，从一个新的角度作了论述。这篇文章对传统的以分化为基点的语言演化理论进行了反思。提出语言在原始社会在很大程度上是受血族关系支配，语言与当时的婚姻规范相联系，在人类早期阶段，人们的语言是一组一组彼此相似但是又能加以区别的规模不大的语群的推论。认为大概从新石器时代以来，语言发展的基本趋势已经表现为不断的接触与融合。语言的比较研究与其把分化作为基点，不如循着语言接触与融合的思路去具体考察语言之间关系的形成与发展。这篇论文在中央民族大学语文学院举行的中国少数民族语言研究理论与方法讨论会上宣读时，引起了热烈的反响。在提交1998年8月召开的内蒙古大学第三次蒙古学国际学术讨论会的论文《蒙古语中的逆构形方法》(《民族语文》1999年第1期)中，利用《蒙古秘史》的语言材料论述蒙古语中的逆构形现象。这在蒙古学界是一个新鲜题目，引起了与会者广泛的兴趣。

我还首次向中国学术界评介了朝鲜李朝时期研究蒙古语的情况。《〈语录解〉研究》一文（《民族语文》1987年第6期）介绍了朝鲜学者以自己独特的视角研究蒙古语语法的成就。《〈蒙语老乞大〉研究》一文（《蒙古语文》（蒙古文版）1992年第5期）对朝鲜学者把蒙古文拼写法口语化的尝试做了介绍。这篇文章后来又改写成汉文收入庆祝马学良先生八十寿辰文集《民族语文论文集》（中央民族学院出版社，1993年）。

我为戴庆厦教授主编的《二十世纪中国的少数民族语言研究》（书海出版社，1998年）一书撰写了《蒙古语族语言研究》一节，介绍蒙古语族语言研究简史，特别是对20世纪50年代以来在蒙古语语音学、语法学、词汇学、文字学、比较研究与应用研究领域中取得的重要成就，做了比较充分的评述。

我还为吾师傅懋勣先生和清格尔泰先生分别写过学术传记。为傅懋勣先生写的学术传记收在《当代中国社会科学家》一书中（社会科学文献出版社，1992年）。为清格尔泰先生写的学术传记题为《清格尔泰先生与中国蒙古语语言研究》（《论文与纪念文集》，内蒙古大学出版社，1997年）。

此外，我还结合业务学习，翻译了结构主义学派的著述《日本语口语句法研究》（伯纳德·布洛克著，见《民族语文研究参考资料》1，民族研究所语言室印，1977年）和《蒙古秘史的语言》（约翰·查尔兹·斯垂特著，见《阿尔泰语文学论文选译（续集）》，中国民族语言学会、民族研究所语言室印，1982年）。

我的个人研究成果获奖的有《回鹘式蒙古文文献汇编》（内蒙古自治区首届蒙古文图书评奖荣誉奖，中国社会科学院1977—1991年优秀科研成果奖）、《蒙古语简志》（作为中国少数民族语言简志丛书之一，整套丛书获中国社会科学院1977—1991年优秀科研成果奖）。参加主编或主持的集体科研成果获奖的有《中国语言地图集》（中国社会科学院1977—1991年优秀科研成果奖，国家社会科学基金项目优秀成果一等奖）、《中国少数民族语言文字使用情况调查研究著述三种》(第三届吴玉章奖金优秀奖)。

邸:我了解到,您在从事学术研究的同时,还长期担任行政职务,为国家和社会做出过重要贡献。在此方面,您有何心得?

道:承蒙组织信任,我曾任中国社会科学院民族研究所语言研究室副主任(1982年8月至1985年6月)、主任(1985年6月至1991年4月)、中国社会科学院民族研究所副所长(1991年4月至1996年11月)、中国社会科学院中国少数民族语言研究中心主任(自1993年6月起)、中国社会科学院研究生院民族系主任(自1991年4月起)、博士研究生导师(自1990年10月起)、中国社会科学院学术委员会委员(1998年至2003年)。

此外,1991年10月,任国家语言文字工作委员会委员。1993年6月,任中国社会科学院学位委员会委员。1997年4月受聘为内蒙古大学兼职教授。1979年9月,参加中国民族语言学会,后当选为理事、常务理事。1981年10月,参加中国语言学会,后当选为理事、常务理事、副会长。1989年6月,参加中国蒙古语文学会,任学术委员。1988年1月,当选为第七届全国人民代表大会代表。1993年1月当选为第八届全国人民代表大会代表。

由于工作努力,1988年4月获全国民族团结进步先进个人称号,受到国务院表彰。1990年被评为中国社会科学院有突出贡献中青年专家(中华人民共和国人事部颁发证书),享受政府特殊津贴。在行政方面,我建树不多,但也尽职尽责,问心无愧也。

邸:您的学术研究成果堪称质量高,数量大,考虑到前期多年政治动荡的影响,应属于厚积薄发,大器晚成之典型。您的治学经验对我等后学者可提供宝贵经验,可否做一简要总结:

道:余从事语言研究凡四十年,不过一小巫耳。著作不多,唯《回鹘式蒙古文文献汇编》,尝为治学者称引。论文四十余篇,自鸣得意者寡。屈指数来,不过《蒙古语概况》(发轫之作)、《蒙古语口语中的词首辅音弱化现象》(得结构主义形式化真谛)、《蒙古语的元音和谐與元音音位对立的中和》(音位学原理运用得较娴熟)、

《说后缀-ʔila/-ʔile》（论述有深度、有突破）、《回鹘式蒙古文〈云南王藏经碑〉考释》（写得合乎规范，载于院刊）、《河南登封少林寺出土的回鹘式蒙古文和八思巴字圣旨碑考释》（代表治学水准）、《〈语録〉研究》（视野开阔）、《关于语言比较研究的几点思考》（受混沌学启发）等。学术界评及拙作者，国内多有而域外未见。代人捉刀之作有两篇：一为《民族语文发刊词》，一为《重视少数民族语言文字的学习和使用，为建设有中国特色社会主义服务》，均系他人所不为而命鄙人执笔者。虽非精品，尚属力作。参与主编或实际主持之大型集体项目有：《中国大百科全书·语言文字》卷中国诸民族语言文字部分、《中国语言地图集》少数民族语言部分、《中国少数民族语言文字使用情况调查研究》以及《建国以来少数民族新创和改进的文字试验推行工作调查总结》等，均被列为国家哲学社会科学规划重点课题。其中，大百科、地图集、使用情况三项先后获奖。自忖可谓尽心竭力，终于有成。上不负领导信任，下有报同仁辛苦，堪自慰也。唯文字总结上报后挂碍良多，未见成效。八届人大以来，倡议并起草少数民族语言文字法，历时五年。可惜有司运作迟缓，不尽如人意。此外，有译作数种，如《肥大的皮袄》，载于一流刊物《译文》。时余尚未毕业，以一莘莘学子，初试锋芒，竟不易一字即获发表，曾引以自豪。又有结构主义学派著述如《蒙古秘史的语言》、《日本语口语句法研究》等可资借鉴者，曾经移译为中文，亦获得内部刊印机会。授徒二：一为硕士包智明，一为博士孟达来。皆天资聪慧，力学有成。回顾四十年学术生涯，所作不过尔耳，岂敢望著作等身之诸大师项背乎？故曰：小巫见大巫，神气尽矣。

邸：您过谦，以您之阅历丰赡，见地高深，信念坚定，著述宏富，足令晚辈如我等者徒发望尘之叹。今年，您又获选我院荣誉学部委员，可谓名至实归。最后，您能否为我们后来人给一些指点，提些希望？

道：好。我们这一代人的学术生涯已基本终结，希望后来者珍惜大好时光，努力开拓新的学术领域，担当起学术重任。我相信，你们会比我们做得更好。

邸：我们定不辜负您的厚望。最后，对您能接受采访再表谢忱。

（访问者：邸永君）

·年内逝世学者介绍·

秋浦先生生平

中国共产党的优秀党员，中国社会科学院民族所原副所长、中国民族学会前会长秋浦先生，因病医治无效，于 2005 年 1 月 29 日在北京协和医院病逝，享年 86 岁。

秋浦先生 1919 年 7 月出生在江苏省丹阳市柳茹村的一个诗书耕读之家，原名贡厚生，后改名后生，秋浦是他做新闻工作时用过的一个笔名。秋浦先生幼年时从父读《四书》、《五经》等古籍和唐诗、宋词等，并学习作文赋诗之法，打下了坚实的文化基础，继而在丹阳、武进完成高小学业。15 岁时，由于父母双亡，秋浦先生无缘继续升学，只身前往南京谋生，在江宁林场任文书。其间结识了林场新任场长、共产党员李寄农，并由他介绍参加革命，当时年仅 16 岁，主要负责传递信件、刻印宣传品等工作。由于他机智勇敢，深受组织信赖。1936 年西安事变爆发，党组织决定派遣其入延安红军大学学习，但由于形势复杂，局势多变，被迫滞留上海。其间他在上海参加了战地记者训练班，为日后走上新闻工作打下了必要基础。后几经辗转，历尽艰辛，终于得抵西安八路军办事处，并到达延安。

1938 年 5 月，秋浦先生入抗大学习，并于当年 6 月加入中国共产党。半年后，即被派往华北敌后抗日根据地晋察冀边区工作，被分配到冀热察挺进军随营学校担任秘书，并独自一人创办了校刊——《随校生活》。为保证按期出版，他经常是自采自编、自己刻印、自己发送，使其影响日益扩大，于新闻界崭露头角。1941年，他被调往平西《挺进报》工作，其间出生入死，身受重伤，留下终身残疾。1942年起，他任《晋察冀日报》编辑，编辑了大量国内和国际新闻，并长期担任过记者，频繁往来于山区、平原、农村、兵营，穿梭奔走于战火纷飞的前线，采访过有美方代表参加的国共停战谈判。他采写并发表了大量新闻稿件，以文笔优美、见地独到而著称。1947年，他奉命筹办《内蒙古日报》，并主持报社工作。1949年9月，秋浦先生以中共特派记者的身份（当时仅有20名记者获准采访会议，其中中共记者两名）采访了第一届全国政协大会，见证了新中国诞生的全过程。因此可见，秋浦先生堪称我党自己培养的第一代新闻工作者和杰出报人，曾为我党和新中国的早期新闻工作作出过重要贡献。

1955年，秋浦先生深入鄂伦春人聚居地区进行调查，并于第二年出版了《鄂伦春人》一书，这是新中国对少数民族研究的最早的成果之一，引起了极大的反响。1956年，党和政府组织了全国性的少数民族社会历史调查，秋浦先生受命领导内蒙古、东北地区的少数民族调查工作，在鄂伦春自治旗、爱辉县、呼玛县、逊克县等地选择十余个调查点，所获成果不仅使学术界对鄂伦春社会及其历史发展有了深入的了解，对于研究同一社会发展阶段的民族，也具有十分重要的借鉴意义。

1959年，秋浦先生任中国科学院内蒙古分院副院长，并主持该院哲学社会科学部的工作，1962年调京，任中国科学院民族研究所副所长。他针对民族所基础建设相对较差、人浮于事的情况，力主对科研人员进行严格考核和评估，精简科研队伍；将挂靠在民族所的全国16个少数民族社会历史调查组予以清理，并果断地解决了久拖未决的学术烂尾项目，其干练的作风受到各界的高度评价。1964年，秋浦先生根据1963年日记记录所统计出的“用于科研的时间，加在一起只有十七天半”的事实，向院方提出“科学院不科学、研究所不研究”的尖锐意见，受到批判。1966年，“文革”乍起。秋浦先生遭到残酷迫害，多次被批斗，但对党和事业的忠诚丝毫没有动摇。粉碎“四人帮”后，秋浦先生恢复副所长职务，并于1980年出任第一任中国民族学会会长，连续担任这一工作长达十年之久，为我国民族学各学科的发展做出了重要贡献。此间，秋浦先生出版了专著《鄂伦春社会的发展》一书。该书用丰富的调查材料描绘了鄂伦春人原始社会的生活图景，展现了这一民族由原始社会直接向社会主义过渡的光辉历程，阐明了鄂伦春人的萨满在原始社会生活中的作用，得到了学术界的高度评价，至今仍具有强大的学术生命力。他还主编了《萨满教研究》，对原始宗教的研究做出了贡献。

作为一代著名学者，秋浦先生的学术生涯是从1956年底开始的。他选择调查的第一个民族，便是在1955年时曾作为新闻记者采访过的鄂伦春人，其意在驾轻就熟，但两次做法是如此的截然不同。1955年，由于时间短促，只能说是“走马观花”，而后一次竟持续了六年之久。其间在鄂伦春自治旗、爱辉县、呼玛县、逊克县等十余个点中，有的反复调查了两次，个别的甚至达三次，称得上是一次系统的、周密的调查。通过这次调查，不仅使他对于鄂伦春社会及其历史发展的了解比以往要深刻得多，而且对于研究同一社会发展阶段的民族，也具有十分重要的借鉴意义。这成为秋浦先生转入民族研究领域的契机。其后，秋浦先生孜孜以求，主要贡献大致可归纳为两个方面。

一、关于原始社会形态的研究

一般认为，人类社会已有三百多万年的历史，而阶级社会只有几千年，可见人类绝大部分时间是在原始社会中度过的。阶级社会分期的主要标志，取决于哪一种生产方式在这个社会中占据主导地位，奴隶社会、封建社会、资本主义社会，正是由此而得名。这一公式当然不能套用在原始社会的分期上。鉴于家庭起初是唯一的社会关系，秋浦先生曾尝试将整个原始社会的发展表现为依次更替的五个阶段。①原始群团。这是人类的童年，是从猿到人的过渡阶段。②血缘家庭公社。这是人类第一个社会组织形式。③母系氏族公社。包括普那路亚家庭和对偶家庭两个发展段落，这是原始社会的极盛时期。④父系家庭公社。父系氏族这时虽仍然存在，但已不是社会的基本单位；同时在父系家庭公社内部，已孕育了个体家庭。血缘家庭公社、母系氏族公社和父系家庭公社这三个发展阶段，人们过的都是原始共产主义的生活，只不过其范围已愈来愈缩小。⑤农村公社。这是原始社会的末期，也是向阶级社会的过渡期。这五个发展阶段，犹如一个完整链条的各个环节，既紧密地联系在一起，又存在着明显的区别，表现出原始社会由低级向高级演进的全部发展过程。

秋浦先生还对下列问题进行了系统研究：①私有制的产生问题；②家长奴隶制问题；③婚姻、家庭的演变问题；④地区性首领的形成问题；⑤法的起源问题；⑥原始宗教问题。

对每一项研究，秋浦先生都力戒只停留在概念上，而是运用手中所掌握的具体材料，一切从实际出发，以期从中得到规律性的认识。

二、关于“民族学”的概念问题

秋浦先生认为，“民族学”一词在中国传播的时间虽不算长，但中国却是一个蕴藏着丰富民族学资料的国家。远自秦汉以来，历史上众多民族的活动，从《史记》、《汉书》一直到历代编纂的史书，几乎都有记载，我们不应妄自菲薄，“言必称希腊”。

在现实生活中，中国各民族的社会经济形态也是极为复杂、丰富多彩的。截至新中国成立前，居住在云南边疆山区的独龙、怒、傈僳、布朗、基诺、景颇、佤和拉祜等诸民族，以及处于西藏高原的珞巴族和内蒙古、黑龙江地区的鄂温克族、鄂伦春族，约有70万人口，还不同程度地保留着原始公社制；居住在四川和云南大小凉山地区的部分彝族约100万人口，保留着奴隶制度；大部分藏族地区以及部分傣、维吾尔等民族地区，共约400万人口，存在着封建农奴制；汉族聚居区的广大农村和绝大部分少数民族地区，均属于封建地主经济形态；东南沿海以及上海、天津、广州等大城市为代表的资本主义经济有了不同程度的发展；而在中国共产党所领导的解放区内，则建立起了新民主主义社会。综合起来看，说现实中的中国就像一部人类社会发展史的活化石，秋浦先生认为也不为过。

上述观点凝结着秋浦先生半生心血，是在广泛深入进行调查研究的基础上形成的理论升华，因而具有重要的学术价值。

1985年12月，秋浦先生光荣离休。但他一直关注着党和国家的各项事业，关心民族学学科的发展。在2003年抗击非典的捐款活动中，秋浦先生慷慨解囊，捐款2000元，表现出老一代共产党人忧国忧民的高风亮节，令人钦敬。2003年7月，秋浦先生接受《中国民族研究年鉴》编辑部的访谈，谆谆教诲青年学者。“第一，实践出真知，且实践是检验真理的唯一标准，要深入实际进行实地调查，千万不要满足于纸上谈兵。第二，鉴于本人在科研工作中最大的缺陷，就是中国传统文化底蕴不足，功力太浅。所以青年学者应特别予以重视。中国传统文化是一个博大精深的体系，内涵丰富，奥妙无穷，而要做到厚积薄发，非下大气力加强古典文化修养不可。第三，当前世风浮躁，‘著名某某家’的头衔漫天飞，而其中有几多能名实相符，值得怀疑。年轻学子应脚踏实地，不要贪图虚名。这样埋头苦干十年二十年，则必定会有所成就。并祝愿各位后学早日成材，祝愿中国的民族研究事业蒸蒸日上。”字里行间洋溢着一位忠厚长者和学界前辈对后人的殷切期望和关怀，闻者为之感动。

综观秋浦先生一生，半生报人，半生学者；才思敏捷，思想活跃；性格豪爽，待人真诚；光明磊落，谦虚谨慎；学识渊博，治学认真。廿载记者生涯，足迹踏遍长城内外；一生追求真知，视野覆盖古往今来。秋浦先生的逝世，使我们失去了一位资深领导，学界耆硕，不仅是民族所的一大损失，也是我国民族学界的一大损失。让我们化悲痛为力量，铭记秋老教诲，以秋老为楷模，厚德载物，自强不息，将先生未竟的事业继续推向前进！

（邸永君）

罗致平先生生平

罗致平先生是中国社会科学院研究生院教授、民族学与人类学研究所资深研究员，是一位德高望重、睿智宽厚，荣获国务院颁发的突出贡献政府特殊津贴的专家。半个多世纪以来，他淡泊名利，默默耕耘，为我国民族学、人类学、民俗学等的科研教学事业做出了无私贡献。罗致平先生 2005 年 6 月 12 日因病于广州逝世，享年 94 岁。

罗先生原籍广东省龙川县，1911 年 4 月 12 日出生于英属北婆罗洲（今马来西亚），12 岁回国求学，早年曾就读于广州河南白鹤洞协和神科大学、岭南大学神学院。1935 年他东渡日本，在东京立教大学研究院攻读西方史学专业。1937 年“七七”事变后，他主动放弃争取学位的机会，毅然回国，以教书育人的实际行动报效祖国。他先后在香港道风山沙田宗教研究院、云南大理华中大学、中山大学、岭南大学、广东法商学院、珠海大学、中华文化学院从事民族学、人类学、民俗学的教学与研究工作，任讲师、教授。新中国成立后，他积极投身于社会主义建设事业，并参加“土地改革”等运动。1953 年调湖北中南民族学院任教授，次年调北京，先后在中央民委、中央民族学院、中国科学院哲学社会科学部民族研究所（今中国社会科学院民族学与人类学研究所）工作，从事民族问题的研究和翻译，历任参事、教授、研究员。他曾任广东法商学院社会系主任、中国民俗学学会副理事长。

罗先生精通英、德、日、法、俄等大语种，还会马来语、荷兰语、葡萄牙语、阿尔巴尼亚语等。他长期从事民族学、人类学、民俗学的研究与教学工作，其学术成就是多方面的，现概括为以下几点并加以论述。

一、编译经典，促进民族问题研究

新中国成立初期，民族工作百废待兴，民族教育和民族研究工作尚处于初创时期，很多专业一片空白。罗先生利用其渊博的专业知识及掌握多种外国语言文字的优势，编译介绍了马克思主义经典作家有关民族、殖民地问题的理论，以及前苏联民族问题、民族政策和民族学方面的大量论著，对新中国民族问题和民族学的研究起到了积极的推动和促进作用。

1953 年，全国高校院系大调整，罗先生随同以岑家梧先生为首的十位教授，由中山大学调到中南民族学院，以增强该院的教学和科研实力。在此期间，为适应研究前苏联民族政策和民族理论的需要，罗先生开始翻译一批有关前苏联民族工作方面的资料，由学院打印出来，供有关单位使用，并上报中央民委。中央民委收到罗先生之译稿，非常重视。当时在北京已掀起大办“译丛”之风，如《史学译丛》、《经济译丛》、《哲学译丛》等已纷纷出版。民委领导也早就感到通过创办“译丛”这种方式来了解苏联民族政策、民族理论和民族工作情况之必要性。只是苦于俄语人才难找，一时未能办成。而当民委发现罗先生这样一位精通多种外语的专家，即急调其进京，安排其在中央民委参事室任参事，参与筹办《民族问题译丛》。经过一段时期紧张的筹备，遂于 1954 年 1 月出刊，起初是季刊，一年出四期，1956 年改为双月刊，一年共六期，并增出一期《民族学专辑》；至 1957 年，随着形势的发展，又改为月刊，一年出十二期，至 1958 年一共出了三十五期。该刊物受到有关各界的普遍欢迎。1958 年，全国性刊物《民族研究》杂志正式出版，它即是在译丛基础上发展充实而形成的学术刊物。“文革”后，《民族研究》等复刊，罗先生担任刊物室主任。

《民族问题译丛》在 20 世纪 50 年代是颇具影响的学术刊物。这个刊物创办的动因和背景，是与罗先生的卓见和前期工作分不开的。1955年《民族译丛》编译室从中央民委迁到中央民族学院研究部，罗先生任室主任，后转到中国科学院哲学社会科学部民族研究所。他不仅主持编译了数十期杂志，还翻译了大量外文论著，登载在译丛上，或另外结集出版。例如：《苏联社会主义民族的产生和发展》（民族出版社，1955年）、《民族史译文集》（合译，科学出版社，1959年）、《苏联民族学研究史》（合作，民族出版社，1958年）等。登在译丛上的有《什么是民族学》、《原始文化史概论》、《恩格斯：〈家庭私有制和国家的起源〉一书的第一版和第四版》、《论恩格斯的民族学遗产》等大批译著。这些译著及时介绍了前苏联民族学、民族史、民族理论研究的最新成果，对我国民族政策的制定、马克思主义民族理论的研究、中国民族学的发展起到了积极作用。

"文化大革命"前后，罗先生翻译了《中亚突厥史十二讲》，并于1984年由中国社会科学出版社出版。此书是由世界公认的中亚突厥史家、苏联科学院院士威廉·巴托尔德撰写的重要著作。罗先生在翻译中，采用由作者亲自审订的德文本为主，博取俄、法等多种译本之长。其译著兼收并蓄，不但使读者知其本意，更可窥探此书问世四十年来，苏联和西方各国学者对中亚突厥史研究的新进展，此可谓是整理研究型译著，与译者深厚的外文功底及多年从事西域历史文化调查研究的经验分不开。1978—1983年，罗先生在参加《准噶尔史略》编写组期间，又翻译了不少有关准噶尔历史与文化的论著，如戈尔通斯基《卫拉特法典》的主要部分、梁赞诺夫斯基《蒙古法基本原理》有关卫拉特法典部分、伯希和《卡尔梅克评注》等，为《准噶尔史略》的编写、西蒙古史资料的搜集整理做出了贡献。《准噶尔史略》编写组公开出版或内部油印了数十种资料，为后人研究准噶尔问题留下了弥足珍贵的财富，这其中也凝聚着罗先生不少心血。罗先生还参与编撰《准噶尔史略》第六章《准噶尔的文化艺术与社会习俗》，对准噶尔托忒文的创制、文学、音乐、建筑、绘画、历法、地图、医药及宗教信仰、风俗习惯等进行论述。

二、办刊创会，为繁荣中国民俗学殚精竭虑

罗先生在大学期间学的是文学，获得学士学位后，又留学日本做研究生，对民族学、民俗学有着浓厚的兴趣。从日本回国后，罗先生即积极投身于民族学、民俗学等的教学与研究。1941—1944年，他任中山大学讲师时，就参加了由杨成志、钟敬文等发起的中山大学民俗学会（成立于1927年）。之后，他还成为其机关刊物《民俗》季刊的总干事。1943年，他在该刊上连续发表了《民俗学史略》（《民俗》第一卷第四期，第二卷第一至四期）。在文中，罗先生在搜集大量资料的基础上，详细论述了北欧瑞典芬兰民俗学研究史略，德奥等国民俗学研究史略，英国民俗学研究史略，美国民俗学研究史略等。是我国较早系统介绍国外民俗学研究情况及流派的力作。抗日战争胜利后，罗先生在岭南大学、中山大学任教，开设过民俗学、中国社会史、语言社会学、宗教社会学等课程，并编写上课的讲义。

虽然在1949—1978年的近三十年间，民俗学没有专门组织和刊物，但罗先生和杨成志、钟敬文等一些民族学、民俗学家，仍在开展民俗学活动，并不断奔走呼号，要求成立中国民俗学学会。“文化大革命”后，民俗学与其他学科一样，有待于振兴。1978年，罗先生参与了七教授联名上书，与顾颉刚、杨成志、钟敬文、容肇祖、白寿彝、杨堃等向中国社会科学院院长胡乔木同志建议开展民俗学研究工作并建立有关研究机构。翌年，这一建议书又以《建立民俗学与有关研究机关的倡议书》之形式，在文联第四次代表大会和中国民间文学工作者第二次代表大会上印发。据文艺报介绍，倡议书“引起了文化界领导的高度重视”，并“在全国各地产生很大反响，有力地推动了我国民俗学研究的开展”。继而，在1982年6月，中国民俗学会筹备会成立，罗先生担任筹备委员。1983年5月21—24日在北京召开中国民俗学学会成立大会，荣任

副理事长。1993年举行的学会第三届全国代表大会，罗先生主持了开幕式，由副理事长改任学会顾问。2003年，中国民俗学会为他颁发了银质荣誉奖章，以表彰他为中国民俗学做出的贡献。

从民俗学、民族学、法制史等角度来研究汉族及诸少数民族的法律制度，是罗先生晚年主要研究工作之一。1981年、1988年，他与白翠琴合作，在《民族研究》上发表了《试论卫拉特法典》和《哈萨克法初探》等长篇学术论文，开创我国研究卫拉特法典和哈萨克法的先河。后此两篇论文皆被收入法学研究所编的《中国法制史考证》中。罗先生还从民俗学的角度来探讨法律，发表了题为《法律民俗学》的演讲（登载于《民俗学讲演集》，书目文献出版社，1986年），他一方面论述了法律民俗学一个多世纪以来在西方国家的发展，另一方面介绍了新中国成立以来的历次社会历史调查，对诸民族风俗习惯的重视，为法律民俗学的研究提供了宝贵资料。他认为法律民俗学是研究构成习惯法体系基础的风俗习惯和民间法律传统之本身，是民俗学的一个分支。

三、不畏艰险，深入天山南北进行社会历史调查

新中国成立后，为适应民族工作及科学研究的需要，开展了少数民族社会历史大调查。1956年春，为准备进行调查，受全国人民代表大会民族事务委员会委托，中央民族学院研究部的一些专家开始起草《社会性质调查参考提纲》。罗先生负责起草关于“人们共同体”部分，主要引用了苏联学者的研究成果，对氏族、部落、部族和民族概念分别加以阐述，用马克思主义观点说明这些概念的内涵，氏族、部落、部族和民族各自的发展过程。

1958年至1962年，罗先生参加了新疆少数民族社会历史调查组工作，主要参与塔吉克族调查分组的工作，长期深入到新疆西部之塔什库尔干自治县山区各乡进行民族调查。该县地处世界屋脊帕米尔高原慕士塔格山境内，崇山峻岭，路途艰险，与外界几乎隔绝。其地广人稀，除牛羊肉外，蔬菜和粮食很少，物资极为匮乏，

生活工作条件十分艰苦。交通条件更是险恶，只有山间羊肠小道通往各乡村，而且都在悬崖绝壁上。面对如此交通条件和生活环境，罗先生作为组内长者，不畏艰险，不要照顾，坚持和大家一样骑马、乘骆驼、坐毛驴、啃干粮，穿行于山间险途。罗先生与大家同舟共济，共同完成调查任务，并给中青年学者树立了良好榜样，其谦虚和蔼、平易近人的作风，也给当地牧民留下了深刻印象。在此之前，他还参加了哈萨克族社会历史调查，后又参与《哈萨克族简史简志》的编写工作，为少数民族社会历史调查和丛书的编写尽职尽力。

四、辛勤耕耘，精心培育，为民族研究工作及学科发展做贡献

罗先生对组织上交代的工作，一贯任劳任怨，勤勤恳恳，兢兢业业，认真负责地加以完成，从不讨价还价，挑三拣四。例如20世纪50年代从事的《民族译丛》工作；60年代担任民族研究所图书馆馆长工作；60年代至70年代初参加《中国历史地图集·西北图幅》的编绘工作；“文革”后参加《准噶尔史略》编写工作等等，罗先生都能一丝不苟地完成。在这一系列工作中，罗先生默默耕耘，淡泊名利，不计较个人得失，努力为民族研究工作和学科发展做出自己的贡献。

同时，罗先生还非常注意奖掖人才，提携后进，循循善诱，诲人不倦。自抗日战争至新中国成立前后，罗先生一直在高教任教，培养了大批学生，桃李满天下。来北京工作后，他主要从事学术研究和编译工作，但仍注意对青年后学的指导和培养。在研究工作中，他常主动地关心中青年的专业情况，有问必答，有求必应，毫无保留地为中青年提供国内外研究信息和学术资料，进行具体指导和帮助，使大家受益匪浅。经过罗先生指教的不少中青年学者，现都成为学科带头人，在各自岗位上发挥越来越大的作用。罗先生在培养民族研究队伍方面倾注了大量心血，功不可没。

罗先生虽已仙逝，但其拳拳爱国之心，淡泊名利、无私奉献的

精神，治学严谨、孜孜以求的品格，谦虚谨慎、豁达乐观的生活态度，会永远留在我们心中。

（白翠琴）

马寿千先生生平

1929年，马寿千先生生于北平，他原籍湖北谷城县，4岁时随家人去了宁夏，在那里度过了他充满梦想的青少年时期。1951年，他考入北京大学历史系，1955年毕业后被分配到中央民族学院（现中央民族大学）预科部工作。1956年中央民族学院成立历史系，第二年他被调至历史系任助教。1957年，他在北京师范大学历史系侍从白寿彝先生进修，从此和回族史结下一生之缘。后来调入中央民族大学民族学系任教至退休。2005年1月21日，走过了76个不平凡春秋的马寿千先生不幸去世，永久地离开了他奋斗了近50年的回族史研究事业。

回族史研究是马寿千先生学术生命的中心和主线。白寿彝先生曾在《中国回教小史》一书的题记中写道："中国回教史的研究是一门很艰苦的学问。"并告诫研究这门艰苦学问的人，除具备语言、文学、宗教、历史、文献等多方面的条件外，"更须足迹遍全国，见到过各处的回教社会，见到过各处的碑刻和私家记载，他不只要有这些言语文字上的资料，他更要懂得回教的精神，懂得中国回教人的心。"① 马寿千先生就是根据这一原则投入到回族史研究事业中的。1994年，为了给白寿彝先生85寿辰庆寿，马寿千撰文《回族史研究是一门很艰苦的学问》。文章指出："回族历史是我们中华各民族大家庭的历史不可分割的一部分，回族的发展进步跟全国各民族的发展进步分不开"，"必须在研究中国通史的基础上，才能去研究回族历史，而不要孤立地去研究回族史。这是整体与局部的关

① 白寿彝：《中国伊斯兰教史存稿》，1页，银川，宁夏人民出版社，1983。

系，研究回族史必须有全局观点，否则不可能深入，也不可能突破，只能在狭隘境界里徘徊。”这对回族史研究的意义和其在中国民族史研究的地位进行了准确的定位，并对中国回族史研究确立了指导方向和原则。

中国第一部系统的回族历史人物合传、中国当代篇幅最大的回族人物志书——《回族人物志》① 是白寿彝先生在回族人物研究方面倡导、主编的主要著作。该书从开始编写至最终出版，历时 15 个年头（1982—1997 年），全书分元、明、清、近代 4 册，计 68 卷（另附 12 卷）。共收录了包括政治、经济、军事、科学、技术、文学、艺术和经学等各方面具有代表性的历代回族历史人物共 326 人（其中正传 192 人，附传 134 人），通过编者对所传人物历史唯物主义的叙述和评价，读者不仅通过正史，更是从难得的非正史资料中进一步正确认识和了解了历史上各时期的各类回族人物。正如白寿彝先生在《回族人物志》题记中所言：“写回族人物志是一个创举”，它的推出，对研究回族在我国的发展，伊斯兰教在回族历史发展中的作用有着不可替代的价值，为更全面完整地撰写中国伊斯兰教史、中国回族史提供了充实而又珍贵的资料。马寿千先生是这部巨著的主要撰稿人之一。

阿合马在《元史》中被列入《奸臣传》，现代学术界对他存在争议。马寿千在《有功于忽必烈的阿合马》一文中论述了元代早期回回人物阿合马的功过是非。他认为，在忽必烈统一全国和稳定局势的过程中，阿合马在财政上发挥了重要作用；而他利用职权、牟取私利、仗势欺人，在封建官吏中也是数得着的坏人，从而对其作出了全面的分析和评价。此文被收入元代《回族人物志》和《中国回回民族史》中。《民族研究》曾刊出了他的《明末农民战争中的回族英雄马守应》一文。马寿千先生参与编写明代《回族人物志》时，对该卷《人物志》的撰写所做出的贡献，得到了白寿彝先生的

① 白寿彝：《回族人物志》，银川，宁夏人民出版社，2000。

肯定。白先生认为马寿千等同志“写了较多、较好的传论”①。特别是对于他所撰写的马守应的稿子，白寿彝先生高兴地说“不错”，给予了积极的称赞。

马寿千先生和他的同仁们是将回回民族放在中华民族的历史长河中去叙述的，就是在这种精神和原则的指导下，他们编著的《回族人物志》真正“是一座回族人物的凌烟阁，通过这些人物群像看出，回回民族是一个在祖国大地上形成的民族，中华文明养育了回回民族。回回民族又是一个生机勃勃的民族，他为中华民族的发展做出过重要的贡献，是一个值得尊敬的民族。因此说，这套书为民族间的理解、团结架起了一座桥梁；人的活动推动了历史的前进，回族人物志的写出，为回族历史的撰写奠定了基础同时也丰富了中国通史的内容”②。

1998年，白寿彝先生仿照《中国通史》的体例，着手编著新型体例回族史——《中国回回民族史》，马寿千和李松茂两位先生被邀请担任副主编，他们青灯黄卷，不辞劳苦，夜以继日地工作，尤其是在白寿彝先生去世后，马寿千先生抱病奋战，为《中国回回民族史》的最终出版做出了重要贡献。“可以说，这部由白寿彝教授主编，马寿千、李松茂教授为副主编的力作倾注了老一代回族学工作者的心血，它也是马先生晚年留给我们的最为珍贵的精神遗产。”③

马寿千先生还参加了《回族简史》、《中国通史》、《中国民族百科全书》（副主编）等著作的撰写工作。马寿千先生的同事、好友李松茂这样评价他对回族史研究的贡献：“从《回回民族的历史和现状》到《回族简史简志合编》，再到《回族简史》出版；从《回

① 白寿彝：《明代回族人物志·题记》，见《回族人物志》，银川，宁夏人民出版社，2000。

② 杨怀中：《积累四十年终成四册书——回忆白寿彝先生主编〈回族人物志〉》，载《回族研究》，1999（1）。

③ 丁宏：《纪念马寿千先生》，载《中国回族学会通讯》，2005（6）。

族人物志》全四册编写到《中国回回民族史》出版，他对回族史研究的贡献是全程性的，世纪性的。”①

除了回族史人物研究之外，马寿千先生还撰写了大量具有很高学术价值的其他回族史研究论文。其所写《〈元史〉校记一则》是读《元史》笔记，校正《元史》标点本中的一处错误。《元史》卷二十六《仁宗本纪》载：延佑五年二月“王子诸王答失蛮部乏食，敕甘肃行省给粮赈之”。关于“王子，诸王”，该卷《校勘记》中认为，“王子”、“诸王”同义重复，疑“王子”二字衍。马寿千研读后认为，“王子”非衍字，是“壬子”二字之误，“壬”误为“王”，这篇文章发表后，受到国务院古籍整理出版规划小组的重视。他写的《清代前期回族的政治地位》（《宁夏社会科学》1981年第1期）对当时回族的政治地位做了详尽论述。其《“但分良莠，不分回汉”决不是平等的民族政策》（《中央民族学院学报》1981年第4期）一文从林则徐调查云南永昌回汉冲突事件说起，分析了回民丁灿庭、杜文秀上京告状的原因和林则徐面对“阴谋屠杀回民数千人”的案件执法不公，论述了林则徐从维护清封建统治阶级的最高利益出发而制定了暗含不平等待遇的“但分良莠，不分回汉”的政策，同时说明这是后来杜文秀率众进占大理、开始“回汉一心，以雪国耻”的18年抗清运动的导火线。其所写《清代前期回族的经济发展》（《宁夏社会科学》1987年第2期）一文论述清朝前期的回族经济特点。他认为，虽然这一时期回族在政治上受欺压，但是回族经济却呈现多种经营方式繁荣发展的趋势。其《浅谈同治年间北疆回民自卫抗清》一文主要分析的是清同治三年（1864年）至光绪三年（1877年），新疆乌鲁木齐、昌吉、古牧地等北疆地区的回民自卫抗清武装在阿訇妥明，参将索焕章，乡团徐学功、徐学弟领导下抗击入侵者阿古柏的历史。该文通过翔实的史料证明：当时，回

① 李松茂：《回族史学的忠诚奉献者——回忆马寿千先生》，载《云南民族大学学报》，2005（4）。

民抗击阿古柏代表了当时北疆混乱局面中的正确方向，他们坚持与阿古柏入侵军搏斗数年，为打击入侵者承受了重大牺牲，同时给予阿古柏伪政权在政治上、军事上以沉重打击，作出了积极的贡献。“朴素干净，文风简练”是他做文的风格，求实客观是他为文的原则，所以，透着深厚的史学功底和独到见解的论文一经发表，均在学界引起强烈反响，并留下良好的口碑。这不仅因为他撰写的论文本身所具有的极高学术价值，更为重要的是，今天在回族学研究领域出版的众多论著，很多得益于马先生论文的启迪，正因为此，马先生在回族史和伊斯兰教文化研究领域享有很高声誉。

马寿千先生还涉猎其他领域的研究，早在1958年，他和白寿彝先生联名发表《几种回回家谱中所反映的历史问题》，即是研究回回家谱的范作和以家谱研究回回历史的范例。马先生深爱自己的母族，他积极向其他民族介绍回族的族源、风俗习惯、宗教生活、经济以及回族人民热情友善、崇尚团结的特点，为增进民族间的了解和促进团结做出了一个回族赤子应有的努力。为此，他撰写了《散居全国的少数民族——回族》（《人民日报》1983年3月15日）、《伊斯兰教在中国为什么又称回教或清真教》（《光明日报》1979年10月9日）、《崇尚团结友善的回回民族》（《民族团结》1987年第10期）等文章，参与编撰了《当代回族经济掠影》（中央民族大学出版社，1997年），展示了改革开放后，回族经济蓬勃发展的新景象。马先生热爱祖国，重视民族团结，这种思想贯穿于他的学术生涯和人生经历当中。《回族研究》（2003年第3期）和《北京政协》（1989年第4期）等刊物曾专门报道过马先生为搞好民族团结工作的诸多感人事迹。1989年在首都第二届民族团结先进单位先进个人表彰大会上，他被评为先进个人。

马先生在做学问上是个一丝不苟的人，他认为研究历史贵在求实，他的每篇文章都有大量的史料后盾，搞研究，他总有一股钻研劲。《明代哈密地方的哈剌灰人》（《新疆社会科学》1983年第2期）从研究“哈剌灰”的突厥语意“黑”出发，为撰该文，他查阅了《明孝宗实录》和《顺治肃州志》，证实了“哈剌灰”为“黑回回”的意思。哈剌灰原是蒙古人，是地位较低的蒙古族部卒，这批人受周围回回人（也包括信仰伊斯兰教的维吾尔族人）的影响，逐渐改变其生活习俗，所以才叫黑回回。在该文中他还研究了哈剌灰人从哈密迁往甘肃肃州的原因和哈剌灰人的习俗，给今后哈剌灰人的研究者提供了可贵的资料。而《〈卓吾先生遗言〉中所反映的回族丧葬习俗》考证了李贽的遗言中所采用的葬礼仪式为回族丧葬习俗，进一步证实了李贽是回族学者。

马先生严谨求实的态度决定了他在学术上不能容忍丝毫的错误。《回族研究》1993年第4期刊登了马先生搜集的《马玉贵的六份文件》，他发现其中有七处刊印错误，于是和编辑部联系一一纠正。翻开《回族人物志》明代分册的卷二十，在文章结尾处写到“马守应公开打击了‘老回回’的旗号”。原来“击”字应为“出”，这一字的排印错误令马先生深感遗憾。他就是这样精益求精。

马寿千先生是中央民族大学回族史教学的奠基者，他一生在教学和人才培养上做出了重要贡献。1961年，中央民族学院历史系新增了《少数民族史概要》课程，马先生主讲回族历史部分，受到同学们的欢迎。从20世纪50年代至90年代，从中央民族大学历史系到民族学系，他教了一班班本科生后又带研究生、进修生，培养出很多优秀的专业人才。很多来自美国、日本等国的学者慕名前来向马先生请教专业知识。研究回族的美国学者杜磊（Dru C. Gladney）在中国进修时师从马先生，得到了马先生的悉心指导。可以告慰马寿千先生的是，他培养的一大批后学，已经在回族学研究等领域脱颖而出。

每一个接受过马先生教诲以及和他共事或者有所接触的人，都被马先生高贵的品格所折服。他老实厚道，宽宏朴实，与世无争……

“淡泊名利，温良恭俭，一生不与人争；

质朴无华，严谨求实，留下道德文章。”

这是李松茂教授写给马寿千先生的挽联，是对马先生一生高尚的品德和学术良知的准确评价和真实写照。

（敏俊卿）

徐琳先生生平

徐琳，1922 年 11 月 13 日生于昆明，白族，云南省大理白族自治州剑川县乔后井人，著名语言学家傅懋勣先生的夫人。徐琳先生学生时代积极参加抗日救亡运动，1939 年至 1941 年期间在云南部队 58 军政治部做抗日工作。1948 年就读于云南大学文史系语言文学专业，1950 年毕业，分配到云南省人民广播电台，任助理编辑兼文教组组长。1951 年到中国科学院语言研究所任研究实习员，在罗常培先生的指导下开始研究白语，参加了傅懋勣先生主持的彝语、纳西语的记音。1952 年至 1955 年期间，她随傅懋勣先生带领的民族语言调查组到云南先后调查了傈僳语、哈尼语、拉祜语和彝语的一些方言土语，并在此基础上对怒江地区的碧江、福贡、泸水、兰坪，保山地区的盈江、梁河、腾冲，楚雄地区的禄劝、武定等县的傈僳语进行了普查。

1956 年中国科学院成立少数民族语言研究所，她任助理研究员。1962 年少数民族语言研究所与民族研究所合并，她在该所语言研究室继续从事民族语言的研究。

徐琳先生 1957 年加入中国科学院少数民族语言调查第三工作队白语组，负责普查白语。她在大理白族自治州、怒江傈僳族自治州的碧江县、保山县和昆明市调查了 43 个点，归纳了 20 个点的音位系统，划分了白语和傈僳语的方言。研究决定白语以中部方言的金华镇话为标准音，傈僳语以怒江东岸的双美戛瓦基以北、子冷阿达以南的话为标准音。在当地政府的支持下，她分别制定了这两种语言以拉丁字母为基础的文字方案。1956 年，编写了第一本新文字的傈僳语文课本。白文的草案 1958 年已经拟定，未能试验推行。直到

1982年，又在原方案的基础上进行修订，她编写了第一本白文课本。

1959年徐琳先生与木玉璋、盖兴之合作出版了《傈僳语语法纲要》（科学出版社），1984年与赵衍荪合作出版了《白语简志》（民族出版社），1985年与木玉璋合作出版了《傈僳汉对照词典》（云南民族出版社），1986年与木玉璋、盖兴之合作出版了《傈僳语简志》（民族出版社）。其中的《傈僳语语法纲要》和《白语简志》较多地为国内外学者所引用。1996年她与赵衍荪合作出版了《白汉词典》。1980年，任副研究员。

1980年6月至1981年4月期间，徐琳先生应邀赴日本东京外国语大学亚非语言文化研究所进行学术交流。她1987年任研究员，1987年底离休。离休后仍兼任中国少数民族古文字研究会名誉理事，中国少数民族语言学会常务理事。

在白语历史文献方面，徐琳先生的研究也较受外界注意。这一方面的论文有《白文山花碑释读》（《民族语文》1980年第3期）、《明代白文“故善士杨宗墓志”译释》（《罗常培纪念文集》，商务印书馆1984年）。白族在历史上曾使用过以汉字为基础的文字，称为白族方块汉字。有的学者认为该文字创于宋代，徐琳先生经研究认为方块白文可上推至唐代。现存的明代方块白文的碑文中，拓片比较完整的有杨黼的《词记山花咏苍洱境》和杨安道撰写的《故善士杨宗墓志》。1957年徐琳先生到存放山花碑的大理喜洲拓下此碑，并请当地能用白语念诵此碑的郭纯仁先生口授读法。二十多年后她才发表该碑文的释读。

徐琳先生认为方块白文有以下几个特点：（1）音读汉字，利用汉字的音，表达白语的意思；（2）训读汉字，按照汉字的意思读白语的音；（3）利用汉字的偏旁部首自造新字；（4）直接利用汉语借词和对应的汉字。《山花碑》正文520字，其中自造字有15个。

此外，在民间文学方面，她曾与木玉璋合作完成了傈僳语的《烧炭调》（作家出版社，1956年），该作品次年译成汉文出版。另外还与木玉璋合作出版《逃婚调》（云南民族出版社，1980年）、《傈僳族创世纪研究》（日本东京外国语大学亚非语言研究所1981

年18号专刊)。《逃婚调》后来作为“古今中外好作品”被选入《中国文学小丛书》单行本第二集60号。

徐琳先生1980年访问日本期间出版了白族四大民歌之一的《黄氏女对经》（上、下册）。该书为汉字白文、现代拉丁字母白文和汉语对照的对话叙述形式，于研究近现代白语有一定意义。她对白语地名也做过研究，1986年发表了《苍山洱海考释》（《民族语文》1986年第6期），1998年发表了《南诏大理国‘骠信’、‘摩诃罗嵯’名号探源》（《日本国立民族学博物馆调查报告8号》）。

徐先生70年代患严重的心脏疾病，在北京医院住院一个月，80年代患乳腺方面的疾病，做了较大的手术。她晚年身体条件较差，但仍坚持学术研究，多次到云南地区进行有关白语和纳西语的调查研究。

1988年傅懋勣先生逝世，徐先生担负起整理傅先生遗稿之责。傅先生的遗稿《纳西族〈祭风经——迎请洛神〉研究》是徐先生整理发表的。由纳西族东巴文和哥巴文两种文字对照写成的《祭风经——迎请洛神》是宝贵的纳西族语言文化的资料，傅懋勣先生1954年在丽江搜集到该经文，请经师读诵和解释并记录了下来。1990年12月徐琳先生带着这本经文和傅先生的手稿专程到丽江东巴文研究所，又请三位东巴鉴定该经文，经文的内容和傅先生的手稿得到几位老东巴的充分肯定。徐先生把经文的复印件留在该研究所，回京后为经书解读的手稿写了绪言，1993年全文分三次连载于《民族语文》。《纳西族〈祭风经——迎请洛神〉研究》的发表，对纳西族的语言、文字、文学、历史和宗教的研究都有一定意义。

唐代樊绰的《蛮书·蛮夷风俗第八》中，用汉字记录了17个白蛮语词。2001年第34届国际汉藏语会议在昆明召开，徐先生与她的女儿傅京起一起参加了这次会议。她们为这次会议撰写的论文是《〈蛮书〉的十七个白蛮语词》。[①] 在论文中，她们表示不同意国

① 傅京起早年受家训，先后到法国和美国就读，分别获法国和美国的语言学博士学位，近年来在美国马里兰州圣玛丽大学从事汉语和语言学教学工作。

内外的一些学者把白语归入汉语族的观点。论文中解释说:“白语是汉藏语系中比较独特的语言。一方面,白语汉化程度较深,其中60%以上的词借自汉语;另一方面,它仍然体现了本民族和藏缅语族彝语支语言的一些特征,特别是在语序和一些语法词的用法和语源上。”如“大虫谓之波罗”,“波”是白语“雄性”的意思,“罗”即“老虎”,今彝语、傈僳语都有类似的说法。又如“盐谓之宾”,今白语中“盐”仍用“比”这样的读法表示,当时这个词可能还有鼻音韵尾。

2004年徐先生与傅京起合作发表了《古白语贝币名和量词的遗存》(《民族语文》2004年第3期)。该论文将唐朝以来关于贝币的记载,与白语中有关贝币的名称和量词的读法进行了比较,认为今白语中有关的说法是古白语的遗存。如云南南诏国时代,即中原唐代之时留下的《德化碑》就记有南诏在吐蕃的帮助下击败唐兵,南诏酬谢吐蕃,吐蕃以贝币回赠这样的内容。元代文献《云南志略》中记有贝币“一为庄,四庄为手,四手为苗,四苗为索”。她们的论文《古白语贝币名和量词的遗存》从现代白语中离析出与古贝币量词对应的量词,使我们对有关的问题有进一步的认识。

离休后徐琳先生曾先后到韩国、日本、法国、荷兰和美国进行学术交流,2001年受聘为大理白族文化研究所特约研究员,2003年成为云南大理学院特约顾问。

2005年8月9日上午8时,徐琳先生因病逝世,享年83岁。徐琳先生一生为白语、白文的研究,为白族和傈僳族的民间文学研究做出了重大贡献。她为人正直,胸襟坦荡,帮助同事,提携后学,深受大家的爱戴。她的离去是中国少数民族语言和中国少数民族古文字界不可弥补的损失。

(吴安其)

·网络开发与发展·

中国民族学人类学相关网站目录

基于互联网的高速发展，信息量日益增加，我们对中国民族学人类学相关网站作了一次调研，调研截止日期 2006 年 7 月 5 日。在此将收集到的相关网站进行分类汇总，共分为学术网、研究机构、大学系所、期刊网、会议网、博物馆、民族网、个人网、其他等 10 个类别，各类别内依次按照信息量级别和网站名称进行排序。其中信息量的级别是由笔者根据栏目设置、内容多少进行粗略划分而得，并非精确计量值。

序号	网站名称	类型	信息量	网址
1	人类学网站	学术网	5.0	http://www.face21cn.cn/index.php
2	中国民族学人类学信息网	学术网	5.0	http://ea.cass.cn
3	民族理论研究网（中国民族理论与民族政策研究所）	学术网	4.5	http://www.ethnics.org.cn/index.asp
4	中国藏学网	学术网	4.5	http://www.tibetology.ac.cn/
5	中国社会学网	学术网	4.5	http://www.sociology.cass.cn/
6	中国考古网	学术网	4.3	http://www.kaogu.cn
7	人类学在线	学术网	4.0	http://www.anthropology.net.cn/default.asp

8	社会学人类学中国网	学术网	4.0	http://www.sachina.edu.cn/index.php
9	中国社会文化人类学网	学术网	4.0	http://www.anthropologychina.org/home.asp
10	中华文史网	学术网	4.0	http://www.historychina.net/cns/index.html
11	中国人民大学清史研究所清代边疆民族研究论坛	学术网	3.5	http://www.iqh.net.cn/bjmzs_xsrd_show.asp?column_id=2523
12	中国民族语言研究网	学术网	3.0	http://www.ethnic-languages.org.cn/
13	中国社会科学院民族学与人类学研究所	研究机构	5.0	http://iea.cass.cn
14	中国社会科学院民族文学研究所(原少数民族文学研究所)	研究机构	4.0	http://iel.cass.cn/
15	中央研究院民族学研究所(台湾)	研究机构	4.0	http://www.sinica.edu.tw/ioe/
16	贵州世居民族研究中心	研究机构	3.0	http://www.gznc.edu.cn/jgsz/gzsjmzyjzx/index.html
17	中国民俗网(中央民族大学民俗文化研究中心)	大学系所	4.5	http://www.chinesefolklore.com
18	中国人民大学清史研究所	大学系所	4.5	http://www.iqh.net.cn
19	北京大学社会学系、社会学人类学研究所	大学系所	4.0	http://www.disa.pku.edu.cn
20	国立东华大学原住民民族学院	大学系所	4.0	http://www.ndhu.edu.tw/%7Ecis/index.htm
21	陕西师范大学西北民族研究中心	大学系所	4.0	http://nec.snnu.edu.cn/index.htm

22	西北第二民族学院社会人类学与民族学研究所	大学系所	4.0	http：//www. nwsni. edu. cn/rys/
23	云南大学人类学系	大学系所	4.0	http：//www. channelwest. com/files/friends/yndxrlx/00. htm
24	中山大学人类学系	大学系所	4.0	http：//202. 116. 72. 241/
25	国立暨南国际大学人类学研究所	大学系所	3.5	http：//www. gia. ncnu. edu. tw/
26	国立清华大学人类学研究所	大学系所	3.5	http：//www. anth. nthu. edu. tw/
27	国立清华大学人文社会学系	大学系所	3.5	http：//www. dhss. nthu. edu. tw/index. htm
28	宁夏大学回族研究中心	大学系所	3.5	http：//hui. nxu. edu. cn/
29	宁夏大学西夏学研究中心	大学系所	3.5	http：//xixia. nxu. edu. cn/
30	台湾大学人类学系暨研究所	大学系所	3.5	http：//ccms. ntu. edu. tw/～anthro/index. htm
31	西北民族大学社会人类学·民俗学学院	大学系所	3.5	http：//dwzy. xbmu. edu. cn/shxx/xueyuanjianjie. htm
32	西北民族大学中国民族信息技术研究院	大学系所	3.5	http：//dwzy. xbmu. edu. cn/xxs/main/index. asp
33	香港中文大学人类学系	大学系所	3.5	http：//www. cuhk. edu. hk/ant/
34	新疆大学西北少数民族研究中心	大学系所	3.5	http：//202. 201. 252. 218/wkjd/new10/INDEX. ASP
35	云南大学西南边疆少数民族研究中心	大学系所	3.5	http：//www. xnmz. com. cn/
36	中央民族大学藏学研究院	大学系所	3.5	http：//www. tibetinfor. com. cn/zt/mdzxy/index. html

37	中央研究院历史语言研究所（台湾）	大学系所	3.5	http：//www. ihp. sinica. edu. tw
38	北京大学社会学人类学研究所	大学系所	3.0	http：//www. pku. edu. cn/academic/isa/
39	慈济大学人类学研究所	大学系所	3.0	http：//www. anth. tcu. edu. tw
40	国立政治大学民族学系	大学系所	3.0	http：//www. ethnos. nccu. edu. tw
41	暨南大学华侨华人研究所	大学系所	3.0	http：//www. jnu. edu. cn/mercury/hqhr/introduction-c. html
42	四川大学中国藏学研究所	大学系所	3.0	http：//www. scu. edu. cn/shekejide/zangwen/my%20webs/index. html
43	云南大学西南边疆少数民族研究中心	大学系所	3.0	http：//www. xnmz. com. cn/
44	中国人民大学社会学系	大学系所	3.0	http：//sociology. ruc. edu. cn/
45	中央民族大学民族学与社会学学院	大学系所	3.0	http：//mzx. cun. edu. cn/v3/index. asp
46	广东技术师范学院民族研究所	大学系所	2.5	http：//www. gdin. edu. cn/mys/index. htm
47	厦门大学人类学研究所	大学系所	2.5	http：//rwxyl. xmu. edu. cn/rls/lshg. htm
48	中南民族大学民族学与社会学学院	大学系所	2.5	http：//www. scuec. edu. cn/bowuguan/lishiwenhuaxueyuan/index. htm
49	民族研究	期刊网	3.5	http：//www. mzyj. cn/
50	民族语文	期刊网	3.5	http：//www. mzyw. net/
51	广西民族学院学报．哲学社会科学版	期刊网	3.0	http：//gxmzxyxb-s. periodicals. net. cn/default. html

52	贵州民族研究	期刊网	3.0	http：//gzny. chinajournal. net. cn/
53	黑龙江民族丛刊	期刊网	3.0	http：//hlmz. chinajournal. net. cn/
54	回族研究	期刊网	3.0	http：//hzyj. chinajournal. net. cn/
55	满族研究	期刊网	3.0	http：//mzyy. chinajournal. net. cn/
56	民族论坛	期刊网	3.0	http：//mzlt. chinajournal. net. cn/
57	内蒙古社会科学．文史哲版	期刊网	3.0	http：//nmgr. chinajournal. net. cn/
58	人类学学报	期刊网	3.0	http：//rlxb. chinajournal. net. cn/
59	西北民族研究	期刊网	3.0	http：//saga. chinajournal. net. cn/
60	西域研究	期刊网	3.0	http：//xyyj. chinajournal. net. cn/
61	新疆大学学报．哲学社会科学版	期刊网	3.0	http：//xjdxxb-s. periodicals. net. cn/default. html
62	国际人类学与民族学联合会第十六届世界大会网	会议网	3.0	http：//www. icaes2008. org/chindex. htm
63	西北民族大学博物馆	博物馆	4.0	http：//dwzy. xbmu. edu. cn/bwg/
64	北京中华民族园 北京中华民族博物馆	博物馆	3.5	http：//www. emuseum. org. cn/
65	复旦大学文化人类学数字博物馆	博物馆	3.0	http：//www. fudan. edu. cn/lib/preface. htm
66	中南民族大学民族学博物馆	博物馆	3.0	http：//www. scuec. edu. cn/bowuguan/
67	藏人文化网	民族网	5.0	http：//www. tibetcul. com
68	东方民族网	民族网	5.0	http：//www. e56. com. cn/
69	蒙古文化网站	民族网	5.0	http：//www. mongolculture. com/home/
70	世界瑶族网	民族网	5.0	http：//www. sjyzw. com/

71	西藏文化网	民族网	5.0	http：//www.tibetculture.net/test/index.html
72	中国56民族文化网	民族网	5.0	http：//www.56china.com/index/
73	壮族在线	民族网	5.0	http：//www.rauz.net/main.asp
74	西藏察隅在线	民族网	4.5	http：//www.chayu.gov.cn/index.asp
75	彝族人网	民族网	4.5	http：//www.yizuren.com/index.asp
76	中国水族文化网（贵州民族学院贵州水书文化研究所	民族网	4.5	http：//zgszwh.com/
77	中华民族	民族网	4.5	http：//www.cncn.com/channel/nation.htm
78	藏传佛教	民族网	4.0	http：//zcfj.fjnet.com/default.htm
79	西藏网	民族网	4.0	http：//www.tibet-web.com/default.htm
80	云南民族网	民族网	4.0	http：//www.ynethnic.gov.cn
81	云南民族学	民族网	4.0	http：//www.channelwest.com/ynmzx/default.htm
82	中国—民族网	民族网	4.0	http：//www.56-china.com.cn/inox.htm
83	中国西藏信息中心	民族网	4.0	http：//www.tibet.cn/
84	北京的民族与宗教	民族网	3.5	http：//www.bjethnic.gov.cn
85	村寨网（中国西南少数民族）	民族网	3.5	http：//ethno.ihp.sinica.edu.tw/frameA.htm
86	中华民族文化网	民族网	3.5	http：//www.cec.cass.cn
87	三苗网	个人网	4.5	http：//www.3miao.net
88	巫达个人网站	个人网	4.0	http：//wuda.mysinamail.com/

89	民族学苑	个人网	2.0	http：//mys98. myrice. com
90	新疆语言文字网	其他	4.5	http：//www. xjyw. gov. cn
91	云南省语言文字网	其他	4.5	http：//language. ynedu. net. cn/
92	甘肃语言文字网	其他	3.5	http：//www. gsyywz. com/
93	内蒙古语言文字网	其他	3.5	http：//www. nmgyw. cn/index. asp
94	西藏藏语言文字网	其他	3.5	http：//www. xzzyw. cn/index/jsp/index. jsp

（王小霞　莫小洪）

·学术活动·

国内召开的学术会议

会议名称：壮学第四次学术研讨会

时　　间：2005 年 4 月 15 日—18 日

地　　点：广西田阳县

出席人数：来自北京、云南、广东、贵州、广西 95 位专家学者，另来自泰国、澳大利亚、韩国的 9 人作为旅游者参加了会议。

收到论文：30 篇

问题讨论及评述：这次会议的主题是：壮侗语民族文化与中国——东盟自由贸易区；麽经《布洛陀》与布洛陀文化。有 26 位学者作了大会发言。

会议名称：古代东南亚历史与文化学术研讨会

主办单位：北京大学亚洲—太平洋研究院、北京大学东南亚研究中心

时　　间：2005 年 5 月 28 日—29 日

地　　点：北京

出席人数：50 余名专家学者

收到论文：40 余篇

问题讨论及评述：此次会议是近年来首次召开的有关古代东南亚历史与文化的专题学术研讨会。会议围绕“关于古代东南亚历史研究的分期与方法”、“外来文化在东南亚的传播与影响”、“东南亚

古代史研究中的事件与问题”等专题展开讨论。会议还涉及郑和下西洋、东西方文化在东南亚的冲突与融合、古代中西方关系中的东南亚、东南亚民族来源、东南亚华人与华侨等问题。

会议名称：民族学、人类学与民族博物馆发展学术研讨会

主办单位：2008年人类学民族学世界大会筹委会、国家民委教育科技司、西南民族大学

时　　间：2005年6月16日—18日

地　　点：四川省成都市

问题讨论及评述：大会围绕“民族博物馆与2008年人类学民族学世界大会的关系”、“新世纪民族学与民族博物馆的关系”、“非物质文化遗产抢救和保护”、“民族高校博物馆如何为教学、科研服务”、“民族文化生态与文化产品的市场开发”、“藏族传统文化遗产的保护与展示”、“彝族文化的传统价值”、“数字化博物馆”等问题进行了学术交流。其中，民族博物馆发展、非物质文化遗产保护和“2008年人类学民族学世界大会”等问题引起与会专家、学者的热烈讨论。

会议名称：第十届全国少数民族语言文字信息处理学术研讨会

主办单位：中国中文信息学会

时　　间：2005年7月

地　　点：青海省西宁市

问题讨论及评述：会议旨在交流民族语言文字及多种语言信息处理的最新研究成果，促进我国少数民族语言文字信息处理技术的发展。会议的论文涉及蒙古、藏、维吾尔、哈萨克、柯尔克孜、朝鲜、傣、纳西、契丹等民族语言文字，内容涵盖了互联网民族语言文字信息处理，民族文字编码字符集标准与系统平台，民族文字输入技术，多文种网络应用软件与信息发布技术，多文种文字混合排版处理技术等。

会议名称：全国首届民间法、习惯法学术研讨会

主办单位：山东大学威海分校法学院、青海民族学院法学院

时　　间：2005 年 7 月 6 日—8 日

地　　点：青海省西宁市

问题讨论及评述：与会学者对民间法的一般理论、民间规范与社会自治、民族习惯法、当代中国法律中的习惯法、民间法与法律方法等问题进行了探讨。

会议名称：第二届宗教社会科学暨“宗教与民族”学术研讨会

主办单位：云南民族大学、中国人民大学佛教与宗教学理论研究所

时　　间：2005 年 7 月 25 日—27 日

地　　点：云南省昆明市

出席人数：来自北京、云南、天津、四川、台湾地区及美国的学者 60 余人

问题讨论及评述：这次会议的主题是“社会学视野下的宗教与民族问题研究”。经过交流与探讨，会议倡导以社会学、人类学、心理学、经济学等社会学方法，实证研究当代的宗教与民族问题。民族与宗教是当代世界极为活跃的社会因素，对现实生活做科学地实证研究是目前国际学术界的重要走向，同时对民族与宗教问题的研究兼具学术意义和社会意义。

会议名称：首届鄂温克族、鄂伦春族、达斡尔族民族民间文化学术研讨会

主办单位：内蒙古鄂温克族研究会等三家单位

时　　间：2005 年 8 月 12 日—14 日

地　　点：内蒙古鄂温克自治旗巴彦拖海镇

出席人数：100 余位专家学者

问题讨论及评述：此次会议分为五个主题，即民族民间口头文

化研究、民族民间艺术研究、民族民间文化的开发利用、民族民间宗教文化研究、民族民间物质文化研究。

会议名称： 首届“语言与国家”高层论坛

主办单位： 教育部语信司

时　　间： 2005 年 8 月 13 日—15 日

地　　点： 广州市暨南大学

问题讨论及评述： 与会者分别就国家母语教育政策、国家对外语教学政策、华文教育政策、国家外语教学政策、民族地区语言教育政策、语言学学科设置等领域的情况作了发言。讨论非常热烈，与会者认为，国家制定语言政策应考虑三个问题。第一，民族间政治要平等，一个民族失去了自己的语言就失去了自己的文化特征。第二，语言是交际工具，范围不同，使用的工具也就不同。第三，语言政策必须考虑到文化。这关系到国家的语言政策，也关系到国家性质。在研究语言政策的时候要研究少数民族语言的问题。

会议名称： 全国民族关系学术研讨会

主办单位： 兰州大学、新疆大学西北少数民族研究中心、烟台大学民族研究所

时　　间： 2005 年 8 月 15 日—17 日

地　　点： 山东省烟台市

出席人数： 来自全国 13 个省市自治区的 50 余位专家学者

收到论文： 40 余篇

问题讨论及评述： 与会代表围绕“民族关系”这一主题，对历代民族关系、社会主义民族关系问题、民族关系与民族地区的发展、民族关系与民族地区小康社会建设以及西部民族关系与宗教等问题进行了广泛深入的讨论。

会议名称： 第 12 届全国史学理论研讨会

主办单位：中国史学会史学理论分会、中国社会科学院史学理论研究中心、中国社会科学院《史学理论研究》编辑部、云南大学历史文化学院、西南边疆少数民族研究中心

时　　间：2005 年 8 月 23 日—26 日

地　　点：云南省昆明市

出席人数：60 余位专家学者

收到论文：50 余篇

问题讨论及评述：会议围绕“马克思主义历史理论和史学理论”、“中国马克思主义史学的发展”、“中外史学理论与方法的发展”和“西方史学流派及其理论特征”等主题展开了热烈的讨论。

会议名称：中国世界民族学会第八届会员代表大会暨全国学术讨论会

主办单位：中国世界民族学会

时　　间：2005 年 9 月 10 日—12 日

地　　点：湖北省武汉市

出席人数：90 多位会员及学者

收到论文：48 篇

问题讨论及评述：本次研讨会的主题是“新世纪以来世界民族问题的回顾与展望”，大会分成“国别民族问题与民族政策”、“民族主义与世界民族热点问题”和“国际移民与海外华人”三个小组，进行了热烈的讨论。

会议名称：中国人类学迎接 2008 年人类学民族学世界大会暨中国人类学学会年会

主办单位：中国人类学学会

时　　间：2005 年 10 月 21 日—24 日

地　　点：福建省厦门市

出席人数：80 余人

问题讨论及评述：会议以大会学术报告及分组讨论的形式进行。主要涉及文化人类学、语言人类学、影视人类学、艺术人类学、旅游人类学、都市人类学、体质人类学、历史人类学等领域。

会议名称：中国少数民族经济研究会2005年年会暨少数民族和民族地区非公有制经济发展研讨会

主办单位：中国少数民族经济研究会

时　　间：2005年10月22日—23日

地　　点：四川省成都市

出席人数：来自全国各地100余位专家学者

问题讨论及评述：专家学者围绕“少数民族和民族地区非公有制经济发展”、“环境、生态、经济开发与少数民族传统文化保护”和“少数民族和民族地区的经济发展中应关注的问题”等进行了深入的研讨。

会议名称：第三届人类学高级论坛

主办单位：中南民族大学

时　　间：2005年10月29日—30日

地　　点：湖北省武汉市

出席人数：100余人

问题讨论及评述：此次论坛的主题是“人类学与乡土中国”，与会专家学者就这一主题展开了热烈的讨论。

会议名称：第二届“多民族文学论坛”

主办单位：中国社会科学院《民族文学研究》编辑部、中国作家协会少数民族文学委员会、广西民族学院、广西作家协会、《南方文坛》杂志社

时　　间：2005年12月5日—7日

地　　点：广西南宁

出席人数：60 余人

问题讨论及评述：本次论坛设置有“多元文化与民族文学批评及其学科理论探讨”、“民族作家身份认同问题”、“广西少数民族作家研究与批评”、“中国多民族作家研究与批评”四个主要议题。与会者主要集中在五个问题上展开讨论。1. 学科定位与理论问题，2. 少数民族文学书写语言；3. 身份认同；4. 广西少数民族作家研究与批评；5. 其他少数民族作家文学与民间文学研究。

（王秀珍）

我国学者参加的国际学术会议

会议名称：中国首届人类语言学国际学术研讨会

主办单位：中国语言学会、中国社会科学院民族学与人类学研究所、中国中央民族大学及黑龙江大学

时　　间：2005年1月5日—9日

地　　点：中国黑龙江省哈尔滨市

出席人数：来自中国、美国、法国、波兰、俄罗斯和加拿大的76名专家学者

收到论文：70篇

问题讨论及评述：会议以大会报告、分会场讨论和学术沙龙三种形式进行。与会者围绕六个主题进行了热烈的讨论。即：1. 人类语言学的理论和方法；2. 民族关系和语言关系；3. 文化接触和语言变异；4. 语言多样性和濒危语言问题；5. 田野语言调查；6. 语言应用和语文现代化。

会议名称：第五届国际哈尼/阿卡文化学术研讨会

主办单位：中共思茅市委、市人民政府

时　　间：2005年4月8日—12日

地　　点：中国云南省哈尼族自治县

出席人数：来自美国、日本、波兰、瑞典、缅甸、中国等十多个国家和地区的130余位专家学者

收到论文：140余篇

问题讨论及评述：会议以“北回归线上的哈尼族——文化与经济同步发展”为主题进行了广泛的交流和研讨。学者们从哈尼/阿

卡的族源、历史沿革、民族迁徙、农耕文化、传统民俗、语言文字、文学艺术、传统节日、连名谱系、民居村落、文化教育、民族经济、宗教祭祀、生态环境等诸多方面充分发表了各自的学术观点，并进行了深入的探讨。

会议名称：第三届土著/少数民族国际研讨会

主办单位：中国社会科学院民族学与人类学研究所、加拿大驻华大使馆、加拿大第一民族大学土著研究中心

时　　间：2005年5月17日—21日

地　　点：北京

出席人数：来自中国、加拿大、印度、孟加拉国、越南、美国、澳大利亚以及中国台湾地区的50余名专家学者

收到论文：46篇

问题讨论及评述：与会国内外专家学者围绕会议主题“土著/少数民族的现代化发展”，就土著/少数民族的教育、自治、生态保护、经济发展、都市化、文化传承和语言接触等与土著/少数民族相关的题目进行了广泛的交流和探讨。

会议名称：西部开发与可持续发展国际研讨会

主办单位：中国陕西、新疆、甘肃、青海、宁夏和内蒙古六省区科协

时　　间：2005年8月3日

地　　点：中国新疆乌鲁木齐市

出席人数：西部六省区和美国、俄罗斯、奥地利、德国、哈萨克斯坦等国的专家学者

问题讨论及评述：这次会议的主题是：“资源、环境与发展”，围绕优势资源转化、生态环境治理、城市化建设三个中心议题展开讨论，共同探讨在西部开发中如何实现可持续发展。

会议名称：“语言与民俗”第二届国际学术研讨会

主办单位：中国辽宁省社会科学院等单位

时　　间：2005年8月8日

地　　点：中国辽宁省大连市

出席人数：来自美国、日本、韩国、中国内地和香港地区的20余名专家学者

收到论文：30多篇

问题讨论及评述：大会围绕濒危民俗语汇现象研究、专书语言民俗性研究、地域性民俗语汇研究以及透过语汇形式探究民俗心理根源四个主题进行讨论。与会者从不同的角度，对于抢救、研究濒危民俗语汇现象在当代中国社会的价值和意义进行了阐述，焦点集中在“民间隐语行话”和“女书”这两种形式上。同时与会者以新的角度，对女书加以民俗语言学上的诠释。民俗语言学既具民俗学要求的认同性，也有语言学要求的达到交际目的的社会性。与会者从这一方向着眼，深入研究了某一地区的地方性民俗语汇。

会议名称：第十一届明史国际讨论会

主办单位：中国明史学会、西北师范大学、甘肃省社会科学院、青海师范大学

时　　间：2005年8月16日—19日

地　　点：中国兰州市、西宁市

出席人数：来自中国内地及台湾、香港地区和日本、韩国、澳大利亚、法国的180余名专家学者

收到论文：140余篇

问题讨论及评述：这次会议内容涉及明代的边政、政治军事、思想文化、对外关系等方面。与会者提交的论文数量多、内容广泛，颇有特色。这次会议在中国西北地区召开，跨越甘肃、青海两省，学者从明代西北史定位，到明代西北防御体系、明代西北少数民族的形成、明代蒙古族和藏族的关系、明朝对西北的经营开发、

明代西北与其他地区的联系等方面给予较多的关注和充分的探讨。

会议名称：第二届西夏学学术研讨会

主办单位：中国宁夏社会科学院

时　　间：2005年8月17日—19日

地　　点：中国宁夏银川市

出席人数：来自俄罗斯、日本和中国140多位专家学者

问题讨论及评述：会议围绕西夏历史与文化研究的诸多方面，进行了广泛的学术交流和探讨。举行了西夏学术成果首发式。《西夏通史》、《中国国家图书馆藏西夏文献》、《西夏研究》、《西夏语言文字研究集》和《基于方正典码基础上的西夏文录入系统》等西夏最新研究成果向大会展示。

会议名称：中国重庆大足石刻国际研讨会暨大足石刻首次科学考察60周年纪念会

主办单位：中国重庆市文化局、重庆市人民政府新闻办公室、大足县人民政府

时　　间：2005年8月18日—22日

地　　点：中国重庆市

出席人数：来自美国、英国、德国、日本、加拿大、荷兰、丹麦、韩国、印度、巴基斯坦和中国内地及香港、台湾等13个国家和地区的200余人出席会议

收到论文：73篇

问题讨论及评述：此次会议主题是：回顾与展望、大足石刻与唐宋石窟、密教与大足石刻、中国晚期石窟的互动与交流。论文内容包括：大足石窟考古调查报告，综述研究大足石窟分期、性质、思想体系、信仰等问题，深入探讨刘本尊的专论，大足石窟专窟、专题研究，大足碑刻研究，周边（川渝）石窟研究，川渝佛、道教文物和川渝佛教史研究，其他地区佛教艺术研究，国外石窟及相关

文献的研究等。

会议名称： 中国蒙古学国际学术研讨会

主办单位： 中国内蒙古自治区社会科学院、内蒙古大学、内蒙古师范大学

时　　间： 2005 年 8 月 19 日—21 日

地　　点： 中国内蒙古自治区呼和浩特市

出席人数： 来自中国、蒙古国、俄罗斯、日本、德国、匈牙利、美国、芬兰、波兰、韩国、哈萨克斯坦、吉尔吉斯斯坦等的 300 多名专家学者

收到论文： 240 余篇

问题讨论及评述： 这次研讨会共设有蒙古语言文字、蒙古文学、蒙古历史与文献和蒙古草原文化与民俗四个研讨分会。探讨内容涉及广泛，体现出从传统的分支学科研究向新的领域拓展的趋势。诸如蒙古语语言学、语料库建设、蒙古语某些词语蕴涵的文化内涵；蒙、藏、印民间故事的关系，蒙古族文学对于藏文学的影响，新时期蒙古族文学的生态伦理精神，蒙古文学的后现代问题；草原文化的内涵、特征、功能与地位；传统文化和现代技术以及可持续发展；历史记忆与民族认同感，文化资源与现代科技等，展现出研究的开创性思路，给人以启迪。总之，蒙古学研究的发展状况基本呈现为，中国已经成为国际蒙古学研究中心之一，并对国际蒙古学研究产生重要影响。中国蒙古学研究的新时期已经到来。

会议名称： 中国民间信仰国际学术研讨会

主办单位： 中国四川大学中国俗文化研究所

时　　间： 2005 年 8 月 21 日—25 日

地　　点： 中国四川省都江堰市

出席人数： 来自中国及韩国的专家学者 50 余人

收到论文： 34 篇

问题讨论及评述：与会者就雅俗、正邪的关系，中华本土俗信仰的演变，各种信仰之间的交流与互动，中国民间信仰的外传，民间信仰与现代社会等问题进行了研讨。

会议名称：蒙汉双语研究与教学国际学术研讨会
主办单位：中国蒙古学会、中国少数民族双语教学研究会
时　　间：2005年8月26日—28日
地　　点：中国北京
出席人数：来自中国、蒙古国、俄罗斯、日本的专家学者141人
问题讨论及评述：与会学者对蒙汉双语教学、蒙汉英三语教学、幼儿教学、蒙汉语翻译、蒙汉语对比研究、语言文字使用和发展等涉及蒙汉双语研究与教学等诸多问题进行了交流和讨论。

会议名称：2005年国际人类学与民族学联合会（IUAES）中期会议
主办单位：国际人类学与民族学联合会
时　　间：2005年8月29日—9月2日
地　　点：捷克
出席人数：来自非洲、欧洲、亚洲和北美洲的专家学者近100人
收到论文：60余篇
问题讨论及评述：此次中期会议的主题为“种族主义的多种面像：对人类学者和民族学者的挑战”。

会议名称：首届诺门罕战争研讨会
主办单位：中国哈尔滨市社会科学院、呼伦贝尔市人民政府、新巴尔虎左旗旗委、旗政府
时　　间：2005年9月7日—8日

地　　点： 中国内蒙古新巴尔虎左旗

出席人数： 来自蒙古国、日本、中国的40余位专家学者

问题讨论及评述： 诺门罕战争是1939年5月4日至9月16日在今中国内蒙古新巴尔虎左旗一带以及今蒙古国哈拉哈河两岸进行的一场战争。参战双方为日本、伪满洲国军队与前苏联、蒙古人民共和国军队，这是一场局部立体化战争，以日本军国主义的惨败而结束。会议全面涉及了战争的有关问题。

会议名称："中国与中亚：共建地区安全与繁荣"国际学术研讨会

主办单位： 中国社会科学院地区安全中心、上海合作组织研究中心、新疆社会科学院

时　　间： 2005年9月13日—14日

地　　点： 中国新疆乌鲁木齐市

出席人数： 来自哈萨克斯坦、吉尔吉斯斯坦、乌兹别克斯坦等中亚国家的学者以及中国学者若干人

问题讨论及评述： 与会者主要就中国和中亚的经济贸易关系、中亚地缘政治的新情况、中亚政局与颜色革命以及上海合作组织的发展前景等问题进行了讨论。

会议名称： 中国第一历史档案馆馆庆80周年明清档案与历史研究学术研讨会

主办单位： 中国第一历史档案馆

时　　间： 2005年9月19日—24日

地　　点： 中国北京

出席人数： 来自美国、日本、韩国及中国的110余位专家学者

收到论文： 96篇

问题讨论及评述： 与会专家学者围绕明清档案与档案工作、档案与政治经济、档案与社会文化等主题，从历史学、档案学、民族

学、文化语言学等不同角度进行了学术交流和探讨。

会议名称：第五届中国暨国际满学研讨会

主办单位：中国辽宁大学历史文化学院、抚顺社会科学院、北京满学会

时　　间：2005年9月24日—25日

地　　点：中国辽宁省沈阳、抚顺两地

出席人数：60名专家学者

收到论文：30余篇

问题讨论及评述：这次会议的主题是清入关前人物，满族历史、文化、社会及满学问题。会议的特点是：研究方法多元化，研究领域深层化。

会议名称：巴蜀文化研究新趋势国际研讨会

主办单位：中国四川师范大学巴蜀文化研究中心

时　　间：2005年10月18日—20日

地　　点：中国四川省成都市

出席人数：来自美国、韩国、日本、中国的专家学者70余人

问题讨论及评述：与会者主要对巴蜀考古、藏彝走廊、巴文化的源流、国家与文明起源、城市、文字、文化交流、青铜器等问题进行了研讨。

会议名称：第38届国际汉藏语暨语言学研讨会

主办单位：国际汉藏语学会

时　　间：2005年10月28日—31日

地　　点：中国福建省厦门市

出席人数：来自中国、美国、德国、法国、英国、韩国、泰国、日本、新加坡、澳大利亚、瑞典的160位专家学者

问题讨论及评述：本次会议的论题涉及语言系属、语言接触、

试验语音学、计算语言学、社会语言学、方言地理学、古文字文献、新发现语言和濒危语言、语言底层、混合语言等问题的研究。

会议名称：中国西部民族地区生态旅游国际学术研讨会
主办单位：中国西南民族大学、九寨沟风景名胜区管理局
时　　间：2005年11月5日—6日
地　　点：中国四川省九寨沟
出席人数：来自美国、德国、日本和中国70余名专家学者
问题讨论及评述：与会者分别就生态旅游的理论、生态旅游与旅游可持续发展、生态旅游和大众旅游的对比、文化生态保护与魁北克世界生态旅游高峰会宣言、地缘环境与民族文化旅游发展、国家生态旅游标准的制定问题、社区参与旅游发展的中西对比、西部大开发与西部生态旅游的发展、民族文化旅游资源的保护与生态移民及城镇化推进、自然保护区的生态旅游资源利用、世界遗产地生态环境保护的对策与思考等一系列重大问题进行了积极的讨论。

会议名称：第四届中国社会语言学国际学术研讨会
主办单位：中国广东外语外贸大学、中国社会语言学会、香港理工大学、新加坡国立大学
时　　间：2005年12月9日—12日
地　　点：中国广东省广州市
出席人数：来自美国、英国、加拿大、新加坡、日本、中国的专家学者200余人
收到论文：220余篇
问题讨论及评述：本届会议主要议题为社会语言学与外语教学、双语教育、作为第二语言的汉语教学、语言交际、社会语用、跨文化语篇分析、语言教育规则以及其他与社会语言学相关的研究，涉及汉语、外语、民族语的社会语言学研究和双语教学。

（王秀珍）

·书目·索引·

新书目录（2005年）

汉　文

（说明：出版社名称后的数字为著作页码数）

综　合

中国民族年鉴：2005（**总第十一期**）/《中国民族年鉴》编委会编.《中国民族年鉴》编辑部. 601

中国社会科学文丛：民族学·人类学·宗教学卷/孟宪范　冯小双主编. 中国政法大学出版社. 1472

中华人民共和国国史全鉴：民族宗教卷/刘海藩主编. 中央文献出版社. 563

民族问题理论

论民族关系与民族关系问题/徐黎丽著. 民族出版社. 239

新时期中国民族政策研究：新方法解读《中华人民共和国民族区域自治法》/周健著. 贵州民族出版社. 283

中国民族的形成/李济著. 江苏教育出版社. 355

民族主义：理论、类型与学者/罗志平著. 旺文社. 555

民族理论论集——第八次全国民族理论研讨会论文集/伍精华　杨建新主编．民族出版社．579

民族论/张凤莲著．山东人民出版社．364

跨国民族理论问题综论/马曼丽　张树青著．民族出版社．284

互动中的磨合与认同——广西民族团结模式研究/莫蓉　徐杰舜著．黑龙江人民出版社．232

中国边疆政治学/吴楚克著．中央民族大学出版社．375

时代精神与民族法制/严志钦著．民族出版社．248

西藏工作文献选编（一九四九—二〇〇五年）/中共中央文献研究室　中共西藏自治区委员会编．中央文献出版社．723

新疆研究文论选：第二辑/毛公宁主编．民族出版社．642

中国民族风情大写真/陈明杰著．海潮摄影艺术出版社．141

中国民族人口：三/田雪原主编．中国人口出版社．1315

傣族的心理与行为研究/尹可丽著．云南民族出版社．181

蒙古鹿石：文明的中介/［俄］沃尔科夫编著．中国人民大学出版社．256

生态与民族/王晓朝　杨熙楠主编．广西师范大学出版社．269

内蒙古现代化进程中的社会结构转型/任维德主编．内蒙古大学出版社．302

面向新世纪的蒙古学：回顾与展望/吴新英　陈岗龙主编．民族出版社．499

中国西部少数民族地区法制现代化研究/俞树毅　刘光华著．兰州大学出版社．230

苗族习惯法的遗留、传承及其现代转型研究/徐晓光著．贵州人民出版社．347

西南民族地区的毒品危害及其对策/秦和平著．四川民族出版社．376

西部大开发与民族问题/杨发仁主编．人民出版社．265

现代民族主义演进史/［美］海斯著　帕米尔等译．华东师范大学出版社．252

民族主义与地区主义的互动——东盟研究新视角/韦民著．北京大学出版社．310

民族主义/徐迅著．中国社会科学出版社．306

种族主义源流/［法］皮埃尔—安德烈·塔吉耶夫著　高凌瀚译．生活·读

书·新知三联书店. 123

挑战与回应：中东民族主义与伊斯兰教关系评析/刘中民著. 世界知识出版社. 381

少数的权利——民族主义、多元文化主义和公民/［加］威尔·金里卡著 邓红风译. 上海译文出版社. 409

苗学研究与经济发展：贵州省松桃苗族自治县苗学会论文集/龙玉良主编. 贵州民族出版社. 407

怒江直过区研究/罗世保主编. 德宏民族出版社. 106

“排满”与民族主义/王春霞著. 社科文献出版社. 285

多维视野中的族群冲突/王剑蜂著. 民族出版社. 372

中国共产党民族政策史论/何龙群著. 人民出版社. 320

民族团结誓词碑史料/赵骅银主编. 云南人民出版社. 410

诗意的生存——侗族生态文化审美伦纲/朱慧珍著. 民族出版社. 291

西部大开发与民族问题/杨发仁主编. 人民出版社. 265

赫墨集：喇秉德学术论文选/喇秉德著. 民族出版社. 326

城市化进程中的民族问题研究/周大鸣　马建钊主编. 民族出版社. 412

民族经济

中国西藏区域经济发展研究/赵曦著. 中国社会科学出版社. 337

民国时期西藏及藏区经济开发建设档案选编/刘丽楣　曹必宏主编. 中国藏学出版社. 428

特困民族乡奔小康——云南省云县后箐彝族乡的个案/赵俊臣等著. 中国书籍出版社. 294

边疆民族地区小城镇建设与发展/傅淑丽　沈群等著. 经济科学出版社. 177

站在西部经济的地平线上/杨玉经著. 宁夏人民出版社. 213

云南在西部大开发中的发展与展望：2004/孙渭　张淑静主编. 德宏民族出版社. 213

凉山彝族经济发展战略研究/韦安多著. 民族出版社. 177

云南稻作源流史/管彦波著. 民族出版社. 314

20世纪中国西部开发史/马大正　李大龙著．黑龙江教育出版社．535

西部民族经济可持续发展研究/杨维军　李文瑞著．民族出版社．337

西部民族地区城镇化——理论透视·发展分析·模式构建/李澜著．民族出版社．414

和合加速论当代民族经济发展战略研究/曹征海著．民族出版社．358

21世纪新疆贫困地区发展论/宋岭主编．新疆大学出版社．390

西部发展的理论与实践/王天玺主编．云南教育出版社．354

关键力量——民族地区知识经济发展研究/甘霖著．广西人民出版社．356

走进历史深处的新路径“民族经济交往与社会变迁”系列课程建设研究/陈雄章等著．广西师范大学出版社．320

浪漫选择：民族地区文化经济发展研究/甘霖著．广西人民出版社．259

拓荒集/韩有为著．宁夏人民出版社．258

云南民族文化旅游/姜若愚　蒋文中编著．旅游教育出版社．224

中国少数民族地区国土资源开发研究/刘晓鹰　唐永智　胡双梅著．四川人民出版社．275

南传上座部佛教与傣族村社经济——对中国西南西双版纳的比较研究/谭乐山著　赵效牛译．云南大学出版社．146

中国少数民族地区资本形成研究/时光主编．四川人民出版社．296

中国少数民族地区发展财政研究/郑长德　钟大能等著．四川人民出版社．277

中国少数民族地区对外贸易研究/涂裕春著．四川人民出版社．232

中国少数民族地区旅游经济研究/马艳霞　范钛著．四川人民出版社．262

中国少数民族地区新型工业化道路研究/黄毅等著．四川人民出版社．259

中国少数民族地区发展循环经济研究/马江著．四川人民出版社．252

花腰傣之乡·新平体验游（中英文本）/郭文华主编．云南大学出版社．88

民族学与人类学

史金波文集/史金波著．上海辞书出版社．627

道布文集/道布著．上海辞书出版社．421

马大正文集/马大正著．上海辞书出版社．613

汇聚学术情缘——林耀华先生纪念文集/庄孔韶主编. 民族出版社. 444

影视人类学——思想与实验/邓卫荣　刘静著. 民族出版社. 411

文化与健康；医学人类学实践/徐一蜂　严非编著. 上海人民出版社. 408

民族学研究第十三辑/何星亮　欧光明主编. 民族出版社. 337

民族社会学导论/马戎编著. 北京大学出版社. 281

民族社会学概论/郑杭生主编. 中国人民大学出版社. 411

宗教·政治·民族/张践著. 中国社会科学出版社. 274

斯瓦特巴坦人的政治过程——一个社会人类学研究的范例/［美］弗雷德里克·巴特著　黄建生译. 上海人民出版社. 211

人类学的四个讲座　谣言·想像·身体·历史/［美］斯特拉森等著　梁永佳等译. 中国人民大学出版社. 163

护城兴市——城隍信仰的人类学考察/郑土有　刘巧林著. 上海辞书出版社. 200

理解文化——从人类学和社会理论视角/［美］罗伯特. C. 尤林著　何国强译. 北京大学出版社. 315

最后的长房：基诺族父系大家庭与文化变迁/郑晓云著. 云南大学出版社. 267

凉山彝族风情/吉合蔡华等著. 巴蜀书社. 113

肃北蒙古人/查干扣主编. 民族出版社. 428

藏族文化与生物多样性保护/马建忠　陈洁主编. 美国大自然保护协会　迪庆州藏学研究院编. 云南科技出版社. 214

中国少数民族生育文化（下）/陈长平等主编. 中国人口出版社. 533

土家族传统制度与文化研究/宋仕平著民. 民族出版社. 231

土家族研究：第4集/杨政银主编. 贵州民族出版社. 267

惠水布依族文化/罗世昌主编. 贵州民族出版社. 253

傣族文化研究论文集：第一集/刀承华主编. 云南民族出版社. 443

景颇族社会文化变迁与现代发展研究/陆云著. 云南大学出版社. 275

中国少数民族文化研究/喜饶尼玛　石竣淏主编. 中央民族大学出版社. 463

第四届国际哈尼/阿卡文化学术讨论会论文集/李期博主编. 云南民族出版社. 544

吃茶的民族：中国境内的孟·高棉语族/曹子丹　曹进著. 湖南美术出版

社. 124

西北少数民族地区城市化及社区研究/高永久主编. 民族出版社. 303

中国哈尼学：第三辑/戴庆厦主编. 民族出版社. 501

安多研究：第一辑/丹曲主编. 民族出版社. 368

客家/董励著. 广东人民出版社. 112

客家传统社会（上编）：民俗与经济/［法］劳格文主编. 中华书局. 473

客家传统社会（下编）：民俗与宗族社会/［法］劳格文主编. 中华书局. 534

四川移民与客家文化学术研讨会论文集/陈世松主编. 天地出版社. 555

四川客家/陈世松主编. 广西师范大学出版社. 332

客家祖先崇拜文化——以粤东梅州为重点分析/李小燕著. 民族出版社. 157

成都东山客家研究——成都沙河客家的变迁/谢桃坊著. 天地出版社. 340

福建客家：汀江儿女的千年奋斗史/谢重光著. 广西师范大学出版社. 320

厚德载物：广东客家人的风骨/范英　刘权著. 广东人民出版社. 216

田野视角——客家的文化与民性/曾祥委著. 黑龙江人民出版社. 278

雪域文化拾零/桑罗布著. 民族出版社. 319

四川藏区城镇化与文化变迁——以德格县更庆镇为个案/蒋彬著. 巴蜀书社. 298

六盘水民族风情/柳远胜主编. 贵州民族出版社. 260

东巴文化揭秘/木丽春著. 云南人民出版社. 484

文明的圣树——哈尼梯田/史军超著. 黑龙江人民出版社. 137

藏族与长江文化/王尧　黄维忠著. 湖北教育出版社. 607

“三江并流”区的怒族人家/李月英著. 民族出版社. 290

福建侨乡调查——侨乡认同、侨乡网络与侨乡文化/李明欢主编. 厦门大学出版社. 374

中国的民族识别——56个民族的来历/黄光学　施联朱主编. 民族出版社. 296

苗人的灵魂——台江苗族文化空间/余未人主编. 黑龙江人民出版社. 128

黔东南山寨的原始图像/潘年英著. 上海文化出版社. 152

全球化与民族文化多样性/缪家福著. 人民出版社. 400

人类学定位——田野科学的界限与基础/［美］古塔　弗格森编著　骆建建

袁同凯　郭立新等译. 华夏出版社. 267

社会人类学与中国研究/王铭铭著. 广西师范大学出版社. 259

体育人类学/胡小明　陈华编著. 高等教育出版社. 202

天人和谐与人文重建——漓江流域文化底蕴与社会发展的审美人类学探究/覃德清主编. 广西师范大学出版社. 383

实用人类学/［德］伊曼努尔·康德著　邓晓芒译. 上海人民出版社. 305

宪法人类学——基于民族、种族、文化集团的理论建构及实证分析/陈云生著. 北京大学出版社. 828

现代都市人类学/周大鸣编著. 中山大学出版社. 322

人类生存与生态环境——人类学高级论2004**卷**/孙振玉主编. 黑龙江人民出版社. 458

哈尼族文化论丛：第三辑/云南民族学会哈尼族研究委员会编. 云南民族出版社. 452

民族学人类学的中国经验——人类学高级论坛2003**卷**/杨圣敏主编. 黑龙江人民出版社. 534

文化人类学论纲/罗康隆著. 云南大学出版社. 356

野蛮人的性生活/［英］马林诺夫斯基著　高鹏　金爽编译. 团结出版社. 190

民族心理学研究/李静著. 民族出版社. 333

西方人类学思潮十讲/王铭铭著. 广西师范大学出版社. 268

金羊毛的寻找者——世纪之交的中国民俗学家/徐杰舜主编. 黑龙江人民出版社. 651

信仰、仪式与乡土社会：风水的历史人类学探索/陈进国著. 中国社会科学出版社. 819

地域的等级——一个大理村镇的仪式与文化/梁永佳著. 社会科学文献出版社. 299

人神之间——云南芒市一个彝族村寨的仪式生活、经济伦理与等级秩序/褚建芳著. 社会科学文献出版社. 449

徐松石民族学文集/《壮学丛书》编委会编. 广西师范大学出版社. 1209

吐鲁番学/王启涛著. 巴蜀书社. 410

中国满族通论/张佳生主编. 辽宁民族出版社. 1040

满族文化模式：满族社会组织和观念体系研究/鲍明著. 辽宁民族出版

社. 605

青龙满族/刘玉宗　殷雨安编著. 民族出版社. 499

老北京与满族/爱新觉罗·瀛生著. 学苑出版社. 302

满族妇女生活与民俗文化研究/周虹著. 中国社会科学出版社. 291

中国少数民族通论/杨建新著. 民族出版社. 412

河湟蒙古尔人/李克郁　李美玲著. 青海人民出版社. 502

满学论稿/赵志忠著. 辽宁民族出版社. 344

清镇彝族/陈英奉主编. 贵州民族出版社. 395

布依学研究之八/吴志平　杨昌儒主编. 贵州民族出版社. 306

江华瑶族/李详红　任涛主编. 民族出版社. 345

江华瑶族自治县志（1990—2003年）/湖南省江华瑶族自治县志编纂委员会编. 民族出版社. 645

畲族福建罗源县八井村调查/石奕龙　张实主编. 云南大学出版社. 488

景颇族社会文化变迁与现代发展研究/陆云著. 云南大学出版社. 275

中国水族文化散论/刘世彬著. 贵州人民出版社. 231

当代中国著名民族学家　百人小传/施琳主编. 中央民族大学出版社. 470

御路歌谣：满族民俗传说/杨丰陌主编. 辽宁民族出版社. 281

民俗解析/［美］邓迪斯著. 广西师范大学出版社. 299

民俗典籍文字研究：第二辑/王宁主编. 商务印书馆. 258

民俗学刊：第八辑/叶春生主编. 澳门出版社. 194

实用中国民俗学/赵杏根　陆湘怀著. 东南大学出版社. 216

亚细亚民俗研究：国际亚细亚民俗学会学术会议论文集　第五辑/陶立璠主编. 学苑出版社. 332

域外民俗学鉴要/王汝澜等编译. 宁夏人民出版社. 281

黑白画库：民俗卷/宣森主编. 广西美术出版社. 661

平阳县苍南县传统民俗文化研究/徐宏图　康豹主编. 民族出版社. 543

夏地民俗/李东东主编. 宁夏人民出版社. 147

井陉历史文化民俗文化卷/政协井陉县委员会编. 新华出版社. 481

湖南省志：第二十六卷民俗志/湖南省地方志编纂委员会编. 五洲传播出版社. 784

甘肃少数民族民俗文化概览/马自祥　马兆熙编著. 民族出版社. 257

中国少数民族风情游丛书：维吾尔族/续西发著. 中国水利水电出版

社．216

中国少数民族风情游丛书：锡伯族/佟加·庆夫　郭庆　葛丰交著．中国水利水电出版社．128

爱我中华：中华五十六民族风貌/陈耀华编著．广东旅游出版社．112

木里俄亚——融化在金沙江魂魄中的异俗/宋兆麟　边人著．外文出版社．160

古村社会变迁一个话语群的分析实验/谭必友著．民族出版社．208

华南客家族群追寻与文化印象/陈支平　周雪香主编．黄山书社．473

神秘的他留人/简良开编著．云南人民出版社．371

变迁与发展：云南布朗山布朗族社会研究/张晓琼著．民族出版社．353

文化与艺术——中国少数民族头饰文化研究/管彦波著．中国经济出版社．282

苗族妇女服装研究/席克定著．贵州民族出版社．274 西南少数民族民间工艺文化资源保护研究/张建世等著．四川民族出版社．165

衣装秘语——中国民族服饰文化象征/邓启耀著．四川人民出版社．272

中国民族民间文化保护工程普查工作手册/中国民族民间文化保护工程国家中心编．文化艺术出版社．267

民族旅游地文化变迁与发展研究/李伟著．民族出版社．249

云南民族文化概论/张保华著．中国社会科学出版社．353

中国少数民族文化研究/喜饶尼玛　石竣淏主编．中央民族大学出版社．463

藏族文化与生物多样性保护/马建忠　陈洁主编．云南科技出版社．214

草原上的毡房/安歌著．河北教育出版社．130

丽江古城与纳西族民居/朱良文编著．云南科技出版社．145

边疆民族地区有中国特色社会主义文化建设的理论与实践/赵长青　马树勋主编．云南大学出版社．387

民族服饰与文化遗产研究中国民族学学会 2004 年年会论文集/杨源　何星亮主编．云南大学出版社．433

云南二十六个民族的经典节庆 HAPPY · 快乐/陈曦著．云南人民出版社．281

民族历史

清代东北边疆的满族（1644—1840）/张杰　张丹卉著．辽宁民族出版社．474

满—通古斯语族民族宗教研究——宗教与历史/奇文瑛著．中央民族大学出版社．283

赫图阿拉与满族姓氏家谱研究/傅波主编．辽宁民族出版社．546

建州三雄/董万仑著．民族出版社．205

前郭尔罗斯简史/刘加绪主编．辽宁民族出版社．344

蒙古族近代军事史/巴音图　张成业著．辽宁民族出版社．522

蒙古摇篮——额尔古纳/巴义尔著．民族出版社．220

原匈奴·匈奴历史与文化的考古学探索/马利清著．内蒙古大学出版社．420

蒙古史研究　第八辑/齐木德道尔吉主编．中国蒙古史学会编．420

最后的游牧帝国准噶尔部的兴亡/［日］宫脇淳子著　晓克译．内蒙古人民出版社．182

达斡尔资料集：第六集/《达斡尔资料集》编辑委员会编．民族出版社．1505

傣族文化史/刀承华　蔡荣男著．云南民族出版社．392

太平天国与客家/刘佐泉著．大学出版社．253

清代满蒙翰林群体研究/邸永君著．黑龙江人民出版社．325

元代社会婚姻形态/王晓清著．武汉出版社．280

蒙元史研究丛稿/陈得芝著．人民出版社．778

元史研究新论/陈高华著．上海社会科学院出版社．464

简明藏族史教程/周毓华　彭陟焱　王玉玲编著．民族出版社．325

藏族万年大事记/噶玛降村编著．民族出版社．377

日本涉藏史/秦永章著．中国藏学出版社．293

纳西族与藏族历史关系研究/杨福泉著．民族出版社．437

藏彝走廊——历史与文化/石硕主编．四川人民出版社．473

西藏佛教史略/王辅仁编著．青海人民出版社．213

西藏封建农奴制社会形态（第二版）/多杰才旦主编. 中国藏学出版社. 757

西藏贵族世家（第二版）/次仁央宗著. 中国藏学出版社. 428

萨迦世系史/阿旺贡噶索南著　陈庆英　高禾福　周润年译注. 中国藏学出版社. 519

萨迦世系史续编/贡嘎·罗追著　王玉平译. 中国藏学出版社. 491

历代中央政府的治藏方略/谢铁群编著. 中国藏学出版社. 360

西藏文史探微集/王尧著. 中国藏学出版社. 444

都兰吐蕃墓/北京大学考古文博学院　青海省文物考古研究所编著. 科学出版社. 171

唐代吐蕃与西域诸族关系研究/杨铭著. 黑龙江教育出版社. 307

元以来西藏地方与中央政府关系研究（上下册）/邓锐龄等著. 中国藏学出版社. 1330

目击雪域瞬间：20世纪五六十年代的西藏/陈宗烈著. 中国藏学出版社. 293

辽金论稿/宋德金著. 湖北教育出版社. 390

《金史》之《食货志》与《百官志》/韩世明　都兴智校注. 中国社会科学出版社. 222

中国达斡尔族史话/鄂景海　巴图宝音编著. 民族出版社. 565

中国西南民族关系史/王文光　龙晓燕　陈斌著. 中国社会科学出版社. 505

民族史研究第6辑/姚念慈执行主编. 民族出版社. 447

国外早期西夏学论集：一/孙伯君编. 民族出版社. 299

国外早期西夏学论集：二/孙伯君编. 民族出版社. 263

拜寺沟西夏方塔/宁夏文物考古所编著. 文物出版社. 460

《天盛律令》与西夏法制研究/杜建录著. 宁夏人民出版社. 330

中国民族史料汇编/潘光旦编著　潘乃穆等整理. 天津古籍出版社. 487

彝族源流（汉译散文版）/王明贵　王显编译　王继超审定. 民族出版社. 541

维吾尔族：历史与现状/王茜等著. 新疆大学出版社. 269

中国西南夜郎文化研究文集：卷一/刘胜康　熊宗仁　王子尧主编. 贵州民族出版社. 372

泰族起源与南诏国研究文集：（三册）/陈吕范主编．中国书籍出版社．1387

边疆民族史探究/方铁著．中国文史出版社．495

瑶族历史览要/王明生　王施力著．民族出版社．273

甘宁青地区多民族格局形成史研究/秦永章著．民族出版社．366

布洛陀——百越僚人的始祖图腾/梁庭望等著．外文出版社．149

觅籍阅史看白国：白子国研究古籍文献选编/张昭主编．云南民族出版社．267

云南天主教史/刘鼎寅　韩军学著．云南大学出版社．442

生存范式：理性与传统（元明清时期南方民族法律变迁研究）/胡兴东著．中国社会科学出版社．373

中国西北古代少数民族宗法文化研究/廖杨著．广西师范大学出版社．404

勐卯弄傣族历史研究/刀保尧主编．云南民族出版社．271

民族考古学家宋兆麟/赵淑静等主编．云南人民出版社 85

吐火罗人起源研究/徐文堪著．昆仑出版社．521

四川回族历史与文化/马尚林著．四川民族出版社．214

郑和与回族伊斯兰文化/吴海鹰主编．宁夏人民出版社．274

中国南方民族历史文化探索/胡绍华著．民族出版社．443

客家文化与妇女生活 12—20 世纪客家妇女研究/谢重光著．上海古籍出版社．374

中国古代和亲史/崔明德著．人民出版社．765

云南伊斯兰教史/姚继德　李荣昆　张佐著．云南大学出版社．364

中国西北地区古代居民种族研究/韩康信　谭婧泽　张帆著．复旦大学出版社．293

壮族文明起源研究/郑超雄著．广西人民出版社．329

历史与民族——中国边疆的政治、社会和文化/罗贤佑主编．社科文献出版社．541

中国西南民族社会生活史/管彦波著．黑龙江人民出版社．266

维吾尔族：历史与现状/王茜等著．新疆大学出版社．269

北方文化与匈奴文明/田广金　郭素新著．江苏教育出版社．539

清代北部边疆卡伦研究/宝音朝克图著．中国人民大学出版社．300

出土夷族史料辑考/陈秉新　李立芳著．安徽大学出版社．686

边疆考古研究：第3辑/朱泓主编. 科学出版社. 398

成吉思汗哲学思想研究/格·孟和著 何金山等译. 辽宁民族出版社. 585

蒙古族近现代思想史论/宝力格著. 辽宁民族出版社. 178

民族语言文字

回顾与展望：中央民族大学中国少数民族语言文学学院十年巡礼（1995—2005）/斯琴编著. 中央民族大学出版社. 352

仙居土家语研究/戴庆厦 田静著. 中央民族大学出版社. 430

松桃苗话描写语法学/罗安源著. 中央民族大学出版社. 415

苗语与古汉语特殊语句比较研究/张永祥 曹翠云著. 中央民族大学出版社. 260

回鹘文献语言的结构与特点/张铁山著. 中央民族大学出版社. 375

凤凰山畲语/游文良 雷楠 蓝瑞汤著. 吉林人民出版社. 330

基于方正典码之上的西夏文录入系统使用手册/景永时 贾常业编著. 香港社会科学出版社. 81

哈萨克词汇与文化/黄中祥著. 中国社会科学出版社. 324

布依语基础教程/王伟 周国炎编. 中央民族大学出版社. 379

布庚语研究/李云兵著. 民族出版社. 344

台湾Amis语话语汇编/田中山编著 曾思奇 李文甦译注. 民族出版社. 364

克蔑语研究/陈国庆著. 民族出版社. 240

汉藏语系语言判断句研究/张军著. 中央民族大学出版社. 235

汉藏语四音格词研究/孙艳著. 民族出版社. 318

新疆撒拉语/许伊娜 吴宏伟著. 新疆大学出版社. 198

纳西东巴文字字素研究/郑飞洲著. 民族出版社. 223

彝语方言学/朱文旭著. 中央民族大学出版社. 430

西夏语言文字研究论集/龚煌城著. 民族出版社. 638

景颇语基础教程/戴庆厦 岳相昆著. 中央民族大学出版社. 238

浪速语研究/戴庆厦著. 民族出版社. 262

古代突厥文碑铭研究/耿世民著. 中央民族大学出版社. 334

遍访契丹文字话拓碑/刘凤翥著. 华艺出版社. 255

蒙古学金石文编题录/莎日娜主编. 内蒙古大学出版社. 818

东巴文异体字研究/周斌著. 华东师范大学出版社. 202

汉藏语系语言研究/罗江文　木霁弘　马京主编. 云南民族出版社. 344

汉藏语系量词研究/李锦芳主编. 中央民族大学出版社. 533

彝族古籍释名集/王运权编著　贵州省毕节地区民族事务委员会　贵州省毕节地区彝文翻译组　贵州省毕节地区彝学研究会编. 贵州民族出版社. 420

彝文文献翻译与彝族文化研究/王继超著　贵州省毕节地区民族事务委员会　贵州省毕节地区彝文翻译组　贵州省毕节地区彝学研究会编. 贵州民族出版社. 385

水书：丧葬卷/贵州省民族古籍整理办公室　贵州省黔南南布依族苗族自治州民族宗教事务局　贵州省三都水族自治县人民政府编. 王品魁　潘朝霖译注. 贵州民族出版社. 425

中国民族语言工程研究新进展/江荻　孔江平主编. 社科文献出版社. 432

女书的历史与现状——解析女书的新视点/［日］远藤织枝　黄雪贞主编. 中国社会科学出版社. 196

中国女书合集（五册）/赵丽明编著. 中华书局. 4345

闺中奇迹　中国女书/刘忠华主编. 黑龙江人民出版社. 145

国家图书馆藏西夏文献中汉文文献释录/林世田主编　全桂花　李际宁　郑贤兰编. 北京图书馆出版社. 131

西南古籍研究 2004 年/林超民主编. 云南大学出版社. 525

少数民族文学艺术

傈僳族三弦调/黎爱蓉　吕晴搜集整理　黎爱蓉记谱　余世珍傈僳文记录翻译. 德宏民族出版社. 254

舞蹈王国再探：少数民族舞蹈论文选/刘金吾著. 云南民族出版社. 295

文山壮族苗族自治州文化艺术志/文山壮族苗族自治州文化艺术志编纂委员会编纂. 云南民族出版社. 466

西藏舞蹈与民俗/王希华著. 西藏人民出版社. 195

中国西藏唐卡绘画精选（中藏英文对照）/洛松向秋著　王国振英文翻译

达多藏文翻译. 中国民族摄影艺术出版社. 143

丽江第二届国际东巴艺术节学术研讨会论文集/和自兴 郭大烈 白庚胜主编. 云南民族出版社. 662

缩最禾土玛绕——哈尼族神话古歌/白然里演唱 白金明记录 杨羊就 白金明翻译整理. 云南民族出版社. 275

仓央嘉措情歌及秘史/龙仁青撰写 伊沙润色. 青海人民出版社. 162

戴着面具起舞：中国傩文化/刘芝凤著. 黑龙江人民出版社. 142

天籁之音：侗族大歌/刘亚虎主编. 黑龙江人民出版社. 136

壮族铜鼓研究/蒋廷瑜著. 广西人民出版社. 367

西藏史诗和说唱艺人/（法）石泰安著 耿升译. 中国藏学出版社. 640

广东客家民歌/莫日芬主编. 广州出版社. 207

红水河民族文化艺术考察研究/容小宁主编. 广西人民出版社. 398

世界民族

安达曼岛人/［英］拉德克里夫·布朗著. 广西师范大学出版社. 386

华人在海外——东方使者/董增刚主编. 山西人民出版社. 180

国际移民与海外华人研究/李其荣著. 湖北人民出版社. 548

华侨华人概述/卢海云 王垠主编. 九州出版社. 237

斯里兰卡的民族宗教与文化/王兰著. 昆仑出版社. 295

印尼华侨史古代至 1949 年/李学民 黄昆章著. 广东高等教育出版. 440

华侨华人研究文献索引 1996—2000/曾伊平 林振锋编. 厦门大学出版社. 161

印尼华侨华人史 1950 至 2004 年/黄昆章著. 广东高等教育出版社. 346

新加坡社会与华侨华人研究/黄松赞著. 中国华侨出版社. 456

马来西亚华人社团研究/石沧金著. 中国华侨出版社. 511

冲突与融合：菲华商联总会与战后菲华社会的发展/朱东芹著. 厦门大学出版社. 316

喜马拉雅的云居客：波提亚人/［美］温莎·乔尔顿著 李强 陈丽杰译. 华艺出版社. 172

塞上论史——外国史、华侨史文集/张天著. 宁夏人民出版社. 423

境外华人国籍问题讨论辑/周南京主编. 香港社会科学出版社有限公司. 576

揭开哈尔滨犹太人历史之谜：哈尔滨犹太人社区考察研究/张铁江著. 黑龙江人民出版社. 405

西方人性格地图/傅光中　田艳玲主编. 山东画报出版社. 553

东方人性格地图/张亚松　白鹏飞主编. 山东画报出版社. 391

日本人的原始信仰/王金林著. 宁夏人民出版社. 219

费曼的最后旅程/［美］拉夫·莱顿著　台湾新新闻编译中心译. 湖南科学技术出版社. 226

东西方民族性格比较地图/朱孔宝　焦方禄主编. 山东画报出版社. 235

白尼罗河的勇士：丁卡人/［美］约翰·莱尔著李欣　张小玲译. 华艺出版社. 167

北欧的萨米人/［美］Deborah B. Robinson 著　张艺贝译. 中国水利水电出版社. 48

南美洲的雅诺马米人/［美］Raya Tahan 著　冯非译. 中国水利水电出版社. 48

新西兰的毛利人/［新西兰］Steve Theunissen 著　梁婧扬译. 中国水利水电出版社. 48

非洲的桑人/［美］Linda J. Parker 著　郑新阳译. 中国水利水电出版社. 48

日本的阿伊努人/［美］Barbara Aoki Poisson 著　岳中生译. 中国水利水电出版社. 48

亚洲的库尔德人/［美］Anthony C. LoBaido 著　郑新阳译. 中国水利水电出版社. 48

中东的贝都因人/［埃及］Elizabeth Losleben 著　刘阿钢译. 中国水利水电出版社. 48

东南亚的苗族人/［美］Sandra Millett 著　周佳星译. 中国水利水电出版社. 48

非洲的马萨伊人/［美］Lisa McQuail 著　侍丹青译. 中国水利水电出版社. 48

北美洲的纳瓦霍人/［美］Gerald M. Knowles 著　卿劼译. 中国水利水电出版社. 48

北美洲的莫霍克人/［美］Connie Ann Kirk 著　罗凡译. 中国水利水电出版社. 48

北美洲的克里族人/［美］Deborah B. Robinson 著　侍丹青译. 中国水利水电出版社. 48

澳大利亚的土著人/［澳］Anne Bartlett 著　陈静译. 中国水利水电出版社. 48

北欧的萨米人/［美］Deborah B. Robinson 著　张艺贝译. 中国水利水电出版社. 48

加拿大的因纽特人/［加］Danielle Corriveau 著　陈伟译. 中国水利水电出版社. 48

南美洲的艾马拉人/［美］James Eagen 著　吕增奎译. 中国水利水电出版社. 48

非洲的祖鲁人/［南非］Nita Gleimius 等著　隋荷译. 中国水利水电出版社. 48

其　他

独乡电视现代传媒与少数民族乡村日常生活/郭建斌著. 山东人民出版社. 203

民族文化与文学/张文勋著. 中国戏剧出版社. 282

二十世纪中国少数民族文献分布及学术研究成果——国际性书目之书目/张海惠　王炬编纂. 商务印书馆. 340

三江奇韵/李自强. 云南民族出版社. 416

白玛邓灯尊者传记及道歌/益西多吉上师著　堪布格日泽旺译. 民族出版社. 252

民族教育与民族经济社会发展关系研究/黄育云等著. 贵州人民出版社. 390

云南民族教育改革与发展研究/李云芳　徐忠祥主编. 云南民族出版社. 356

武陵地区民族教育理论与实践/谭志松主编. 民族出版社. 337

武陵地区民族教育的历史与现状/谭志松主编. 民族出版社. 308

民族教育专论/何波主编. 甘肃文化出版社. 451

中华民族传统体育文化导论/卢兵著. 民族出版社. 366

中国少数民族古典文献学/朱崇先. 民族出版社. 320

芷江/杨全武主编. 中央民族大学出版社. 109

中国少数民族图典/李春生　韦荣慧主编. 中国画报出版社. 246

西藏地域和人文/塔热·次仁玉珍著. 西藏人民出版社. 215

走进古河州/樊世兴著. 甘肃民族出版社. 185

中国少数民族古籍管理研究/何丽著. 辽宁民族出版社. 286

（陈杰）

藏　文

综　合

米骄晋美克智嘉措文集/荒弃　尼达主编. 民族出版社. 343

觉囊派典籍要目/何布甲等编译. 民族出版社. 254

金汁写本丹珠尔目录/昂翁洛布著. 民族出版社. 615

民族问题理论

西藏自治区成立四十周年纪念文集/中国藏学出版社. 407

民族团结进步颂/中共中央宣传部等编. 民族出版社. 163

民族学

八支集要·如意宝/《藏医古文精品丛书》编委编. 民族出版社. 631

医学利乐宝库/《藏医古文献精品丛书》编委编. 民族出版社. 942

零星秘诀/《藏医古文献精品丛书》编委编. 民族出版社. 198

驱暗明灯/《藏医古文献精品丛书》编委编. 民族出版社. 216

斗金换　斗换银/《藏医古文献精品丛书》编委编. 民族出版社. 303

第司藏医史/《藏医古文献精品丛书》编委编. 民族出版社. 412

新老宇妥传/《藏医古文献精品丛书》编委编. 民族出版社. 338

四续注释·诃子美串/《藏医古文献精品丛书》编委编. 民族出版社. 600

藏医秘诀汇集（上、下）/《藏医古文献精品丛书》编委编. 民族出版社. 911

临床札记·札记精粹/《藏医古文献精品丛书》编委编. 民族出版社. 520

子书精要/《藏医古文献精品丛书》编委编. 民族出版社. 303

千万舍利子/《藏医古文献精品丛书》编委编. 民族出版社. 709

晶珠本草/《藏医古文献精品丛书》编委编. 民族出版社. 495

秘诀补遗·钥匙/《藏医古文献精品丛书》编委编. 民族出版社. 719

藏药实践明论/《藏医古文献精品丛书》编委编. 民族出版社. 360

藏医学卸据详解/措如·罗追加措主编. 四川民族出版社. 716

藏医学诀窍/任钦哦色著. 四川民族出版社. 554

藏医学义明解/管却达杰著. 四川民族出版社. 483

藏医学卸据详解/措如·罗追加措主编. 四川民族出版社. 716

藏医学诀窍/任钦峨色著. 四川民族出版社. 554

藏医学明解/管却达杰著. 四川民族出版社. 483

藏医卸据诠释（上、下）/索南益西降泽著. 四川民族出版社. 900

苯教四部医典第一卷/谢乌赤西等整理. 四川民族出版社. 301

藏医掘藏秘方/降阳钦则著. 四川民族出版社. 398

四部医典（上）/四川阿坝藏医院编. 中国藏学出版社. 383

藏医秘诀宝源/降欠却吉增赤列著. 青海民族出版社. 918

诀窍银升/西藏自治区藏医院编. 西藏人民出版社. 254

诀窍金升/西藏自治区藏医院编. 西藏人民出版社. 254

山南藏医院专家论文集/山南藏医院医学会编. 西藏人民出版社. 314

常用藏医手册/洛桑罗布编著. 西藏人民出版社. 73

藏医精要饰花集/西藏自治区藏医学院科研所编. 西藏人民出版社. 145

苯教四部藏医经典/杰布赤协等. 民族出版社. 689

简明藏历手册/迈仓·班玛才仁编著. 民族出版社. 176

怎样看藏历/才旺拉姆著. 四川民族出版社. 160

藏族五行概论/米悟察·旦增朗杰著. 民族出版社. 232

藏族传统文化与环保/达瓦次仁等著．民族出版社．431

民族宗教

中华大藏经·丹珠尔（对勘本）第一百零八卷/中国藏学研究中心（大藏经）对勘局对勘、编辑．中国藏学出版社．1768

中华大藏经·丹珠尔（对勘本）第一百零九卷/中国藏学研究中心（大藏经）对勘局对勘、编辑．中国藏学出版社．1942

中华大藏经·丹珠尔（对勘本）第一百一十卷/中国藏学研究中心（大藏经）对勘局对勘、编辑．中国藏学出版社．1270

中华大藏经·丹珠尔（对勘本）第一百一十六卷/中国藏学研究中心（大藏经）对勘局对勘、编辑．中国藏学出版社．1841

中华大藏经·丹珠尔（对勘本）第一百一十七卷/中国藏学研究中心（大藏经）对勘局对勘、编辑．中国藏学出版社．1181

中华大藏经·丹珠尔（对勘本）第一百一十八卷/中国藏学研究中心（大藏经）对勘局对勘、编辑．中国藏学出版社．1057

中华大藏经·丹珠尔（对勘本）第一百一十九卷/中国藏学研究中心（大藏经）对勘局对勘、编辑．中国藏学出版社．937

中华大藏经·丹珠尔（对勘本）第一百二十卷/中国藏学研究中心（大藏经）对勘局对勘、编辑．中国藏学出版社．1818

藏传佛教大圆满传乘史/旦增龙多尼玛著．中国藏学出版社．878

简明佛教宗派论/嘉央智华著．中国舞蹈出版社．516

入中观论探讨教理宝藏/嘉木央协巴著．中国藏学出版社．454

珠旺班玛让卓文集/荒弃　尼达主编．民族出版社．175

郭·循努拜传/夏玛·曲扎益西著．民族出版社．175

觉囊寺院简介/《觉囊简史》编写组编．民族出版社．200

贡噶卓确传/贡噶卓确著．民族出版社．584

更噶吐吉华桑传/更噶华尔登嘉措著．民族出版社．429

外国人研究因明学/杜齐等著．民族出版社．224

康萨尔·丹贝旺旭文集（1～5）/康萨尔·丹贝旺旭著．民族出版社．2286

藏班智达·杰尊罗桑丹巴嘉措白桑集/华旦尖措编．民族出版社．434

普贤上师言教/巴竹·吉美却旺著. 四川民族出版社. 603
直孔巴琼仁波且详传/贡觉培杰著. 西藏人民出版社. 263
噶居派念诵及仪轨经集/西藏人民出版社. 762
般若波罗密多心经词解/达热纳踏著. 西藏人民出版社. 191
普贤教言/杂·巴珠著. 青海民族出版社. 499
中论本注/巨·牟番嘉扬南坚嘉措著. 青海民族出版社. 454
藏传佛教宇宙学通论/恰日·嘎藏陀美著. 甘肃民族出版社. 354
八十四位大成就师唐卡集/次旺仁青著. 西藏人民出版社. 98
直孔禅王阿贡传/直孔·贡觉嘉措编著. 西藏人民出版社. 163
因明学入门/洋增普居巴·罗藏次成木仙巴嘉措著. 西藏人民出版社. 358
金光明颂/智军译. 青海民族出版社. 491
沙普隆寺简介/古籍整理编. 西藏人民出版社. 54
色拉寺简介/洛桑贡钦著. 西藏人民出版社. 81
大昭寺简介/阿旺洛桑嘉措著. 西藏人民出版社. 57
卫藏圣地简介/钦泽旺布著. 西藏人民出版社. 71
藏密气功/玛尔巴译师著. 四川民族出版社. 434
札熙寺吉祥显密兴盛洲志/亚玛泽仁等著. 香港一画出版社. 251
佛教总论乐道塔/多识著. 甘肃民族出版社. 109

民族历史

简明藏族历史/冲尼绕杰著. 民族出版社. 366
热贡森格雄部落研究/吉美桑珠著. 民族出版社. 345
康地圣迹志/噶玛降村编著. 民族出版社. 439
十明文化术语释文汇辑/西藏日喀则地区高中藏文组编. 西藏人民出版社. 407
山南文史资料选编第二辑/山南地区政协文史资料编委会编. 西藏人民出版社. 140
那曲地区爱国名人录/那曲地区政协文史资料室编. 西藏人民出版社. 232
灾异志·地震篇/西藏自治区档案馆编. 西藏人民出版社. 481
扎日圣地指南/堪布·旦巴绕杰著. 西藏人民出版社. 79

民族语言文字

汉藏科技翻译理论新探/夏吾才让著．民族出版社．297

智者启蒙/巨·牟潘嘉扬南坚嘉措著．青海民族出版社．494

民族文学艺术

新时期藏族小说研究/南色著．民族出版社．251

西藏民间歌谣集成：劳动歌集/德庆卓嘎编．民族出版社．145

西藏民间歌谣集成：情歌集/德庆卓嘎编．民族出版社．227

藏族民间文学概论/完玛项欠著．民族出版社．484

诗学要义通俗解说/多识著．甘肃民族出版社．284

庆云使者注解/诺章吴坚．中国藏学出版社．220

西藏谚语汇编/霍康·索朗边巴编．西藏人民出版社．469

波密民歌集/普布多吉等收集．西藏人民出版社．268

格萨尔王传．比热山羊宗/索南格列编．西藏人民出版社．427

那曲民间谚语/索朗加村等编著．西藏人民出版社．199

八大藏戏之一：苏吉尼玛/西藏人民出版社整理．西藏人民出版社．104

西藏酒歌集/索次编著．西藏人民出版社．222

其　他

藏语广播论文集/中央人民广播电台藏语部编．民族出版社．228

驱暗宝珠集萃/多识著．甘肃民族出版社．423

（卓玛）

学术论文索引（2005年）

（说明：期刊名称后面的数字为期数）

汉　文

一、民族问题理论

试论马克思恩格斯《共产党宣言》中关于民族问题的理论/朱西周．电子科技大学学报．2

对列宁“民族自决权原则”的历史考察和现实思考/姚爱琴．青海民族研究．3

斯大林的民族理论与民族政策的错位/杨玲．当代世界与社会主义．2

孙中山的民族思想与民族地区的现代化/李资源　张英．广西民族研究．1

毛泽东的民族思想研究/洪鉴．西南民族大学学报．11

论毛泽东的民族理论/周梅兰．兰州学刊．1

抗战时期毛泽东对马克思主义民族理论的贡献/马学勤．攀登．4

建国初期毛泽东民族思想的理论体系和历史贡献/李赞　周秀菊．社会主义研究．1

略论毛泽东对马克思主义民族理论的历史贡献/齐新潮．贵州民族研究．3

马克思主义民族理论中国化的创举：毛泽东民族区域自治理论的形成/吴延勤．西南农业大学学报．3

毛泽东民族思想在新疆的实践/黄建华．新疆师范大学学报．1

毛泽东关于处理西藏问题的民族学思想/戴丙中．安阳师范学院学报．6

毛泽东与和平解放西藏“十七条协议”的签订/戴炳中．邵阳学院学报．6

毛泽东和达赖交往内幕/曾固强．党史纵横．1

论毛泽东、邓小平民族发展观的共同性/娜芹. 前沿. 11

周恩来与新中国的民族政策/徐行. 民族研究. 2

早年周恩来民族观成因研究/陈雪. 哈尔滨市委党校学报. 3

周恩来与西藏自治区的成立/孙运舟. 文史博览. 19

论邓小平的民族观/刘笑燕 王丽萍. 内蒙古大学学报. 1

论邓小平的民族观/田忠福. 中央社会主义学院学报. 1

邓小平民族理论思想探析/加木沙夫. 实事求是. 1

邓小平民族理论与对少数民族上层爱国人士的统一战线政策/金炳镐 金太兰. 中央民族大学学报. 3

邓小平民族理论的形成和发展/陈英. 中共贵州省委党校学报. 3

试论邓小平民族理论的特点/王汝锋 安俭. 历史教学问题. 2

试论邓小平民族理论的历史地位/韦时福. 世纪桥. 3

邓小平民族理论的创新及贡献/李赞 李冬梅. 哈尔滨市委党校学报. 1

论邓小平对民族理论的主要贡献/巴莎. 宁夏党校学报. 2

论邓小平理论的时代特征与民族特色/周锦年. 洛阳师范学院学报. 1

邓小平民族理论是马列主义民族理论的新发展/阿吾提·托乎提. 新疆社会科学. 1

论邓小平关于少数民族发展的理论及其现实价值/陈英. 贵州民族学院学报. 3

邓小平对民族发展思想的贡献/熊坤新. 黑龙江民族丛刊. 1

试论邓小平关于民族发展的思想/陈曦. 贵阳市委党校学报. 4

略论邓小平民族区域自治思想对民族区域自治工作的指导/赵廷和. 中共南宁市委党校学报. 4

邓小平关于民族工作的基本思想：兼论邓小平对中国共产党民族平等团结政策的新发展/何晓芳. 黑龙江民族丛刊. 3

邓小平民族工作思想探析/张雷军. 理论探索. 1

邓小平民族理论在新疆的实践/黄建华. 西北第二民族学院学报. 1

试论邓小平民族团结理论的主要内容及对新疆的现实意义/刘红艳. 乌鲁木齐成人教育学院学报. 3

政治与戎马生涯中的精彩一页：邓小平与西藏的解放和发展/阴法唐. 领导科学. 2～3

建国初期中共领导人的民族团结理念及其实践述略/张成洁. 学术论坛. 11

江泽民民族问题论/李赞　周秀菊．贵州民族研究．1

江泽民民族问题论/李赞　李冬梅．宁夏社会科学．1

推进民族平等和谐、团结进步事业是构建和谐社会的重要保证：学习胡锦涛同志在中央民族工作会议上讲话的体会/金炳镐　熊坤新．西南民族大学学报．8

论新世纪新阶段中国特色民族理论的新发展：学习胡锦涛同志在中央民族工作会议上的讲话/彭英明．中南民族大学学报．4

马克思主义民族理论在新世纪的新发展：学习胡锦涛同志在中央民族工作会议上的重要讲话/柳春旭．黑龙江民族丛刊．6

新世纪新阶段民族工作的行动指南：学习胡锦涛同志在中央民族工作会议上的讲话/田忠福．新疆社科论坛．4

试论西北时期彭德怀的民族思想/汤夺先．固原师专学报．1

试论乌兰夫民族区域自治属性思想/李瑞．广播电视大学学报．2

李维汉在确立中国民族区域自治理论上的贡献/谢长贵．边疆经济与文化．5

中国共产党处理和解决民族问题的两大法宝/穆殿春．青海民族研究．1

中国共产党解决民族问题的历程和基本经验/龚学增．中共石家庄市委党校学报．7

试论中国共产党在抗日根据地的民族工作及对现阶段民族工作的重要启示/康春英．西北民族大学学报．4

中共民族问题纲领的演变和民族区域自治制度的奠基/庞效松．党史研究与教学．3

中国共产党在西藏革命和建设中的实践与经验/车明怀．中国藏学．3

论不断提高党驾驭和解决民族问题的能力/许进品．学术论坛．5

我国民族政策的价值取向探析/李大健．中央民族大学学报．2

关于民族政策学研究的几个问题/牛海桢．甘肃行政学院学报．1

浅谈民族发展政策对科学发展观的回应/严庆．贵州民族研究．3

论抗战时期党的民族纲领发展背景及主要内容/陈延斌．满族研究．3

抗日战争时期中国共产党对回族的民族政策/米娟婷　肖明朗　杨琦．社科纵横．4

从“五族共和”到《共同纲领》/张越．河北学刊．3

加强辽宁省民族政策建设的思考/金海燕．满族研究．3

论西藏和平解放时期的统一战线工作/徐万发．西藏民族学院学报．3

民族地区建设小康社会需要优惠政策和法律保障/马寅柱　许文苑．康定民族师范高等专科学校学报．3

新时期国家给予民族区域自治地方的优惠政策/李章雨．新东方．10

论少数民族地区全面建设小康社会与全国建设小康社会的和谐与统一/刘兴全．西南民族大学学报．10

民族地区的小康社会建设与民族关系的法律调整/马玉祥．西北民族大学学报．4

少数民族地区全面建设小康社会的对策分析/刘磊．黑龙江民族丛刊．3

民族凝聚力与和谐社会的构建/贺善侃．毛泽东邓小平理论研究．4

对民族地区构建社会主义和谐社会途径的思考/王正伟．求是．16

民族地区构建和谐社会的思考/高娃．内蒙古农业大学学报．4

构建社会主义和谐社会对解决我国现阶段民族问题的重大意义/唐皓．西南民族大学学报．8

坚持和落实科学发展观构建民族地区和谐社会/周铁海．西南民族大学学报．10

构建民族地区社会主义和谐社会/王正伟．共产党人．16

构建社会主义和谐社会的民族理论思考/崔成男　高辉　邓笑冬．满族研究．3

构建社会主义和谐社会与民族关系/郝时远．民族研究．3

在差异中求和谐、求统一的思考：以多民族国家族际关系和谐为例/郝时远．国际经济评论．6

深刻理解“和谐”在我国民族关系中的重要意义/王希恩．西南民族大学学报．8

浅谈构建和谐民族关系的基础/陈琦　杨梅　张晓武．西北民族大学学报．5

发展和完善社会主义民族关系与民族地区和谐社会的构建/金炳镐　常勇．黑龙江民族丛刊．4

巩固和发展社会主义民族关系为构建和谐社会铺就稳固基石/关忠举．北方民族．2

浅谈和谐民族关系与和谐社会/胡清惠．广播电视大学学报．4

正确处理民族问题构建社会主义和谐社会/龚学增．西南民族大学学报．8

正确处理民族问题　努力构建和谐社会/王有星．大连民族学院学报．6

正确处理民族问题　努力构建和谐社会/王有星．理论研究．5

统一多民族国家与和谐社会/包美荣．前沿．12

民族区域自治与和谐社会/彭谦．西南民族大学学报．8

坚持和完善民族区域自治与民族地区和谐社会的构建/周建波．黑龙江民族丛刊．4

坚持和完善民族区域自治制度构建社会主义和谐社会/费利平．攀登．4

坚持民族区域自治，构建海南和谐社会/王亚保．琼州大学学报．6

在发展与变迁中构建少数民族和谐社会/张晓琼．西南民族大学学报．8

加强民族、宗教工作与民族地区和谐社会的构建/范立强．黑龙江民族丛刊．4

以人为本构建民族地区和谐社会/程苹．黑龙江民族丛刊．4

维护民族团结、促进共同繁荣发展是构建和谐社会的重要内容/关立卓．黑龙江民族丛刊．5

坚持和优化民族政策与民族地区和谐社会构建/严庆．黑龙江民族丛刊．6

民族地区经济社会发展与和谐社会建设/麻秀荣　安秀荣．黑龙江民族丛刊．6

民族地区构建和谐社会思考/梁代生．青海社会科学．3

民族地区构建和谐社会的思考/高娃．内蒙古农业大学学报．4

少数民族地区构建和谐社会简论/龙毅鹏．民族论坛．10

协调民族关系是构建城市和谐社会的重要环节/盘小梅．广东技术师范学院学报．5

民族地区社会发展与社会主义和谐社会的建立/张涸晟．中共伊犁州委党校学报．3

协调多元民族关系，构建西部和谐社会/杨顺清．贵州民族学院学报．4

构建社会主义和谐社会与甘肃民族工作/斯琴格日勒．甘肃民族研究．3～4

试论青海民族文化的“和谐”思想/贾桂英．青海民族研究．3

“两个共同”是构建和谐新疆的根本/韩光武．中共乌鲁木齐市委党校学报．4

构建社会主义和谐社会的理论与实践：以四川民族地区为例/郎维伟　庄万禄．西南民族大学学报．8

云南多民族边疆民族地区和谐社会构建探析/溥德书．中共云南省委党校学

报．1

德昂族生存困境与构建和谐社会/廖元昌．云南行政学院学报．5

坚持民族区域自治，构建海南和谐社会/王亚保．琼州大学学报．6

论民族地区精神文明建设思想的形成和发展/李长海．攀登．3

民族地区中小城市文明建设模式研究：以“凯里文明”为例/陈文祥．黔东南民族师范高等专科学校学报．2

加快民族地区政治文明建设的思考/周其华　冉友敏　张进华．贵州工业大学学报．3

民族区域自治地方政治文明建设的条件、途径和任务/赵春盛　张玲．云南社会科学．3

论经济因素对少数民族地区政治文明建设的制约/赵新国．黑龙江民族丛刊．2

边疆多民族地区政治文明建设面临的问题和主要任务/杨顺清．云南行政学院学报．1

边疆多民族地区政治建设的现状分析/刘荣．云南行政学院学报．1

少数民族地区政治文明建设是加强党执政能力建设的重要课题/敖海华　黄保红．贵州工业大学学报．5

新中国边疆少数民族地区政治建设的演进/周平．云南民族大学学报．3

民族精神研究与民族意识研究/龚永辉．青海民族研究．1

论民族精神/陈育宁．西北民族研究．2

中华民族精神的内涵述评/包海兰　吴荣先．巢湖学院学报．1

论中华民族精神的当代功能/王仕民　张静．党政干部论坛．1

浅谈全球化冲击下的中华民族精神文化/李延文．江汉石油职工大学学报．1

民族精神概念论析：概念的词义解析、历史考察及方法论思考/冯秀军　高庆珍．河北师范大学学报．3

民族精神的同一性问题：麦克林教授访谈录/高秉江．华中科技大学学报．3

论民族英才人物与民族精神的形成和发展/丁少锋．山西高等学校社会科学学报．5

中华民族精神现代化途径探析/张瑞芳．石家庄学院学报．1

民族精神的本质与民族方法论/付立清　徐文学．甘肃理论学刊．1

湘鄂西民族地区精神文明建设刍议/李资源. 中南民族大学学报. 6

把握“共同团结奋斗，共同繁荣发展”的主题，做好新形势下的民族工作/刘延东. 求是. 16

切实加强对新时期民族问题和民族工作的研究/李德诛. 中央民族大学学学报. 1

努力开创各民族共同繁荣发展的新局面/李德洙. 人民论坛. 10

抓住历史机遇把民族工作提高到新的水平/李德洙. 中国民族. 1

实现各民族“共同团结奋斗、共同繁荣发展”的重要里程碑：访国家民委党组书记、主任李德洙/田颖. 求是. 15

正确处理民族问题，提高党的执政能力：访国家民委党组书记、主任李德洙/徐鹏堂. 上海党史与党建. 10

各民族共同团结奋斗共同繁荣发展：论新世纪新阶段民族工作的主题/龚学增. 实事求是. 4

正确处理民族问题，促进各民族共同繁荣发展/束迪生. 实事求是. 6

试论甘肃民族团结宣传教育的社会机制/安东. 甘肃民族研究. 3～4

对做好格尔木地区民族宗教工作的思考/王玉邦. 攀登. 6

建国以来党的民族理论在青海的实践/袁雅丽. 青海民族研究. 3

新疆50年建设成就及进一步发展的思考/苏德贵. 实事求是. 6

中国共产党第三代领导集体与西藏社会主义事业的发展/严庆. 西藏民族学院学报. 5

中国的民族区域自治在西藏的伟大成就和亟待完善的问题/朱玉福. 西藏民族学院学报. 5

四十年西藏民族区域自治实践告诉我们什么/杨维周. 西藏民族学院学报. 5

中国化马克思主义民族理论在西藏的实践：纪念西藏自治区成立四十周年/丛松日. 贵州民族研究. 3

壮丽的画卷，不朽的丰碑：庆祝西藏自治区成立40周年/中共西藏自治区委员会　西藏自治区人民政府. 求是. 17

西藏：40年三大跨越/罗布次仁　薛文献. 半月谈. 16

西藏农牧民生活四十年的巨大变迁/西藏县域经济发展与农牧民增收课题组. 西藏发展论坛. 5

云南民族工作的历史经验：民族就是民族/伍雄武. 中南民族大学学报. 3

民族工作理论与云南少数民族社会的发展/李若青．云南民族大学学报．6

城区民族工作新思路探索/马富静．上海市社会主义学院学报．2

民族工作缺失与民族工作过度：城市化进程中需要关注的若干民族问题/沈林．广西民族学院学报．2

城市化进程中社区民族工作的特点及对策：以城市社区治理为视角/陶斯文 喇明清．西南民族大学学报．2

在民族地区加强党的执政能力建设的思考与探索/郭鹤立．甘肃民族研究．2

关于青海省少数民族地区加强党的执政能力建设的调查与思考/中共青海省委党校党史党建教研部课题组．攀登．3

民族地区村级党组织改进领导方式的路径选择：对村民自治条件下青海省基层党建工作的调研/陈玮 马占彪 马学勤．攀登．6

论加强民族地区党组织执政能力建设的措施/陈宏．西藏民族学院学报．2

党在民族地区执政能力建设的特殊任务/陈国新．大理学院学报．4

人口较少民族研究的意义/王铁志．黑龙江民族丛刊．5

全球化视阈中的马克思东方落后民族跨越发展理论/王金磊 冯来刚．广西民族研究．1

在践行科学发展观中实现民族地区的全面发展/林钧昌．黑龙江民族丛刊．2

论民族素质与民族地区发展/程淑华．黑龙江民族丛刊．2

现状、原因、对策：地方政府间竞争视野下的民族发展：中西部民族地区经济与社会发展的实证分析/任维德．内蒙古大学学报．5

加快和完善新疆游牧民族定居的对策/阿德力汗·叶斯汗．新疆财经．1

建设和谐社会与新疆哈萨克牧民定居刍议/海滨．昌吉学院学报．1

澜沧县“直过”民族地区社会经济文化发展问题初探/周联友．中共云南省委党校学报．3

影响民族地区文化产业政策执行的因素分析/海江 袁明旭．云南行政学院学报．3

重庆少数民族非物质文化遗产保护与开发/东人达．渝西学院学报．3

人民国家与民族国家：近代中国的两种建国理念与实践/傲东白力格．青海民族研究．1

近代中国边境界务与民族国家的早期塑造/陈征平．思想战线．3

试论全球化与民族国家的关系/孙勇胜. 青海师范大学学报. 4

全球化、民族国家与东亚认同/田毅鹏. 史学集刊. 2

现代中国的民族国家认同/许纪霖. 世界经济与政治论坛. 6

天下视野中的民族—国家认同/陈赟. 世界经济与政治论坛. 6

全球化语境中的“民族国家悖论”及其哲学维度/唐昆雄. 贵州师范大学学报. 2

审视西方“民族国家”理论/贾海涛. 暨南学报. 5

全球化、国家能力分化与民族冲突/王剑峰. 中央民族大学学报. 6

论“黄祸论”的形成根源及影响/方旭红. 安徽大学学报. 1

多民族地区乡村民族社区发展研究/张金鹏. 云南民族大学学报. 1

论我国少数民族社会政治结构的转型/李普者. 云南民族大学学报. 1

中国西部民族地区社会发展的重要意义/刘兴全. 成都大学学报. 3

中心与边缘：西南地区民族社会与国家权力结构刍议/蒋立松. 西南师范大学学报. 5

民主改革前四川藏族政治生活的基本特征/杨健吾. 西藏研究. 2

民族地区制度变迁制约因素和创新思路分析/史云峰. 西藏民族学院学报. 1

西双版纳傣族传统政治形态中政治结构和过程探索/刘强. 云南行政学院学报. 3

“他者关怀”：边疆民族地区公共政策的重要话语/陆云. 云南行政学院学报. 3

宁夏回汉族人民的“抗美援朝，保家卫国”运动/吴忠礼. 宁夏史志. 2

关于中国民族理论创新与发展的思考/金炳镐　熊坤新　彭谦. 青海民族研究. 2

族群理论的流变与民族理论的关系/周传斌. 黑龙江民族丛刊. 5

论社会主义政治价值理念的变迁与民族理论的创新发展/赵健君. 兰州学刊. 5

论和谐而有中国特色的民族概念/龚永辉. 广西民族研究. 3

再论“民族”概念与民族问题理论/乌小花. 青海民族研究. 2

民族与民主的冲突初探/柴宝勇　牛晨曦. 内蒙古社会科学. 3

多民族国家与民主之间的张力/马德普　柴宝勇. 政治学研究. 3

不同的视角，共同的焦点：对“民族”与“民族主义”概念的解读/李克建．西南民族大学学报．9

论全球化时代的民族性格主动改易/田克俭　张宏伟．河北经贸大学学报．1

浅析中华民族多元一体格局中的民族认同/陈晓婧．广西民族研究．4

关于“中华民族”的语境含义研究/陈艳飞．东疆学刊．2

中华民族整体性的确认/曾凡远　羌爱敏．徐州建筑职业技术学院学报．4

对民族和民族凝聚力的再认识及其启示/陈圣钢　曾国俊．江西社会科学．11

“炎黄子孙”与中华各族心理认同/赵永春．北方民族．2

“炎黄子孙”与中华各族心理认同/赵永春．东北史地．1

民族过程：文化变迁研究的新视角/李天雪．广西民族研究．4

对术语译名“民族过程”的再思考/贺萍．世界民族．3

民族过程中的同化与认同/何叔涛．云南民族大学学报．1

中华人民共和国民族互动过程述论/徐杰舜．广西民族研究．4

西方族性与多元文化主义原理初探/阿思根．内蒙古民族大学学报．2

民族问题中的民族意识和民族主义情绪/熊坤新　严庆．广西民族研究．3

民族意识的内在体验和外在表现研究：一项关于民族意识的内在体验和外在表现研究/李静　沙良波．广西民族研究．3

试论国家软实力中的民族意识问题/罗运璇．贵州民族研究．1

浅议民族共同心理素质/姚昕．南阳师范学院学报．10

从回族谚语中透视回族心理特质/张玉成 马东平．兰州交通大学学报．2

对新疆少数民族意识问题的再思考/寇新华．乌鲁木齐职业大学学报．2

试论土家族的民族认同实践/杨然．湖北民族学院学报．5

民族地区城市化进程与提高少数民族素质问题/刘亚丽．红河学院学报．4

浅析国际移民对现代国家民族性的影响/侯松岭 喻慧．贵州民族研究．3

高度重视妥善处理我国民族问题：当前中国重大问题研究报告之四/龚学增．科学社会主义．4

当代中国民族问题的主要矛盾及对策/李良玉．河北建筑工程学院学报．2

民族问题与民族主义、爱国主义、国际主义/熊坤新　王文东．西北民族大学学报．5

民族融合、民族同化和民族文化融合概念辨正/李龙海．贵州民族研究．1

民族问题与阶级问题的关系/李延明．马克思主义研究．5

民族同化及民族大融合现象的思考/石涵月. 延安大学学报. 3

以人为本的科学发展观与民族问题/黄铸. 湖北省社会主义学院学报. 2

西部大开发中的民族问题探微/关桂霞. 青海民族研究. 1

西部大开发与中国民族问题/胡朝映. 开发研究. 3

加快西北地区小民族现代化的几点思考/郭殿雄. 青海民族学院学报. 2

努力提高驾驭和解决民族问题的能力/吴传鹏 鲁彩荣. 中共云南省委党校学报. 1

正确处理民族问题，促进各民族共同繁荣发展/束迪生. 实事求是. 6

关于我国社会主义现阶段民族问题的思考/王玉. 湖北省社会主义学院学报. 3

试论发展权与少数民族流动人口的权益保护/邓行. 贵州民族研究. 1

少数民族人权的宪法保障/才让塔. 青海民族研究. 4

对维护少数民族人权与法治和谐的思考/薛炳尧 李刚. 西北民族大学学报. 6

城市少数民族的权益保障探析/凌锐. 武汉科技学院学报. 4

中国西部大开发过程中的少数民族权利保障/郝时远. 人权. 1

少数民族权利保护/常曙光 张慧. 前沿. 12

略论我国少数民族文化权利的保护/翟东堂. 华北水利水电学院学报. 4

民族利益与民族地区利益的区别及其实现形式/胡菊. 新疆教育学院学报. 3

论民族利益/黄丽 袁波澜. 社科纵横. 1

当代民族利益和类利益一体化趋势初探/徐晓风 王秀敏. 北方论丛. 1

城市社区少数民族居民利益的演变/高永久 刘庸. 云南民族大学学报. 6

民族自决原则的国际政治限制及其含义/钱雪梅. 民族研究. 6

论民族自决权与国家主权/榭晓娟. 辽宁大学学报. 1

略论民族自决权与国家主权/张玉玲 姚爱琴. 西北民族大学学报. 5

自决权的历史评析与现实思考/陈焱光. 湖北大学学报. 5

“民族自决权”原则的历史作用、时代局限及其替代选择/程国花. 江汉论坛. 6

论民族自决权原则/蔡芹. 承德民族师专学报. 4

自决权理论的历史演变及其评析/王英津. 毛泽东邓小平理论研究. 4

自决权、主权及其发展权理论/德全英. 新疆大学学报. 4

民族自决权：民族分离主义的误读/张友国．新疆大学学报．1

民族自决权及其当代异化/孟宪平．许昌学院学报．3

浅析民族自决权/王春玲．甘肃民族研究．2

“和而不同”在民族政治中的价值观/姜军．社会科学辑刊．2

中国族际政治整合模式研究/周平．政治学研究．2

民族平等新论/龚学增　王钊冀．中南民族大学学报．4

试论我国社会主义民族公平/孙振玉．西北师大学报．2

民族社会关系略论/刘俊哲．西南民族大学学报．1

全面建设小康社会新阶段我国民族关系良性发展的思考/宋涛　许进品　蔡家东．广西民族研究．1

正确认识和处理现阶段人民内部的民族矛盾/牛森．内蒙古社会科学．3

当前影响我国民族关系的主要问题及其特点/李养第．甘肃民族研究．3～4

构建和谐社会的重要内容和基本保证：谈巩固和发展平等、团结、互助、和谐的社会主义民族关系/李鸿．大连民族学院学报．4

新世纪的社会主义民族关系/郝社．实践：思想理论版．11/12

当前我国民族关系的主要内涵和发展趋势/青觉．中南民族大学学报．5

论和谐社会的民族关系基础/赵卫东．兰州学刊．6

论构建和谐的民族关系/王思彩．贵阳市委党校学报．5

社会主义民族关系述论/金少萍．烟台大学学报．4

试论少数民族流动人口对城市民族关系的影响/凌锐．中南民族大学学报．1

协调民族关系　促进民族地区和谐发展/穆殿春．攀登．6

论民族心理对民族关系的影响/徐黎丽．青海社会科学．4

协调民族关系是构建城市和谐社会的重要环节/盘小梅．广东技术师范学院学报．5

试论城市化进程中的城市民族问题和民族关系/田敏．武汉科技学院学报．10

略论城市民族关系问题/赵新国．满族研究．2

浅谈辽宁省城市化进程中的民族关系/卢守亭　南文渊　李守宏．满族研究．3

湖南杂散居区城市民族关系影响因素探析/王奎正　朱朝晖．中南民族大学学报．2

武陵地区民族关系的现状及分析/王平　龚志祥. 黑龙江民族丛刊. 2

积极协调民族关系　不断提高执政能力　努力构建各族人民和谐相处的社会环境：陕西省处理民族关系问题的调查/李愿. 北方民族. 1

妥善处理构建和谐社会中的民族矛盾/龚学增. 理论视野. 3

试论市场经济体制下的民族文化与民族关系/李志杰. 黑龙江民族丛刊. 3

西部大开发对民族关系发展的影响/关桂霞. 青海民族学院学报. 4

论当前我国西北少数民族地区民族关系发展中存在的问题及应对措施/蒙小燕. 陕西社会主义学院学报. 3

西双版纳构建和谐民族关系的实践/奚云华. 今日民族. 11

河湟地区回族与汉、藏两族社会交往的特点/马进虎. 青海民族学院学报. 4

客家与畲族关系再认识：闽西武平县村落的田野调查研究/刘大可. 中共福建省委党校学报. 12

全球化对我国民族区域自治地方的影响和对策/黎连芬. 广西师范学院学报. 2

“三个代表”与民族区域自治/姚俊开. 西藏民族学院学报. 1

论如何“真正实行民族区域自治”/那日森. 广播电视大学学报. 4

中国民族区域自治的特点和原则/吴仕民. 中国民族. 3

不断完善民族区域自治，夯实解决中国民族问题的制度基础/周竞红. 民族研究. 4

法治视野下的民族区域自治法/杨道波. 河南科技大学学报. 4

论中国少数民族人权保障模式：中国的民族区域自治制度与民族区域自治权/彭谦. 青海民族研究. 2

民族区域自治制度与西部少数民族的跨越式发展/杨庆毓. 中共浙江省委党校学报. 2

在继承和发展中完善民族区域自治制度/施文正：实践：思想理论版. 4

民族区域自治制度在中国的形成和演进/周平. 云南行政学院学报. 4

论我国少数民族区域自治的创新与发展的几个问题/金炳镐　龚志祥. 黑龙江民族丛刊. 1

对坚持和完善民族区域自治制度的理论思考/孔志俊. 新疆社科论坛. 1

试论马克思主义民族区域自治理论及其在中国的实践/许广智. 西藏大学学报. 3

坚持和完善民族区域自治的新举措/王有星．实践：思想理论版．6

党的民族区域自治政策在新疆的实施及其巨大成就/郭红霞．新疆社会科学．5

民族区域自治制度在新疆的成功实践/韩光武　张炳勇．新疆社科论坛．4

民族区域自治在新疆的实践和完善/邓娟．新疆教育学院学报．3

从新时期的民族工作看西藏民族区域自治的发展和完善/廉湘民．中国藏学．3

西藏民族区域自治的法律地位及其地方立法研究/宋月红　方伟．中国藏学．3

民族区域自治与西藏繁荣进步/姚俊开．西藏大学学报．3

坚持民族区域自治构建海南和谐社会/王亚保．海南人大．11

民族区域自治法中两种变通权之间的联系与区别/敖俊德．中央民族大学学报．1

解读民族区域自治法的形式合理性/王涪宁．西北民族研究．1

论自治条例的精神/周贤伍．中南民族大学学报．3

民族自治地方经济自治权及其行使探析/匡爱民．中央民族大学学报．2

民族自治地方经济管理自治权再探讨/宋才发　熊坤新．西南民族大学学报．1

民族自治地方财政管理自治权再探讨/宋才发．学术论坛．1

试论西部开发中民族区域自治地方经济自治权的贯彻落实/李剑文．云南行政学院学报．3

论民族地区的事权财权财力/朱华勇．西南民族大学学报．3

论民族自治机关环境权的完善/廖华．内蒙古社会科学．1

民族自治地方对制定民族区域自治法实施细则的要求探讨/朱玉福．大连民族学院学报．6

抗日战争时期新民主主义民族区域自治新探：《建设回民自治区》的意义及其史料价值/周昆云．广西民族研究．3

民族区域自治法制建设的发展：《国务院实施〈中华人民共和国民族区域自治法〉若干规定》解读/戴小明．中南民族大学学报．4

民族法制建设的新突破：简论《国务院实施〈民族区域自治法〉若干规定》/朱玉福．桂海论丛．6

贯彻《国务院实施〈中华人民共和国民族区域自治法〉若干规定》，坚持和

完善民族区域自治制度/金炳镐　田烨．黑龙江民族丛刊．5

关于对修改及贯彻《湖北省实施〈中华人民共和国民族区域自治法〉的若干规定》的几点思考/段绪光．湖北民族学院学报．1

民族政治过程与民族干部能力构建问题：写在《内蒙古自治区蒙古语言文字工作条例》颁布实施和《广西壮族自治区民族民间传统文化保护条例（草案）》征求意见之间/乌力更．广播电视大学学报．2

试论关于民族乡的建立及其制度建设问题/朱秀宏　姜勇．新疆师范大学学报．1

西部大开发中如何加强少数民族地区干部培养/兰智奇　李京桦．中央民族大学学报．5

培养使用少数民族干部问题研究/杨立华．社会主义论坛．9

我国少数民族人才队伍现状及实施战略对策/卢贵子．满族研究．2

关于民族地区人才引进问题的新思考/邓辉煌．湖北民族学院学报．2

论人才对民族发展的重要意义及作用/卢贵子．黑龙江民族丛刊．1

科学发展观与民族地区干部执政能力建设/杨庆毓．云南民族大学学报．6

论西部少数民族地区人才成长环境建设/王美萃．内蒙古大学学报．2

西部少数民族地区用人制度改革探析/周志华．广西右江民族师专学报．1

文化：民族地区党政干部能力培养的新视野/布青沪．宁夏党校学报．4

文化激荡和民族地区党政干部执政能力培养/布青沪．宁夏党校学报．6

黑龙江省培养选拔少数民族干部情况的调查报告/吴小平．黑龙江民族丛刊．6

加强新疆少数民族干部队伍建设的思考/陈宏．新疆教育学院学报：综合版．2

西藏民族干部队伍建设40年/张祖文．中国藏学．3

培养西藏民族干部的重要阵地：纪念中央党校西藏班创办25周年/陈富．中国藏学．3

对加强和改进西藏少数民族干部队伍建设的几点思考/德庆拉泽．西藏发展论坛．5

新世纪藏族人才培养的几点意见/仁青当智．西北成人教育学报．3

民族主义与全球化的良性互动/付立华．山东大学学报．1

关于民族主义研究方法的思考/袁咏红．福建论坛．2

解开民族分离主义情结/花永兰．领导之友．1

“东突”问题不断升级的原因及对策/宋新伟．新疆师范大学学报．1

论“东突”恐怖势力对国家利益的威胁与破坏/高永久　胡尚哲．新疆社会科学．5

“双泛”与“三个主义”：兼析新疆周边的安全局势/王智娟　潘志平．西北民族研究．4

论建构的民族主义/高鹏程．南京社会科学．7

民族主义：政治全球化的助推器/彭芳．云南社会科学．1

民族主义：一把锋利无比的“双刃剑”/彭博．甘肃民族研究．3～4

民族主义思想浅说/孟慧英．思想战线．1

民族主义纵横浅析/娜拉．内蒙古农业大学学报．4

论全球化背景下的民族主义社会动员/陈露　刘秦民．贵州民族研究．2

民族主义在中国的兴起及其对近代中国的影响/易刚明．东南亚纵横．5

浅析中国民族主义：历史、人民和情感/［美］格里斯著　郎平译．世界经济与政治．11

民族主义与近代中国民族觉醒：以近代中国北部、西部边疆危机为例/杨志娟．兰州大学学报．3

试论民族主义与国家建设/杨昌儒．贵州民族学院学报．3

晚清时期的种族民族主义、文化民族主义和政治民族主义/胡涤非．中华文化论坛．2

民族主义思潮与近代中国法制现代化/侯强．江南社会学院学报．1

民族主义的裂变：以孙中山与苏俄关系为中心的分析/郭世佑　邓文初．江苏社会科学．2

郭沫若与民族主义思潮/税海模．郭沫若学刊．3

中国特色与民族主义：“中国特色”的文化解读之一/平飞．广东省社会主义学院学报．3

国内外民族主义问题研究现状/花永兰．国际资料信息．11

少数民族公民有效政治参与的影响因素及其实现途径：对西部民族地区的一项实证分析/柳建文．宁夏社会科学．1

少数民族地区公民参与公共政策制定的障碍及实现途径研究/陈玉　王胜章．云南行政学院学报．6

县域政治系统的政策制定：政府主导输入与公民政治参与：兼论丘北县的民族政策输入机制/张劲松　纳麒．思想战线．5

论彝族自然村寨的公共话语结构：以四川省峨边县西河村为例/翟玮玮　陈昌文．乐山师范学院学报．10

论我国民族自治地方的政府发展/方盛举．思想战线．5

对民族地区建立服务型政府的思考/何颖．攀登．2

从民族的角度审视社会工作/张丽剑　王艳萍．中南民族大学学报．6

城市民族管理协调机制/彭林绪．湖北民族学院学报．5

民族地区农村社会保障制度建设的时间表研究：以云南为例/唐新民．云南社会科学．4

民族地区新型农村合作医疗制度建设的思考/殷绛．中南民族大学学报．4

对加强少数民族地区警务工作的思考/曲红．攀登．4

试论内蒙古各界人民代表会议的历史作用/庆格勒图．内蒙古大学学报．6

甘肃民族地区社会失衡的因子考量及实证分析/马东平．甘肃社会科学．6

乡村回族社区的权力结构及其功能：以宁夏南部的单家集村为例/马宗保　金英花．西北民族研究．4

20世纪初拉萨外来居民生存状态研究/周晶．西藏大学学报．2

傣族村寨的组织管理模式及社会取向/尹可丽．云南民族大学学报．4

一个白族村的家庭养老及社会变迁：以云南剑川下江尾村为例/杨复兴．云南民族大学学报．5

“透明式”跨族群收养关系的文化诠释：以丽水市莲都区老竹镇沙溪村畲族收养汉族为例/王道．浙江师范大学学报．5

抑制残存宗族组织对村民自治制度负面影响的对策思考/瞿州莲．贵州民族研究．1

民族地区村民自治中民主选举的困境及出路：对恩施自治州第五届村民委员会换届选举的反思/司马俊莲　汪燕．湖北省社会主义学院学报．6

论邓小平民族法制思想/彭谦　金海燕．黑龙江民族丛刊．4

法律人类学的发展及其问题/赵旭东．环球法律评论．5

略论中国民族法学的命运与使命/吴宗金．西南民族大学学报．3

关于加强民族法学研究的思考/马继军．青海民族研究．2

试论加入WTO后少数民族法的调整/杨武松．贵州民族研究．2

民族地区法制发展与小康社会建设/彭建军．中南民族大学学报．6

少数民族地区全面建设小康社会法治保障问题刍议/郝一民　刘萍．贵州民族研究．4

民族·法治·发展：对西部开发背景下的民族法治化新趋向的思考/丛涛．贵州民族研究．2

我国古代民族法对人的效力原则述略/翟东堂．齐鲁学刊．4

依法执政与民族问题/吴宗金．贵州民族学院学报．5

我国民族自治地方立法若干问题新探/陈绍凡．民族研究．1

民族自治地方立法权问题研究/康耀坤．民族研究 2

“变通权”与国家法制统一/韩舸友　徐晓光．中央民族大学学报．6

论民族立法存在的基础与空间/牛文军．广播电视大学学报．2

试论完善我国散居少数民族立法/徐笛曼．中央民族大学学报．3

民族法律援助的立法思考/马升．青海民族研究．1

论 WTO 规则与我国民族自治地方立法的发展/尚晓玲．内蒙古社会科学．1

文化权法律保护研究：少数民族地区旅游开发中的文化权保护/张钧．思想战线．4

中国多民族“混居”自治区域权利样态研究/罗康隆　朱兴文．广西民族研究．2

论民族经济法适用/李占荣．广西政法管理学院学报．1

关于完善我国少数民族地区环境法制建设的若干设想/胡珀．黑龙江民族丛刊．5

少数民族地区农村的社会控制与法治建设/张晓辉　王启梁．思想战线．2

中国少数民族犯罪社会控制的实践与反思/吴大华．湖北民族学院学报．1

论少数民族犯罪的司法控制/吴大华．云南大学学报法学版．1

论少数民族犯罪的立法控制/吴大华．云南大学学报法学版．2

少数民族犯罪社会控制论/吴大华．青海民族研究．2

西部民族地区毒品犯罪的心理结构分析/拜荣静．甘肃社会科学．6

民族传统文化与现代法律文化冲突下的民族地区未成年人犯罪：以贵州省松桃苗族自治县为例/邓建民　敖惠．四川理工学院学报．2

论民族区域自治地方自治立法的一般性原则/徐合平．兰州学刊．5

《国务院实施〈中华人民共和国民族区域自治法〉若干规定》在我国民族法规体系中的地位和意义/张辉．西南民族大学学报．7

宪政制度下民族地区依法执政的实证反思/黄元姗　郑洲蓉．青海民族研究．4

关于民族自治地方政府依法行政问题之我见/刘文光．攀登．1

民族地区行政执法责任制的现状、问题及对策：恩施土家族苗族自治州行政执法责任制实证分析/易凤兰．中南民族大学学报．5

试论对民族自治地方公民的特殊法律保护/于晓琪．青海社会科学．6

我国民族自治州的立法困境及对策/向明．吉首大学学报．4

民族自治地区法律信仰匮缺的原因及对策：以湘西土家族苗族自治州为例/高长富　向明．湖南科技学院学报．12

正义的妥协：从程序、效力和利益分配结果看民族地区基层纠纷的解决途径/王刚．青海民族研究．4

加强自治地方自治法规建设　保障民族自治地方全面建设小康社会/朱玉福．黑龙江民族丛刊．1

文物及民族民间文化遗产的内涵与统一立法保护/张建世．西南民族大学学报．3

知识产权在我国民族民间文化立法保护中的作用/卓仲阳　杨正文．西南民族大学学报．11

民族医药的知识产权保护/左岫仙．中南民族大学学报．3

民族地区法制监督的理性思考/龚卫东．西南民族大学学报．2

论法律信仰与民族信仰/梁利．贵州社会科学．2

民族自治地方立法自治权再探讨/宋才发．法学家．2

民族自治地方城市法律地位刍议/朱玉福．中央民族大学学报．4

民族镇法律地位刍议/朱玉福．内蒙古社会科学．1

自治市法律地位刍议/朱玉福．广西民族研究．2

试论第四次修宪对民族法制建设的积极影响/杨临宏　刘宁．广西民族研究．2

论制定民族乡法的必要性/王培英．民族论坛．8

论出版歧视、侮辱少数民族作品罪/吴占英．西南民族大学学报．2

少数民族妇女权益保障立法研究/高芙蓉．内蒙古社会科学．5

民族地区未成年人立法的特点/李温．青少年犯罪研究．4

论我国少数民族地区环境问题与环境法制建设/吴双全　胡珀．兰州学刊．5

关于民族地区经济社会发展若干法律问题的思考/王允武　田钒平．西南民族大学学报．2～3

构建和优化西部民族地区生态环境保护的法治化机制/马志荣　哈玉红. 甘肃高师学报. 4

论西部开发立法与民族自治地方落实财政自治权的衔接/黄伟　张梅. 湖北民族学院学报. 3

西部民族地区退耕还林还草的法律保障探讨/宋才发. 青海民族研究. 2

谈谈我省的民族立法工作/孔庆晶. 青海民族学院学报. 3

加快清真食品立法，依法保护穆斯林消费者的合法权利/马云. 西北第二民族学院学报. 3

加强藏族地区民族立法，保障藏族地区全面建设小康社会/朱玉福. 西藏研究. 2

西藏传统法律文化对现代社会的影响/卫绒娥　杜莉梅. 西藏大学学报. 2

试析藏族传统法律制度的特点/赵君. 西藏大学学报. 4

乡土社会中的传统与现代：藏区民间宗教、文化习俗背景下的生态法/张继宗. 青海社会科学. 4

试论甘南藏区的法制环境/刘艺工. 贵州民族学院学报. 1

少数民族法律文化形态与现代化：以云南少数民族村寨为例/方乐　缪文升. 中南民族大学学报. 3

滇西北特困民族社会转型中法律冲突的调适/胡兴东. 云南民族大学学报. 4

重庆市民族法制建设问题研究/徐晓光　黄逢贵. 贵州民族学院学报. 5

侗族婚姻习俗与现行婚姻法的冲突/杨再奎. 西南民族大学学报. 1

侗款的最高权威非人格化及其借鉴价值/伍光红. 广西民族学院学报. 4

论土家族文化遗产法律保护对象/朱祥贵. 湖北民族学院学报. 5

完善的法制体系是构建民族地区和谐社会的基石：兼论民族宗教习惯法与国家法的互动/何玲　徐格明. 攀登. 3

论民族习惯法的渊源、价值与传承：以苗族、侗族习惯法为例/吴大华. 民族研究. 6

论习惯法存在和发展的社会原因/陈宜. 西南民族大学学报. 4

习惯法与民族社会控制/严志亮　廖君湘　严志钦. 兰州学刊. 1

少数民族习惯法与少数民族地区的乡村政治/官波. 思想战线. 4

习惯、习惯法、民间法、国家法的区别与联系、冲突与融合/王凡. 成都教育学院学报. 5

民族习惯及习惯法的规范价值/衣家奇．社科纵横．4

少数民族传统习惯法规范与生态保护/白兴发．青海民族学院学报．1

略论我国少数民族习惯法的效力/韩牡丹．内蒙古电大学刊．2

略论民族婚姻习惯法与国家制定法的冲突属性：兼析西部乡村少数民族婚姻状况/石维海　向明．吉首大学学报．2

试论中国少数民族习惯法的性质与特征：以西南少数民族习惯法为中心的分析/陈金全．贵州民族研究．4

我国历代保护自然生态与资源的民间规约及其形成机制：以南方各少数民族的民间规约为例/古开弼．北京林业大学学报．1

对协调宗教习惯法与国家法的思考/何玲　徐格明．青海民族研究．2

习惯法在丝绸之路古今各民族中的表现/吴妍春．新疆大学学报．5

回族习惯法与回族家庭教育的有机结合/黎林　陈忠军．甘肃民族研究．2

关于土族习惯法及其变迁的调查和分析：以互助县大庄村为例/鄂崇荣．青海民族学院学报．1

藏族环境习惯法文化与环境保护/郭武　高伟．甘肃政法学院学报．5

嘉绒藏区习惯法中的司法制度/杨华双．西南民族大学学报．4

羌族诉讼习惯法的历史考察/龙大轩．山东大学学报．2

拉祜族习惯法及其变迁/罗承松．思茅师范高等专科学校学报．2

从苗族“罚3个100”等看习惯法在村寨社会的功能/徐晓光．贵州民族研究．1

黔东南雷山县三村苗族习惯法研究/周相卿．民族研究．3

经济因素对雷山地区苗族习惯法文化的影响/周相卿．贵州民族学院学报．5

黔东南苗族婚姻习惯法及其社会价值/陈金全　郭亮．民族研究．5

婚姻法对结婚的限制与少数民族习惯法的冲突和法律思考：以贵州苗族为视点/张红　周相卿．贵州民族研究．3

对苗族家族场域中的一件离婚纠纷的分析/文新宇．贵州民族学院学报．5

浅析侗款制度与侗族传统社会的“款约”习惯法/廖君湘　王传旗．甘肃民族研究．1

壮族习惯法及其特征与功能/覃主元．贵州民族研究．3

瑶族习惯法及其文化价值初探/王施力．民族论坛：理论版．4

土家族习惯法文化探析/沈永胜．贵州民族研究．4

贵州土家族婚姻习惯法考察/许宁　柳钰峰．贵州工业大学学报．增刊

畲族婚姻家庭习惯法初探/雷伟红．中南民族大学学报．2

论畲族婚姻家庭习惯法与国家制定法的关系/雷伟红．丽水学院学报．1

关于纳互依研究的若干问题/伊克巴尔·吐尔逊．新疆师范大学学报．4

论苗族生成哲学与海洋文明/雷安平　龙炳文．湖北民族学院学报．6

人与自然关系的独特思考：论土家族的自然宇宙观/胡炳章．吉首大学学报．2

论民族心理认同对社会稳定的作用/高永久．中南民族大学学报．5

民族心理学的研究内容、任务及方法/张世富．安阳师范学院学报．1

民族地区现代化进程中的民族社会心态/娜拉．陕西社会主义学院学报．3

民族心理研究中文化偏差的克服：向文化人类学借鉴/孙东方　常永才．内蒙古民族大学学报．2

对宁夏回族的行为心理学分析/［日］樋口义治著　高明洁译．回族研究．2

喀斯特峡谷区民族心理意识的模糊综合评价：以贵州花江峡谷地区为例/容丽　熊康宁．经济地理1

论我国少数民族尊老敬老风尚/李淑霞．赤峰学院学报．2

少数民族地区未成年人家庭道德教育的实效性：若干问题的探讨/邱成富　黄祖军．广西青年干部学院学报．5

贵州少数民族地区思想道德建设浅议/杨斌　肖文豪．贵州社会科学．1

布依族传统伦理及其演变：以云南罗平为例/丁晓东．云南民族大学学报．5

心灵的开启与去蔽：例说侗民族的处境意识与以邻为善观/张泽忠　韦芳．贵州民族研究3

论少数民族传统职业道德的社会作用/李资源．甘肃社会科学．2

回族传统道德简论/李保平　许新萍．固原师专学报．1

黑龙江省柯尔克孜族发展情况的调查报告/黑龙江省民族研究所课题组．黑龙江民族丛刊．3

黑龙江省鄂伦春族社会事业发展情况调研报告/李顺宝　吴景芳．黑龙江民族丛刊．4

用中华民族意识凝聚青海各民族问题调研报告/拉毛措　鲁顺元　肖莉．青海社会科学．4

青海省开展民族团结进步创建活动情况的调研报告/本课题调研组．攀登．6

“台湾村”：一个移民村落的想像、构建与认同：河南邓州高山族村落田野调查报告/陈建樾．民族研究．5

河南《邓州台湾土番垦屯陈氏家乘》考辨/郝时远．民族研究．5

河南邓州高山族“闽营”背景初探/杜世伟．民族研究．5

民族问题研究国家社科项目立项分析/冯昆思．中央民族大学学报．2

海南少数民族研究全文数字资源库建设的实践与分析/林江云．琼州大学学报．4

受命不迁，生发河湟：民族研究所成立25周年之回顾/贾晞儒．青海民族研究．3

以王连芳同志为楷模，为加强民族团结构建和谐社会而努力奋斗：纪念王连芳同志逝世5周年/刘树生．回族研究．3

国内近百年来民族和族群研究评述/祁进玉．广西民族研究．2

关于“民族”与“族群”概念之争的综述/王东明．广西民族学院学报．2

我国“民族过程”理论研究状况综述/李天雪．西北第二民族学院学报．3

20世纪90年代以来民族区域自治制度研究综述/徐洪刚．广西民族研究．4

现阶段我国民族区域自治研究综述/蔡宇宏．信阳师范学院学报．6

近年来国内少数民族地区的政治研究概述/梁卫东．科学研究动态．1

20世纪80年代以来我国城市民族研究综述/刘超祥．中南民族大学学报．1

民族国家研究综述/张建军．中南民族大学学报．2

第八次全国民族理论研讨会综述/孙懿．民族研究．1

“第二届全国民族理论和民族政策教学研讨会”综述/张科．青海民族研究．1

构建和谐社会，振兴东北老工业基地，促进民族发展：第十三次中国民族理论学会专题学术讨论会召开/金海燕．满族研究．2

全国首届民间法、习惯法学术研讨会会议综述/张晓萍．西南民族大学学报．10

文韬武略安西陲，民主改革得人心：从《毛泽东西藏工作文选》看西藏的和平解放与民主改革/胡为雄．当代中国史研究．2

中国特色民族理论的创新性研究成果：《中国共产党三代领导集体的民族理论与实践》评介/赵学先．云南民族大学学报．2

全面论述中国特色民族理论形成发展的佳作：评《中国共产党三代领导集体的民族理论与实践》/杨荆楚．黑龙江民族丛刊．2

铸理论丰碑，展实践风采：评《中国共产党三代领导集体的民族理论与实践》/关桂霞．青海民族学院学报．2

研究中国特色民族理论的大成之作：《中国共产党三代领导集体的民族理论与实践》简评/穆赤·云登嘉措．青海社会科学．2

我国民族理论研究的最新成果：读《中国共产党三代领导集体的民族理论与实践》/陈国安．贵州民族研究．4

中国共产党民族理论发展研究的鼎力之作：评《中国共产党三代领导集体的民族理论与实践/》/康基柱．满族研究．1

对中国化解决民族问题道路的探索：评《中国共产党民族纲领政策通论》/来仪．西南民族大学学报．10

我国民族素质研究的标志性成果：读都永浩新著《民族素质论》/熊坤新．黑龙江民族丛刊．2

《中国少数民族分布图》评介/揣振宇．民族研究．1

当代中国民族关系史研究的一份硕果：评《中华人民共和国民族关系史研究》/王希恩．民族研究．1

富有新意的研究：《中国少数民族自治地方自治立法研究》序/吴宗金．西南民族大学学报．12

披沙淘金铸新篇：评《文明的呼唤—中国少数民族传统伦理道德研究》/王延武．中南民族大学学报．3

二、民族经济

邓小平的发展观与我国西部民族地区的经济社会发展/马玉英．青海民族学院学报．1

邓小平发展民族经济思想与构建和谐社会浅论/唐皓．贵州民族研究．4

邓小平民族经济思想形成的三个阶段/姜明．阴山学刊．2

邓小平民族经济思想研究/课题组．西南民族大学学报．1

邓小平“三农思想”与青藏高原农牧民增收/梅端智．青海民族学院学报．1

对第三代中央领导集体发展民族经济理论与实践的探析/唐皓．西南民族大学学报．9

全球化、民族性与新发展观：立足于民族经济学的学理思考/叶坦．民族研究．4

论民族视角的经济学研究/王文长．民族研究．4

关于民族经济学学科建设的思考/庄万禄　陈敏　马秀琴．西南民族大学学报．5

"'中国少数民族经济'学"难题二则/周兴维．西南民族大学学报．5

民族经济学研究思路的转变/邓艾　李辉．中央民族大学学报．2

民族经济学研究中几个问题的讨论/黄健英．中央民族大学学报．6

经济人类学理论前沿综述/施琳．广西民族学院学报．6

经济、生态人类学与消费文化研究/［美］理查德韦尔克著　黄娟译．广西民族学院学报．6

论人类学的经济学/张有隽．广西民族学院学报．6

中国少数民族旅游文化应有自己的学科地位/贾银忠．西南民族大学学报．9

论中国少数民族经济法及其研究/宋才发．民族研究．5

民族经济法若干问题刍议/兰培　王湖清．青海民族研究．4

试论民族地区经济发展立法/刘佳．黑龙江民族丛刊．3

科学发展观与民族经济立法的价值导向/黄伟．贵州民族研究．2

民族经济立法若干问题的思考/臧兴东　普建中．贵州民族研究．3

少数民族自治地方经济立法之思考/祖章琼．黔东南民族师范高等专科学校学报．4

乡土社会中的传统与现代：藏区民间宗教、文化习俗背景下的生态法/张继宗．青海社会科学．4

构建和谐社会必须加大少数民族地区经济发展的活力/侯卫．青海社会科学．4

少数民族地区全面建设小康社会有多远/温军．开发研究．3

科技进步与民族地区全面建设小康社会/李忠斌．中南民族大学学报．1

对西部民族地区实现全面小康的思考/刘艳．新疆社科论坛．2

西部民族地区分类建设小康社会的模型和对策研究/柴生祥　李含琳．中南民族大学学报．2

对口支援与散杂居民族地区小康建设：来自江西省少数民族地区对口支援的调研报告/陈志刚．中南民族大学学报．3

实现中国民族和谐的经济政策及其调整/张凤艳　张湛　高岗仓．青海民族研究．4

民族地区经济滞后对和谐社会构建的影响/张艾力．内蒙古民族大学学报．5

民族地区建设小康社会需要优惠政策和法律保障/马寅柱　许文苑．康定民族师范高等专科学校学报．3

科学发展观是中国各民族共同繁荣发展的重要指导思想/杨发仁．新疆社会科学．3

新发展观：加快民族地区经济社会协调发展/温军．开发研究．5

解放思想、与时俱进是少数民族地区加快发展的关键/冯丽．阴山学刊．6

论解决发达地区与民族自治地区统筹发展问题/耿钢　张鼎良．边疆经济与文化．2

关于少数民族地区城乡协调发展研究/黄禹康．改革与开放．11

少数民族地区城乡协调发展浅论/黄禹康．民族论坛．10

云南少数民族的城市化特点及发展趋势/杨剑波．今日民族．11

加快城镇化建设，促进民族地区小康社会建设/韦承二．黑龙江民族丛刊．4

欠发达地区旅游推进型城镇化对增长极理论的贡献：民族地区候鸟型“飞地”性旅游推进型城镇化模式探索/刘晓鹰　杨建翠．西南民族大学学报．4

少数民族区域旅游城镇化研究/邱云志．西南民族大学学报．10

简论民族地区的城镇文化建设/蒋彬．西南民族大学学报．9

民族乡小城镇建设的几点思考/朱玉福．西北第二民族学院学报．2

民族乡小城镇建设的几点思考/朱玉福．甘肃民族研究．1

经济全球化与我国民族地区社会经济发展/曹仁祥　萨如拉．中央民族大学学报．3

经济文化类型与少数民族经济发展/玉苏甫江．新疆社会科学．2

民族文化是民族地区经济发展的重要因素/梁亦凡．内蒙古农业大学学报．4

少数民族地方经济持续发展新途径探索/赵丽珍．社会主义论坛．1

边疆民族地区经济增长与就业关系比较研究/张艳　钱振伟．云南财贸学院

学报. 6

在完善市场经济体制背景下加快民族地区经济发展/卜胜春. 贵州民族学院学报. 1

民族地区的消费文化研究与田野实践探索/张原　汤芸. 贵州民族学院学报. 2

试论制度创新对加快民族地区经济发展的重要意义/龙延平. 贵州民族学院学报. 2

中外边境毗邻城市的功能互动与少数民族地区经济发展/王燕祥　张丽君. 黑龙江民族丛刊. 1

我国少数民族地区生产力跨越式发展中的政策制定适用理论及政策选择/李小斌　郭思智. 经济问题探索. 6

新时期国家给予民族区域自治地方的优惠政策/李章雨. 新东方. 10

浅析新时期我国人口较少民族的扶贫开发政策/麻三山　余玲. 昆明理工大学学报. 4

实施特色品牌战略推动民族地区经济快速发展/刘国防. 边疆经济与文化. 1

少数民族地区实现追赶型、跨越式发展的障碍与对策/汪中华　彭涌. 学术交流. 1

论民族地区发展思路创新/雍海宾. 甘肃社会科学. 1

浅谈我国少数民族地区经济发展的法律规制/苏丽娅. 前沿. 12

少数民族聚集地区经济发展的误区及对策刍议/姚明　曾贤贵. 经济前沿. 12

少数民族地区经济发展的缺失及治理对策/汪中华　黄清. 黑龙江社会科学. 3

关于振兴民族地区经济的思考/张少勤. 理论研究. 2

依靠科教进步和人才开发促进民族地区经济发展/杨延昭. 中南民族大学学报. 3

民族地区发展循环经济的障碍与对策/袁久和. 兰州学刊. 3

民族地区实行循环经济模式的思考/彭秀丽. 怀化学院学报. 4

关于民族地区县域经济发展的思考/房瑞. 理论研究. 2

加快民族地区县域经济发展的对策研究/马秀琴. 楚雄师范学院学报. 2

绿色边疆贸易与中国民族地区经济可持续发展/刘秀玲　谭会萍　朱瑞雪.

经济问题探索. 10

当代草原文化研究的文献评述/萨日娜　苏日娜. 西北民族大学学报. 6

产业结构对就业增长影响比较分析：边疆少数民族地区与东部发达地区的比较/钱振伟　陈镘亲. 云南民族大学学报. 1

改革开放初期少数民族地区非公有制经济发展的经验启示：谈“河州模式”/温军. 中央民族大学学报. 1

民族地区发展对外经济贸易研究/黄健英. 黑龙江民族丛刊. 3

市场经济体制下的民族利益协调方式研究/唐亮. 贵州民族研究. 4

民族地区养老保险中现收现付制模式的转型问题研究/祁恒裙. 贵州民族研究. 4

民族地区民营经济发展问题的思考/马艺. 贵州民族研究. 4

制定和完善鼓励民族自治地方发展非公有制经济政策的研究/罗继红. 桂海论丛. 1

新时期发展民族地区经济的财税法思考/段晓红. 中南民族大学学报. 5

新形势下对我国民族地区税收优惠政策的思考/陈迪. 满族研究. 4

民族地区农户小额信贷的产生理论与成效分析/张跃平　周基农　刘荆敏. 中南民族大学学报. 4

生态人类学的当代发展/袁鼎生. 广西师范学院学报. 3

生态人类学及其在中国的发展/陈心林. 青海民族研究. 1

生态人类学的理论源流及其后现代特征/蔡琼　雷艳. 黑龙江民族丛刊. 5

人类学生态分析聚焦的问题本质与涵义/陈庆德. 中南民族大学学报. 4

生态人类学分析的两个理论质疑/陈庆德. 云南大学学报. 1

民族地区生态经济协调发展之探析/葛少芸. 西北民族大学学报. 4

民族地区生态文化与社会生态经济系统互动关系研究：对民族地区传统多元宗教生态文化的形成特点的分析及启示/闵文义　戴正　才让加. 湖北民族学院学报. 1

西北民族地区文化生态环境与经济发展的相关性研究/刘红叶　刘燕华. 西北民族大学学报. 4

三峡库区民族地区的工业生态经济/袁晓文. 中南民族大学学报. 6

论生态移民与民族地区现代化/李皓. 黑龙江民族丛刊. 1

善待自然：少数民族伦理的生态意蕴/李本书. 北京师范大学学报. 4

民族文化对生态移民的影响与因应策略/刘朝晖. 广西民族学院学报. 6

民族地区构建和谐社会应加强对传统多元生态文化的利用和改造/闵文义．西北民族大学学报．6

新型工业化研究的生态视角与民族文化视角：以云南省曲靖市为例/张海翔．民族研究．3

民族地区工业化内涵及其路经/李皓．云南民族大学学报．1

推进民族贫困地区工业化发展之我见/刘孟龙．民族论坛：理论版．8

关于我国民族地区乡镇企业创新发展的思考/喻国华．黑龙江民族丛刊．5

解决边疆少数民族地区“三农”问题的对策/姚发明．中共云南省委党校学报．1

民族地区发展农业产业化的对策研究/赵琳琳．黑龙江民族丛刊．2

民族地区畜牧业可持续发展的探讨/韩光明　焦国波．黑龙江民族丛刊．6

民族地区文化产品外部性对供给政策的影响/海江　谭翔浔．思想战线．4

民族经济学视野下的传统医药产业/林江．中央民族大学学报．1

外商直接投资对民族地区经济的影响及对策/蒋尉　王静．青海民族研究．2

西部地区引资对策分析/姚显志．中央民族大学学报．3

外资利用与民族地区资本形成/杨海燕　辜晓川　鞠晴江．内蒙古社会科学．5

区域投资环境差异对我国民族地区经济发展的影响/金成男　玄东日．经济学动态．7

民族地区财政决策目标的确立/梁积江　孙瑞哗．中央民族大学学报．3

我国山区少数民族农民贫困代际传递的基本特征/李晓明．内蒙古社会科学．6

我国人口较少民族的贫困与扶贫开发/吴诲鹰　马夫．云南社会科学．1

民族自治地方资本形成问题探讨/李景铭．民族研究．6

劳动力因素对民族地区产业结构演进的影响及对策/袁久和．广西右江民族师专学报．5

少数民族自治区人力资源对经济增长和产业结构变动的影响分析/覃达．桂海论丛．3

论民族地区人力资源开发/廖海莉．经济与社会发展．3

少数民族地区的人力资源开发对策/张晓庆．统计与决策．1

民族地区人才资源开发战略若干问题研究/王昊　吴颖．内蒙古社会科

学. 6

民族地区反贫困战略中人力资本投资的经济学分析/朱乾宇　姚上海. 黑龙江民族丛刊. 1

人口较少民族人力资本存量短缺的原因分析及对策/韩彦东. 黑龙江民族丛刊. 5

少数民族地区农村剩余劳动力就业的现状、问题与对策/杨雪梅　张宗梅. 云南财贸学院学报. 2

民族地区金融支持弱化问题及其强化对策探讨/廖群云. 中南民族大学学报. 2

民族地区发展小额信贷的经济学思考/任志军. 云南民族大学学报. 5

我国民族地区税收政策与经济增长的理论研究与实证分析/朱华勇. 四川大学学报. 6

民族地区农民增收的现状与对策研究/顾华祥. 新疆师范大学学报. 1

西部民族地区居民收入差距现状及对策研究/景春梅. 西北民族大学学报. 6

民族地区农民增收问题研究/顾华详. 青海民族学院学报. 2

民族山区农民增收的制约因素与对策思考/俞兰. 湖北民族学院学报. 4

数字农业与我国西部民族地区农业的可持续发展/王小君. 中南民族大学学报. 5

对民族地区农村全面建设小康社会的思考/曾铮　刘友松. 中南民族大学学报. 5

中国旅游人类学发展述评/彭顺生. 思想战线. 1

旅游、人类学与中国现实的有关理论浅述/黄福东. 广西民族研究. 1

旅游人类学视野下的“乡村旅游”/彭兆荣. 广西民族学院学报. 4

旅游民族志/［美］尼尔森. H. H. 格雷本著　杨玲译. 广西民族学院学报. 4

民族玩偶的伦理：在中国西南进行旅游研究/斯苇著　徐苑译. 广西民族学院学报. 4

解构纳西古乐神话：对一项民族文化资源转化为文化商品的人类学分析/宗晓莲　保继刚. 广西民族学院学报. 4

社区参与旅游对民族传统文化保护的正效应/孙九霞. 广西民族学院学报. 4

少数民族地区旅游开发规划新思路/郭颖．中华文化论坛．2
旅游业：民族地区文化变迁的双刃剑/蒋辉　赵奇剑　刘仁贵．怀化学院学报．4
论民族文化旅游的开发/金毅．中南民族大学学报．4
我国民族地区与周边国家加强旅游业区域合作的战略思考/贺星岳　顾华详．宁夏社会科学．5
中国少数民族旅游文化参与国际竞争成败的关键/贾银忠．西南民族大学学报．1
民俗旅游与民族地区经济发展/郭玉坤．西南民族大学学报．4
大力发展旅游业，促进西部民族地区小康社会建设/刘晖．黑龙江民族丛刊．4
论少数民族地区旅游业发展对民族关系的影响/田俊迁．青海民族研究．4
少数民族地区社区参与旅游的影响因素与措施/邱云美　封建林．黑龙江民族丛刊．6
试论我国民族文化旅游发展模式的选择/黄秀琳　王利琴．甘肃民族研究．1
民族地区旅游经济可持续发展分析/丁赛．西南民族大学学报．4
西部地区民族经济发展对策/罗秋兰　陈有禄　李德伟．经济论坛．2
西部民族经济可持续发展的几个问题/杨维军．西北第二民族学院学报．1
论西部民族地区可持续发展的公平原则/张雄．云南民族大学学报．6
西部民族地区经济发展的制约因素与对策思考/雷根虎．开发研究．3
西部大开发中民族地区可持续发展的环境法律问题研究/杨琴．贵州大学学报．5
浅析西部民族地区实施经济可持续发展战略的重大意义/甄喜善．西北民族大学学报．5
西部民族地区经济社会发展路径探析/穆殿春．青海民族学院学报．3
加快西部少数民族地区经济发展的思考/呼小洲．科技纵横．3
地缘经济联系与西部民族地区跨区域互助发展：以滇藏川交接区域为例/周智生　李伟．求索．12
加快西部民族地区经济发展进程的探索与思考/史开国．贵州师范大学学报．3
非正式制度变迁与西部民族地区经济发展研究/王志凌　榭宝剑　王杨．开

发研究．6

产业梯度转移滞缓原因及西部对策研究/谢丽霜．中央民族大学学报．5

西部地区自然资源开发模式探讨：以龙滩水电站库区为例/李甫春．民族研究．5

西部民族地区资源、环境与经济社会协调发展的路径选择/马志荣．开发研究．3

西部民族地区生态环境建设的原则及治理对策/张卫东．青海师范大学学报．3

西部民族地区生态环境保护与社会经济可持续发展/刘海威．青海民族学院学报．4

试论西部民族地区生态环境保护的法律构建/马志荣　李锋敏　哈玉红．西北民族研究．4

提升生态力层次是西部民族地区经济社会持续发展的基本条件/葛少芸　张民义．社科纵横．3

西部民族地区经济建设与生态建设的协调发展/李盛刚．社科纵横．3

西部民族地区退耕还林还草的法律保障探讨/宋才发．贵州民族研究．2

关于我国西部民族地区“三牧”问题的思考/拉灿．西南民族大学学报．5

西部边疆民族地区加快发展非公经济的新思路/茶洪旺　和云．开发研究．2

物权的激励功能与西部民族地区的现代化/吕志祥　高永久．广西民族研究．1

物权的激励功能与西部民族地区的现代化/吕志祥　高永久．西北第二民族学院学报．1

西部民族地区发展循环经济的对策研究/马江．西南民族大学学报．4

西部民族地区间 FDI 引进与发展比较/章辉．社科纵横．4

中国—东盟自由贸易区对西部民族地区经济的影响及对策/粟珍．广西民族研究．1

西部少数民族地区经济发展的资金瓶颈及资本形成的途径/李昌南　魏润卿．延边大学学报．3

西部民族地区城市化的路径选择/刘晖．西北师大学报．2

西部少数民族地区小城镇建设中的社会保障制度问题研究/何国长．社科纵横．6

西部民族地区开发的社会基础设施优先发展战略/王保乾．贵州民族研究．1

论加快西部地区人才资源的开发/李竹青　宋瑞环．北方民族．3

西部民族地区人力资源开发浅论/张立．民族论坛．2

中国西部民族地区人力资本投资及其制度因素分析：来自新疆、甘肃、宁夏民族地区的问卷调查分析/李具恒．宁夏社会科学．1

中国西部民族地区人力资本投资及其制度因素分析：来自新疆、甘肃、宁夏民族地区的问卷调查分析/李具恒．贵州民族研究．1

西部少数民族地区与发达地区县域经济发展不平衡因素分析/粱劲松．楚雄师范学院学报．6

实施人力资源加速积累战略　促进西部生产力跨越式发展/邓光奇．黑龙江民族丛刊．1

西部民族地区生态移民发展对策研究/杨维军．西北第二民族学院学报．4

西部民族地区经济开发中的“非经济障碍因素”分析/袁长征．甘肃民族研究．1

科技创新是西部少数民族地区全面建设小康社会的第一推动力/王乃明　王伟　毛芸存．攀登．3

西部少数民族地区科技创新中的科研机构改革/苏多杰．攀登．4

进一步完善西部少数民族地区科技政策/苏多杰．青海社会科学．2

西部少数民族地区企业科技创新探微/苏多杰．青海民族学院学报．2

西部民族地区民营经济发展的制度创新/马洪波．贵州社会主义学院学报．3

论西部旅游开发与民族地区的社会经济发展/肖星　侯佩旭．中南民族大学学报．1

西部民族地区旅游开发的迟发展效应与后发优势及创新对策/张河清．开发研究．1

西部民族地区旅游开发战略选择/吴铀生　程玲俐．西南民族大学学报．4

促进西部民族地区生态旅游的发展/付强　廖勇．西南民族大学学报．4

西北民族地区经济发展多重差距分析/滕堂伟．经济研究参考．27

西部民族地区贫困问题的现状透析/王永莉．西南民族大学学报．7

西北少数民族聚居地区环境保护的融资方式及其立法思考/王生华．大连民族学院学报．2

“中心村庄”——西北民族地区城乡协调发展的突破口/张文礼. 兰州大学学报. 2

西北民族地区城市区域系统的流态研究/高永久　刘庸. 黑龙江民族丛刊. 5

西北民族地区经济发展的十大突出特征/滕堂伟. 开发研究. 6

城市化背景下西北少数民族文化的保护与开发利用/高永久　刘庸. 西北民族大学学报. 6

西南边疆少数民族地区城市化进展中的消费结构/章立明. 广西民族研究. 3

西南民族地区农业发展与城市化/罗义云. 中南民族大学学报. 1

西南少数民族地区传统手工艺的保护与开发/符娅　王德清. 贵州社会科学. 6

当前西南民族地区科技人才流失的原因及对策/钟杰　覃宪儒. 开发研究. 4

华南少数民族利用自然资源的方式与特点/陈伟明　侯波. 贵州民族研究. 1

抢抓东北振兴机遇　加快民族地区发展/赵佐贤　曹爱平. 满族研究. 3

全面建设小康社会　辽宁老工业基地振兴中的民族自治地方经济发展问题研究与对策（上）/辽宁省民委课题组. 满族研究. 4

辽宁民族地区县域经济核心竞争力的比较研究/张树安. 满族研究. 1

辽宁省少数民族城市化水平宏观分析/卢守亭　南文渊　高小梅. 黑龙江民族丛刊. 3

辽宁少数民族城市化水平内部差异分析/卢守亭　南文渊　高小梅. 大连民族学院学报. 2

大连市少数民族城市化水平分析/高小梅　南文渊　卢守亭. 大连民族学院学报. 4

打造“满族探祖寻根游”的重大现实意义/关东汉. 北方民族. 4

加大对外开放：边疆民族地区实施第二次创业的战略选择：对延边朝鲜族自治州振兴老工业基地实施第二次创业的思考/朴今海. 黑龙江民族丛刊. 6

贯彻落实科学发展观　加快县域经济发展：对“十五”计划以来杜尔伯特蒙古族自治县加快发展县域经济的调查分析/黑龙江省民委课题组. 黑龙江民族丛刊. 2

黑龙江省少数民族和民族地区全面建设小康社会的理论与实践/关立卓. 黑龙江民族丛刊. 3

关于我国赫哲族聚居区推进全面建设小康社会进程的调研报告/黑龙江省民委课题组. 黑龙江民族丛刊. 2

关于赫哲族村生产生活基础设施情况的调研报告/舒景祥. 黑龙江民族丛刊. 3

敖鲁古雅鄂温克猎民生态移民后的状况调查：边缘少数族群的发展道路探索/谢元媛. 民俗研究. 2

振兴东北老工业基地与加快吉林省民族地区发展的几点思考/王彦达　马兵　韩淑英. 北方民族. 4

延边朝鲜族自治州全面建设小康社会评价指标分析/孙岿　金涛. 大连民族学院学报. 2

加快人力资本开发，实现内蒙古经济快速增长/曹霞. 内蒙古师范大学学报. 3

内蒙古农村牧区人力资本提升与经济增长/齐义军. 内蒙古师范大学学报. 3

论内蒙古农村牧区剩余劳动力的转移/包凤兰. 内蒙古师范大学学报. 3

对内蒙古自治区开荒与退耕政策的历史考察/于永. 内蒙古师范大学学报. 6

资金投入是内蒙古畜牧业经济发展的关键/格日乐其其格. 内蒙古师范大学学报. 6

内蒙古畜牧业结构优化的对策研究/包凤兰. 内蒙古师范大学学报. 6

西部民族地区在大开发中所面临的生态环境问题与思考：以内蒙古自治区鄂托克旗为例/刘裕明　任国英　冯金朝　石雪峰　张海洋　陈慧英　吴燕红. 中央民族大学学报. 4

从古代蒙古法中蠡测游牧民族对生态的保护：兼谈统筹人与自然的和谐发展/黄华均　刘玉屏. 黑龙江民族丛刊. 1

生态移民对牧民生产生活方式的影响：以内蒙古正蓝旗敖力克嘎查为例/包智明　孟琳琳. 西北民族研究. 2

游牧经济的机动性分析：以古代蒙古族的游牧经济为例/任洪生. 西北民族研究. 2

内蒙古鄂托克旗生态移民的人类学思考/任国英. 黑龙江民族丛刊. 5

内蒙古专业化人力资本投资与制度建设/张润芝. 中央民族大学学报. 2

边缘落后地区经济发展的困境及其对策选择：对阿拉善右旗的调查/严健明. 内蒙古金融研究. 4

论蒙古族的生业方式与生态/乌峰　乌兰那日苏. 内蒙古师范大学学报. 4

论蒙古族游牧经济的特征/乌日陶克套图. 中央民族大学学报. 2

甘肃少数民族地区特色经济发展现状与思考/李志刚　王生荣. 未来与发展. 6

甘肃民族地区人力资源开发现状及对策/李盛刚. 兰州大学学报. 4

提升甘肃民族地区生产力的对策研究/李正元　潘晓梅　闵文义　徐志中　高志平. 西北民族大学学报. 1

甘肃少数民族地区扶贫开发的实践与对策/李兴江　周亚雄. 西北民族大学学报. 3

试论甘肃民族文化与旅游经济的发展/曹菁轶　钱力. 社科纵横. 5

金融支持甘肃民族地区经济发展的对策建议/赵晓芳. 西北民族大学学报. 5

浅析甘肃民族地区养老保险存在的问题及其对策/祁恒珺. 西北民族大学学报. 4

甘南藏族自治州小康社会建设面临的问题及对策/钱力. 甘肃民族研究. 2

甘南藏族自治州致贫因素分析/敏生兰. 西北民族大学学报. 1

天祝藏族自治县农村贫困问题研究/祁明德　陈兴博. 西北民族大学学报. 1～2

少数民族牧区县农村社会经济可持续发展对草地资源的利用影响的实证研究：兼评价甘肃少数民族牧区县农村社会经济可持续发展水平/戴正　闵文义　才让加. 西北民族大学学报. 2

试论甘肃民族文化与旅游经济的发展/曹菁轶. 甘肃民族研究. 2

西北高寒民族地区生态环境问题及农牧业发展：以甘南藏族自治州为例/李志刚　段焕娥. 地理科学. 5

甘南旅游文化述论/安·伦布嘉措. 甘肃民族研究. 1

拉卜楞地区旅游可持续发展初探/陈立健　王珂. 甘肃民族研究. 2

临夏回族自治州非公有制经济发展策略研究/王翠琳　蔺全录. 社科纵横. 4

“河州现象”的成因分析及对策建议：临夏州非公有制经济发展调查/仙忠

云. 甘肃民族研究. 2

临夏州劳务输转情况调查/妥进荣. 甘肃民族研究. 3～4

张家川回族自治县个体私营经济发展研究/王密兰 王平. 甘肃民族研究. 3～4

撒拉族、土族的经济意识对比分析/杨卫 杨德. 青海师专学报（教育科学）. 2

关于保安族地区农村剩余劳动力转移的调查与研究：以积石山县大河家镇大墩村为例/马沛霆. 甘肃民族研究. 3～4

宁夏城镇化道路的实证研究/江世银. 宁夏社会科学. 3

经济人类学视野中的回族“乜贴”/马冬梅 梁勇. 大连民族学院学报. 4

论回族文化中的生态知识/马宗保 马晓琴. 开发研究. 6

挖掘、利用“西夏历史文化”，发展旅游经济/李宇红. 社科纵横. 5

发展宁夏民族特色旅游的思考/李春阳. 回族研究. 4

四川回族的消费风俗/马尚林. 西南民族大学学报. 2

论桂林回族饮食业的现状与发展取向/李云. 南宁职业技术学院学报. 3

土族农村经济状况调查：以互助县东沟乡大庄村为个案/李少波. 青海民族研究. 2

土族女性非农就业中的社会资本研究：以青海互助 XZ 村为例/许信胜 景晓芬. 社科纵横. 6

西部大开发对青海少数民族人文生态环境的要求/张红岩. 青海社会科学. 3

青海少数民族地区人力资源开发环境与对策分析/梅端智 张和平. 青海社会科学. 4

发展海东民族经济，努力增加农民收入/赵晓葵. 青海民族学院学报. 2

略论青海民族文化公关旅游开发/牛军. 青海民族研究. 2

跨越式发展是新疆全面建设小康社会的必由之路/巩勇. 太原理工大学学报. 1

新疆少数民族繁荣发展必须重视文化环境的优化/孔德华. 实事求是. 6

全面建设小康社会与加快新疆牧区经济社会发展/阿德力汗·叶斯汗. 新疆社会科学. 4

试论新疆游牧民族社会化的时代局限性/娜拉 阿依先 肉孜. 西北第二民族学院学报. 2

新疆产业结构与就业结构的演变及启示//陈小昆．新疆财经．3

新疆牧民定居后的社会整合与文化重构/陈冬季．昌吉学院学报．3

新疆贫穷地区人力资源开发与扶贫战略/阿班·毛力提汗．新疆社会科学．2

试论新时期新疆国家级贫困县扶贫开发的指导思想、主要任务和基本方针/沈君立．新疆社会科学．6

新疆南疆贫穷乡村的发展：库车县比西巴格乡调查/陈霞．新疆社会科学．6

新疆农村小城镇建设和发展研究/孙兰凤．新疆大学学报．4

关于新疆文化产业发展的思考/陈心林．中央民族大学学报．6

哈萨克族经济转型中的贫富差距调查：以胡阿根村哈萨克族为例/周亚成 阿依登．中央民族大学学报．4

哈萨克族经济生产方式转型与经济发展：胡阿根村社会调查/周亚成．新疆大学学报．3

哈萨克牧民定居的高级形式——城镇化（上）/海滨．昌吉学院学报．3

柯尔克孜族聚居区经济合作与发展前景/万雪玉．新疆大学学报．5

中国俄罗斯族经济和社会发展调查报告：内蒙古额尔古纳市室韦俄罗斯民族乡调查/祁惠君 时春丽．北方民族．3

青藏高原开发、保护与特色经济发展/鲍文 张志良．西藏民族学院学报．1

树立科学发展观，推进西藏经济的跨越式发展：西藏地区实现经济增长的实证分析/朱盛艳 张跃平．广西民族研究．1

论西藏跨越式发展中的环境保护/郑亚玲．西藏民族学院学报．1

西藏可持续发展浅析/路賨 兰岂凡．西藏民族学院学报．5

宗教与西藏经济发展关系透视/杨森 路賨．西藏民族学院学报．1

制度变迁与西藏现代化进程/史云峰．西藏研究．1

从经营治理到兴藏富民：试论西藏自治区现阶段发展的历史特征/续文辉．西藏发展论坛．6

西藏县域经济发展的对策/金杰．西藏民族学院学报．2

和平解放以来西藏外生金融发展的实证考察/张志恒 毛阳海．西藏研究．4

青藏铁路对促进西藏经济发展的研究/杨斌 潘明清．经济问题探索．4

西藏居民小康消费进程及其发展趋势研究/徐伍达. 西藏研究. 1

论西藏经济环境特殊性与全面建设小康社会的联系/扎西. 西藏大学学报. 2

西藏边境县经济发展现状分析/扎西 贡秋扎西. 西藏研究. 1

西藏产业结构演化模式分析/方敏. 西藏研究. 3

西藏产业发展和产业结构调整中的劳动要素/宋朝阳 王艳. 西藏研究. 3

西藏产业发展和结构调整中的财政支持/宋朝阳 王艳. 西藏大学学报. 2

西藏保险业与经济协调发展研究/冯占军. 西藏研究. 3

发展生态产业实现西藏牧区经济的可持续发展/安玉琴. 西藏大学学报. 2

关于西藏农牧业结构调整与发展的思考/谢红 卢金金. 西藏大学学报. 3

西藏山南农牧区贫困的根源及脱贫出路/周伟 麻泽龙 曾云英. 农业经济问题. 8

西藏农牧民收入问题研究/罗绒战堆. 中国藏学. 1

和平解放后援藏项目社会经济效益研究/靳薇. 西南民族大学学报. 2～3

西藏人口经济发展问题初探/萨茹拉 曹仁祥. 中国藏学. 1

试论人口文化素质对西藏自治区社会经济的影响/央宗. 西藏大学学报. 1

西藏发展与人口环境/邱建华. 中国统计. 10

对投资拉动西藏经济增长效应的初步分析/王清先. 中国藏学. 3

西藏农户经济演化特征：基于农村住户调查资料的实证分析/杨明洪. 中国藏学. 3

西藏农村的新变化：以帕拉庄园所在村庄的调查为例/徐平 曹志妥. 中国藏学. 3

西藏“一江两河”流域近半个世纪的社会变迁：以墨竹工卡县甲玛乡为例/郭克范. 中国藏学. 3

论西藏的草场资源与环境保护/扎呷. 中国藏学. 3

西藏藏医药产业现状及发展思路/次仁卓玛. 中国藏学. 3

青藏铁路沿线藏区农牧民思想观念的变迁/马林 马学贤. 中国藏学. 3

军拥村（dkyil-g · yng）藏族农民家庭调查/张建世 土呷. 中国藏学. 3～4

西藏自治区人力资源重要性和开发现状/德庆拉泽. 中国藏学. 3

生态人类学与西藏草地研究/白玛措. 中国藏学. 4

甘南藏族部落特点及其现代化转型研究/李景铭. 中国藏学. 4

甘南藏族自治州生态旅游开发探讨/杨朝继　李辉．西北民族研究．2

浅析实现西藏旅游业可持续发展的对策/陈立健　王珂．中国藏学．4

甘孜藏区旅游资源开发的若干问题/杨健吾．西藏民族学院学报．4

关于进一步发展西藏旅游业的若干问题/何星亮．西藏大学学报．4

藏传佛教文化的旅游价值探析/王亚欣．青海民族学院学报．1

成都市藏族经商流动人口对多元文化城市的贡献：对“民族用品一条街”的调查与思考/冯敏．西藏研究．2

青藏高原的城市化与可持续发展/马玉英．青海民族研究．2

西藏乡村城市化分析：兼论麦基的亚洲城市化模式（Desakota）/李涛．西藏研究．1

投资与西藏城镇经济增长的实证分析/杨明洪　张强．财经科学．6

西藏自治区贡嘎县农牧户收支状况分析/曾云英　周围．西藏大学学报．2

藏族传统文化中的生态观/噶隙降村．康定民族师范高等专科学校学报．2

藏族文化产业的定位与发展/罗莉．西南民族大学学报．6

对西藏地区自然资源经济价值的成本收益分析：兼论西藏地区文化产业的发展/耿香玲．西藏民族学院学报．5

甘青川藏区生态文化及其建设小康社会研究/傅千吉．西北民族大学学报．3

试论四川藏区的城镇化与文化变迁/蒋彬．西南民族大学学报．8

四川藏区主导产业的选择模式与培育途径/廖承红　鄢杰．西南民族大学学报．12

四川藏区贫困问题的现状和成因/杨健吾．西藏研究．4

建立“四川藏羌生态保护区”走民族生态旅游之路/沈华．中华文化论坛．1

民族文化与自然景观整合的探讨：以四川省九环线北端白马藏区与王朗自然保护区为例/刘红艳　鄢和琳．西南民族大学学报．7

四川藏区民营经济现状调研报告：以甘孜、阿坝为例/马勇．西北民族研究．4

从民族宗族文化信仰到全球旅游文化符号：以香格里拉为例/曹晋　曹茂．思想战线．1

四川民族地区生态建设产业化发展之研究/庄万禄　陶亚舒　王康．西南民族大学学报．7

四川民族地区旅游业与生态移民及其城镇化推进/刘晓鹰　邹国伟. 西南民族大学学报. 12

创建四川民族文化生态旅游可持续发展模式研究/黄萍　王元珑. 西南民族大学学报. 8

四川民族地区技术创新体系建设的对策/王康　刘秀兰. 西南民族大学学报. 4

四川民族地区旅游发展的思考/李皓　郑长德. 西南民族大学学报. 4

川西民族地区草原生态旅游发展实证研究：红原县月亮湾旅游区生态旅游发展前景分析/高阳　蒋明. 西南民族大学学报. 4

旅游服务营销组合的“8Ps”理论与民族旅游商品营销：以彝族服饰旅游商品为例/张瑛. 西北民族大学学报. 3

凉山彝族生态文化的继承与凉山彝区生态文明建设/杨红. 西南民族大学学报. 2

性别与发展的实践：分享“参与功能性脱盲脱贫的试点”项目经验/马林英. 西南民族大学学报. 6

地缘经济联系与西部民族地区跨区域互动发展：以滇藏川交接区域为例/周智生　李伟. 求索. 12

新型工业化对民族文化变迁的影响：云南省富源县古敢水族乡调查/张海翔. 思想战线. 2

云南少数民族地区生态危机的伦理思考/蒋颖荣　李湘云　李本书. 云南师范大学学报. 3

发展特色经济与云南少数民族地区农村剩余劳动力转移/张锦鹏. 云南师范大学学报. 4

澜沧县糯扎渡乡境内建设大型水电站给当地少数民族带来的影响/刘劲荣. 云南师范大学学报. 5

文化富民：云南文化产业的政府作为/杨文杰. 云南民族大学学报. 4

云南少数民族妇女手工艺品市场化策略/伍琼华. 云南民族大学学报. 4

可持续发展：版纳经济发展的必然选择/张烨　何正芬. 楚雄师范学院学报. 5

怒族社会消费文化研究：以贡山丙中洛乡查腊一社为个案/李霞. 文山师范高等专科学校学报. 2

景颇族传统农业的变迁/石锐. 云南民族大学学报. 6

新时期思茅经济发展中的民族关系问题/韩宇梅．思茅师范高等专科学校学报．2

丽江古城旅游资源持续开发之我见/于洪．云南民族大学学报．4

节事旅游活动中的文化表达及其旅游影响：国际东巴文化艺术节的旅游人类学解读/宗晓莲　戴光全．思想战线．2

基诺族"游耕"问题研究的误区/马瑞江．农业考古．3

贵州民族地区经济发展与环境保护的原则及制度思考/王伟．西南民族大学学报．5

加快"生态立省"法制建设，促进贵州少数民族地区经济发展/魏红．贵州大学学报．5

泛珠三角区域劳务合作对贵州民族地区的意义和作用/司亚勤．贵州民族研究．3

贵州民族地区培育茶叶主柱产业问题的思考/颜勇．贵州民族研究．3

珠江上游农业区域生态现状及生态安全预警系统的可行性研究/石明奎　覃伟怡　文传浩．贵州民族研究．1

联产承包责任制与民族文化的调适/陈茂昌．贵州民族研究．3

旅游工艺品开发与民族文化商品化/廖杨．贵州民族研究．3

黔东南苗族传统服饰及工艺市场化状况调查/杨正文．贵州民族研究．3

贵州少数民族地区生态文化与生态问题论析/喻见．贵州社会科学．3

从格头苗族生态文化看雷公山自然保护区的维护及发展/王云．贵州民族研究．4

贵州民族资源与城市旅游/李明秀．贵州师范大学学报．3

民族旅游消费不可持续性问题成因的社会学探析：来自贵州民族旅游开发地区的调查与思考/田维绪．贵州民族学院学报．6

浅析贵州乡村民族旅游开发：郎德、天龙、中洞模式比较/杨兴洪．贵州民族研究．4

试论侗族大歌在侗族文化旅游市场营销中的作用/兰晓原．贵州社会科学．4

鄂渝黔边区域经济协同发展研究/冷志明．中央民族大学学报．5

论古代广西东西部经济发展的差异性/朱其现．学术论坛．7

商人会馆与近代桂东北城镇的发展变迁/侯宣杰．广西民族研究．2

布洛陀民族文化的特点与特色经济开发/何颖．广西民族研究．4

壮族农村经济社会转型的新模式探析/廖国一. 广西民族学院学报. 4

壮族土司文化及其旅游开发价值概述：广西民族文化与旅游开发研究之一/王晖. 广西右江民族师专学报. 1

民族传统节日与民族旅游的开发：广西民族文化与旅游开发研究之二/王晖. 广西右江民族师专学报. 2

青年农民进城行为微观动因的人类学考察：以广西百江屯为个案/王戈. 中南民族大学学报. 1

西南民族地区民俗文化资源的旅游开发：以广西为释例/赵健. 广西右江民族师专学报. 1

乐业县民族民俗文化旅游资源开发浅议/尉富国. 广西右江民族师专学报. 2

瑶族特种生存技能在喀斯特石漠化山区可持续发展中的实践价值/袁伊玲. 贵州民族研究. 4

桃花源里可耕田？从一个瑶寨看扶贫与发展/周大鸣. 中山大学学报. 4

开展民族传统文化　为发展民族经济服务：以金秀瑶族自治县古占村为例/李大庆. 经济与社会发展. 2

毛南族的资源生态、土地制度与农民收入的变迁：广西环江南昌屯毛南族社会经济发展状况个案研究之三/黄润柏. 广西民族研究. 1

广西民族村寨旅游开发与民族文化旅游品牌构建/简王华. 广西民族研究. 4

壮族风情游与壮族民间文化主体重建/黄爱莲. 学术论坛. 7

田阳敢壮山布洛陀信仰的宗教旅游价值/王春峰　黄国星. 广西师范学院学报. 2

从宣恩庆阳古街看土家族区域明清商业活动/邓辉. 湖北民族学院学报. 3

关于湖南省民族乡经济发展情况的调查报告/湖南省政协民宗委. 民族论坛. 2

益阳城区少数民族流动人口经商情况调查/蒯万钦. 民族论坛. 2

民族贫困地区实现可持续发展的要素分析：以湘西自治州区域经济发展为例/彭秀丽. 湖南经济管理干部学院学报. 1

民族地区劳务输出的现状、问题与对策：恩施州农村劳动力流动与移地转移的调查与思考/田孟清. 中央民族大学学报. 4

转型时期土家族地区的阶层分化：以鄂西南百福司集镇为例/秦中应. 边疆

经济与文化. 8

小城镇的成长与民族地区区域经济社会发展：湖北省来凤县百福司镇的个案研究/柏贵喜. 中南民族大学学报. 1

土家族文化资源开发的战略构想：构建中国武陵地区文化生态旅游经济走廊/彭振坤. 湖北民族学院学报. 3

论少数民族劳动力打工的原因及其影响：以鄂西南革勒车乡桐麻村为例/田敏 沈再新. 广西民族学院学报. 5

湘西永顺土家族文化旅游发展刍议/徐永志. 吉首大学学报. 2

论民族地区主导产业的选择：以武陵山区少数民族州县为例/李俊杰. 中南民族大学学报. 2

湘鄂渝黔边旅游市场开发与合作营销研究/王兆峰. 中央民族大学学报. 2

鄂西民族地区扶贫开发与生态旅游经济发展研究/王顺克. 西南民族大学学报. 2

鄂西土家族地区农民借贷行为的实证分析：来自T村农民家庭借贷行为的调查/胡艳华 万江红. 理论月刊. 10

海南黎苗民俗生态试论/陈立浩. 琼州大学学报. 4

作物、经济与社会：东埔社布农人的例子/黄应贵. 广西民族学院学报. 6

西部民族地区特色经济研究综述/高新才 童长凤. 兰州商学院学报. 4

中国少数民族地区社会与经济发展理论研讨会综述/吴定勇. 民族研究. 1

关注民族地区发展进步的视野互动与观点交锋："中国少数民族地区社会与经济发展"理论研讨会综述. /王珏 吴定勇. 西南民族大学学报. 1

中国西部民族地区生态旅游国际学术研讨会综述/吴建国 张世均. 西南民族大学学报. 11

中国少数民族经济研究会2005年年会研讨综述/郑长德 吴铀生. 西南民族大学学报. 12

W·费肯彻的《市场人类学与全球贸易》述评/王燕祥 陈宇. 世界民族. 1

西方视野与本土研究：评《民族旅游的人类学视野》/巫宁. 思想战线. 6

三、民族学

人类学再研究及其方法论意义/兰林友. 民族研究. 1

论构建中国发展民族学的理论框架与视角特色/马曼丽　李国栋. 民族研究. 3

民族学·历史学·社会学：谈中国民族学本土化特点/娜拉. 西北民族大学学报. 5

论民族学中国化及其历史经验/龙先琼. 吉首大学学报. 3

近年来国内民族学研究的回顾与展望/杨圣敏. 中南民族大学学报. 6

略论蔡元培先生民族学思想的来源及其形成/王颖吉　陈远. 中南民族大学学报. 2

我国民族社会学内涵与方法述论：兼议马戎的民族社会学研究/彭红艳　孙秋云. 中南民族大学学报. 6

民族社会学的视角与定义新论/赵利生　江波. 贵州民族研究. 2

加强社会学与民族学的互动/郑杭生. 中南民族大学学报. 3

人类学和社会学视野下的通婚圈研究/唐利平. 开放时代. 2

管窥女性主义人类学及其对教育研究的启示/王新凤. 贵州民族研究. 1

从新德里到昆明：女性人类学委员会的历程/［美］Faye V. Harrison 著　林敏霞译　刘志军校. 广西民族学院学报. 3

早期人类学研究中女性的在场与缺席/白志红. 云南社会科学. 6

云南少数民族女性学的建构与发展/杨国才. 云南民族大学学报. 3

历史人类学：从历史文本到意义主体/周泓. 广西民族研究. 3

历史记忆与人类学研究/张伟明. 广西民族研究. 3

论人类学的文化撰写/徐鲁亚. 西南民族大学学报. 9

人类学视域中的法律移植/王明亮. 广西民族学院学报. 6

从博弈到认同：法人类学关于纠纷的旨趣、路径及其理论建构/乔丽荣　仲崇建. 黑龙江民族丛刊. 6

中国饮食人类学初论/陈运飘　孙箫韵. 广西民族研究. 3

饮食文化与族群边界：关于饮食人类学的对话/徐新建　王明珂等. 广西民族学院学报. 6

现代性的另一面：从躯体化到心理化——克雷曼的医学人类学研究/高永平. 国外社会科学. 3

医学人类学对过程哲学的阐释/张晓春　罗康隆. 吉首大学学报. 4

人类学关注艾滋病/靳薇. 广西民族学院学院. 2

少数民族防治艾滋病的思考/张玉萍. 广西民族学院学报. 2

苗族医学人类学分析的哲学缺失/麻勇斌．怀化学院学报．4

关于中国民族基因的研究：《中国人类基因组》评审研讨会上的发言/费孝通．开放时代．4

新疆回族成人身体机能、身体素质城乡对比分析与研究/李俊英．首都体育学院学报．4

关于影视人类学的研究对象、方法与基本原则：兼评《影视人类学概论》/周兴茂．西北民族大学学报．2

生态田野：渐近21世纪影视学的后文化人类学/杨新磊．广西民族研究．2

小凉山彝族“虎日”民间戒毒行动和人类学的应用实践/庄孔韶 杨洪林 富晓星．广西民族学院学报．2

“虎日”的人类学发现与实践：兼论《虎日》影视人类学片的应用新方向/庄孔韶．广西民族研究．2

继承与反思：记云南三个人类学田野调查点的“再研究”/王铭铭．社会学研究．2

蒙古学研究笔谈/清格尔泰等．内蒙古大学学报．3

略论藏学学科的特点/罗桑开珠．中央民族大学学报．5

略论彝学的形成与发展/朱崇先．楚雄师范学院学报．1

浅谈民族学中的主位研究和客位研究/岳天明．中央民族大学学报．2

台湾南岛语民族的分类沿革/曾思奇．中央民族大学学报．3

人类学中的观察与理论预设/陈庆德．思想战线．1

民族志的科学范式的奠定及其反思/高丙中．思想战线．1

以法律多元为基础的民族志研究/高丙中 章绍增．中国社会科学．5

人类学反思性民族志研究：一个范式的六种尝试/高丙中．思想战线．5

民族志方法与中国人类学的发展/王建民．思想战线．5

民族志方法：一种值得借鉴的传播学实证研究方法/刘丽彬．湖北经济学院学报．6

民族志视野中“真实性”的多种样态/彭兆荣．中国社会科学．2

民族志与“我”和“我的叙述”：以刘新《自我的他性：当代中国的自我的谱系》为例/康敏．思想战线．1

民族志与现代性故事：以罗香凝《另类现代性—后社会主义中国的性别渴望》为例/吴晓黎．思想战线．1

地方性知识的扭曲、缺失和复原：以中国西南地区三个少数民族为例/杨庭

硕. 吉首大学学报. 2

民族精神的本质与民族方法论/付立清 徐文学. 甘肃理论学刊. 1

深描与人类学田野调查/澜清. 苏州大学学报. 1

田野调查对人类学研究的价值与意义/余园. 大连民族学院学报. 4

田野调查和文本写作例评/郭志超. 中南民族大学学报. 2

试论民国政府对贵州少数民族的调查/马玉华. 贵州民族研究. 2

从布迪厄实践理论看人类学田野工作/谢元媛. 云南社会科学. 2

对社会调查中常用态度与方法的初步分析/李劫. 中央民族大学学报. 4

村落社会研究与民族志方法/刘朝晖. 民族研究. 3

追寻村落——对两种不同的人类学田野研究的省思/许斌 胡鸿保. 思想战线. 3

人类学田野调查的理论反思/马翀炜. 张帆. 思想战线. 3

从布迪厄实践理论看人类学田野工作/谢元媛. 云南社会科学. 2

客家与畲族关系再认识：闽西武平县村落的田野调查研究/刘大可. 中共福建省委党校学报. 12

文山少数民族民俗田野考察方法浅议/王明富. 文山师范高等专科学校学报. 4

从他帐篷的门口：田野工作者与审讯者/［美］热纳托罗萨尔多著 高丙中译. 思想战线. 3

看的方式：从视角角度解读人类学史/杨春宇. 思想战线. 3

文化书写与对象建构/李立. 思想战线. 3

计算机模拟方法在民族学与人类学研究中的应用/孟航. 中南民族大学学报. 2

从非洲到东亚：亲属研究的普遍性与特殊性/麻国庆. 社会科学. 9

环境伦理观念对少数民族传统生活方式的影响/张胜冰. 中南民族大学学报. 2

农耕他者的制造：重新审视广东“疍民歧视”/何家祥. 思想战线 5

区域文化的人类学解析：以西北安多地区为例/刘夏蓓. 思想战线. 5

彝民通过电视的仪式：对一个彝族村落“电视与生活”关系的民族志研究/李春霞. 思想战线. 5

国家公民权利：泰国曲乡地方自治实践的民族志讨论/龚浩群. 思想战线. 5

生态文化论/郭家骥. 云南社会科学. 6

生态文化基础上的公共空间变迁与重构/伍琼华. 思想战线. 5

民族文化与生态环境的互动关系/杨忠实　文传浩. 思想战线. 5

新疆维吾尔族生态文化的物质层面浅析/崔献勇　海鹰. 新疆师范大学学报. 3

云南民族地区生态——文化研究的理论基础/杨胜荣　贾星客　李和宽. 云南师范大学学报. 1

海纳百川之汉族/覃彩銮. 当代广西. 1

民俗与社会性别认同：以传统汉人社会为对象/刘晓春. 思想战线. 2

论汉族民间信仰的功利性/罗彩娟. 广西民族学院学报. 3

从民间信仰看粤闽赣山区开发和客家族群发展/周俐　周建新. 中南民族大学学报. 5

科举与传统客家村落社会：以闽西武北村落为例/刘大可. 民族研究. 6

河疍：梧州水上居民考察/秦璞　徐杰舜. 广西右江民族师专学报. 2. 4

鹰手三旗的后裔：对北京市喇叭沟门满族乡的调查与思考/定宜庄　胡鸿宝. 民族研究 4

黑龙江垦区少数民族调研报告/吴克尧. 黑龙江民族丛刊. 4

“公”的水与“私”的水：游牧和传统农耕蒙古族“水”的利用与地域社会/麻国庆. 开放时代. 1

新疆撒拉族民族社会学调查/李臣玲　贾伟. 新疆大学学报. 6

新疆游牧民族的跨国特征：以民族政治学的分析视角/娜拉. 新疆师范大学学报. 4

环境与家族：塔吉克人文化的特点/杨圣敏. 广西民族学院学报. 1

小凉山的俘虏、亲属和奴隶/［美］安·麦克斯韦·希尔著　阿嘎佐诗译. 广西民族学院学报. 3

云南地域文化与滇西民族村落产业的现代经营/高旗. 云南民族大学学报. 5

试析哈尼族对奴隶制的历史跨越/毛佑全. 红河学院学报. 2

科技传播与施甸布朗族社会发展研究/杨学鸾. 保山师专学报. 1

国家指导下的民族社会与文化变迁：以云南布朗山布朗族为例/张晓琼　李成武. 当代中国史研究. 2

**西部少数民族散杂区社会发展问题个案研究：以四川省叙永县枧槽苗族自

治乡为例/刘芳. 黑龙江民族丛刊. 3

试论回族社会宗教与世俗二合一的结构特征/马惠萍. 中南民族大学学报. 1

宗族在村治中的地位：周城白族村的田野观察/朱炳祥 蔡磊. 中南民族大学学报. 3

传统的苗族社会组织结构与居民互惠交往实践：贵州雷山县苗族居民的礼仪交往调查/张原 汤芸. 西南民族大学学报. 2

侗族传统社会外部控制诸方式/廖君湘. 贵州民族研究. 4

侗族传统社会之代际关系论析/廖君湘. 湘潭大学学报. 2

壮族乡约制度功能研究：以龙脊十三寨为例/符广华. 广西民族研究. 1

摆手祭：土家族社会结构的象征表达：土家族象征文化研究之一/柏贵喜. 中南民族大学学报. 3

浅论土家族宗族村社制在生态维护中的价值/瞿州莲. 中南民族大学学报. 3

清代西部开发的民间文本：建始龙氏族谱个案研究/雷翔 龙子建. 中南民族大学学报. 3

民族生活方式论/徐杰舜 杨清媚. 广西大学学报. 3

高次元文化传统与民族地区农村现代化：一个土家族村寨20**世纪思想文化的变迁与启示**/萧洪恩 谭媛媛 贺春霞. 中南民族大学学报. 2

有关保护、开发西部人文资源的思考/费孝通. 广西民族学院学报. 3

论生态恶化之成因：侗族文化转型与生态系统耦合演替/陈茂昌. 贵州民族研究. 4

与环境保全并存的生业的可能性：水满村的事例/［日］梅崎昌裕. 广西民族学院学报. 1

大圈套与小圈套——围绕着火田展开的小型动物狩猎/［日］西谷大. 广西民族学院学报. 1

介于野生和栽培之间的植物群/［日］篠原徹. 广西民族学院学报. 1

经济作物与克服贫困的尝试/［日］蒋宏伟. 广西民族学院学报. 1

旅游开发与民族文化和生态环境的保护：水满村的事例/良警宇. 广西民族学院学报. 1

美国公民跨国领养实践的发展与变化/范可. 广西民族学院学报. 1

小康发展进程中少数民族妇女经济地位问题研究/熊坤新 李秀英. 青海民

族学院学报．3

少数民族妇女平等就业权的法律保护：本溪市少数民族妇女就业情况的调查/赵岩．满族研究．2

状况与走向：内蒙古蒙古族女性参政程度研究/乌云娜　陈素华．内蒙古大学学报．5

中国西南少数民族妇女形象的现代建构/朱和双．贵州民族研究．3

西藏自治区妇女的法律保障及其社会经济地位/拉毛措　丹珍卓玛．中国藏学．3

甘青藏族妇女社会地位探析/李静　杨须爱．青海民族研究．4

藏族妇女与藏区社会经济的发展/尚云川．西藏民族学院学报．2

藏族妇女政治参与现状及其制约因素分析：一项来自甘南藏区卓尼县的实地调查/孙继虎　刘军奎．西北民族大学学报．3

贯彻男女平等基本国策与云南少数民族妇女参政/杨璐．云南民族大学学报．6

少数民族妇女外流对当地社会的影响：以云南贡山为例/李勤．云南民族大学学报．4

略论广西少数民族妇女人才成长的民族环境及优化/徐军．广西右江民族师专学报．2

迁徙民族女性对传统文化的继承/董印红．贵州民族研究．3

少数民族妇女外流对当地社会的影响：以云南贡山县为例/李勤．云南民族大学学报．4

依附者还是构建者？关于妇女亲属关系的一项民族志研究/李霞．思想战线．1

民俗文化与女性社会地位：以畲族女性为例/邱国珍．民俗研究．2

从文献发展看近20年我国女性研究/董印红．西北第二民族学院学报．3

人类学视野中的交往与族群关系/廖杨．思想战线．1

全球化与族群社会变迁/廖杨．黑龙江民族丛刊．4

试论族群认同和国族认同/张永红　刘德一．广西民族学院学报．1

试论族群认同和国族认同/张永红　刘德一．中南民族大学学报．2

社会人类学视野下的“迁移”与“家园”/李明欢．吉首大学学报．3

西方的“族体”概念系统：从“族群”概念在中国的应用错位说起/朱伦．中国社会科学．4

当代西方“族群”理论探析/叶江．华东师范大学学报．5

乔健：族群与社会研究的先驱/李亦园．广西民族学院学报．5

族群结构简论/徐杰舜　张炜凌．广西民族学院学报．5

族群理论之文本与情景：兼论理论心性、文类与范式化情节/王明珂．陕西师范大学学报．6

动荡中的客家族群与族群意识：粤东地区潮客村落的比较研究/周大鸣．广西民族学院学报．5

三重关系互动中的回族认同/胡云生．民族研究．1

神话传说与族群认同：以五溪地区苗族盘瓠信仰为例/明跃玲．广西民族学院学报．3

台湾三民乡沙阿鲁阿族的族群现象/谢继昌．广西民族学院学报．5

原住民自助文化研究的时代意义：东华大学族群所的文化实践/吴天泰　姜明义．广西民族学院学报．5

族群文化现代化与族群社会现代化/刘婷婷．新疆社会科学．5

政治多元化与港澳台族群的和平跨居：全球化背景下的华南经济圈研究之三/廖杨．广西民族研究．3

族群认同、文化自觉与客家研究/周建新．广西民族学院学报．2

中国的民族政策与族群认同的几个问题：与于鹏杰同志商榷/罗树杰．广西民族学院学报．4

浅析族群关系中的文化认同：以河湟地区族群为例/马建春．西北民族大学学报．4

族群认同的血缘性重建：以海村京族人为例/吕俊彪．广西民族研究．3

族群地位变迁论：以广西防城港市为例/李远龙．吉首大学学报．3

对《雪球》“族群”理论运用的商榷/林敏霞．广西民族学院学报．5

当代西方“族群”理论探析/叶江．华东师范大学学报．5

西南少数民族同根意识刍议/郑维宽．社会科学战线．6

灯的精灵：关于光明与黑暗的民族学研究/［瑞典］Jan Garnert 著　吴秀杰　郭咏梅译．民俗研究．1

中国民族学的文化研究面临的基本问题/周星．开放时代．5

探寻和谐社会的精神基础：构建社会主义和谐社会中民族文化的建设与发展/刘彦霞　邓笑冬．满族研究．4

在异域与本土之间：人类学视野中的文化批评/刘晓春．广西民族研究．1

文化圈学说与文化中心论/孟慧英．西北民族研究．1

文化相对主义述评/罗康隆．怀化学院学报．3

文化相对主义述评/罗康隆．贵州民族研究．4

多元文化教育与少数民族文化的传承/陈兴贵．云南民族大学学报．5

人类学视野下的文化相对主义及其反思/杨雪晶．思想战线．1

文化相对主义与中国多民族文化的和谐发展问题：关于多民族文化发展道路的一些思考/伊克巴尔·吐文逊．新疆社会科学．4

从新时期宁夏回族群体文化心理的变迁看传统向现代化转型的趋势/张同基．宁夏社会科学．4

保护、创新与发展：试论少数民族文化建设/赵鹏程　徐琴．社会科学研究．6

文化全球化语境下的文化整合与民族文化创新/郑丽莉．内蒙古大学学报．1

文化整合与青藏高原民族文化心理调适/陈化育　陈仲亮．青海师范大学学报．6

少数民族文化的特征与变迁/张桥贵．云南民族大学学报．3

文化变异引发的思考：内外蒙古社会、政治、经济、文化异向发展比较研究/安俭．甘肃社会科学．6

全球化格局下的民族文化多元化发展趋势/马平．青海民族研究．1

全球化背景下的我国民族文化建设/姜淼．广西社会科学．1

在促进发展的过程中保护和创新民族文化/徐梅．贵州民族研究．4

西部开发与民族文化发展/陈心林．中南民族大学学报．2

民族文化的现代化是少数民族文化传承的趋势/王彦达　魏丽　马兵．满族研究．2

边境民族地区开发民族文化资源的对策思考/孟庆圣．满族研究．2

少数民族生态移民中的文化变迁：以凉山州盐源县长坪子村为例/马尚林．西南民族大学学报．4

国家意识形态主导下的少数民族文化变迁/田丰韶．内蒙古社会科学．6

浅析党的民族政策与龙州和那坡两地“黑衣壮”文化变迁/唐华清．南宁师范高等专科学校学报．4

民族文化变迁研究20年：研究现状与存在问题/饶旭鹏．贵州民族研究．4

经济文化类型：西南地区民族关系的物质基础/蒋立松．西南民族大学学

报. 5

非物质文化遗产的保护与民族文化现代化/何星亮. 中南民族大学学报. 3

论民族文化与民族关系的互动影响/徐黎丽. 西北师大学报. 2

充分发挥民族文化在政治文明建设中的作用促进全面建设小康社会/许进品. 桂海论坛. 1

略论中国文化民族主义的嬗变/王忠梓. 玉溪师范学院学报. 4

浅谈民族传统文化保护的若干问题/石奕龙. 中央民族大学学报. 1

正确对待民族传统文化，牢固树立马克思主义文化观/许广智. 西藏民族学院学报. 1

少数民族传统文化现代重构的趋向/李盛刚. 固原师专学报. 2

高原小康社会建设必须关注民族传统文化的创新/贾晞儒. 攀登. 5

少数民族传统文化的继承与发展/余达佳. 广西师范学院学报. 2

论民族地区城市化进程中的民族传统文化保护/范生姣. 贵州社会科学. 4

承德传统民族文化的抢救、保护和开发/特克寒. 贵州民族学院学报. 4

回族传统文化回归的推动群体分析：关注《穆斯林通讯》/于皓. 湖南科技学院学报. 6

试论青海民族传统文化的精神特质及其创新/贾晞儒. 青海社会科学. 4

关于旅游开发中的少数民族传统文化保护问题：由喀什部分老城区被拆除引发的思考/田俊迁. 西北民族研究. 4

彝族传统文化中的生态理念/陆文熙 陆铭宁. 西南民族大学学报. 12

傣族传统文化与中国—东盟经济一体化的回应/刀承华. 云南民族大学学报. 3

少数民族传统文化的两难境地：以云南元谋姜驿乡傈僳族为例/杨甫旺. 楚雄师范学院学报. 4

云南“直过民族”传统文化与全面建设小康社会/张晓松 李根. 学术探索. 6

在发展中维护民族文化生态：对泸沽湖摩梭社区的研究/李锦. 中南民族大学学报. 3

从水库移民安置看民族传统文化传承的重要性：以广西红水河梯级电站水库移民安置为例/俸代瑜. 广西民族研究. 4

关于民族传统文化创新问题的调查与思考：湖北民族地区民族传统文化创新调研报告/段超. 江汉论坛. 11

中国少数民族民间文化的界定与分类/李耀宗．中南民族大学学报．3

再论民族文化生态的保护和建设/段超．中南民族大学学报．4

云南汉语地名发展与民族构成变迁/陆韧．云南民族大学学报．6

云南少数民族文化自尊的保持和重建/谢国先．云南民族大学学报．5

少数民族文化资源库建设刍议/罗廷锦　张天军．云南民族大学学报．4

草原民族文化的保护与传承/齐秀华．广播电视大学学报．2

论草原文化/葛根高娃．卫拉特研究．3

原始社会与农耕文化和草原文化（下）/孟驰北．卫拉特研究．1

现代化的碰撞与少数民族文化生态保护/马平．宁夏社会科学．1

关于当前民族文化恢复的思考/黄柏权．青海民族研究．4

城市中的人口迁移与跨民族交往/张继焦．云南社会科学．1

西部开发中的民族文化交流与民族关系发展态势/关桂霞．青海社会科学．1

关于西部大开发中民族文化建设问题的思考/葛文平．青海民族研究．3

人类学视野中的交往与族群关系/廖杨．思想战线．1

论城市多民族与文化多元之关系：以广东沿海城市为例/李筱文．广西右江民族师专学报．1

城市中少数民族的民族文化与迁移就业/张继焦．广西民族研究．1

论文化适应/罗康隆．吉首大学学报．2

西部地区少数民族文化特征浅论/宋斌．青海师范大学学报．2

西部民族文化理念批判与个体品德建设/丁子平．固原师专学报．4

科学发展观与民族文化/吴钦敏．贵州民族研究．1

科学发展观与民族文化/吴钦敏．广西民族研究．1

论民族文化的内涵与创新/高万能　李瑞熙．贵州民族研究．3

文化认同是民族融合的先决条件/赵伟．广西民族研究．1

民族地区城市化建设中民族文化的弘扬与重塑/程苹．中南民族大学学报．5

论文化整合：蒙维民族的伊斯兰化过程/南快莫德格．新疆大学学报．4

城市外来少数民族文化适应的社会意义：以深圳“中国民俗文化村”员工为例/陈晓毅．广东技术师范学院学报．5

跨文化交际中的文化信息互动探索/徐莉林．内蒙古大学学报．5

民族—地方文献在民族文化大区建设中的地位和作用/德户格尔　忒莫勒．

内蒙古社会科学．4

满—通古斯民族物质文物的文化特色/孟祥义．满语研究．2

黑龙江中游地区靺鞨文化的区域性及族属探讨/冯恩学．吉林大学社会科学学报．3

试论东北朝鲜族的稻作/管彦波．黑龙江民族丛刊．2

敖鲁古雅鄂温克猎民生态移民后的状况调查：边缘少数族群的发展道路探索/谢元媛．民俗研究．2

黑龙江省鄂伦春族经济和社会发展调查/沙晋．黑龙江民族丛刊．2

狩猎经济文化类型的当代变迁：鄂伦春族、鄂温克族猎民生计调查/王俊敏．中央民族大学学报．6

北方渔猎民族的滑雪狩猎文化/于学斌．黑龙江民族丛刊．5

哀牢山哈尼族妇女梯田养鱼调查/王清华．民族研究．4

瓯骆族裔——壮侗语民族的族群记忆与人文重建/覃德清．广西民族研究．3

保护民族民间文化，传承中华民族精神/陈正平．达县师范高等专科学校学报．6

探寻满族文化发展的轨迹/赵展．中央民族大学学报．1

满族的鹰文化/于学斌．哈尔滨学院学报．11

沈阳地区满族文化资源分布描述/高玉侠．沈阳师范大学学报．2

试论赫哲文化的保护与发展/祝招玲．佳木斯大学社会科学学报．4

神谣与神歌：中国赫哲族与日本阿伊努族文化之比较/黄任远　黄永刚．佳木斯大学社会科学学报．5

世纪之交的中国蒙古族文化研究/呼日勒沙．内蒙古大学学报．3

新疆蒙古族学生物质文化变迁的社会因素透视/周珊．内蒙古大学学报．6

鄂伦春族文化人格镜鉴/尤明慧　刘亚玲．重庆科技学院学报．3

鄂温克族的桦树皮文化/闫沙庆．满语研究．1

试论自然地理环境对历史上河湟多民族文化的影响/马海龙．青海民族研究．1

论回族文化中的生态知识/马宗保　马晓琴．开发研究．6

回族民间传说中祈雨事象中的文化释义/李昕．固原师专学报．1

隆务镇回族文化变迁的人类学思考/马海寿．青海民族研究．3

吐鲁番地区回族移民文化的形成及特征/奇曼·乃吉米丁．新疆师范大学学

报. 1

土族与傩文化/杨伟. 甘肃民族研究. 2

新疆多元民族文化特征论/贺萍. 中国边疆史地研究. 3

新疆维吾尔族生态文化的物质层面浅析/崔献勇　海鹰. 新疆师范大学学报. 3

多元文化场景中的文化互动与多民族族际交流：新疆多民族社会跨文化交际研究之一/崔延虎. 新疆师范大学学报. 2

汉哈马文化之比较/曹红琴. 新疆师范大学学报. 2

论锡伯族文化选择的历史轨迹/佟克力. 新疆大学学报. 4

试论塔吉克文化中的四大象征/西仁·库尔班. 新疆大学学报. 5

巴底藏族原生态文化考察报告/郎维伟. 西藏研究. 1

生态学视阈中的藏族能源文化/先巴. 青海民族研究. 3

略论古印度梵语文化对藏族传统文化的影响/桑德. 中国藏学. 4

浅谈口头传承形式所延续的藏族文化/拉巴次旦. 中国藏学. 4

西宁地区藏族涵化的特点及原因分析/贾伟　李臣玲. 青海民族学院学报. 2

浅谈藏族的哈达/拉都. 康定民族师范高等专科学校学报. 2

藏族"卍"符号的来源/拉都. 康定民族师范高等专科学校学报. 6

关于藏族相地理论及其实践/星全成. 西藏民族学院学报. 4

论九龙彝族与周边藏族的文化共同性/苏静. 康定民族师范高等专科学校学报. 5

跨文化伦理冲突与适应：以彝族的现代化嬗变为例/邓达. 西南民族大学学报. 1

地方性知识的建构与变迁：电视对彝族乡村传统的影响研究/李春霞. 西南民族大学学报. 7

云南边疆小城镇文化模式重构的若干问题/李红菊. 学术探索. 5

植物民间分类、利用与文化象征：云南新平傣族植物传统知识研究/崔明昆. 中南民族大学学报. 4

贝叶文化与南方丝绸之路/张庆芬. 云南民族大学学报. 2

哈尼族文化源地/黄绍文. 红河学院学报. 5

纳西族政治文化探析/杨文顺. 学术探索. 6

论少数民族本土文化传人的培养：以纳西族的东巴为个案/杨福泉. 中南民

族大学学报. 3

梵净山区的民族民间文化叠层关系解析/麻勇斌. 贵州师范大学学报. 3

文化复兴与文化认同：黔东南苗族文化的变迁与现代转型/王良范. 贵州工业大学学报. 1

文化人类学视野中的盘家瑶族文化变迁/秦海燕. 河池学院学报. 4

少数民族地区文化传播特性分析：以贵州省黔东南自治州为例/张伟云. 贵州社会科学. 5

历史人类学视野下的客家武术文化/宋德剑. 中南民族大学学报. 3

我国少数民族传统体育的特性及成因/李晓华. 云南师范大学学报. 4

走近主流文化的历程：少数民族传统体育研究之一/颜绍泸. 成都体育学院学报. 1

发展传统体育　振奋民族精神/杨盛龙. 中南民族大学学报 4

西部少数民族传统体育产业选择初探/李加才让. 青海民族研究. 3

对我国民族传统体育的思考/黄文武　陈英军　袁磊. 黑龙江民族丛刊. 5

蒙古族传统体育文化发展的现状及其对策研究/高娃　巴音道尔吉　袁晋. 内蒙古师范大学学报. 4

回族武术与近现代著名爱国武术家/马金宝. 黑龙江民族丛刊. 1

沧州回族武术文化的内聚与外衍：以八极拳的传承、传播为例/刘汉杰. 回族研究. 2

肃南裕固族民俗中的养生健身行为研究/任涵等. 西北师范大学学报. 1

西南地区少数民族体育项目分布及其文化特征/郭永东. 西南民族大学学报. 6

从藏汉文献记载看西藏古代体育及其发展原因/丁玲辉. 西藏研究. 4

试论西藏古代体育的产生与发展/沈德功. 西藏民族学院学报. 4

藏族传统体育文化的地域特征与开发/江红. 青海师范大学学报. 5

略谈西藏传统养生体育文化的起源与发展/丁玲辉. 西藏民族学院学报. 6

嘉戎藏族民间礼节文化浅议/严木初　焦安勤. 阿坝师范高等专科学校学报. 3

试论西藏小康社会全民健身体系建设与藏族传统体育的发展/丁玲辉　边巴次仁. 西藏民族学院学报. 3

略谈门巴族传统体育及其对门巴族传统文化的传承/丁玲辉. 西藏大学学报. 2

红河流域傣族对自然界的传统认知和阐释：以新平县花腰傣的灵魂观为例/刘江．云南民族大学学报．1

古滇文化与民族传统体育/朱国权．云南民族大学学报．6

地理环境对傣族传统体育形成与发展影响探讨/李伟．云南师范大学学报．5

黎族图腾崇拜与黎族传统体育/宗雪飞．中央民族大学学报．3

景颇族文化中鸟的形象及其内涵/尚正宏．云南民族大学学报．1

论汉文化对哈尼文化的影响/李泽然．云南师范大学学报．4

傣族的水文化与可持续发展/郑晓云．思想战线．6

试论黔西南州民族传统项目的健身价值/黄咏　龚启国．贵州民族学院学报．3

物我混一：苗文化传承中的生命叙事/何圣伦．西南民族大学学报．5

浅析黔东南苗族体育文化的发展变化/王建中．贵州民族研究．3

现代文明对布依族传统文化的影响/刘吉．黔西南民族师范高等专科学校学报．3

侗族鼓楼文化研究/潘晓军．广西地方志．3

侗家龙灯吉形文化初探/欧阳大霖．黔南民族师范学院学报．2

黑衣壮文化如何物化为现实生产力/何毛堂．广西右江民族师专学报．1

聚焦百色：灿烂的民族历史文化大观园/罗红．广西右江民族师专学报．5

论壮族麽教主神布洛陀：壮族麽文化研究系列论文之一/黄桂秋．广西右江民族师专学报．5

云南壮族的自然崇拜及其对生态保护的意义/杨宗亮．云南民族大学学报．2

浅论建立南岭瑶族盘瓠文化圈/李本高．民族论坛．2

居山游耕：瑶族传统文化的基本特征/莫金山．广西民族研究．2

土家族传统文化发展初探/张立．湖湘论坛．2

土家族传统文化中的生态意识探析/冉红芳．湖北民族学院学报．4

论民族文化的当代价值：以土家族为例/李忠斌．边疆经济与文化．12

内涵与特征：土家族的傩文化/宋仕平．兰州学刊．6

湘西土家族、苗族服务文化的生态属性/刘新荣．船山学刊．2

浅议黎族传统文化的几个特点/黄学魁．琼州大学学报．1

碰撞中的交融与传承：试论黎族文化的特点及成因/王海．华南师范大学学

报. 3

福建宁德畲族（聚居区）文化遗产保护与利用的调查报告/徐永志. 中央民族大学学报. 4

浙江景宁畲族做圣科采录报告/吴东海　蓝志龙. 东南文化. 6

论科尔沁民俗文化特征/博·照日格图　呼日勒沙. 内蒙古大学学报. 5

科尔沁地名与地域文化/波·索德. 内蒙古大学学报. 5

论蒙古族科尔沁文化/巴·苏和. 黑龙江民族丛刊. 6

民族传统文化保护纵论/陈家柳. 广西民族研究. 4

民族民间文化的发展："和而不同"/张同生. 贵州民族研究. 2

对一个撒拉族移民乡村的民族学调查/关丙胜. 青海民族研究. 2

中国少数民族钟铃文化初探/庚华. 中央民族大学学报. 4

从东干人反观回族的文化认同/丁宏. 中央民族大学学报. 4

浅谈族际交往中形成的回族文化特点/马海滨. 甘肃民族研究. 3～4

用彝语文透视彝族的鼓文化/杨凤江. 楚雄师范学院学报. 4

凉山彝族传统文化与现代化的双向调适/曲比阿果. 西南民族大学学报. 9

大理白族口头与非物质文化遗产解析/安学斌. 贵州民族研究. 4

怒江水电开发与民族文化的保护繁荣/姚顺增. 贵州民族研究. 4

贵州省水电库区民族传统文化加剧衰落问题与对策/周松柏　胡晓登. 贵州民族研究. 3

论云贵高原山地民族文化的保护与发展/史继忠　何萍. 中央民族大学学报. 1

重构云南民族文化发展的生态观/王晶. 云南师范大学学报. 1

鹤庆古城鹤阳镇的文化底蕴/杨知勇. 云南民族大学学报. 3

茶马古道与鹤庆商帮/章虹宇. 中南民族大学学报. 3

"绿色和谐"视野下的蒙古族生态文化/何红艳　扎木苏. 黑龙江民族丛刊. 3

浅议环境对藏民族色彩观的影响/华智海. 青海民族研究. 3

青海宗日舞蹈盆的文化符号学分析/霍福. 青海民族研究. 3

关于青海民族民间文化保护的思考/曹萍. 青海社会科学. 3

西藏民族文化建设及其发展方向/李宏. 边疆经济与文化. 1

西藏山南地区民居院门文化刍议/唐岭飞　周波　王瑾. 西藏研究. 4

生态学视阈中的藏族能源文化/先巴. 青海民族研究. 3

藏族“十”字纹的来源及象征/凌立．康定民族师范高等专科学校学报．3

生存环境与文化适应：怒族社会—文化的文化生态学解读/贾仲益．吉首大学学报．3

北川羌族与平武白马藏族当前文化现象之比较/唐光孝　罗光林．中华文化论坛．2

云南少数民族手工文化的困境及对策/王明东　刘宁．云南民族大学学报．6

抗战前后黔西北苗族文化认同模式的转变/王曼．山东省农业管理干部学院学报．6

从民族学视角看苗族鼓文化的传承与保护/吴正彪．黔南民族师范学院学报．5

试析巫傩面具的文化内涵/钟玉如　刘景慧．怀化学院学报．1

民族民间文化资源保护与开发研究：对湖南凤凰民族民间文化资源保护与开发的调查报告/马明霞　刘超祥．湖北社会科学．1

浅析网络文化对我国少数民族文化的冲击及对策/谢治菊．贵州民族研究．2

中华基督教会在西南少数民族地区的文化传播研究/李慧宇．贵州民族研究．2

红水河流域文化艺术遗产保护及其衍生载体的建设/覃德清．贵州民族研究．2

游耕制度：土家族古代的生产方式/雷翔．贵州民族研究．2

略述古代赫哲族木制品的类型、特点及成因/林雪丽．黑龙江民族丛刊．4

西域高尖帽的传承与发展：以维吾尔族高尖帽的制作及相关习俗为例/艾山江·阿不力孜．民族研究．4

新疆坎儿井的来源与时间考述/李久昌．新疆师范大学学报．3

维吾尔族传统工艺经书《裁缝经》/艾山江·阿不力孜．新疆大学学报．4

德格藏纸传统制作工艺调查/张建世．西藏研究．2

藏族面具探讨/邹荣华．社科纵横．4

石林阿着底村彝族刺绣工艺调查报告/肖青．民族艺术研究．3

白族扎染工艺文化的传承、保护与开发/金少萍．中南民族大学学报．5

壮族织锦概说/刘天勇．民俗研究．1

土家族织锦的发展演变及其现代启示/黄柏权　游红波．湖北民族学院学

报. 2

“西兰卡普”：美丽的土家织锦/熊琴琴. 南京艺术学院学报：美术与设计版. 1

衰落与蜕变：土家织锦工艺现状考察的思考/龙湘平. 装饰. 12

黎族织锦蛙纹纹样的人类学阐述/祁庆富　马晓京. 民族艺术. 1

从濒危药物现象谈民族医药生态文化保护利用的几点建议/杨昌文. 贵州民族研究. 4

抢救满族医药文化遗产的意义/刘彦臣　刘贵富. 满族研究. 1

藏医兼容并包佛道思想刍论：以“树喻”、“德”、“性”养生为例/程雅君. 西藏研究. 2

中古时期的穆斯林《药典》及其对中药性能的认识和应用/吕变庭. 青海民族研究. 4

苗族医药传统知识体系中的“元哲学思想丛结”/麻勇斌. 贵州师范大学学报. 4

苗族医药基础理论研究的“哲学缺失”与“哲学思想套用不当”/麻勇斌. 贵州师范大学学报. 5

论壮医药文化价值及其开发利用/庞宇舟. 广西民族研究. 3

土家族医药的研究现状及开发前景/潘扬　朱亚平. 湖北民族学院学报. 6

从文化人类学的角度讨论民俗/王晓丽. 中国社会科学院研究生院学报. 4

论风俗习惯与民族关系的互动影响/徐黎丽　陈建军. 新疆大学学报. 2

盘瓠神话与民俗的传承流变/刘绪义. 湖南师范大学学报. 2

少数民族文身文面的人类学意义/刘秀丽. 云南艺术学院学报. 3

帽子民俗的文化解读/蒋栋元. 西北民族大学学报. 1

反生态民俗：生态问题的另一个视角/钟伯清. 黑龙江民族丛刊. 1

民俗文化的犯罪功能/陶范. 黑龙江民族丛刊. 2

生态环境与古代东北少数民族习俗文化/张国庆　闫振民. 辽宁大学学报. 1

从萨满教看满族风俗/张佳音. 文史知识. 3

试论满族生活习俗对北京地区的影响/张秀荣. 北方文物. 1

从民俗文物反映出的蒙古族传统习俗/苏博. 北方民族. 1

从边瑾未定稿看鄂伦春之习俗/高占伟. 民俗研究. 1

回族习俗中的法理学思想探微/马宇峰. 西北第二民族学院学报. 4

回族习俗及其与法制的关系/王存河．甘肃政法成人学院学报．3

青海藏区回族社会生活变迁调查：以黄南州隆务镇为例/骆桂花．青海民族研究．4

三川“纳顿”解读/文忠祥．民族研究．3

新疆民族风俗习惯的由来与特点/房若愚．新疆地方志．3

哈萨克族的风俗习惯/续西发．新疆地方志．3

西南民族地区放蛊传说透视/傅安辉．黔东南民族师范高等专科学校学报．1

《康輶纪行》对藏地民俗之记载及其价值/张代芬．宜宾学院学报．11

藏族崇尚白色的由来及其象征/凌立．康定民族师范高等专科学校学报．5

僧俗/张宗显．中国西藏．4

夏尔巴人生活习俗及其婚俗/刘志群．中国西藏．4

广西龙脊地区旅游开发中民俗文化的价值化/徐赣丽．广西民族研究．2

安多卓仓藏族民间射箭习俗及其社会功能探析/殷生宝．青海民族研究．2

独龙族文面习俗现状调查/沈醒狮．安徽师范大学学报．2

岜沙苗族生活习俗简介/庄勇．贵州民族研究．2

岜沙苗族的民俗文化/范生姣．湖北民族学院学报．4

湘西苗族情韵二题/田二文．民族论坛．10、

侗乡风俗集锦/刘新华．史志林．1

试析云南瑶族生活习俗中的宗教因素/徐祖祥．楚雄师范学院学报．1

新宁县麻林瑶族乡的“跳古坛”/张劲松．民间文化论坛．4

从土族仪式歌看其民俗文化的特征及功能/邢海燕．青海民族学院学报．1

论长江三峡地区土家族民俗生活特色/鲜于煌．重庆社会科学．2

从海南地理看黎族风俗文化/汉霞．理论界．1

海南黎苗民俗生态试论/陈立浩．琼州大学学报．4

南南岛黎族妇女文身研究/姚丽娟．中央民族大学学报．3

关于海南岛黎族妇女纹面的几个问题/方鹏．贵州民族研究．2

畲族风情/朱放鸣　雷先根．浙江方志．5

个人情感与族群文化的妥协：三个女性族际婚姻个案分析/李晓霞．新疆师范大学学报．2

赣南客家婚俗及其社会文化功能分析/蓝希琳　罗琼．湖北民族学院学报．1

以槟榔为礼：岭南汉族婚俗的文化地理学考察/范玉春．广西民族研究．2

河湟汉族婚俗中抢婚文化的“遗留物”/蒲生华．青海民族研究．3

浅谈青州北城满族的婚礼民俗/李佳．东南文化．1

吉林满族关姓/关云德．北方民族．1

蒙古族流动人口的婚姻家庭状况：以内蒙古呼和浩特市为例/苏日娜　赛尔格．中央民族大学学报．6

新时期青海蒙古族婚姻家庭价值观的调查与分析/韩官却加．青海民族学院学报．3

布利亚特婚礼的田野调查/包路芳．民族艺术．1

内蒙古牧区亲属制度变迁研究/那顺巴依尔．中央民族大学学报．1

试析蒙古族人名的文化内涵/莫巴特尔．内蒙古师范大学学报．4

察合台文文献《成吉思汗传》中的蒙古人名探析/赵江民．新疆大学学报．5

婚姻制度·族群意识·文化认同：回族内婚姻制度的历史成因和文化内涵/杨德亮．西北第二民族学院学报．1

乡村回族婚姻中的聘礼与通婚圈：以宁夏南部单家集村为例/马宗保　高永久．民族研究．2

行为逻辑与资源缺乏：宁夏南部山区乡村回族近亲结婚行为的社会学分析/高红艳．求索．11

清末民初甘肃省婚姻习惯评析/李丕祺．西北第二民族学院学报．4

夏河县拉卜镇族际通婚状况调查/许振明．甘肃社会科学．6

从生育文化的变化看保安族女性发展/马玉萍　王琳．甘肃民族研究．3～4

大通土族婚嫁习俗文化意蕴初探/祁桂芳．青海民族研究．1

别具风格的裕固族婚礼/田自成．丝绸之路．8

影响新疆维吾尔族农村女子初婚年龄的因素分析/王海霞．人口与经济．5

论维吾尔族婚礼中的传统习俗/艾克拜尔·卡德尔．内蒙古民族大学学报．1

现代农村维吾尔族家庭规模与结构、家庭关系及家庭功能初探/拜合提亚尔·吐尔逊．西域研究．3

浅谈影响族际通婚的因素：吐鲁番族际通婚调查报告/张素绮．昌吉学院学报．1

新疆两乡民族混合家庭调查/李晓霞．新疆社会科学．3

新疆城镇少数民族家庭观念的变迁/吴琼．新疆大学学报．4

扎坝大峡谷“走婚”民俗的人类学思考/刘波．西藏民族学院学报．6

文化的延续与仪式的传承：以卓仓藏族婚俗为视点/羊措．青海民族研究．3

苯教文化对安多藏区婚俗的影响/华锐·东智．西藏研究．3

川西扎巴藏人亲属制度初探/冯敏．康定民族师范高等专科学校学报．6

白龙江流域藏族家庭传统观念与生活模式的调查研究：以甘肃宕昌县新坪藏族村为个案/杨须爱．甘肃民族研究．3～4

女性择偶的动因与需求：以云南楚雄直苴村彝族择偶为例/李晓莉．思想战线．2

西南彝族传统婚姻形态的宗法性探究/颜小华　李林凤．贵州社会科学．2

峨边彝族村落未婚女性婚恋家庭观的分析/蒋育红．康定民族师范高等专科学校学报．4

傣族的神灵信仰及其对婚前性行为的社会控制/朱和双．楚雄师范学院学报．1

傣族女性家庭观念的比较研究/董印红．思茅师范高等专科学校学报．4

多元文化背景下的拉祜族殉情现象研究/陈艳萍．云南艺术学院学报．3

论摩梭母系文化的变迁/杨丽娥．思想战线．6

摩梭母系制婚姻家庭的和谐内涵解析/杨玲．西南民族大学学报．8

永宁摩梭人婚姻家庭特点与经济发展关系探析/唐新民．学术探索．2

纳人亲属称谓的几个问题：20世纪90年代以前和以后研究的对比/王海明　李明．西北民族大学学报．2

政治制度变迁与纳西族的殉情/杨福泉．中南民族大学学报．5

纳西族殉情现象及其社会心理原因分析/习煜华．云南民族大学学报．3

摩梭民族婚姻家庭的特点及现实意义/成慧君．贵州民族学院学报．增刊

乌江流域少数民族婚姻家庭伦理思想述论/张世友．贵州社会科学．6

梅山婚俗歌谣中的求子习俗/刘红梅　刘楚魁．怀化学院学报．1

婚姻中的贵州民族酒歌/游来林．贵州民族学院学报．4

当代侗族择偶习俗的变迁/杨筑慧．中央民族大学学报．1

侗族传统社会家庭：结构、功能及家庭成员关系/廖君湘．佳木斯大学社会科学学报．5

对壮族“不落夫家”的新探讨：兼议傣族的“入赘”婚/农祥亮．广西右江

民族师专学报. 1

浅析白裤瑶农村妇女在社会和家庭中的地位和作用/袁珈玲. 经济与社会发展. 1

改土归流后土家族婚俗中的宗法性因素/刘文俊. 广西师范学院学报. 4

当代土家族婚姻的变迁/柏贵喜. 贵州民族研究. 2

土家族两性意识转化原因初探/石雯丽. 邵阳学院学报. 2

湘西土家族育儿礼俗探研/李禧. 东南文化. 1

台湾苗栗县泰雅人的命名与墓葬：一个历史学者的田野观察与省思/程美宝. 广西民族学院学报. 3

中国南方少数民族巫蛊文化中的性爱主题/高发元　朱和双. 民族研究. 2

中国各民族安葬方式及其社会意义初探/李伟峰. 新疆师范大学学报. 3

何以"当大事"：双凤村丧葬个案的人类学分析/马翀炜. 广西民族研究. 4

浅析西藏天葬习俗的成因及文化含义/边巴琼达. 西藏研究. 1

略谈西藏的土葬习俗/廖方容. 西藏研究. 2

藏族丧葬习俗的人类学分析/阙岳. 甘肃民族研究. 2

羌族火葬习俗探析/马宁. 阿坝师范高等专科学校学报. 1

佤族丧葬习俗的文化背景与社会功能/杨宝康　贾云忠. 思茅师范高等专科学校学报. 1

彝族丧葬文化保护与旅游开发/柳远超. 贵州民族学院学报. 6

荣耀的背后：广西龙背壮族丧葬仪式分析/郭立新. 中南民族大学学报. 1

论土家族丧葬的狂欢精神：以娱神仪式为例/李伟. 涪陵师范学院学报. 1

鄂西土家族跳丧习俗的文化意蕴/宋仕平. 青海社会科学. 3

贵德社火的文化人类学分析/张海云. 攀登. 1

青海同仁屯堡人端午节俗调查分析/唐仲山. 民俗研究. 2

黑龙江蒙古族的节日民俗/白晓清. 黑龙江民族丛刊. 6

民和三川土族"纳顿"体系的农事色彩/文忠祥. 青海民族学院学报. 4

青海土族"纳顿"文化现象解读/马达学. 青海师范大学学报. 1

青海民和土族"纳顿"节的田野调查/贺喜焱. 民俗研究. 3

试析土族"纳顿"节传承、复兴的文化动因：以青海省民和县鄂家村为例/贺喜焱. 西北民族大学学报. 2

舟曲藏族的年节习俗研究：以黑峪沟为个案/马宁. 西藏民族学院学报. 6

民族传统节日文化的作用与民族发展：对甘南藏区香浪节的思考/寇小丽.

社科纵横．3

夏尔洼的节日文化/白玛措．西南民族大学学报．3

哀牢山区的“男人狂欢节”/李栋　刘泉．艺术评论．6

泼水节溯源与传播小考/尚衍斌．中央民族大学学报．3

佤族节庆文化的特征/李莲．思茅师范高等专科学校学报．2

西盟佤族节日及其社会功能/朱力平．思茅师范高等专科学校学报．1

拉祜族岁时节日民俗的变迁/罗承松．思茅师范高等专科学校学报．1

当代节日传统的保护与政府管理：以贵州台江姊妹节为例/徐赣丽．西北民族研究．2

春节及广西各族春节习俗/冼光位．广西地方志．1

民间节日中的集体记忆与身份认同：以广西壮族族群为例/彭恒礼．大连民族学院学报．2

广西天峨县壮族埋蚂虫另节礼仪/罗仁德　顾乐真．河池学院学报．1

无边界记忆：广西恭城平地瑶“盘王节”祭仪变形/彭兆荣．广西民族研究．4

仫佬族“依饭节”及其祭祀音乐概论/苏沙宁．天津音乐学院学报．3

是“舍把”，不是“社巴”：给土家族“摆手节”正名/叶德书．湖北民族学院学报．2

论湖湘民间节庆文化在旅游经济活动中的作用/蔡梅良．湘潭大学学报．2

民间仪式与国家权力的征用：以海村哈节仪式为例/吕俊彪．广西民族学院学报．5

德昂族生活习俗的变迁：德昂族经济和社会发展研究报告之三/王铁志．西北民族研究．4

从文化角度看发型的演变及其功能/李灏　蒋栋元．西北第二民族学院学报．4

服饰民俗生成的背景结构/杜佳．社科纵横．1

在困境中生存的少数民族服饰/蔡光洁．四川戏剧．5

满族先祖服饰的发展和成熟：满族先祖服饰的发展过程（二）/曾慧．满族研究．2

吉林省博物馆藏阿勒楚喀副都统家族服饰概述/黄岚　田丽梅．满族研究．4

伊斯兰教与回族服饰文化/刘军．黑龙江民族丛刊．4

维吾尔族传统服饰图纹及其文化意蕴述论/艾山江·阿不力孜. 西北民族大学学报. 5

哈萨克族古老习俗之一：小孩奇特发型/阿依登. 伊犁师范学院学报. 4

青海安多藏族的头饰及其功能/汤夺先　高永久. 西藏研究. 1

藏族头饰中的原始宗教意识/申鸿. 阿坝师范高等专科学校学报. 4

羊卓藏族服饰/桑学巴·贡觉云丹. 中国西藏. 1

白龙江流域藏族传统服饰文化特点研究/高慧芳　傅千吉. 西北民族大学学报. 6

论四川藏族妇女的腰带装饰/袁姝丽. 西南民族大学学报. 10

凉山彝族男子发髻“天菩萨”的文化内涵/苏小燕. 装饰. 9

彝族典型服饰羊皮褂的社会文化价值/王清华. 思想战线. 6

凉山彝族常装服饰的美学表现/刘冬梅. 西南民族大学学报. 6

凉山彝族常装服饰中的平常美学/刘冬梅. 民间文化论坛. 3

云南少数民族服饰的古朴美/吴秋英. 装饰. 12

云南少数民族的银饰/黄民初. 民族艺术研究. 1

白族头饰文化初探/张丽仙. 大理文化. 3

云南白族银器及银饰/潘妙. 装饰. 10

云南傣族服饰文化述论/玉香　吴华. 民族艺术研究. 2

哈尼族传统服饰的图案造形分析与设计运用：以金平县马鹿塘村服饰为试点研究/洪敏华. 民族艺术研究. 6

臂腕生辉：云南民族首饰/徐政芸. 收藏. 3

贵州石头寨的布依族服饰及图案装饰/全晓勇　张丽丽. 美术大观. 3

苗族银饰源流考/王荣菊　王克松. 黔南民族师范学院学报. 5

苗族服饰刺绣中的故土迁徙图案纹样/田鲁. 装饰. 12

湘西苗族妇女服饰的巫术精神特征/伍魏. 装饰. 2

水族服饰文化探微/解淑红. 南宁职业技术学院学报. 4

广西少数民族传统服饰文化的人文内涵探析/陈曼平. 广西地方志. 4

广西瑶族服饰中的红色浅探/陈川. 艺术探索：广西艺术学院学报. 2

福建畲族服饰文化摭谈/曾艳榕. 福建文博. 2

漫谈台湾原住民服饰形制及特点/何绵山. 甘肃民族研究. 3～4

牧人的饮食/邢莉. 黑龙江民族丛刊. 1

“嚼酒”民俗初探/杨友谊. 黑龙江民族丛刊. 3

少数民族食粽风俗述论/何宏. 黄山学院学报. 2

满族饮食文化初探/冷传平. 吉林师范大学学报. 6

试论回族对中华饮食文化的贡献/李自然 周传慧. 宁夏大学学报. 4

四川回族的饮食习俗述略/马尚林. 回族研究. 3

藏族的饮食禁忌及其现代价值/陈烨. 西藏民族学院学报. 5

傣族与日本糯食文化的比较研究/金少萍. 中央民族大学学报. 1

哈尼族的"酒文化"/宋自华. 民族艺术研究. 2

佤族的药食同源文化/龙鳞. 云南民族大学学报. 5

仫佬族饮食习俗/龙殿宝. 河池学院学报. 1

仫佬族的饮食习俗/黄敏珍. 绥化学院学报. 1

鄂西土家族原生态饮食文化的传承与开发/姚伟钧. 湖北民族学院学报. 3

我国居住中的民族格局研究/张金鹏. 宁夏社会科学. 6

东北抚顺满族民居的地域特色/唐大为 何锐. 辽宁工学院学报. 7

清宁宫——满族民居式的皇帝寝宫/朴玉顺 陈伯超. 满族研究. 3

达斡尔族民居初探/倪超. 黑龙江民族丛刊. 2

蒙古包的形状及其象征意义/刘迪南. 卫拉特研究. 4

从民居建筑看西北回族的审美文化特征/马燕. 西北第二民族学院学报. 2

兰州城关区回族居住格局研究/虎有泽. 青海民族研究. 2

回族的内居饰文化/白洁. 宁夏社会科学. 4

新疆少数民族社区居住文化的传承与变迁研究/王茜 吴琼. 新疆大学学报. 3

新疆牧民定居后的社会整合与文化重构/陈冬季. 昌吉学院学报. 3

哈萨克族定居前后文化生活比较研究：以阿什里哈萨克民族乡胡阿根村为例/周亚成 王景起. 西北民族研究. 4

夏尔洼藏族民居建筑艺术特色/东干·格西奇珠. 西藏艺术研究. 1

论西藏城镇建设中传统建筑的继承与发展问题/郭宏伟. 西藏大学学报. 1

西藏山南地区民居院门文化刍议/唐岭飞 周波 王瑾. 西藏研究. 4

罗布林卡特色散论/邓传力. 西藏大学学报. 1

云南彝族传统民居构造技术/赵西平等. 西安建筑科技大学学报：自然科学版. 1

劫后羌笛遗古韵：羌族建筑文化浅析/索朗白姆. 西藏大学学报. 1

广西壮族与云南傣族"干栏"民居比较研究/农祥亮. 广西民族学院学

报. 2

佤族传统聚落的背景与功能研究/杨宝康. 文山师范高等专科学校学报. 4

民族学视野中的村落资源分析：以南盘江畔的巴结村为例/罗用频. 贵州民族研究. 1

两个苗族村落的权威结构/杨渝东. 贵州民族研究. 2

论侗族鼓楼的文化教育功能/吴军. 贵州民族学院学报. 3

民族建筑与自然环境之交融：以从江增冲侗寨研究为例/李杰　孙明明　王红. 贵州民族学院学报. 5

哈尼族聚落景观的美学思考/张敏. 贵州大学学报：艺术版. 1

羌族民居建筑群的价值及其开发利用/杨光伟. 西南民族大学学报. 5

土家族民居建筑艺术、建房习俗、空间观念及神化现象/商守善. 湖北民族学院学报. 1

湘西土家族民居建筑历史演变考析/龙湘平　陈丽霞. 吉首大学学报. 4

渝东酉水土家族居住文化之民族心理透视/冯智明. 重庆社会主义学院学报. 4

西北古代少数民族宗法文化起源的主要特征：北方古代游牧民族宗法文化研究之一/廖杨. 青海民族研究. 1

宗族的民族性特征及其在村民自治中的表达：对捞车土家族村和摩哈苴彝族村的观察/朱炳祥. 民族研究. 6

龙图腾崇拜与中华民族的融合/张国清. 沧州师范专科学校学报. 1

图腾：古代神话还是现代神话/王晓天. 广西民族研究. 3

我国北方民族神话图腾的交融与演变探微/王宪昭. 涪陵师范学院学报. 1

隐喻的力量：论民间巫术信仰的重要象征形式/张琪亚. 贵州民族学院学报. 4

就汉民族的信仰问题商榷于何兆武先生/陈荣庆. 宜春学院学报. 3

门源汉族的民间信仰/张世花. 青海民族学院学报. 3

浅析门源汉族的祖先崇拜中的文化蕴涵/张世化. 青海师专学报（教育科学）. 5

满—通古斯语民族鹿崇拜钩沉/奇文瑛. 中央民族大学学报. 4

“符离之窟”与“额尔古涅—昆”：阿尔泰语系突厥、蒙古语族先民隧穴信仰探讨/那木吉拉. 黑龙江民族丛刊. 1

论蒙古族祖先崇拜中的女性禁忌及其原因：以科尔沁蒙古族的个案调查为

例/娜仁格日勒．内蒙古大学学报．2

蒙古族火崇拜习俗中的象征与禁忌/乌仁其其格．中央民族大学学报．5

蒙古族与藏族的天体神话与天神信仰的比较研究/邢莉．中央民族大学学报．6

论达斡尔族多神信仰及相关的价值观念/丁石庆．宗教学研究．4

村落中的信仰与仪式：土族民间信仰的宗教人类学田野个案调查/鄂崇荣．青海社会科学．6

土族“神箭”崇拜初探/杨卫　杨德．青海民族学院学报．1

我国南方少数民族母石崇拜文化探源：兼与日本比较/徐晓光　王秀文．贵州民族学院学报．3

从传说到信仰：西藏关羽信仰的演化脉络/林继富．青海民族研究．4

安多藏区的二郎神信仰/贾伟　李臣玲．民族研究．6

藏族的山神信仰/张宗显．中国西藏．6

祭祀山神话插箭/华锐·东智．中国西藏．5

庆藏区的神山崇拜与生态环境/尕藏加．中国藏学．4

浅谈藏族崇尚嘛呢堆的缘由/凌立．康定民族师范高等专科学校学报．1

论植物与藏族宗教信仰/陈柏萍．西藏民族学院学报．5

康区“活鬼”文化现象调查与研究/胡静．西南民族大学学报．11

这里充盈着母性的温存和哲学底蕴：藏文化中浓重的女性崇拜遗存和因素/刘志群．西藏艺术研究．2、4

藏族、纳西族的人与自然观以及神山崇拜的初步比较研究/杨福全．西南民族大学学报．12

彝族祖先崇拜与习惯法/程雅群　景志明．宗教学研究．4

凉山彝族祖灵祭文化内核探究/李正文．西南民族大学学报．3

三星堆神树与岷江上游羌族释比神树的比较/赵洋．中华文化论坛．2

古老的人面尖桩神像/宋兆麟．西北民族研究．2

国家、地方与民间之互动：巍山民间信仰组织“圣谕坛”的形成/朱爱东．广西民族学院学报．6

谷魂信仰：稻作民最普遍的信仰形式：以云南少数民族为例/管彦波．贵州民族研究．3

傣族的神灵信仰及其对婚前性行为的社会控制/朱和双．楚雄师范学院学报．1

刍议“龙”图腾与傣民族之缘/郝云华．楚雄师范学院学报．4

傣族龙图腾文化刍议/郝云华．云南民族大学学报．5

云南沧源佤族的灵魂观与病患观探析/龙鳞．学术探索．5

论佤族的牛崇拜/杨宝康．云南民族大学学报．5

浅论拉祜族的传统信仰/杨洪　周善菊．思茅师范高等专科学校学报．1

浅谈拉祜族的巫术信仰/杨洪　张灵钰．思茅师范高等专科学校学报．2

宗教象征的来源、形成与祭祀仪式：以侗族对“萨”崇拜为例/石开忠．贵州民族学院学报．6

在象征与现实之间：壮族布洛陀信仰的人类学解析/王剑峰．云南师范大学学报．4

从宗教学看壮族布洛陀信仰/牟钟鉴．广西民族研究．2

白裤瑶的铜鼓崇拜/梁富林．河池学院学报．3

试论云南瑶族鬼魂崇拜的道教化/徐祖祥．楚雄师范学院学报．5

汉族石敢当在仫佬族中的演变/雷晓臻．广西民族学院学报．1

文山州仡佬族祖先崇拜、自然崇拜及其文化内涵/浦加旗　陆芳．文山师范高等专科学校学报．2

信仰体现民族性格：土家族民间信仰漫谈/李云华．中国宗教．4

试论土家族白虎崇拜渊源/张勤．贵州民族研究．2

现代湘鄂边界土家族的祖先崇拜/熊英．宜宾学院学报．1

从仪式到表演：恩施三岔“还愿”仪式的人类学考察/黄柏权　葛政委．广西民族研究．4

土家族梯玛“玩菩萨”仪式分析/雷翔　刘伦文　谭志满．湖北民族学院学报．3

畲族图腾崇拜初探/张慧琴　吴东海．南方文物．4

畲族凤凰崇拜及其源流初探/蓝雪花．闽西职业大学学报．2

畲族信仰文化从封闭到融合的变迁/麻健敏．福建宗教．5

门源汉族的禁忌述论/张世化．青海民族研究．1

现代生存论语境下民族禁忌的生态伦理价值/李本书　王海峰．伦理学研究．6

论中国少数民族的月经禁忌与女性民俗/李金莲　朱和双．楚雄师范学院学报．5

中国西南少数民族的性禁忌及其民间信仰/朱和双　李金莲．宗教学研究．1

浅析羌族禁忌的教育内涵/蔡文君　杜学元．西北民族研究．4

阿昌族禁忌文化：内涵、流变与功能/文小勇．西南民族大学学报．11

蓝色布谷鸟的吟诵——对九部古老苯教神话传说祭祀仪轨文献的介绍/卡尔敏·桑旦坚参著　德康·索朗曲杰译．西藏大学学报．2

生命、团结与繁荣的庆典：凉山诺苏祭祖仪式考察/刘小幸．民间文化论坛．5

布依族仪式性傩戏“哑面”/吴秋林．民族研究．1

黔南布依山歌与人生礼仪/吴文定　李远祥　黄家祥．贵州民族学院学报．6

椎牛祭：从历史的记忆到现实的操演：以小茅坡营苗族为例/吴雪梅．贵州民族研究．4

苗族“鼓社祭”：中华原始戏剧的活化石/罗义群．黔东南民族师范高等专科学校学报．4

壮族的人生礼仪及其文化内涵/陈兴贵．广西右江民族师专学报．2

“涯密”及“密唧”新考：兼与《“涯密”、“密唧”与竹筒饭和啖鼠文化》的作者商榷/覃德亮　韦兰琴．广西民族研究．1

少数民族文化资源库建设刍议/罗廷锦　张天军．云南民族大学学报．4

漂泊中的永恒与永恒的漂泊：人类学学者访谈之三十二/徐杰舜问　乔健答．广西民族学院学报．1

走过西藏，走进北京：人类学学者访谈录之三十三/吴健玲问　马丽华答．广西民族学院学报．2

民俗学与人类学：人类学学者访谈录之三十四/罗树杰问　刘铁梁答．广西民族学院学报．3

人类学释放我的灵魂：人类学学者访谈录之三十五/徐杰舜问　翁玲玲答．广西民族学院学报．4

走向深处——中国人类学中国研究的态势：人类学学者访谈录之三十六/徐杰舜问　黄淑娉答．广西民族学院学报．5

我想象中的人类学：人类学学者访谈录之三十七/徐杰舜问　王铭铭答．广西民族学院学报．6

西部开发中的人文思考/方李莉问　费孝通答．广西民族学院学报．3

一个美国人类学家的中国情结/［新西兰］Robert J. Gregory 著　刘明新

译. 广西民族学院学报. 1

国际人类学与民族学联合会简介/刘志军编译　秦红增校. 广西民族学院学报. 1

民间法与法律多元主义研究委员会简介/Melanie G. Wiber 著　刘志军译　秦红增校. 广西民族学院学报. 2

国际人类学与民族学联合会食物人类学委员会简介/Annie Hubert 著　刘志军编译　秦红增校. 广西民族学院学报. 4

儿童、青少年与童年人类学委员会简介/［印度］Deepak Kumar Behera 著　刘志军编译　秦红增校. 广西民族学院学报. 5

国际人类学与民族学联合会老龄化与老年人研究委员会简介/［新加坡］汤玲玲著　刘志军译　秦红增校. 广西民族学院学报. 6

将瞬间凝固为永恒：台湾民俗博物馆评介/何绵山. 甘肃民族研究. 1

析中国民族学北派和南派的学术倾向：以吴文藻、杨成志为例/何国强　唐凯勋. 思想战线. 5

凌纯声先生的赫哲族田野调查：从现代中国实地调查研究的学术背景谈起/陈伯霖. 黑龙江民族丛刊. 6

费孝通教授和"现代化与中国文化研讨会"/潘乃谷. 西北民族研究. 3

深切怀念费孝通师/黄淑娉. 广西民族学院学报. 3

我与费孝通教授的一段师生情/范宏贵. 广西民族学院学报. 3

缅怀恩师费孝通先生/方李莉. 广西民族学院学报. 3

我所知道的费孝通先生/张有隽. 广西民族学院学报. 3

费孝通与广西民族学院学报/徐杰舜. 广西民族学院学报. 3

迈向人民的费孝通/周大鸣. 广西民族学院学报. 6

从"异文化"到"本土化"：研究道路的光辉楷模/彭兆荣. 广西民族学院学报. 3

一代宗师驾鹤去，二栖学者应时来：悼费孝通先生逝世/兰林友. 广西民族学院学报. 3

社会结合和文化传统：费孝通社会人类学思想述评/麻国庆. 广西民族学院学报. 3

开满鲜花的田野：播种者费孝通/谢志浩. 广西民族学院学报. 3

金秀大瑶山考察对费孝通一生学术研究的影响/莫金山. 广西民族研究. 3

为瑶族社会经济文化的发展贡献力量：评费孝通教授五上瑶山/莫金山. 思

想战线．5

想起宋蜀华先生/杨圣明．西北民族研究．2

试论马林诺夫斯基的性人类学研究/朱和双　李金莲．广西民族研究．1

论米德对文化人类学的贡献/徐黎丽　石璟．思想战线．3

日本学者在台湾的人类学活动（1895—1945年）/哈正利　马威．中南民族大学学报．4

隐然浮现的伟大目标：1944**年首版《金翼》序言**/［美］B．腊斯克著　庄孔韶译．思想战线．4

二十五年来中国的人类学研究：成就与问题/王铭铭．江西社会科学．12

近年来我国的民族学研究/杨圣敏．西北师大学报．6

近二十年来人类学汉族社会研究述评/孙庆忠．民族研究．2

近年来我国民族文化资源保护问题研究综述/赵杨．中南民族大学学报．2

农村宗族问题研究综述/陈德顺．云南民族大学学报．4

二十世纪中国少数民族女性研究及文献发展概况/董印红．甘肃民族研究．2

黑龙江柯尔克孜族研究简述/吴占柱．黑龙江民族丛刊．3

近10**年青海民族文化研究述略**/乔秀花　苏雪芹．青海社会科学．5～6

2004**年土家族文化研究综述**/陈正慧．湖北民族学院学报．6

二十世纪日本学者对云南少数民族历史文化的研究/张正军．云南社会科学．6

黑龙江省民族研究学会2004**年年会暨专题学术研讨会综述**/何学娟．黑龙江民族丛刊．1

中国人类学迎接2008**年人类学民族学世界大会暨中国人类学学会年会召开**/子禾．满语研究．2

"文化多样性背景下的民族文化发展"学术讨论会综述/李安辉．中南民族大学学报．2

齐鲁文化暨汉民族形成与发展国际学术研讨会综述/曾少聪．民族研究．6

第五届国际哈尼/阿卡文化学术研讨会综述/赵德文．民族研究．5

壮学第四次学术研讨会综述/覃乃昌．广西民族研究．2

壮学第四次学术研讨会综述/覃乃昌．哲学动态．8

"城市化进程中的民族问题"研讨会综述/梅方权　王静．广西民族学院学报．2

“民族地区先进文化建设的格局与规律学术研讨会”论点综述/王建平. 广西社会科学. 1

“民族学、人类学与民族博物馆发展”学术研讨会综述/杨铭 张兴雄 田茂旺. 西南民族大学学报. 12

大都市化、多民族社会、人权和发展：2004年IUAES印度中期会议议题及中国代表团活动综述/张海洋 沈林 良警宇. 广西民族学院学报. 3

破解“蛊毒”之谜的人类学尝试：《蛊毒：财富和权力的幻觉》读后感/梁昭. 广西民族研究. 4

人类学作为文化批评？关于《作为文化批评的人类学》/赵丙祥. 社会学研究. 2

人类学与民族的现代化与现代化的民族：评刘景慧的《民族文化与民族现代化》/杨廷硕. 湖南人文科技学院学报. 6

20世纪下半叶的人类学轨迹：理解文化——罗伯特·尤林和《理解文化》/何国强. 广西民族学院学报. 1

解读西部的新视角：《传统与现代性的殊相——人类学视阈下的西北少数民族历史与文化》评介/佟春林. 民族研究. 1

渔猎世界的人类学风景：读曹保明著《最后的渔猎部落》/田子馥. 民俗研究. 2

满族研究的民族学新作：评《满族—辽宁新宾县腰站村调查》/赵展. 满族研究. 1

鄂伦春族研究的新篇章：读于学斌的《鄂伦春游猎生活》/张泰湘 吕春凤. 哈尔滨学院学报. 12

再现鄂伦春族往昔生活的一部力作：评于学斌《鄂伦春游猎生活》/波·少布. 黑龙江民族丛刊. 3

泱泱大著，宏论荟萃：《百年撒拉族研究文集》评述/李永华. 青海民族研究. 2

《拉卜楞民俗文化》简评/郎建兰. 甘肃民族研究. 2

区域民族研究的新成果：何星亮新著《新疆民族传统社会与文化》评介/梁景之. 民族研究. 3

什么是“少数民族艺术哲学”？评张胜冰教授《中国西南少数民族艺术哲学探究》之构想/魏云. 民族艺术研究. 6

民族文化研究与文学艺术的融合：读赵胜启《灵异的墨脱》/顾祖成. 西藏

民族学院学报．2

二十年来云南少数民族社会形态研究论著辑述/林艺．民族艺术研究．5

简评《云南民族文化概说》/柴伟．云南民族大学学报．1

民族民间文化保护与开发的理性思路：读《并非两难的选择——云贵少数民族文化保护与发展问题研究》/冯祖贻．贵州民族研究．1

黎族文化研究著述概评/王海．西南民族大学学报．7

一项开创性的系统工程：评《五指山民族文化研究丛书》/王海．琼州大学学报．1

四、民族宗教

宗教人类学的发展历程及学科转向/黄剑波．广西民族研究．2

宗教人类学及其对教育的启示/李娟．池州师专学报．1

蒙古统治西域时期的宗教政策/李进新．新疆师范大学学报．3

试论清朝统治者的宗教观/张旭．满族研究．1

中国历史上民族宗教政策的现代启示/邸永君．中国宗教．1

对中国共产党民族宗教政策的历史考察（之一）：初步形成与发展阶段/马敏　钱晓芳．社科纵横．3

党的宗教政策在新疆的实践/马品彦．新疆社会科学．1

党的宗教政策在西藏的贯彻执行/克珠群佩．中国藏学．3

全面建设小康社会中的民族宗教问题/郝强　胡欣霞．实事求是．1

民族宗教问题与社会主义和谐社会/陈国新．云南社会科学．5

民族宗教与社会和谐/牟钟鉴．中国宗教．4

与时俱进地看待宗教与民族的关系/赵明清．中共伊犁州委党校学报．2

略论宗教的族群认同和族际排斥功能/徐红霞．前沿．9

社会主义与西部少数民族宗教关系回眸/孙恪廉　王小力　赵文舟．中共成都市委党校学报．6

宗教信仰及政策与民族关系/郭淑云　韩淑英　马兵．怀化学院学报．1

宗教与社会主义社会相适应之我见/田忠福．新疆师范大学学报．1

多层面引导宗教与社会主义社会相适应的途径/高永久　刘庸．青海民族研究．3

宗教与少数民族自我发展/杨新宇. 内蒙古民族大学学报. 3

区分民族文化认同与宗教认同/秦裕华. 中央民族大学学报. 2

少数民族宗教信仰文化的生态环保意义：若干实例与分析/袁国友. 学术探索. 2

少数民族多元宗教生态文化及其形成特性/闵文义　戴正　才让加. 甘肃理论学刊. 2

试析民族服饰色彩与宗教文化/郑剑. 西北第二民族学院学报. 1

民族主义与宗教信仰的关系及其流向/马秀梅. 青海民族学院学报. 2

西部大开发中的宗教问题/马晓宇. 中国宗教. 5

对西部地区宗教认同状况的分析/于鹏杰　陈昌文. 西藏民族学院学报. 1

宗教在西北少数民族地区的社会工作功能/段继业. 青海社会科学. 6

论宗教对我国西北边疆安全的双重影响/丁建伟　哈菲佐娃. 西北第二民族学院学报. 1

对佛教、基督教及伊斯兰教在中国传播及其本土化的思考/罗映光. 四川大学学报. 6

对甘肃、宁夏、青海宗教现状的几点思考/杨桂萍. 中国宗教. 6

论云南傣族奘房教育与回族经堂教育的异同/吴之清. 中南民族大学学报. 6

中国少数民族巫觋面具/徐斌. 中央民族大学学报. 1

中国西南少数民族的宗教与巫术/宋蜀华. 中央民族大学学报. 5

新世纪、新阶段做好新疆宗教工作的几点理论思考和建议/刘仲康. 新疆社会科学. 5

新疆多种宗教并存格局的形成与演变/马品彦. 新疆师范大学学报. 4

新疆宗教格局探索/郑昆亮. 青海民族研究. 2

浅析现代化对民族宗教的影响：从新疆沙湾县二道湾村民族宗教现状得到的启示/颜定英. 新疆社科论坛. 5

正确认识和处理新疆宗教问题的思考/杨雪蓉　艾尔西丁·阿木都拉/实事求是. 3

传教士与近代新疆社会/木拉提·黑尼亚提. 世界宗教研究. 1

西藏全面建设小康社会中的宗教问题研究/潘建生. 西藏民族学院学报. 2

宗教观念对西藏地方政府减灾策略的影响研究/周晶. 西藏研究. 2

论四川藏区宗教观念的新变化/李元光. 社会科学研究. 5

元代西藏地方正教关系变革新论/陈楠．中央民族大学学报．2

试论近代昌都地区的民间信仰与民间宗族（1840—1949）/王川．西藏研究．3

蓝色布谷鸟的吟诵：对九部苯教神话传说和祭祀仪轨文献的介绍/卡尔敏·桑旦坚参著　德康·索朗曲杰译．西藏大学学报．2

佛本斗争的内在原因探析/张安礼．西藏民族学院学报．6

试评达玛的禁佛运动/单菲菲　高永久．西藏研究．3

慕容鲜卑的佛教文化/（韩）金成淑．文史哲．2

高句丽自然宗教信仰活动及俗制的解析/秦升阳　李乐莹．东北史地．1

浅析西夏河西佛教兴盛的原因/崔红芬．敦煌学辑刊．2

酒泉、张掖的西夏土主信仰/崔云胜．宁夏社会科学．3

鸟图腾与巴蜀族徽/苏宁．中华文化论坛．4

试论原始宗教的社会功能/宋仕平．中南民族大学学报．4

从岩画看我国原始宗教乐舞/田小军．西北民族大学学报．4

从古迹看新疆摩尼教/阿依先．世界宗教文化．4

哈萨克族的宗教信仰/续西发．伊犁师范学院学报．4

藏族头饰中的原始宗教意蕴/申鸿．阿坝师范高等专科学校学报．4

论宗教仪式行为对藏民族特性的形塑作用/钟玉英　陈昌文．宗教学研究．1

论雍仲苯教的生态伦理观/诺吾才让．青海民族学院学报．3

对彝族毕摩宗教现状的调查与思考/蔡华　吉尔体日　嘎哈史者　子莫伍果．西南民族大学学报．10

彝族毕摩文化中的审美意识/牛军．民族艺术研究．6

试述毕摩及其历史地位的演变/尹正安．乐山师范学院学报．3

彝族毕摩插枝仪式中数学知识的应用/阿牛木支．西昌学院学报：自然科学版．4

浅析甘孜彝族毕摩的职能与特点/苏静．康定民族师范高等专科学校学报．2

彝族灵魂观透视/刘晓燕．楚雄师范学院学报．2

甘孜彝族苏尼的职业特点探析/苏静．康定民族师范高等专科学校学报．3

羌族的宗教信仰与“释比”考/邓宏烈．贵州民族研究．4

兰坪县金顶镇白族民间宗教信仰调查/赵慧生．宗教学研究．1

白族文化的原始基因：朵兮薄教/刘艳红. 大理学院学报. 6

神圣帷幕的跌落：云南德宏傣族宗教消费世俗化现象考察/龚锐. 贵州民族学院学报. 2

“万物有灵”论在佤族道德规范中的地位与作用/禹崇全. 民族艺术研究. 1

永宁地区者波村摩梭人宗教文化调查/和勇. 民族艺术研究. 1

南迁艰旅与景颇族传统宗教文化的形成/陆云. 民族艺术研究. 1

佤族原始宗教与伦理道德的关系/杨宝康 周家瑜. 云南师范大学学报. 5

佤族的原始宗教与民族文化传承/周家瑜. 楚雄师范学院学报. 2

云南沧源佤族的灵魂观与病患观探析/龙鳞. 学术探索. 5

格林村苗族原始宗教信仰与习惯法关系研究/周相卿. 西南政法大学学报. 1

浅析苗族寨神信仰的文化逻辑：以鸡爪村苗族寨神为例/麻勇恒. 黔东南民族师范高等专科学校学报. 5

南龙布依族古寨经济、教育、民间文学艺术、宗教调查/陈明媚等. 黔西南民族师范高等专科学校学报. 1

九寨侗族的宗教信仰/陆景川. 黔东南民族师范高等专科学校学报. 1

壮族的“竜”崇拜及其“天人合一”的生态文化/何正廷. 文山师范高等专科学校学报. 3

壮族麽教文化探讨/何正廷. 广西民族研究. 3

壮族摩教文化探析/何正廷. 文山师范高等专科学校学报. 1

作为生活方式的宗教：以瑶族宗教问题为中心/夏志前. 广东技术师范学院学报. 5

试析云南瑶族生活习俗中的宗教因素/徐祖祥. 楚雄师范学院学报. 1

关于窨山瑶族原始宗教的断想/汪松桂. 民族论坛：理论版. 4

蓝靛瑶的“度戒”及其社会意义：以富宁县蓝靛瑶为例/张靖琳 杨永福. 文山师范高等专科学校学报. 4

嬗变与衍生：土家族的宗教信仰/宋仕平. 江汉论坛. 1

土家族梯玛信仰述论：以拉西峒尚氏梯玛为例/陈心林. 宗教学研究. 2

畲族信仰文化从封闭到融合的变迁/麻键敏. 福建宗教. 5

廪君神话传说与清江流域土家族的原始宗教/向柏松. 民族文学研究. 2

论高山族的原始宗教/何大勇. 世界宗教研究. 3

“萨满教”的本质是巫术而不是宗教/杨朴．吉林师范大学学报．1

辽金时期的萨满教/武玉环．东北史地．5

辉发部的历史与萨满文化/王明霞．吉林师范大学学报．5

北方物候历与萨满祭祀/郭淑云．西北民族研究．1

北方丧葬面具与萨满教灵魂观念/郭淑云．北方文物．1

巫史文化生成的原生形态诸问题考察：兼及萨满文化起源问题/张碧波．满语研究．2

萨满火神与华夏崇火：中国文化的区域差异/王晓坤．长春大学学报．1

萨满教神话浅论/赵志忠．满族研究．1

真实的幻象：萨满教神话的神经心理学成因/曲风．河池学院学报．3

萨满文化学科建设“五性”谈：2004年8月26日在中国民协萨满文化研究中心揭牌式上的讲话/白庚胜．西北民族研究．1

萨满文化的价值研究/赵维东．长春大学学报．1

关于萨满文化研究的几点思考/金海峰．长春大学学报．1

萨满文化中质朴的进步性/董白雁．北方民族．1

萨满神柱文化崇拜考析/富育光．北方民族．4

中国古代萨满昏迷中的药物问题/王纪潮．自然科学史研究．1

通古斯民族萨满教柳崇拜的文化意蕴/王宏刚．北方民族．1

通古斯萨满教的文化史价值（一）/王宏刚．满语研究．满语研究．2

伪满洲国时期东北萨满教状况述略/逄增玉．东北师大学报．1

北方民族与萨满教/赵志忠．黑龙江民族丛刊．3

满族萨满神歌的程式化/高荷红．民族文学研究．3

满族萨满医术：人类学田野调查报告/唐戈．北方民族．1

满族关姓家族萨满祭祀调查/蒋蕾　荆宏．民间文化论坛．6

萨满文化中冲绳与满族的女性形象比较研究/杨红．北方民族．2

萨满教文化中的满族剪纸/关云德．北方民族．2

从伊玛堪看赫哲族萨满文化/黄任边　白秀丽．黑龙江社会科学．1

诠释《松花江下游的赫哲族》中的萨满文化/吕秀莲　黄儒敏．佳木斯大学社会科学学报．5

赫哲族萨满教信仰的形成及其对自然崇拜神话的影响/李秀华　黄儒敏．佳木斯大学社会科学学报．1

成吉思汗祭奠的萨满教根基/乌云格日勒．中国社会科学院研究生院学

报．6

萨满教对蒙古帝国社会政治的影响/齐学民．前沿．2

东蒙地区蒙古族萨满过关仪式/郭淑云．北方民族．3

新疆博尔塔拉蒙古族萨满文化田野调查/李媛．卫拉特研究．1

达斡尔族萨满教及述略/吴瑶．黑龙江民族丛刊．4

论萨满教与鄂温克族神话的关系/汪立珍．中央民族大学学报．1

鄂温克族萨满文化与造型艺术/闫沙庆．大连民族学院学报．2

萨满教在新疆少数民族中的遗留/李进新．新疆大学学报．4

试论新疆少数民族城乡中的萨满教遗存/黄达远．宗教学研究．4

浅谈哈萨克族萨满教信仰中的禁忌行为——禳解/古力扎提．西北第二民族学院学报．3

哈萨克人信仰中的萨满教遗迹/阿布都力江·赛依提．西域研究．3

霍帕尔与国际萨满教研究会/郑天星．世界宗教文化．4

浅析西夏河西佛教兴盛的原因/崔红芬．敦煌学辑刊．2

《天盛律令》与西夏佛教/崔红芬．宗教学研究．2

萨迦派在元代的特殊地位/任宜敏．浙江学刊．2

元代西藏地方政教关系变革新论/陈楠．中央民族大学学报．2

元代藏传佛教对汉地佛教的影响/孙悟湖．中央民族大学学报．2

元代喇嘛教在汉地的传播与影响/王泸生．社会科学家．3

元大都喇嘛庙考述/刘丽楣．北京档案史料．3

略论元代藏传佛教在五台山的传播/赵改萍．内蒙古社会科学．5

信仰与扶持：明成祖与藏传佛教/才让．西藏研究．4

简论明代藏传佛教在五台山的发展/赵改萍．西藏研究．4

从碑刻看张掖明清时期的佛教/孟凡港．甘肃民族研究．2

清代喇嘛教/陈晓敏．历史教学．5

清代宫廷喇嘛教活动——跳布扎/陈晓敏．满族研究．4

清政府藏传佛教政策及其影响/曾国庆．康定民族师范高等专科学校学报．2

清初满洲政权的西藏及黄教政策研究/柳岳武．甘肃民族研究．3～4

清代对藏传佛教的禁约和整饬/白文固．中国藏学．3

清朝时期的新疆准噶尔汗国藏传佛教/才吾加甫．新疆师范大学学报．3

唃厮啰政权和藏传佛教后弘期/才让吉．青海民族研究．3

论舟曲地方神“婆婆”与藏传佛教的关系/马宁．西藏民族学院学报．1

藏传佛教信徒的朝圣意识/陈国典．求索．10

藏民族宗教信徒朝圣初探/陈国典．西南民族大学学报．4

藏传佛教中的居士群体及其文化特征/华热·才华加．青海师范大学学报．1

藏传佛教寺院教育的特点及现代性启示/华热·才华加．青海师范大学学报．3

探析藏传佛教的人文关怀意识及其社会影响/陈进林．康定民族师范高等专科学校学报．6

道次第三题/高泽桢．西藏研究．1

藏传佛教道次第概述/克珠群佩．中国藏学．2

藏传佛教判教思想之分析比较/朱丽霞．西藏研究．1

藏传佛教心理学内涵与文化更新/桑杰端智．西北民族大学学报．1

从佛教传入雪域藏地看文化融合功能/庄春辉　李瑞琼．西藏艺术研究．1

宁玛派“密咒师”/东主才让．中国藏学．2

“古鲁仁波切都钦”类型初探/白玛措．中国藏学．2

“擦擦”与佛塔/索南才让．中央民族大学学报．6

擦擦观音像研究/李翎．西藏研究．3

汉藏佛教中的旃檀瑞像/金申．文物春秋．4

造像的谛义：藏传佛教造像的笔记之五/丁山．收藏家．2

造像的谛义：藏传佛教造像的笔记之六/丁山．收藏家．3

雪域高原奇观：石渠松格嘛呢石经城/石硕．中国西藏．5

西藏农村的宗教权威及其公共服务：对于西藏农区五村的案例分析/扎洛．民族研究．1

论宗教仪式行为对藏民族特性的形塑作用/钟玉英．宗教学研究．1

女性在藏传佛教中的角色与地位/德吉卓玛．西藏研究．4

寺庙里的女人：20世纪民主改革前西藏尼僧的生存状态研究/周晶．青海社会科学．2

复调式祭祀仪式与复合型民俗角色：对珠腊沁村公主陵祭祀的田野调查/纳钦．中央民族大学学报．3

阿勒坦汗信仰藏传佛教的原因/张付新．西藏研究．2

浅析西藏佛教在蒙古的二度传播/乌兰托亚．呼伦贝尔学院学报．4

佛教传入蒙古的文化思想原因探讨/王小英．青海社会科学．2

近代喇嘛教与蒙古地区政治/金诲．中央民族大学学报．4

蒙古地区佛教艺术与弥勒造像：以北京雍和宫弥勒大佛、内蒙梵宗寺弥勒佛为中心/嘉木扬·凯朝．世界宗教研究．4

鸠摩罗什时代及其前后龟兹和焉耆两地的佛教信仰/季羡林．孔子研究．6

20世纪西域佛教史若干问题研究述评/聂静洁．西域研究．1

试析南传上座部佛教对西双版纳傣族社会的影响/王春华．思茅师范高等专科学校学报．1

傣族历史上佛教与法律的关系初探/刀伟．商丘师范学院学报．3

南传佛教与原始宗教的并存及互通：西双版纳三村调查/龚锐．民族研究．4

印度如来藏学的基本义理/释见达．宗教学研究．3

宗教、文化与人：扎西达娃、阿来、范稳小说中的藏传佛教/刘力　姚新勇．西北民族大学学报．4

《甘珠尔》版本及其对勘成果要述/中国藏学研究中心《大藏经》对勘局．中国藏学．1

九世班禅在内蒙古宣化传法的历史功绩/李烨．中国藏学．2

“最好的爱国者”：十世班禅大师的悲欢人生/冯都．党丹曲．西藏研究．2

唐古特·伊拉古克三呼图克图考/李保文．中国藏学．2

宗喀巴大师的文殊情结/牛宏．中国藏学．2

从诠释学的角度看宗喀巴佛学体系的建立/朱丽霞．西藏民族学院学报．3

宗喀巴破斥“无分别”说的实质/朱丽霞．宗教学研究．1

哲布尊丹巴历世活佛生平事迹考述/敖举·嘉祥成来　扎扎．卫拉特研究．4

明代留住京师的藏传佛教僧人/杜常顺．中国藏学．2

弥底大师与藏娘佛塔/象多杰本．青海民族研究．3

达仓热巴作为朝圣者的非凡经历/［德］彼德·史卫国著　苏发祥译．西藏民族学院学报．2～3

略述藏传佛教寺院组织制度/次旦扎西　次仁．西藏大学学报．4

论藏传佛教寺院在传播《格萨尔》中的作用：达那寺及其格萨尔文物馆藏/丹曲．西藏研究．2

西藏古寺庙建筑的军事防御风格/杨永红．西藏研究．1

风水：藏地佛寺的自然环境选择和布置形态及其内部结构与装饰/扎西东珠 散人. 西藏民族学院学报. 4

藏传佛教早期著名寺院韩达垅寺考述/洲塔. 中国藏学. 2

桑浦尼乌托寺兴衰及其对藏族文化的贡献/达宝次仁. 西藏研究. 1

理塘寺早期政教史初探/冯智. 西藏大学学报. 1

殊像寺与满文大藏经/冯术东. 文物春秋. 1

扎基寺木匾考释/苏发祥. 西藏研究. 3

拉萨三大寺的学制/柳升祺. 中国藏学. 4

古鲁寺“次九”金刚舞考察/刘晓梅. 西南民族大学学报. 11

仓宫寺的历史沿革及现状/边巴拉姆. 西藏研究. 1

古城凉州白塔寺/索文清. 中国西藏. 5

夏合吐尔和乌什吐尔地面佛寺遗址研究/林立. 西域研究. 3

当代中国伊斯兰教的发展趋势和社会作用/杨华. 当代宗教研究. 4

伊斯兰教与和谐社会的构建/从恩霖. 中国宗教. 3

伊斯兰教在辽朝的传播与发展探析/姜歆 马丽娟 杨永芳. 赤峰学院学报. 6

试析元代汉人对伊斯兰教的“解读”：以定州《重建礼拜寺记》碑为例/马娟. 世界宗教研究. 1

回儒对话：明清时期中国伊斯兰哲学思想/刘一虹. 哲学研究. 9

明末清初伊斯兰教哲学在中国的民族化过程及特点/孙智伟. 漳州师范学院学报. 4

明末清初伊斯兰教回归思想在汉语中阐释的演变/孙智伟. 江汉大学学报. 5

小经文献与伊斯兰教相关问题研究/韩中义. 世界宗教研究. 3

宗教法文化中的神学法治理念：兼及伊斯兰教法中国本土化对当代回族穆斯林法治理念建构之影响/马宗正. 西北民族研究. 1

从回族的文化认同看伊斯兰教与中国社会相适应问题/丁宏. 西北民族研究. 2

新“卧尔兹”中国伊斯兰教的文化工程/杨淑丽. 中国宗教. 9

伊斯兰教饮食文化与禁忌/从恩霖. 中国宗教. 11

浅析穆斯林的饮食习俗及文化内涵/刘新建. 甘肃民族研究. 2

论中国伊斯兰教经堂教育及其变化/马光忠. 甘肃民族研究. 3～4

独树一帜的中国回回经学/冯今源. 中国宗教. 10

胡门门宦的历史沿革/马桂芬 赵国军. 世界宗教研究. 4

当代西北地区伊斯兰教新兴教派门宦问题探析/马平. 回族研究. 4

从比较学角度浅论中国伊斯兰教的特色/胡青. 昭通师范高等专科学校学报. 4

伊斯兰教对地缘政治格局中民族心理的调适功能：以新疆地区为例/汤夺先. 江南社会学院学报. 2

城市边缘地区伊斯兰教探微：以兰州穆斯林社区调查为个案/王建斌 李庆勇. 西北第二民族学院学报. 2

郑和圣墓行香与泉州伊斯兰教的重兴/郭志超. 南方文物. 3

辽宁伊斯兰教团体的织织形式与运作机制/徐海燕. 世界宗教文化. 2

纳古镇伊斯兰教研究/李兴华. 回族研究. 4

昆明伊斯兰教研究/李兴华. 回族研究. 3

南京伊斯兰教研究/李兴华. 回族研究. 2

扬州伊斯兰教研究/李兴华. 回族研究. 1

深圳穆斯林概述/杨运鹏. 回族研究. 1

20世纪泉州伊斯兰教文化的研究/李玉昆. 福建宗教. 6

试论伊斯兰教在西夏的流传/陈广恩. 回族研究. 1

西夏时期伊斯兰教在西北传播及发展初探/姜歆. 固原师专学报. 5

独具西域地方特色的伊斯兰教苏非派：穆罕默德·谢里甫及其乌瓦伊西耶教团/陈国光. 新疆社会科学. 1

阿拉善草原信仰伊斯兰教的蒙古族穆斯林/丁明俊. 西北民族研究. 4

从白氏宗谱看回族伊斯兰宗教信仰情结/文刀. 中国穆斯林. 1

青海回族穆斯林斋月文化浅析/赵春肖. 青海民族研究. 1

透析回族穆斯林"一日五时礼"群体老龄化现象/鲁忠慧. 宁夏社会科学. 5

新疆哈萨克族中的伊斯兰教经堂教育/房若愚. 新疆师范大学学报. 2

试论达浦生的伊斯兰教人道观/马多勇 米寿江. 宁夏社会科学. 2

论晚明江南穆斯林学者的文化纷争：从王岱舆"正教真诠"批评的《证主默解》说起/杨晓春. 南京大学学报. 1

"回之与儒，教异而理同"：兼谈回族学者马注的伊斯兰教伦理道德观/梁向明. 宁夏社会科学 2

“以儒诠经”活动及其对当代文明对话的启示意义/马明良．回族研究．4

“回儒”：中国穆斯林学者的人格特征/孙智伟　徐长菊．西北第二民族学院学报．3

“回儒”：中国穆斯林学者的人格特征/孙智伟．中共济南市委党校学报．3

论古代回坊形成的原因/刘莉．西安文理学院学报．6

中国伊斯兰教清真寺经济的历史考察/罗莉．青海社会科学．3

当代都市清真寺寺院经济研究：以兰州市城关区为例/马景．西北第二民族学院学报．3

兰州市清真寺经堂教育调查研究/万振新　李强．固原师专学报．1

兰州市清真寺经堂教育调查研究/万振新　李强．世界宗教研究．2

北国春城的伊斯兰明珠：记长春市长通路清真寺/王德才．中国宗教．6

沧桑清真寺，不屈民族魂：记台儿庄清真寺/朱瑞志．中国宗教．9

中阿合璧，见证古今：上海松江清真古寺/金宏伟．中国宗教．7

嘎吉忍耶文泉堂西川大寺/贾建平．世界宗教文化．4

符号的言说：广州伊斯兰教活动场所文化变迁/马强．．西北民族研究．1

再谈定州清真寺元至正八年碑撰碑者杨受益是位穆斯林：与马娟女士商榷/马生祥　杨爱芹．世界宗教研究．3

定州清真寺礼拜殿/张玉橙．文物春秋．2

洪水泉清真寺的建筑艺术与民俗图案/许显成．青海民族研究．4

中国回教救国协会分会概述/孙颖慧．宁夏社会科学．4

中国回教救国协会宁夏分会述评/孙颖慧．宁夏史志．4

我国伊斯兰教界最高学府：中国伊斯兰教经学院庆祝50周年华诞/田悦阳．中国宗教．12

早期回族伊斯兰报刊之特点浅议/雷晓静．回族研究 4

他山之石：西方学界对中国回族伊斯兰教的研究述评/周传斌．西北民族研究．1

魏晋南北朝时期少数民族与道教：以南蛮、氐羌族群为中心/张泽洪．中南民族大学学报．6

中国西南少数民族与道教神仙信仰/张泽洪．宗教学研究．4

壮族地区的三元信仰崇拜/曾维加．世界宗教文化．4

论瑶族道教的成仙信仰：从瑶族家先观念的道教化谈起/徐祖祥．中国道教．5

瑶族还盘王愿活动中所见盘瓠崇拜的道教化/徐祖祥．西南民族大学学报．3

再论蒙元时期基督教在华传播/丁光泮．涪陵师范学院学报．1

异质文化击撞下的“新神话”：从传教士个案看天主教与藏传佛教和汉传佛教的交往/泽拥．西南民族大学学报．6

近代青海的天主教与马步芳家族/田旺杰．青海社会科学．1

近代外国传教士在百色活动述略/刘启强．广西右江民族师专学报．1

基督教在近代客家人中间的传播与影响/左芙蓉．北京联合大学学报．3

从传教士东来看蒙元统治者的基督教政策/王小英．天水师范学院学报．4

中华基督教会在西南少数民族地区的文化传播研究/李慧宇．贵州民族研究．2

基督教滇黔川边传教士的民族及阶级归属/东人达．云南师范大学学报．2

分析心理学对《西藏度亡经》的解读/［美］Michael Yen 尹立．宗教学研究．4

回儒杨仲明《四教要括》研究/李素萍．湖南科技学院学报．9

为人师表　终身不悔：记民族宗教学者马启成先生/丁克家．回族研究．2

我的萨满教学田野调查经历/王宏刚．当代宗教研究．4

霍帕尔与国际萨满教研究会/郑天星．世界宗教文化．4

关于操突厥语诸民族原始宗教之我见：国内外关于操突厥语诸民族宗教研究概述/阿不力米提·乌买尔．新疆师范大学学报．4

“北亚萨满教艺术及传统”国际研讨会综述/王宏刚．当代宗教研究．1

20世纪中国关于原始宗教与神话的研究综述/钟国发．当代宗教研究．2

古回鹘文献《占卜书》及其内涵/倪宏鸣．民族文学研究．2

国内近刊回鹘佛教研究著作述要/赞丹卓嘎．甘肃民族研究．2

回族伊斯兰教西道堂研究的新突破：简评《马启西诗联赏识》/马广德．回族研究．1

宏观的审视　缜密的分析：评乔根锁教授的《西藏的文化与宗教哲学》/成纪．西藏民族学院学报．4

一个西藏流浪僧人的叛逆思想：根登群佩《中观甚深精安之善论——龙树意趣庄严论》解读/班班多吉．哲学研究．12

一部弘扬中华文化的好书：《苗族牛崇拜文化论》序/刘守华．黔东南民族师范高等专科学校学报．4

一部研究壮族民间宗教文化的力作：《壮族麼文化研究》序/梁庭望．广西民族研究．4

五、民族历史

略论中国古代的“天下”、“国家”和“中国”观/陈玉屏．民族研究．1

边地中国：从“野蛮”到“文明”/徐新建．西南民族大学学报．6

大一统思想在中华认同中的作用/娜拉．民族论坛：理论版．6

中国民族、政权、疆域研究/孙进己．东北史地．1

中国北方农牧交错带的形成与气候变迁/韩茂莉．考古．10

古代游牧民族与农业民族的粗略比较/卢圣泉．湖北经济学院学报．5

政治文明——中国古代北方草原文化的重要内涵/何天明．阴山学刊．4

民族大迁徙对中西文化发展的影响/刘爱兰．中央民族大学学报．5

浅评中国历史上有影响的两次少数民族改革/杨建新　王紫萱．西北民族大学学报．5

少数民族入主中原各民族风俗的相互影响及规律/杨泉良．西北第二民族学院学报．6

论少数民族入主中原对民族文化发展的促进/杨泉良．许昌学院学报．1

少数民族对中华文明的贡献/王炜民．阴山学刊．5

少数民族对古代敦煌文化的贡献/杨富学．敦煌学辑刊．2

试论湖南民族对人类文明的特殊贡献/刘博．民族论坛：理论版．2

关于中国少数民族史起点的若干问题/王军强．甘肃社会科学．2

关于中国民族思想的学科定位问题/崔明德．东方论坛．6

历史人类学：中国史学研究方法的新诉求/周泓　黄达远．广西民族研究．1

族群历史之文本与情境：兼论历史心性、文类与范式情节/王明珂．陕西师范大学学报．6

论中国古代北方民族史的学科体系/王继光　刘迎胜．西北民族教育．4

元代史学的民族特色/李淑华．卫拉特研究．3

历史构建中的民族历史和社会记忆/马莉．甘肃理论学刊．5

卫拉特学学科建设断想/丹碧．新疆师范大学学报．1

略论彝学的形成和发展/朱崇先. 楚雄师范学院学报. 1

"五帝"世系与秦汉时期"华夷共祖"思想/王文光 翟国强. 中国边疆史地研究. 3

"夷夏之辨"与大一统思想/许殿才. 河北学刊. 3

"华夷之辨"的错误及其危害/路金龙 任慧英. 西安建筑科技大学学报. 2

论"夷夏之辨"的二重性：中国传统文化的生态分析/任旭彬. 广西教育学院学报. 5

中国古代儒家"用夏变夷"思想与理论的变迁/樊文礼. 烟台大学学报. 3

司马迁的民族观/韩兆琦. 湖北大学学报. 1

司马迁有没有突破传统民族思想/陈桐生. 湖北大学学报. 11

司马迁论汉初民族政策的得失/俞樟华. 湖北大学学报. 1

试析班固的民族观/刘春华. 西安电子科技大学学报. 2

论扬雄"在夷貉则引之"的民族思想/郭君铭. 中央民族大学学报. 5

王夫之夷夏观新论/胡发贵. 船山学刊. 1

康有为近代民族国家观/白锐. 求索. 4

论章太炎与邹容民族主义思想之异同/郑必新. 湖南税务高等专科学校学报. 6

试论陈天华民族思想的脉络/王春霞. 衡阳师范学院学报. 1

汉代民族治理政策述论/陈心林. 内蒙古社会科学. 2

西汉前中期的夷狄观与民族政策之演变/夏增民. 内蒙古民族大学学报. 6

试论汉武帝的"西南夷"民族政策/孙长忠. 信阳师范学院学报. 1

论东汉"以夷制夷"的边防政策/曾九江. 江西广播电视大学学报. 3

试论孙吴民族政策/方高峰. 湘潭大学学报. 1

浅析后赵石勒的民族政策/李娜. 淮北煤炭师范学院学报. 4

唐玄宗多事四夷思想初探/马晓丽. 齐鲁学刊. 3

朱元璋"威德兼施"的民族政策/王蕾. 南阳师范学院学报. 7

论明世宗对蒙"绝贡"政策与嘉靖年间的农牧文化冲突/胡凡. 中国边疆史地研究. 4

论清朝的民族政策/余梓东. 满族研究. 3

清代民族政策与承德历史文化/纪欣 张杰. 文物春秋. 6

论清代对蒙古地区汉族移民的政策/杨强. 辽宁师范大学学报. 2

试论清朝治理东蒙古的政策和措施/穆崟臣．内蒙古社会科学．3

晚清对蒙古政策的变化/赵飞　孙玲．赤峰学院学报．6

试论乾隆对回民的政策：兼评李普曼《论大清律例当中的伊斯兰教和穆斯林》/李自然．西北民族研究．1

清朝治理新疆的民族政策评析/张文灿．新疆大学学报．4

清末新疆善后局刍议/李艳　王晓晖．西北民族大学学报．3

康乾盛世下清廷对准噶尔投诚人政策研究/柳岳武．青海民族研究．4

从清朝与哈萨克族的关系透视其边疆民族政策/刘海燕．新疆职业大学学报．3

探析珠尔默特那木札勒事件与清治藏政策的转变/杨群　李红坦．青海民族研究．4

雍正朝治藏政策探析/周融冰．西藏大学学报．3

南京国民政府初期十年边疆民族事务管理机制与政策/周竞红．中国边疆史地研究．3

抗战时期民国政府的边疆教育政策/孙懿．中国边疆史地研究．4

民国时期新桂系民族政策述评/谭肇毅．广西师范大学学报．2

党在土地革命战争时期的少数民族政策/王跃飞．学术论坛．9

关于我国古代民族关系的一个重要理论问题/陈玉屏．烟台大学学报．4

论民族关系的实质与当代民族关系的核心问题/马曼丽．烟台大学学报．4

论中国历史上民族关系的主流/姚爱琴．社科纵横．4

论文景时期的汉匈关系/郝建平．西北第二民族学院学报．2

中国古代和亲的历史作用略论/曹国宁．甘肃高师学报．1

浅谈西汉与乌孙的和亲始末/齐桂莲．兵团教育学院学报．2

汉匈“和亲”的本来面目是什么/刘戈　郭平梁．河北学刊．5

汉家女子胡儿妻：关于两汉时期汉胡通婚的实例考察/田有前．社会科学战线．5

论隋文帝“君臣一体”的民族关系思想/马晓丽．烟台大学学报．3

中国古代和亲与丝绸之路的拓展/崔明德．中国边疆史地研究．2

唐与少数民族和亲刍议/王晓晖．河西学院学报．4

唐与回纥和亲的原因及意义/杜娟．南都学坛．3

从中唐诗歌看唐公主和亲回纥/李小凤．伊犁师范学院学报．4

从宿卫制度看唐朝的民族关系/李强　梁俊涛．青海民族研究．3

唐代吐蕃与突厥、回纥关系述略/杨铭．西南民族大学学报 6

隋唐民族互动过程论：中国民族团结历史轨迹研究之四/徐杰舜．广西民族学院学报．1

唐宪宗时期及其之后的民族关系思想/崔明德．烟台大学学报．2

褚遂良民族关系思想初探/崔明德．文史哲．5

中国古代的民族融合/赵翠珍．历史学习．11

试论商代中原地区的民族融合/田青刚．平原大学学报．4

从华夏族到汉族的历史演变看中华民族大融合/兰和群．商丘职业技术学院学报．4

民族政权构成与魏晋南北朝时期的胡汉融合/胡祥琴．西北第二民族学院学报．1

宋辽金时期中原地区的民族融合/李锡厚．中州学刊．5

元代中原地区的民族融合/任崇岳．中州学刊．5

宋辽夏金民族互动过程述论/徐杰舜．贵州民族研究．3

凉州会盟前后的历史人物述略：纪念萨班与阔端凉州会盟/马进武．西北民族大学学报．1

明清时期峨昌（阿昌）与中央王朝及周边民族关系研究/伍莉．贵州民族研究．4

清朝满蒙联姻续谈/杜家骥．文史知识．1

清代驻防八旗的民族关系问题研究：从荆州旗、民的几次斗殴事件入手的探讨/潘洪钢．江汉论坛．2

多元一体：论云南民族关系的历史经验之一/伍雄武．云南师范大学学报．5

近代广西瑶汉民族关系管窥：从《两广猺山调查》说起/秦海燕．广西右江民族师专学报．2

矿业移民与西南地区社会变迁的个案分析：以广西合山煤矿开发及移民为例/范玉春．中国边疆史地研究．4

略论西南民族关系的三重结构/蒋立松．贵州民族研究．3

对多样性的宽容：论云南民族关系的历史经验之一/伍雄武．思想战线．6

《徙戎论》的命运与“天下一家”的格局/李鸿宾．河北学刊．3

王韶《平戎策》中处理民族关系的原则及借鉴意义：兼补辑《全宋文》中的王韶文/王可喜．青海民族研究．2

“和而不同”在民族政治中的价值论/姜军. 社会科学辑刊. 2

民族同化及民族大融合现象的思考/石涵月. 延安大学学报. 3

民族主义话语与现当代的中国/周传斌. 西北第二民族学院学报. 2

关于民族主义研究方法的思考/袁咏红. 福建论坛. 2

辛亥革命与民族主义/沈寂. 安徽史学. 3

试论孙中山的民族主义思想及其与传统大汉族主义的区别/王小块. 江汉论坛. 1

孙中山的民族主义与现代民族国家的创建/郭世佑. 湘潭大学学报. 1

试论黄遵宪的民族国家观/严飞生. 嘉应学院学报. 4

民族主义与近代中国民族觉醒：以近代中国北部、西部边疆危机为例/杨志娟. 兰州大学学报. 3

民族主义与国际认同之间：以刘师培的中国人种、文明西来说为例/李帆. 史学理论研究. 4

近代以来中国民族主义/杨奎松. 社会科学论坛. 9A

中华民族自在实体形成和发展若干问题/高翠莲. 中央民族大学学报. 6

危机与认同：中国民族溯源研究：以清末民国时期中学本国史教科书为中心/刘超. 安徽史学. 4

“部落联盟模式”的由来：易建平《部落联盟还是民族》一文引发的思考/王三义. 史学理论研究. 2

从华夏族到汉族的历史演变中看中华民族大融合/兰和群. 商丘职业技术学院学报. 4

十六世纪下半叶丰州川汉族移民的迁入与社会生活的变迁/杨选娣. 内蒙古师范大学学报. 5

“炎黄子孙”与中华各族心理认同/赵永春. 东北史地. 1

从“中国”看华夏先民的部落中心主义/陈纪昌. 山西农业大学学报. 3

说“夏族”：兼及夏文化研究中一些亟待解决的认识问题/沈长云. 文史哲. 3

地域偏见和族群歧视：中民古代瘴气与瘴病的文化学解读/张文. 民族研究. 3

中国古代对高原（山）反应的认识及相关史事研究：以南北朝、隋唐为中心/于赓哲. 西藏研究. 1

生态环境与古代东北少数民族习俗文化/张国庆　闫振民. 辽宁大学学

报. 1

论西北在中国边防与国家安全史上的地位与作用/杨红伟 高原. 西北第二民族学院学报. 2

西汉西北边塞/刘光华. 西北民族大学学报. 1

刘渊政权的出现与北疆民族主动认同“中国”的开始：中国古代疆域形成理论探讨之二/宋秀英 李大龙. 中国边疆史地研究. 2

浅析汉武帝时期的边疆政策/赵娜勇. 漳州师范学院学报. 3

汉唐时期中原王朝在西北的边防设置述要：兼论西北开发的重要意义/杨红伟 沈祯云. 宁夏大学学报. 6

明代西南边疆社会心态探析/岳精柱. 社会心理科学. 2

论清朝疆域形成与历代疆域的关系/成崇德. 中国边疆史地研究. 1

近代北京与西北边疆研究/赵夏. 北京社会科学. 1

东北边疆历史研究的回顾与思考/马大正. 北华大学学报. 1

新疆与历代中原王朝政治关系的计量分析/王尚达 杨恕. 中国边疆史地研究. 1

鸦片战争前后边疆史地学者的治边思想与实践/章永俊. 东北史地. 3

显学的背后：沈垚西北史地学述论/郭丽萍. 中国边疆史地研究. 1

中国古代民族收继婚探讨/田旺杰. 西北第二民族学院学报. 1

略论我国古代的拔牙风俗/杨式挺. 广西民族研究. 3

试论马援对古代民族地区的贡献/施铁靖. 广西民族研究. 3

扩张与萎缩：我国古代北方游牧民族农业生产的特点（下）/胡铁球. 宁夏大学学报. 4

骑兵建设推动养马业的发展：战马马源之分析/孟古托力. 北方文物. 3

古代北方民族历史文化的主要特征述论/顾奎相 陈琬. 北方论丛. 1

历史上西部开发中的中央政策及其他/陈育宁. 宁夏大学学报. 5

青海土司制度研究/朱普选. 西藏民族学院学报. 3

青海历史文化的地域特色/朱普选. 西藏民族学院学报. 5

张骞通西域与丝绸之路中国境内的自然生态环境保护/王锋. 宁夏大学学报. 5

新疆卡伦的设立及作用/马长泉. 新疆大学学报. 1

哈密的札萨克旗制/李国栋 李洁. 周口师范学院学报. 4

新疆三区革命后期的经济建设/魏长洪 周红. 新疆大学学报. 1

近代西北农村高利贷问题初探/刘征　梁俊涛．西北第二民族学院学报．2

历代移民与宁夏开发/薛正昌．宁夏社会科学．4～5

浅谈青海历史发展的特征/胡廷．青海师专学报．教育科学．1

乌江流域民族地区历代科举人才的地理分布/李良品．贵州大学学报．1

西南民族的历史发展与中华民族多元一体格局关系述论/王文光　翟国强．思想战线．2

跨生态的文化和政治扩张：古蜀与南中诸文化的关系/段渝．西南民族大学学报．2

西汉王朝藩属体制的建立和维系/李大龙．学习与探索．3

关于西汉郅支城之战/刘光华．西北第二民族学院学报．1

西汉王朝与乌孙关系述考/石少颖．山东大学研究生学志．2

试论西汉对西南夷地区的经略与开发/程印学．理论学刊．5

浅析汉武帝时期的边疆政策/赵娜　赵国勇．漳州师范学院学报．3

汉匈战争与北边郡守尉/宋超．南都学坛．3

李陵投降匈奴原因说略/孙新峰．渭南师范学院学报．4

论东汉“以夷制夷”的边防政策/曾九江．江西广播电视大学学报．3

两汉时期新疆的经济开发/周伟洲．中国边疆史地研究．1

从汉墓材料透视汉代乐浪郡的居民构成/郑君雷　赵永军．北方文物．2

论汉代和蕃女性/贾丽英．鞍山师范学院学报．1

传统文化价值视野中的佛、道教“夷夏之争”：以汉魏两晋南北朝为限/吕有云．广西大学学报．6

十六国时期少数民族贵族的汉文化修养/刘国石．社会科学战线．6

十六国时期少数民族学术与风俗习惯的汉化/刘国石．北华大学学报．1

十六国胡族政权封建化问题初探/王素香．辽宁工学院学报．6

“胡风”氤氲下北朝开放的婚姻风气/庄丽霞　隋丽丽．山东科技大学学报．1．7

北魏太武帝崇道抑佛的回顾与反思/陈燕．云南民族大学学报．4

北魏孝文帝迁都洛阳及汉文化心理剖析/陈英．甘肃社会科学．2

北魏孝文帝迁都洛阳问题研究综述/戴雨林．洛阳大学学报．1

献文帝拓跋弘与北魏封建化/王仁磊．河南科技大学学报．1

北魏时期的社会变革：中华传统文化的皈依与融通/钟坤杰．曲靖师范学院学报．2

北魏时期的贫富分化及其影响探析/何世鼎　王万盈. 西北师大学报. 4

由《魏书·邢峦传》看北魏军事制度改革的滞后/王延武. 中南民族大学学报. 6

北魏七月七日讲武考/徐美莉. 甘肃民族研究. 2

北魏对西域的经营及其特点/秦红卫. 伊犁教育学院学报. 2

北魏对河西的经营和开发/闫廷亮. 河西学院学报. 4

慕容廆汉化改革述略/郑小容. 西南民族大学学报. 1

北齐汉族文人心态初探/任荣. 苏州科技学院学报. 1

试论尔朱氏集团的兴亡/苏小华. 晋阳学刊. 3

北朝时期的孝治/邵正坤. 北方文物. 2

论隋炀帝对边疆地区的开拓与经略/管彦波. 四川大学学报. 1

隋浑关系探略/李明. 青海民族研究. 2

新罗北界与唐朝辽东/王小甫. 史学集刊. 3

裴怀古、李释子、和守阳墓志所见盛唐边政之经略/张乃翥. 西域研究. 2

唐朝在西域实行的地方行政制度对社会发展的作用/阿米娜热合木吐拉. 新疆教育学院学报. 2

论唐代长安西域移民的生活环境/葛承雍. 西域研究. 3

论唐代东北和西南民族的内迁/王韵. 青海民族研究. 4. 8

论隋唐时期广西地区的经济和文化态势：兼论隋唐对广西的统治和汉族的发展/杨东晨　李爽. 广西右江民族师专学报. 2

从自由互市到政府控驭：唐、宋、明时期汉藏茶马贸易的功能变异/邓前程. 思想战线. 3

试论唐代的押新罗渤海两蕃使/姜清波. 暨南学报. 1

唐代安东都护府研究/程尼娜. 社会科学辑刊. 6

唐代社会的穆姓胡客/蔡鸿生. 中国史研究. 增刊

北庭副都护和守阳事迹考述/田平凤　艾尚连. 中国边疆史地研究. 2

高昌戊己校尉的设置：高昌戊己校尉系列研究之一/王素. 新疆师范大学学报. 3

高昌戊己校尉的组织：高昌戊己校尉系列研究之二/王素. 中国历史文物. 4

沮渠氏高昌政权性质考论/盖金伟. 西域研究. 3

高昌王国田赋数额问题及计赋方法/李志敏. 喀什师范学院学报. 4

从《唐支用钱》考察唐初西域的政治经济状况/钱伯泉．新疆社会科学．5

唐朝岭南地区的奴婢问题与社会变迁/王承文．中山大学学报．6

开元至贞元年间唐与南诏关系考略/牛秋实．中南民族大学学报．1

浅析南诏崛起的内部因素/杨伟林．大理文化．1

“五花爨弄”及其意义新探/段玉明．贵州民族研究．4

地理体验与唐宋“蛮夷”文化观念的转变：以西南与岭南民族地区为考察中心/马强．西南师范大学学报．5

王韶经营坚熙河管窥/王晓燕．中央民族大学学报．5

论五代宋初“胡/汉”语境的消解/邓小南．文史哲．5

宋代河湟开发述略/蒲文成．青海民族学院学报．4

宋朝西南边疆民族地区的土地赋税政策/刘复生．中国边疆史地研究．3

从“联丽制辽”到“联金灭辽”：论10—12世纪东北亚的战略格局及宋朝的战略对策/梁利．河南大学学报．2

辽宋天池之争/陶玉坤．内蒙古大学学报．1

再谈宋辽“澶渊之盟”/仝建平．赤峰学院学报．5

高琼与“澶渊之盟”/韦祖松．青海师范大学学报．3

宋辽交聘制度论略/贾玉英．中州学刊．6

宋朝遣往辽国的贺岁使节述论/王慧杰．贵州文史丛刊．4

论宋朝遣辽使节的宗族性特征及其形成原因/李福英．贵州社会科学．6

辽朝提辖司考/李桂芝．学习与探索．2

辽代南面京官探讨/何天明．内蒙古社会科学．1

辽朝斡鲁朵的渊源/任爱君．内蒙古社会科学．1

辽太宗引进佛教白衣观音像/孟凡云．甘肃民族研究．1

辽太宗皇后考/王善军．黑龙江民族丛刊．5

辽代世家大族的军事实力/王善军．安徽史学．4

论辽朝社会阶层间的流动及其意义/王德忠．东北师大学报．2

辽代的头下州与古白狼水东的农牧经济/佟宝山．辽宁大学学报．5

辽代阜新地区头下军州刍议/张志勇．北方文物．4

浅说辽代名相韩德让：兼就韩德让与萧绰的关系与李锡厚先生商榷/葛华廷．北方文物．2

辽代文化与政治述略/曾肖．东疆学刊．1

论辽夏金文化中的两种传统/佟建荣．固原师专学报．1

论金代政治文化的勃兴/董迪．江海学刊．3
金代黑龙江流域的农业和手工业/王禹浪 崔广彬．黑龙江民族丛刊．3
简论明金君臣与明金战争/周喜峰．历史教学．5
“兀术不死，兵革不休”考辨/赵永春．学习与探索．1
论辽金文化中的两种传统/佟建荣．固原师专学报．1
文明的冲突：从会宁府的历史变迁看金的汉化过程/丁柏峰．青海社会科学．4
东北内蒙地区金代之政区及其城市发展/王明荪．史学集刊．3
试论金代的地方治安管理/曲淑华．北方民族．2
金世宗北防鞑靼部族策/刘肃勇．东北史地．6
论金世宗以“宽仁”治国的思想/张志勇．辽宁工程技术大学学报．2—3
中国历史上最早的“一国两制”：辽朝北、南面官制述评/刘树友．理论导刊．9
论金世宗的吏治思想与举措/付百臣．社会科学战线．4
金海陵王改革与迁都燕京/黄凤歧．辽宁工程技术大学学报．3
论完颜宗翰：兼谈金朝初年的金、宋关系/王禹浪．哈尔滨学院学报．1
完颜翰神道碑残石考略/伊保力．哈尔滨学院学报．6
金代女真学的兴衰及其历史意义/吴凤霞．社会科学辑刊．4
论金代文学中所表现的“中国”意识和华夏正统观念/刘扬忠．吉林大学社会科学学报．5
论西夏立国及其在中外历史上的地位/穆鸿利．中央民族大学学报．4
宋夏疆界考论/杨蕤．中国边疆史地研究．4
从黑水城出土汉文文书看元亦集乃路的西夏遗民/石坤．敦煌学辑刊．2
西夏农业租税考：西夏文农业租税文书译释/史金波．历史研究．1
西夏农田水利开发与管理制度考论/景永时．宁夏社会科学．6
西夏文书档案立法脉络及特点论述/尚世东．宁夏社会科学．2
浅析西夏河西佛教兴盛的原因/崔红芬．甘肃民族研究．1
西夏的佛教术语/聂鸿音．宁夏社会科学．6
略述西夏对河西的占领及相关问题/崔红芬．大连民族学院学报．4
论宋、夏在河东路麟、府、丰州的争夺/孙昌盛．宁夏大学学报．3
略论西夏与金朝的关系/刘建丽．宁夏社会科学．3
西夏与辽朝关系述论/刘建丽．辽宁大学学报．2

论西夏丝路贸易的阶段性/彭向前. 固原师专学报. 5

元代杭州刊刻《大藏经》与西夏的关系/王菡. 文献. 1

西夏题记文书略论/赵彦龙. 宁夏社会科学. 3

略论西夏上奏文书/李丕棋 赵彦龙. 青海民族研究. 4

浅谈西夏公文文风与公文载体/赵彦龙. 西北民族研究. 2

以文化二元对峙矛盾观透析西夏/魏淑霞. 宁夏社会科学. 3. 1

试论西夏文化的多元性/陈广恩. 西北师大学报. 3

西夏水利役中"计田出丁"法的实施概况及相关问题/葛金芳. 民族研究. 3

西夏时期河西走廊的教育：以儒学和"蕃书"为中心的探讨/刘再聪. 宁夏社会科学. 5

《黄石公三略》西夏译本正文的文献特征/钟焓. 民族研究. 6

西夏《天盛律令》的历史文献价值/杜建录. 西北民族研究. 1

论西夏《天盛律令》的特点/杜建录. 宁夏社会科学. 1

西夏《天盛律令》厩牧律考/姜歆. 宁夏社会科学. 1

自然人文地理意义下的西夏法典/姜歆. 固原师专学报. 1

西夏天文历法述论/苏冠文. 宁夏社会科学. 1

西夏圣容寺初探/彭向前. 民族研究. 5

论辽夏金文化中的两种传统/佟建荣. 固原师专学报. 1

辽宋西夏金的避讳、称谓和排行/王曾瑜. 安徽师范大学学报. 5. 6

西夏档案立法概述/尚世东. 宁夏大学学报. 5

再论西夏公文史的建构（下）/赵彦龙. 宁夏大学学报. 3

西凉府与西夏/孙寿岭. 河西学院学报. 3

黑水死城/［俄］E·N·鲁勃·列斯尼切钦科 T·K·沙弗拉诺夫斯卡娅著 崔红芬 文志勇译. 西北第二民族学院学报. 1～2

西夏国名校考/［苏］H. A. 聂历山著 崔红芬 文志勇译. 宁夏社会科学. 5

12世纪西夏国的星曜崇拜/［苏］H. A. 聂历山著 文志勇译. 固原师专学报 2

俄藏黑水城文献两件类书定名与拼合/李辉 冯国栋. 宁夏社会科学. 2

英藏黑水城文献概述/胡若飞. 固原师专学报. 5

元代巩昌汪氏族属再探/胡小鹏 王旺祥. 内蒙古社会科学. 6

元朝“天下一家”的治边思想及其对东北地区的影响/蒋戎．东北史地．6

先取西南诸蕃，后图天下：蒙古对藏彝走廊的军事征服/曾现江．西藏研究．4

元代江南蒙古、色曰侨寓人户的仕宦研究/潘清．河北学刊．6

蒙元质子政策探论/万振新　李强．求索．2

蒙元质子政策述论/李强．阿坝师范高等专科学校学报．1

元代法政体制述论/刘长江．重庆师范大学学报．2

元代甘宁青地区的民族杂居与民族融合/秦永章．中央民族大学学报．3

元代西域纺织技艺的引进/马建春．新疆大学学报．2

漫谈元中都的兴废/郑丽君．沧州师范专科学校学报．1

元朝政府统治西部地区政策述略/万振新　管龙陵．兰州大学学报．1

元代学官选注检考/申万里．中央民族大学学报．5

元朝祭祀之礼及其用乐/王福利．内蒙古大学学报．5

元代野生动物保护法再探/王风雷　张敏杰．内蒙古师范大学学报 6

元代少数民族丧葬习俗及其演变/秦新林．殷都学刊．4

元代女真人与回回人入仕广西及其活动的比较研究：以乌古孙泽、伯笃鲁丁为典型/蓝武．西北民族研究．1

元代答失蛮与回回哈的司的设置/马建春．宗教学研究．1

元代传入的回回天文学及其影响/马建春．西北师大学报．3

谈元朝对西藏的政策/刘芸．晋中学院学报．2

论元明清时期的西南少数民族土司土官制度与改土归流/张晓松．中国边疆史地研究．1

试探元代在广西民族地区的屯田/蓝武．内蒙古社会科学．1

从传教士东来看蒙元统治者的基督教政策/王小英．天水师范学院学报．4

关于元朝犹太人的汉文史料/党宝海．中国史研究．3

元史领域有待加强研究的几个宏观问题/屈文军．西北师大学报．4

大元蓟国公张应瑞墓碑初探/王禹浪　王建国．黑龙江民族丛刊．6

元明清时期南方民族基层社会控制制度的变迁/胡兴东．中南民族大学学报．5

元明清民族互动过程述论/徐杰舜．中南民族大学学报．6

明四夷馆“女真馆”和朝鲜司译院“女真语学”/乌云高娃．中国史研究．1

明代女真文化向满族文化的转型刍议/栾凡．东北史地（学问）．9

永宁寺碑文铭刻的奴儿干都司与黑龙江下游库页岛的先居民族关系/杨旸．东北史研究．5

明代奴儿干永宁寺碑研究的诸问题/杨旸．东北史地．5

明代清真寺汉文碑刻所见穆斯林士人对汉文化的态度/杨晓春．回族研究．1

十六世纪下半叶丰州川汉族移民的迁入与社会生活的变迁/杨选娣．内蒙古师范大学学报．5

明代泰宁卫地域的变迁/李艳洁．内蒙古师范大学学报．5

关于明代吐鲁番史若干问题的探讨/田卫疆．中国边疆史地研究．3

明初哈密卫两僧纲司考/马顺平．北方民族．1

哈密国“三立三绝”与明朝对吐鲁番的政策/侯丕勋．中国边疆史地研究．4

明代贵州宣慰使安贵荣墓考/陈世军．贵州民族研究．4

明代关西七卫内迁去向和内迁人数探/程利英．贵州民族研究．4

明代关西七卫与西番诸卫/程利英．西藏研究．3

明代西南内总督与民族社会冲突调控/黎小龙．民族研究．4

明代皇帝崇奉藏传佛教浅析/何孝荣．中国史研究．4

和硕特汗王统治西藏始末/周融冰．西藏民族学院学报．4

沐英身体力行发展文化教育的功绩及其意义/李清升．云南民族大学学报．3

朱元璋民族成分考辨/陈梧桐．史林．3

明代奴儿干永宁寺碑研究的诸问题论辩/杨旸．东北史地．5

永宁寺碑文铭刻的奴儿干都司与黑龙江下游·库页岛的先居民族关系/杨旸 李楠．博物馆研究．4

明朝统一云南、巩固西南边疆进程中对云南的军事移民/陆韧．中国边疆史地研究．4

论明代广西的商品流通/吴小凤．广西民族研究．4

明末清初伊斯兰教回归思想在汉语中阐释的演变/孙智伟．西北民族大学学报．5

商品经济与明清民族经济的发展/王燕玲．云南民族大学学报．5

明清时期呼和浩特汉族移民初探/斯钦布和 谢丽梅．赤峰学院学报．5

明清时期的西域民族/张权. 新疆地方志. 2

明清河湟地区城镇的形成与发展/朱普选. 西北民族研究. 3

明清时期中甸民族迁徙与融合初探/周琼. 学术探索. 2

明清时期云南壮汉民族文化的交流方式/李彦萍. 云南民族大学学报. 5

明清时期云南土司制的缩影：记云龙段氏土司兴衰的轨迹/何文进. 大理文化. 2

明清时期广西城镇商业网络研究论纲/陈炜. 广西民族研究. 4

后金封建化进程中民族矛盾的长消/马玉良. 学习与探索. 4

试论后金主称帝的时间/周传慧. 满族研究. 1

论后金的政治权力基础类型/余梓东. 内蒙古社会科学. 1

托忒学：清朝有关边疆民族的专门教育机构/乌兰. 中国边疆史地研究. 2

清代移民开发边疆与少数民族关系：以台湾为例/刘正刚. 中国边疆史地研究. 3

清代前期中国边疆的特点及其与美俄边疆的比较研究/王江　成崇德. 卫拉特研究. 2

清朝以法治边的经验得失/林乾. 中国边疆史地研究. 3

清政府对朝鲜垦民"薙发易服"入籍政策/杨昭全. 东北史地. 3

清代移住图们江的朝鲜移民/赵兴元. 东北史地. 6

清代朝鲜移民的迁入与东北边疆的开发/宋健. 东北史地. 6

关于清代布特哈八旗的几个问题/苏钦. 黑龙江民族丛刊. 2

乾隆朝八旗汉军身份变化述论/孙静. 黑龙江民族丛刊. 2

清末东北驻防旗制改革述论/孙国雁. 北方民族. 1

清代黑龙江汉军旗人的族群意识/吴晓莉. 满语研究. 2

试论清兵入关对黑龙江地区各民族的影响/周喜峰. 黑龙江民族丛刊. 2

清代汉族移民进入内蒙古地区的原因/珠飒. 内蒙古大学学报. 3

简论清代蒙古族地区的盟旗制度/牛海桢. 甘肃联合大学学报. 2

清康熙时期的蒙古行纪/孟秋丽. 中国边疆史地研究. 2

论清代对蒙古地区汉族移民的政策/杨强. 辽宁师范大学学报. 2

清代热河蒙地的垦殖及影响/特克寒. 内蒙古社会科学. 4

从判例看嘉道时期蒙古西部的民族交流/刘正刚. 宁夏社会科学. 6

晚清内蒙古中西部地区的民族冲突/张彧. 广西社会科学. 8

试论清代哲里木盟十旗努图克/朝格满都拉. 黑龙江民族丛刊. 6

清末外蒙新政述评/樊明方．西域研究．1

清朝前期河湟回藏贸易略论/勉卫忠．西北第二民族学院学报．3

清朝治理西部地区的军事政策探析/张彦．西南民族大学学报．2

乾隆年间凉州甘州肃州少数民族述论/张晓东．社科纵横．5

清时期的西域民族/张权．新疆地方志．2

清朝前期新疆防务建设述论/童远忠．湖南文理学院学报．4

满城，还是汉城：论清中期南疆各驻防城市的称呼问题/贾建飞．西域研究．3

论伊犁将军舒赫德/竹效民．西域研究．2

关于清代回疆伯克制度的几个问题/王东平．民族研究．1

浅析清政府平定准噶尔叛乱前后与哈萨克诸部的关系/郭欣婷．伊犁师范学院学报．2

乾隆时期伊犁将军舒赫德新疆事迹的评述/武红薇　翟新菊．石河子大学学报．1

清代改土归流成因分析/王春玲　于衍学．西北民族大学学报．4

乾隆年间琼州甘州肃州少数民族述论/张晓东．社科纵横．5

乾隆年间凉州甘州肃州少数民族述论/张晓东．甘肃民族研究．2

18世纪前半期清朝与准噶尔对吐鲁番地区的争夺/齐清顺．西域研究．1

康熙时期清准贸易与清准关系研究/柳岳武　徐永婷．兰州学刊．4

同治年间新疆各族人民反清斗争的特点/朱江瑞．固原师专学报．4

清代伊犁将军及伊犁将军府的历史演变/赖洪波．中共伊犁州委党校学报．1

伊犁将军长庚评述/苏奎俊　孟楠．伊犁师范学院学报．2

建省后清政府对新疆的政治经济文化整合/贾秀慧．新疆社会科学．4

《回疆则例》研究/王欣．中国边疆史地研究．3

清末民初圣母圣心会新疆传教考述（1883—1922）/汤开建　马占军．西域研究．2

1873年福赛斯使团出使叶尔羌述论/梁俊艳　张振东．新疆大学学报．3

清朝用兵驻兵西藏制度的形成、发展和影响/冯智．西藏研究．2

试论清代西藏的驻防制度及其历史作用/曹春梅．西藏民族学院学报．2

策墨林活佛系统的沉浮与清代中晚期的西藏摄政制度/丁莉霞．西藏民族学院学报．6

川省在清中央王朝治藏中的战略地位/岳小国. 西藏民族学院学报. 6

论清季驻藏大臣张荫棠/曾国庆. 康定民族师范高等专科学校学报. 5

清《时报》与中国西藏/刘永文 德萨. 西藏研究. 3

清宫唐卡绘画与装裱的机构及流程/罗文华. 中国藏学. 4

清代青藏高原上的生态保护与宗教习俗/赵珍. 中国藏学. 4

清《职贡图》所见绵阳藏羌习俗考/李绍明. 西南民族大学学报. 10

清代云南汉族移民迁徙模式的转变及其对云南开发进程与文化交流的影响/李晓斌. 贵州民族研究. 3

略论满清政府严禁西南人口贩卖政策之流变：以“改土归流”前后的贵州为例/张中奎. 贵州文史丛刊. 3

重新审视咸同贵州各族农民起义：主要以号军起义为例/林建曾. 贵州社会科学. 4

降清汉族知识分子在清初的作用/杨银权. 河北理工学院学报. 2

清代的文化政策与礼仪伦理建设/王文东. 满族研究. 3

清道光时期汉族翰林与满洲翰林地位之比较/邸永君. 广东技术师范学院学报. 5

简论清王朝的民族语言文字政策/牛海桢. 黑龙江民族丛刊. 2

清代满文官刻图书发展述略/吴修琴. 渝西学院学报. 3

清末新政与边疆地区的现代化进程：以广西为例/钟霞. 学术论坛. 11

清及民国商贸、移民开发与民族社会变迁/霍维洮 胡铁球. 宁夏大学学报. 5

清至民国时期西藏地震研究/鲁克亮. 西藏研究. 2

论民国初年的玉树之争/王晶波. 甘肃社会科学. 3

民国时期甘南藏区考察的研究/曹鲁超. 烟台大学学报. 3

民国时期西北民族地区的社会构成及其特点/闫丽娟 刘继华. 西北第二民族学院学报. 4

论辛亥时期孙中山的民族认同/王春霞. 赣南师范学院学报. 1

试论红军长征对西部少数民族地区的影响/张成洁 莫宏伟. 青海社会科学. 5

试论红军长征对少数民族的影响/杨富强 龚怡. 社科纵横. 5

少数民族与抗日战争/陈国裕 祁若雄. 中央民族大学学报. 6

我国少数民族在抗战中的重要贡献和伟大的爱国主义精神/林祥庚. 中共福

建省委党校学报．11

蒙、藏、回、满等少数民族对抗日战争的杰出贡献/周锡银　郎维伟．西藏研究．3

四川回族对抗日战争的贡献/马尚林．西南民族大学学报．9

简论佤族在抗日战争中的贡献/周家瑜．保山师专学报．4

少数民族之中华魂：以东北局部抗战为中心/关捷．大连民族学院学报．6

“九一八”以来东北抗战的民族基础/鲁渝生　李瑞杰．满族研究．3

湖南少数民族对抗日战争的重大贡献/陈廷亮．中央民族大学学报．4

湖南少数民族对抗日战争的重大贡献/陈廷亮．怀化学院学报．3

滇西抗战中多民族战事考述/耿德铭．云南民族大学学报．6

抗战时期国民政府对云南边疆民族地区的治理/张文芝．云南档案．3

浅析抗战时期我党提出开辟五指山根据地的内在动因/林开光．中央民族大学学报．6

浅析红军团结改造神兵的历史经验/王跃飞．贵州民族研究．4

伊犁三区革命中民族分裂活动与反分裂斗争/竹效民．中共伊犁州委党校学报．3

北狄渊源考/马兴．西北民族研究．4

简论曹操对乌桓的征讨及意义/李大龙．史学集刊．3

封贡体制下的夫余/赵红梅．东北史地．3

濊貊浅论/都兴智．博物馆研究．2

“鲜卑”族名与山名关系初探/慕容浩．北方经济．9

段氏鲜卑起源考/辛迪．内蒙古大学学报．1

论拓跋鲜卑的早期历史：读《魏书·序记》/姚大力．复旦学报．2

五代夏州拓跋部世系与婚姻考论/杨浣．宁夏社会科学．1

慕容鲜卑汉化过程中所保留的本族文化/郑小容．西南民族大学学报．2．8

慕容鲜卑随葬习俗考/［韩］金成淑．人文杂志．3

慕容氏辽东政权咸康四年“王国官”考/李海叶．内蒙古师范大学学报 2

慕容氏辽东政权的“侨土”关系/李海叶．内蒙古大学学报．3

“索头”为既辫且髡发式说辨误/李志敏．民族研究．4

黑龙江中游地区靺鞨文化的区域性及族属探讨/冯恩学．吉林大学社会科学学报．3．3

靺鞨诸部与肃慎后裔/李成　张秀芬．东北史地．3

西汉时期的高句丽“五部”与“第二玄菟郡”：关于高句丽早期历史的若干问题之三/王绵厚．东北史地．6

高句丽的发祥地：卒本川当今何地/刘素云．东北史地．6

高句丽自然宗教信仰活动及俗制的解析/秦升阳　李乐营．东北史地．1

高句丽同新罗、百济的战和关系/王臻．东北史地．1

高句丽与百济、新罗的争霸/史未央．东北史地．3

王莽征高句丽兵伐胡史料与高句丽王系问题：兼评《朱蒙之死新探》/耿铁华．北方文物．2

高句丽好太王碑早期墨本的新发现：对1884年潘祖荫藏本的初步调查/徐建新．中国史研究．1

高句丽地方官制研究/杨军．社会科学辑刊．6

高句丽国相制度研究/鸿鹄．东北史地．6

高句丽法律问题研究/秦升阳．中国边疆史地研究．3

有关高句丽研究的两个问题/刘国石．北华大学学报．2

关于高句丽好太王征服夫余的几个问题/陈陶然．东北史地．4

从“王国五部化”走向“五部一体化”的发展历程：兼论高句丽王权与部权的消长/祝立业．东北史地．5

对中韩学者关于高句丽遗民问题的比较研究：兼与韩国学者金玄淑商榷“高句丽遗民的自我意识”问题/费驰．长春师范学院学报．1

龙门宾阳南洞文昭皇后高氏与高句丽/［韩］梁银景　崔德卿．敦煌研究．6

晋封高句丽官印考略/耿铁华．东北史地．3

高句丽泉氏墓地调查及其价值/耿铁华．东北史地．4

从泉氏墓志墓地看高句丽的回葬/孙仁杰．东北史地．4

洛阳、西安出土北魏与唐高句丽人墓志及泉氏墓地/张福有　赵振华．东北史地．4

高句丽壁画墓四神图像与中国的天文学、神话学/张碧波．北方文物．1

高句丽壁画的本质特征探析/黄千．通化师范学院学报．5

高句丽壁画绘制技艺解析与临摹技法研究/王纪．东北史地．5

高句丽文化归属于中国东北“汉文化圈”/陈鹏　陈琳．东北史地．5

高句丽神话解析/耿铁华．吉林师范大学学报．3

好大王碑一千五百九十年祭/耿铁华．中国边疆史地研究．3

高句丽自然灾害发生状况及影响/王利群　李乐营．中国边疆史地研究．4

从百济、高句丽灭国到渤海建国：公元663—713年间东北亚政治格局走向的历史解读/张碧波．东北史地．1

渤海开国史：以苏秉琦考古理论为基础的叙述/姚玉成．白城师范学院学报．2

粟末靺鞨与渤海国/杨军．中国边疆史地研究．3

略论渤海国高氏/王成国．东北史地．5

辽代渤海人地区的东丹国探析/程尼娜．东北史地．6

渤海国与“丝绸之路”/尹铉哲　李硕．东北史地．1

关于渤海国货币的三个问题/刁丽伟　王林晏．牡丹江师范学院学报．3

渤海在历史上的地位和作用/魏国忠　郭素美．满语研究．2

渤海国在吉林的建立和发展/杨雨舒．北方民族．4

中国渤海史研究的四次热潮及其代表性成果/刘晓东．北方文物．3

渤海与高句丽族属、族俗的比较研究/武玉环．社会科学辑刊．5

“嵎夷”与“朝鲜”/刘子敏．北方文物．4

从考古学文化的分布与传播看匈奴疆域的变迁/马利清．内蒙古大学学报．1

关于“原匈奴”概念的提出与界定/马利清．中央民族大学学报．6

匈奴与西汉频繁密切的使节往来/王庆宪．中央民族大学学报．3

从汉匈战争中认识真实的李广/杨宁宁．中央民族大学学报．5

新莽时期的汉匈之争/余兆木．社会科学家．增刊

对匈奴收继婚制度的再探讨：匈奴婚姻制度研究之一/武沐．中国边疆史地研究．1

末代匈奴首领赫连勃勃与其建造的大夏国都统万城/吴连书．陕西档案．2

《史记》所见“胡”与“匈奴”称谓考/陈勇．民族研究．6

从考古学文化的分布与传播看匈奴疆域的变迁/马利清．内蒙古大学学报．1

霫与白霫源流考/朱卫．西北第二民族学院学报．2

古白霫族与“白霫”地名研究/张恺新．北方民族．3

西辽创建者耶律大石评述/丁立军．伊犁师范学院学报．2

关于契丹左大部与右大部：契丹迳选遥辇氏阻午可汗二十部研究之三/肖爱民．内蒙古民族大学学报．2

耶律阿保机的神化活动及特点/孟凡云. 北方文物. 4

“分三耶律为七，二审密为五”辨析：契丹遥辇氏阻午可汗二十部研究之二/肖爱民. 内蒙古社会科学. 2

辽朝大贺氏考辨：契丹遥辇氏阻午可汗二十部研究之四/肖爱民. 内蒙古师范大学学报. 4

契丹建国前后若干历史问题研究/丁义珏. 北方民族. 4

略论契丹“营州之乱”对武周立嗣的影响/肖爱民　孟庆鑫. 赤峰学院学报. 4

关于契丹四时捺钵文化模式的思索/穆鸿利. 内蒙古社会科学. 6

从契丹诗歌的演进看契丹人的汉化进程/封树礼. 辽宁工程技术大学学报. 5

耶律羽之墓志铭文释译/建宇　中澍. 北方民族. 3

论契丹人在蒙元时代的影响/佟宝山. 青海民族研究. 3

论契丹民族对沈阳历史文化的贡献/高晶. 辽宁工程技术大学学报. 6

契丹覆面、毁器、焚物葬俗小议/张军. 北方文物. 4

蒲鲜万奴政权国号刍议/薛磊. 黑龙江民族丛刊. 6

试论哈达衰亡原因/郝素娟. 吉林师范大学学报. 6

哈达、叶赫“构兵”不息原因浅析/邱广军. 吉林师范大学学报. 6

浅析海西女真叶赫部衰败的内因/柴运鸿. 北方民族. 4

珊延府城在叶赫部历史发展中的地位及影响/孙守朋. 沈阳师范大学学报. 4

辉发部的历史与萨满文化/王明霞. 吉林师范大学学报. 5

明末辉发部世系考析/赵东升. 吉林师范大学学报. 6

浪孛儿罕事件与女真族民族精神的觉醒/谢肇华. 满族研究. 3

辽金时期中原汉人外迁与东北女真人内聚浅探/马尚云. 内蒙古大学学报. 3

完颜斡鲁神道碑残石考略/伊葆力. 哈尔滨学院学报. 6

明代女真社会的“商人”群体/奕凡. 社会科学战线. 3

金源女真姓氏谱及改汉姓之分类与特点/穆鸿利. 满族研究. 4

《茅斋自叙》记载的女真生活习俗与宋金关系/赵永春. 北方文物. 3

完颜阿骨打建大金国开篇不凡：纪念宁江州首战告捷 890 周年/穆鸿利. 北方民族. 2

鲜虞、中山族姓及渊源问题之再探/孙闻博．四川文物．5

早期秦与西戎关系考/徐日辉．宁夏社会科学．1

再论阻卜与鞑靼/刘浦江．历史研究．2

“阻卜”的语源语义考/那顺乌力吉．内蒙古民族大学学报．6

突厥汗国与中亚/魏良弢．西域研究．3

试析突厥丧葬风俗汉化的历程/刘永连．贵州民族研究．1

唐宋时期回鹘社会的发展与转型/王继平．杨富学．新疆大学学报．2

龟兹回鹘的历史发展（下）：乌古斯和回鹘研究系列之八/李树辉．喀什师范学院学报．1

高昌回鹘王国史考辨（上）：乌古斯和回鹘研究系列之八/李树辉．喀什师范学院学报．2

高昌回鹘王国史考辨（二）：乌古斯和回鹘研究系列之九/李树辉．喀什师范学院学报．5

新出汉文《下部赞》残片与高昌回鹘的汉人摩尼教团/王媛媛．西域研究．2

龟兹文明及舞蹈艺术/付明华．贵州民族学院学报．4

回鹘牙帐城掠影：蒙古国历史文化考察散记之二/罗新．文史知识．5

综论汉传佛教对回鹘的影响/杨富学．甘肃民族研究．2

古回鹘文献《占卜书》及其内涵/倪宏鸣．民族文学研究．2

8—9世纪中亚游牧回鹘人的物质文化/［哈萨克斯坦］阿不米提·卡玛洛夫著　彭杰译．新疆师范大学学报．2

释回鹘文契约中的y? g? n/刘戈．民族研究．6

悬泉汉简所见汉代乌孙的几个年代问题/袁延胜．西域研究．4

《通典边防典》“吐火罗”条史料来源与《西域图记》/李锦绣．西域研究．4

北宋初期党项内附初探/杨蕤．民族研究．4

从吐谷浑民族的历史轨迹试析其民族精神/阿朝东．青海社会科学．5

商业移民与部落迁徙：敦煌、吐鲁番著籍粟特人的主要来源/刘惠琴　陈海涛．敦煌学辑刊．2

西域粟特移民聚落补考/荣新江．西域研究．2

北朝末期的萨保品位/苏航．西域研究．2

试论先秦时期东夷文化与华夏文化的关系/程红．烟台师范学院学报．4

东夷齐文化与华夏文化的融合发展/周光华. 管子学刊. 1

无终新考/马兴. 首都师范大学学报. 6

东北夷传说的再发现：由人类学发掘颛顼史迹/萧兵. 吉林师范大学学报. 1

古越民族文化源流研究/张志立. 东南文化. 5

浅析百越文化特征中的环境因素/周典恩. 贵州民族研究. 3

从“雒田”和“畬”的语源看古越人的谷田文化/覃晓航. 中南民族大学学报. 1

论古代百越及其后裔民族的纹身艺术/林琳. 广西民族研究. 4

闽越亡国原因探析/李尾咕. 龙岩学院学报. 2

试证姑蔑文化与楚、吴、越文化的关系/钱宗范. 广西师范大学学报. 3

姑蔑与越文化散论/李岩. 丽水学院学报. 4

试论瓯人文化的越化和汉化/林亦修. 温州师范学院学报. 4

瓯越与百越及其他/胡雪冈. 温州师范学院学报. 6

东瓯的族群迁徙与融合过程述论/林亦修. 贵州民族研究. 2

吴越国与后百济关系略论/卢向前. 浙江学刊. 2

试论冼夫人业迹启迪/陈家义. 南方论刊. 2

冼夫人时代高凉的社会性质/林风　陈睿. 茂名学院学报. 5

冼太夫人与俚族女权社会：兼谈民俗与民间信仰/陈摩人　郭凤翔. 广西师范学院学报. 2

从巾帼英雄到神灵偶像：冼夫人崇拜现象的探析与思考/冼剑民　杨承禹. 广西社会科学. 3

简析孙吴时期安徽境内的山越/吴孔军. 安徽广播电视大学学报. 2

古越人浮海东渡移民台湾探讨/陈榕三. 现代台湾研究. 5

侗台语民族、百越及南岛语民族关系刍论/潘汁. 广西民族研究. 4

先秦时期历史文献中的越民族群体/王文光　翟国强. 云南师范大学学报. 1

古越民族文化源流研究/张志立. 东南文化. 5

多民族地区乡村民族社区发展研究/张金鹏. 云南民族大学学报. 1

论我国少数民族社会政治结构的转型/李普者. 云南民族大学学报. 1

僰棘人探源/万栋才. 云南民族大学学报. 5

南平僚非僰人辨：兼论播州杨保与南平军僰人为同一族类/罗荣泉. 贵州民

族研究．4

千古僰人之谜/朱法飞　依国恩．云南史志．1

土家族为“僰人”说/朱文旭．中南民族大学学报．4

利苍原是俚族王/余云华．钦州师范高等专科学校学报．4

刘宋“蛮变”探析/张化．淮阴师范学院学报．3

楚人先民溯源略论/赵炳清．民族研究．1

楚国经营西南地区简论/邹芙都．求索．2

论楚国对西南地区的经营/邹芙都．云南社会科学．2

日神与犬神文化的民族品格问题：楚、瑶文化问题研究之二/盘福东．湖南科技学院学报．3

“髦牛种越嶲羌”考辨/石硕．云南民族大学学报．4

汉代西南夷之“夷”的语境及变化/石硕．贵州民族研究．1

刘宋“蛮变”探析/张化．淮阴师范学院学报．3

巴氐人的起源与成汉政权的建立/程刚．信阳农业高等专科学校学报．4

巴楚关系探讨/白九江．重庆师范大学学报．6

从三峡考古看巴人的生活习俗/赵冬菊．三峡大学学报．4

我国巴人起源在考古发现中成功揭秘/王善才．三峡大学学报．6

廪君巴人发源地“武落钟离山”新考：兼论“赤、黑二穴”在长阳柳山/宫哲兵．中南民族大学学报．1

清江流域的远古文化与巴文化考辨/朱世学．三峡大学学报．4

巴人的流徙与文明的传播/蔡靖泉．华中师范大学学报．4

论古代巴人的经济发展与赋税征收/傅樵．西南民族大学学报．8

鳖灵蜀中治水研究：兼论鳖灵部落西进、“王蜀”之历史进程/李绍先．德阳教育学院学报．3

从重庆地区考古材料看巴文化融入汉文化的过程/蒋晓春．文物．8

鸟图腾与巴蜀族徽/苏宁．中华文化论坛．4

春秋时期山西境内北狄的华夏化及其对华夏族的影响/马兴．贵州民族研究．2

论《辽史》中的唐古部族/杨浣．民族研究．6

夜郎考古与古代民族葬俗区域文化研究/王子尧．贵州民族学院学报．1

夜郎、夜郎文化及其古乐舞复原之我见/王德埙．贵州民族学院学报．1

历史人类学与夜郎文化之谜/王鸿儒．贵州民族学院学报．1

夜郎文化与彝族/陈世鹏．贵州民族学院学报．1

试论彝文古籍中的夜郎情节/王富慧．贵州民族学院学报．1

夜郎文化研究与开发利用综论/熊宗仁．贵州民族学院学报．2

长顺与夜郎文明的关系/沙先贵．贵州民族学院学报．2

夜郎文化资源开发的实践与思考/王行水．贵州民族学院学报．2

夜郎竹王传说与彝族竹灵崇拜/余宏模．贵州民族学院学报．2

《夜郎君法规》时代辨析/侯绍庄　钟莉．贵州民族研究 1

卮议旧京族海钩沉/李耀宗．北京联合大学学报．1

青海蒙藏部落地域变迁/朱普选．青海民族研究．4

安禄山等杂胡的内亚文化背景：兼论粟特人的“内亚化”问题/钟焓．中国史研究．1

唐代入仕粟特人的汉化进程/刘惠琴　陈海涛．烟台大学学报．2

唐代河曲粟特人“六胡州”治城的探索/艾冲．民族研究．6

北周史君墓石椁所见之粟特商队/荣新江．文物．3

粟特人与青海道/霍巍．四川大学学报．2

略论沙陀人的内迁/赵荣织．昌吉学院学报．3

试论沙陀政权后唐的兴起/赵荣织．西域研究．4

狯胡与哝哒/马冬　吴洪琳．西域研究．4

突厥汗国兴衰略考/姜明新．西亚非洲．3

吐谷浑地方统治制度的演变/李文学　王希隆．民族研究．5

从吐谷浑民族的历史轨迹试析其民族精神/何朝东．青海社会科学．5

“家西番”族属探析/芦兰花．西藏研究．2

泾川完颜家族祖先遗像考释/何志虎　贺晓燕．甘肃社会科学．2

赤古系白达勒达人/李克郁．青海民族研究．2

日神与犬神文化的民族品格问题：楚、瑶文化问题研究之二/盘福东．湖南科技学院学报．3

试论舜从妻居形态与虞、妫两族财产争夺案/王晖．民族研究．2

先族考/韩炳华．中国历史文物．4

古代少数民族在固原的活动/佘贵孝．宁夏史志．1

论哈拉、穆昆与姓、氏的联系及意义/魏业　杨茂盛．北方文物．1

《宋西事案》考略/胡玉冰．民族研究．2

1900 **年内蒙古中西部地区的反洋教运动**/汤开建　张彧．西北民族研究．2

青海地区古代农业的起源与发展/高志伟．青海民族研究．3

青海托茂人族源与族群关系探析/丁明俊　马亚萍．宁夏社会科学．6

从历史文物看青海地区多元文化的形成及发展/阿朝东．青海民族研究．3

宁州怀远人渊源稽考/赖文峰．宜春学院学报．3

古代于阗与佛法初传/薛宗正．西北民族研究．2

哈密的札萨克旗制/李国栋　李洁．周口师范学院学报．4

“津帮”在近代新疆的商业活动述评/贾秀慧．西北民族研究．3

准噶尔汗国的建筑、绘画、书法及书籍艺术/刘正寅．卫拉特研究．1

关于“狼图腾”及“胡羯之血”/苏鲁格．卫拉特研究．1

大理国段氏为云南土著说质疑/段玉明．云南民族大学学报．4

黄帝是传说时代由游牧转为农耕的华夏先民首领/徐亦亭．中南民族大学学报．5

金元之际儒士与汉人世侯冲突之辨析/符海潮．许昌学院学报．3

明初湟水流域汉族社会初探/石德生．青海社会科学．6

明清时期西北汉族族群的整合与西北大开发/彭清深．湖南城市学院学报．3

齐鲁文化与汉民族的发展/王钧林．齐鲁学刊．6

姑蔑国源流考述：上古族群迁徙、重组、融合的个案之一/彭邦本．云南民族大学学报．1

汉族移民与云南统一/林超民．云南民族大学学报．3

明代畲、客、福佬在闽西南的接触及客家势力的发展/谢重光．漳州师范学院学报．4

区域社会史视野下的“客家”称谓由来考论：以清代以来赣南的“客佃”、“客籍”与“客家”为例/饶伟新．民族研究．6

清中期广西的客民及土客械斗/朴基水．中国社会经济史研究．4

闽西客家家族形态及其功能初探/张佑周．龙岩师专学报．1

客家妇女人文性格及其历史成因/谢重光．福州大学学报．2

温床与中枢：南宋与明中叶赣南在客家民系中的地位/谢重光．赣南师范学院学报．2．0

从湖南新政到红土地革命：湖南客家人扫描/刘祥富　秦柯．华南农业大学学报．2

赣南客家人对苏维埃革命的贡献/黄保华．南方文物．1

合浦客家民系的形成/周家干 陈祖伟. 广西地方志. 2

客家人：宁卖祖宗田，不卖祖宗言/丘立才. 嘉应学院学报. 1

客家宗族的现代变迁及其思考/翁才敏. 嘉应学院学报. 2

从客家谱牒的家规家训看客家人的价值观念/李晓静 李小燕. 龙岩学院学报. 5

客家传统思想观念与现代化的矛盾及现代观念的建构/蓝光喜 魏佐国. 江西行政学院学报. 4

物质制度精神：客家文化的层次结构：一种基于文化学视野下的学术考察/邹春生. 西南民族大学学报. 12

客家文化特质探析/林晓平. 西南民族大学学报. 12

客家祖先崇拜的二元形态与客家社会/周建新. 西南民族大学学报. 3

民间风水信仰的心理解读：以赣闽粤客家地区为例/罗勇 王院成. 西南民族大学学报. 12

民国时期四川客家“发现”始末/陈世松. 成都大学学报. 5

粤台客家是一家：以粤东地区与台湾地区为重点考察/房学嘉. 嘉应学院学报. 1

金沙江流域民族关系的互动：凉山州西昌市河西镇客家人为例/向孝琴. 康定民族师范高等专科学校学报. 5

从李氏家藏文书看妇女在传统社会中的地位：以粤东梅县客家妇女为重点分析/房学嘉. 中南民族大学学报. 6

客家文化研究在日本/温戴奎. 南方文物. 1

社区记忆：客家人的粘结剂与助推器：以瑞金密溪村为例/曹春荣. 南方文物. 1

论客家研究与客家文献/欧阳瑜玉. 图书馆学研究. 3

论客家历史文化的传承方式：客家人“来自中原”说试析/郑德华. 学术研究. 3

20世纪初叶旅日客家人与中国革命/周菲菲. 党史文苑. 4下

河疍：梧州水上居民考察/秦璞 徐杰舜. 广西右江民族师专学报. 2. 4

全球化与客家的文化自觉/谭元亨. 华南农业大学学报. 2

唐代河陇朝鲜人之研究/魏郭辉. 敦煌学辑刊. 2

15世纪的朝鲜族谱/常建华. 史学集刊. 4

论清政府对延边朝鲜族移民政策的演变/衣保中 房国风. 东北亚论坛. 6

论清政府对延边朝鲜族移民政策的演变/衣保中．江汉论坛．6

清代朝鲜移民的迁入与东北边疆的开发/宋健．东北史地．6

清代移住图们江北的朝鲜移民/赵兴元．东北史地．6

民国朝鲜移民与“间岛省”设置/范树梁．北方民族．2

清末民初中日两国的朝鲜族教育政策之一侧面：以“间岛”垦民教育会的教育活动为中心/于逢春．中国边疆史地研究．4

中国朝鲜族在反侵略斗争中的卓越贡献/金元石．北方民族．1

元朝对黑龙江下游女真水达达地区统辖研究/程尼娜．中国边疆史地研究．2

明遗民与清初满汉文化的整合/孔定方．故宫博物院院刊．4

清朝入关前后满蒙联姻及满族婚俗新变化/李铁．商丘职业技术学院学报．4

清前期的满族民族意识与满汉文化交融/栾凡．学习与探索．1

满族崛起所体现的民族国家发展意义与当代满族文化研究方略/曹萌．沈阳师范大学学报．2

三江流域地区满族先世龙兴之地的研究/吕秀莲．佳木斯大学社会科学学报．4

满洲八旗《叶赫那拉氏族谱》研究/赵维和．满族研究．2

试论栋鄂部/张士海．北方民族．1

清朝满族的皇家宗法与其皇位继承制度/杜家骥．清史研究．1

热河驻防八旗史略/特克寒．满族研究．1

清代旗城探析/谭立峰　张玉坤．天津大学学报．6

清代盛京城六部建置及坐落位置/谢慧君．满族研究．4

清太祖努尔哈赤时期的礼典规制研究/赵维和　邢启坤．北方民族．3

两次鸦片战争时期八旗兵的抗敌斗争/马玉良　张浩．黑龙江民族丛刊．3

重读甲申：写在八旗入关360周年之际/张佳生．满族研究．1

入关前满族的人本思想/何溥滢．满族研究．2

清代满文官刻图书发展述略/吴修琴．渝西学院学报．3

清文化与满族精神：纪念满族入关360周年/张杰．满族研究．1

从“皇天眷佑”到“天命靡常”：论努尔哈赤与皇太极天命思想的演变/成积春．史学集刊．1

从皇太极优礼祖大寿看满族的包容性/邓庆．满族研究．1

从《大义觉迷录》看清世宗之文化本位观：兼论有清一代之历史地位及士人之境遇/邸永君．满族研究．2
康熙擒鳌拜时间考/白新良．满族研究．3
雍正惠民政策初探/佟春林．满族研究．2
岫岩、凤凰城城守尉之沿革/张其卓．满族研究．3
明遗民与清初满汉文化的整合/孔定芳．故宫博物院院刊．4
抗日战争时期的北平满族人/赵书．满族研究．3
纳兰成德在编辑《通志堂经解》中的作用/张一民．满族研究．3
蒙古文化对满族文化的影响/孙希武　黄飞．辽宁教育行政学院学报．6
缠足风习与满族马蹄鞋源起考述/孙彦贞．中国历史文物．3
试谈宁夏八旗驻防的特点/李自然．满族研究．4
成都满族社会历史文化变迁/张利．满族研究．4
简析明清蒙古社会之变迁/钟银梅．江西教育学院学报．5
清前期阿拉善蒙古盐务述论/梁丽霞．民族研究．2
清后期阿拉善蒙古盐务述论/达来　梁丽霞．卫拉特研究．1
清前期的满族民族意识与满汉文化交融/栾凡．学习与探索．1
清代归旗制度行废述论/孙静．中央民族大学学报．5
清朝道咸时期八旗兵散议/王景泽　李德新．北方民族．4
蒙古民族的发祥地/乌热尔图．呼伦贝尔学院学报．4
居归化城之土默特辅国公考述/王德胜．内蒙古大学学报．4
阿勒坦汗经略西北蒙古地区的原因/张久献．社科纵横．1
俺答汗时期蒙古族妇女社会地位的法律体现/唐玉萍．赤峰学院学报．1
钦察汗国与蒙元大汗廷之关系新论/田庆锋．广西社会科学．12
察合台系蒙古诸王集团与明初关西诸卫的成立/湖小鹏．兰州大学学报．5
蒙古汗国国号“大朝”考/于采芑．内蒙古社会科学．6
忽必烈早年的活动和手迹/周清澍．中国史研究．1
萨满教对蒙古帝国政治的影响/齐学民．前沿．2
简论清代蒙古族地区的盟旗制度/牛海桢．甘肃联合大学学报．2
早期蒙古的狩猎业与生态/乌峰　崔俊芳．内蒙古社会科学．4
清代察哈尔扎萨克旗考/达力扎布．历史研究．5
清代外旗人在扎赉特旗经济演变中的作用/孟根．内蒙古社会科学．2
《喀尔喀法规》制定原因及实施范围初探/达力扎布．中央民族大学学

报. 1

清代儒学在蒙古人中的传播与影响/包文汉. 内蒙古大学学报. 2

“腾格里”探原/阿尔丁夫. 内蒙古大学学报. 3

蒙古札剌亦儿部与东平路沿革/谢咏梅. 内蒙古师范大学学报. 4

两汉乌孙与辽元西蒙古兀孙部落问题研究/钱伯泉. 卫拉特研究. 4

浅析西海蒙古与明朝的通贡互市/李文君. 青海民族研究. 2

西海蒙古中的永谢布/李文君. 内蒙古师范大学学报. 6

联袂黄教的青新蒙古汗王/任玉贵. 柴达木开发研究. 5

额济纳土尔扈特部回归祖国始末/宋步荣. 档案与社会. 2

蒙古篾儿乞部族源考述/蔡凤林. 黑龙江民族丛刊. 5

论蒙古—鞑靼文化对俄罗斯文化的积极影响/管银凤. 长春师范学院学报. 2

从神社看日本帝国主义对内蒙古地区的文化侵略/任其怿. 内蒙古大学学报. 6

清代蒙古王公年班制度对蒙古地区的影响/苏红彦. 阴山学刊. 6

论清代汉族移民对蒙古社会的影响/杨强. 青海民族学院学报. 2

热河蒙古族的历史变迁/特克寒. 黑龙江民族丛刊. 2

蒙古族诸部先后移牧安多藏区因由简述/傲举·嘉样成来撰 扎扎译. 甘肃民族研究. 3～4

土尔扈特蒙古回归祖国原因再分析/牛海桢. 新疆大学学报. 2

蒙古鄂尔多斯部首领满都赉阿哈剌忽事迹考辨/李文君. 内蒙古民族大学学报. 2

德王“蒙古自治”梦在阿拉善的彻底破灭/王延吉 朱光芝 李贺娟/档案与社会. 1

元安西王阿难答倡导伊斯兰教的真正目的/陈广恩. 西域研究. 2

对藏彝走廊蒙古族后裔传说的几点认识/曾现江. 求索. 3

洪湖《陆宦宗谱》考辨：阿里不哥后裔落籍洪湖/李幹. 内蒙古社会科学. 4

蒙藏文献关于君臣二十五人的记述/乌力吉巴雅尔. 青海民族学院学报. 1

从《世界征服者史》和《史集》看成吉思汗西征/刘刚. 贵州师范大学学报. 2

试析旗制对青海蒙古社会发展的负面影响/徐蕴. 青海民族研究. 1

元世祖忽必烈草原领地考/李治安．史学集刊．3

试论13世纪后期忽必烈对丽、日政策及其反应/马伟．佳木斯大学社会科学学报．3

试论忽必烈“拯民者莫如实惠”的道德实践活动/王宇．阴山学刊．4

浅析八思巴与忽必烈的关系及其对河西佛教的影响/尹雁．敦煌学辑刊．1

“忒刺”考辨/邹立波．青海民族学院学报．2

成吉思汗对河西诸州的攻克/敖特根．敦煌学辑刊．2

成吉思汗灵寝内迁过延安之盛况/袁自强．档案与社会．1

成吉思汗有可能葬在六盘山：再谈成吉思汗的陵地问题/李子杰．西北第二民族学院学报．3

试论成吉思汗“天力论”思想/孟和宝音　娜仁其其格．阴山学刊．4

论成吉思汗和努尔哈赤“天命观”的异同/张旭　赵卫东．黑龙江民族丛刊．3

论成吉思汗的游牧主义及其实践/乌云巴图．卫拉特研究．2

一代天骄成吉思汗是蒙古族的民族英雄/徐洁　穆鸿利．黑龙江民族丛刊．4

17世纪蒙古史家笔下的成吉思汗诸弟及其后裔/希都日古．内蒙古大学学报．2

明代西海蒙古首领卜儿孩事迹考辨/李文君．内蒙古社会科学．2

法王固始汗世系传略/敖举·嘉样成来著　扎扎译．卫拉特研究．2

和罗理述评/梁丽霞．卫拉特研究．2

元人扎马拉丁与《大一统志》的修订/黎林　陈建军．黑龙江民族丛刊．1

关于帖木格斡赤斤之死/邹越华　魏建华．黑龙江民族丛刊．1

三娘子对明末蒙汉和平友好关系的贡献/李美玲．阴山学刊．6

关于北元中后期与土默特万户有关的三次析产分封/晓克．内蒙古社会科学．6

近代东蒙古地区的开垦和蒙汉文化交流/孟根．中央民族大学学报．2

蒙古国书与蒙元史学/李淑华．黑龙江民族丛刊．1

蒙古与大理国早期关系探析/曾现江．贵州民族研究．4

蒙古西征对西方殖民扩张的影响/付来侠．乐山师范学学报．3

试论蒙古西征与东西文化交流中的几个问题/欧军．黑龙江民族丛刊．5

试析蒙古西征对东西方文化交流的影响/杨峻岭．铜仁师范高等专科学校学

报．6

铁骑烟尘三万里：蒙古军横扫欧亚战事之一/洪坚毅．军事世界画刊．7

许衡、阿合马与元初汉法、回回法之争/罗贤佑．民族研究．5

许衡与元初蒙古、色目生员之培养/陈广恩．湘潭大学学报．2

蒙古族大德咱雅班智达事迹考述/扎扎．西北民族大学学报．4

论喀喇沁亲王贡桑诺尔布/陈亚洲．西北民族大学学报．3

1891 年热河金丹道起义中的蒙、汉民族冲突/汤开建　张彧．西北民族大学学报．6

海山与 1911 年外蒙古“独立”/樊明方．中国边疆史地研究．4

明美岱召泰和门石刻考/薄音湖．民族研究．5

蒙古族草原游牧文化中的生态观念及其启示/王紫萱．阴山学刊．4

《蒙古秘史》第 201 节“额篾米讷抹黑赤”辨析/杭爱．内蒙古师范大学学报．4

《蒙古秘史》崇尚“三段式时间”习俗之谜/牧·赛吉拉夫．内蒙古师范大学学报．6

《蒙古秘史》中的一般伦理概念及其语境分析/斯仁．黑龙江民族丛刊．1

《蒙古秘史》作者再考/额尔德木图．科学研究动态．1

《蒙古—卫拉特法典》与蒙古族传统的财产分配习俗/策·巴图．新疆大学学报．6

清代卫拉特蒙古及其《蒙古—卫拉特法典》研究/成崇德　那仁朝克图．卫拉特研究．3～4

《卫拉特法典》的法源探微：以法律人类学为研究的视角/黄华均　刘玉屏．卫拉特研究．3

喀尔喀法规中的誓约/［美］享瑞·赛瑞斯著　牛小燕译．卫拉特研究．4

察合台文文献《成吉思汗传》中的蒙古人名探析/赵江民．新疆大学学报．5

浅谈民国时期的两部《蒙古自治法》/胡春香．内蒙古统计．2

阿尔山与蒙古民族的关系/刘贺．档案与社会．6

孙中山与蒙古/王劲　付春锋．西北民族大学学报．6

元西域人蒙古化考/蔡凤林．内蒙古民族大学学报．1

论瓦剌蒙古与西域社会/南快莫德格．西北民族大学学报．2

日本侵略者合并统治蒙疆三伪政权内幕/丁晓杰．内蒙古师范大学学报．5

忠灵塔与慰灵祭：侵华战争中日本对内蒙古地区进行文化侵略的特殊形式/任其怿　吕佳．内蒙古师范大学学报．5

和硕特汗王统治西藏始末/周融冰．科学研究动态．1

伪满洲国的兴安省与菊竹实藏：谈《经蒙谈义》/［日］铃木仁丽．卫拉特研究．2

清初黑龙江流域达斡尔人历史考察/李志学．黑龙江民族丛刊．5

达斡尔首领卜魁考述/吴雪娟．里黑龙江民族丛刊．4

鄂伦春和鄂温克人的路标/魏业．北方文物．2

鄂伦春族抗日爱国志士及先烈实录：纪念抗日战争胜利六十周年/韩有峰　徐德源．北方民族．3

“回回”名源辨/杨军．回族研究．1

“东干”来自“屯垦”/海峰．西北民族研究．1

中亚东干族姓氏演变探略/海峰．新疆师范大学学报．1

松潘回族源流考/马勇．西南民族大学学报．6

滇东、滇东北马姓回族名称来由浅析/金少萍．回族研究．4

古代回回民族对中国历史发展的贡献/何光文．保山师专学报．1

灵武回族王氏家族的近代变迁：都市化进程中的一个回族特例/许宪隆．郧阳师范高等专科学校学报．1

哈锐与近代水城市发展/李志刚．回族研究．1

津门“老义学”/丁慧倩．回族研究．1

回族在抗日战争中的历史贡献/马建春．青海民族研究．3

吐鲁番地区回族移民文化的形成及特征/奇曼·乃吉米丁．新疆师范大学学报．1

贵州回民与我国西北地区回民的两个历史相连关系/保健行．贵州文史丛刊．2

从考证地名审视回族聚居社会演变历史：以张家川回族自治县地名调查为例/马守途　青觉．宁夏大学学报．3

论回族先民在宋代科技发展中的历史地位/吕变庭．青海民族学院学报．3

自身繁衍在明代回回发展中的作用/杨登保．西北民族大学学报．1

元代哈剌鲁人老的沙述略/马娟．回族研究．2

元代回回画家高克恭丛考/马明达．回族研究．2

马欢的族属与《瀛涯胜览》的地位/张箭．西南民族大学学报．6

元代的回回军士及其活动/马建春．回族研究．4

元代传入的回回数学知识/马建春．黑龙江民族丛刊．1

探析明代扬州回回人口的来源：以考察卫所军职人员为中心/张建中．甘肃民族研究．1

明马轼、马愈族属考/马明达．西北民族研究．4

回儒修养理论比较：以清初回族思想家刘智《天方性理》为考察点/季芳桐．西北民族研究．3

“圣战”与“受抚”的困惑：反清首领马占鳌的评价问题/许完隆．中南民族大学学报．5

近代西北回族社会二重组织及其演变/霍维洮．西北民族研究．3

再论晚清云南、甘肃回民起义的社会历史背景/杨永福．宁夏大学学报．4

回族商业经济与历史上的西部开发：以民国时期西北回族商业活动为例/马宗保．宁夏大学学报．5

伪满洲国时期的长春回族皮毛业/王浩．北方民族．1

弘扬郑和精神　为加快宁夏发展作贡献：在纪念郑和下西洋600周年研讨会上的讲话/李东东．回族研究．1

郑和精神及其当代意义/吴海鹰．回族研究．1

走进郑和/杨怀中．回族研究．1

蕃客东来与郑和出使西洋/杨怀中．回族研究．2

从辉煌到衰落的历史思考：纪念郑和下西洋600周年/马志荣．回族研究．2

穆斯林在郑和下西洋中的作用/马广德．回族研究．2

从穆斯林的角度看郑和及其航海事业/赵国军　马桂芬．回族研究．2

郑和航海与穆斯林文化/宋岘．回族研究．3

郑和与东南亚华人穆斯林/廖大珂．暨南学报．6

孟席斯“郑和首先环球航行”新说的影响和学术之争/马颖生．回族研究．4

郑和——中国和平外交的先行者/肖宪．思想战线．4

郑和下西洋的启示/赵瑞芳．思想战线．4

师范：研究郑和的云南第一人/朱惠荣．思想战线．4

回族古籍整理兼及郑和二三事/吴建伟．回族研究．4

明代广州的“达官兵”/马明达．回族研究．3

清初回族循吏张瑾史迹/马明达. 回族研究. 4

清朝回族立法政策初探/钱鹏. 西北民族大学学报. 3

明清回族进士考略/杨大业. 回族研究. 1～4

论关里爷的历史地位/马通. 甘肃民族研究. 1

回族家谱与文化/王华北 王苹. 北方民族. 4

李得仓和“南八营”/高小岩. 西北民族大学学报. 6

百战百胜的冀中回民支队. 刘继堂. 百家论坛. 2

冀中回民支队“百战百胜”的原因探析/马生祥 杨爱芹. 回族研究. 3

华东回族的抗日救亡斗争/王伏平. 回族研究. 3

试论抗战中的宁夏形势与“宁马”集团的表现/吴忠礼 吴晓红. 回族研究. 3

白崇禧将军对抗日的贡献：为纪念中国人民抗日斗争胜利60周年而作/周瑞海. 回族研究. 3

刘震寰王连芳领导的渤海回民支队/吴庆云 刘宝俊. 回族研究. 4

中国回教救国协会宁夏分会述评/孙颖慧. 回族研究. 4

回族抗日斗争大事记/马金宝. 回族研究. 4

侵华日军对回族人民犯下的罪行/周瑞海. 黑龙江民族丛刊. 4

“陆马争督”与甘肃军政格局的演变/李庆勇 尹伟先 王建斌. 西北民族大学学报. 4

我的母亲刘清扬/刘方清. 回族研究. 2

隆务昂索考述/当增吉. 青海民族研究. 4

论裕固族形成过程中的潜民族阶段/李天雪. 青海民族研究. 2

裕固族研究的几点思考/高启安. 兰州商学院学报. 5

肃州南山的“哈剌秃”：以裕固族为中心/高启安. 西北民族研究. 1

民和三川地区土族来源之传说/李克郁. 青海民族学院学报. 3

河东土族归入“关中郡姓”考释：以河东斐氏为个案/李永康 张彩琴. 运城学院学报. 1

“五屯”土族的族群认同/祁进玉. 青海民族学院学报. 5

关于土族史研究中的若干问题/吕建福. 青海民族学院学报. 4

李土司先世辨正/吕建福. 西北民族研究. 3

苏联与三区革命前夕新疆边境地区的社会政治局势/曹国芳. 北京科技大学学报. 2

畏兀儿人的族源传说研究/钱伯泉．喀什师范学院学报．1

塔里木盆地边缘地区的民族融合和维吾尔族的形成与发展/苗普生．西域研究．4

新疆阿布达里人的名称问题/艾力·吾甫尔．西域研究．2

说一件佉卢文离婚契/刘文锁．西域研究．3

鄯善吐峪沟麻扎村的民俗文化/王欣　范婧婧．西域研究．3

道光回疆“七和卓之乱”史实考辨/潘向明．清史研究．3

新疆和卓之乱与清朝的治乱/王欣　蔡宇安．陕西师范大学学报．1

清代新疆“燕齐”制度的起源：兼议 indj _ Sü **（引者）制度研究**/张世才．新疆大学学报．6

喀喇汗王朝祖先传说的历史解读/华涛．历史研究．6

喀喇汗王朝时期的社会文化/阿布都克里木·热合满．西北民族研究．1

喀喇汗朝新型文化形态：突厥—伊斯兰文化表征/罗淑荣．新疆社科论坛．4

晚清“新政”与新疆维吾尔族地区近代经济的萌芽/周伟洲．陕西师范大学学报．1

维吾尔族传统工艺经书《裁缝经》/艾山江·阿不力孜．新疆大学学报．4

噶尔丹对俄外交政策述论/甘桂琴．喀什师范学院学报．2

哈卡斯部落的划分与黑龙江柯尔克孜族姓氏的来源/胡振华．黑龙江民族丛刊．6

柯尔克孜族西迁过程简析/高源．喀什师范学院学报．5

提高领导能力，开创藏学研究的新局面/中国藏学研究中心党组．求是．6

中国西藏历史上两次货币改革的原因及意义/金普军　毛振伟．西藏研究．4

藏族起源的“金枝”：解读“猕猴与罗刹女结合”/袁建勋　才贝　卓逊·道尔吉．西北民族大学学报．4

再探古老的象雄文明/才让太．中国藏学．1

小考吐蕃 798—804 年历史/古格·其美多吉．西藏研究．2

张议潮与吐蕃文化/张延清．敦煌研究．3

吐蕃统治时期敦煌僧官的几个问题/陆离．敦煌研究．3

吐蕃时期的行政区划与官僚制度/端智嘉著　佐戈·卡尔译．西北民族大学学报．6

王锡与S. 1438文书中的沙州长官：吐蕃统治河西时期的“破落官”/邵文实．敦煌学辑刊．2

吐蕃统治鄯善再探/杨铭．西域研究．2

崔河图使蕃考/严寅春．西藏研究．2

吐蕃与于阗关系考述：于阗与鄯善地区吐蕃部落的族属及特点/朗措．西藏研究．4

论吐蕃制度与突厥的关系/陆庆夫 陆离．兰州大学学报．4

试论早期吐蕃的观音信仰及与周边地区的关系/张清涛．敦煌研究．6

关于藏族起源罗刹女与猿猴结合传说的民族学解读/邢海珍．青海民族研究．3

浅谈松赞干布时期的吐蕃教育/普次．西藏研究．3

吐蕃赞普墀祖德赞研究/林冠群．中国藏学．4

古代吐蕃碑铭研究述略/美李方桂 柯蔚南著 王启龙译．青海民族学院学报．4

古代吐蕃碑铭研究：李方桂、柯蔚南《古代西藏碑文研究》摘译之一/［美］李方桂 柯蔚南著 王启龙译．西藏民族学院学报．4

唐蕃会盟碑研究：李方桂、柯蔚南《古代西藏碑文研究》摘译之二/［美］李方桂 柯蔚南著 王启龙译．西藏民族学院学报．5

唐蕃会盟碑研究：李方桂、柯蔚南《古代西藏碑文研究》摘译之三/［美］李方桂 柯蔚南著 王启龙译．西藏民族学院学报．6

晚唐五代敦煌地区的吐蕃居民初探/郑炳林．中国藏学．2

宋金时期安多藏族的婚姻文化及女性地位/汤开建 杨惠玲．西北师大学报．3

北宋经制西北吐蕃之模式述论：以熙河路的范围变化为点/李强．康定民族师范专科学校学报．1

元代西藏地方政教关系变革新论/陈楠．中央民族大学学报．2

唃厮啰政权在11世纪中外贸易中的角色/刘艳霞．西藏研究．1

试论雅桑政权势力的形成与发展/雅隆·普布多吉．西藏研究．4

宋金时期安多藏族部落佛教的兴盛及其原因/汤开建 杨惠玲．广西民族学院学报．1

元明时期藏族史学中的文献目录学与档案管理意识/孙林．西藏大学学报．3

论明代中央治藏的“贡市羁縻”政策/朱文莉　毛阳海．西藏民族学院学报．5

关于明成祖遣使召宗喀巴史事补证/陈楠．中国藏学．1

明代安多藏区土司制度略论/李文学．西北第二民族学院学报．2

论清代前期颇罗鼐总理藏政的历史原因/陈志刚．社会科学辑刊．6

清代驻藏大臣的设置及其历史作用/陈柏萍．青海民族研究．1

清代康区藏族妇女生活探析/刘正刚　王敏．中国藏学．4

论清末中央政府与西藏地方之关系/肖爱树．中国藏学．2

清代治藏政策的特点及其演变/永红．中国藏学．2

藏区政教合一体制的成因/颜志刚．四川警官高等专科学校学报．5

藏族饮茶历史小考/任新建．中国西藏．5

玉树哗变及其相关问题探析/桑丁才仁．西藏研究．2

“邦达昌”反叛噶厦政府始末考/美郎宗贞．西藏研究．4

从“流浪商人”到噶厦政府的“商上”——邦达尼江考/美郎宗贞．西藏大学学报．3

青海藏族千百户制度研究/朱普选．西藏研究．2

隆吐山设卡之争及其对清政府与西藏地方关受的影响/李蓉．西藏研究．2

文硕密折的保藏抗英情结/刘丽楣．中国藏学．4

达赖喇嘛与中央政府关系的历史考察/陈柏萍．西北民族大学学报．6

四世达赖喇嘛云丹嘉措生地考/曹永年．内蒙古师范大学学报．5

五世达赖对藏族文化的贡献/蕃人．佛教文化．6

五世达赖喇嘛与吴三桂反清叛乱事件/马林．青海民族学院学报．2

浅谈五世达赖喇嘛时期的《十三法典》/隆英强．西北民族大学学报．1

“卫藏战争”与七世达赖迁居康区/星全成．青海民族学院学报．4

八世达赖喇嘛与平定廓尔喀侵扰西藏/星全成．青海民族研究．4

为十四世达赖喇嘛举行坐床典礼的吴忠信/刘国武．文史博览．5

略论五世班禅在康雍治藏中的历史作用/冯智．中国藏学．1

试析抗日救亡运动中九世班禅在内蒙古的宣化活动/喜饶尼玛　扎西才旦．内蒙古师范大学学报．5

十世班禅蒙难始末/麦群忠．文史精华．6

八思巴对元代西藏纳入中国版图的重大贡献/李烨　卢明辉．内蒙古社会科学．3

姚莹《康輶纪行》述论/张代芬. 西藏民族学院学报. 5

汉藏经济文化交流史论纲/陈崇凯. 西藏大学学报. 1

西藏古代信息传播模式要略/周德仓. 西藏大学学报. 2

吐蕃时期信息传播模式简论/周德仓. 西藏民族学院学报. 1

也谈民国时期西藏的历史地位/陈柏萍. 青海民族学院学报. 1

孙中山与西藏/张双志. 中国藏学. 4

吴忠信与西藏/徐中林 王希隆. 兰州大学学报. 5

敦煌P. 988号藏文写卷考补/聂鸿音. 民族研究. 3

国民政府在第三次康藏纠纷中的治藏之策/郎维伟. 民族研究. 4

关于所谓的《仓央嘉措秘传》/贾拉森. 内蒙古大学学报. 1

囊赛林庄园的军事防御特点/杨永红. 西藏大学学报. 1

西藏宗堡建筑和庄园建筑的军事防御风格/杨永红. 西藏大学学报. 4

民国后期“西康省农业改进所”的设立始末及其历史意义/王川. 西藏大学学报. 1

西藏和平解放谈判的内幕/王凡. 世纪桥. 6

《神州日报》与中国西藏/刘永文 德萨. 西藏大学学报. 2

清末日本间谍成田安辉西藏潜行活动之考察/李丽 秦永章. 清史研究. 4

20世纪初叶入藏日人矢岛保治郎及其活动/秦永章. 历史档案. 1

20世纪初叶西藏的日本军事教官矢岛保治郎/秦永章 李丽. 中国边疆史地研究. 1

20世纪前半期日本军国主义觊觎中国西藏的历史始末/次旦顿珠 索朗旺杰. 西藏大学学报. 3

近代日本人在西藏的活动及与藏传佛教的联系：兼述十三世达赖与日本人的关系/陈崇凯. 青海民族学院学报. 1

近代日本渗透西藏述论/秦永章. 近代史研究. 3

1906—1908年日本当局与十三世达赖喇嘛的接触/秦永章. 民族研究. 4

抗战时期日本染指我国西藏秘史/秦永章. 中国藏学. 1

日本西本愿寺派遣的赴藏留学生：多田等观/秦永章. 西藏大学学报. 1

论18世纪后期英国对中国西藏的渗透政策及其破产/许彬 谢忠. 湖南科技大学学报. 5

抗日战争时期中美关系中的西藏问题/胡岩. 中共中央党校学报. 3

美国中央情报局对中国西藏的准军事行动（1949—1968）/郭永虎 李晔.

史学集刊. 4

美国介入西藏叛乱内幕/崔希逸. 湖北档案. 10

CID：美国侵略西藏的“开路前锋”/张植荣. 世界知识. 24

江孜抗英一百年祭/翟向东. 读书. 3

论英国第二次侵藏战争爆发的地缘政治因素及其在当今的影响/牛治富. 西藏民族学院学报. 1

析二战结束后英军参谋部机密文件《对西藏的军事援助计划书》/杨玲. 西藏民族学院学报. 1

1945 年英国对西藏政策的纷争与合流/张永攀. 西南民族大学学报. 6

茶马古道长，藏汉情义深：西藏和内地之间茶马古道探幽/张云. 中国西藏. 4

从石崇拜看禹羌关系/李绍明. 阿坝师范高等专科学校学报. 2

古羌文化的断想与新探：中国古代民族史研究札记之三/景生魁. 阿坝师范高等专科学校学报. 3

藏彝走廊研究中的几个问题/李绍明. 中华文化论坛. 4

论“民族走廊”及“二纵三横”的格局/李星星. 中华文化论坛. 3

论九龙彝族与周边藏族的文化共同性/苏静. 康定民族师范高等专科学校学报. 5

论三星堆文明与彝族先民的渊源关系/巴且日火. 中华文化论坛. 1

试析古代彝族的伦理思想/司亚勤　王路平. 贵州文史丛刊. 3

凉山彝族“德古”的特征、现状与再造/郭金云　姜晓萍　衡霞. 西南民族大学学报. 5

南北朝彝族女学者阿买妮评述/东人达. 贵州社会科学. 1

“一诺西南九驿通”：明清彝汉文史文献中的奢香功绩析/东旻. 西南民族大学学报. 3

论云南清代彝族教育家文论家李云程/杨开达. 云南师范大学学报. 1

“彝海结盟”的历史功绩及现实意义/陈国光. 中央民族大学学报. 6

论“梅葛”的历史文化特点/杨甫旺. 文山师范高等专科学校学报. 2

彝文古籍与彝族史学理论评述/东人达. 史学史研究. 1

《凉山夷家》研究方法管窥/陈茂昌. 贵州文史丛刊. 4

为大清戍守边防的丹巴羌族/林俊华. 阿坝师范高等专科学校学报. 2

“窜三苗于三危”考辨：中国古代民族史研究札记之一/景生魁. 阿坝师范

高等专科学校学报. 1

陇西李氏羌族：中国古代民族史研究札记之二/景生魁. 阿坝师范高等专科学校学报. 2

从石崇拜看禹羌关系/李绍明. 阿坝师范高等专科学校学报. 2

壮泰族群的渊源/覃圣敏. 广西民族学院学报. 2

泰傣民族历史文化发展和面临的挑战：一个宏观比较/贺圣达. 思想战线. 2

傣族历史上并没有一个"果占璧王国"/何平. 思想战线. 6

西双版纳傣族传统政治形态中政治结构和过程探索/刘强. 云南行政学院学报. 3

洪武年间明朝与麓川王国关系考察/毕奥南. 中国边疆史地研究. 2

清代傣族地区的移民开发及对傣族社会的影响/程印学. 商丘师范学院学报. 6

傣族封建领主刑罚种类浅析/刀伟. 涪陵师范学院学报. 3

云南孟连土司研究/陆泓　王筱春　朱彤. 云南师范大学学报. 1

土流并治的典范：清末民初西双版纳土流并治研究/胡绍华. 中南民族大学学报. 5

试析哈尼族对奴隶制的历史跨越/毛佑全. 红河学院学报. 2

明代云南沐氏与思氏家族关系研究/李建军. 湖南师范大学社会科学学报. 1

徐霞客笔下的丽江土司地/文明元. 云南民族大学学报. 1

清代丽江木氏改土归流及行政管理变革/段红云　闵红云. 思想战线. 2

丽江古城纳西和汉文化的相互影响与整合/杨福泉. 思想战线. 2

沐氏家族与云南官民关系考/李建军　谭莲秀. 曲靖师范学院学报. 1

《格萨尔王传保卫盐海》中的"姜国萨丹王"与丽江木氏土司/赵心愚. 西南民族大学学报. 2

拉祜族传统职官制度的形成与演变/张晓松. 云南民族大学报. 2

佤族"司岗里"含义新探/隋嘎　毕登程. 思茅师范高等专科学校学报. 1

大理国段氏为云南土著说质疑/段玉明. 云南民族大学学报. 4

试论构建南诏、大理国史研究体系/杨光复. 云南民族大学学报. 2

文化复兴与文化认同：黔东南苗族文化的变迁与现代转型/王良范. 贵州工业大学学报. 1

“百苗图”源流考略：以《黔苗图说》为范本/胡进. 民族研究. 4

文山苗族族源探讨/王万荣. 文山师范高等专科学校学报. 2

儒、道、佛在苗族中的传播和影响/石朝江. 贵州民族研究. 3

清代黔东南锦屏苗族林业契约的纠纷解决机制/罗洪洋. 民族研究. 1

清代契约文书中的家族及村落社会生活：贵州省锦屏县文斗寨个案初探/张应强. 广西民族学院学报. 5

苗族的历史文化传承/东旻. 史学史研究. 3

苗族源流与中国奴隶社会/潘炯辉. 贵州文史丛刊. 4

思力深厚　刻意深入：龙绍纳的哲学及社会思想/石朝江. 贵州社会科学. 3

改土归流与社会危机：主要以1505至1949年湘西土司区危机事件为例/成臻铭. 怀化学院学报. 1

对“五种社会形态理论”影响下侗族传统社会形态分析的再思考/廖君湘. 湖南科技大学学报. 2

侗族传统社会之代际关系论析/廖君湘. 湘潭大学学报. 2

侗族传统社会形态新探/廖君湘. 长沙理工大学学报. 1

侗族传统社会家庭：结构、功能及家庭成员关系/廖君湘. 佳木斯大学社会科学学报. 5

水族源流考/王义全. 贵州社会科学 5

略论壮族历史的若干问题/粱庭望. 广西师范学院学报. 1

改土归流对壮族社会的影响/黄家信. 广西民族学院学报. 4

大象民族——壮族族称原义新探/黄靖生　俞健. 广西民族学院学报. 4

试论壮族的“峒”/黄家信. 学术论坛. 8

从上林县唐碑唐城看唐代桂西南江壮族先民的宗族特征/周艺. 广西地方志. 2

从土司的军事制度看壮族武术的发展/张延庆. 中央民族大学学报. 5

壮族麽经布洛陀文本产生的年代及其“当代情境”/李小文. 中央民族大学学报. 6

简论“布洛陀文化现象”/谢多勇. 桂海论丛. 增刊

冼夫人散论/丁邦友. 广州社会主义学院学报. 3

侬智高失败后壮族和侬氏逃难与东南亚民族异化的关系/农贤生. 文山师范高等专科学校学报. 5

壮族人文始祖论/过伟. 广西民族研究. 4

壮族枭雄陆荣廷的前半生/黄宗炎. 广西民族研究. 3

湖南虎形山花瑶探源/董路. 中南民族大学学报. 1

生态环境与平地瑶的形成及族源特征/陈伟明 李琴. 中南民族大学学报. 1

从桂东北平地瑶文化教育的演变看民族融合/谭肇毅 陈志波 韦诗业. 中南民族大学学报. 1

瑶族石牌制与农村社区管理/袁丽红. 广西民族研究. 2

盘古文化寻踪：盘古文化考察记/覃彩銮. 广西民族研究. 1

盘古文化寻踪：盘古文化考察记之二/覃彩銮. 广西民族研究. 2

关于瑶族迁徙和飘洋过海史事的探讨/李默. 广东社会科学. 5

近代瑶族社会形态再研究. /张有隽. 广西民族研究. 3

试论清政府治瑶政策的强化：以道光壬辰年间瑶民起义的善后处理为例/李陵 彭贵珍. 西南民族大学学报. 10

土家族族源释疑：湘、鄂、川、黔土家族渊源考/刘芝凤. 民族论坛. 10

土家族：古代濮人的后裔/邓华龙. 民族论坛. 10

改土归流后土家族婚俗中的宗法性因素/刘文俊. 广西师范学院学报. 4

廪君即向王说质疑：土家族历史文化札记/刘守华. 三峡大学学报. 1

流官群体与十九世纪民族地方志描述视角的变迁：以乾隆、道光、光绪本《凤凰厅志》比较研究为例/谭必友. 清史研究. 4

海南黎族祖籍考/符国华. 海南史志. 1

五指山番茅黎村合亩制的复活与泯灭考究/李甫春. 学术论坛. 12

浅议黎族传统文化的几个特点/黄学魁. 琼州大学学报. 1

从盘瓠形象变化看畲族文化的变迁/杨正军. 漳州师范学院学报. 2

论清代台湾的“开山抚番”政策/魏春初. 绍兴文理学院学报. 1

清代台湾少数民族酒文化探析/刘正刚 刘强. 贵州民族研究. 1

新疆多元民族文化流变述略/贺萍. 西北工业大学学报. 1

吐鲁番直隶厅远作史钩略/曹尚亭 查向军. 新疆大学学报. 5

读史札记三题/陈广恩. 北方文物. 4

贵州民族史研究（六）（七）/张永国. 贵州社会主义学院学报. 1. 3

乌江下游土司时期贡赋制度考略/李伟. 贵州社会科学. 2

当代日本的藏学研究机构及出版物/秦永章. 西藏大学学报. 4

释“土著”/贾丛江．西域研究．4

《史记》民族列传的价值/张新科．湖北大学学报．1

《十六国春秋》散佚考略/陈长琦　周群．学术研究．7

《魏书》在民族史撰述上的成就/张莉．山西大学学报．4

汉文西夏地图文献述要/胡玉冰．文献．1

英藏黑水城文献和法藏敦煌西夏文文献的版本学价值/束锡红　府宪展．敦煌研究．5

乾隆御笔《平定西域战图》考/李德龙．中央民族大学报．3

《嘉靖宁夏新志》校勤三则/陈永中．宁夏史志．3

《越绝书》作者考辨/张仲清．绍兴文理学院学报．4

读《西藏志》札记/邓锐龄．中国藏学．2

最早的藏文木刻本考略/史金波．中国藏学．4

西藏地方文献考略/张莉红．中华文化论坛．3

国民政府时期的西北考察活动与西北开发/王荣华．宁夏大学学报．5

东北事变与西北边疆之研究/沈社荣．固原师专学报．5

20世纪上半叶民国政府对西南边疆少数民族的调查/马玉华．中国边疆史地研究．1

试论国民政府对云南少数民族的调查/马玉华　万永林．思想战线．2

两部《八旗通志》比较研究/赵德贵．满族研究．3

《蒙古秘史·文学本》前言/苏赫巴鲁　额鲁·特珊丹．北方民族．4

东乡族口碑及小经文古籍撮要/马自祥．甘肃民族研究．3～4．8

略论贵州少数民族文献资源的开发/钟海珍．贵州社会科学．1

论云南地方少数民族文字文献数据库构建/陈雁婕　闵红云　袁帆．云南民族大学学报．1

民族档案之瑰宝——傣族贝叶档案/巫咏红．西南民族大学学报．4

珍贵的纳西族东巴经历史档案/谭莉莉．档案学通讯．5

对土家族文献资源收集整理开发的思考/陈正慧．湖北民族学院学报．3

土家族文献资源开发的思考/聂亚林．湖北经济学院学报．10

辽宋金史研究与史学发展现状：王曾瑜先生访谈录/王曾瑜　刁培俊．历史教学问题．2

我与维吾尔学/耿世民．新疆大学学报．4

让生命在历史研究和文学创作中闪光：评贾合甫·米尔扎汗对中国哈萨克

族历史文化的研究与描写/吴福环．新疆社会科学．6

清代学者编修之西夏史籍述要/胡玉冰．宁夏大学学报．3

刘师培的民族史研究及对蒙文通的影响/路新生．史学史研究．4

对日本历史学界关于中国东北边疆与民族问题研究观点的评价/王德忠．东北史研究．2

俄国汉学家比丘林与他的蒙古研究/李伟丽．内蒙古社会科学．5

陈寅恪与藏学研究/王川．西藏民族学院学报．1

我心目中的白寿彝先生/巴志刚．回族研究．2

从梁启超到白寿彝：中国史学史学科发展的学术系谱/周文玖．回族研究．2

白寿彝主编《中国通史纲要》对历史上民族关系的处理/陈其泰　王秀青．回族研究．2

白寿彝民族史学理论述略/汪高鑫．回族研究．2

顾颉刚先生在西北/王希隆　付军．中国边疆史地研究．4

学者本色　长者风范：纪念父亲杨志玖先生90冥诞/杨西云．回族研究．3

漫漫求索路　累累硕果情：纪念著名回族史学家杨志玖教授90诞辰/黄成俊．回族研究．3

沉痛悼念马寿千先生：追忆父亲白寿彝和他的学生马寿千/白至德．回族研究．2

马寿千的回族史学研究/李松茂．史学史研究．4

回族史学的忠诚奉献者：回忆马寿千先生/李松茂．云南民族大学学报．4

令人难以忘却的穆斯林学者：为纪念张秉铎先生归真一周年而作/李华英．回族研究．4

罗致平先生生平/中国社会科学院民族学与人类学研究所民族历史研究室．民族研究．5

黄颢研究员与藏学研究/张云．中国西藏．2

霍布斯鲍姆论民族主义与史学：读汉译《史学家：历史神话的终结者》/魏良弢．卫拉特研究．1

俄国汉学家比丘林与他的蒙古研究/李伟丽．内蒙古社会科学．5

谭·戈伦夫的西藏研究/孙力舟．中国西藏．4

秘密会党与民族主义：评杜赞奇对清末革命党会党观的论述/．周育民．上海师范大学学报．1

让民族文献从历史深处走向现实与未来/罗康泰．西北民族大学学报．2

论民族文献的传播与民族文化的传承/洪社娟．贵州民族学院学报．4

当前我国抢救、整理民族古籍的重大意义/包爱梅．内蒙古图书馆工作．4

龟兹文明及舞蹈艺术/付明华．贵州民族学院学报．4

试析《四库全书》对《契丹国志》的改编/尤李．中华文化论坛．1

《魏书》在民族史撰述上的成就/张莉．山西大学学报．4

《雍正十三年赠训导包有章父母敕命》概述/孔维震　刘淑珍．满语研究．1

《回回原来》及其相关研究述评/哈正利．回族研究．1

《肃镇华夷志》文献价值初探/高启安．敦煌学辑刊．1

民族—地方文献在民族文化大区建设中的地位和作用/德力格尔　忒莫勒．内蒙古社会科学．4

西藏地方文献考略/张莉红．中华文化论坛．3

论彝文古籍的收藏、抢救与保护/张邡．西南民族大学学报．9

新中国成立前后有关壮族论著的比较研究：以刘介与黄现璠的主要著作为例/［日］塚田诚之著　甘文杰译．广西民族研究．3

嘉道年间西北边疆史地学的成就/方立军　马生军．青海民族学院学报．1

近代北京与西北边疆研究/赵夏．北京社会科学．1

最近十余年的中国民族史研究/方素梅．民族研究．2

近十年来传统民族观及民族思想研究述评/崔明德．齐鲁学刊．5

“秦胡”研究评说/胡小鹏　安梅梅．敦煌研究．1

20世纪国内外西夏学研究综述/刘建丽．甘肃社会科学．1

20世纪上半叶的日本西夏学研究/孙伯君．宁夏大学学报．5

十九、二十世纪之交英、法两国的西夏研究/聂鸿音．世界民族．1

《皇朝藩部要略》研究综述/吕文利．卫拉特研究．3

客家研究史略/黄杰明．中华文化论坛．3

撒拉族研究在国外/马建忠　马伟．青海民族学院学报．3

西北诸马军阀研究综述/梁俊涛．宁夏社会科学．4

土族研究一百年：土族社会历史、文化研究述评/祁进玉．西北民族研究．4

2004年辽金史研究综论/李月新．辽宁师范大学学报．3

辽金元捺钵研究评述/尤李．中国史研究动态．2

近百年来汉文西夏文献整理与研究成果述评/胡玉冰 孔令升. 宁夏社会科学. 3

丝绸之路研究百年历史回顾/李明伟. 西北民族研究. 2

近二十年来宋夏金时期西北经济史研究综述/董萍. 甘肃社会科学. 2

1980年以来杨增新研究综述/王劲 段金生. 西北民族研究. 2

郑和下西洋研究百年回眸/万明. 中国史研究动态. 8

近二十五年国内明代西北研究综述/程利英. 甘肃社会科学. 2

1978—2003年间明代西北政治史研究概况/胡小鹏 程利英. 中国边疆史地研究. 4

20世纪80年代以来明代西北边镇研究述评/田澍 毛雨辰. 西域研究. 2

建国以来关于"改土归流"问题研究综述/秦中应. 边疆经济与文化. 6

近十余年纳西族研究综述/胡阳全. 云南民族大学学报. 6

近十年来瑶族研究综述/周琼. 科学研究动态. 1

2003年蒙元史研究综述/蔡春娟. 中国史研究动态. 1

2004年先秦史研究概况/苏辉. 中国史研究动态. 10

2004年秦汉史研究述评/黄留珠. 中国史研究动态. 11

2004年隋唐五代史研究概述/赵大莹. 中国史研究动态. 6

2004年宋史研究综述/曲鸣丽. 中国史研究动态. 12

2004年辽西夏金史研究综述/都兴智 吕洪伟. 中国史研究动态. 9

2004年辽金史研究综述/周峰. 北方民族. 3

2004年蒙元史研究概述/蔡春娟. 中国史研究动态. 8

2004年明史研究综述/张金奎. 中国史研究动态. 4

2004年清史研究综述/鱼宏亮. 中国史研究动态. 12

北魏孝文帝迁都洛阳问题研究综述/戴雨林. 洛阳大学学报. 1

西北诸马军阀研究综述/梁俊涛. 宁夏社会科学. 4

爱国心，民族情：访著名穆斯林学者李华英先生/丁克家 敏俊卿. 回族研究. 1

"高句丽文化的历史价值"中韩学术讨论会综述/东办. 中国边疆史地研究. 1

辽宁省辽金契丹女真史研究会二十年工作述略/黄凤歧. 辽宁工程技术大学学报. 5

中国民族史学会第六届会员代表大会暨第十次学术研讨会综述/刘正寅. 民

族研究．6

跨学科视野下的百越民族史研究：中国百越民族史学会第十二次学术年会综述/吴小平　吴春明．广西民族研究．3

第三届全国辽史契丹史学术研讨会综述/韩世民．中国史研究动态．8

全国第三届辽史契丹史、金史女真史学术研讨会分别在阜新市和松原市举行/王孝华．北方文物．1

金史女真史研究的新进展：第三届全国金史女真史学术研讨会综述/韩世明．北方文物．2

“辽海历史文化学术讨论会”综述/董守义．中华文化论坛．1

第五届中国暨国际满学研讨会综述/边佐卿　李系光．北方民族．4

第五届中国暨国际满学研讨会综述/边佐卿　李係光．满族研究．4

中国蒙古学国际学术讨论会简述/暴雅艳．内蒙古社会科学．6

《新疆通史》编委会会议召开/贾丛江．西域研究．2

郑和下西洋文明对话国际研讨会综述/穆萨　马建文．回族研究．3

畲族文化学术讨论会述评/谢重光．宁德师专学报．2

“赣州与客家世界”国际学术研讨会综述/邹春生．赣州师范学院学报 1

“蒙文通先生诞辰110周年纪念暨学术讨论会”综述/刘兴淑．中华文化论坛．1

西藏历史研究的一个发展：读张云《元朝中央政府治藏制度研究》/卡索夫．中国边疆史地研究．1

《中华民族发展史》读后感/李鸿宾．广西民族学院学报．2

风格奇特的史学巨著：简评何光岳《中华民族源流史丛书》/杨东晨．宁夏社会科学．2

《中国古代和亲史》评述/祁庆富．民族研究．4

中国古代民族关系史的开拓性研究：《中国古代和亲史》序/杨建新．烟台大学学报．1

中国古代民族关系史研究的标志性成果：《中国古代和亲史》述评/李国栋．东岳论丛．6

一部中国古代和亲问题研究的集大成之作：读崔明德博士《中国古代和亲史》/樊文礼．中国边疆史地研究．3

潘光旦先生和他的《中华民族史料汇编》/潘乃谷．历史档案．3

评《中国北疆古代民族政权形成研究》/张国庆．民族研究．4

国家形成理论的新探索：评《中国北疆古代民族政权形成研究》/赵永春.史学理论研究. 4

评杨茂盛新著《中国北疆古代民族政权形成研究》/赵永春. 黑龙江民族丛刊. 4

《中国东北边疆史》序言/王景泽. 东北史地. 3

《广东民族关系史》评说/梅客. 民族研究. 2

广东民族关系史研究的开山之作：《广东民族关系史》读后/杨式挺. 广西民族研究. 4

评介《唐末五代的代北集团》/李丹婕. 中国边疆史地研究. 3

清代新疆法制史研究的力作：《清代回疆法律制度研究》评介/尚衍斌. 中国边疆史地研究. 3

西夏文献整理研究的里程碑：《中国藏西夏文献》整理出版/彭向前. 宁夏大学学报. 5

觅宝于“寻常百姓家故纸堆中”：评《元代西夏遗民文献〈述善集〉校注》/刘再聪. 甘肃民族研究. 3～4

地方民族史研究的新篇章：屈川著《都掌蛮：一个消亡民族的历史与文化》读后/刘复生. 社会科学研究. 2

楚文化流变研究的拓荒之作：读蔡靖泉先生《楚文化流变史》/魏昌. 长江大学学报. 1

楚文化流变研究的拓荒之作：读蔡靖泉先生《楚文化流变史》/魏昌. 三峡大学学报. 2

欧立德著《满洲之道：八旗与晚期中华帝国的族群认同》/孙静. 历史研究. 2

探讨拓跋早期历史的基本线索：田余庆先生《拓跋史探》一书读后/楼劲. 中国史研究. 2

读《四—六世纪内迁胡人家庭制度研究》/余静. 中国史研究. 1

思路新颖颇有创见的城《辽代政权机构史稿》/张久和内蒙古社会科学. 1

《明清史探索》提要/何晓芳　姚海山. 满族研究. 2

中国朝鲜族历史的一项深入研究成果：读孙春日著《“满洲国”时期朝鲜开拓民研究》/权赫秀. 北方民族. 2

《日本与内蒙古》：研究日本在内蒙古殖民统治的力作/郝维民. 内蒙古社会科学. 5

《吉林蒙古人》后记兼姓氏考/苏赫巴鲁. 北方民族. 1

穷一生之精力，撰奠基之佳作：读《元代回族史稿》/马娟. 回族研究. 3

忆勤奋耕耘的回族学者纳为信先生：兼评介先生的《元咸阳王赛典赤·赡思丁世家》一书/马启成. 中国穆斯林. 2

壮伟历程的记述，精悍民族的颂歌：读芈一之教授新著《撒拉族史》的心得笔记/贾晞儒. 青海民族研究. 1

覆盆得雪发余晖，报国文章彩笔挥：《雪岭重泽》卷三序言/马明达. 回族研究. 1

牛汝极著《阿尔泰文明与人文西域》评介/王菲. 新疆大学学报. 1

史料、史实与史识：论《西域历史研究（八至十世纪）》/屈文军. 西域研究. 3

草原游牧文化的人文魅力：读《哈萨克文化研究》/贺灵. 伊犁师范学院学报. 2

《中国南方民族发展史》评介/吴大旬. 科学研究动态. 1

西藏历史研究的一个重要发展：读张云《元朝中央政府治藏制度研究》/卡索夫. 中国边疆史地研究中心. 1

西藏历史巨著《西藏简明通史·松石宝串》：访著名藏族学者恰白·卜次旦平措/亚东达瓦次仁. 西藏大学学报. 1

藏族断代史研究的一部力作——评尹伟先著《明代藏族史研究》闰天灵. 中国藏学. 2

《民国藏事史料汇编》简介/央珍. 中国藏学. 4

一个九十年不散的阴魂：《论西姆拉会议：兼析民国时期西藏地方法律地位》述评/王恩重. 宝鸡文理学院学报. 5

《跨国苗族研究——民族与国家的边界》评介/方素梅. 民族研究. 4

揭开壮学研究的新篇章：评郑超雄《壮族文明起源研究》/谢崇安. 广西民族研究. 3

土家族爱国传统研究述论/黄柏权. 中南民族大学学报. 4

民族史学研究的一条新路子：管彦波新著《中国西南民族社会生活史》评介/刘正寅. 黑龙江民族丛刊. 6

民族史研究的一条新路子：《中国西南民族社会生活史》评介/刘正寅. 社会科学管理与评论. 4

《云南稻作源流史》读后/周星. 民族研究. 5

从历史普及到地区认同：从历史学研究角度评罗勇《客家赣州》/王东. 赣南师范学院学报. 2

从台湾抗日运动诠释台湾民族主义：评介《民族主义与台湾抗日运动》/田子渝. 中南民族大学学报. 4

霍布斯鲍姆论民族主义与史学：读汉译《史学家：历史神话的终结者》/魏良弢. 卫拉特研究. 1

俄译满文版《辽史》出版前言/［俄］B. E. 拉里切夫著　王德厚译. 北方文物. 3

论民族历史地理学研究的若干问题/朱圣钟. 广西民族研究. 1

三郡乌丸考/方北辰. 西南交通大学学报. 4

关于汉代夫余王城几个问题的探讨/李健才. 东北史地. 3

蒙元时期内蒙古草原上的城邑/王大方. 内蒙古社会科学. 2

三郡乌丸考/方北辰. 西南交通大学学报. 4. 1

试析辽阳在后金历史上的重要战略地位/胡雪艳. 呼伦贝尔学院学报. 3

夏金疆界考论/杨蕤. 北方文物. 2

乌拉贡山纪略（上）/范厚　鞠烨. 北方民族. 4

论秦朝乌氏县的地位/徐亮. 西北第二民族学院学报. 3

统万城建筑规模及其历史作用/杨满忠. 宁夏大学学报. 3

西凉府与西夏/孙寿岭. 河西学院学报. 3

西夏京师政区的沿革地理讨论/汪一鸣. 宁夏大学学报. 3

试析西夏建都兴庆府在银川城市发展中的历史地位/兼论银川历时文化名城地位的确立/李芳. 宁夏大学学报. 5

裴炬《西域图记》所见敦煌至西海的“三道”/余太山. 西域研究. 4

西域历史地名浅论/贺灵. 西北民族研究. 1

“塔克拉玛干”的历史及名称含义/钱伯泉. 新疆大学学报. 4

“塔克拉玛干”释义/钟兴麒. 新疆师范大学学报. 4

从疏勒到伽师祇离/薛宗正. 新疆社会科学. 2

对《钦定西域同文志》一书中两处地名释译的质疑/顾政博. 昌吉学院学报. 1

由“言今”创“证古”：从徐松看道光朝西北史地研究的一个侧面/郭丽萍. 史学月刊. 6

唐人使蕃行记叙论/李德辉. 兰州大学学报. 4

浅析拉萨“噶玛贡桑”地名的由来/达瓦．西藏大学学报．1

解读“嘉绒”/杨嘉铭．康定民族师范高等专科学校学报．3

近十余年来青藏高原历史地理研究综述：民族、文化、地名、文献部分/张保见．康定民族师范高等专科学校学报．3

雅安边茶与川藏茶马古道/杨绍淮．中华文化论坛．2

川滇少数民族地理略论/郭俊理　任亚红　宋军林．忻州师范学院学报．1

从出土文献析楚秦洞庭、黔中、苍梧诸郡县的建置与地望/徐少华李海勇．考古．11

西双版纳傣语地名特征/戴红亮．广西民族研究．1

民族融合交流的文化地层：关于昭通各民族地名/傅萸基．昭通师范高等专科学校学报．4

广西和里三王宫和夜郎文化关系探析/杨丹妮．黔东南民族师范高等专科学校学报．2

从地名看壮族空间方位认知与表达的特点/覃凤余．学术论坛．9

黔东南苗族侗族自治州乡镇命名规律初探/谭厚锋．贵州民族学院学报．4

秦时明月汉时关：里耶古城与土家族发展/杨盛龙．寻根．2

道光朝西北史地学人学术交游述略/郭丽萍．太原师范学院学报．2

民族考古学是什么/许永杰．西川文物．2

红山文化研究历程及相关问题再认识/赵宾福．内蒙古大学学报．4

辽宁朝阳市黄河路唐墓出土鞑鞨石俑考/姜念思．考古．10

辽宁省原建材村所出铜刀铭文涵义考/周向永．北方文物．1

渤海墓葬类型演变再探讨/李蜀蕾．北方文物．1

试谈宣化辽墓中所见真容偶像/张帆．中国历史文物．1

辽耶律羽之墓“海东青”饰片的定名问题/彭善国．文物春秋 1

辽代庆陵皇族墓发现小型木雕件/乌力吉德力根．北方文物．1

库伦旗出土一方辽代墓志/武亚琴　孟祥昆．北方文物．1

试论辽鸡冠壶是否实用的问题/王胤卿．北方文物．2

辽墓启门图之探讨/冯恩学．北方文物．4

朝阳出土两座辽墓壁画管窥/孙国龙．北方文物．4

《耶律元宁墓志》补正/唐玉萍．北方文物．4

前郭尔罗斯蒙古族自治县查干吐末辽墓出土人骨研究/贾莹　朱泓．东北史地．4

洛阳、西安出土北魏与唐高句丽人墓志及泉氏墓地/张福有　赵振华. 东北史地. 4

高句丽泉氏墓地调查及其价值/耿铁华. 东北史地. 4

集安两座高句丽墓上的石碑为“通天柱”说/武家昌. 北方文物. 3

高句丽贵族有回葬旧茔之习俗集安五盔坟应为王陵/李殿福. 东北史地. 4

渤海国时期吉林的铁器述论/杨雨舒. 北方文物. 3

渤海上京龙泉府出土的几件文物/黑龙江省文物考古研究所. 北方文物. 3

1994—1998 年对滨海地区渤海遗存的考古学考察研究成果/［俄］B. N. 博尔金著　辛冰译. 北方文物. 4

对阿穆尔河下游 15 世纪佛寺考古研究的总结/A. P. 阿尔捷姆耶夫著　魏婧译　林坛校. 北方文物. 2

辽宁朝阳南塔街出土的金代窖藏文物/朝鲜市博物馆. 北方文物. 2

辽宁北票黑城子城址及出土的部分文物/辽宁省文物考古研究所. 北方文物. 2

黑龙江省博物馆征集的二件石碾轮/勾海燕. 北方文物. 2

“渤海县官□”镜及“亳古猛安□”镜小记/彭善国. 北方文物. 1

俄罗斯沙伊金古城出土的金代玉石器/杨海鹏. 北方文物. 4

松嫩平原战国两汉时期文化遗存研究/张伟. 北方文物. 4

二克浅墓地出土三鹿纹饰牌的年代：兼析汉书二期文化的年代下限/乔梁. 北方文物. 4

忽必烈薛禅汗玉瓮考述/却拉布吉. 西北民族研究. 3

包头地区的文物与考古综述/吕喜林. 阴山学刊. 6

西夏文物的民族和宗教特点/史金波. 中国历史文物. 2

从西夏文物看西夏的手工业/杨桂梅. 中国历史文物. 2

浅析西夏陵北端建筑遗址出土的泥塑人像/杨蕤. 宁夏社会科学. 4

第七座有围屏石榻的栗特人墓葬：北周康业墓/程林泉　张翔宇. 文物天地. 3

西安北周凉州萨保史君墓发掘简报/西安市文物保护研究所. 文物. 3

西安北周安伽墓葬式的再思考/林悟殊. 文物与考古. 5

围屏石榻的源流和北魏墓葬中的祆教习俗/李永中　周银霞. 文物与考古. 5

同江市街津口赫哲族墓葬群调查简报/刘炽. 北方文物. 3

内蒙古阿尔寨石窟八思巴壁画探秘/康·格桑益希．西藏研究．2

唐契苾部浑公夫人墓志考析/哈彦成．中国历史文物．6

浅析炳灵寺石窟开凿的原因/祁永龙．西北民族大学学报．4

楼兰消亡原因新探：毁于水涝/曹俊兴．成都理工大学学报．1

西藏西部早期文明的考古学探索/霍巍．西藏研究．1

西藏西部佛教石窟壁画中的波罗艺术风格/霍巍．文物与考古．4

揭开羌塘高原的古代文明面纱/夏格旺堆　达瓦次仁．西藏大学学报．1

康区石棺葬遗存考察记：横断山脉地带文物考古调查记之一/霍巍．康定民族师范高等专科学校学报．2

西藏文物考古事业的历史性转折/霍巍．中国藏学．1

西藏考古工作40年/夏格旺堆　普智．中国藏学．3

郭里木吐蕃墓葬棺板画研究/许新国．中国藏学．1

西藏岩画中的“塔图形”/张亚莎　龚田夫．中国藏学．1

西藏岩画的文化内蕴与审美品格/罗徕．西南民族大学学报．3

西藏布达拉宫东大殿空鼓病害壁画保护修复研究/汪万福　李最雄　马赞峰　付有旭　丁长征　樊再轩．中国藏学．3

略谈西藏古壁画保护的现状与对策/格桑次仁．西藏大学学报．2

藏彝走廊地区石棺葬所属人群探讨/石硕．康定民族师范高等专科学校学报．1

彝汉文化交融的活化石：论博什瓦黑岩画的文化内涵/叶峰　罗庆春．西南民族大学学报．12

扎溪卡草原石刻文化揭述/杨环．西南民族大学学报．12

可乐套头葬俗与南夷原始信仰试析/余宏模．贵州民族研究．1

20世纪西南地区石棺葬发现研究的回顾与思考/罗二虎．中华文化论坛．4

关于川渝地区船棺葬的族属问题/黄尚明．江汉考古．2

关于川渝地区船棺葬的族属问题/黄尚明．四川文物．3

巴蜀“胡人”图像札记/刘文锁．四川文物．4

关于民族文物的几点认识/叶剑．中原文物．4

试论民族文物在旅游业中的保护与开发/赵庆玲　李兴力．云南史志．1

凉山彝区彝族文物保护与管理工作中的困难及其对策/秦晓莉　克撒　马旭东　秦艳．西南民族大学学报．7

略论畲族文物的保护、开发和利用/蓝斌．丽水学院学报．1

试析西南夷地区的三义格铜柄铁剑/苏奎　尹俊霞．四川文物．2

略论西南地区早期平底双耳罐的源流及其族属问题/谢崇安．考古学报．2

西南少数民族石刻历史档案保护技术研究/华林　谭莉莉．广西民族研究．3

西南少数民族纸质历史档案的抢救与保护/郑荃．档案学通讯．5

珍贵的纳西族东巴经历史档案/谭莉莉．档案学通讯．5

试论贵州民族文化资源的有效保护利用/刘必强．文物工作．1

从布依族《摩经》看铜鼓铸造的历史渊源/蒋英．民族艺术研究．6

壮族铜鼓的历史文化内涵/龙符．文山师范高等专科学校学报．1

试论铜鼓的组织传播/蒋贻杰．广西大学学报．5

河池民间传世铜鼓使用的人类学意义/温远涛．河池学院学报．3

民族民间工艺美术纹饰的比较研究：西南民间铜鼓纹饰艺术探析/易嘉勋．民族艺术研究．4

西南民间铜鼓纹饰艺术探析/易嘉勋．广西民族学院学报．5

试论我国南方少数民族的铜鼓艺术/苏和平．西北民族大学学报．6

壮族铜鼓文化的复兴及其对保护民族民间文化的启示/秦红增　万辅彬．中南民族大学学报．6

论鄂温克族岩画/闫沙庆．文艺评论．3

符号与空间的神秘隐喻：从二维抽象符号与三维形象空间解读左江岩画的宗教意蕴/韦克游．西北民族大学学报．1

民族团结的历史见证：《大理国段氏与三十七部石城盟誓碑》考/支云华．今日民族．3

《六合坚固大宅颂》、《智城碑》通译/白耀天．广西民族研究．4

方起东先生对高句丽考古研究的贡献/耿铁华．东北史地．5

20余年西藏考古的发现与研究：访西藏博物馆考古专家更堆副研究员/夏格旺堆．西藏大学学报．4

第二届西藏考古与艺术国际学术讨论会综述/熊文彬．中国藏学．1

半个世纪的征程：贵州考古学50年成就述评/宋先世．贵州社会科学．6

高句丽古城研究的新成果：读王绵厚先生的《高句丽古城研究》/李淑英．北方文物．4

学术的生命在于创新：评《原匈奴、匈奴历史与文化的考古学探索》/石斌　赵英．内蒙古大学学报．5

《川南都掌蛮铜鼓文化探讨》观点简介/屈川．宜宾学院学报．4

异地的图说：一本关于云南民族的“苗图”：评介《滇省迤西迤南夷人图说》的德文译本/吴秀杰．民族艺术．2

六、民族语言文字

语言活力、语言态度与语文政策：少数民族语文问题研究/道布．学术探索．6

少数民族语言规划的新情况和新问题/孙宏开．语言文字应用．1

文化语言学视野中的民族语言研究/张公瑾．湖北民族学院学报．1

论中国少数民族拥有使用和发展自己的语言文字的权力/李锦芳．广西民族研究．2

少数民族语言志编纂回顾与前瞻/蒙元耀．广西地方志．2

社会语言学的语言观和方法论/王远新．中央民族大学学报．2

从语言功能看我国少数民族语言的合理性/阳小华．贵州民族研究．4

语言接触与语言区域性特征/黄行．民族语文．3

语言接触与语言演变：小陂流苗语为例/戴庆厦　杨再彪　余金枝．语言科学．4

再论汉语非汉语研究相结合的必要性/戴庆厦．语言与翻译．3

模仿与创新：以少数民族语言研究为例/戴庆厦．暨南学报．5

中国濒危语言研究及保护策略/李锦芳．中央民族大学学报．3

语言文化的生态保护研究：兼谈藏语言文化的生态保护/崔军民．西北民族大学学报．2

话语分析与交际民族志：语言人类学的两个研究视角/李朝辉．满语研究．2

人类语言学的历史、传统、定位和新进展/［美］道格拉斯·帕克斯著　路静译．满语研究．1

儒学教育与中国古代少数民族的双语文教学/何俊芳．西北民族大学学报．3

新疆的语言立法/周庆生．语言文字应用．4

西藏的语言文字立法/周炜．语言文字应用．4

胡汉对音和古代北方汉语/孙伯君. 语言研究. 1
元音大转移和元音高化链移/朱晓农. 民族语文. 1
海南闽语精庄章组声母的塞化与底层语言的影响/辛世彪. 民族语文. 1
勾漏片的方言归属/李连进. 民族语文. 1
精母的谐声和拟音/吴安其. 民族语文. 1
"迹"字不从"亦"小声申说/陈英杰. 民族语文. 3
被动式标记语法化的认知基础/石毓智. 民族语文. 3
语法描写框架及术语的标记/黄成龙. 民族语文. 3
闽方言中的来母字和早期汉语/罗杰瑞. 民族语文. 4
关于东南方言的"底层"研究/李如龙. 民族语文. 5
形容词和形容词短语的研究框架/刘丹青. 民族语文. 5
佛经翻译与汉语四字格的发展/孙艳. 中央民族大学学报. 1
旁指代词的句法位置考察/彭爽　金小艳. 中央民族大学学报. 4
语篇的衔接与连贯问题/胡英. 中央民族大学学报. 5
韩国留学生的篇章偏误分析/黄玉花. 中央民族大学学报. 5
时间隐喻的类型学试析: 以汉藏语系语言为例/张燕. 中央民族大学学报. 5
北京少数民族语言社区的历史沿革及类型特征/丁石庆　陈永莉. 北京社会科学. 4
关于20世纪西藏藏语大众传媒的若干基本问题/周德仓. 西藏民族学院学报. 4
新疆自古就是一个多语种齐鸣的地区/迪丽达·吐斯甫汗. 中共伊犁州委党校学报. 2
新疆少数民族双语教育回顾与反思/贺群　胡文华. 西北民族大学学报. 6
新疆跨民族交际中的语码选择问题/周殿生. 新疆大学学报. 3
新疆维吾尔族使用汉语的变异及其规范研究/朱学佳. 新疆大学学报. 3
南疆少数民族学汉语的现状调查与分析/李丽华. 新疆大学学报. 4
南疆汉语方言中的"把"字句: 兼论阿尔泰语对一西北汉语方言的影响/彭嬿. 新疆大学学报. 4
哈萨克族学生学习汉语否定结构的偏误分析/杨洪建　晁正荣. 中央民族大学学报. 5
多民族杂居区语言使用情况探究: 新平漠沙个案调查/袁焱　赵云生. 云南

师范大学学报．3

简析新疆察布查尔锡伯族多语现象成因及双语教育现状/成世勋．民族教育研究．3

影响藏族学生双语学习因素的概念/尤卿志．教育论坛．5

彝族地区双语教育类型现状研究/朱文旭 肖雪．民族教育研究．5

云南民族地区双语教学浅论/杨仁孝．中国民族教育．2

韩国汉字音中的汉语上古音/赵美贞．民族语文．5

高句丽族语言微识录/徐德源．中国边疆史地研究．1

汉字标记高句丽语语音地名字词汉译选释/徐德源．东北史地．5

契丹语词缀＊-gin/＊rin**及其他**/孙伯君．民族语文．2

契丹大字《多罗里本郎君墓志铭》考释/丛艳双 刘凤翥 池建学．民族语文．4

契丹小字183**号**227**号原字研究**/宝玉柱．中央民族大学学报．2

契丹小字"性"语法范畴初探/吴英喆．内蒙古大学学报．3

契丹语语音的历史地位/孙伯君 聂鸿音．满语研究．2

摆腰台吉碑文八思巴文释读/正月．民族语文．6

西夏文藏传《般若心经》研究/聂鸿音．民族语文．2

西夏文《过去庄严劫千佛名经》发愿文中的两个年号/聂鸿音．固原师专学报．5

西夏译本《持诵圣佛母般若多心经要门》述略/聂鸿音．宁夏社会科学．2

俄藏西夏文草书《孝经传》序及篇目译考/胡若飞．宁夏社会科学．5

德藏吐鲁番所出西夏文《郁伽长者问经》残片考/孙伯君．宁夏社会科学．5

浅谈西夏文字形体结构的规范写法/贾常业．宁夏社会科学．5

西夏文中的异体字和讹体字/韩小忙．民族语文．4

《夏汉字典》补证之一：字形校论/韩小忙．宁夏大学学报．3

《汉夏字典》补正之三：字义补识（一）/韩小忙．宁夏社会科学．3

黑水城出土西夏文第8203**号文书译释**/E·И·克恰诺夫著 崔红芳 文志勇译．宁夏大学学报．5

俄藏黑水城2822**号文书《杂集时要用字》研究**/许文芳 韦宝畏．社科纵横．6

东干文——汉语拼音文字的成功尝试/林涛．西北第二民族学院学报．4

突厥语历史音变的五条基本规律/李树辉. 民族语文. 1
元代景教碑铭和文献及叙利亚文突厥语的语音系统/牛汝极. 民族语文. 2
古代突厥文碑铭的发现和解读研究/耿世民. 西北民族研究. 1
境外突厥诸语言的基里尔字母文字/孙桂梅. 民族语文. 2
回鹘语文对契丹的影响/杨富学. 民族语文. 1
回鹘文献语言动词的语态范畴及其特点/赵永红. 民族语文. 2
试论回鹘文献语言名词的领属人称//赵永红. 新疆大学学报. 1
回鹘文《大白莲社经》残卷（另二页）研究/耿世民. 中央民族大学学报. 1
敦煌出土回鹘文《大乘无量寿经》残页研究/张铁山. 民族语文. 5
回鹘文契约文书中的“元契”考/刘戈. 陕西师范大学学报. 5
回鹘文《吉祥轮律曼陀罗》所见十六金刚天女研究/王红梅 杨富学. 敦煌研究. 2
回鹘文《罗摩衍那》及其梵语借词研究/周银霞 杨富学. 语言与翻译. 1
回鹘文献语言词汇的特点/赵永红. 语言与翻译. 2
莫高窟北区出土 B119：13 号文书系回鹘文书/敖特根. 敦煌学辑刊. 1
敦煌藏文写卷 ch.. 9. Ⅱ. 19 号初探/格桑央京. 中国藏学. 2
玉树藏文名称辨析——兼论玉树名称之由来/桑丁才仁. 中国藏学. 1
《大唐天竺使之铭》词语解读辨析/廖祖桂. 中国藏学. 2
“噫”“嘻”本是山越语：黟、歙地名渊源初探/胡萍. 徽州社会科学. 3
小经拼写体系及其流派初探/韩中义. 西北第二民族学院学报. 3
沈阳故宫建筑上蒙文与满文的历史蕴涵/肖勿格德力夫. 沈阳师范大学学报. 2
从地名看温州的移民/盛爱萍 王建华. 民族语文. 4
释古楚语词“灵”/吴小奕. 民族语文. 4
巴族文字的发现及文字特征/钱玉趾. 三峡大学学报. 2
南诏时期洱海地区的白蛮语地名考释/杨文辉. 中国边疆史地研究. 4
词源文化视角下的“神”/哈斯巴特尔. 满语研究. 1
满蒙汉谚语语义比较/高娃. 满语研究. 1
汉藏民族语言声调的分合类型/黄行. 语言教学与研究. 5
汉藏语的完成体后缀 *-s/金理新. 民族语文. 2
复音词的产生与复音化的关系：汉藏系语言词汇复音化思考/冯英. 云南师

范大学学报．1

藏汉拟声词之异同比较/扎雅·洛桑普赤．西藏研究．3

论藏语和汉语在历史音变中的一些相似现象/华侃．西北民族大学学报．3

安多藏语的复元音韵母/王双成．西藏研究．3

藏语拉萨话的体貌、示证及自我中心范畴/江荻．语言科学．1

藏语语料库的词性分类方法研究/才让加　吉太加．青海师范大学学报．4

现代藏语形容词谓语的构造及识别方法/江荻　胡鸿雁．语言研究．2

藏语文现代化的若干思考/崔军民．中央民族大学学报．6

嘉戎语组语言的音高：两个个案研究/孙天心．语言研究．1

试论嘉戎语中 sa 的语法功能及形式/严木初．阿坝师范高等专科学校学报．1

试论嘉戎语梭磨话的后缀/严木初．西南民族大学学报．3

吐蕃文献中的文字特点/格桑央京．敦煌学辑刊．1

西藏的藏语文管理机构及 40 年的变迁/周炜．中国藏学．3

侗台语族谱系分类史略/覃晓航．广西民族学院学报．1

儋州方言中的侗台语词/符昌忠．民族语文．3

据一日常用词词源重估侗台先民古代分布区域/陆天桥．贵州民族研究．4

说“五”道“六”/丁邦新．民族语文．3

白狼歌诗译解/罗起君．河池学院学报．1

壮侗语带后附音节的复音动词/冯英．民族语文．5

壮语方位词/覃凤余．民族语文．1

关于壮语量词的词头化/覃晓航．民族语文．3

从壮语？b…和？d…的多元变体看语融音变规律/覃晓航．中央民族大学学报．3

壮语修辞及其表达效果/韦达．中南民族大学学报．1

方块壮文构造法与理据性新探/王彩．湖州师范学院学报．6

壮语地名及其研究：壮语地名的语言文化研究之一/覃凤余．广西民族研究．4

壮语地名的文化诠释/杨奔　黄玉　李萍．玉林师范学院学报．1

田阳蔗园话与靖西壮话语词比较（二）/吕嵩松．黄革．广西右江民族师专学报．1

古壮字结出的硕果：对《壮族麽经布洛陀影印译注》的初步研究/梁庭望．

广西民族研究. 1
英壮语言三要素的异同/陈丽琴. 广西师范学院学报. 2
金平傣语概况/刀洁. 民族语文. 2
试析傣族社会制度和土地制度对傣语地名命名的影响/戴红亮. 修辞学习. 4
新平花腰傣巫语透视/杨文学. 云南师范大学学报. 4
南传上座部佛教对西双版纳傣语的影响/保明所. 湖北民族学院学报. 1
傣语中的水文化/吴东海. 湖北民族学院学报. 1
西双版纳傣语地名特征/戴红亮. 广西民族研究. 1
汉傣天干研究/吴安其. 民族语文. 4
傣语谚语的文化透视/保明所. 内蒙古民族大学学报. 3
侗语的形态学特征/石林 黄勇. 民族语文. 4
传统文化保持的一种有效方式：贵州省榕江县宰荡小学侗汉双语教学实验计划项目考察/杨曦. 黔东南民族师范高等专科学校学报. 1
仫佬语定中结构及名词修饰语语序简析/银云忠. 中央民族大学学报. 6
仫佬族土俗字探源及其文化阐释/韦茂繁 雷晓臻. 广西大学学报. 4
水语的动结式/冯英. 民族语文. 1
"水书"及其造字方法研究/蒙景生. 黔南民族师范学院学报. 1
水书文书规范标准建设与信息化的研究/董芳 周石匀 郑文瑾. 黔南民族师范学院学报. 5
水书造字机制探索/邓章应. 黔南民族师范学院学报. 2
女书文字孤岛现象简析/赵丽明. 中国社会语言学 1
黎语坡春话概况/符昌忠. 民族语文. 6
村语与黎语词汇差异成因初探/符昌忠. 广西民族学院学报. 3
海南村语词语重叠的语法功能和语法意义/符昌忠. 广东技术师范学院学报. 3
海南村语的连续变调规律/符昌忠. 语言研究. 3
临高话声调里隐含的历史层次/符其武. 西南民族大学学报. 7
藏缅语数量短语的演变机制/杨将领. 民族语文. 3
论藏缅语的反响型名量词/戴庆厦 蒋颖. 中央民族大学学报. 2
藏缅语的强调式施动句：兼与汉语被动句对比/戴庆厦 李洁. 语言研究. 3

论缅语动词的使动范畴/蔡向阳．解放军外国语学院学报．6
彝族毕摩祭祀用词研究/普忠良　李昆．民族语文．5
他留话先喉塞鼻边音声母探究/周德才．民族语文．2
彝语名词短语内部语序/熊仲儒．民族语文．4
彝语水田话概况/朱文旭　张静．民族语文．4
浅谈凉山彝语的语法化现象/唐黎明．民族语文．1
凉山彝语的差比句/胡素华．民族语文．5
凉山彝语别量词的特点/胡素华　沙志军．中央民族大学学报．4
凉山彝语的被动结构/胡素华．语言研究．4
凉山彝语中的避讳/陈国光．民族语文．6
南都彝语松紧元音的声学表现/石锋　周德才．语言研究．1
彝语方言松紧元音比较研究/周德才．云南民族大学学报．5
仁和彝族语言转用及其教育/木乃热哈　沙志军．民族教育研究．2
《阿诗玛》语词程式研究/罗钊．云南民族大学学报．3
尔苏语言文字与尔苏人的族群认同/巫达．中央民族大学学报．6
东巴文M为邛笼考/木仕华．民族语文．4
东巴文异体字形成原因初探/周斌．西北民族大学学报．5
纳西东巴假借字研究述评/甘露．中央民族大学学报．4
东巴经假借字的版本比较研究/甘露．柳州职业技术学院学报．2
早晚期东巴经假借字的时代特点/甘露．广州大学学报．6
神奇的东巴文字/庾莉萍．丝绸之路．2
从语言学解释哈尼族的族称/李泽然．中央民族大学学报．3
哈尼语的宾语助词/李泽然．语言研究．3
景颇语四音格词产生的机制及其类型学特征/戴庆厦　孙艳．中国语文．5
被动句是拉祜语的一种独立句型/李洁．云南师范大学学报．3
论白语的话题结构与基本语序类型/赵燕珍　李云兵．民族语文．6
羌语的名量词/黄成龙．民族语文．5
苏龙语概况/李大勤．民族语文．1
仙岛语和阿昌语的元音对应关系/王朝晖．民族语文．4
仙岛语和阿昌语声母比较/王朝晖．语言研究．2
论语言接触对苗瑶语语序类型的影响/李云兵．民族语文．3
小陂流苗语概况/戴庆厦　余金枝　杨再彪．民族语文．3

小茅坡营村苗语现状与变迁透析/赵杨. 湖北民族学院学报. 2

苗语的述补结构：兼与汉语对比/黎意. 中央民族大学学报. 3

离散式音变的方言新证：以关峡苗族平话 ou 韵的来源为例/胡萍. 佛山科学技术学院学报. 5

黔东苗语的语音特点与诗歌格律/石德富. 民族文学研究. 2

排烧苗语的语音特点/石德富. 贵州民族学院学报. 6

移民族群文化的固守与传承：以小茅坡营时保存苗语为例/吴雪梅. 中南民族大学学报. 2

略谈方块汉字与文山苗语的相通/项保昌. 文山师范高等专科学校学报. 4

喇叭话声母记略/蔡鸿. 贵州民族学院学报. 2

水书文字规范标准建设与信息化的建设/董芳　周石匀　郑文瑾. 黔南民族师范学院学报. 5

博罗畲语的前缀变调/甘春妍. 民族语文. 6

广东潮安县李工坑村畲民语言生活调查/林伦伦　洪英. 语言研究. 4

畲族使用的主要语言：畲民话/雷法全. 丽水学院学报. 6

三江史门勉语的音韵特点/田口善久. 民族语文. 2

拉珈语汉借词层次分析/蓝庆元. 民族语文. 6

土家语句子中的选择性语流变调/徐世璇　鲁美艳. 语言科学. 6

土家语北部方言中特殊的名词后缀/田恒金. 河北师范大学学报. 2

龙山坡脚土家话韵母 o 一个来源/田恒金. 语文研究. 2

社会变迁中的土家语命运/刘伦文. 中央民族大学学报. 4

土家族母语危机现象浅论/谭志满. 湖北民族学院学报. 1

土家语“濒危”因素探析/陈默. 临沂师范学院学报. 5

新论土家语的判断句/叶德书. 湖北民族学院学报. 6

文化的镜子：一个土家族社区的语言现状分析/曹毅　陈心林. 湖北民族学院学报. 2

土家族谚语的文化透视/雷艳. 河北理工大学学报. 3

从土家人的语言态度看土家语濒危：坡脚土家语个案研究之一/熊英. 湖北民族学院学报. 4

贞丰县坡帽村仡佬族双语类型转换个案研究/周国炎. 中央民族大学学报. 1

仡佬族母语的发展趋势以及应对仡佬族母语危机的基本措施/周国炎. 贵州

民族研究．1

略论广西京族语与汉语及越南语的交流现状/王绍辉．东南亚纵横．12

蒙古语辅音腭化问题研究/呼和．民族语文．2

元代蒙古语学者鲍信卿及其四部著作/照那斯图．民族语文．4

论元代蒙古语对汉语语法的影响/李崇兴．语言研究．3

蒙古语科尔沁土语中的汉借词/波·索德．民族语文．5

汉语带结果补语的述补结构在蒙古语中的表达形式/德力格尔玛．中央民族大学学报．5

蒙古语内蒙古方言亲属称谓词中汉语借词特点/范丽君．中央民族大学学报．6

现代蒙古语短元音弱化以至脱落原因分析/包萨仁．内蒙古民族大学学报．2

基于 EPC 的蒙古语塞音、塞擦音研究/呼和．内蒙古大学学报．3

《蒙古语语法信息词典》动词语法属性字段设置/巴·萨日娜．内蒙古大学学报．6

蒙古语五畜称谓的汉译表达法探微/郭玉琴．内蒙古师范大学学报．4

蒙语与满语关系探究/张帆．哈尔滨学院学报．5

蒙古语科尔沁土语词汇的特点/波索德．内蒙古民族大学学报．5

论蒙古语科尔沁土语形成与演变/常山．内蒙古民族大学学报．5

蒙古语科尔沁土语中的满语借词考/波·索德．满语研究．2

试论研究青海蒙古语的现实意义/贾晞儒．青海民族学院学报．3

河北省蒙古语教育发展状况及对策研究/特克寒．社会科学论坛．6B

浅谈蒙古语词的文化涵义/天峰　王玉霞．内蒙古民族大学学报．6

哈勒不浑—巴勒哈孙古城出土蒙文佛经之中的蒙元因素/何启龙．西北民族研究．2

论赛尚阿纂《蒙文指要》/春花．满语研究．1

土族《格萨尔》中土族语与藏语词汇的变异形式及其特点/王国明．西北民族大学学报．2

通古斯语言文化的研究发展及人类学价值/赵阿平．活力．5

阿尔泰共同语、匈奴语探讨/耿世民．语言与翻译．2

浅谈阿尔泰语系几个共同词/关忠保　陈潮华．满语研究．1

维吾尔人名的历史特点/古丽扎尔·吾守尔．民族语文．3

维吾尔族人名翻译中的美学策略/黄晓琴．喀什师范学院学报．2

关于维吾尔语区别特征的原则/张洋．民族语文．3

现代维语语料库的词类标注研究/玉素甫·艾白都拉　阿布都热依木·沙力．民族语文．4

现代维吾尔语方言词拾零/木哈拜提·哈斯木．民族语文．5

生成语法框架内的维吾尔语句法/力提甫·托乎提．民族语文．6

从来源方面看维吾尔语方言词的特点/木哈拜堤·哈斯木．新疆大学学报．1

谈维吾尔语喀什话的亲属称谓特点/艾尼瓦尔·艾合马提江．喀什师范学院学报．2

古代维吾尔族的书写文化/耿世民．喀什师范学院学报．2

论维吾尔语中词汇手段与语义模糊/胡传成．语言与翻译．1

现代维吾尔语复合词和词组的界定/李祥瑞．语言与翻译．1

维吾尔语 iʃtan 一词的词源探析/常红．语言与翻译．1

维吾尔语词语的文化附加义及其相关探讨/李少平．喀什师范学院学报．1

论维吾尔语动词条件式的历史嬗变/马小玲．语言与翻译．2

维吾尔语数字的文化含义/阿不力米提·优努斯　庄淑萍．语言与翻译．2

维吾尔语元音历史演变/菲达·乌马尔别克　阿孜古丽·阿不都热合曼．新疆社科论坛．3

现代维吾尔语元音 o 的声学特征分析/易斌．语言与翻译．3

维吾尔体态语词及其含义初探/伊力哈木·克比尔．语言与翻译．3

维吾尔族餐馆名称及其文化内涵探析/华锦木．语言与翻译．4

维吾尔语语素研究述评/顾红艳．语言与翻译．4

浅析维吾尔语的零派生构词法/柳元丰．语言与翻译．4

维吾尔语“非目睹”陈述语气式的发展与分化/杨承兴．喀什师范学院学报．1

维吾尔语学习中的语间迁移现象/夏迪娅·伊布拉音．新疆大学学报．5

维吾尔语和英语中部分词语的象征意义/古丽米热·艾孜木．新疆大学学报．5

多元文化交融的历史积淀：新疆汉语、维吾尔语言的互相影响和渗透/张洋．新疆大学学报．5

维汉谚语形式对比分析/王鸿雁　阿不都外力．中央民族大学学报．4

维汉谚语语义文化比较分析/王鸿雁　阿不都外力．新疆社会科学．4

浅谈维吾尔语谚语/窦建丽．乌鲁木齐成人教育学院学报．4

从熟语看维吾尔族的好客习俗文化/王德怀．喀什师范学院学报．2

汉维语中动物词语的文化内涵及差异/买买提吐尔逊·阿布都拉．语言与翻译．2

汉语趋向补语“来、去”在维吾尔语中的表达/王莉　王小燕．语言与翻译．2

浅谈“的”字短语的结构类型及其在维吾尔语中的表达/晁正蓉　杨洪建．语言与翻译．2

汉语和维吾尔语的代词对比/马德元．语言与翻译．3

汉语维吾尔语否定句的分析和对比研究/曹春梅．语言与翻译．3

维吾尔语词理据的再探讨/李少平．喀什师范学院学报．4

维语语词的重叠与语义模糊/胡传成．喀什师范学院学报．4

汉维语兼类词对比研究/巩晓．喀什师范学院学报．4

谈维吾尔语成语汉译的可译性限度/刘正江．西北民族大学学报．3

论“死译”与“活译”：以维吾尔谚语的汉译为例/王德怀．西北民族大学学报．1

维汉语颜色词汇的文化含义比较/玛依拉·吾买尔．新疆警官高等专科学校学报．1

新疆汉、维语言接触中部分语法现象探讨/闵爽　沈利德．石河子大学学报．2

新疆汉语方言中维吾尔语借词的读音/廖冬梅．民族语文．1

新疆汉语方言中的维吾尔语借词所体现的语言文化交流/廖冬梅．新疆大学学报．6

以科学的态度对待维吾尔语中的汉语借词/高莉琴．新疆大学学报．5

俄、维语词缀及附加成分对比研究/艾尔肯·肉孜·艾尔图其．喀什师范学院学报．5

日—维机器翻译中粘着性特点的应用/维尼拉木沙江　木合塔尔．新疆大学学报．1

撒拉语元音的特点/米娜瓦尔·艾比布拉．民族语文．6

哈萨克语名词的第八种格/张定京．中央民族大学学报．4

哈萨克语的词重音研究/邓安方．新疆大学学报．5

哈萨克非有声语言/必柇. 伊犁师范学院学报. 2

语言学视野中的“哈萨克”族名用字及音变考释/孟毅. 伊犁师范学院学报. 2

哈萨克语的形成、发展概况/乌拜·杰特拜. 伊犁师范学院学报. 2

哈萨克族畜牧生活词语所蕴涵的民族文化特征/成世勋 马幸荣. 伊犁师范学院学报. 4

哈萨克语颜色词的量性特征及用法/杨洪建. 新疆大学学报. 3

哈萨克语古代文献研究：金帐汗国克普恰克文献《库曼语汇集》/耿世民. 新疆师范大学学报. 3

新疆哈萨克族人名的社会特征/黄中祥. 石河子大学学报. 2

汉语数字缩略语及其在哈萨克语中的表达形式/杨庆国. 伊犁师范学院学报. 4

汉语与哈萨克语的语序（下）/张定京. 语言与翻译. 1

察布查尔哈萨克语的特点/阿依达尔·米尔卡马力. 民族语文. 4

试论中国哈萨克语方言的划分/耿世民. 民族语文. 5

西部裕固语中的藏语借词/杜曼·叶尔江 吉合台. 民族语文. 3

东乡族小经文“拜提”的人文资源价值/马自祥. 西北民族研究. 3

满—通古斯语言的最小韵律词/李兵. 满语研究. 1

北方通古斯语“杜”与汉语“家”的语言人类学比较研究/唐戈 岳巍. 满语研究. 1

满语、赫哲语使用变化过程及濒危原因/赵阿平 郭孟秀 何学娟. 中国社会语言学. 1

以《清实录》为依据看清朝中期满语文的衰微/杨亚庚 王小影. 长春师范学院学报. 4

试析满语对东北方言与普通话的影响/曹莉萍. 长春师范学院学报. 3

满文元音之汉字注音/江桥. 满语研究. 1

满语的实词化/［日］中岛干起. 满语研究. 1

谈满语动词后缀 ci/王小虹. 满语研究. 1

满语判断标记词及其句法功能/唐均. 满语研究. 1

从接触到融合：论满语文的衰落（下）/季永海. 满语研究. 1

满语词源二例研究/［美］罗杰瑞著 朱麟译. 满语研究. 2

满语辅音 c/j 探源/哈斯巴特尔. 满语研究. 2

满语复合名词的构词特点/敖特根其其格．满语研究．2

新发现札克丹满汉混合诗歌二首/卓鸿泽．满语研究．1

清朝满汉双语民间叙事诗探析/［德］马丁　嵇穆著　贵琳译．满语研究．2

试析满族亲属称谓/赵志忠．满语研究．1

论满文翻译的历史与现状/吴雪娟．满语研究．1

满文《大藏经》编纂考略/罗文华．中国历史文物．3

论满文翻译观/吴雪娟．满语研究．2

与汉文“尔”“勒”相对应的满语音素（位）的研究/孙明．吉林师范大学学报．3

日本学者汉满（女真）对音译音研究/李无未．延边大学学报．2

女真语言文字研究的历程/穆鸿利．满语研究．1

关于汉语“满洲”一词之由来/邸永君．满语研究．1

关于锡伯语口语单元音系统/朝克．满语研究．1

濒危状态的赫哲语/何学娟．中央民族大学学报．3

关于赫哲语副动词-m、-re与biren的搭配关系/李林静．满语研究．1

从语言看达斡尔族农耕文化的特点/丁石庆．满语研究．1

清代达斡尔族书面文学语言与满族文化/丁石庆．满族研究．4

散居区达斡尔族的语言衍变：据呼和浩特市区家庭个案调查资料/郭蕊．内蒙古社会科学．4

朝鲜语的句法结构和语义结构/毕玉德　李承子．民族语文．4

汉韩语言接触对韩语语音发展的影响/申东月．民族语文．6

试论朝鲜语同维吾尔语在语音上的亲属性印迹/吾买尔·尼亚孜．延边大学学报．2

几种南亚语的词源统计分析/高永奇．民族语文．1

孟高棉语人称代词的形态特征/陈国庄．民族语文．6

德昂语借词的变化：以户弄德昂语为例/赵金萍．云南民族大学学报．5

佤语中的傣语和汉语借词/赵富荣　蓝天元．民族语文．4

佤语音节的配合规律/赵岩社．云南民族大学学报．3

南岛语族起源研究中的四个误区/吴春明　曹峻．厦门大学学报3

论东干语的发展/海峰．新疆大学学报．3

“东干”音义考释/张成材．中国语文．4

云南回族语言文化构成分析/马利章．云南民族大学学报．6．2

白狼歌诗译解/罗起军．河池学院学报．1

《三千书》初探/戴忠沛．广西民族研究．3

我与维吾尔学/耿世明．新疆大学学报．4

信息交换用维吾尔文、哈萨克文、柯尔克孜文字体字形标准研究/买买提艾力 佟加·庆夫 亚森·伊朗．语言与翻译．4

国外语言规划理论流派和思想/周庆生．世界民族．4

列维施特劳斯的结构主义对我国民族教育的启示/崔英锦．民族教育研究．3

抗战时期语言学家对云南语言的调查研究/聂蒲生．学术研究．9

沉痛悼念徐琳先生/本刊编辑部．民族语文．5

民族语文工作纪事（2003 年 11 月—2004 年 12 月）/普忠良 郭阳．民族语文．6

语言态度研究述评/邬美丽．满语研究．2

"女书"研究综述/刘春侠．湖南科技学院学报．1

37 届国际汉藏语会议在瑞典隆德举行/禹岩．民族语文．1

第 38 届国际汉藏语暨语言学会议在厦门大学举行/木仕华．民族语文．6

首届人类语言学国际学术研讨会在中国黑龙江大学召开/晓俣．满语研究．1

"中国首届人类语言学国际学术研讨会"评估报告/［美］道格拉斯·R·帕克斯著 周庆生摘译．世界民族．6

"二十一世纪中国语言学论坛"纪要/广西大学语言学研究中心．民族语文．2

第四届中国社会语言学国际学术研讨会召开/心宇．满语研究．2

"语言与民俗"第二届国际学术研讨会综述/曲彦斌 李阳．满语研究．2

第五届中国暨国际满学研讨会综述/边佐卿 李係光．满语研究．2

南方民族语言与文化研讨会综述/本刊记者．民族语文．3

介绍马·艾尔达勒的新书《古代突厥语法》/耿世民．中央民族大学学报．3

《俄藏回鹘语文献研究》读后/聂鸿音．书品．2

《满文文献概论》评述/赵阿平．满语研究．1

满语现状一瞥：读《满族：辽宁新宾县腰站村调查》有感/赵志忠．满语研究．2

周毛草《玛曲藏语研究》简评/李大勤．民族语文．4

简评《玛曲藏语研究》的学术价值/玉珍．中国藏学．4

《中亚东干语言研究》序/胡振华．语言与翻译．1

《八思巴字与元代汉语》增订本评价/尚卜斋．考古．6

《西夏语比较研究》简评/王梅兰　刘军燕．宁夏大学学报．5

七、民族文学艺术

三重话语霸权下的少数民族文学研究/曹顺庆．民族文学研究．3

贾平凹谈民族文学的世界性/韦建国．咸阳师范学院学报．1

试论我国民族民间文学遗产的抢救与保护/高见远．黑龙江民族丛刊．3

论民族风情在文艺作品中的多重价值显现/李凤亮．中央民族大学学报．4

色彩民族审美意识表现符号论/苏和平．西南民族大学学报．12

史诗与民族学研究/王兴先．青海民族学院学报．1

中南少数民族三大英雄史诗叙事结构比较/熊黎明．云南民族大学学报．2

少数民族酒歌的类别、特点及社会文学功能/刘军．湖北民族学院学报．2

少数民族谚语中与儒家思想相通的价值观述论/张维娜　陈玉屏．西南民族大学学报．12

论我国少数民族传统音乐文化的保护与发展/王文澜．兰州大学学报．3

民族音乐学与社会学联想（学习小记）/肖笑．西北民族研究．1

民族艺术传承主体的当代变化：经济全球化背景下发展民族艺术的美学研究/宋生贵．内蒙古社会科学．1

再谈少数民族文学批评中的宗教意识/欧阳可惺．中南民族大学学报．5

宗教文化对游牧民族造型艺术的影响及其发展关系/博·阿斯巴根．内蒙古大学艺术学院学报．2

东晋南北朝时期西域乐舞在北方地区的传播及其特点/王虹霞．音乐研究．3

隋唐时期西域音乐文化研究成果述要/魏晋．新疆师范大学学报．1～2

从唐诗看金城公主入蕃和亲/李小凤．西北第二民族学院学报．1

以战求和：唐代边塞诗的主旋律/董恩林．新疆师范大学学报．1

论初盛唐边塞诗的演进和类型/木斋．新疆师范大学学报．1

初唐—盛唐边塞诗的摇篮/吴逢箴．西藏民族学院学报．5

略论唐代边塞诗美学形态对前代的传承/施春晖．新疆大学学报．5

论岑参边塞诗语言风格的个性/黄晓东．新疆师范大学学报．4

唐代西域乐舞诗的文化解读/姚春梅．喀什师范学院学报．1

西域佛教石窟寺中的音乐造型/霍旭初．西域研究．3

从《教坊记》曲目考察词调中的西域音乐因子/高人雄．西域研究．2

唐代僚女嫁陀汗：从中越灰姑娘故事看国际文化交流/农学冠．广西右江民族师专学报．1

从上林唐碑《大宅颂》和《智城碑》看唐代中原文风对岭南民族地区文化的影响/莫道才．民族文学研究．4

辽金文学的历史定位与研究述评/周惠泉．中国社会科学．5

辽金文学现代学术史经纬/周惠泉　孙黎　周晖．北方民族．4

元曲与北方民族/赵志忠．民族文学研究．1

试论元代反映蒙古生活的汉族诗人及其诗作/云峰．中央民族大学学报．3

略述元代西藏绘画、雕塑、抄经艺术/亚东·达瓦次．西藏艺术研究．1

杨廷理的西域诗/星汉．西域研究．2

《谌然居士文集》中耶律楚材晚期作品考/张培锋．史学集刊．4

略谈女真文学的文化艺术特征/刘丹．辽宁教育行政学院学报．9

高句丽神话解析/耿铁华．吉林师范大学学报．3

蒙古—突厥史诗英雄与骏马同时诞生母题的比较研究/乌日古木勒．内蒙古民族大学学报．4

额尔古涅—昆传说的神话原型：蒙古、突厥语民族狼图腾神话传说探讨/那木吉拉．中央民族大学学报．1

“狩离之窟”与“额儿古涅—昆”：阿尔泰语系突厥、蒙古语族先民隧穴信仰探讨/那木吉拉．黑龙江民族丛刊．1

论“ɛrdɛm”主题及其在高昌回鹘文学中的表现/艾西热甫·阿布都拉．新疆社会科学．6

浅论川南僰人民歌音调及调式特征/黄小惠　钟舸．中华文化论坛．4

论地理环境因素对西南氐羌民族审美观念的影响/张胜冰．中国海洋大学学报．3

满、壮、苗创世女神的比较研究/过伟．湖北民族学院学报．2

中国北方民族神话人兽母题探微/王宪昭．民族文学研究．1
中国北方草原民族的绘画自觉/韩雪岩．内蒙古师范大学学报．3
我国北方民族神话图腾的交融与演变探微/王宪昭．涪陵师范学院学报．1
西部民族民俗审美文化探微/李景隆．青海民族学院学报．3
论清代满族文人文学与民间文学的分野/王卓．社会科学战线．3
满族神话中女神形象所呈现的美学价值/汪立珍．满族研究．3
满族摇车及民谣/孟聪．满族研究．2
东北大秧歌与地域文化/赵凤山．满族研究．4
满族苞米窝儿剪纸艺术研究/张杰　王纪．北方民族．3
满族苞米窝儿剪纸艺术研究/张杰　王纪．满族研究．3
窗花透视出的满族风情：解析沈阳地区的民间剪纸/金鸥．满族研究．1
“十全老人”“十全”诗：清高宗乾隆的诗歌创作/史礼心．民族文学研究．4
天上人间情一诺：论纳兰性德的悼亡词/张佳生．民族文学研究．1
纳兰性德《青衫湿遍》悼亡的对象/亓元．满族研究．2
浅论纳兰性德词风的形成/刘红麟．满族研究．4
怎一个“愁”字了得：解谈纳兰性德词/朱凯．满族研究．4
近现代词学史上的纳兰词研究/陈水云．大连民族学院学报．6
顾春研究的世纪回顾/陈水云．满族研究．2
栋鄂珠亮，一门词赋/高兴璠．北方民族．3
近代北京的满族小说家蔡友梅/雷晓彤．满族研究．4
从朝鲜族歌谣看中国与朝鲜半岛久远的文化底蕴/李英善．东疆学刊．3
虎熊神话和虎熊崇拜：黑龙江三小民族神话比较之三/黄任远．佳木斯大学社会科学学报．1
赫哲鄂伦春鄂温克族的虎熊神话比较/黄任远．北方民族．2
赫哲族伊玛堪歌手研究/高荷红．满语研究．2
赫哲族民族图案艺术研究/王锐　邢恩辉．佳木斯大学社会科学学报．3
论蒙古文学的象征传统/巴·苏和．民族文学研究．1
蒙古比较文学传统及其现代方法论意义/扎拉嘎．内蒙古大学学报．4
蒙古神话与佛教神话比较研究/那木吉拉．内蒙古民族大学学报．1
盂兰盆会与蒙汉目连救母故事的宗教主题/陈岗龙．卫拉特研究．4
成吉思汗传说是一种“组织叙述”/包胜利．内蒙古大学学报．6

从蒙古族“敖包文化”看其原始美术特征/宋小飞．内蒙古民族大学学报．4

浅谈蒙古长调的渊源、发展及应用/王瑞娟　李雪．黑龙江民族丛刊．4

浅析蒙古族歌谣的文化意蕴/李国平．甘肃民族研究．1

试析科尔沁蒙古族情歌中的衬词/何红艳　扎木苏．内蒙古民族大学学报．3

口传文化的宝藏　蒙古文学的瑰宝：蒙古族民间文学研究概述/巴·苏和．内蒙古民族大学学报．6

红妆看史，巾帼魅力：《蒙古秘史》女性人物探讨/王素敏．阴山学刊．4

十九世纪蒙汉文化交流的一面镜子：《泣红亭》及其汉译本述评/杨才铭．西北民族研究．3

重唱现成故事，新编传统史诗：《江格尔》艺术论之六：程式论/张越．卫拉特研究．1

论蒙古史诗《江格尔》的狂欢特征/加俊．卫拉特研究．2

《江格尔·汉文全译本》之用韵探讨/吴扬才　阿勒腾．卫拉特研究．3

史诗《江格尔》中的马及其文化阐释/王颖超．民族文学研究．1

《西拉胡鲁库败北记》的文化史意义探析/戚晓萍．卫拉特研究．2

“千年情结”感思录：关于《玛纳斯》、《江格尔》两部史诗的历史映象问题/丹碧．卫拉特研究．3

20世纪蒙古族史诗《江格尔》研究述评/巴·苏和．中南民族大学学报．6

图瓦《克孜尔》与蒙古《格斯尔》的比较研究/斯钦巴图．内蒙古民族大学学报．4

蒙古史诗英雄死而复生母题与萨满入巫仪式/乌日古木勒．民族文学研究．1

蒙古史诗英雄死而复生母题与女性主义/乌日古木勒．卫拉特研究．3

蒙古英雄史诗蟒古思多头一体特征初探/顾一鸣．卫拉特研究．3

从民俗学的视角解读蒙古族英雄史诗《勇士谷诺干》/郜冬萍．卫拉特研究．4

《那仁汗克布恩》史诗隐喻结构分析：蒙古史诗双重结构和意义转换中一些母题的作用/斯钦巴图．民族文学研究．4

《佚名作者的〈四卫拉特史记〉》所载的传说故事/孟根娜布其．民族文学研究．4

东蒙古本子故事表演中的汉族说书赋赞和戏曲影响/陈岗龙．内蒙古大学学报．4

汉族文论中的“诗味说”对蒙古族文论的影响/满全．民族文学研究．3

谈蒙古族佛教绘画及法舞、法乐艺术的审美/唐吉思　杨·斯琴．西北民族大学学报．3

蒙古族声乐艺术——长歌的发展轨迹/杨海源．内蒙古民族大学学报．3

试论乌兰牧骑的内容与特点/包海凤．黑龙江民族丛刊．2

对蒙古族舞蹈发展的几点思考/高向英．内蒙古社会科学．2

中国蒙古文学史料学的起始与发展/巴·苏和．中央民族大学学报．4

中国蒙古语文学与现代主义、后现代主义/包斯钦．民族文学研究．4

元曲泰斗贯云石散论/张晓东　赵琴．新疆师范大学学报．3

豪迈强劲，意气风发，自成一家：元代蒙古族汉文诗歌的创作先河者伯颜及其创作/木兰．内蒙古民族大学学报．1

“妙”——哈斯宝小说批评理论的重要范畴/范伟军．民族文学研究．4

尹湛纳希比较文学思想简论/额尔敦哈达．民族文学研究．4

鲁迅与蒙古族当代文学/崔银河．广播电视大学学报．4

Ts．达木丁苏伦对“欧洲中心主义”的质疑/王浩．卫拉特研究．4

Ts．达木丁苏伦与蒙古族文学关系研究/王浩．民族文学研究．4

达斡尔艺术及其研究现状/安英．黑龙江民族丛刊．1

论萨满教与鄂温克族神话的关系/汪立珍．中央民族大学学报．1

“满盖”的意象与鄂伦春民间故事的文化氛围/田青．民族文学研究．4

宁夏岩画的出现、发展及特点/龚田夫　张亚莎　乔华．中央民族大学学报．2

论“花儿”的基本主题与特色/陈进录．青海民族研究．4

“花儿”物质民俗的文化内涵/郗慧民　郗萌．西北民族大学学报．1

文化场域与仪式里的“花儿”：从人类学视野谈非物质文化遗产保护/郝苏民．民族文学研究．4

清代新疆竹枝词中的回回风情/席宁山．固原师专学报．5

“回回识宝”传说探微/严梦春．民族文学研究．1

民间叙事诗的民俗学分析：以回族爱情叙事诗“紫花儿”为例/杨志新．甘肃民族研究．1～2

元代诗人萨都剌绘画史料考述/杨光辉．文献．4

试论萨都剌的宫词与艳情诗/龚世俊　皋于厚．宁夏大学学报．6

风霜万里苦吟人：论元末回回诗人丁鹤年/张文澍．民族文学研究．2

文化重构的历史缩影：土族创世神话探析/胡芳．民族文学研究．4

开发利用撒拉族说唱艺术/韩建业．青海民族研究．1

撒拉族民间文学中的民俗事象/韩建业．青海民族学院学报．2

撒拉族民歌及其音乐特征述略/张静轩．青海民族学院学报．2

20世纪裕固族文学编年/钟进文．甘肃民族研究．3～4

《弥勒会见记》与中国戏曲：古代维吾尔族戏剧与中国戏剧之刍议/高人雄．新疆大学学报．5

浅谈维吾尔爱情叙事诗中“殉情母题”及其文化内涵：以尼扎里爱情叙事诗为例/阿布都外力克热木．西北民族研究．4

维吾尔族叙事诗《帕塔姆汗》的结构模式试析/郜冬萍．甘肃民族研究．1

纳瓦依《五卷诗》与19世纪维吾尔书面文学/艾赛提·苏来曼．民族文学研究．3

维吾尔族文学史上的丰碑——纳瓦依的《五卷诗》/张丽．西北民族大学学报．5

和田墨玉县维吾尔达斯坦奇（歌手）及演唱方式/热依汗·卡德尔．民族文学研究．3

我国维吾尔族民族民间音乐中使用波斯—阿拉伯音乐体系之源流探析/肖端．福建师范大学学报．6

论维吾尔现代戏剧繁荣的内在原因/冯冠军．新疆大学学报．6

关于中国维吾尔戏剧史的研究/阿不都艾则孜·司马义/新疆艺术学院学报．2

商品文化竞争与维吾尔民俗审美心理/卡丽比努尔·买买提．民族文学研究．1

从《慧鸟本生》到《狮子和大雁》：印度佛本生故事影响维吾尔民间文学之一例/王继平　杨富学．民族文学研究．2

关于艾里希尔·纳瓦依研究的若干问题/伊克巴尔·吐尔逊．西域研究．4

哈萨克族口头文学的血缘传承特点/黄中祥．新疆大学学报．5

哈萨克族口头文学的巡回传承特点/黄中祥．西域研究．4

哈萨克族巴克思在其民间文学传承中的作用/黄中祥．民族文学研究．3

哈萨克族民间艺术盛会“阿肯对唱会”/努尔夏提·别尔迪别克．新疆社会

科学. 6

汉文学对哈萨克文学的影响/赛力克·吾合拜. 民族文学研究. 1

关立柯尔克孜族的《四十个姑娘》/胡振华. 黑龙江民族丛刊. 4

论新疆锡伯族诗歌创作特征/贺元秀. 新疆师范大学学报. 1

俄国著名学者 B·B·拉德洛夫用锡伯语复述记录的民间故事/佟中明. 民族文学研究. 3

乌孜别克族民间故事的叙事特征/阿丽亚·吉力力. 西北民族研究. 2

西藏民间故事比较研究/尼玛卓玛　克珠群佩. 西藏研究. 3

华锐藏区的神话传说透视/华锐·东智. 西北民族大学学报. 6

“贡桑廓洛”：藏族回文图案诗/张庆有文　旺久多吉图. 中国西藏. 4

试论灵魂寄存观念在藏族史诗创作中的作用/丹曲. 中国藏学. 2

真实，让我走近你：解谈《米拉巴日传》/当增吉. 西藏研究. 4

格萨尔史诗图像在仪式中的使用及其文化认识/徐斌. 中国藏学. 2

《格萨尔》史诗原型的独特内涵/韩伟. 中国人民大学学报. 3

《格萨尔》史诗在西藏的传播特点/李连荣. 中国藏学. 1

试析《格萨尔王传》中的部落联盟现象/仁欠卓玛. 西藏大学学报. 3

刍议《格萨尔》部名上的“宗”/平措. 西藏大学学报. 4

《格萨尔》史诗原始特征/韩伟. 甘肃联合大学学报. 1

浅谈史诗《格萨尔》的民族特色/铁国花. 社科纵横. 3

从《格萨尔》看藏民族的生态观/索南卓玛. 西藏研究. 2

浅论《格萨尔王》谚语的民族特质/陈强. 青海民族研究. 3

藏族《格萨尔》外向传播原因初探/韩喜玉. 青海民族研究. 1

浅析《格萨尔》说唱音乐的吟诵性特征/王力　张春梅. 中央民族大学学报. 4

论《格萨尔》的程式化结构特点及其传承规律/马都尕吉. 西藏研究. 1

《格萨尔》母题研究/韩伟. 西藏研究. 1

藏族《格萨尔》与土族《格萨尔》若干母题的比较研究/班玛扎西. 西藏研究. 2

《格萨尔》谚语分类小议/里太吉. 西藏研究. 2

《吉尔伽美什》与《格萨尔王传》之比较研究/桑杰措. 西北民族大学学报. 6

东西方民族的英雄颂歌：《伊利亚特》与《格萨尔王》比较/张彬. 黑龙江

民族丛刊. 5

史诗《格萨尔》说唱艺人的抢救与保护/杨恩洪. 西北民族研究. 2

西北民族大学《格萨尔》学学科建设述评/扎西东珠. 西藏研究. 3

西北民族大学《格萨尔》研究的回顾与展望/岗·坚赞才让. 西北民族大学学报. 4

拓展特色学科领域 培养跨学科创新人才：格萨尔学学科建设与历届硕士学位论文述评/扎西东珠. 西北民族大学学报. 4

千古绝唱 独领风骚：仓央嘉措情歌赏析/张力凤 赵胜启. 西藏民族学院学报. 2

试析藏族爱情叙事诗中的天葬习俗/马志华. 西藏民族学院学报. 3

论藏族传统绘画作品的“经验断代分类法”/阿旺晋美. 西藏大学学报. 1

试谈藏族佛画艺术风格与造型特征/王猛. 社科纵横. 5

西藏唐卡艺术：访著名藏族唐卡画家丹巴绕旦/洛扎. 西藏大学学报. 2

对藏族民间宗教艺术形式——“唐卡”的人类学阐述/张斌宁. 青海民族研究. 3

阿里古格藏传佛教后宏时期的民间美术/康·格桑益希. 西藏大学学报. 1

论藏族民间舞蹈个性化特征/李措毛. 青海民族研究. 3

藏族果卓舞文化审美特征浅论/李加才让. 青海师范大学学报. 5

西藏阿里的民间卡尔歌舞音乐/格曲. 西藏研究. 4

试论传统藏戏悲剧性的消解/普布仓决. 西藏大学学报. 4

藏面具的宗教内涵与美学意向/范文. 四川戏剧. 5

杨揆和他的《桐华吟馆卫藏诗稿》/顾浙秦. 西藏大学学报. 1

门巴族民间戏剧考察：兼论藏戏与门巴戏的异与同/陈立明. 民族文学研究. 4

史诗的文本分析：以彝族史诗《梅葛》为视点/胡立耕. 民族文学研究. 2

对彝族史诗《梅葛》神话原型的分析/陈永香 樊英. 楚雄师范学院学报. 1

彝族古代文论中的“押音”/罗曲. 西南民族大学学报. 7

彝族古代文论“押音”的表现模式/罗曲. 西南民族大学学报. 8

石株阿着底村彝族刺绣工艺调查报告/肖青. 民族艺术研究. 3

论彝族生活中的音乐/李飏. 楚雄师范学院学报. 2

谈羌族民间刺绣和剪纸艺术/罗徕. 西南民族大学学报. 5

桃坪羌寨羌族传统音乐文化之当代化研究/路瑜　李珊. 西南民族大学学报. 6

云南少数民族创世神话中的生殖主题/朱和双　李金莲. 文山师范高等专科学校学报. 1

云南民族戏剧与文化生态/刘佳云　张世庆. 民族艺术研究. 6

试论云南民族音乐舞蹈的社会文化功能/胡阳全. 民族艺术研究. 5

少数民族民间口承文艺资源的保护及发展：以白族大本曲为例/董秀团. 民族艺术研究. 6

傣泰民族创世神话中的原始观念/刀承华. 民族文学研究. 3

明清纳西族文人创作的价值探讨/李心荃. 学术探索. 3

论汉族流官与丽江纳西族儒学礼乐的形成及分期/桑德诺瓦. 中国音乐. 2

格姆女神与摩梭文化/周建清. 云南艺术学院学报. 3

纳西族《祭天古歌》的"天人合一"思想/陈烈. 民族艺术研究. 2

纳西族东巴舞仪的文化阐释/冯莉. 民间文化论坛. 2

20世纪的傈僳族作家文学/密英文. 民族文学研究. 1

云南民族文化研究的新成果：基诺族《贝壳歌》评说/吴学源. 民族艺术研究. 2

云南苗族民间音乐概述及其特点/罗有亮. 民族艺术研究. 2

黔西南布依戏调查综述/王鸣明. 贵州民族研究. 2

从侗族芦笙复调音乐看侗族音乐文化的发展/吴媛姣　陈燕鸣. 贵州文史丛刊. 4

侗族大歌的艺术特色/田定湘. 民族论坛. 10

试析水族舞蹈在水族原始文化中的二极趋向/欧光艳. 贵州民族研究. 4

仡佬族民间文学的区域性特征/刘丽. 贵州民族研究. 4

"歌圩"是什么：文人学者视野中的"歌圩"概念与民间表述/陆晓芹. 广西民族研究. 4

花婆崇拜与民族生态审美叙事/翟鹏玉. 柳州师专学报. 2

布洛陀文化的典型意义与独特价值/刘亚虎. 广西民族研究. 2

论壮族民间传说的道德意蕴及其现代价值/凌春辉. 广西右江民族师专学报. 1

论口头流传中的悦城龙母传说/蒋明智. 广西民族研究. 2

传统书写文化视野下的壮族歌谣习俗/覃慧宁. 广西民族学院学报. 2

《嘹歌》：壮族歌谣文化的经典：壮族《嘹歌》文化研究之一/覃乃昌．广西民族研究．1

壮族《嘹歌》的起源及其发展的社会历史条件：壮族《嘹歌》文化研究之二/郑超雄．广西民族研究．1

关于壮族《嘹歌》文化中心地的探讨：壮族《嘹歌》文化研究之三/郑超雄．广西民族研究．2

《嘹歌》的内容、形式和分类：壮族《嘹歌》文化研究之四/滕光耀．广西民族研究．2

壮族《嘹歌》的文化内涵：壮族《嘹歌》文化研究之五/潘其旭．广西民族研究．3

论壮族《嘹歌》艺术的美学价值：壮族《嘹歌》文化研究之六/覃彩銮．广西民族研究．3

壮族《嘹歌》的传承与传播研究：壮族《嘹歌》文化研究之七/覃乃昌．广西民族研究．4

《嘹歌》的特色及其在壮族传统文化中的地位与作用：壮族《嘹歌》文化研究之八/蓝阳春．广西民族研究．4

生态美学视域中的巴马长寿文化/银建军．广西民族学院学报．4

浅论瑶族鼓文化艺术/李少梅．科学研究动态．1

湘鄂渝黔边区少数民族民间舞蹈简论/易超　田定湘．民族论坛．2

50年回眸：湘西民间文学的搜集与研究/田茂军．民族文学研究．4

民间叙事传统的转变：从廪君到向王/林继富．中央民族大学学报．6

鄂西土家族“杂号子”同调式山歌/陈宇京．湖北民族学院学报．1

改土归流前后土家族情歌的文化特征/谢亚平．民族文学研究．1

土家族情歌——《思想》的文化人类学解读/谢亚平．中南民族大学学报．3

渝东南酉水流域土家族民间文学中的白虎神崇拜研究：以重庆市酉阳县酉水流域后溪镇为例/白俊奎．西南民族大学学报．12

土家情歌中女性的婚恋观及其美学内涵/石雯丽．民族论坛．2

土家族“哭嫁歌”中女性心理及功利色彩探微/石雯丽．吉首大学学报．1

土家族灯歌《黄四姐》/杨华．湖北民族学院学报．1

土家族传统民间歌舞耍耍的历史源流与演变层次/刘嵘．湖北民族学院学报．2

土家族摆手舞研究/张伟权．湖北民族学院学报．3

“摆手舞”与土家族生命本体力量的展示/屈杰　刘景慧．怀化学院学报．3

“西兰卡普”探析/向勇　孙玲．大连民族学院学报．6

论京族民间爱情故事及其审美意蕴/陈丽琴．广西师范学院学报．2

古远而丰厚的沉淀：试论几组黎族神话和神奇故事的文化意蕴/王海．民俗研究．2

试论黎族民间故事中的道德传扬/王海．西南民族大学学报．5

黎族民间长诗辨析/王海．民族文学研究．1

古代黎族的音乐舞蹈/周菁葆．中国音乐．1

苏东坡与海南黎族/粱银林．民族文学研究．2

《承德民族师专学报》二十年纳兰性德研究综述/布莉华．承德民族师专学报．4

牙含章花儿著述校稿/郭正清编校．甘肃民族研究．3～4

追念满学与俗文学大家关德栋教授/张佳生．满族研究．4

第三届中国辽金文学学术研讨会综述/赵维江　何志军．民族文学研究．3

蒙古文学与比较文学研讨会综述/陈岗龙　刘迪南．内蒙古民族大学学报．4

简论《辽金元诗选评》/周惠泉．民族文学研究．1

20世纪满族文学的写影：评路地、关纪新主编的《当代满族作家论》/刘大先．满族研究．3

寻觅满族舞蹈的历史舞步：读庞志阳的《满族舞蹈寻觅》/白长青．满族研究．2

《蒙古学百科全书·文学卷》评析/巴·苏和．内蒙古大学学报．1

卫拉特学研究领域的重要成果：评《西部蒙古民俗与民间文学关系研究》一书/策·巴图．新疆大学学报．1

平面描述中有深度研究：评《大凉山美姑彝族民间文艺研究》/徐其超．西南民族大学学报．10

60《苗族古歌与苗族历史文化研究》评介/伍隆萱　李炳泽．中央民族大学学报．4

壮族古代人文精神的文化丰碑：评介《平果嘹歌长歌集》/何毛堂．广西右江民族师专学报．2

别样的情怀：黎族文化专著《从远古走向现代》的写作及其思考/王海. 文艺评论. 4

八、民族教育

党的第三代领导集体关于发展少数民族教育的理论与政策/赵民. 满族研究. 4

认真贯彻落实党的教育方针和民族政策，大力发展民族教育事业/周济. 中国民族教育. 4

少数民族教育平等问题及政府的教育政策选择/丁月牙. 民族教育研究. 2

解读我国一项特殊的民族教育政策——举办内地西藏班（校）/严庆. 民族教育研究. 2

发展民族教育的几点启示/李民. 中国民族教育. 4

抓住机遇，改革创新，加快发展民族教育/黄小鹏. 中国民族教育. 3

改革旧的教育发展模式，寻求民族教育新的突破/王贵生. 贵州社会科学. 5

社会文化变迁与民族教育革新的基础理念：西部大开发背景的视角/哈经雄 常永才. 西北师大学报. 1

跨文化视野中的民族教育/王贵生. 贵州民族研究. 4

发展民族特色教育的探索/佟达. 辽宁教育研究. 4

民族教育与民族地区经济发展中的有关理论与现实问题/姚显志. 西南民族大学学报. 12

民族教育与民族地区开发/程淑华. 满族研究. 2

少数民族非物质文化遗产的保护与教育/汪立珍. 民族教育研究. 6

义务教育与宗教传承的并存及调适/马世雯. 云南民族大学学报. 6

城市周边少数民族聚居区教育观念的地域性及改善途径/丁立平 王天玉. 云南社会科学. 4

论民族地区教育行政制度的特殊性：新制度经济学视角下的教育行政制度研究/潘启富. 内蒙古民族大学学报. 4

关于民族教育学的几个理论问题/王鉴. 西北师大学报. 1

教育的风情：人类学视界中的民族教育/李姝. 民族教育研究. 1

论教育人类学的学科性质与研究方法/苏日娜．中央民族大学学报．3

从书斋到田野：谈教育研究的人类学范式/滕星　巴战龙．西北师大学报．1

中国民族教育及其学科的历史回顾、成就与展望/胡萍　周兴茂．湖北民族学院学报．1

论我国少数民族教育的多样化构建/王玉玲．民族教育研究．5

中国现代民族教育观问题研究/马振林．甘肃民族研究．3～4

新时期我国少数民族教育立法的内容及特点/陈立鹏．贵州民族研究．2

我国地方少数民族教育立法的内容和特点/陈立鹏．黑龙江民族丛刊．1

我国地方少数民族教育立法研究：以《楚雄彝族自治州教育条例》为个案/陈立鹏．民族研究．1

我国地方少数民族教育立法研究：以湖北恩施土家族、苗族自治州为例/田龙山．湖北经济学院学报．12

中外民族教育立法中双语教育规定之比较/钱晓芳　马敏．社科纵横．3

保障少数民族受教育权的几点思考/邓祥俊．湖北民族学院学报．4

金代女真族教育特点、历史地位及影响/兰婷．社会科学战线．4

金代女真教育制度/兰婷　孙运来．黑龙江民族丛刊．6

金代兴学与教育发展/吴凤霞．史学集刊．1

论明代广西官办民族教育/谢岭华．广西右江民族师专学报．1

清朝前期黑龙江地区的少数民族教育/周喜峰．北方文物．1

民国时期甘宁青边疆教育研究述评/刘亚妮．青海民族研究．3

抗战时期西部民族地区学校教育的发展及其历史反思/冉春　余子侠．民族教育研究．4

民族地区全面建设小康社会　发展教育是根本/普同金．云南民族大学学报．3

全面落实科学发展观，把全国民族教育工作推上新台阶/夏俦．中国民族教育．3

民族教育要走质量效益特色相统一的发展之路：浅谈科学发展观指导下的民族教育工作/杨惠良．中国民族教育．4

科学发展观与民族院校的发展/何龙群．高教论坛．1

建设和谐社会离不开和谐的民族教育/钱民辉．西北民族研究．4

民族地区实施教育优先发展战略论/顾华详．中共云南省委党校学报．1

民族地区实施教育优先发展战略论/顾华详. 广西右江民族师专学报. 1

现代远程教育在民族教育发展中战略优势/李萍萍. 黑龙江民族丛刊. 6

在科学发展观指导下发展民族地区素质教育/陶晓辉. 西北第二民族学院学报. 3

在科学发展观指导下发展民族地区素质教育/陶晓辉. 贵州民族学院学报. 4

试论民族地区实施素质教育的制约因素及改革对策/陶晓辉. 民族教育研究. 4

试论民族地区实施素质教育的制约因素及对策和措施/陶晓辉. 黑龙江民族丛刊. 3

发挥电大远程教育优势，加强边远民族地区素质教育/常彩凤. 甘肃民族研究. 2

合理布局，强化管理，提高民族寄宿制学校的办学质量/马文华. 中国民族教育. 3

多元文化教育视角下的少数民族公民教育/张英魁. 广西民族研究. 1

民族地区农村教育发展现状分析与思考/时锦雯 毛汉领. 高教论坛. 1

民族地区中等职业技术教育的调查与分析/丁子平 田玉英. 宁夏社会科学. 4

少数民族地区基础教育和职业教育课程的整合构想/陈静. 民族教育研究. 6

少数民族预科教育培养模式研究与实践/宋太成 刘翠兰. 黑龙江民族丛刊. 1

少数民族地区未成年人家庭道德教育的实效性：若干问题的探讨/邱仁富 黄祖军. 广西青年干部学院学报. 5

少数民族地区教师教育与民族性理念/果红. 云南师范大学学报. 6

少数民族地区学校教师的角色意识：个案研究/朱志勇. 清华大学教育研究. 6

提高民族地区中小学教师科研水平的基本思路/李玉田. 民族教育研究. 1

民族家庭的学校教育态度与行为的互动分析/龙延平 龙叶先. 怀化学院学报. 4

利用社区资源推动少数民族妇女扫盲工作的全面发展/杨红. 民族教育研究. 4

论少数民族地区女童的社会性发展/宋凤宁　张琼．贵州民族研究．2

制定西部民族贫困地区女童教育特殊政策刍议/冯雪红　王建伟．湖北民族学院学报．1

传统性别文化视角下的女性教育问题：水族个案/丁月牙．贵州民族研究．2

论民族地区地方课程文化功能的实现/刘先强　卢德生．康定民族师范高等专科学校学报．2

多元文化背景中的课程资源开发/廖辉．民族教育研究．2

多元文化格局下的民族语文教育刍议/葛新斌．民族教育研究．6

少数民族三语教育的纵横解读/乌力吉．贵州民族研究．4

冲突理论对中国少数民族大学外语教育的指导作用/刘雪莲．湖北民族学院学报．1

关于少数民族音乐教育中复合型架构模式的若干思考/王华．中央民族大学学报．6

少数民族地区高校音乐教育与传统音乐资源/杨海源．民族教育研究．1

浅谈民族声乐人才的培养/李小峰．民族教育研究．6

中国高等教育的少数民族优惠政策与教育平等/滕星　马效义．民族研究．5

全球化时代民族成人高等教育发展问题的思考/李曦辉．民族教育研究．3

坚持科学发展观　促进民族高等教育全面协调可持续发展/唐建荣．贵州民族研究．2

浅谈民族高等教育的创新/吴洁．当代教育论坛．8上

新时期民族大学的使命和自身的代发展/蔡明德．大连民族学院学报．4

论民族高校研究生教育改革发展的思路、目标和对策/霍文达．中南民族大学学报．1

民族高等教育的发展历程和现状/张尔晶．西北第二民族学院学报．3

民族高等教育发展及其思考/吕军．边疆经济与文化．5

影响民族高等教育发展的几个理论/杨亚辉．青海民族研究．1

高校扩招对民族高等教育发展的影响及其对策/胡牧君．经济与社会发展．1

再论民族高等教育主流化：兼谈建设一所什么样的现代民族大学/冯建昆．云南民族大学学报．1

对发展西部民族地区高等教育的几点思考/王诚. 攀登. 4

论西部民族地区中小城市兴办高等教育的积极效应/邹洪涛 黄胜. 民族教育研究. 6

构建适应小康社会建设的民族地区高等工科教育体系/卢胜利. 西北第二民族学院学报. 1

警惕民族分裂主义思想和非法宗族意识对高校的渗透和影响/宋英超. 新疆教育学院学报. 4

普通高校民族教育实现跨越式发展之路径思考/李延福. 青海师范大学学报. 2

少数民族高等教育在西部大开发中的作用刍议/白兴发. 文山师范高等专科学校学报. 1

试论民族高等院校教育质量管理体系的构建与完善/张俊豪. 民族教育研究. 4

民族院校的科研要面向民族地区/邓行 夏彦芳. 西北民族大学学报. 2

论民族高等院校职业教育的发展/马永涛. 云南民族大学学报. 5

民族贫困地区高校人才流失的博弈分析/杨素梅. 中央民族大学学报. 3

学科建设与民族院校的人才培养/李杰. 中南民族大学学报. 6

论开放教育与民族高校人才的培养/杨琦. 青海民族学院学报. 3

我国民族院校师资队伍建设的历史沿革与现状/相理锋 高学 丁小丽. 西藏民族学院学报. 3

民族院校人才培养模式的改革与创新/唐纪南 张京泽 王丽萍. 西南民族大学学报. 11

如何解决民族学术人才断代问题/邓行 夏彦芳. 西南民族大学学报. 1

由传承教育转向创造教育：关于民族院校人才培养工作改革的思考/唐纪南 张京泽 王丽萍. 中央民族大学学报. 6

试论 MPA 教育与民族地区干部的培养/李俊清. 民族教育研究. 5

试论民族院校教育主权的维护/杨进美 陈强胜. 黑龙江民族丛刊. 1

通识教育与民族院校教育质量的提高/李俊英 陈化育. 西北第二民族学院学报. 4

民族院校办学主体多元化的思考/欧以克. 贵州民族学院学报. 3

延安精神与办好民族院校/吴仕民. 云南民族大学学报. 3

对民族院校开展民族团结教育的认识和思考/康春英. 思想理论教育导

刊. 1

民族院校德育评价体系研究/李凤玉. 广西右江民族师专学报. 1

构建科学高效的民族院校德育管理体制/李凤玉. 广西右江民族师专学报. 5

探索教育规律，努力促进少数民族学生全面发展/侯代忠. 中国民族教育. 4

以人为本：民族院校大学生思想政治教育的新理念/李步海. 中南民族大学学报. 6

论新时期民族大学生思想政治教育的创新/李红. 西南民族大学学报. 9

加强少数民族大学生思想政治教育的几点思考/邓晓琳. 西南民族大学学报. 9

试论少数民族大学生的心理特点与情绪健康教育/张妍. 中南民族大学学报. 6

少数民族大学生人际关系素质现状调查与分析/黄竹. 民族教育研究. 5

对少数民族大学生开展环境教育的意义及内容构想/巴哈提古丽. 民族教育研究. 1

少数民族大学生自我价值观特点的比较研究/周爱保 高学德 刘燕华. 民族教育研究. 1

藏族彝族大学生自我接纳的跨文化研究/刘诚芳 陈国典 吴娟. 西南民族大学学报. 12

少数民族贫困大学生资助政策研究/陈柳. 理工高教研究. 6

少数民族大学生就业难的成因及对策/李光明. 云南民族大学学报. 6

民族院校学生非正式群体问题的研究/徐魁峰. 理论观察. 1

高原地区土族与汉族女学生体质状况的比较分析/王巍伟. 青海师专学报·教育科学. 6

少数民族女大学生能力建设实验报告/赵丽珍. 中华女子学院学报. 2

汉蒙维女大学生恋爱观的调查/蔡浩 玛依拉 刘美玲. 新疆师范大学学报. 4

对西部地区民族教育的一点思考：以统一民族与多元族群为背景/韦晓冰. 民族教育研究. 1

试论教育在西部民族地区发展中的作用/赵民. 黑龙江民族丛刊. 4

西部民族特性与民族政策教育/关桂霞. 攀登. 1

西部地区民族教育发展再思考/龚贵元 成朝阳. 青海民族学院学报. 3

西部地区教育发展滞后成因分析/张文华. 中南民族大学学报. 1

在西部开发中发展民族教育产业迫切需要解决的三大问题/龙延平 唐荣双. 经济与社会发展. 1

西部地区的素质教育必须以培养学生创新能力为核心/宋才发 夏桂霞. 民族教育研究. 2

从西部民族地区的劳动就业看成人教育的发展/肖琼 刘晓勤. 西南民族大学学报. 4

传统生态文化与中国西部民族地区环境教育/吴明海. 中央民族大学学报. 3

西部民族地区高校新闻传播教育发展探析/郭毅. 西藏大学学报. 2

全球化时代西部少数民族地区的语言教育/江佳慧. 湖北民族学院学报. 5

西部少数民族大学生现代人格缺失及其成因分析/李琼. 青海民族学院学报. 4

西北民族地区校本课程开发的伦理思考/李定仁 罗儒国. 西北师大学报. 1

西北地区民族高等教育发展机遇与挑战浅析/李玉泉 李长著. 西北成人教育学报. 2

西北贫困民族聚居区学校体育特征研究/任莲香. 甘肃民族研究. 1

课程资源视野下的西南少数民族学校德育变革/邓达 易连云 杨洋. 民族教育研究. 4

经济机会与民族家庭的学校教育态度及行知互动的研究：以西南民族地区农村家庭为个案/龙延平 龙叶先. 民族教育研究. 6

西南民族地区家庭高等教育费用可承受限度研究/龙延平 龙叶先. 安徽师范大学学报 2

西南民族地区家庭初等中等教育可支配费用分析/龙延平 龙叶先. 开发研究. 2

民族高校贫困生的负面心理状况及对策探讨：基于西南民族大学管理学院贫困生的调查研究/聂晶 蒋明. 西南民族大学学报. 9

实施"人才强校"战略是中央民族大学争创一流的根本保证/荣仕星. 中央民族大学学报. 1

中央民族大学学科建设的思考/朱雄全. 民族教育研究. 4

论加强马克思主义民族理论与民族政策课程建设：以中央民族大学为例/金炳镐　乌小花　张谋. 中南民族大学学报. 6

中央民族大学藏学学科的历史、现状与前瞻/喜饶尼玛　苏发祥. 民族教育研究. 4

中央民族大学哈萨克语言文学学科的回顾与展望/张定京　穆合塔尔. 民族教育研究. 4

进一步采取有力措施加快辽宁省民族教育事业的发展：辽宁省民族政策法规贯彻落实情况的调研报告/李云霞. 满族研究. 2

试论清代满族重视家庭教育的原因/孔艳波. 北华大学学报. 6

把握机遇，提升实力：对大连民族学院发展的思考/吴仕民. 大连民族学院学报. 6

以人为本，抢抓机遇，促进学校教育事业的全面协调可持续发展/黎树斌. 大连民族学院学报. 6

中国朝鲜族民族教育现状/太平武. 民族教育研究. 5

目前朝鲜族中小学师资队伍的现状、问题及其对策/朴金海. 延边大学学报. 2

朝鲜族双语教育的文化生态学研究/崔英锦. 黑龙江民族丛刊. 5

清代封禁政策的内在矛盾与归化城土默特地区教育事业的发展/刘丽君. 内蒙古师范大学学报. 6

蒙古民族高等教育演变的历史轨迹/陈巴特尔. 中央民族大学学报. 2

新疆蒙古族教育现状、问题及对策建议/吐娜. 卫拉特研究. 4

近现代新疆蒙古族教育概述/吐娜. 新疆社会科学. 4

贡桑诺尔布与民族学校音乐教育/乌云陶丽. 民族教育研究. 4

关于相关民族院校构建蒙汉双语学科的思考/阿民　高红梅　秋喜. 陈永春. 民族教育研究. 3

宁夏同心县经堂教育发展的新举措/成媛. 回族研究. 2

“成达”：中国现代伊斯兰教育的成功实践：纪念成达师范学校创建80周年/高占福. 回族研究. 4

宁夏回族女童教育存在的问题及原因探析/冯雪红. 固原师专学报. 4

宁夏回族女童教育现状分析及对策研究/冯雪红. 福建师范大学学报. 6

弱势回族女童教育中的矛盾与对策/王安全. 现代中小学教育. 2

西宁市城东区回族教育发展现状的人类学调查与研究/陈其斌　杨文炯. 民

族研究．6

回族社区的家庭教育投资理念与学校教育关系研究：山东莘县朝城镇回族社区个案研究/马效义．湖北民族学院学报．5

回族留学生在海外的发展变迁史/刘宝军．宁夏社会科学．2

甘肃民族教育发展对策初探/胡永昌．社科纵横．4

甘肃少数民族贫困地区女子教育发展的对策/刘丽平．教育评论．2

甘肃省女童教育现状及改革措施/王春玲．民族教育研究．6

改革与发展：振兴农村基础教育的唯一出路：张家川民族教育的问题、对策与思考/孙志平．甘肃民族研究．2

关于少数民族贫困地区基础教育师资均衡配置的思考：来自甘肃省天祝藏族自治县的调查/杨军．民族教育研究．3

肃南裕固族地区教育与经济发展的调查与思考/祁恒琚．社科纵横．1

少数民族双语教学中存在的问题及其对策：以东乡族为个案/王嘉毅 周福盛．西北师大学报．1

东乡族自治县女童教育的现状及对策/王春萍．社科纵横．3

东乡族女童教育现状调查及对策/妥进荣．甘肃民族研究．1

试论青海近代社会结构特征及其对近代民族教育的影响/李臣玲 贾伟．民族教育研究．5

青海民族教育发展及其出路探讨/马海龙．青海师专学报·教育科学．5

科技教育与青海少数民族科技人才培养/郭殿雄．青海师范大学学报．3

发展职业教育 促进民族经济繁荣/索南措．青海民族学院学报．3

青海高校开展民族传统体育教学之浅见/郭廷权．青海民族研究．2

西宁地区民办教育的现状、问题和对策/高福寿．青海民族研究．1

关于黄南州民族教育发展之我见/佛秀芳．青海民族学院学报．3

对青海民族贫困地区女童教育的再思考/陈魏．青海民族学院学报．1

西宁地区的清真女学/赵春肖．攀登．1

青海地区藏族、汉族女大学生自我意识发展的比较研究/马存芳 张军．青海民族学院学报．2

对西部大开发中新疆优先发展民族教育的思考/遇恒勇．新疆社科论坛．4

新疆少数民族高等教育研究/赵德忠．中国高教研究．11

变迁与困境：新疆游牧民族教育/娜拉 买吐尔逊．周口师范学院学报．3

新疆高校招生中的少数民族考生优惠政策分析/李晓霞．新疆大学学报．1

对新疆高校少数民族学生汉语学习现况的调查/阿不都热扎克沙依木　古丽扎尔吾守尔．新疆社会科学．5

维吾尔族大学生对公民道德认同分析/何峰．新疆师范大学学报．4

让少数民族孩子享受课改“阳光”：新疆乌鲁木齐市天山区民语学校基础教育课程改革试验纪实/蒋夫尔．中国民族教育．3

新疆克拉玛依市少数民族基础教育现状与发展对策/姚文遐．新疆社会科学．6

加强民汉合校建设，促进新疆教育发展：对甘肃省酒泉市阿克塞哈萨克族自治县教育考察的思考/阿依登　王颖．新疆社科论坛．4

关于新疆少数民族汉语教育中存在的问题及对策研究/吕青．新疆师范大学学报．2

新疆维文会兴办民族教育及其作用/左红卫　郭红霞．新疆大学学报．3

新疆少数民族网络受众调查分析/张文锋．新疆大学学报．6

试论青藏高原普及九年制义务教育的重要性/王印堂．青海民族研究．1

开发和利用青藏高原课程资源，实现文化整合/陈化育　星全成．民族教育研究．1

构建适合藏区特点的现代民族教育体系/年次力．西北民族大学学报．2

试论西藏教育信息化建设/肖铖．西藏研究．1

西藏教育与人口文化素质发展问题实证研究/潘海生．西藏研究．1

西藏自治区高等教育大众化进程速度初探/王学海．西藏研究．3

观念现代化：西藏高等教育现代化的前提/杨小峻．西藏民族学院学报．1

结构现代化：西藏高等教育现代化的核心/杨小峻．西藏研究．4

西藏高校心理健康教育之我见/张国玺．西藏民族学院学报．2

西藏中小学体罚现象调查及分析/罗爱军．西藏研究．4

从世界最高的地方起飞：西藏自治区教育发展四十年的成就与启示/卢德生　刘先强．中国民族教育．5

青海省藏族地区知识发展问题的探讨/张宏岩．统计与决策．11

地缘文化对学校班级管理的影响：北京西藏X中学与西藏拉萨Y中学班级管理的比较研究/姚便芳．西藏研究．4

现代教育中的藏族师资培训问题/仁青当智．青海师范大学学报．4

校园文化建设与西藏高校人才培养/张廷芳．西藏大学学报．4

西部大开发形势下藏族大学生的心态变化与对策/李传召．西藏民族学院学

报. 2

四川民族高等教育创新研究/曲木伍各. 西南民族大学学报. 12

民族高校贫困生的负面心理状况及对策探讨：基于西南民族大学管理学院贫困生的调查研究/聂晶 蒋明. 西南民族大学学报. 9

云南省25个世居少数民族受教育状况分析/刀福东 胡发稳. 红河学院学报. 1

汉、彝、白、傣族初中生非智力因素与学习成绩的相关研究/邓春暖 付金芝 田国伟. 楚雄师范学院学报. 1

彝族、苗族及汉族杂居区初中生心理健康状况调查/周文斌. 楚雄师范学院学报. 1

少数民族地区义务教育经费投入研究：对云南省边境民族地区的调查/张学敏 贺能坤. 云南师范大学学报. 6

少数民族社区教育研究：以云南为例/侯丽萍. 学术探索. 1

集中力量办好农村义务教育：对大理白族自治州农村义务教育现状的思考/杨聪 王科琼. 民族教育研究. 1

哈尼族汉语教育研究/李泽然. 民族教育研究. 1

佤族教育研究/赵富荣. 民族教育研究. 2

拉祜族教育的历史变迁/杨红. 教育史研究. 2

西双版纳克木人受教育状况调查与分析/雷长康 罗鸣春. 思茅师范高等专科学校学报. 4

民族教育要为实现贵州经济社会跨越式发展服务/张景海. 贵州民族学院学报. 6

加快贵州民办教育发展的对策措施/袁鹰. 贵州民族学院学报. 6

少数民族农村地区教育状况调查及其原因分析：以贵州省榕江县为例/孙荔 崔志强 袁方舟. 社科纵横. 2

贵州少数民族贫困女大学生心理适应状况与教育对策研究/任胜洪 张国强. 贵州民族学院学报. 5

贵州南部少数民族地区体育教师现状调研/顾晓艳 余明友 陈贵祥. 民族教育研究. 1

贵州高校民间文学、民俗学教学与研究状况调查：兼谈培养相关专业人才的重要性/陈玉平 庹修明. 贵州民族学院学报. 6

关于八连村的教育调查及分析/伍隆萱. 民族教育研究. 3

民族院校新生心理健康水平调查/陈秋燕　钱敏．贵州民族学院学报．5

论苗族家庭教育的内容：贵州省松桃苗族自治县干塘寨个案研究/王德清．西南民族大学学报．5

贵州省苗族地区中小学民族文化课程开发的现状及对策研究/刘茜．贵州民族研究．1

边境民族教育的瓶颈与对策：广西那坡水弄苗寨教育状况的调查与思考/王光荣．广西师范大学学报．4

瑶山民族教育现状与发展浅析/李霞．贵州民族学院学报．4

托起民族的希望：湖南省江华瑶族自治县二十年教育发展纪实/解成华．中国民族教育．1

关于湖南民族教育发展的调查与思考/廖湘生．民族论坛：理论版．4

抗战时期湘西教育对民族地区教育的启示/彭永庆　李兴平．怀化学院学报．4

湘西土家族、苗族和汉族高中生人格特征的比较研究/黄祥祥　陈向阳．吉首大学学报．1

武陵地区民族教育的历史与现状/谭志松．湖北民族学院学报．3

福建少数民族女生教育发展问题探微/郭少榕．福建省社会主义学院学报．3

构建民族特色，发展民族教育/福州民族中学办公室．福建教育学院学报．1

台湾原住民族教育立法研究/陈立鹏．贵州民族研究．4

河北省少数民族地区经假发展与教育状况关系研究/李国柱　李从欣．石家庄经济学院学报．6

革新时期的越南民族教育政策/欧以克．民族教育研究．3

美国部落学院与我国民族学院的比较研究/程明明．西北第二民族学院学报．1

美国民族高等教育的特点及其借鉴/黄明光．云南民族大学学报．6

多元文化背景下的澳大利亚民族教育/孟兵丽．民族教育研究．6

开拓民族团结伟业，促进民族教育发展：西北师范大学西北少数民族师资培训中心20年发展纪实/马海明．中国民族教育．4

希望，在这里放飞：河北师范大学附属民族学院西藏班20周年发展侧记/明世法．中国民族教育．3

服务着，快乐着：记全国民族教育协会/东升．中国民族教育．3

我国少数民族发展与教育心理研究述评/万明钢　赵国军　王昕亮．西北师大学报．1

“十一届三中全会”以来党和国家的少数民族教育政策综述/杨军．青海民族研究．3

“西部大开发与中国少数民族教育改革和发展研究”中期报告会综述/常永才．科学研究动态．1

我国民族教育发展问题探析：全国民族教育高层论坛综述/王鉴．教育研究．10

一部综论民族教育的优秀著作：凌绍崇著《民族教育新论》介评/钱宗范．广西右江民族师专学报．5

民族高等教育研究的新进展：《民族高等教育学概论》评介/黄显辟．广西民族学院学报．6

高校德育与素质教育研究的新成果：评唐凯兴的《拓展　渗透　完善：民族院校德育与素质教育新探》/陆森焱．广西右江民族师专学报．2

在边缘中守望：从袁同凯著《走进竹篱教室》看弱势教育/文化　赵巧华．西北民族研究．3

《走进竹篱教室》序/陈志明．广西民族学院学报．3

借鉴传统教育精华　发展现代人文教育：评介《中国藏族寺院教育》/葛小冲．民族教育研究．3

海南少数民族教育研究的重要成果：喜读《五指山基业》/杨劲生．琼州大学学报．1

九、民族人口

中国全面建设小康社会建设中的少数民族人口流迁及应对原则/王希恩．民族研究．3

现阶段我国少数民族人口发展的回顾与展望/鲁刚．云南社会科学．4

中国少数民族人口发展形势/黄荣清．中国少数民族人口．3

中国信仰伊斯兰教的十个民族人口发展分析/马正亮．中国少数民族人口．4

少数民族人口增长与可持续发展研究/成艾华．中南民族大学学报．6

出生性别比的社会经济决定因素：对2000年中国最大的36个少数民族的分析/罗华　鲍思顿．人口研究．6

中国少数民族人口出生性别比问题研究/张丽萍．中国少数民族人口．3

少数民族人口分布变动与人口迁移形势：2000年第五次人口普查分析/张善余　曾明星．民族研究．1

少数民族人口的流动迁徙及其历史作用/鲁刚．云南民族大学学报．2

试论少数民族流动人口的构成、分布特点及动因/拉毛才让．攀登．2

对民族地区人口规模动态变化的分析/才让加．西北民族大学学报．6

少数民族人口的迁入对东部城市民族关系的影响/林钧昌．烟台师范学院学报．4

我国少数民族村寨生育行为与理性选择分析/吕昭河　余泳　陈瑛．民族研究．1

对推进边境少数民族地区计划生育综合改革的思考/张宝福．人口与计划生育．10

20世纪90年代末中国各民族人口的死亡水平/黄荣清．人口与经济．4

中国各民族青年文化素质状况分析/张天路　张梅．中国少数民族人口．2

人口问题与国家安全/张爱民．中国少数民族人口．4

人口安全与民族人口问题/马宁．中国少数民族人口．3

对牧区人口、资源、环境与可持续发展关系的分析/宋双柱．中国少数民族人口．4

我国西部少数民族人口的发展趋势与特点研究/杨风．中国少数民族人口．2

中国西部少数民族人口的贫困原因及其政策启示/童玉芬．中国少数民族人口．4

西南民族地区乡城人口流动的推阻因素分析/柏贵喜　罗义云．湖北民族学院学报．1

生活在匈奴地区的中原人口/王庆宪．黑龙江民族丛刊．3

中原贫民亡入匈奴地区谋求生存/王庆宪．黑龙江民族丛刊．6

隋唐时期入迁河西的高丽人考略/马克林　黄兆宏．中国少数民族人口．4

清代以前中原内地人口进入北方草原的原因及作用/珠飒．内蒙古社会科学．2

辽宁省少数民族人口现状、特点及存在问题/金枫. 满族研究. 2

朝鲜族人口规模与分布/朱在宪. 北方民族. 1

延边朝鲜族妇女生育意愿的影响因素分析/王化波. 人口学刊. 3

浅析清代鄂伦春满文户籍档案/刘淑珍　苏静. 满语研究. 2

浅谈鄂伦春族生育文化/刘翠兰. 黑河学刊. 1

近代西北地区回民起义前后的人口变迁/侯春燕. 中国地方志. 2

试论宁夏城市化进程中的散居回族人口与外来少数民族流动人口对民族关系的影响/王锋. 中国少数民族人口. 3

从人口普查资料看四川省回族的现状/达五德. 回族研究. 1

1990—2000 **年甘肃主要民族人口重心迁移研究**/赵军　刘琳　符海月. 西北人口. 5

甘肃少数民族人口与可持续发展问题探研究/张兴中. 中国少数民族人口. 4

对临夏人口问题的研究与思考/马振华. 西北民族研究. 3

1950 **年后东乡族移居新疆原因探析**/陈文祥. 新疆大学学报. 5

我国东乡族人口规模与分布：以五次人口普查为基点的实证分析/马桂芬　赵国军. 甘肃理论学刊. 6

甘肃东乡族人口变迁、分布及特点/马桂芬. 赵国军. 西北人口. 6

浅析中国土族人口分布格局及其社会发展/孟航. 青海民族研究. 4

裕固族人口素质综合分析/马正亮. 中国少数民族人口. 1

青海人口中婚姻、家庭的地区和民族差异/郭敏丽. 青海社会科学. 4

青海省民族人口的信息熵规律研究/陈克龙　朵海瑞　丁爱青. 青海民族研究. 1

新疆人口出生率的差异及其变动特征解析/刘晖. 西北人口. 5

新疆少数民族人口增长与经济发展分析/阿迪力·努尔　努拉尔·阿布力哈克. 新疆财经. 3

新疆少数民族聚居区贫困人口的测量指标体系及贫困发生率研究/刘晖. 中国人口科学. 增刊

新疆乌鲁木齐市流动人口的结构特征与就业状况/马戎　王晓丽　方军雄　韩亚萍. 西北民族研究. 3

新疆维吾尔族人口离婚率变动趋势浅析/艾尼瓦尔·聂吉木. 新疆社会科学. 4

维吾尔族人口风情/文风. 中国少数民族人口. 1

新疆哈萨克族人口规模变迁及分布/房若愚. 新疆大学学报. 4

锡伯族人口文化素质浅析/葛丰交　永梅兰　锋晖. 新疆大学学报. 2

新疆乌孜别克族经商传统与人口城市化/房若愚. 新疆社会科学. 5

新疆乌孜别克族人口城市化成因及其效应分析/房若愚. 西北人口. 5

西藏人口统计的历史和分析/杨华军　陈昌文. 中国藏学. 3

西藏发展与人口环境/邱建华. 中国统计. 10

西藏人口发展的空间解析与可持续城镇化探讨/樊然　王海. 地理科学. 4

西藏的汉族人口及相关问题研究/罗绒战堆. 人口与经济. 4

汉族、藏族的人口年龄结构比较分析/程燕. 南京人口管理干部学院学报. 3

转型时期四川藏区藏族生育观念的转变/王玲. 西南民族大学学报. 1

非常规因素影响下彝族人口死亡模式变动探析：兼论毒品对彝族人口的影响/何景熙　王娟. 西南民族大学学报. 9

中国佤族人口分布格局及社会发展浅析/孟航. 云南民族大学学报. 6

纳西族人口风情/崔磊. 中国少数民族人口. 2

瑶族与汉族生育文化比较研究：以湖南省江华瑶族自治县为例/陈扬乐. 中国少数民族人口. 2

土家族人口发展问题略论/李智环　杨军昌. 西南民族大学学报. 5

中国少数民族人口研讨会在兰州召开/李晓菊. 中国少数民族人口. 3

十、世界民族

马克思与犹太人问题/陈家琪. 浙江学刊. 1

当代世界民族、宗教问题的特点及其发展趋势/杜怀亮. 贵州社会主义学院学报. 1—2

对解决世界民族宗教问题的新观察/乌小花. 满族研究. 1

世界民族问题热点对各国社会政治发展的警示/熊坤新　字秀春. 中央民族大学学报. 4

世界民族问题热点对各国文化的警示/熊坤新　于磊. 新疆大学学报. 6

论当代世界民族问题热点对世界和平的影响/乌小花. 黑龙江民族丛刊. 2

多民族国家和谐社会的构建与民族问题的解决：评民族问题的“去政治化”与“文化化”/陈建樾．世界民族．5

在差异中求和谐、求统一的思考：以多民族国家族际关系和谐为例/郝时远．国际经济评论．6

民族认同危机还是民族主义宣示？亨廷顿《我们是谁》一书中的族际政治理论困境/郝时远．世界民族．3

族性及族性张扬：当代世界民族现象和民族过程试解/王希恩．世界民族．4

多民族国家与民主之间的张力/马德普　柴宝勇．政治学研究．3

当代发达国家移民政策的特点/侯松岭　喻慧．当代亚太．1

加强跨国民族研究，促进边疆稳定发展/郝时远．中国民族．1

跨国民族族缘政治分析/周建新．烟台大学学报 4

浅析世界民族问题中的跨国民族问题/周建新　罗柳宁．广西民族学院学报．3

跨国民族“和平跨居”模式再讨论：以中国南方与大陆东南亚跨国民族地区为例/周建新．中南民族大学学报．6

“跨界民族”概念辨析/丁延松．西北第二民族学院学报．4

跨界民族问题和中国的和平环境/闫文虎．现代国际关系．5

跨界民族问题对我国和平崛起的影响/闫文虎．安徽师范大学学报．4

论跨界民族问题对我国和平崛起的影响/闫文虎．电子科技大学学报．3

中国的跨界民族问题与和平崛起战略/闫文虎．重庆邮电学院学报．6

论地缘政治战略对世界跨国民族发展趋势的影响/安俭．甘肃高师学报．4

论西部大开发中的跨国民族/安俭．西北师大学报．5

中亚国家与中国跨界民族：人口和分布/吴宏伟．世界民族．5

新疆与中亚跨国民族问题对我国安全的影响/张宏莉．兰州大学学报．3

论跨国民族问题对中国西北边疆安全的影响/丁建伟．中国少数民族人口．3

跨国民族的族群认同：“东干”与回族、族称与族群认同的人类学讨论/杨文炯．西北第二民族学院学报．4

跨国苗族认同的依据和特点/张晓．西南民族大学学报．10

论世界主义思想的历史形态/于文杰．世界民族．6

论二战中的极端民族主义和种族主义：纪念世界反法西斯战争及抗日战争胜利 60 周年/马俊毅．民族研究．5

试析冷战后世界民族主义的成因与影响：国际关系和民族国家建构层面的双重思考/刘中民．宁夏社会科学．4

冷战后民族主义的主要特征及其对国际关系的影响/朱陆民．西藏民族学院学报．4

论冷战后民族主义的新发展/雷勇　刘忠山．贵州民族研究．2

后冷战时期民族分离主义暴力恐怖特征述论/张友国．长春师范学院学报．2

论冷战后泛突厥主义的复苏及其未来走向/张燕军．贵州师范大学学报．4

20世纪的民族主义与战争及恐怖主义/王云飞．鄂州大学学报．1

20世纪的民族主义与战争及恐怖主义/王云飞．嘉应学院学报．1

20世纪80—90年代全球民族主义浪潮及相关理论研究/杨恕　汪金国．新疆社会科学．5

论民族主义对国际格局的影响/刘中民　赵爱鸿．宁夏社会科学．1

当代西方民族国家教育发展趋势研究：全球化与民族主义的相融/王春梅．甘肃联合大学学报．4

民族主义的话语形式与民族认同的重构/王琼．世界民族．1

民族主义与区域主义：论后冷战时代东北亚安全观念建构的双重困境/任东波．东北亚论坛．5

“民族主义”内涵之我见：以法国民族主义的产生和特点为例/崔卫峰　刘新莉．新疆社科论坛．4

国际贸易中的经济民族主义因素/张景三．世界民族．1

中东经济民族主义的缘起与表现/冯璐璐．世界民族．1

中东经济现代化进程与民族主义/冯璐璐．宁夏社会科学．1

亚太地区冲突中的民族宗教因素/管银凤．长春师范学院学报．4

国外印度教民族主义研究述评/周陈．南亚研究季刊．2

浅析影响海外华人与侨居民族互动的因素/胡春艳　张锐．兰州学刊2

海外华人的“落叶归根”观念回潮了吗/黄昆章．世界民族．1

人类学与散居人口研究：侨乡研究中的一些注意事项/柯群英．广西民族学院学报．4

也论“华人经济”/廖小健．世界民族．3

日本华侨华人二、三代的民族认同管窥：以神户的台湾籍华侨、华人为例/郭玉聪．世界民族．2

近现代日本华侨社会的进展与变化/［日］过放著 刘晓民译. 南洋资料译丛. 1

殖民主义、本土国家与东南亚华人移民：中国跨国化的一些历史含义/吴小安. 南洋问题研究. 1

东南亚华人的身份、地位和权利问题/赵自勇. 北京行政学院学报. 1

东南亚华人传统宗教的构成、特性与发展趋势/张禹东. 世界宗教研究. 1

移居东南亚的云南人/何平. 云南大学学报 4

法律规范与社会信任：华人族群融入泰国主流社会的启示/岳蓉. 贵州师范大学学报. 2

缅甸奈温军政府的政治合法性诉求与华人的政治地位/范宏伟. 世界民族. 5

国籍·民族主义·“社会主义”：战后缅甸华侨国籍个案研究/范宏伟 刘晓民. 东南亚研究. 6

从制度视角看马来西亚华人的参政空间/朱陆民. 世界民族. 2

试析马来西亚独立后华人社团与华人文化发展的关系/石沧金. 世界民族. 3

“割地成侨”：俄罗斯华侨华人史的特殊一页/李志学. 学习与探索. 5

面对文化歧视的加拿大华人/［加拿大］赵世玲（Shiling McQuaide). 思想战线. 5

华人移民与美国政治的发展/王子昌. 世界民族. 1

美国华人新移民与华人社会/曾少聪. 世界民族. 6

族裔特性、社会资本与美国华人中文学校：从美国华人中文学校和华裔辅助性教育体系的发展看美国华人移民的社会发展/［美］同敏 黎熙元. 世界民族. 4

美国等五国“华人三重性”的比较研究/李其荣 王春. 世界民族. 4

生存、适应与融合：牙买加华人社区的形成与发展/李安山. 华侨华人历史研究. 1

浅议韩裔族群的同化问题/郭又新. 东南亚研究. 3

从色彩审美意识比较中日民族性格/刘容. 大连民族学院学报. 2

日本民族与文化渊源考略/张碧波. 黑龙江民族丛刊. 4

日本民族与文化渊源考略：关于古代中日关系研究之一/张碧波. 博物馆研究. 1

日本民族的相对主义价值观及其对当代日本政治的影响/牟成文. 世界民族. 2

大民族主义与日本政治主流意识/邱建伟. 理论导刊. 12

日本“新民族主义”思潮分析/熊孝梅. 南京社会科学. 8

日本“新民族主义”思潮形成的原因/熊孝梅. 广西师范学院学报. 2

从日本传统文化看日本狭隘民族使命观的形成/牟成文. 世界民族. 4

苗族向东南亚迁徙简述/何平. 贵州民族研究. 1

东南亚槟榔文化探析/王元林　邓敏锐. 世界民族. 3

铜鼓是东盟古代文化的共同载体/蒋廷瑜. 广西民族学院学报. 1

壮族在东南亚最亲密的兄弟：越南的岱、侬、拉基、布标、山斋族/范宏贵. 广西民族学院学报. 1

湄公河名称的含义及其所反映的民族历史变迁/何平. 云南社会科学. 5

越南的上人问题及其影响/唐桓. 世界民族. 2

越南西原的民族分裂势力及越之对策/唐桓. 东南亚研究. 1

越南西原地区民族分离主义问题研究/梁炳猛. 广西民族学院学报. 3

试析越南近年对边疆民族地区采取特殊政策的原因及实践/龙梅. 云南财贸学院学报. 2

当代越南占族与伊斯兰教/滕成达. 西北第二民族学院学报. 1

越南岱侬族喃字初探/吴小奕. 广西民族学院学报. 3

越南彝族的历史与文化/白兴发. 文山师范高等专科学校学报. 3

泰语民族的迁徙与现代傣、老、泰、掸诸民族的形成/何平. 广西民族研究. 2

傣泰民族起源与傣泰民族文化圈的形成新探/郑晓云. 云南社会科学. 3

傣泰民族多元复合的民族文化特征与民族形成/刘稚. 云南社会科学. 3

缅甸的“果敢族”：族称、来历、状况及跨国互动/王士录. 世界民族. 5

论二战后英国对缅甸山区民族的分治政策/何跃. 世界民族. 6

论缅甸独立前的克伦民族问题/王锋. 东南亚. 3

印度尼西亚社会转型与族群冲突：亚齐民族分离运动个案研究/庄礼伟. 世界民族. 1

印度尼西亚的民族分离主义运动/武文侠. 世界民族. 2

印尼亚齐民族分离运动的原因及特点探讨（1966—2003）/高金明. 东南亚研究. 2

论冷战后印度尼西亚的民族分离主义及其启示/袁晶艳. 邢台学院学报. 3

印尼的民族华人同化政策评析/王小民. 东南亚研究. 5

民族主义视角中的南亚国际关系/蓝建学. 当代亚太. 9

印度的民族划分和民族构成探源/贾海涛. 西南民族大学学报. 6

印度民族政策初探/贾海涛. 世界民族. 6

印度锡克人的发展历程/秦素菡. 世界民族. 6

锡克教徒的身份标志——“五K”和缠头巾/张占顺. 世界民族. 6

锡克人的婚姻习俗/张占顺. 世界民族. 1

锡克人的“流散”初探/刘军. 亚洲论坛. 3

锡克人婚姻仪式记闻/张占顺. 世界宗教文化. 3

印度的达里特人与种姓压迫/陈鹏. 世界民族. 6

印度、巴基斯坦冲突中的民族、宗教因素/管银凤 李健. 世界民族. 3

斯里兰卡民族冲突的根源/郭家宏. 学海. 4

地缘政治与中亚五国民族问题/李淑云. 俄罗斯中亚东欧研究. 4

中亚国家独立前后跨国民族的迁移对其民族结构的影响/胡尚哲 高永久. 中国边疆史地研究. 3

论中亚东干族的方言特点/王国杰. 俄罗斯中亚东欧研究. 6

贝都因人的历史演进初探/王猛. 中东研究. 1

贝都因人：阿拉伯世界的精神贵族/王猛 周仍侠. 世界民族. 4

全球化时代游牧民族的祚运探微：贝都因人个案研究/王猛. 宁夏社会科学. 1

阿以冲突的历史由来及对人们的启示/熊坤新 马守途. 世界民族. 2

阿以民族冲突的现状及解决前景/青觉 马守途. 广西民族学院学报. 2

巴以冲突的民族和宗教根源/任忠英. 渭南师范学院学报. 6

本是同根生：兼论早期阿拉伯人和犹太人的关系问题/王广大. 世界民族. 2

埃及对巴勒斯坦问题的影响/陈天社. 世界民族. 3

略论犹太教与犹太人、犹太历史的关系/张玲. 康定民族师范高等专科学校学报. 2

浅谈犹太人智慧形成的历史因素/董恩家. 湖北经济学院学报. 9

二战时期中国上海的犹太人/董莉英. 西藏民族学院学报. 5

民族主义建构中的政治认同：以伊拉克复兴党民族主义政治实践为个案考

察/韩志斌. 中东研究. 2

我所了解的土耳其人（下）：试论土耳其人的民族性与国民性特征/黄维民. 中东研究. 1

欧洲民族分裂运动趋向缓和的原因分析/赵虎敬. 黑龙江社会科学. 6

试析欧洲认同与民族认同的关系/李明明. 欧洲研究. 3

浅析欧盟东扩后的民族构成/陈志强. 南开学报. 4

大俄罗斯主义述论/赵兴明. 黑龙江教育学院学报. 6

俄罗斯民族性格和文化/荣洁. 俄罗斯中亚东欧研究. 1

俄罗斯民族性格之我见/崔钰. 吉林师范大学学报. 3

俄罗斯民族的“地缘情结”：一种欧洲的意识和非欧洲的意识/王文. 中国青年政治学院学报. 5

别斯兰人质事件与俄联邦的民族、宗教问题/赵龙庚. 世界民族. 5

苏维埃时期吉尔吉斯人的文化变迁和族际关系/阿斯卡尔·居努斯. 贵州师范大学学报. 3

楚科奇人民族史志概述/孙运来. 黑龙江民族丛刊. 1

试析纳扎尔巴耶的民族政策观/德全英. 俄罗斯中亚东欧研究. 4

英吉利民族与英帝国/张本英. 安徽大学学报. 1

盎格鲁撒克逊人组成初探/王兴业. 辽东学院学报. 4

二战后英国的“非白人”族裔/王虎. 世界民族. 2

布莱尔当政后的北爱尔兰和平进程/刘金源. 世界民族. 1

试评储安平关于英国民族性的论述：兼论民族性的理论问题/何元国. 世界民族. 4

一战后东欧民族关系与国际联盟/茹莹. 世界民族. 4

战后东欧民族主义与东欧剧变/王亚明. 社会主义研究. 4

试论德意志民族的实用主义/许璇. 巢湖学院学报. 4

从德国民族主义形成特点看纳粹独裁统治的必然性/李云霞　张献. 邯郸学院学报. 1

论昂纳克时期民主德国的民族分裂主义政策/邓红英　吴友法. 武汉大学学报：人文科学版. 5

魔鬼的笔迹：前殖民话语，人种/种族见解和跨文化认同在德国殖民过程中的作用/［美］George Steinmetz. 清华大学学报. 1～2

非洲世系群与汉人宗族的概念分析：从《努尔人》和《中国东南的宗族组

织》说起/马莉. 西北民族大学学报. 6

南非种族冲突的化解与现代化之路/潘兴明. 南京大学学报. 6

民族主义视角下的苏丹南北内战/刘辉. 世界民族. 6

论民族、国家与国际政治的互动：对卢旺达大屠杀的反思/李安山. 世界经济与政治. 12

俾格米人：隐居在非洲丛林里的“袖珍”民族/宋丽梅. 民族论坛. 1

二战后澳大利亚非英语移民政策的演变/杨洪贵. 世界民族. 5

加拿大土著人口的特点及生存状态/梁茂春. 世界民族. 1

加拿大法语人口的语言状况/王助. 世界民族. 2

二战后加拿大新种族主义的态势剖析/徐丹. 世界民族. 6

多元文化主义的背后：浅谈20世纪末加拿大的种族问题/陈育红 郑蕊. 西南民族大学学报. 6

加拿大民族自身份的解构/叶向平. 重庆工商大学学报. 增刊

当代民族认同危机之反思：以加拿大为例/戴晓东. 世界经济与政治. 5

美利坚民族的一体多元性/王昊. 南阳师范学院学报. 7

战后美国族群结构的变化及其对美国多元文化的影响/贺川子. 高等函授学报. 4

从同一到多元的历史轨迹：美国多元文化主义管窥/李其荣. 中南民族大学学报. 4

20世纪50、60年代美国黑人社会状况浅析/王云飞 夏云珍. 世界民族4

种族歧视下的美国黑人/刘泓. 中国民族. 5

冷战后美国工会对外来移民的态度变化探析/李会欣. 世界民族. 5

美国历史上反犹主义的宗教文化根源/石涵月. 世界民族. 5

19、20世纪之交东欧的反犹暴行与犹太人迁居美国的浪潮/李爱慧. 世界民族. 5

美国瑶族社会文化变迁/玉时阶. 中央民族大学学报. 5

林肯的种族主义思想与南方重建计划/郭丽娟 张波. 邯郸学院学报. 1

拉丁美洲的东亚移民/［美］塔玛·戴安娜·威尔逊著 万红译. 世界民族. 5

拉丁美洲印第安人运动的崛起/刘承军. 拉丁美洲研究. 5

走近神秘恐怖的希互罗浓缩人头部落/爱德华·韦尔著 刘达成 杨兴永编译. 民族论坛. 3

那茨热马人的身体仪式/［美］霍勒斯·米尔纳著　郑文编译．民族论坛．4

陈序经与泰族研究/余定邦．东南亚纵横．4

学术创新，特色明显：中国世界民族学会第八届会员代表大会暨全国学术讨论会综述/曹晓祥　纪东东　王娟等．华中师范大学学报．6

“中亚西亚民族宗教问题形势研讨会”综述/于红　邓颖洁．世界民族．1

“第三届土著/少数民族国际会议”综述/艾菊红．世界民族．6

《想象中的共同体》中的“民族”与“民族主义”评析/马衍阳．世界民族．3

民族中的历史与历史中的民族：从查特吉的《历史与民族》一书中走出/张磊．世界民族．2

《世界民族主义论》评介/熊坤新．世界民族．1

《二战以后东南亚华族社会地位的变化》评介/聂德宁．世界民族．5

被遗忘的角落：评赵和曼教授新著《少数民族华侨华人研究》/张应龙．东南亚研究．4

华侨华人研究领域的拓展与突破：《少数民族华侨华人研究》述评/刘稚．东南亚．3

“落地生根”的期待与超越：评《漂泊与根植——当代东南亚华人族群关系研究》/程希．南洋问题研究．3

文化移植与重建家园：评《越洋再建家园：新加坡华人社会文化研究》/徐李颖．华侨华人历史研究．1

民族问题个案剖析的力作：《民族主义、国家结构与国际化——南斯拉夫民族问题研究》评介/刘锦前．世界民族．2

《加拿大民族志》评介/李志荣　黎天丽．广西民族学院学报．1

民族意识的复苏还是美国原来的国家特性：评亨廷顿的《我们是谁？美国国家特性面临的挑战》/阮西湖　姜飞．国外社会科学．6

国家民族主义情结，文化民族主义焦虑：评塞缪尔·亨廷顿新著《我们是谁？美国国家精神面临的挑战》/李兴．国际问题研究．5

（众文）

蒙古文

民族理论

《卫拉特法典》中动物致害民事责任之辨析/青格勒图. 内蒙古大学学报. 5

论蒙古族哲学史的更新内容及其发展趋势/格·孟和. 内蒙古社会科学. 5

从大札撒看古代蒙古习惯法特点/阿拉玛斯. 内蒙古社会科学. 6

探析成吉思汗《大札撒》中的经济法——《大札撒》之研究(三)/何金山 陈大庆 温都苏. 内蒙古大学学报. 6

浅论沉默权制度/特格希. 内蒙古大学学报. 6

蒙古族哲学史独特表现形式/格·孟和. 内蒙古民族大学学报. 3

论卫拉特蒙古人的灵魂观/特·那木吉拉. 内蒙古民族大学学报. 3

试论萨冈彻辰在蒙古族哲学史上的地位和作用(续)/格·孟和. 内蒙古师范大学学报. 2

试论萨冈彻辰在蒙古族哲学史上的地位和作用/格·孟和. 内蒙古师范大学学报. 1

游牧文化的哲学思维/图·乌力吉 牧·赛吉拉夫. 内蒙古师范大学学报. 4

民族区域自治制度的形成与发展过程/项福生. 蒙古语文. 3

清代卫拉特蒙古及其《蒙古——卫拉特法典》研究(续完)/成崇德 那仁朝克图. 卫拉特研究. 4

喀尔喀法规中的誓约/[美]亨瑞·赛瑞斯著, 牛小燕译. 卫拉特研究. 4

成吉思汗断案的历史传统/[蒙古]巴·巴图朝日格. 蒙古学研究. 1

关于蒙古哲学和哲学史的基本观点/格·孟和. 蒙古学研究. 4

论也素该的开拓精神/吴宝山. 蒙古学研究. 4

民族经济

教育的经济学分析/包海花. 内蒙古大学学报. 1

以文化变迁视角审视草原荒漠化/包红霞．内蒙古大学学报．2

蒙古谚语中的经济思想/包娜仁　王来喜．内蒙古大学学报．2

论牧民收入增长减缓的根源及解决对策/金桩．内蒙古大学学报．2

内蒙古的经济发展态势及其私有经济所占地位/娜琳　乌兰敖都．内蒙古大学学报．6

游牧生态文化的和谐内涵及其意义/额尔敦．内蒙古大学学报．6

我国西部地区与周边国家经济合作现状探析/斯琴高娃．．内蒙古大学学报．6

关于我区自然资源保护之我见/福山．蒙古学研究．1

如何经营民族特色餐厅之思考/徐福全　兴安．蒙古学研究．2

居民收入的差距与可持续发展/高娃．蒙古学研究．3

转型时期民族地区经济滞后的非经济因素分析/张艾力．蒙古学研究．3

试论我区民营企业的发展/诺敏　巴特尔．蒙古学研究．4

当代大学生消费结构分析/娜仁图雅．蒙古学研究．4

关于我区名牌的巩固与发展/木兰　乌日根巴雅尔．蒙古学研究．4

浅谈我区城市化过程中的若干问题/包青山．蒙古学研究．4

我区草原畜牧业发展中存在的问题及其解决策略/新华．蒙古学研究．4

关于加快我区第三产业的发展/吉日嘎拉．内蒙古社会科学．1

浅论加快内蒙古牧区经济发展/巴·嘎那．内蒙古社会科学．1

呼伦贝尔市区域经济发展现状分析/李丽．内蒙古社会科学．1

关于内蒙古自治区与蒙古国间的经济贸易合作/乌兰敖都．内蒙古社会科学．1

关于实现旗县经济的跳跃式发展/塔娜．内蒙古社会科学．2

关于发展呼伦贝尔畜牧业的几点思考/李丽．内蒙古社会科学．2

牧区经济发展中的问题及对策研究/图雅　文明．内蒙古社会科学．3

对缩小新三大差距的思考/额尔敦其其格．内蒙古社会科学．3

重视人与自然的和谐加强草原保护意识/色音拉布登．内蒙古社会科学．3

对缩小我区城乡差别的几点思考/布和朝鲁．内蒙古社会科学．5

内蒙古自治区成立时的游牧经济的变革与发展/嫩达古拉．内蒙古社会科学．6

呼和浩特市奶牛业发展及存在问题分析/韩成福．内蒙古社会科学．6

开发西部地区战略是解决中国跨国民族问题的重要途径/达布希勒图．内蒙

古师范大学学报. 1

创造良好的外部环境发展内蒙古非公有经济/塔娜. 内蒙古师范大学学报. 1

民族学

失舌罗勒中合、只勒都、主格黎祭奠与蒙古族狩猎文化之关系/策·僧格. 内蒙古大学学报. 1科尔沁蒙古族对“百岁”年龄称谓的禁忌/齐·额尔敦巴雅尔. 内蒙古大学学报. 2

内蒙古蒙古族人口年龄结构分析/兴安. 内蒙古大学学报. 4

科尔沁地名及其文化涵义/苏雅拉. 内蒙古大学学报. 4

蒙古族现代启蒙思想者推崇的新文化思想/乌兰. 内蒙古大学学报. 4

试论蒙古族某些人名中的性崇拜文化痕迹/齐·额尔敦巴雅尔. 内蒙古大学学报. 5

中国蒙古学国际学术讨论会在呼和浩特召开. 内蒙古大学学报. 5

关于库库门恰克人冰上射箭比赛/德·塔亚. 内蒙古大学学报. 6

全球化与蒙古文化/苏尤格. 金钥匙. 1

关于整理蒙古族民俗习惯的记录问题/达·塔雅. 金钥匙. 3

苍狼白鹿文化/奇凤阁. 蒙古语文. 1

古代蒙古族的狩猎组织/策·僧格. 蒙古语文. 1

科尔沁民俗与科尔沁口语中的特殊词语/蒋根雄　格根哈斯. 蒙古语文. 3

蒙古族祖先祭祀中的特殊形式——关于黄金家族的崇拜/席·哈斯巴特尔. 蒙古语文. 5

浅谈蒙古族文化艺术发展前景/奇艳红. 蒙古语文. 6

蒙古族酒歌习俗/阿拉坦苏. 蒙古语文. 9

关于蒙古族文化的意义和作用/那·巴桑　杜·准给. 蒙古语文. 10

蒙古族摇篮民俗中米与布的象征寓意/常宝. 蒙古语文. 12

从德薛禅一梦看也速该乞牙惕氏族之灵神/吴宝山. 内蒙古社会科学. 1

蒙古族奶食文化/苏德那木达尔扎. 内蒙古社会科学. 1

蒙古族牲畜印记的由来及其发展/达·查干. 内蒙古社会科学. 1

草原狼与摔跤手/巴·宝力道. 内蒙古社会科学. 1

论蒙古族传统文化的当代适应/乌力吉. 内蒙古社会科学. 2

喀喇沁蒙古“四强游戏”及其由来/额尔登特古斯. 内蒙古社会科学. 2

蒙医论文的审定与应注意的几点问题/高娃. 内蒙古社会科学. 2

论满族早期文化的满蒙二元性特点/苏日嘎拉图. 内蒙古社会科学. 3

准噶尔汗廷祭祀/那顺乌力吉. 内蒙古社会科学. 3

“沙嘎”的象征意义/王海荣. 内蒙古社会科学. 3

新疆图瓦人/南快莫德格. 内蒙古社会科学. 4

蒙古博克所包含的文化因素/黄金. 内蒙古社会科学. 5

关于现代化进程中如何保护和发展少数民族传统文化的问题/齐秀华. 内蒙古社会科学. 6

科尔沁祭火及忌讳/乌·额尔很白乙拉. 蒙古学研究. 1

蒙古人敬重祖先的缘由/金小. 蒙古学研究. 1

旧土尔扈特的婚礼/阿·伊拉肋特. 蒙古学研究. 2

简论蒙古族腰带的象征性/哈斯同力嘎 巴图. 蒙古学研究. 2

素岳而济山和宝格达山称呼之由来/昭·德木博日勒. 蒙古学研究. 2

关于“呼伦”与“贝尔”之称谓/松迪. 蒙古学研究. 4

四子部落蒙古人的茶道/扎·杜戈尔. 蒙古学研究. 4

关于蒙古人的天葬习俗/张丽花. 蒙古学研究. 4

新旧土尔扈特蒙古汗王家谱介绍. 卫拉特研究. 1

关于“狼图腾”及“胡蝎之血”/苏鲁格. 卫拉特研究. 1

原始社会与农耕文化和草原文化（下）/孟驰北. 卫拉特研究. 1

论羊踝骨在卫拉特民俗中的寓意/特·那木吉辣. 卫拉特研究. 1

浅谈青海蒙古族独棵大树崇拜习俗/娜日斯. 卫拉特研究. 1

向四方诸神灵求福——喀喇沙尔土尔扈特民俗一瞥/哈杰·张嘎. 卫拉特研究. 3

青海蒙古族人名的文化心理特征/乌云其其格. 卫拉特研究. 4

青海蒙古族祝颂之历史文化意义/勒·乌苏荣贵. 卫拉特研究. 4

蒙古包的形状及其象征意义/刘迪南. 卫拉特研究. 4

青海蒙古族服饰及相关的民歌/哈斯其其格. 卫拉特研究. 4

牧区婚姻关系的变迁/温都日娜. 内蒙古师范大学学报. 2

试论赤峰地区面具岩画/莫·布和朝鲁. 内蒙古师范大学学报. 2

浅谈黄历历法/孟克敖棋尔. 内蒙古师范大学学报. 2

蒙古族珍品——水獭皮/席·哈斯巴特尔. 内蒙古师范大学学报. 3
内蒙古行政建制的文化意蕴/苏雅拉. 内蒙古师范大学学报. 3
中国蒙古学学术会议在呼和浩特召开/道日那腾格里. 内蒙古师范大学学报. 3
蒙古族服饰的色泽符号探析/常宝. 内蒙古师范大学学报. 4
论蒙古人诊视胫骨习俗及象征蕴含/宝音德力格尔. 内蒙古民族大学学报. 1
北京大学"面向新世纪的蒙古学：回顾与展望"国际学术讨论会综述/多兰. 内蒙古民族大学学报. 1
作为医术民间歌谣的咒语/［蒙古］南丁毕力格. 内蒙古民族大学学报. 1
青海蒙古人的敬献德吉习俗及来源/乌兰巴特尔. 内蒙古民族大学学报. 2
娘肚子与蒙古人的文化思维/尼玛. 内蒙古民族大学学报. 2
关于保护非物质文化遗产问题之我见/奥其. 中国蒙古学. 1
乌珠穆沁的净化师及蒙古族以火净化风俗/巴·布和朝鲁. 中国蒙古学. 1
关于苏尼特左旗"玄石坡"/松迪. 中国蒙古学. 2
"如意宝印"之文化诠释/辉特·巴·青格勒图. 中国蒙古学. 2
试论科尔沁板升文化/白纲. 中国蒙古学. 3
中亚游牧文化与民族语言中的共同成分/博·达瓦达格巴. 中国蒙古学. 4
古代蒙古人关于"天"的认识/包玉荣. 中国蒙古学. 5
蒙古族鼻烟壶的由来/白歌乐. 中国蒙古学. 6
青海蒙古族猜谜语习俗研究/勒·乌苏荣贵. 中国蒙古学. 6
论蒙古族祭祀诗中的生态保护意识/道·照日格图. 中国蒙古学. 6
《乌珠穆沁蒙古包》一书的价值/敖·查赫乐勒. 中国蒙古学. 6
《中国蒙古学国际学术讨论会》综述/宝力格 奇·斯钦. 中国蒙古学. 6
《色特尔加甫的故事》中反映的卫拉特婚俗特点/金花. 语言与翻译. 1
曼纳海姆在卫拉特蒙古的考察/特古斯巴雅尔. 语言与翻译. 1
关于卫拉特蒙古毡垫花纹名称及其含义/额尔德木. 语言与翻译. 1

民族宗教

新疆卫拉特蒙古萨满教调查/李媛. 卫拉特研究. 3

哲布尊丹巴历世活佛生平事迹考述/敖举·嘉样成来．卫拉特研究．4

东归土尔扈特人中的大喇嘛及其相关问题浅议/加·道山．卫拉特研究．4

论蒙古高僧在佛教文化传播中的影响/乌·那仁巴图．蒙古学研究．4

红山文化“卐+”符号与北方游牧民族原始崇拜物/．内蒙古社会科学．2

尹湛纳希与佛教“正统观”/拉给苏荣　呼达古拉．内蒙古社会科学．3

印第安人与中亚诸民族图腾文化的比较研究/那森博英　陈亚杰．内蒙古社会科学．3

阿旺丹的尔宗教哲学思想探析/图·乌力吉．内蒙古社会科学．6

蒙古族萨满教生态伦理的基本精神/萨·巴特尔．内蒙古社会科学．6

科尔沁崇拜研究/乌·额尔很白乙拉．内蒙古社会科学．6

蒙古族民间歌舞中的萨满文化遗存/萨日娜．内蒙古社会科学．6

成吉思汗宗教政策论略/乌力吉．内蒙古民族大学学报．1

蒙古人的太阳崇拜/阿拉腾格日乐．内蒙古民族大学学报．2

关于佛教哲学的中观论/［蒙古］罗桑汪丹．内蒙古民族大学学报．4

蒙古贞瑞应寺医明学院供奉的诸佛菩萨明王罗汉和天王/哈斯朝鲁．内蒙古民族大学学报．4

论蒙古族佛教传记文学的艺术特征/梅花．内蒙古民族大学学报．4

印度佛教传入蒙古地区始时考/宝力高．中国蒙古学．4

古代蒙古、日本佛教思想与政权思想比较研究/［蒙］sh·比拉．中国蒙古学．4

关于古币上的崇拜太阳图案/虹宝音．蒙古学研究．1

论佛经《十二宏化》中反映的佛教理论/希日胡．内蒙古大学学报．2

新疆博尔塔拉蒙古族萨满文化田野调查/李媛．卫拉特研究．1

关于萨满教神灵——太阳神/宝力高．内蒙古师范大学学报．2

佛教法会术语蒙汉对译问题/乌·那仁巴图．内蒙古师范大学学报．2

伊克召盟大寺庙及其禁区/布和朝鲁．内蒙古师范大学学报．2

活佛传记语模式——宗教信仰与喇嘛文学/道日那滕格里．内蒙古师范大学学报．3

民族历史

准噶尔汗国的建筑、绘画、书法及书籍艺术/刘正寅．卫拉特研究．1

清后期阿拉善蒙古盐务述论/达来　梁丽霞．卫拉特研究．1

论成吉思汗的游牧主义及其实践/乌云巴图．卫拉特研究．2

法王固始汗世系传略/敖举·嘉样成来撰，扎扎译．卫拉特研究．2

伪满洲国的兴安省与菊竹实藏——《经蒙谈义》/［日］铃木仁丽．卫拉特研究．2

关于16世纪末右翼三万户的两件汉文文本述评/［日］永井匠．卫拉特研究．2

术赤汗国的“忽必亦尔坚”及其汗国结构/［日］赤坂恒明．卫拉特研究．2

关于不博克多格根政府向俄国第二次派遣的代表团/［日］橘诚．卫拉特研究．2

“那可儿”和蒙古帝国的政权及职权结构/［日］四日市康博．卫拉特研究．2

评《阿拉坛—帖卜迭儿（金册）》/［日］吉祥田顺一．卫拉特研究．2

关于固始汗和贡吉夫人/青格力．卫拉特研究．2

清代前期中国边疆的特点及其与美俄边疆的比较研究/王江　成崇德．卫拉特研究．2

和罗理述评/梁丽霞．卫拉特研究．2

论康乾盛世的边疆民族政策/成崇德．卫拉特研究．3

满汉王及其福晋乌静彬/吐娜．卫拉特研究．3

十七世纪上叶西藏特使车臣曲杰朝觐清帝之史实述略/敖举·嘉样成来．卫拉特研究．3

从历史民族学视角论蒙古族历史发展的特点及其启示/马曼丽．卫拉特研究．3

两汉乌孙与辽元西蒙古乌孙部落问题研究/钱伯泉．卫拉特研究．4

从哈撒儿研究联想的几点看法/格·孟和．蒙古学研究．1

哈撒儿研究发展问题/包·赛吉拉夫．蒙古学研究．1

哈撒儿肖像来龙去脉/巴·孟和．蒙古学研究．1

从《水晶鉴》所栽虏获塔塔统阿一事试谈哈撒儿思想/额·宝音乌力吉．蒙古学研究．1

《蒙古秘史》反映的逻辑思维系统/［日］莲见治雄．蒙古学研究．1

苏美尔—乞颜—塞西安与蒙古的关系/前德门．蒙古学研究．2

研究成吉思汗箴言问题/［蒙古］锡·乔伊玛．蒙古学研究．2～3

关于金允诚女士/普·乌力吉．蒙古学研究．2

论蒙古文天文历史的翻译——兼述北方游牧民族天文历法史/陈布和．蒙古学研究．2

成吉思汗是伟大的思想家/那仁敖其尔．蒙古学研究．3

清末民初绥远地区鸦片的传播蔓延/苏尤拉．蒙古学研究．3

附加注释《元史》介绍/丹巴　苏格德日扎布．蒙古学研究．3

蒙古历史文献与文学的关联/赛吉拉夫．蒙古学研究．4

满清统治者控制和硕特布的步骤/哈斯青格乐．内蒙古社会科学．1

《蒙古秘史》旁译“槐刺周”之我见/斯琴巴特尔．内蒙古社会科学．1

清末蒙旗债务/索尤真．内蒙古社会科学．1

窝阔台时期的蒙古汗国差课制度/刘荣臻　吴峰山．内蒙古社会科学．1

满族溯源/包·额尔德木图．内蒙古社会科学．2

蒙文古籍箴言探析/萨仁高娃．内蒙古社会科学．2

论《蒙古秘史》中的狩猎习俗/萨仁格日勒．内蒙古社会科学．4

中国的托忒文文献刻本/明嘎特·叶尔达．内蒙古社会科学．4

涉及蒙藏关系的藏文文献/孟·斯·乌力吉．内蒙古社会科学．4

元明清三朝皇宫里撰写收藏翻译出版的三部蒙古历史文献/策·贺希格陶克陶．内蒙古社会科学．4

纳林脱斡里勒应是成吉思汗九十五个千户那颜之一/陶克涛夫．内蒙古社会科学．4

论篾儿乞惕部源于女真民族/金钢．内蒙古社会科学．4

《蒙古源流》中的藏文化记载及其研究概述/道·高娃．内蒙古社会科学．4

回鹘式蒙古文文献的历史文化价值/哈斯巴根．内蒙古社会科学．5

北京蒙文书社建立年代考/道尔吉．内蒙古社会科学．5

新发现的一部《祭火经》及其学术价值/纳·孟根花．内蒙古社会科学．6

关于清代蒙旗财政自主权/索尤真．内蒙古社会科学．6

对新疆地区收藏的托忒文文献的田野调查/额尔德木图．内蒙古民族大学学报．2

《阿斯拉克齐史》的史学价值/王梅花．内蒙古民族大学学报．3

关于蒙古汗国时期“达尔罕”称号的历史沿革/包玉清．内蒙古民族大学学

报. 3

关于北元时期著名翻译家释迦冻日布/明嘎特·叶尔达. 中国蒙古学. 1

清代喀喇沁三旗土地和社会环境变迁考/胡日查. 中国蒙古学. 1

蒙古语言学文献研究中的几个问题/德力格尔玛. 中国蒙古学. 1

新发现诺颜呼图克图手抄本考析/萨仁格日乐. 中国蒙古学. 2

蒙古人的扩张在民族史上的影响/铁柱. 中国蒙古学. 2

关于苏尼特左旗"玄石坡"/松迪. 中国蒙古学. 2

关于新发现的《蒙文心鉴》两种手抄本/策·诺尔金. 中国蒙古学. 3

查干浩特考/吉·额尔敦. 中国蒙古学. 3

清代喀喇沁右旗苏木与苏木徭役/周满亮. 中国蒙古学. 3

一名西藏大臣或莫日根忒莫讷故事的某些情节在《蒙古源流》中的影射/拉·苏和. 中国蒙古学. 4

忠信府和诚信府地理位置新考/波烈沁·达尔罕. 中国蒙古学. 4

唆鲁禾帖尼别吉在蒙古汗位转移中所起的作用/敖·达日玛巴斯尔. 中国蒙古学. 4

十七世纪几部蒙古编年史中的黄教影响/额尔德木图. 中国蒙古学. 5

那兰保出生年月及族属考/哈斯图娅. 中国蒙古学. 6

关于清代"八只箭"/索优真. 中国蒙古学. 6

俺答汗之爱妾三娘子其名其意/那·胡日查毕力格. 蒙古语文. 3

私人档案所藏有关蒙古史史料及其研究/周太平. 内蒙古大学学报. 3

论罗卜桑悫丹地理环境决定论/包勇. 内蒙古大学学报. 3

蒙古帝国九纛白旗何时供奉于乌审旗——与巴音其木格同志商榷/奇日迈拉图. 蒙古语文. 4

青海蒙古杰出的历史人物多尔济达赖巴图尔珲台吉/古·才仁巴利. 内蒙古大学学报. 4

也速该遗言及其用人艺术/吴宝山. 内蒙古大学学报. 5

在《蒙古秘史》以及其他蒙古历史文献研究中蒙古诗学体系之功用/［蒙古］沙·确玛. 内蒙古大学学报. 6

揭开《蒙古秘史》之秘的杰作——读杭盖的《〈蒙古秘史〉的文化研究》/额斯日门德. 内蒙古师范大学学报. 1

蒙古文论文献资料研究巨著——评巴·格日勒图教授的《蒙古文论集录》/佟晓红. 内蒙古师范大学学报. 1

哈撒尔传奇的文化阐释/齐·巴特尔 苏龙高娃．内蒙古师范大学学报．2

从与王汗的安达关系看也速该的战略思想/吴宝山．内蒙古师范大学学报．2

论诺延呼图克图若布杰的辨证观/包勇．内蒙古师范大学学报．3

《蒙古秘史》中觉醒者形象的表现形式/哈斯其木格．内蒙古师范大学学报．4

蒙古族著名历史学家金峰及其著术/乌·那仁巴图．内蒙古师范大学学报．4

论乌拉特近代抗日民歌/巴·孟和．内蒙古师范大学学报．4

论百灵庙自治运动与日本之间关系/刚巴嘎那．内蒙古师范大学学报．1

对富俊的《蒙古托忒文汇集》书名、成书年代的研究．语言与翻译．4

蒙古文献中的体现的古代法律意识/努恩吉雅．语言与翻译．4

民族语言文字

关于蒙古语词的结构类型/白音朝克图．内蒙古大学学报．1

现代蒙古书面语语法格体系/淑琴．内蒙古大学学报．1

现代蒙古书面语构词附加成分的自动切分标注系统——BUTUGEHU/札·义兰 布仁．内蒙古大学学报．2

论蒙古语词的联想意义/天峰．内蒙古大学学报．2

用满文表写蒙古语格附加成分简述/兀·呼日勒巴特尔．内蒙古大学学报．3

三满都拉山如尼文摩崖再考/［蒙古］策·巴图图拉嘎．内蒙古大学学报．3

关于蒙古语人际关系中的称谓/莫·巴特尔．内蒙古大学学报．3

蒙古语族语言第二人称代词的复数形式/哈申格日勒．内蒙古大学学报．3

蒙古语义位的附加意义/森格．内蒙古大学学报．4

试论蒙古语语义格/高·莲花．内蒙古大学学报．4

关于蒙古语文研究中的“中性”之说/白音朝克图．内蒙古大学学报．5

关于阿拉伯文拼写的蒙古语文献中的q，r辅音/布和．内蒙古大学学报．5

《蒙古——卫拉特法典》某些词语考释/策·巴图．内蒙古大学学报．5

论蒙古语《xularaici》一词的文化内涵/乌力吉陶格套. 内蒙古大学学报. 5

内蒙古蒙古语使用现状研究/高·照日格图. 内蒙古大学学报. 6

蒙古语口语疑问句句型/玉荣. 内蒙古大学学报. 6

蒙古语——介动词谓语句结构分析/额尔敦朝鲁. 内蒙古大学学报. 6

蒙语中“ha—ra”一词的多义性特征/巴图格日乐. 语言与翻译. 1

蒙古语族语言文字研究的意义/乌力吉达来. 语言与翻译. 1

达斡尔语、卫拉特方言与维吾尔语、哈萨克语中的谓语性人称附加成分比较/乌尼尔其其格. 语言与翻译. 1

元代蒙古族翻译概述——从文章体裁谈起/文英. 语言与翻译. 1

蒙古语口语中的二合元音在书面语中的表达/阿·都泰/. 语言与翻译. 1

释解巴州和硕县、博湖县一些地名/纳·巴生. 语言与翻译. 1

和布克赛尔土尔扈特口语语气词“dʒω”的用法/巴·巴登其其格. 语言与翻译. 1

从民俗语言的角度分类蒙古语熟语/道·孟和. 语言与翻译. 2

蒙古语元音和谐律中的阴阳性/额尔敦初古拉. 语言与翻译. 3

蒙古语“nige”一词的含义/巴图格尔勒. 语言与翻译. 3

论察合台文字与文献及其贡献/南快莫德格. 语言与翻译. 3

达斡尔语与蒙古语动词时态比较研究/乌云高娃. 语言与翻译. 3

蒙古语谓语辅助动词的语法意义/包丽红. 语言与翻译. 4

现代蒙古语短元音“i”在书面语和口语中的使用/阿·都泰. 语言与翻译. 4

汉文历史文献中的某些蒙古语地名考——地名的蒙语还原、读音、来历、含义及今名/道·孟和. 语言与翻译. 4

从卫拉特史诗中的“bωjan xefig”一词谈起/王桂兰. 语言与翻译. 4

论波斯文献中的“yosun”一词/朝格图. 卫拉特研究. 2

蒙古语族和突厥语族词汇之比较研究/高·照日格图. 卫拉特研究. 4

改进蒙古语术语工作所涉及的一些问题/色·贺其业勒图. 蒙古学研究. 1

《BOL》形式的不同含义使用功能及其语法化过程/勒·陶格敦巴雅尔. 蒙古学研究. 1

法律对使用和发展少数民族语言文字的重要作用/特尔格勒. 蒙古学研究. 2

蒙古语名词术语创制传统浅析/色·贺其业勒图. 蒙古学研究. 3~4

《普度明太祖长卷图》中第二段回鹘文考释/哈斯额尔敦．内蒙古社会科学．1

“天语”祭祀格叹词之谜/苏日其根．内蒙古社会科学．1

蒙古语语义组合规律浅析/书包．内蒙古社会科学．1

关于当前蒙古语研究领域中存在的几个问题/官其格苏荣．内蒙古社会科学．2

鄂温克蒙古达斡尔女真语形动词比较研究/达·斯仁巴图．内蒙古社会科学．2

近代蒙古语词组研究概况/达·宝力高．内蒙古社会科学．2

词根加后缀的有关问题/额尔敦朝格拉．内蒙古社会科学．3

口语擦辅音和书面语的特殊对应与变化之分析/包满亮．内蒙古社会科学．4

论古代蒙古语的敬范畴/色音巴雅尔．内蒙古社会科学．4

蒙古语与鄂温克语动词构词成分比较/吉特格勒图．内蒙古社会科学．4

关于汉语对蒙古语言学名词术语的影响/德力格尔玛．内蒙古社会科学．4

试论社会变迁对语言的影响/孟和宝音．内蒙古社会科学．5

关于蒙古语口语表述问题/乌·那仁巴图．内蒙古社会科学．5

从蒙古语句法研究史看其研究方法/嘎拉桑．内蒙古社会科学．5

蒙古语句子结构类型问题/呼和巴日斯．内蒙古社会科学．5

乌兰夫重视蒙古语言文字思想的马克思主义民族理论意义/乌·朝乐门．内蒙古社会科学．6

蒙古科尔沁部落与科尔沁方言的形成/姜根兄．内蒙古民族大学学报．1

科尔沁方言词汇与蒙古族传统文化/长山．内蒙古民族大学学报．1

从蒙古语言民俗探究蒙古人的姓名内涵/满都呼．内蒙古民族大学学报．2

论蒙古语句法结构关系/嘎拉桑．内蒙古民族大学学报．2

试谈蒙古语意场的分类/林巴鸽　韩春英．内蒙古民族大学学报．2

对民族高校蒙汉双语学课建设之思考/阿民　高红梅　秋喜　陈永春．内蒙古民族大学学报．2

科尔沁方言词汇与农耕文化/文化．内蒙古民族大学学报．3

科尔沁方言与阿鲁科尔沁方言的语音共性/海燕．内蒙古民族大学学报．3

关于蒙古语元音《i》/庆和．内蒙古民族大学学报．4

满语研究对蒙古语言学的影响和重要性/博·索德．内蒙古民族大学学

报. 4

蒙古语词义的变化及它的原因/天峰 天花. 内蒙古民族大学学报. 4

关于蒙古语元音"i"/庆和. 内蒙古民族大学学报. 4

蒙古语书面语 hi \ hin 附加成分意义物化特点/巴特尔. 内蒙古民族大学学报. 1

蒙古语新词语形成的途径/夏·策仁巴拉. 蒙古语文. 1

"DEGEDU MONGOL"一词探源/那·策仁巴拉. 蒙古语文. 1

蒙古语发展阶段问题/青格尔泰. 蒙古语文. 1

公文翻译中可适当使用方言词语/陶苏那木. 蒙古语文. 1

蒙古语文规范的若干问题/布和吉日嘎拉. 蒙古语文. 1

现代蒙古书面语正字法体系/策·普日布. 蒙古语文. 2

蒙古语复合词成分有关问题之我见/额·满都拉. 蒙古语文. 3

关于《蒙古秘史》中"梭斡儿""速斡刺兀仑"及"额客额儿抽""额额列周"四词之解/达鲁特·波·查干. 蒙古语文. 3

翻译中的方言词汇问题/巴雅. 蒙古语文. 4

现代蒙古语《名词性动词》/波·孟根图雅. 蒙古语文. 4

现代蒙古书面语多义词现象/策·普日布. 蒙古语文. 4

关于蒙古语术语命名原则问题/布·鲁布桑东日布. 蒙古语文. 5

关于统一规范蒙古语跨学科名词术语问题/天峰. 蒙古语文. 5

回鹘式蒙古文与蒙古文图书出版业的起源/宝山. 蒙古语文. 5

蒙古语句子成份移位现象/额·宝音乌力吉. 蒙古语文. 6

蒙古语的无明确意义的某些词汇/纳·哈斯巴图. 蒙古语文. 6

《蒙古秘史》中的"诃额仑"一词词义简析/包双龙. 蒙古语文. 7

体态语言学的相关问题/额·宝音乌力吉. 蒙古语文. 8

《喀喇沁婚礼习俗》中的部分名词术语问题/博·查干. 蒙古语文. 8

关于近代评论文中蒙古语言文字的应用之考/乌兰. 蒙古语文. 8

关于"绿色"一词词义之浅见/色登那木吉拉. 蒙古语文. 10

计算机应用蒙古文字体标准初探/巴图赛恒 斯日古楞. 蒙古语文. 10

关于句子标记成分问题/宝格. 蒙古语文. 10

关于蒙古文"瓦"字符/丹·胡格吉乐图. 蒙古语文. 11

蒙古语色彩词词源漫谈/斯钦朝克图. 蒙古语文. 11

关于蒙古语词义层次关系/扎·巴图格日乐. 蒙古语文. 11

关于蒙古语詈词及其社会应用问题/天峰. 蒙古语文. 11

蒙古语准词组研究/札·义兰. 蒙古语文. 12

蒙古语附着形式/斯琴巴特尔. 蒙古语文. 12

蒙古语族语言的差异简谈/娜仁高娃. 蒙古语文. 12

蒙古语对突厥诸语种的语法影响——从动词词体范畴分析/［蒙古］勒·宝勒德. 中国蒙古学. 1

蒙古书面语 b d g s 音与达斡尔语 r 音的对应关系/马银亮. 中国蒙古学. 1

蒙古文文献中的“异体词”研究/布仁巴图. 中国蒙古学. 1

女真文献中的若干蒙古词语考析/乌力吉布仁. 中国蒙古学. 1

安答、默日根、达尔罕等词汇与古代蒙古狩猎业之关联/策·僧格. 中国蒙古学. 1

“‘金光明经’所说以身施虎经”的特色词语/乌力吉陶格特. 中国蒙古学. 2

解析乌素图召蒙文篆体书法艺术/巴·敖日格乐. 中国蒙古学. 2

蒙古语名词的时间性/哲·巴图格日乐. 中国蒙古学. 2

现代蒙古语内蒙古方言之人称代词比较研究/莎茹拉. 中国蒙古学. 2

蒙汉双语接触中出现的蒙古语言功能变化之探析/色·贺其业勒图. 中国蒙古学. 3

蒙古语工具格形式的语法化研究/勒·陶克特木巴雅尔　孟和. 中国蒙古学. 3

《普度明太祖长卷图》上的第三段回鹘文研究/哈斯额尔敦. 中国蒙古学. 3

日语、蒙古语动词态的比较研究/关金花. 中国蒙古学. 4

蒙古语主体格标志的探析/德·萨日娜. 中国蒙古学. 4

一幅蒙古语元音发音部位图与蒙古语元音的和谐律/哲·吉仁尼格. 中国蒙古学. 4

论中古时期蒙古人名中的 boha、buhe、behi/格根哈斯　额尔德木图. 中国蒙古学. 4

科右前旗使用蒙古语情况的调查报告/高·照日格图. 中国蒙古学. 4

《蒙古真阿爸》的谚语艺术/哈斯高娃. 中国蒙古学. 5

元音连接规则存在的问题以及改进意见/奇·斯钦. 中国蒙古学. 5

词源学研究与蒙古文化语言学问题/格·海日罕. 中国蒙古学. 5

关于《孛可舌列因孛克薛，扯客舌列因扯额只》词义解析/莫·孟和巴雅尔．中国蒙古学．6

论蒙古语熟语的文化内涵/朝鲁．中国蒙古学．6

蒙古语向位格后加成分-dur/-dǘr～-tur/tûr和满语从比格后加成分—deri的比较研究/博·苏都．中国蒙古学．6

语言规划与蒙古语社会用功能的关系/勒·爆克敦巴雅尔、巴德玛敖德斯尔、乌力吉陶克陶夫．中国蒙古学．6

近30年来蒙古语词汇发展变化的主要原因及其途径/莫·巴特尔．中国蒙古学．6

论蒙古语yaahik**一词**/姚克成．中国蒙古学．6

论蒙古语数词tolo、tal/敖斯尔．中国蒙古学．6

关于蒙汉翻译中的一些问题/包兰．内蒙古师范大学学报．1

关于蒙古语中的颜色词/莫·巴特尔．内蒙古师范大学学报．1

成语在言语应用中的作用/巴根．内蒙古师范大学学报．1

蒙古语词组动词的分析/呼和巴日斯．内蒙古师范大学学报．3

关于buged**与**murtegen**的语用问题**/德·青格乐图．内蒙古师范大学学报．3

汉蒙机器翻译用短语转换规则的形式表达问题/巴达玛敖德斯尔．内蒙古师范大学学报．3

克什克腾土语语音音位系统/巴·孟根图娅．内蒙古师范大学学报．3

“察哈尔”一词释意/特·斯钦．内蒙古师范大学学报．3

二连浩特市蒙古语使用情况/额勒森其其格．内蒙古师范大学学报．4

从语言接触的视角探析突厥语和蒙古语动名词一些附加成分的起源/［蒙古］勒·宝勒德．内蒙古师范大学学报．1

民族文学艺术

新发现的诗体故事《沙克蒂尔堪布颂》/巴·格日勒图．内蒙古大学学报．1

试论巴·布林贝赫诗歌创作的独创性/乌·苏古拉．内蒙古大学学报．1

论哈斯宝审美意识——艺术之妙/色·斯楞．内蒙古大学学报．1

论昂日布的《创作方法》一文/敖·查赫轮．内蒙古大学学报．1

论《江格尔》的双层宇宙结构模式/德·塔亚．内蒙古大学学报．1

《成吉思——玄鸟》神话原始文本——翁牛特旗石棚山52号墓出土原始文字解读/瓦·赛音朝克图．内蒙古大学学报．1

蒙古族现当代文学史学科的建设和发展构思/苏尤格．内蒙古大学学报．2

二十世纪八十年代以来蒙古族小说中的象征/莎日娜．内蒙古大学学报．2

新时期蒙古诗歌语言的发展进化与审美开放/乌云毕力格．内蒙古大学学报．2

《阿拜·格斯尔博格多可汗》史诗中的歌舞合一主题/孟金宝．内蒙古大学学报．2

蒙古民间故事“阿仁朱拉”研究/铁安．内蒙古大学学报．2

天鹅处女故事比较研究与策·达木丁苏伦的比较文学思想/陈岗龙．内蒙古大学学报．3

《江格尔》演唱目的探究/德·塔亚．内蒙古大学学报．3

浅谈《霍尔格斯尔》/哈顺图雅．内蒙古大学学报．3

蒙古族作家笔下的女性容颜美浅析/萨础拉．内蒙古大学学报．3

成吉思汗《火攻阵传说》比较研究/特古斯巴雅尔．内蒙古大学学报．3

蒙古族洒祭诗的复合意象及其渊源与传承/乌·纳钦．内蒙古大学学报．4

论蒙古诗歌中的“太阳”意象/苏尤格．内蒙古大学学报．4

新时期蒙古文学中的神话世界之重构——文学人类学阐释/铁木日真．内蒙古大学学报．4

试论文学审美心理/熙·巴达玛旺朝阁．内蒙古大学学报．4

全球化潮流中的旅外蒙古人文学/娜弥雅．内蒙古大学学报．4

论蒙古国现代文学与俄苏文学比较研究/齐·额尔敦巴雅尔．内蒙古大学学报．4

《蒙古文学与比较文学研讨会》在北京大学召开．内蒙古大学学报．4

当代蒙古语诗歌（1947—1978年）创作中的角色意识与自我意识/海日瀚．内蒙古大学学报．5

《三国演义》对蒙古民间文学的影响/熙·哈斯巴特尔．内蒙古大学学报．5

《成吉思汗圣宫祷祝词》中的神主及其祷祝词考/布仁巴图．内蒙古大学学报．5

C·宝彦诺木合与《内蒙国民旬刊》/额尔很巴雅尔．内蒙古大学学报．6

《阿拜·格斯尔博格多可汗》史诗中关于英雄与马结合的母题/孟金宝．内蒙古大学学报．6

关于新疆江格尔奇的演唱风格问题/德·塔亚．语言与翻译．1

蒙古史诗和胡仁乌利格尔的英雄形象比较/包青玉．语言与翻译．4

《江格尔》在和布克赛尔一带的继承和发展概况/乌·叶尔达．语言与翻译．4

重唱现成故事，新编传统史诗——《江格尔》艺术论之六：程式轮/张越．卫拉特研究．1

论蒙古族美学家尹湛纳希、赛春嘎、贺·宝音巴图之美学观/拉给苏荣．卫拉特研究．1

关于青海蒙古族神话种类其特征/胡和．卫拉特研究．1

"格斯尔奇"胡牙格图和他所演唱的《格斯尔传》/娜仁图雅．卫拉特研究．1

《西拉·胡鲁库败北记》的文化史意义探析/戚晓萍．卫拉特研究．2

论蒙古史诗《江格尔》的狂欢特征/加俊．卫拉特研究．2

《卫拉特格斯尔》与北京木刻版《格斯尔传》之比较研究/玛·乌尼乌兰．卫拉特研究．3

论新疆卫拉特《江格尔》演唱规则/德·塔亚．卫拉特研究．3

盂兰盆会与蒙汉目连救母故事的宗教主题/陈岗龙．卫拉特研究．4

从民俗学的视角解读蒙古族英雄史诗《勇士谷诺干》/郜冬萍．卫拉特研究．4

蒙古口头文学中的民间教育学/［蒙古］胡尔乐．卫拉特研究．4

试论《江格尔》中的游牧生产特点/普·巴特．卫拉特研究．4

巴德玛道尔吉《白度母祈祷文》与八瑞物/哈斯朝鲁．蒙古学研究．2

蒙古民间小故事中的马的形象/杨·巴雅尔．蒙古学研究．2

试论蒙文书法的发展/白布和．蒙古学研究．2

蒙古图案的象征性/特古斯．蒙古学研究．2

蒙古山水传说研究概略/孟根图雅．蒙古学研究．2

神话《征服残暴的黑龙王》的创作时代疑考/乌日丽格．蒙古学研究．3

呼麦艺术的起源与发展/额·格日乐图．内蒙古社会科学．1

蒙古文学断代史写作之得失/金海．内蒙古社会科学．2

鄂尔多斯民歌“六十棵榆树”雏形分析/盟根花．内蒙古社会科学．2

蒙古族现当代文学中的好汉原型之表现形式/铁木日真．内蒙古社会科学．3

关于叙事民歌《胡琴手色仁布》及其变体/五月．内蒙古社会科学．4

琶杰及其作品研究概述/朝克图．内蒙古社会科学．4

论近现代叙事民歌主人翁特点及其悲剧命运/胡格吉夫．内蒙古社会科学．4

尹湛纳希社会观浅论/哈斯塔娜．内蒙古社会科学．4

从《江格尔》“序诗”理解生命/毕力贡达来．内蒙古社会科学．5

蒙古史诗中的女性人物的社会地位/额尔敦高娃．内蒙古社会科学．5

《北京版格斯尔》中的可汗和乡土题材研究/特·额尔敦巴根．内蒙古社会科学．6

蒙古史诗中女性人物装饰之探/额尔敦高娃．内蒙古社会科学．6

辽代墓葬的壁画艺术特点/鲍凤林．内蒙古社会科学．6

关于科尔沁文化研究若干问题/波·索德．内蒙古社会科学．6

蒙古语诵经音乐与诗歌韵律之间的关系/包·达尔汗．内蒙古社会科学．6

蒙古文学研究与史料建设/巴·苏和．内蒙古民族大学学报．1

蒙古本子故事及其研究方法问题/［蒙古］D·策仁索德诺姆．内蒙古民族大学学报．1

蒙古族现代主义文学中的几种重要主题/道润腾格尔．内蒙古民族大学学报．1

《苏勒哈尔乃传》及常青植物神化——蒙古、突厥语族民族常青植物神化比较研究/那木吉拉．内蒙古民族大学学报．1

论蒙古文学的忧患　启蒙意识/清华．内蒙古民族大学学报．1

蒙古族现当代文学中的好汉原型及其文化精神/铁木尔真．内蒙古民族大学学报．2

蒙古族和汉族民间文学体裁比较/敖其．内蒙古民族大学学报．3

蒙古族对口好来宝的文化根基与民间艺人的关系/包金刚．内蒙古民族大学学报．3

蒙古英雄史诗女性英雄人物的外表美/额尔敦高娃．内蒙古民族大学学报．3

以母题学方法研究科尔沁民歌之我见/包海青．内蒙古民族大学学报．3

卫拉特婚礼祝词中一则传说的文化学解读/斯钦孟和．内蒙古民族大学学报．4

论蒙古民间文学中动物的人性化/王高娃．内蒙古民族大学学报．4

蒙古族长调歌的历史发展轨迹/那仁其木格．金钥匙．1

音乐的民族性和全球化特征/陈媛媛．金钥匙．1

民族文学的文化角度和其潜力/．金钥匙．2

关于民歌《察哈尔八旗》/哈斯其木格．金钥匙．2

关于蒙古族口头文学的种类和研究/格日勒札布．金钥匙．3

关于中国当代少数民族文学的文化历史的成就．金钥匙．3

《蒙古研究百科全书》的文学成就和缺点/吉格吉德．金钥匙．3

关于我国少数民族文学发展/阿特木德．金钥匙．5

关于科尔沁民歌形象研究/斯琴图雅．金钥匙．6

蒙古族文学史编写中存在的问题/金海．中国蒙古学．1

蒙古神话与文化演变/胡日勒沙．中国蒙古学．1

尹湛纳希关于生活、作者、作品与读者互动关系的观点/太国兴．中国蒙古学．2

蒙古族英雄史诗形象由来/［蒙古］阿·奥其尔．中国蒙古学．2

当代蒙古语诗歌中的三个流派/海日瀚．中国蒙古学．2

历史情结与乌托邦思想——关于当前蒙古语长诗写作中存在的问题/铁军．中国蒙古学．2

评阿拉善民间故事集“黑骏马”/拉·苏雅拉图．中国蒙古学．2

论蒙古族喇嘛活佛创作的民歌/德·巴图．中国蒙古学．2

试论现代蒙古文论特征/乌兰．中国蒙古学．2

论蒙古文学史的写作与学术创新问题/巴·苏和．中国蒙古学．3

当代蒙汉文女性文学研究概述/其木格．中国蒙古学．3

再论浩林抄尔音乐/杨海源．中国蒙古学．3

《禄东赞的故事》与《职慧忒莫讷的故事》之比较研究/萨仁托雅．中国蒙古学．3

近现代蒙古叙事民歌的社会根源/包·金刚．中国蒙古学．4

玛纳斯奇与江格尔奇比较研究/阿地里·居玛吐尔地．中国蒙古学．5

尹湛纳希比较文学思想/额尔敦哈达．中国蒙古学．5

论外来因素对蒙古族现代化文学的影响/宝音陶克陶．中国蒙古学．5

论史诗《汗青格勒》的语词程式/格日乐．中国蒙古学．5

蒙古古筝的起源与发展/娜仁格日乐．中国蒙古学．5

略论元代蒙汉文学关系/云峰．中国蒙古学．5

也希巴拉珠尔与他所撰写的《青海史·大梵幽雅新歌》/乌云其其格．中国蒙古学．5

蒙古文学中的现代主义问题/包·斯钦．中国蒙古学．6

神话是原古人类思想观念的载体/萨仁高娃．中国蒙古学．6

试论尹湛纳希书法特色/都古楞仓．中国蒙古学．6

《论蒙古民间文学艺术形象》论著的学术意义/格日乐．中国蒙古学．6

《力格登研究》中的力格登/贺·宝音巴图．内蒙古师范大学学报．2

论蒙古文化耕耘者——胡尔齐/包金刚．内蒙古师范大学学报．2

论《古代蒙古文学审美特点研究》一书/王·苏布德．内蒙古师范大学学报．2

民歌嘎达梅林的创唱者小考/哈日夫．内蒙古师范大学学报．3

蒙古包祝颂词新探/敖·查赫伦．内蒙古师范大学学报．3

现代蒙古文学民族精神/孟根其木格．内蒙古师范大学学报．3

蒙古史诗的女性形象的服饰之探/额尔敦高娃．内蒙古师范大学学报．3

全国蒙古文学学术会议在内蒙古大学召开/道日那腾格里．内蒙古师范大学学报．3

关于蒙古民间文学体裁的分类称谓/敖其．内蒙古师范大学学报．4

论蒙古长调民歌的文化生态/扎格尔．内蒙古师范大学学报．4

胡仁乌力格尔的文化穷源/包金刚．内蒙古师范大学学报．4

蒙古族民间文学《三言集》的伦理观/萨·巴特尔．内蒙古师范大学学报．4

论赛春阿的启蒙思想/嘎布拉．内蒙古师范大学学报．4

成吉思汗圣宫《神主祷祝词》中的黄犨及其祷祝词考/布仁巴图．蒙古语文．6

论阿鲁科尔沁旗说书人之风格/孟根娜布琪．蒙古语文．8

鄂尔多斯民歌中的某些地名问题/孟根花．蒙古语文．9

民族教育

新疆蒙古族教育现状、问题及对策建议/吐娜．卫拉特研究．4

我区民族基础教育发展状况的调研报告/贺喜格吉雅. 蒙古学研究. 2

我区民族基础教育发展状况的调研报告/贺喜格吉雅. 蒙古学研究. 3

语言艺术在体育教学中的作用/立慧君　格日勒. 内蒙古社会科学. 1

一份蒙古族教育史的重要史料/拉斯格玛　陶克涛夫. 内蒙古社会科学. 1

针对蒙古族大学生心理特点做好思想道德教育的几个途径/包秀荣. 内蒙古社会科学. 5

关于加强民族音乐教学的几点思考/乌兰图雅. 内蒙古社会科学. 6

鄂尔多斯送亲歌的含义及其由来/敖·松布尔. 内蒙古社会科学. 6

蒙古族学生汉语语感及培养的有效途径/常晓琴. 内蒙古民族大学学报. 4

对民族高校蒙汉双语学科建设之思考/阿民　高红梅　秋喜　陈永春. 内蒙古民族大学学报. 4

农牧区蒙古族学校现状之思考/常明. 内蒙古师范大学学报. 1

美术老师如何适应当代美术教育要求/萨如拉. 内蒙古师范大学学报. 1

论蒙古族家庭养成教育的特点/王凤雷. 内蒙古师范大学学报. 2

论民族教育的现代化与民族化/七十三. 内蒙古师范大学学报. 3

论蒙古族家庭对子女的磨难教育/王凤雷. 内蒙古师范大学学报. 3

音乐教学的审美要素探析/那顺吉日嘎拉. 内蒙古师范大学学报. 3

音乐课教程中的美育问题/那顺吉日嘎拉. 内蒙古师范大学学报. 4

从大学生心理特征谈培养全面发展的有用人才/阿民. 内蒙古师范大学学报. 4

论大学生的情绪障碍及其辅导/诺敏　哈斯　苏和. 内蒙古师范大学学报. 4

创新教育探析/白俊山. 内蒙古师范大学学报. 4

蒙古族箴言的教育作用/额尔德木图. 蒙古语文. 2

青海蒙古族传统家庭教育初探/乌云梅. 蒙古语文. 6

探析成吉思汗《大札撒》中的刑法——《大札撒》研究（二）/金山　格仁其木格　郭青/. 内蒙古大学学报. 2

坚持正确的民族教育发展理念/太国兴. 内蒙古大学学报. 3

（乌云格日勒）

藏　文

民族问题理论

中国共产党在西藏革命和建设中的实践与经验/车明怀著　卓玛太译．中国藏学．3

西藏农村的新变化——以帕拉庄园所在村庄的调查为例/徐平　曹志安著　玉珍译．中国藏学．3

浅谈民族自治制度/桑地多杰．日月山．2005

民族经济

从"雪堆白"到古建公司——雪域的能工巧匠和工匠社团/索穷．中国西藏．6

西藏人居/徐宗威．中国西藏．6

高原生态保护研究之二——谈野生动物/卡尔噶玛赤列格烈．西藏大学学报．1

四十年变化看发展，昂首阔步迈小康——山南地区农牧业经济发展/白玛央宗译．山南文艺．2

艰难的历程，辉煌的成就——记山南交通运输事业/达瓦次仁译．山南文艺．2

苏康克松溪卡调查报告——1959 **年山南农村纪实**/林田　阿旺丁增等著　伍金多吉译．山南文艺．2

民 族 学

关于藏族文化与计算机文化相结合的必要性/贡松．中国藏学．1

继承与创新中繁荣和发展藏学研究事业/次旺俊美．中国藏学．3

西藏自治区成立40年来我区社会文化工作成果回顾/辛高锁. 雪域文化. 3

社会文化园中的一束绚丽之花——自治区群众艺术馆的发展概述/贡布欧珠. 雪域文化. 3

我区文化建设成就/辛高锁. 西藏艺术研究. 1

展示藏学研究成果的明镜——记《西藏研究》刊物/拉雪·蒙巴太. 西藏艺术研究. 1

论大藏经书写及印刷的藏纸工艺/周华. 西藏艺术研究. 1

浅谈社会转型期的文化建设/斗拉加 航青才让. 西北民族大学学报. 1

也谈藏族传统文化的历史使命/徐世芳. 西北民族大学学报. 1

论传统与现代的关系/看本加. 西北民族大学学报. 2

藏学文献综述/格桑平措. 西藏大学学报. 1

藏族丧葬仪轨简述/坚·尼旋. 中国藏学. 2

试析民俗之内涵/岗·坚赞才让. 西藏研究. 1

藏族丧葬习俗及其方式/更登三木旦. 西藏研究. 2

谈藏族婚俗及其各种称谓/华日·桑杰. 西藏研究. 4

浅谈热贡霍那地区广为流布的"五月嘛呢"/夏吾索南. 中国西藏. 1

浅析热贡苏日村的"鲁绕"(巫术)民俗及文化内涵/看召草. 西北民族大学学报. 2

《藏族姓氏研究》评说/才华多旦. 青海民族学院学报. 1

藏族农耕民俗初探/扎宝. 青海师范大学民族师范学院学报. 1

藏族占卜法述略/索南东主. 青海师范大学民族师范学院学报. 1

藏族姓氏略考/旦珍加. 西藏大学学报. 1

藏族服饰文化所引起的思考/白玛旺青. 山南文艺. 4

堆龙噶尔仓和"土石堆"的关系之说/嘎瓦巴桑. 邦锦梅朵. 1

浅谈吐蕃王朝时期的守墓人/米玛次仁. 邦锦梅朵. 1

亚东的地名由来与民风民俗/顶果桑布. 邦锦梅朵. 2

芒康地区婚姻习俗/旦增搜集. 邦锦梅朵. 3

藏人生活中的习俗三则/贡觉嘉措. 邦锦梅朵. 4

经幡的渊源/央戛. 邦锦梅朵. 4

同德巴沟民间射箭习俗/索南本. 群文天地. 1

浅谈藏族发誓习俗/斗改杰. 群文天地. 2

热贡郎加六月"鲁若"的渊源/旦正项杰. 群文天地. 3

浅析安多藏区夏尔协及其文化内涵/英加布. 群文天地. 4

简述卓尼车巴沟的民俗风情/桑吉东珠. 达赛尔. 2

《月王药诊》中的人体组织原理初探/李先加. 中国藏学. 1～2

解析《四部医典》中脉经部的部分难题/强巴赤列. 西藏研究. 1

关于《中国药典》2000版部分藏成药制剂处方的几个问题与建议/俄仓巴·卓玛顿珠. 西藏研究. 4

藏医学的现状与未来发展的几点思考/九西加　本考. 西藏研究. 1

试论藏医七种奇脉学说/群觉. 西藏研究. 3

藏医防治大骨节病初谈/布地次仁. 西藏研究. 3

藏医对麻疹的诊断方法/贡觉格杰. 西藏研究. 3

藏医药材资源及其加强环保的几点思考/吾金旦增. 西藏研究. 3

关于《藏汉对照词典》2002年版部分藏药词条的几个问题与建议/俄仓巴·卓玛东珠. 西藏研究. 4

藏医大骨节病的名称与骨痛风、佝偻病的治疗初谈/布地次仁. 西藏研究. 4

略考四部医典木刻版之历史/次旦晋美. 西藏研究. 4

略谈藏医对妇女的卵之解析/达瓦曲珍. 西藏研究. 4

甘南藏医药事业发展迅速/阿其. 中国西藏. 1

与《医学四续》相关四季五行切脉之兴衰略释/桑旦. 雪域文化. 2

解析藏医中的几点疑难问题/旦正加. 青海师范大学民族师范学院学报. 1

动物和动物药物学的产生与发展/南加太. 青海师范大学民族师范学院学报. 2

藏药中龙骨之说/米鹏. 邦锦梅朵. 1

谈西藏医学史/［苏］H·阿巴耶夫　H·博尔索霍耶娃著　本考、九西加译. 雪域藏医药. 1

浅谈《四部医典八十幅彩色挂图大详解蓝琉璃之光》的内容/梅朵央金. 雪域藏医药. 1

藏医对治疗疾病的360种方法对照表/平措旺杰. 雪域藏医药. 1

细论藏医学中关于放血疗法的要求与条件/罗布扎西. 雪域藏医药. 1

论藏医六类不同培根病的病变原理及论断要素/嘎松. 雪域藏医药. 1

论藏医药学对胃功能的认识/边巴. 雪域藏医药. 1

论藏西医结合诊断肝硬化腹水/晋美巴桑. 雪域藏医药. 1

俗称“安娩丸”的藏药“十一味西切丸”用于治疗阑尾炎的临床经验/罗布扎西. 雪域藏医药. 1

藏医临床治疗血瘫病例疗法评估/永格. 雪域藏医药. 1

保护药材资源种植栽培的价值/央吉. 雪域藏医药. 1

简述植物学科、属、分类对藏药学的价值/次央群培. 雪域藏医药. 1

藏药的服用方法/土登次仁. 雪域藏医药. 1

简述藏药采集、去毒和加工炮制方法/格桑巴珠 索朗. 雪域藏医药. 1

藏药“二十五味阿魏散”中阿魏、乳香及胡椒碱的 TLC 鉴别/尼珍. 雪域藏医药. 1

藏药不良反应初探/格桑次仁. 雪域藏医药. 1

藏医学的教言/花德明. 雪域藏医药. 1

加强科技工作，充分利用人才，在西部大开发的大好形势下发展藏药/强巴格列. 雪域藏医药. 1

初论藏医对面瘫的诊治/次德吉. 雪域藏医药. 1

浅谈藏西医结合治疗眼病/花德明. 雪域藏医药. 1

论藏西医结合对发热病的观察法/次仁卓嘎. 雪域藏医药. 1

藏医学对心脏疾病的诊断与治疗/土登贡觉. 雪域藏医药. 1

论藏医病因学的独到见解/格桑多杰. 雪域藏医药. 2

人体七大基本物质（七基质）学说之血液的部分含义分析/米玛. 雪域藏医药. 2

从“崩西”中《四部医典》的起源以及译文/阿加. 雪域藏医药. 2

谈藏医保健学的历史及其价值/洛扎·多杰. 雪域藏医药. 2

藏医对“加卜病、握尔病、木曲病”的诊治秘诀/洛桑罗布. 雪域藏医药. 2

藏医学对中风病的诊断及治疗/土登贡觉. 雪域藏医药. 2

简述高血压（查龙）病的辨别及治疗经验/边巴. 雪域藏医药. 2

藏药八味帝达卡擦治疗急慢性胆囊炎 25 例临床疗效分析/索朗平措. 雪域藏医药. 2

藏药新药研发和实现产业化的意见/达瓦. 雪域藏医药. 2

西藏自治区成立四十周年之际关于传统藏医学说发展的论文/曲吉桑布. 雪域藏医药. 2

以藏医特色为主，西医为辅，面向现代化藏医学/扎西 尼玛次仁. 雪域藏

医药．2

论藏西结合儿童保健体会/巴桑．雪域藏医药．2

略谈藏医熨敷法治疗产后宫缩痛的临床疗效/扎宗．雪域藏医药．2

略谈藏医涂擦法治疗先兆早产的临床疗效/巴仓．雪域藏医药．2

浅谈藏医对精神病（沌乃）的见解/索朗加措．雪域藏医药．2

浅谈藏医天文历算学与内外界环境及物质间的相互关系/索朗班丹．雪域藏医药．2

无私忠诚的藏医世家/拉珍．雪域藏医药．2

简述噶丹藏历星算/华洛．西藏研究．1

西藏历书知识概要/索朗欧珠．雪域文化．1

谈历算与天文学的关系/夏吾才让．西北民族大学学报．2

藏族天文历法中“五要素”的教学/普华杰．青海师范大学民族师范学院学报．1

天文历法要籍概述/华洛．青海师范大学民族师范学院学报．2

民族宗教

试论更顿群培的甚深中观思想/阿旺·泽仁扎西．中国藏学．2

中国共产党的宗教政策在西藏得到全面贯彻落实/郑堆．中国藏学．3

《顿悟真宗金刚般若修行达彼岸法门要诀》初探/班班多杰　周拉．中国藏学．4

更敦群培《龙树中观奥义论》初探/阿旺泽仁扎西．西藏研究．3～4

谈11世纪藏传佛教的传播及其特征/仲布·次仁多吉．西藏研究．4

弥勒学二十论介绍/江白益西．西藏佛教．1

江孜白库尔塔的来历简述/索朗次仁．西藏佛教．1

达孜德青密宗院静猛天众喜舞的跳神节/洛旦．西藏佛教．1

有关藏传佛教仪轨的朵玛食子做法略析/日汪·谛觉旦增．西藏佛教．2

浅谈无我观与人类道德行为之间的关系/却桑·多杰仁青．青海民族学院学报．2

有关吐蕃时期敦煌写经事业的藏文资料/［日］高田时雄著　杨本加译．西北民族大学学报．2

藏区印经院校刊制度考略/卡岗·华青太．西北民族大学学报．2

悟道传记概念探析/西热卜．合作民族师专学报．1

浅谈佛教思想在藏区传播的原因/仁青东珠．合作民族师专学报．1

雅桑地方神觉吾聂杰由来初探/普布多吉．西藏大学学报．1

浅谈西藏远古神话的科学性/扎拉．邦锦梅朵．4

浅谈多麦完秀地区山神——阿尼朗欠/完秀华科加．群文天地．3

佛经中的早期因明学初探/小次多．中国藏学．1

试析陈那大师的《集量论》/小次多．西藏研究．2

藏传因明学发展述略/项智多杰．西藏研究．2

关于马克思哲学与藏传因明学中“物质”一词及其相关问题的商榷/扎拉·达娃桑布．西藏研究．2

探讨陈那大师的因明论证之分/玉郎·阿旺旦增．西藏研究．3

探讨陈那《集量论》中的比量之因的概念/小次多．西藏研究．4

藏传因明学论式与亚里士多德逻辑学论轨之比较研究/桑忠太．西藏研究．4

藏传因明学“结合名言分别识”的逻辑意义/项智多杰．青海民族学院学报．2

探析“因轮图”中的不定式/久美加措．合作民族师专学报．1

概述因明学中九句因的原理/久美加措．合作民族师专学报．2

位于阿里地区扎达县境内的日尼寺简介/古格·次仁杰布．西藏研究．3

略述拉萨湿地及其周边的名胜古迹/雅龙·布琼．西藏研究．4

布达拉宫，有史以来最大的维修工程/余茂智．中国西藏．1

拉萨郊区几处与宗卡巴大师功业有关的圣地/恰日巴·洛桑朗杰．西藏佛教．1～2

前后期永中苯教各寺院简史（上半部）/选自白崔的《教流综合集》．西藏佛教．2

南海普陀山圣地简志/旦尼．西藏佛教．2

智布次丘林寺史话浅谈/阿旺加措　洛桑益西．西藏佛教．2

藏北东热寺奇观/嘎玛贡加．雪域文化．1

东嘎扎西伦珠寺志/顶贡桑布．雪域文化．2

丹斗寺史略/多杰太　索巴．青海民族学院学报．2

甘孜那仓寺和好塔志/赛仓·罗桑华丹．合作民族师专学报．2

察意巴寺简介/白米玛．邦锦梅朵．1

孜卫寺简介/永仲久．邦锦梅朵．2

简介拉萨周围四名山及象征吉祥八瑞的其他山座/邦锦梅朵．3

卓尼禅定寺概况/旺杰　旦正才让．达赛尔．2

车巴沟的来历及贡巴寺简史/齐哇·旦正才让．达赛尔．2

本教典籍《济龙经》初探/卓玛太．中国藏学．2

藏族远古苯教与佛苯比较研究/P·卡尔尼著　德康·索杰译．西藏研究．3

浅谈苯波的禁忌/格桑德吉．中国西藏．4

雍仲苯教《大藏经》形成试析/才让太．青海民族学院学报．1

迭部地区苯教发展史略/阿旺嘉措．合作民族师专学报．1

民族历史

热贡地区传统性命价赔偿地方法规的历史变迁/仁青卓玛．中国藏学．1

丽江地区发现的古代吐蕃碑文探析/恰嘎·旦正．中国藏学．2

论藏族古文献所载有关于阗地区的历史资料/卡岗·扎西才让．中国藏学．2

吐蕃时期沙州官制概述/先巴．中国藏学．4

关于《巴协》若干问题的研究/罗桑旦增．中国藏学．4

霍尔藏人祖源考跋/霍尔藏·旦派．西藏研究．1

藏族法律起源与松赞干布时期法律特点/卡毛姐．西藏研究．1

松赞干布引进佛教目的初探/洛居·达瓦．西藏研究．3

藏羌渊源关系考证/白桑加措．西藏研究．3

略论藏族传统史学的形成发展及其特征/群培．西藏研究．4

探 sgo me 一名的来历/索南多杰．西藏研究．4

永不返回的藏族远征军——记鸦片战争的一支藏军/朗敦·班觉　朗敦·诺布次仁．中国西藏．2

吐蕃王朝王妃的地位/白班顿智．中国西藏．2

议《青史》中前、后弘期之间的历史时期误差/塔哇·扎西东主．西北民族大学学报．1

谈武威市文化局馆藏的藏文手抄本资料的文献价值/曲杰·更登三木旦．西

北民族大学学报. 1

浅谈古藏文文献的体裁分类方法及其意义/美日·尤拉太. 西北民族大学学报. 2

论吐蕃时期的政苯关系/才让东主. 青海民族学院学报. 1

格子吐蕃碑略析/夏吾太. 青海民族学院学报. 1

吐蕃盟誓制度研究/撒列. 青海民族学院学报. 2

吐蕃伦钦陵与唐朝名将王孝杰辩辞探析/恰嘎旦正. 青海师范大学民族师范学院学报. 2

藏族历史分期探究/更登. 合作民族师专学报. 1

赤松赞时期大论臣的执政地位初探/桑吉克. 合作民族师专学报. 1

吐蕃盟誓制度及其作用/多杰东智. 合作民族师专学报. 2

略考吐蕃王朝时期王子继位制/格如·巴桑诺布. 西藏大学学报. 1

"敦煌"一名的历史渊源/先巴东知. 攀登. 1

帕母竹巴统治时期建立的卫藏十三大宗/嘉日巴 洛桑朗杰. 邦锦梅朵. 2

回顾拉萨宇妥路的变化与发展/甲日巴·洛桑朗杰. 邦锦梅朵. 3

卓尼县历史沿革/格日才让 旦正才让. 达赛尔. 2

浅谈吐蕃王朝的瓦解之因/多杰冷智. 日月山. 2005

浅谈果洛史/俄旦索南. 日月山. 2005

黑马河峨堡的来历/香桑. 日月山. 2005

试析有关五世达赖与第司桑杰嘉措关系的讹传/吉美桑珠. 中国藏学. 1

迥丹热日大师传略——纪念迥丹热日大师（1228—1305）诞辰一百周年/索朗顿珠. 西藏研究. 2

迭部阿旺洛桑三丹及其著作述评/贡巴扎西. 合作民族师专学报. 1

朗卡坚赞大师著作评述/白玛. 西藏大学学报. 1

简述萨班在西藏教育方面的业绩/思伦·达瓦次仁. 西藏大学学报. 1

卓尼智巴夏珠小传/贡却东珠. 达赛尔. 3

巴色朗生平考/仲布·次仁多杰. 中国藏学. 2

论赞普朗日松赞的历史地位/李本加. 中国藏学. 4

新发现的有关赞普赤德松祖赞的部分史料介绍/拉色·贡却嘉措. 中国藏学. 4

吐蕃赞普赤德祖赞卒年及赤松德赞执政年代考证/先巴. 西藏研究. 1

雅桑曲吉门朗之出生地及生卒年考/雅龙·普布多吉. 西藏研究. 2

论吐蕃赞普朗达玛之历史地位/扎西桑珠．西藏研究．2

简析历史人物琼吾苯塞斯孜的双重性格/多杰．西北民族大学学报．1

直贡赞布、吾东赞与赤扎西扎巴德三位吐蕃王比较研究/才让东智．合作民族师专学报．2

赤松赞军事战略思想初探/桑吉克．合作民族师专学报．2

聂赤赞普等十赞普遭弑原因考/侃本．攀登．1

敦煌藏文文书涉及经济文化内容的十七篇文献/桑斗．攀登．1

“美额匆”赞普究竟是谁/桑杰卡．攀登．1

略谈吐蕃名臣达扎鲁贡的功绩/白玛旺青．山南文艺．3

略谈藏王后卓萨赤玛绿/加杰本．山南文艺．4

卓尼历代土司传略/齐哇·旦正才让．达赛尔．2

卓尼历史上的格丹赤巴/齐哇·旦正才让．达赛尔．2

浅谈赤颂德赞的业绩/项欠卓玛．日月山．2005

民族语言文字

略谈藏族历史上的文字规范问题/德努·多吉扎堆．西藏研究．2

藏族文字的演变与草写体的产生/夏布峡·达瓦次仁．西藏研究．2

谈关于统一计算机藏文字体标码的问题/贡桑．西藏研究．2

浅谈藏语字音修饰法/拉日琼达．西藏研究．3

试析论述文体的特点及其藏汉文化差异/龙布杰．西藏研究．3

略谈大学藏语辞藻学课程/多衮·桑达多吉．西藏研究．4

如何正确使用和发展藏语文的一些想法/美达措姆．西藏教育．4

论语言的民族性和文化性/旦正甲．西北民族大学学报．1

关于民族语文法律地位的思考/索南才让．攀登．1

浅析藏文“纳”“卓”“布宁”三个近义词的文化内涵/卡岗华青太．攀登．1

整顿社会用字之我谈/折桑．山南文艺．1

浅谈藏族敬语的语言特点/索朗．邦锦梅朵．2

浅析修辞中的若干问题/旦正加．达赛尔．3

略谈藏语普通话的若干思想/达雄．日月山．2005

关于加强和改进我区藏语文工作的几点思考/拉琼．藏语文工作．1

党的民族语文政策在西藏的伟大实践/西藏自治区藏语文工作委员会办公室．中国藏学．3

浅谈汉藏文翻译技巧/郭麦·多杰仁青．中国藏学．1

公文翻译中出现的问题及其对策/巴顿·才项多杰．西藏研究．2

谚语的内涵及其翻译技巧/拉杰．西藏研究．3

结合双语语法泛评翻译原则/才项多杰．西藏研究．4

对汉语成语如何译成藏语的一些看法/巴桑琼．西藏教育．3

初探藏汉翻译音译/勘措吉．西藏教育．3

从翻译之标准信、达、雅学说初论广播新闻翻译的基本标准/米玛仓决．雪域文化．1

《声明要领二卷》中提出的有关翻译标准略谈/索朗群培．雪域文化．1

《声明要领二卷》与章嘉译论之比较研究/索仁．西藏艺术研究．1

从文化差异谈翻译实践的归化与异化/才项南杰．西北民族大学学报．1

从修辞学角度谈汉藏成语的异同关系/兰周加．西北民族大学学报．2

通过等效原理议对等翻译/王文玉．西北民族大学学报．2

吐蕃时期翻译事业兴盛的原因/巴顿·才项多杰．青海民族学院学报．1

《贤愚经》翻译技巧之我见——从《长者无耳目舌品》、《金天品》谈起/拉旦尖措．青海民族学院学报．2

略谈藏族翻译史的历史分期问题/索仁．西藏大学学报．1

略谈藏汉文字翻译中有关词的译法/次旦多吉．西藏大学学报．1

谈有关翻译和翻译技巧/斗拉加．西藏文艺．2

对《汉藏对照词典》某些关联词语译法的质疑/拉玛才让．攀登．1

论翻译标准与译文要求/杨本加．攀登．1

浅谈藏族民间口译/久迈．群文天地．1

藏汉文翻译中存在的若干问题/平诺．达赛尔．1

浅议藏汉翻译的重要性/桑格·玛乃东珠．达赛尔．3

试谈汉语多义词的理解与表达/扎桑．藏语文工作．1

探析语法的共性现象/东主才让．中国藏学．1

藏语句法结构研究/桑杰克．中国藏学．4

藏族方位词的文化含义/周毛措．中国藏学．4

藏语对照词典的产生与发展/华侃　达美．中国藏学．4

试谈梵藏声韵学/美觉卓敏．西藏研究．1

敦煌古藏文文献及碑文藏文语法与吐弥桑布扎藏文语法之比较研究/索南才让．西藏研究．1

试论藏语语法《三十颂》的特点/才航多杰．西藏研究．2

关于《音势论中有关词意解法》争论的答复/白玛旺庆．西藏教育．1～2

浅论藏族古文的语法特点/才航多杰．西藏教育．2

初谈藏语语法的历史分期/吉太加．西北民族大学学报．1

社会发展与口语语法/完代才让．合作民族师专学报．1

掌握藏语语法规律是藏学研究的金钥匙——访著名学者恰白·次旦平措/小侠·达娃次仁．西藏大学学报．1

民族文学艺术

论藏族文学史的分期问题/索南坚赞．中国藏学．1

古文书中的藏汉审美精神之比较/李加才让．西藏研究．1

民间文学的起源与相关若干问题/巴堆·白玛旺杰．西藏研究．1

论佛教对藏族文学发展的影响/扎巴·白玛旺钦．西藏研究．2

略谈《诗境》成为藏文写作法/泽旺仁真．西藏研究．3

略谈藏族谜语/边巴次仁．西藏研究．3

初评《幻网经》一书/扎巴·白玛旺钦．西藏研究．4

略探《仓央加措道歌》/索朗措姆．西藏研究．4

谈谈诗镜学里未包含的藏语修辞法/王文玉．西藏教育．1

西藏什么时期开始流传自由诗/仓木仓．西藏教育．1

浅析藏族的格言文学/才让本．西藏教育．2

文学作品中的人物与环境描写略谈/多布杰．雪域文化．1

略谈文学的民族性/贡布．雪域文化．2

论诗词格律中的字音修饰法/泽旺仁真．雪域文化．2

藏族传统文学思想考略/索南东主．西北民族大学学报．1

关于文学翻译技巧的几点思考/吴钰．青海民族学院学报．1

赞辞略论/周毛吉．青海民族学院学报．1

藏族学者对文学理论的阐释/索南尖参．青海民族学院学报．1

浅谈《妙音欢歌释注》之特点/贡巴扎西．青海民族学院学报．1

藏族道歌与青藏高原生态保护/南色．青海民族学院学报．2

藏族诗歌与味的关系/傲见．青海民族学院学报．2

藏族《诺桑王传》与傣族《召树屯的故事》比较研究/索南东主．青海民族学院学报．2

论诗学中的“庄严”/贡巴扎西．青海师范大学民族师范学院学报．1

佛教“四法印”对藏族古典文学主题的影响/南拉加．青海师范大学民族师范学院学报．1

藏族新诗刍议/南色．青海师范大学民族师范学院学报．2

诗歌语言评述/旦增才让．青海师范大学民族师范学院学报．2

《米拉日巴赞》解读/更尕项秀．青海师范大学民族师范学院学报．2

诗学入门/赛仓·洛桑华丹．合作民族师专学报．1

文学作品翻译应遵循的规则/桑吉扎西．合作民族师专学报．1

迭部民歌特点探析/阿旺加措．合作民族师专学报．2

藏族民间文学中谜语的特点/贡保东智．合作民族师专学报．2

藏族现代文学的历史分期之我见/米玛．西藏大学学报．1

简议新诗争鸣现象/恰多·顿珠次仁．西藏大学学报．1

浅谈藏汉诗文体翻译中应注意的几个问题/普琼．西藏大学学报．1

略考《丹珠尔》及其纲目之由来/阿旺罗布．西藏大学学报．1

论新诗的象征与比拟/岗措．章恰尔．2

略述《常啼菩萨传》的题材源渊及写作特点/普华杰·章恰尔．3

回顾西藏新文学的足迹/当周才让．西藏文艺．6

浅论西藏当代文学/吉太本．西藏文艺．3

浅论民间文学与《米拉日巴》的关系/扎西平措．西藏文艺．5

藏族民间歌谣散论/堪本．群文天地．1

成绩斐然的黄南藏戏/侃本．群文天地．3

论土官罗桑却吉尼玛的《央金玛赞歌》之艺术特色/拉加才让．达赛尔．1

论史诗《驾云王传》的思想性与艺术性/希多才让．达赛尔．3

浅谈藏族格言艺术/扎西卓玛．日月山．2005

谈谈《格萨尔王传》中的魔幻艺术/角巴东主．中国藏学．2

《格萨尔传》谚语思想内容初探/甲央齐珍．西藏研究．1

《格萨尔传》里的三十位名将简介/娘吾才让．西藏研究．1

谈格萨尔传记的舞台演绎/曼秀·仁青道吉．西藏研究．2

《格萨尔》史诗中的阿尼贡门与神话中的西王母对比研究/元旦加措．西藏研究．3

藏族英雄史诗《格萨尔王传》收集整理等工作取得了丰硕成果/多布杰．雪域文化．3

略谈西藏《格萨尔》抢救工作的成就/金果·次平．西藏艺术研究．1

论《格萨尔》谚语及其内容与形式/索加本．西藏艺术研究．1

细谈《格萨尔》中描述的服饰特征/多航多吉．西藏艺术研究．1

再述《格萨尔》的文化价值/岗·坚赞才让．西北民族大学学报．1

浅谈史诗《格萨尔》中的生态观/多杰卓玛．西北民族大学学报．1

补述《格萨尔》谚语的特征和表现形式/里太姐．西北民族大学学报．1

探析藏族学者对格萨尔主题的凝炼所做的贡献/兰却加　尼玛才让．西北民族大学学报．2

《格萨尔王传·征服大食》中的古词释疑/曼秀·仁青道吉．西北民族大学学报．2

浅析《格萨尔王传》的人物描写特征/尼玛才让　兰却加．西北民族大学学报．2

浅谈《格萨尔王传》中的环保意识/卡秀加．西北民族大学学报．2

浅谈《格萨尔》歌词与道歌的结构比较/其米多吉．西藏大学学报．1

浅析《格萨尔王传》中“晁同”这一典型人物形象/索加本．攀登．1

《格萨尔·降魔篇》文本图解及其地名考据/曼秀·仁青道吉．群文天地．1

藏族唐卡中的透视学与高等几何中的透视学之间的关系/格日吉．西藏研究．1

藏族假面具起源与发展过程/贡嘎次仁．西藏研究．1

贡噶多吉丹寺壁画内容与目前的现状/孜强·边巴旺堆．西藏研究．2

浅谈后藏孜顿地区佛像工艺发展/藏丁达尔基．中国西藏．5

西藏寺庙壁画的来历与发展略谈/阿旺旦增．雪域文化．1

药王山石刻艺术/拉巴次仁．雪域文化．1

山南传统绘画略谈/伍金多吉．雪域文化．2

藏文书法得到很好的继承和发展——访西藏大学文学院嘎玛赤列副教授/扎西班典．雪域文化．3

肩负历史使命的《西藏艺术研究》藏文版/扎拉·达娃桑布. 西藏艺术研究. 1

试论安多地区流传的民歌/还克加. 西藏艺术研究. 1

柴达木地区的古代岩画/阿顿·华多太. 西藏艺术研究. 1

简述当代藏族音乐的现状与发展趋势/桑吉顿珠. 西北民族大学学报. 2

浅谈安多地区流行的民间歌谣/还克加. 群文天地. 2

民族教育

辉煌的西藏教育发展历程/米玛次仁. 中国藏学. 3

藏族传统儿童智力开发教育的几点思考/拉先杰. 西藏研究. 3

牧区素质教育的现状及发展/宽太吉. 西藏教育. 1

西藏教育的新发展/西藏自治区教育科学研究所. 西藏教育. 3

谈谈民办学校建设的重要性/平措次仁. 西藏教育. 4

教育中的思考和思考中的教育/旦增才让. 西藏教育. 4

关于藏族教育中语言文字方面的若干问题/参看加. 青海师范大学民族师范学院. 1

21**世纪藏族教育改革与发展**/桑吉杰. 合作民族师专学报. 1

前进中的山南教育/白玛央宗译. 山南文艺. 2

奋进中的青海省文化艺术学校/侃本. 群文天地. 4

卓尼县藏族中学简介/卓尼藏中. 达赛尔. 2

高校藏学教学中应重视使用本民族语言文字/千木滚. 西藏研究. 1

关于发展藏区基础教育的一些思考/加羊达杰. 西藏教育. 2

五省区编写的高中藏语文教材中的一些疑点/次仁培杰. 西藏教育. 2

藏语文教学改革初探/格桑嘎娃. 西藏教育. 4

藏文多媒体课件制作初谈/布穷. 西北民族大学学报. 1

关于多媒体教学的思考/安见才让. 青海师范大学民族师范学院学报. 1

浅谈"教师语言"/周毛. 青海师范大学民族师范学院学报. 1

试谈高校藏语文课程资源开发问题/兰卡才让. 合作民族师专学报. 2

谈藏族基础教育中存在的若干问题/吉代. 合作民族师专学报. 2

如何寓德育于藏语文教学中/桑德合加. 合作民族师专学报. 2

农牧区基础教育现状及其对策/扎西吉．合作民族师专学报．2

谈谈美国民族教育立法/贡保南杰．西藏教育．1

（卓玛）

维吾尔文

民族问题理论

论迷信在维吾尔人社会生活中长期存在的原因/穆哈麦提玉苏甫·塔伊尔.新疆大学学报. 1

信息素质和少数民族/阿布都肉苏力·阿布都热西提. 新疆大学学报. 1

论三区革命政府的法令/艾尔肯·托乎提. 新疆大学学报. 1

论我国少数民族选举制度/图尔逊托合提·阿塔吾拉. 新疆大学学报. 2

提高领导干部的执政能力，促进新疆的社会经济发展/阿布都热扎克·沙依木. 新疆大学学报. 2

论新疆现代维吾尔新闻事业形成的必要性、基础以及它的作用/艾力·图拉克. 新疆大学学报. 2

论轮台县、尉犁县生态、移民问题/阿布力孜·玉苏甫，古丽苏木·艾买提. 新疆师范大学学报. 2

关于新疆专业人才向东部和沿海地区流失的问题及防止方法/萨吾提·阿吾提. 新疆大学学报. 4

论吐鲁番的回族聚居区对民族关系的促进作用/琪曼·那吉木丁. 新疆社会科学. 1

构建和谐新疆，创造美好未来/司马义·铁力瓦尔地. 新疆社会科学. 2

论我区环境保护地方法规/菲尔东·帕塔尔. 新疆社会科学. 2

西部地区为什么需要特殊的政策/地力木拉提·吾守尔. 新疆社会科学. 2

浅谈目前新疆的人口问题/帕提古丽·买买提. 新疆社会科学. 3

初谈民族地方性立法问题/吐尔逊尼亚孜·沙吾尔. 新疆师范大学学报. 1

民族经济

关于完善市场体系，规范市场秩序/古丽娜·卡米力，古丽拜克热木·托呼提. 新疆大学学报. 1

南疆的贫困问题，其原因和反贫的措施探讨/阿布力克木·艾山，阿布都外力·伊米提. 新疆大学学报. 1

论新疆优势资源效益的提高/艾尼瓦尔·阿木提. 新疆大学学报. 2

近年来新疆旅游业的发展/艾合买提江·穆罕默德. 新疆大学学报. 4

发展特色旅游业——增强我区综合经济实力的重要内容/阿不都艾尼·艾买提. 新疆社会科学. 1

论新疆建省后成立的矿业企业/努肉拉·莫明. 新疆社会科学. 1

发展新疆旅游的新途径——开发国际旅游/吾尔古丽·卡地尔. 新疆社会科学. 2

关于欠发达地区"绿色产业"的发展/艾比布拉·阿布都沙拉木. 新疆社会科学. 2

2005年新疆宏观经济形势预测/课题组. 新疆社会科学. 3

论调整我区的农业及农村经济结构/吾·拜克尔，吉·阿比提. 新疆社会科学. 3

新疆民营企业存在的问题及其出路/托乎提·尼亚孜. 新疆社会科学. 3

玉素甫·哈斯·哈吉甫的经济思想浅析/艾斯卡尔·阿布力孜. 新疆社会科学. 3

新疆经济增长之评价/拜合提亚尔·阿不都秀库尔. 新疆社会科学. 4

在我区农业产业化中存在的问题及其解决措施/W·木合买提，H·吾甫尔. 新疆社科论坛. 1

库车旅游资源及其开发利用构想/阿尔斯郎·马木提. 新疆师范大学学报. 1

探索拓展新疆非公有制经济的新途径/巴哈尔古丽·哈力克. 新疆师范大学学报. 3

民族学

试论古代维吾尔人的住宅/阿里木江·买合素提. 新疆大学学报. 2

论"狗"图腾/海热提江·吾斯曼. 新疆大学学报. 3

文化相对理论和新疆各民族文化协调发展问题/伊克巴里·吐尔逊. 新疆大学学报. 4

论吐鲁番的部分乡土习俗/阿布都拉·阿帕尔．新疆大学学报．4

论古代维吾尔摩尼教文化/艾比布拉·霍加．新疆社会科学．1

论维、汉两种传统哲学中的“气、精、神”概念/阿不力克木·阿拉吾东．新疆社会科学．1

维吾尔族祖先对天空（太阳、月亮……）的原始崇拜/努尔买买提·托呼提．新疆社会科学．2

维吾尔人对梦的解释/阿依夏木·艾合买提·玉努斯．新疆社会科学．2

从维吾尔民谣看维吾尔族习俗/阿布来提·吉力勒．新疆社会科学．2

伊斯兰教的封斋习俗及其有关规定/帕尔哈提·阿帕尔．新疆社会科学．3

中国传统道家思想中的“道”与伊斯兰哲学的“真主”观念的比较研究/阿不力克木·阿拉吾东．新疆社会科学．4

民间故事中维吾尔族对吉利数的看法/热西旦·马木提，古丽鲜·买买提明．新疆社会科学．4

《科学考察队在亚洲高原》一书关于维吾尔族民俗与音乐文化的表述/Y·克力木·巴哈迪尔．新疆社科论坛．2

古代维吾尔人“婚姻继承”问题/D·买合木提．新疆社科论坛．2

古代维吾尔人崇拜狼图腾/T·皮达库力．新疆社科论坛．2

修尔切克佛教寺/S·恰格里．新疆社科论坛．2

维吾尔服饰/A·尼牙孜．新疆社科论坛．3

维吾尔夫妇在家庭中的地位和作用/G·木沙．新疆社科论坛．3

龟兹人文化/Z·W·托汗．新疆社科论坛．4

论吐鲁番维吾尔婚姻跨火习俗/艾合买提依明·艾力纳泽尔．新疆师范大学学报．1

伊斯兰教在中亚地区的复兴及其对中亚地区影响/木合塔尔·哈斯木，依斯波力．新疆师范大学学报．2

维吾尔族巫术习俗的形成及其特点/艾尼瓦尔·赛买提．新疆师范大学学报．2

维吾尔民间饮食习俗和保健意识/美合拉伊·阿布都力木．新疆师范大学学报．3

论维吾尔族历史上的诸教在传统巫术民俗的形成和演变中的作用/艾尼瓦尔·塞买提．新疆师范大学学报．4

论古代维吾尔人自然崇拜意识及其嬗变/阿不力米提·吾买尔．新疆师范大

学学报．4

谈马赫穆德·喀什噶里关于城市的论述/瓦哈甫·吾甫尔．喀什师范学院学报．2

再谈维吾尔族采用姓氏的问题/玉苏甫·依格穆拜尔迪．喀什师范学院学报．3

汉维人名社会文化内涵的对比研究/海尤尔·阿布都卡迪尔，木台力甫·司迪克．喀什师范学院学报．3

维吾尔人名对花草的崇尚/库尔班江·阿布里克木．喀什师范学院学报．3

从外来词看文化的接触/周烈，蒋传瑛．喀什师范学院学报．4

萨满教及其在现代维吾尔人中留下的影响/木沙江·阿布都外力，木沙江·木明．喀什师范学院学报．4

民族历史

《卡里来和笛木乃》渐编成书的遥远的历史背景试论/西仁·库尔班．新疆大学学报．1

论20世纪维吾尔商业文化及其发展/阿布都克里木·热合曼．新疆大学学报．2

论瑞典与中亚的文化交流关系及瑞典的维吾尔学研究发展历程/艾赛提·苏来曼．新疆大学学报．3

匈奴侵扰中原的战术/古丽那尔·司马义．新疆大学学报．3

新疆历史研究需要阐明的几个问题/苗普生．新疆社会科学．1～2

楼兰古城的消失与“mərdək”传说/阿西木·铁木尔．新疆社会科学．2

也探古代温宿的地理位置及“温宿”地名的来源/阿·萨依木，艾·吾甫尔．新疆社会科学．3

关于孜牙墩事件/艾斯卡尔·居努斯．新疆社会科学．3

道光回疆“七和卓之乱”史实考辨/潘向明．新疆社会科学．4

浅谈准噶尔人对南疆的统治/买买提江·莫明．新疆社会科学．4

有关20世纪40年代新疆历史的一些资料及研究情况/马合木提·阿不都外力．新疆社会科学．4

元代内迁的维吾尔人/阿不拉江·吾米迪亚尔．新疆社会科学．4

反思伊禅派对维吾尔族历史的影响/艾合买提江·艾山. 新疆社会科学. 4

浅谈新疆近代文字改革/艾则孜江·艾山. 新疆社会科学. 4

马福兴在喀什/M·吾斯曼阿吉. 新疆社科论坛. 1

文毫阿布杜热依木·尼扎日的家祖/A·艾合米德. 新疆社科论坛. 3

高昌回鹘王国的社会结构与土地所有制形式/艾比布拉·霍加. 新疆师范大学学报. 1

从考古发掘资料看新疆古代先民的饮食文化/依斯拉甫·玉苏甫，艾尼瓦尔·哈斯木. 新疆师范大学学报. 1

古代回鹘文佛经《阿含经》在国内外的研究状况/阿布都拜斯尔·许库日. 新疆师范大学学报. 2

清朝在新疆实行的军政官衔制度/努如拉·木明·玉力洪. 喀什师范学院学报. 1

丝绸之路对近代世界文化史的影响/米丽姑丽·艾山. 喀什师范学院学报. 3

抗日战争时期的新疆工业概况/努如拉·木明，艾斯哈尔·艾力. 喀什师范学院学报. 3

古代维吾尔文书面契约及其特点/阿布拉江·穆罕默德·玉米提亚尔. 喀什师范学院学报. 3

民族语言文字

论维吾尔文学语言发音规则中存在的一些问题/穆哈拜提·哈斯木. 新疆大学学报. 1

论哈萨克语对塔城维吾尔人口语的影响/麦麦提明·阿布都哈里克. 新疆大学学报. 1

论维吾尔姓氏书写标准化问题/海米都拉·阿布都热合曼. 新疆大学学报. 1

“匈奴”一词的译法/吐尔逊·吾守尔. 新疆大学学报. 2

论碑铭的语言及其诗歌特色/穆罕默德·沙吾提. 新疆大学学报. 2

维吾尔语和英语中的元音和元音音素/热依汗古丽·艾合提. 新疆大学学报. 3

关于《福乐智慧》的版本，转写音标和释义/古丽再帕尔·穆罕默德．新疆大学学报．3

维吾尔语方言词汇所表现的文化因素/木合白提·哈斯木 赛买提·穆罕默德．新疆大学学报．4

关于维吾尔文词书字母顺序中存在的问题/阿布都阿帕尔·阿布都热合曼．新疆大学学报．4

现代维吾尔语的摹拟词转化成动词的途径及其特点/何艳．新疆大学学报．4

论维吾尔语中的英语借词/宋喆．新疆大学学报．4

论现代维吾尔语中的依扎菲提（偏正结构）/阿不都若夫·普拉提．新疆社会科学．1

论现代维吾尔方言的词汇学价值/库来西·塔依尔．新疆社会科学．1

论维吾尔人名的结构特征/吐尔尼沙·肉孜．新疆社会科学．1

论维吾尔语的方言及土语研究/帕尔哈提·吉兰．新疆社会科学．2

试论维吾尔语中的阿拉伯——波斯语成分/阿依夏木古丽·阿不都热西提．新疆社会科学．3

浅谈模拟词组成的动词的交互——共同态/阿不都阿帕尔·阿布都热合曼．新疆社会科学．3

维吾尔族人与波斯语/马尔甫阿依·奥斯曼．新疆社会科学．3

维吾尔口语中的汉语借词/古丽努尔·帕尔哈提．新疆社会科学．3

察合台维吾尔语的语音、词汇、语法特点/吐尔尼沙·肉孜．新疆社会科学．4

谈不同年代亲属名称的相互关系/阿依夏木古丽．新疆社会科学．4

现代维吾尔语简况/牙森·吐尔逊．新疆社会科学．4

探析汉维词汇在句中的位置/亚森·吾买尔．新疆师范大学学报．1

论《突厥语大词典》的索引/尼加提·帕尔莎．新疆师范大学学报．2

维汉量词的表达方式/热比亚·阿布都热依木．新疆师范大学学报．3

汉语“的”字在维语中的表达方式/迪丽拜尔·米吉提．新疆师范大学学报．3

汉语常用同符合体字及其意义/阿孜古丽·沙比提．新疆师范大学学报．4

关于维吾尔语动词条件式的用法/茹克娅·克维尔．新疆师范大学学报．4

浅谈“现代维吾尔文学语言正字正音词典”和“维吾尔语详解词典”中存

在的一些问题/买买提·热依木．语言与翻译．1

修订“现代维吾尔文学语言正字正音规则”之我见/阿布都鲁浦·塔克拉玛干尼．语言与翻译．1

论文学作品中存在的语言问题/海拉提·阿不都热合曼·乌孜哈尔．语言与翻译．1

从语义角度探讨动词的分类/阿不都热依木·沙力．语言与翻译．1

论维吾尔民间谚语中有关园艺方面的谚语/古丽鲜·尼牙孜．语言与翻译．1

浅谈维吾尔语中某些特殊的禁忌语/穆合塔尔·阿布都热西提．语言与翻译．1

和田方言于田土语的特点浅谈/·阿布来提·阿布都拉．语言与翻译．1

汉维语中礼貌语对比/尼加提·热合曼．语言与翻译．2

在维吾尔语语料库中统计词频时遇到的几个问题/毕丽克孜·穆汗麦德尼亚降．语言与翻译．2

吐鲁番地区维吾尔谚语中土语成分的分析/古丽米热·伊马木艾山．语言与翻译．2

论同义词之间的差异/吾甫尔·麦麦扎依提．语言与翻译．2

论维吾尔语中部分动物名词的象征意义/阿提开目·马木提．语言与翻译．2

要正确使用名词领属人称附加成分/阿布都热合曼·库尔班．语言与翻译．2

维吾尔语中使用拉丁文字母“A、B、C、D”的正音之我见/艾拉洪·库尔班．语言与翻译．2

浅谈维吾尔人名学中的部分术语/阿依夏姆古丽·阿布都热西提．语言与翻译．2

维吾尔语语音和谐律在电脑上处理的可能性/力提甫·托乎提（阿里木江·托乎提译）．语言与翻译．3

浅谈《现代维吾尔文学语言正字正音词典》中的一些问题/亚热·艾拜都拉．语言与翻译．3

关于现代维吾尔语形容词级语法范畴的初步统计分析/司马义·阿不都热依木．语言与翻译．3

现代维吾尔语和乌孜别克语的附加成分“ʁina，qina，ginɛ，kinɛ”对比研

究/皮达·吾麦尔拜格，阿尔孜古丽·阿布都热合曼．语言与翻译．3

汉语“用”一词在维吾尔语中的表达方式/克丽比努尔·司拉木．语言与翻译．3

论《福乐智慧》中的“ʁu/gy”词缀构成的动名词/米尔苏里唐·奥斯曼诺夫．语言与翻译．4

谈《突厥语大词典》中词的音节形式与现代维吾尔语词汇音节形式的异同/艾尼扎提·艾优拉尼．语言与翻译．4

《乌古斯可汗传说》与《真理的入门》在语言上的异同点之我见/珀拉提·久马什．语言与翻译．4

现代维吾尔语方言、土语词源之我见/库热什·塔依尔．语言与翻译．4

语言在反映民族特征方面的作用初探/克优木·米吉提．语言与翻译．4

论现代维吾尔语成语/图尔妮萨·柔则．语言与翻译．4

维吾尔语中俄语借词语音上的维吾尔化研究/阿不都热依木·热合曼．语言与翻译．4

谈维吾尔语口语中动词“qil－”的使用/阿尔则古丽·谢日普．语言与翻译．4

谈维吾尔语助词“u/ju”/艾尼·塔伊尔．语言与翻译．4

于田县部分地名的来源之我见/阿不来提·阿不都拉．语言与翻译．4

维吾尔族人名翻译中的美学策略/黄晓琴．喀什师范学院学报．2

谈《突厥语大词典》中有关交通通讯方面的论述/依力哈木·穆罕默德．喀什师范学院学报．3

民族文学艺术

论敦煌和敦煌艺术/麦合木提·艾依提．新疆大学学报．1

《莱—麦吉农》和《罗密欧—朱丽叶》比较/穆哈麦提吐尔逊·吐尔地．新疆大学学报．1

西方与维吾尔神话中奇特的共、异鉴考/巴图尔·麦合苏提．新疆大学学报．1

《福乐智慧》及其研究概况/阿尔斯郎·阿不都拉，阿不都热依木·热合曼．新疆师范大学学报．1

论《福乐智慧》中关于心理的观点/阿依夏木·艾合买提. 新疆大学学报. 2

新疆民族文学50周年/阿扎提·苏力坦. 新疆大学学报. 2

论维吾尔十二木卡姆艺术的感染力和提高这种感染力的传统/司拉木江·西里力甫·拜西克拉米. 新疆大学学报. 2

论《列王传》及其特点/阿布都拉·买提库尔班. 新疆大学学报. 2

论维吾尔儿童歌谣的类型/古丽米热·伊马木艾山. 新疆大学学报. 2

纳瓦伊抒情诗的义层和形象结构/麦合木提江·穆哈麦提. 新疆大学学报. 2

论语境及其与修辞的关系/阿娜尔姑丽·阿布都热依木. 新疆大学学报. 2

关于《福乐智慧》的版本，转写音标和释义/古丽再帕尔·穆罕默德. 新疆大学学报. 3

塔吉克文学五十年/西仁·库尔班. 新疆大学学报. 3

维吾尔族新时代文学理论评论探索/穆罕默德·图尔逊·艾力. 新疆大学学报. 3

吾麦尔哈孜·阿依唐诗歌初探/金斯汗·穆哈泰. 新疆大学学报. 3

哈拉巴提在《哈拉巴提双行诗集》中所表述的社会思潮/伊德里斯·图尼亚孜·柯克亚尔. 新疆大学学报. 3

神话与传说的区分/乌斯曼·司马义·塔里木. 新疆大学学报. 4

抒情长诗《飞石》的文化解读/阿布都沙拉木·许库尔·诺亚. 新疆大学学报. 4

论《诉状》及其作者/库巴尔尼莎·穆罕默德阿吉. 新疆大学学报. 4

论维吾尔现代文学与维吾尔古典文学之间的一贯性和继承关系/古丽加玛丽·买买提伊明. 新疆大学学报. 4

简论20多年来维吾尔族儿童文学的发展/塔依尔·穆塔里甫·卡依日. 新疆大学学报. 4

略论印度古典文学对维吾尔族古典文学的影响/吐尔逊·卡德尔. 新疆大学学报. 4

浅谈维吾尔多朗买西莱普及其木卡姆/马合木提·扎依丁. 新疆社会科学. 1

维吾尔古典作家的世界观及其文学作品的创作形式/依合巴力·吐尔逊. 新疆社会科学. 1

初探作家买买提依明·吾守尔文学作品的创作特征/肖开提·依拉洪. 新疆社会科学. 1

浅谈祖尔东·沙比尔文学作品的艺术性/玛丽亚木·库尔班. 新疆社会科学. 1

《吾古斯汗》几种版本的比较研究/艾合买提·达尔维西. 新疆社会科学. 2

热孜万古丽短篇小说中所表现的女性人物/古丽鲜·拜斯尔. 新疆社会科学. 2

《突厥语大词典》在维吾尔文化史中的地位和价值/艾比布拉·霍加. 新疆社会科学. 3

从《突厥语大词典》劳动、狩猎类诗歌看古代维吾尔人的狩猎文化/艾比布拉·阿不都萨拉木. 新疆社会科学. 4

反语及其修辞作用/阿不都海力力·热合曼. 新疆社会科学. 4

民间故事的类型及其母题/吐尔迪·卡依木. 新疆社会科学. 4

谈毛拉·比拉力诗歌中的审美观/阿依古丽·阿不都热依木. 新疆社会科学. 4

论《福乐智慧》的古希腊伊斯兰哲学影响/艾克拜尔·艾买提. 新疆社会科学. 4

浅谈《福乐智慧》中的正义观/A·吐尼亚孜. 新疆社科论坛. 1

麦斯纳维摘文/贾拉力丁·鲁米依. 新疆社科论坛. 1～4

刀郎姆卡木与哈密姆卡木的共同性/G·卡德尔. 新疆社科论坛. 4

热瓦甫在音乐中的作用/M·阿布力孜. 新疆社科论坛. 4

阿不力孜·纳孜尔文学创作在现当代维吾尔文学史上的地位/穆哈木德·坡拉提. 新疆师范大学学报. 1

30年代维吾尔文学悲剧意识的出现/热夏提·阿斯木. 新疆师范大学学报. 1

维吾尔民歌与传统歌曲之间的关系/阿依提拉·哈里克. 新疆师范大学学报. 1

30年代的维吾尔文学/肖开提·艾拉洪. 新疆师范大学学报. 2

哈萨克族民曲/巴格达提·叶斯特买斯. 新疆师范大学学报. 2

浅谈“哈里丹·依斯拉义力”和“热孜万古丽·玉素甫”的语言学创作/古丽鲜·拜斯尔. 新疆师范大学学报. 3

关于"木沙·吉力力"诗歌的一些特点/阿迪力·阿勒玛斯. 新疆师范大学学报. 3

《福乐智慧》中的用词艺术/阿尔斯兰·阿布都拉. 新疆师范大学学报. 3

维吾尔文学50年/阿扎提·热合木吐拉·苏里旦. 新疆师范大学学报. 4

关于古代维吾尔英雄史诗《XU》/阿不都克里木·热合曼. 新疆师范大学学报. 4

维吾尔民间谚语的道德观/帕孜来提·阿布都瓦依提. 喀什师范学院学报. 1

维吾尔民间谚语的教育意义/阿吉·穆罕默德. 喀什师范学院学报. 1

乃拜提诗歌中所表现出的社会内容/依迪里斯·图尔尼牙孜·库克亚尔. 喀什师范学院学报. 2

谈高昌汗国和喀拉汗王朝时期维吾尔文学的特点/艾买提·代尔威西. 喀什师范学院学报. 2

试论歌词与曲调的关系/赛里木江·沙比提. 喀什师范学院学报. 2

民族教育

论托合塔西·拜克力儿童故事的教育价值/夏丽帕·阿布都吾甫尔. 新疆大学学报. 1

从《福乐智慧》看喀喇汗王朝时期回鹘的教育/阿布来提·吉力力. 新疆大学学报. 3

论新疆高校民族学生思想道德教育中的心理健康教育/孜维达·克里木，阿布都热西提·阿布都热合曼. 新疆大学学报. 4

伊斯兰教与教堂教育/艾合买提江·艾山. 新疆社会科学. 1

综合素质对少数民族学习汉语的影响/古丽扎·吾守尔. 新疆社会科学. 2

新课程改革中如何处理师生关系/P·阿吾提，R·克里木. 新疆社科论坛. 1

民族高等师范学生要适应时代的需求/祖母来提·司马义. 新疆师范大学学报. 1

大力推进"双语教学"，培养"民汉兼通"的少数民族人才/吉力力阿布都热合曼. 新疆师范大学学报. 2

浅谈大学预科生结业标准/莎妮娅·凯穆拜尔，艾尔肯·卡迪尔. 新疆师范大学学报. 2

论我区的双语教育/司马义·阿不都热依木. 语言与翻译. 1

汉语“也好”的几种用法及其教学/阿力木江·玉苏甫. 语言与翻译. 1

从词汇教学看文化差异/艾力江·莫依丁. 语言与翻译. 1

部分汉语介词在维吾尔语中的表达形式/迪丽努尔·阿布都拉. 语言与翻译. 2

汉族学生学习维吾尔语的策略研究/闫慧珍，古丽琪克热·斯拉木. 语言与翻译. 3

我区的双语现象及其基本特点/艾尔肯·肉孜. 语言与翻译. 4

论双语教育/帕孜来提·努热合买提，晁正蓉. 语言与翻译. 4

玉素甫·哈斯·哈吉甫关于做人的论述/霍加阿布都拉·依布拉音. 喀什师范学院学报. 1

（廖冬梅）

20世纪五六十年代

民族大调查内部刊印成果

（说明：作者后的数字为著作页码数）

一、少数民族史志丛书（初稿）

满族简史（初稿）/中国科学院民族研究所辽宁少数民族社会历史调查组编. 241. 1963

满族简志（初稿）/中国科学院民族研究所辽宁少数民族社会历史调查组编. 75. 1963

朝鲜族简史（初稿）/中国科学院民族研究所吉林少数民族社会历史调查组编. 261. 1963

朝鲜族简志（初稿）/中国科学院民族研究所吉林少数民族社会历史调查组编. 154. 1963

赫哲族简史简志合编（初稿）/中国科学院民族研究所黑龙江少数民族社会历史调查组编. 960. 1963

蒙古族简史（初稿）/中国科学院民族研究所内蒙古少数民族社会历史调查组编. 214. 1963

蒙古族简志（初稿）/中国科学院民族研究所内蒙古少数民族社会历史调查组编. 199. 1963

达斡尔族简史简志合编（初稿）/中国科学院民族研究所内蒙古少数民族社会历史调查组编. 104. 1963

鄂温克族简史简志合编（初稿）/中国科学院民族研究所内蒙古少数民族社会历史调查组编. 117. 1963

鄂伦春族简史简志合编（初稿）/中国科学院民族研究所内蒙古少数民族社会历史调查组编. 106. 1963

回族简史简志合编（初稿）/中国科学院民族研究所宁夏少数民族社会历史调查组编. 199. 1963

东乡族简史简志合编（初稿）/中国科学院民族研究所甘肃少数民族社会历史调查组编. 124. 1963

土族简史简志合编（初稿）/中国科学院民族研究所甘肃少数民族社会历史调查组编. 134. 1963

撒拉族简史简志合编（初稿）/中国科学院民族研究所青海少数民族社会历史调查组编. 144. 1963

保安族简史简志合编（初稿）/中国科学院民族研究所甘肃少数民族社会历史调查组编. 70. 1963

裕固族简史简志合编（初稿）/中国科学院民族研究所甘肃少数民族社会历史调查组编. 129. 1963

维吾尔族简史简志合编（初稿）/中国科学院民族研究所新疆少数民族社会历史调查组编. 252. 1963

哈萨克族简史简志合编（初稿）/中国科学院民族研究所新疆少数民族社会历史调查组编. 192. 1963

柯尔克孜族简史简志合编（初稿）/中国科学院民族研究所新疆少数民族社会历史调查组编. 185. 1963

锡伯族简史简志合编（初稿）/中国科学院民族研究所新疆少数民族社会历史调查组编. 121. 1963

塔吉克族简史简志合编（初稿）/中国科学院民族研究所新疆少数民族社会历史调查组编. 126. 1963

乌孜别克族简史简志合编（初稿）/中国科学院民族研究所新疆少数民族社会历史调查组编. 46. 1963

塔塔尔族简史简志合编（初稿）/中国科学院民族研究所新疆少数民族社会历史调查组编. 47. 1963

藏族简史（初稿）/中国科学院民族研究所西藏少数民族社会历史调查组编. 208. 1963

藏族简志（上篇，初稿）/中国科学院民族研究所西藏少数民族社会历史调查组编. 289. 1963

藏族简志（下篇，初稿）/中国科学院民族研究所四川少数民族社会历史调查组编. 191. 1963

羌族简史简志合编（初稿）/中国科学院民族研究所四川少数民族社会历史调查组编. 160. 1963

彝族简史（初稿）/中国科学院民族研究所云南少数民族社会历史调查组编. 264. 1963

彝族简志（上编，初稿）/中国科学院民族研究所四川少数民族社会历史调查组编. 210. 1963

彝族简志（下编，初稿）/中国科学院民族研究所云南少数民族社会历史调查组编. 137. 1963

白族简史简志合编（初稿）/中国科学院民族研究所云南少数民族社会历史调查组编. 289. 1963

哈尼族简史简志合编（初稿）/中国科学院民族研究所云南少数民族社会历史调查组编. 150. 1964

傣族简史简志合编（初稿）/中国科学院民族研究所云南少数民族社会历史调查组编. 270. 1964

傣族简志（初稿）/云南民族调查组编. 1. 1958

傈僳族简史简志合编（初稿）/中国科学院民族研究所云南少数民族社会历史调查组编. 145. 1963

佤族简史简志合编（初稿）/中国科学院民族研究所云南少数民族社会历史调查组编. 143. 1963

拉祜族简史简志合编（初稿）/中国科学院民族研究所云南少数民族社会历史调查组编. 77. 1963

纳西族简史简志合编（初稿）/中国科学院民族研究所云南少数民族社会历史调查组编. 129. 1963

景颇族简史简志合编（初稿）/中国科学院民族研究所云南少数民族社会历史调查组编. 129. 1963

布朗族简史简志合编（初稿）/中国科学院民族研究所云南少数民族社会历史调查组编. 79. 1963

阿昌族简史简志合编（初稿）/中国科学院民族研究所云南少数民族社会历史调查组编. 50. 1963

怒族简史简志合编（初稿）/中国科学院民族研究所云南少数民族社会历史调查组编. 113. 1963

崩龙族简史简志合编（初稿）/中国科学院民族研究所云南少数民族社会历

史调查组编. 54. 1963

独龙族简史简志合编（初稿）/中国科学院民族研究所云南少数民族社会历史调查组编. 56. 1963

苗族简史简志合编（初稿）/中国科学院民族研究所贵州少数民族社会历史调查组编. 285. 1963

布依族简史简志合编（初稿）/中国科学院民族研究所贵州少数民族社会历史调查组编. 164. 1963

侗族简史简志合编（初稿）/中国科学院民族研究所贵州少数民族社会历史调查组编. 135. 1963

水族简史简志合编（初稿）/中国科学院民族研究所贵州少数民族社会历史调查组编. 117. 1963

仡佬族简史简志合编（初稿）/中国科学院民族研究所贵州少数民族社会历史调查组编. 87. 1963

僮（壮）族简史（初稿）/中国科学院民族研究所广西少数民族社会历史调查组编. 239. 1963

僮（壮）简志（初稿）/中国科学院民族研究所广西少数民族社会历史调查组编. 183. 1963

瑶族简史简志合编（初稿）/中国科学院民族研究所广西少数民族社会历史调查组编. 166. 1964

仫佬族简史简志合编（初稿）/中国科学院民族研究所广西少数民族社会历史调查组编. 74. 1963

毛难（毛南）族简史简志合编（初稿）/中国科学院民族研究所广西少数民族社会历史调查组编. 56. 1963

京族简史简志合编（初稿）/中国科学院民族研究所广东少数民族社会历史调查组编. 79. 1963

土家族简史简志合编（初稿）/中国科学院民族研究所湖南少数民族社会历史调查组编. 169. 1963

黎族简史简志合编（初稿）/中国科学院民族研究所广东少数民族社会历史调查组编. 191. 1963

畲族简史简志合编（初稿）/中国科学院民族研究所福建少数民族社会历史调查组编. 140. 1963

高山族简史简志合编（初稿）/中国科学院民族研究所福建少数民族社会历

史调查组编. 72. 1963

二、民族自治地方概况（初稿）

青海省互助土族自治县概况（初稿）/互助土族自治县概况编辑委员会编. 133. 1963

青海省门沅回族自治县概况（初稿）/门沅回族自治县概况编辑委员会编. 84. 1963

青海省循化撒拉族自治县概况（初稿）/循化撒拉族自治县概况编辑委员会编. 89. 1963

青海省果洛藏族自治州概况（初稿）/果洛藏族自治州概况编辑委员会编. 63. 1963

青海省黄南藏族自治州概况（初稿）/黄南藏族自治州概况编辑委员会编. 121. 1963

青海省河南蒙古族自治县概况（初稿）/河南蒙古族自治县概况编辑委员会编. 114. 1963

青海省海西蒙古族、藏族、哈萨克族自治州概况（初稿）/海西蒙古族、藏族、哈萨克族自治州概况编辑委员会编. 106. 1963

青海省海南藏族自治州概况（初稿）/海南藏族自治州概况编辑委员会编. 130. 1966

青海省海北藏族自治州概况（初稿）/海北藏族自治州概况编辑委员会编. 17. 1966

湘西土家族苗族自治州概况（初稿）/湘西土家族苗族自治州概况编辑委员会编. 104. 1966

城步苗族自治县概况（初稿）/城步苗族自治县概况编辑委员会编. 78. 1966

通道侗族自治县概况（初稿）/通道侗族自治县概况编辑委员会编. 63. 1966

广西壮族自治区罗城县概况/中国科学院民族研究所广西少数民族社会历史调查组编. 130. 1965

凉山彝族自治州洪溪县概况（草稿）/中国科学院民族研究所四川民族调查组编. 60. 1964

三、少数民族社会历史调查资料（初稿）

满族历史档案资料选辑/中国科学院民族研究所辽宁少数民族社会历史调查编. 305. 1963

满族历史资料选编（第一分册）/中国科学院民族研究所辽宁少数民族社会历史调查组编. 130. 1964

满族历史资料选编（第二分册）/中国科学院民族研究所辽宁少数民族社会历史调查组编. 211. 1964

满族历史资料选编（第三分册）/中国科学院民族研究所辽宁少数民族社会历史调查组编. 278. 1964

满族社会历史调查报告（上册，1～4 辑，第一辑第一分册）/中国科学院民族研究所辽宁少数民族社会历史调查组编. 23. 55. 67. 79. 38. 1963

满族社会历史调查报告（下册，5～7 辑）/中国科学院民族研究所辽宁少数民族社会历史调查组编. 95. 48. 88. 1963

黑龙江省满族社会历史调查报告/中国科学院民族研究所黑龙江少数民族社会历史调查组编. 54. 1959

辽宁省抚顺市李石寨人民公社李石寨大队朝鲜族社会历史调查报告/中国科学院民族研究所吉林少数民族社会历史调查组编. 12. 1960

吉林省延边朝鲜族自治州和龙县崇善人民公社崇善作业区朝鲜族社会历史调查报告（一）/中国科学院民族研究所吉林少数民族社会历史调查组编. 30. 1959

吉林省延边朝鲜族自治州和龙县崇善民公社崇善作业区朝鲜族社会历史调查报告》（二）/中国科学院民族研究所吉林少数民族社会历史调查组编. 76. 1959

吉林省延边朝鲜族自治州延吉县朝阳人民公社太兴大队朝鲜族社会历史调查报告/中国科学院民族研究所吉林少数民族社会历史调查组编. 95. 1959

吉林省延边朝鲜族自治州延吉县东盛人民公社英成作业区社会历史调查报告（初稿）/吉林省少数民族社会历史情况调查组编. 110. 1958

吉林省延边朝鲜族自治州延吉县智新乡明东村朝鲜族社会历史调查报告/中国科学院民族研究所吉林少数民族社会历史调查组编. 49. 1958

吉林省延边朝鲜族自治州汪清县罗子沟乡太平沟朝鲜族社会历史调查报告/中国科学院民族研究所吉林少数民族社会历史调查组编. 61. 1959

吉林省永吉县双河镇管理区朝鲜族社会历史调查报告/中国科学院民族研究所吉林少数民族社会历史调查组编. 34. 1959

黑龙江省抚远县下八岔赫哲民族乡情况（赫哲族调查材料之一）/全国人民代表大会民族委员会办公室编. 83. 1958

内蒙古自治区巴彦淖尔盟阿拉善旗情况（阿拉善旗调查材料之二）/全国人民代表大会民族委员会办公室编. 97. 1958

内蒙古自治区巴彦淖尔盟阿拉善旗清代单行法规及民刑案件判例摘译（阿拉善旗调查材料之三）/全国人民代表大会民族委员会办公室编. 41. 1958

黑龙江省蒙古族社会历史调查报告/中国科学院民族研究所黑龙江少数民族社会历史调查组编. 106. 1958

爱辉县西岗子乡友谊社达斡尔族情况（达斡尔族调查材料之三）/内蒙古少数民族社会历史调查组编印. 111. 1959

莫力达瓦达斡尔族自治旗概况及哈布奇屯达斡尔族情况（达斡尔族调查材料之四）/内蒙古少数民族社会历史调查组编印 74. 1960

齐齐哈尔市郊达斡尔族情况（达斡尔族调查材料之五）/内蒙古少数民族社会历史调查组编. 82. 1958

齐齐哈尔市郊全和太屯解放前经济情况（达斡尔族调查材料之六）/中国科学院民族研究所内蒙古少数民族社会历史调查组编. 29. 1963

齐齐哈尔达斡尔族资料/内蒙古少数民族社会历史调查组编. 94

内蒙古自治区呼伦贝尔盟阿荣旗查巴奇乡索伦族情况（索伦族调查材料之一）/全国人民代表大会民族委员会办公室编. 145. 1957

阿巴尔虎旗莫尔格河鄂温克索木25户牧民的经济情况（内部参考资料）/内蒙古少数民族社会历史调查组编. 47. 1959

鄂温克族自治旗辉索木34户牧民的经济情况（内部参考资料）/内蒙古少数民族社会历史调查组编. 139. 1959

内蒙古自治区陈巴尔虎旗莫尔格河鄂温克索木调查报告（鄂温克族调查材料之三）/内蒙古少数民族社会历史调查组编. 91. 1959

内蒙古自治区呼伦贝尔盟鄂温克族自治旗辉索木调查报告（鄂温克族调查材料之四）/内蒙古少数民族社会历史调查组编. 150. 1959

额尔古纳旗鄂温克人的情况（鄂温克族调查材料之五）/内蒙古少数民族社会历史调查组 中国科学院内蒙古分院历史研究所编. 45. 1960

内蒙古自治区鄂温克族资料汇编（1958—1960阿荣旗查巴奇屯资料）/内蒙

古少数民族社会历史调查组　中国科学院内蒙古分院历史研究所编. 50. 1961

内蒙古自治区鄂温克族资料汇编（1958—1960 鄂温克族自治旗资料　上册）/内蒙古少数民族社会历史调查组　中国科学院内蒙古分院历史研究所编. 246. 1961

内蒙古自治区鄂温克族资料汇编（1958—1960 鄂温克族自治旗资料　中册）/内蒙古少数民族社会历史调查组　中国科学院内蒙古分院历史研究所编. 247～477. 1961

内蒙古自治区鄂温克族资料汇编（1958—1960 鄂温克族自治旗资料　下册）/内蒙古少数民族社会历史调查组　中国科学院内蒙古分院历史研究所编. 478～643. 1961

库马尔路鄂伦春族档案材料（民国五年至十五年，第一册）/内蒙东北少数民族社会历史调查组编. 145. 1957

库马尔路鄂伦春族档案材料（第二册）/内蒙东北少数民族社会历史调查组编. 160. 1958

库马尔路鄂伦春族档案材料（第三册）/内蒙东北少数民族社会历史调查组编. 251. 1958

库马尔路鄂伦春族档案材料（第四册上部）/内蒙东北少数民族社会历史调查组编. 77. 170. 54. 1958

库马尔路鄂伦春族档案材料（第四册下部）/内蒙东北少数民族社会历史调查组编. 325. 14. 3. 1958

库马尔路鄂伦春族档案材料（第五册）/内蒙少数民族社会历史调查组编. 66. 1958

黑龙江省关于鄂伦春族之档案（总类、政法类）/内蒙古少数民族社会历史调查组整理编. 314. 1959

黑龙江省关于鄂伦春族之档案（文教卫生、护林防火、其他）/内蒙古少数民族社会历史调查组整理编. 103. 1959

黑龙江省关于鄂伦春族之档案（经济类）/内蒙古少数民族社会历史调查组整理编. 270. 1959

黑龙江省黑河专区逊克县鄂伦春民族乡补充调查材料/内蒙古少数民族社会历史调查组编印. 87. 1961

鄂伦春自治旗资料集/内蒙古少数民族社会历史调查组编. 115. 1959

鄂伦春自治旗托扎明努图克情况（鄂伦春族调查材料之二）/全国人民代表大会民族委员会办公室编. 85. 1957

布特哈旗鄂伦春民族乡情况（鄂伦春族调查材料之五）/内蒙古少数民族社会历史调查组编. 16. 1959

爱辉县鄂伦春民族乡情况（鄂伦春族调查材料之六）/内蒙古少数民族社会历史调查组编. 15. 1959

鄂伦春自治旗甘奎托札敏努图克调查报告（鄂伦春族调查材料之八）/内蒙古少数民族社会历史调查组　中国科学院内蒙古分院历史研究所编. 77. 1960

鄂伦春自治旗木奎高鲁、爱辉县新生村和逊克县新鄂村补充调查报告（鄂伦春调查材料之九至十一）/内蒙古少数民族社会历史调查组　内蒙古历史研究所编. 190. 1963

逊克县新兴村调查报告（鄂伦春调查材料之十二）/内蒙古少数民族社会历史调查组　内蒙古历史研究所编. 44. 1963

鄂伦春自治旗甘奎托札敏努图克和黑龙江省呼玛县十八站鄂伦春族社会历史补充调查报告（鄂伦春族调查材料之十三）/内蒙古少数民族社会历史调查组　内蒙古历史研究所编. 28. 1963

黑河地区鄂伦春族资料汇编（1957—1959）/内蒙古少数民族社会历史调查组　中国科学院内蒙古分院历史研究所编. 225. 1960

鄂伦春自治旗资料汇编（上册）/内蒙古少数民族社会历史调查组　中国科学院内蒙古分院历史研究所编. 202. 1960

鄂伦春自治旗资料汇编（中册）/内蒙古少数民族社会历史调查组　中国科学院内蒙古分院历史研究所编. 203～382. 1960

鄂伦春自治旗资料汇编（下册）/内蒙古少数民族社会历史调查组　中国科学院内蒙古分院历史研究所编. 184. 1960

东风养鹿场调查报告（供研究鄂伦春族经济发展方向的参考资料）/内蒙古少数民族社会历史调查组编. 34. 1959

达斡尔　鄂温克　鄂伦春　赫哲史料摘抄/内蒙古少数民族社会历史调查组　中国科学院内蒙古分院历史研究所编. 449. 1961

甘肃回族调查料汇集（回族资料之一）/中国科学院民族研究所甘肃少数民族社会历史调查组编. 42. 1963

青海回族调查资料汇集（回族资料之二）/中国科学院民族研究所青海少数

民族社会历史调查组编. 78. 1964

黑龙江省回族社会历史调查报告/中国科学院民族研究所黑龙江少数民族社会历史调查组编. 38. 1958

广东省回族满族社会历史情况/中国科学院民族研究所广东少数民族社会历史调查组编印. 21. 1963

保安族调查资料汇集/中国科学院民族研究所甘肃少数民族社会历史调查组编. 79. 1963

裕固族专题调查报告资料汇集/中国科学院民族研究所甘肃少数民族社会历史调查组编. 75. 1963

新疆维吾尔自治区若干调查材料汇编（内部资料）/全国人民代表大会民族委员会办公室编. 226. 1956

新疆维吾尔自治区墨玉县夏合勒克乡的封建庄园/中国科学院民族研究所新疆少数民族社会历史调查组编. 43. 1964

新疆维吾尔自治区伊宁县上潘金乡调查报告/中国科学院民族研究所新疆少数民族社会历史调查组编. 39. 1964

和田专区农业、手工艺调查报告/中国科学院民族研究所新疆少数民族社会历史调查组编. 29. 1963

五本历史/库尔班阿里著. 中国科学院民族研究所新疆少数民族社会历史调查组译印编. 127. 1962

布格拉汗传/新疆少数民族社会历史调查组编译编. 15. 1960

黑龙江省富裕县柯尔克孜族情况/中国科学院民族研究所黑龙江少数民族社会历史调查组编. 43. 1963

西藏喇嘛教与国外关系概述（初稿）/中国科学院民族研究所少数民族社会历史研究室编印. 37. 1964

西藏的宗教/霍夫曼著，李有义译 中国科学院民族研究所编印. 149. 1965

宗喀巴传论（附：宗喀巴年谱，初稿）/王森著 中国科学院民族研究所少数民族社会历史研究室编印. 78. 1965

关于西藏佛教史的十篇资料（初稿）/王森著 中国科学院民族研究所少数民族社会历史研究室编印. 340. 1965

西藏喇嘛教的寺庙和僧侣组织（初稿）/柳陞祺著 中国科学院民族研究所编印. 47. 1964

关于西藏佛教史的十篇资料（附录一：《萨迦世系·帕竹世系》，初稿）/达赖五世阿旺·罗桑嘉措著　王尧译　中国科学院民族研究所少数民族社会历史研究室编印. 48. 1965

关于西藏佛教史的十篇资料（附录二：《元帝师考》，初稿）/野上俊静　稻叶正就著　邓锐龄译　中国科学院民族研究所编印. 27. 1965

昌都地区社会调查材料专册（初稿）/中国科学院民族研究所西藏少数民族社会历史调查组编. 65. 1963

江孜地区下涅如地区调查报告/中国科学院民族研究所西藏少数民族社会历史调查组编. 92. 1963

当雄宗调查报告/中国科学院民族研究所西藏少数民族社会历史调查组编. 32. 1964

黑河县桑雄地区阿巴部落调查报告/中国科学院民族研究所西藏少数民族社会历史调查组编. 283. 1964

西藏黑河宗罗马让学部落调查材料/中国科学院民族研究所西藏少数民族社会历史调查组编. 33. 1964

墨竹工卡宗甲马封建庄园调查报告/中国科学院民族研究所西藏少数民族社会历史调查组编. 53. 1964

东噶宗调查报告/中国科学院民族研究所西藏少数民族社会历史调查组编. 44. 1963

山南扎囊县扎期区囊色林谿卡调查资料/中国科学院民族研究所西藏少数民族社会历史调查组编. 56. 1964

山南专区调查报告/中国科学院民族研究所西藏少数民族社会历史调查组编. 64. 1964

北洋军阀与国民党统治下的西康藏区档案资料（第二分册）/中国科学院民族研究所四川少数民族社会历史调查组编. 148. 1963

旧西康省宁属少数民族概况（上）/中国科学院民族研究所四川少数民族社会历史调查组编. 43. 1963

旧西康省宁属少数民族概况（中）/中国科学院民族研究所四川少数民族社会历史调查组编. 52. 1963

旧西康省宁属少数民族概况（下）/中国科学院民族研究所四川少数民族社会历史调查组编. 27. 1963

红军长征经过藏区及藏族人民反抗斗争史料/中国科学院民族研究所四川少

数民族社会历史调查组编. 97. 1963

阿坝藏族自治州马尔康及绰斯甲地区社会调查材料汇辑/中国科学院民族研究所四川少数民族社会历史调查组编. 113. 1963

阿坝藏族自治州小金、理县社会调查材料/中国科学院民族研究所四川少数民族社会历史调查组编. 54. 1963

阿坝藏族自治州若尔盖、阿坝、红原调查材料/中国科学院民族研究所四川少数民族社会历史调查组编. 117. 1963

迪庆藏族自治州中甸县关于宗教的材料/中国科学院民族研究所四川民族调查组编. 15. 1963

甘孜藏族自治州理塘县社会调查材料/中国科学院民族研究所四川少数民族社会历史调查组编. 43. 1963

甘孜藏族自治州理塘县毛垭牧区社会调查报告/中国科学院民族研究所四川少数民族社会历史调查组编. 46. 1963

甘孜藏族自治州理塘寺、大金寺、甘孜寺、八邦寺调查材料/中国科学院民族研究所四川少数民族社会历史调查组编. 76. 1963

甘孜藏族自治州雅江县八角楼乡、恶古乡社会调查材料/中国科学院民族研究所四川少数民族社会历史调查组编. 29. 1963

甘孜藏族自治州德格地区社会调查报告/中国科学院民族研究所四川少数民族社会历史调查组编. 35. 1963

甘孜藏族自治州德格更庆、甘孜麻书社会调查材料/中国科学院民族研究所四川少数民族社会历史调查组编. 57. 1963

甘孜藏族自治州玉隆、色须、昌台、塔公、大塘坝、宗德等牧区材料/中国科学院民族研究所四川少数民族社会历史调查组编. 57. 1963

康定、道孚、丹巴调查材料/中国科学院民族研究所四川少数民族社会历史调查组编. 42. 1963

云南迪庆自治州中甸县大中甸区第五行政村调查材料汇辑/中国科学院民族研究所四川少数民族社会历史调查组编. 38. 1963

中甸县大中甸区第二行政村布伦支村社会经济情况/中国科学院民族研究所四川少数民族社会历史调查组编. 21. 1963

西藏错那县勒布区门巴族社会历史调查报告（门巴族调查材料之二）/中国社会科学院民族研究所编印. 41. 1978

西藏门隅地区的若干资料/中国社会科学院民族研究所编印. 43. 1978

西藏米林县珞巴族社会历史调查报告（珞巴族调查材料之一）/中国社会科学院民族研究所编印. 103. 1978

关于西藏珞巴族的几个调查材料（珞巴族调查材料之二—之五）/中国社会科学院民族研究所编印. 81. 1978

僜人社会历史调查报告/中国社会科学院民族研究所编印. 118. 1978

金川案/中国科学院民族研究所四川少数民族社会历史调查组编. 182. 1963

四川省西昌专区天主教教区简史 基督教教会简史/中国科学院民族研究所四川少数民族社会历史调查组. 41. 1963

阿坝藏族自治州汶川县雁门羌族乡社会调查报告（初稿、羌族调查材料之一）/中国科学院民族研究所四川少数民族社会历史调查组编. 46. 1963

茂汶羌族自治县黑虎乡社会调查报告（初稿、羌族调查材料之二）/中国科学院民族研究所四川少数民族社会历史调查组编. 33. 1963

阿坝藏族自治州理县通化乡社会调查报告（初稿、羌三）/中国科学院民族研究所四川少数民族社会历史调查组编. 18. 1963

红军长征经过羌族地区及其深远影响/中国科学院民族研究所四川少数民族社会历史调查组编. 34. 1963

帝国主义分子在羌族地区的罪恶活动/中国科学院民族研究所四川少数民族社会历史调查组编. 10. 1963

羌族地区近代经济资料汇辑（初稿）/中国科学院民族研究所四川少数民族社会历史调查组编. 62. 1963

羌族地区土司资料汇辑/中国科学院民族研究所四川少数民族社会历史调查组编. 120. 1963

近代羌族人民反帝反封建斗争资料汇辑/中国科学院民族研究所四川民族调查组编. 49. 1963

四川彝族人民的解放/中国科学院民族研究所四川民族调查组编. 40. 1964

四川省凉山彝族自治州彝族社会调查（内部资料）/全国人民代表大会民族委员会办公室编. 267. 1957

凉山彝族社会几个方面的情况/全国人民代表大会民族委员会办公室编. 43. 1957

有关凉山彝族社会历史的若干情况/全国人民代表大会民族委员会办公室编. 61. 1957

四川彝族近现代史调查资料选集（初稿）/中国科学院民族研究所四川少数民族社会历史调查组编. 131. 1963

四川省凉山彝族自治州社会调查综合报告（初稿）/全国人民代表大会民族委员会四川省少数民族社会历史调查组编. 145. 1958

凉山彝族自治州改革婚姻制度试点工作的调查（初稿）/中国科学院民族研究所四川民族调查组编印. 14. 1963

凉山彝族自治州民族贸易调查报告/全国人民代表大会民族委员会编. 34. 1957

大凉山彝族社会概况（初稿）/中央民族学院研究部编印. 36. 1954

凉山彝族自治州美姑县九口乡社会调查报告（初稿）/中国科学院民族研究所四川少数民族社会历史调查组编. 94. 1962

凉山彝族自治州美姑县巴普区三个乡的社会调查材料（初稿，内部资料）/四川民族调查组编. 160. 1958

凉山西昌彝族地区土司历史及土司统治区社会概况（资料汇辑）/中国科学院民族研究所四川少数民族社会历史调查组编. 90. 1963

凉山中心地区昭觉、美姑、普雄彝族社会调查资料汇编（附：城镇建设、人口调查资料）/中国科学院民族研究所四川少数民族社会历史调查组编. 144. 1963

凉山彝族自治州昭觉县滥壩乡社会调查（初稿）/全国人民代表大会民族委员会办公室编. 89. 1957

凉山彝族自治州昭觉县好谷乡、四开乡社会调查（初稿）/全国人民代表大会民族委员会办公室编. 42. 1957

凉山彝族自治州昭觉县城南乡社会调查（初稿）/全国人民代表大会民族委员会办公室编. 98. 1957

凉山彝族自治州雷波、马边、峩边等县彝族社会调查资料汇编/中国科学院民族研究所四川少数民族社会历史调查组编. 172. 42. 1963

凉山彝族自治州雷波县上田坝乡社会调查报告（初稿）/中国科学院民族研究所四川少数民族社会历史调查组编. 55. 1962

凉山彝族自治州雷波县拉里沟乡社会调查报告（初稿）/中国科学院民族研究所四川少数民族社会历史调查组编. 83. 1962

凉山彝族自治州布托县则洛乡社会调查/全国人民代表大会民族委员会办公室编. 90. 1957

凉山彝族自治州金阳县、瓦岗县、甘洛县概况/中国科学院民族研究所四川民族调查组编. 115. 1964

凉山彝族自治州普雄县调查报告（初稿）/中国科学院民族研究所四川少数民族社会历史调查组编. 168. 1962

凉山彝族自治州普雄县申果庄区瓦曲曲乡调查材料（初稿，内部资料）/四川民族调查组编. 120. 1958

凉山彝族自治州甘洛县阿尔乡社会调查报告（初稿）/中国科学院民族研究所四川少数民族社会调查组编. 88. 1962

凉山彝族自治州甘洛县斯补、宜地两乡社会调查报告（初稿）/中国科学院民族研究所四川少数民族社会调查组编. 83. 1962

凉山彝族自治州甘洛县腴田乡社会调查报告（初稿）/中国科学院民族研究所四川少数民族社会调查组编. 100. 1962

凉山西昌地区彝族历史调查资料选辑/中国科学院民族研究所四川少数民族社会调查组编. 134. 1963

西昌专区彝族地区社会调查（初稿）/中国科学院民族研究所四川少数民族社会调查组编. 78. 1963

西昌专区汇理县下村彝族地区的巨大变化/中国科学院民族研究所四川少数民族社会调查组编. 44. 1963

九龙、冕宁、盐源、石棉、古蔺彝族地区社会简况/中国科学院民族研究所四川民族调查组编印. 52. 19. 8. 6. 1964

云南彝族社会历史调查（彝族调查材料之一）/中国科学院民族研究所云南民族调查组　云南省民族研究所编印. 273. 1963

四川及云南昭通地区彝族社会历史调查资料（彝族调查资料之二）/中国科学院民族研究所云南少数民族社会历史调查组　云南省少数民族社会历史研究所编. 126. 1963

云南小凉山彝族奴隶制社会历史调查（云南彝族调查资料之三）/中国科学院民族研究所云南民族调查组　云南省民族历史研究所民族研究室编，《凉山彝族奴隶制》编写组印. 194. 1977

睦边县那坡人民公社隆平生产大队倮倮（彝）族社会历史调查报告/中国科学院民族研究所广西少数民族社会历史调查组编. 40. 1964

广西隆林县德峨区彝族社会历史调查报告/中国科学院民族研究所广西少数民族社会历史调查组编. 49. 1964

云南省白族社会历史调查报告（白族调查资料之一）/中国科学院民族研究所云南民族调查组　云南省民族研究所编. 168. 1963

云南省白族社会历史调查报告（白族调查资料之二）/中国科学院民族研究所云南民族调查组　云南省民族研究所编. 107. 1963

云南省哈尼族社会历史调查（哈尼族调查资料之一）/中国科学院民族研究所云南民族调查组　云南省历史研究所民族社会历史研究室编. 194. 1964

云南省德宏傣族景颇族自治区（州）傣族地区和平协商土地改革文件汇编（内部参考）/全国人民代表大会民族委员会办公室编印. 139. 1956

云南省德宏傣族景颇族自治州社会概况（傣族调查材料之二）/全国人民代表大会民族委员会办公室编. 180. 1957

西双版纳傣族社会经济史料译丛（傣族调查材料之一）/全国人民代表大会民族委员会办公室编. 108. 1958

云南省西双版纳傣族自治州社会概况（傣族调查材料之二）/全国人民代表大会民族委员会办公室编. 90. 1956

云南省西双版纳傣族自治州社会概况（傣族调查材料之三）/全国人民代表大会民族委员会办公室编. 87. 1956

云南省西双版纳傣族自治州社会概况（傣族调查材料之四）/全国人民代表大会民族委员会办公室编. 113. 1956

云南省傣族社会历史调查材料（西双版纳傣族史料译丛六）/中国科学院民族研究所云南民族调查组　云南省民族研究所编. 57. 1963

云南省傣族社会历史调查材料（耿马地区七）/中国科学院民族研究所云南民族调查组　云南省民族研究所编. 144. 1963

云南省傣族社会历史调查材料（德宏地区八）/中国科学院民族研究所云南民族调查组　云南省民族研究所民族研究室编. 133. 1963

云南省傣族社会历史调查材料（孟连沧源和金平傣族地区九）/中国科学院民族研究所云南民族调查组　云南省民族研究所民族研究室编. 198. 1963

云南省傣族社会历史调查材料（西双版纳地区九）/中国科学院民族研究所云南民族调查组　云南省民族研究所民族研究室编. 150. 1963

云南省怒江傈僳族自治州社会调查（内部资料）/全国人民代表大会民族委员会办公室编. 51. 1956

云南省怒江傈僳族自治州社会概况（上册，傈僳、怒、勒墨族调查材料之一）/全国人民代表大会民族委员会办公室编. 147. 1957

云南省怒江傈僳族自治州社会概况（下册，傈僳、怒、勒墨族调查材料之一）/全国人民代表大会民族委员会办公室编. 114. 1957

云南省怒江傈僳族自治州社会情况（1956 **年** 12 **月至** 1957 **年** 6 **月贡山县四区独龙族社会经济调查报告，傈僳族、怒族、独龙族调查材料之二）**/全国人民代表大会民族委员会办公室编. 62. 1958

云南省怒江傈僳族自治州社会概况（1956 **年** 11 **月至** 1957 **年** 6 **月碧江县傈僳族社会经济调查总结报告，傈僳族、怒族、独龙族调查材料之四）**/全国人民代表大会民族委员会办公室编. 109. 1958

云南省怒江傈僳族自治州社会概况（傈僳族、独龙族、怒族调查材料之五）/全国人民代表大会民族委员会办公室编. 49. 1958

云南省怒江傈僳族自治州社会调查（调查材料之六）/中国科学院民族研究所云南民族调查组　云南省民族研究所民族研究室编. 84. 1964

云南省沧源县卡瓦族社会调查（内部资料）/全国人民代表大会民族委员会办公室编. 63. 1957

1956 **年** 12 **月至** 1957 **年** 6 **月云南西盟卡瓦族社会经济调查总结报告（卡瓦族调查材料之一）**/全国人民代表大会民族委员会办公室编. 102. 9. 1958

云南省西盟卡瓦族社会经济调查报告（岳宋、中课、永广、翁夏科、龙坎调查材料之二）/全国人民代表大会民族委员会办公室编. 182. 1958

1956 **年** 12 **月至** 1957 **年** 6 **月云南西盟大马卡瓦族社会经济调查报告（卡瓦族调查材料之三）**/全国人民代表大会民族委员会办公室编. 172. 1958

1958 **年** 3 **月至** 6 **月云南沧源卡瓦族社会经济调查报告（卡瓦族调查材料之四）**/全国人民代表大会民族委员会办公室编. 172. 1958

云南耿马、孟连、双江佤族社会调查材料（佤族调查材料之五）/中国科学院民族研究所云南民族调查组　云南省民族研究所编. 76. 1962

云南佤族历史调查材料（佤族调查材料之六）/中国科学院民族研究所云南民族调查组　云南省民族研究所编. 53. 1962

云南佤族社会经济调查材料（佤族调查材料之七）/中国科学院民族研究所编. 152. 1980

云南省宁蒗彝族自治县永宁纳西族社会及其母权制的调查报告（宁蒗县纳西族调查材料之一）/中国科学院民族研究所云南民族调查组　云南省民族研究所编. 105. 1963

云南省宁蒗彝族自治县永宁纳西族社会及其母权制的调查报告（宁蒗县纳

西族调查材料之二）/中国科学院民族研究所　云南省民族研究所编. 319. 1977

云南省宁蒗彝族自治县永宁纳西族社会及其母权制的调查报告（宁蒗县纳西族调查材料之三）/中国科学院民族研究所云南民族调查组　云南省历史研究所民族研究室编. 273. 1964

云南省宁蒗彝族自治县永宁纳西族社会及其母权制的调查报告（宁蒗县纳西族调查材料之四）/中国社会科学院民族研究所　云南省民族研究所编. 187. 1978

云南四川纳西族文化习俗的几个专题调查/王承权等调查整理　中国社会科学院民族研究所民族学研究室编. 320. 1981

云南纳西族社会历史调查（纳西族调查资料之一）/中国科学院民族研究所云南民族调查组　云南省民族研究所编. 130. 1963

云南省德宏傣族景颇族自治区（州）潞西县景颇族社会调查（内部资料）/全国人民代表大会民族委员会办公室编. 162. 1956

云南省德宏傣族景颇族自治州潞西县东山弄坵寨、西山弄丙寨景颇族调查报告（初稿）/全国人民代表大会民族委员会办公室编. 65. 1957

云南省德宏傣族景颇族自治州社会概况（景颇族调查材料之一）/全国人民代表大会民族委员会办公室编. 144. 1956

云南省德宏傣族景颇族自治州社会概况（景颇族调查材料之二）/全国人民代表大会民族委员会办公室编. 101. 1957

云南省德宏傣族景颇族自治州社会概况（1956年12月至1957年6月景颇族社会经济调查总结报告，景颇族调查材料之三）/全国人民代表大会民族委员会办公室编. 95. 1958

云南省德宏傣族景颇族自治州社会概况（1956年11月至1957年6月景颇族五个点调查综合报告，景颇族调查材料之四）/全国人民代表大会民族委员会办公室编. 247. 1958

云南省德宏傣族景颇族自治州社会概况（1956年11月至1957年6月景颇族五个点调查综合报告附件「统计表19」，景颇族调查材料之四）/全国人民代表大会民族委员会办公室编. 19. 1958

云南省德宏傣族景颇族自治州社会概况（景颇族调查材料之四附件：艺术部分制图）/全国人民代表大会民族委员会办公室编. 40. 1959

云南省德宏傣族景颇族自治州社会概况（1956年11月至1957年6月景颇

族五个点（寨）分点调查报告，景颇族调查材料之五）/全国人民代表大会民族委员会办公室编. 114. 1958

云南省德宏傣族景颇族自治州社会概况（1958年3月至6月德宏傣族景颇族自治州景颇族三个点的社会经济调查报告，景颇族调查材料之六）/全国人民代表大会民族委员会办公室编. 127. 1958

云南省德宏傣族景颇族自治州社会概况（景颇族调查材料之七）/中国科学院民族研究所云南民族调查组　云南省民族研究所编. 129. 1963

云南省德宏傣族景颇族自治州社会概况（景颇族调查材料之八）/中国科学院民族研究所云南民族调查组　云南省民族研究所民族社会历史研究室编. 198. 1963

云南省德宏傣族景颇族自治州社会概况（景颇族调查材料之九）/中国科学院民族研究所云南民族调查组　云南省民族研究所民族社会历史研究室编. 107. 1963

云南省阿昌族社会历史调查材料（阿昌族调查资料之一）/中国科学院民族研究所云南民族调查组　云南省民族研究所编. 109. 1963

云南省布朗族社会历史调查材料（布朗族调查资料之一）/中国科学院民族研究所云南民族调查组　云南省民族研究所编. 118. 1963

云南省红河哈尼彝族自治州金平县苦聪人社会经济调查（附：插满人社会经济调查之一）/中国科学院民族研究所云南民族调查组　云南省民族研究所编. 66. 1963

云南省崩龙族社会历史调查报告（崩龙族调查材料之一）/中国科学院民族研究所云南民族调查组　云南省民族研究所编. 46. 1963

云南省独龙族历史资料汇编/中国科学院民族研究所云南民族调查组　云南省民族研究所民族研究室编. 44. 1964

云南省怒江独龙族社会调查（调查材料之七）/中国科学院民族研究所云南民族调查组　云南省民族研究所民族研究室编. 270. 1964

苗族英雄张秀眉起义传说（贵州、湖南少数民族社会历史调查组调查资料之一）/全国人民代表大会民族委员会办公室编. 22. 1958

贵州省台江县巫脚交经济发展状况（贵州、湖南少数民族社会历史调查组调查资料之一）/全国人民代表大会民族委员会办公室编. 117. 1958

一个苗寨——贵州台江县巫脚交经济发展状况（贵州、湖南少数民族社会历史调查组调查资料之二讨论稿）/黄安淼等整理，贵州台江编. 167. 1957

贵州省台江苗族的宗教迷信（苗族调查材料之二）/全国人民代表大会民族委员会办公室编. 160. 1958

贵州省清水江流域部分地区苗族的婚姻（贵州、湖南少数民族社会历史调查组调查资料之三）/全国人民代表大会民族委员会办公室编. 81. 1958

贵州省台江县苗族的家族（贵州、湖南少数民族社会历史调查组调查资料之四）/全国人民代表大会民族委员会办公室编. 53. 1958

贵州省台江县苗族的节日（贵州、湖南少数民族社会历史调查组调查资料之四）/全国人民代表大会民族委员会办公室编. 52. 1958

贵州省从江县加勉乡苗族调查资料（贵州、湖南少数民族社会历史调查组调查资料之七）/全国人民代表大会民族委员会办公室编. 1. 1958

贵州省黔东南舟溪地区苗族的生活习俗（贵州少数民族社会历史调查资料之八）/中国科学院民族研究所贵州少数民族社会历史调查组　中国科学院贵州分院民族研究所编印. 45. 1963

贵州省威宁县龙街等地区解放前社会经济情况调查资料（贵州少数民族社会历史调查资料之九）/中国科学院民族研究所贵州少数民族社会历史调查组　中国科学院贵州分院民族研究所编印. 54. 1963

贵州省罗甸县平亭村布依族解放前后的社会经济情况和解放后的发展变化（贵州少数民族社会历史调查资料之十）/中国科学院民族研究所贵州少数民族社会历史调查组　中国科学院贵州分院民族研究所编印. 22. 1963

贵州省布依族婚姻资料汇编（贵州少数民族社会历史调查资料之十一）/中国科学院民族研究所贵州少数民族社会历史调查组　中国科学院贵州分院民族研究所编印. 19. 1963

贵州省黎平县三龙乡侗族社会经济调查资料（贵州少数民族社会历史调查资料之十二）/中国科学院民族研究所贵州少数民族社会历史调查组　中国科学院贵州分院民族研究所编印. 28. 1963

贵州省仡佬族社会历史调查资料（贵州少数民族社会历史调查资料之十三）/中国科学院民族研究所贵州少数民族社会历史调查组　中国科学院贵州分院民族研究所编印. 43. 1964

贵州省从江县平正乡刚边寨壮族社会经济调查资料（贵州少数民族社会历史调查资料之十四）/中国科学院民族研究所贵州少数民族社会历史调查组　中国科学院贵州分院民族研究所编印. 28. 1964

贵州省从江县丙梅区和平乡占里寨侗族社会经济、榕江县忠诚区车江乡侗

族社会经济调查资料（贵州少数民族社会历史调查资料之十五）/中国科学院民族研究所贵州少数民族社会历史调查组　中国科学院贵州分院民族研究所编印. 38. 1964

贵州省丹寨县扬武乡硃砂村苗族封建大地主调查资料（贵州少数民族社会历史调查资料之十六）/中国科学院民族研究所贵州少数民族社会历史调查组　中国科学院贵州分院民族研究所编印. 13. 1964

贵州省望谟县桑朗亭目历史、安龙县龙山布依族解放前社会经济、镇宁县扁担山布依族解放前社会经济和阶级斗争调查资料（贵州少数民族社会历史调查资料之十七）/中国科学院民族研究所贵州少数民族社会历史调查组　中国科学院贵州分院民族研究所编印. 41. 1964

贵州省威宁县法地区别色园子和东关寨解放前社会经济调查资料（贵州少数民族社会历史调查资料之十八）/中国科学院民族研究所贵州少数民族社会历史调查组　中国科学院贵州分院民族研究所编印. 22. 1964

贵州省黔西县石板、金坡两乡社会经济调查资料（贵州少数民族社会历史调查资料之十九）/中国科学院民族研究所贵州少数民族社会历史调查组　中国科学院贵州分院民族研究所编印. 27. 1964、

贵州省剑河县久仰乡必下寨苗族社会调查资料（贵州少数民族社会历史调查资料之二十）/中国科学院民族研究所贵州少数民族社会历史调查组　中国科学院贵州分院民族研究所编印. 42. 1964

贵州省台江县巫脚交苗族人民的饮食（贵州少数民族社会历史调查资料之二十一）/中国科学院民族研究所贵州少数民族社会历史调查组　中国科学院贵州分院民族研究所编印. 17. 1964

贵州省赫章县海确寨苗族社会历史调查资料（贵州少数民族社会历史调查资料之二十二）/中国科学院民族研究所贵州少数民族社会历史调查组　中国科学院贵州分院民族研究所编印. 24. 1964

贵州省台江县苗族人民的服饰（贵州少数民族社会历史调查资料之二十三）/中国科学院民族研究所贵州少数民族社会历史调查组　中国科学院贵州分院民族研究所编印. 64. 1964

苗族民间故事集（贵州少数民族社会历史调查资料之二十四）/中国科学院民族研究所贵州少数民族社会历史调查组　中国科学院贵州分院民族研究所编印. 180. 1964

贵州省雷山县乔港乡掌披寨苗族社会历史调查资料（贵州少数民族社会历

史调查资料之二十五）/贵州民族研究所编印. 52. 1965

红军长征经过贵州少数民族地区的情况调查（第二集，贵州少数民族社会历史调查资料之二十六）/贵州民族研究所编印. 40. 1965

贵州省台江县巫脚公社反排寨社会历史调查资料（贵州少数民族社会历史调查资料之二十七）/贵州民族研究所编印. 83. 1965

贵州省穿青人的民族成分问题调查报告/17

广西隆林苗族社会历史调查报告/中国科学院民族研究所广西少数民族社会历史调查组编. 36. 1964

广西大苗山苗族自治县融水镇调查报告/中国科学院民族研究所广西少数民族社会历史调查组编. 33. 1964

广西大苗山苗族自治县社会情况调查报告（1. 香粉、古都、雨卜、元宝、东田等地苗族社会情况。2. 东田乡小东江寨民族杂居情况。3. 融水镇地主兼资本家叶长发的发家史。）/中国科学院民族研究所广西少数民族社会历史调查组编. 46. 1964

广西大苗山苗族自治县社会情况调查报告（1. 安太区寨怀、洞安两乡侗族社会调查。2. 四荣区东田乡解放前林业生产调查）/中国科学院民族研究所广西少数民族社会历史调查组编. 27. 1965

广东省苗族畲族社会历史情况/中国科学院民族研究所广东少数民族社会历史调查组编印. 34. 1963

广西龙胜各族自治县平等人民公社平等生产大队侗族社会历史调查材料/中国科学院民族研究所广西少数民族社会历史调查组编. 54. 1965

广西隆林磨基乡仡佬族社会历史调查报告/中国科学院民族研究所广西少数民族社会历史调查组编. 42. 1964

广西仡佬族解放前社会历史调查报告/中国科学院民族研究所广西少数民族社会历史调查组编. 78. 1964

关于壮族历史若干问题的讨论（附录：有关壮族史料摘要）/广西少数民族社会历史调查组编. 71. 1962

广西壮族地区庄田经济调查报告资料集（一）/中国科学院民族研究所广西少数民族社会历史调查组编. 71. 1964

广西壮族历史与现状（参考资料）/全国人民代表大会民族委员会办公室编印. 33. 1957

广西壮族地区革命史料汇编（一）/中国科学院民族研究所广西少数民族社

会历史调查组编. 109. 1964

广西壮族地区革命史料汇编（二）/中国科学院民族研究所广西少数民族社会历史调查组编. 54. 1964

广西壮族地区革命史料汇编（三）/中国科学院民族研究所广西少数民族社会历史调查组编. 50. 1964

东兰县那烈乡壮族社会历史调查报告/中国科学院民族研究所广西少数民族社会历史调查组编. 32. 1964

广西壮族自治区东兰县中和人民公社东里屯社会历史调查报告（附录：革命故乡东里屯）/中国科学院民族研究所广西少数民族社会历史调查组编. 75. 1964

广西上思县壮族社会历史调查资料/中国科学院民族研究所广西少数民族社会历史调查组编. 40. 1963

广西上思县那荡乡壮族社会历史调查报告/中国科学院民族研究所广西少数民族社会历史调查组编. 33. 1963

广西上思县思阳乡壮族社会历史情况调查报告/中国科学院民族研究所广西少数民族社会历史调查组编. 35. 1963

上林县高贤乡壮族社会经济调查报告/中国科学院民族研究所广西少数民族社会历史调查组编. 31. 1963

广西龙胜各族自治县龙脊乡壮族社会历史情况调查（初稿）/全国人民代表大会民族委员会办公室编. 72. 1958

广西壮族自治区天峨县白定乡壮族社会历史情况调查（初稿）/全国人民代表大会民族委员会办公室编. 22. 1958

广西田东县檀乐乡壮族社会历史调查报告/中国科学院民族研究所广西少数民族社会历史调查组编. 87. 1964

百色县两琶乡壮族社会历史调查报告/中国科学院民族研究所广西少数民族社会历史调查组编. 58. 1963

广西武鸣县双桥乡壮族社会历史调查报告/中国科学院民族研究所广西少数民族社会历史调查组编. 25. 1963

广西武鸣县邓广乡壮族社会历史情况调查/中国科学院民族研究所广西少数民族社会历史调查组编. 47. 1964

广西壮族自治区武鸣县清江乡壮族社会历史调查报告/中国科学院民族研究所广西少数民族社会历史调查组编. 39. 1964

广西壮族自治区南丹县壮族社会调查/全国人民代表大会民族委员会办公室编．53．1958

广西南丹县壮族故事歌谣资料/中国科学院民族研究所广西少数民族社会历史调查组编．70．1964

广西壮族自治区南丹县拉易乡、月里乡壮族社会历史调查（初稿）/全国人民代表大会民族委员会办公室编．69．1958

广西壮族自治区环江县明伦区龙水乡壮族社会历史调查（附：驯乐区长北乡后山瑶族社会历史调查）/全国人民代表大会民族委员会办公室编．80．1958

广西壮族自治区环江县城管乡壮族社会历史调查报告/中国科学院民族研究所广西少数民族社会历史调查组编．60．1964

广西壮族自治区凌乐县壮族社会历史情况调查（初稿）/全国人民代表大会民族委员会办公室编．56．1958

广西隆林各族自治县委乐乡壮族社会历史情况调查（初稿）/全国人民代表大会民族委员会办公室编．37．1958

隆林各族自治县那劳区维新乡壮族社会历史调查报告/中国科学院民族研究所广西少数民族社会历史调查组编，1958年11月编写．46．1963

广西都安瑶族自治县高兴人民公社壮族社会历史调查/中国科学院民族研究所广西少数民族社会历史调查组编．70．1964

睦边县那坡人民公社那坡生产大队壮族社会历史调查报告/中国科学院民族研究所广西少数民族社会历史调查组编．85．1963

广西壮族自治区宜山县洛东乡壮族社会历史概况/中国科学院民族研究所广西少数民族社会历史调查组编．106．1965

大新县安平土官庄田经济调查资料（一）/中国科学院民族研究所广西少数民族社会历史调查组编，196，页

大新县安平土官庄田经济调查资料（二）/中国科学院民族研究所广西少数民族社会历史调查组编．53．1964

广西马山县友谊人民公社调查报告/中国科学院民族研究所广西少数民族社会历史调查组编．41．1964

广西土官岑氏莫氏族谱/广西民族研究所编．98．1965

广西田林县天主教调查报告/中国科学院民族研究所广西少数民族社会历史调查组编印．32．1964

广西桂平县都合乡石纹调查报告/广西壮族自治区民族研究所编. 20. 1964

花山崖壁画资料集/广西少数民族社会历史调查组编. 52. 1962

广西辛亥革命资料/广西少数民族社会历史调查组编. 278. 1960

广东省壮族社会历史情况/中国科学院民族研究所广东少数民族社会历史调查组编印. 56. 1963

一九三三年桂北瑶民起义资料/中国科学院民族研究所广西少数民族社会历史调查组编. 132. 1963

广西大瑶山社会历史情况调查初稿（一般情况及六年来社会发展情况部分）/全国人民代表大会民族委员会办公室编. 25. 1958

广西大瑶山瑶族社会历史情况调查初稿（生活习俗文化宗教部分）/全国人民代表大会民族委员会办公室编. 87. 1958

广西大瑶山瑶族社会历史情况调查初稿（经济生活部分）/全国人民代表大会民族委员会办公室编. 96. 1958

广西大瑶山瑶族社会历史情况调查初稿（政治部分）/全国人民代表大会民族委员会办公室编. 60. 1958

广西大瑶山瑶族社会历史情况调查（民族部分）/全国人民代表大会民族委员会办公室编. 79. 1958

广西大瑶山瑶族歌谣故事集（第一. 二. 三部分）/全国人民代表大会民族委员会办公室编. 85. 1958

广西大瑶山瑶族歌谣故事集（第四部分）/全国人民代表大会民族委员会办公室编. 118. 1958

广西大瑶山瑶族歌谣故事集（第五. 六部分）/全国人民代表大会民族委员会办公室编. 56. 1958

广西壮族自治区南丹县大瑶寨瑶族社会概况/全国人民代表大会民族委员会办公室编. 61. 1958

广西壮族自治区上林县正万乡瑶族社会历史调查报告/中国科学院民族研究所广西少数民族社会历史调查组编. 43. 1965

广西上思县十万大山南桂乡瑶族社会历史调查报告/中国科学院民族研究所广西少数民族社会历史调查组编. 53. 1963

广西壮族自治区巴马瑶族自治县甘长乡瑶族社会历史调查/中国科学院民族研究所广西少数民族社会历史调查组编. 35. 1964

广西龙胜各族自治县日新区潘内乡潘内村瑶族社会历史调查报告（附该县

平等区广南公社盘胖生产队瑶族社会历史调查报告）/中国科学院民族研究所广西少数民族社会历史调查组编. 55. 1963

广西壮族自治区田东县作登区平略乡瑶族社会历史调查报告/中国科学院民族研究所广西少数民族社会历史调查组编. 28. 1964

广西田林县八渡区那拉乡瑶族社会历史调查报告/中国科学院民族研究所广西少数民族社会历史调查组编. 25. 1964

广西壮族自治区田林县渭标乡、大瑶山瑶族自治县长垌人民公社瑶族社会历史调查报告/中国科学院民族研究所广西少数民族社会历史调查组编. 59. 1964

广西壮族自治区兴安县两金区瑶族社会历史调查（附：龙胜各族自治县三门区大罗乡同列屯瑶族历史调查报告）/中国科学院民族研究所广西少数民族社会历史调查组编. 26. 1964

兴安县两金区、临桂县宛田区柳厄乡全州县东山区瑶族社会调查/中国科学院民族研究所广西少数民族社会历史调查组编. 33. 1963

广西壮族自治区西林县那劳区那兵乡瑶族社会历史调查报告/中国科学院民族研究所广西少数民族社会历史调查组编印. 49. 1963

广西壮族自治区百色县洞好乡瑶族社会历史调查/中国科学院民族研究所广西少数民族社会历史调查组编. 42. 1963

广西壮族自治区荔浦县茶城人民公社瑶族社会历史调查/中国科学院民族研究所广西少数民族社会历史调查组编. 33. 1963

广西壮族自治区凌乐县后龙山、伶站、览金、利田瑶族社会历史情况调查报告/中国科学院民族研究所广西少数民族社会历史调查组编. 50. 1965

广西凌乐县群英公社览金生产大队瑶族社会历史情况调查报告/中国科学院民族研究所广西少数民族社会历史调查组编. 18. 1963

贺县富钟瑶族地区解放前商品经济发展情况调查报告/中国科学院民族研究所广西少数民族社会历史调查组编. 31. 1964

广西壮族自治区贺县新华、狮狭乡瑶族社会历史调查/中国科学院民族研究所广西少数民族社会历史调查组编. 82. 1964

广西恭城县三江乡瑶族社会历史调查报告/中国科学院民族研究所广西少数民族社会历史调查组编. 66. 1963

广西都安瑶族自治县三只羊区瑶族社会历史调查报告/中国科学院民族研究所广西少数民族社会历史调查组编. 67. 1965

广西都安瑶族自治县下坳区瑶族社会历史调查报告/中国科学院民族研究所广西少数民族社会历史调查组编. 48. 1964

广西都安瑶族自治县七百弄、文华区瑶族社会历史调查报告/中国科学院民族研究所广西少数民族社会历史调查组编. 87. 1964

广西壮族自治区都安瑶族自治县三只羊人民公社瑶族社会历史概况/中国科学院民族研究所广西少数民族社会历史调查组编. 48. 1964

广西富川县红旗人民公社（富阳区）瑶族社会历史调查/中国科学院民族研究所广西少数民族社会历史调查组编. 79. 1963

睦边县下华公社规六生产队瑶族社会历史调查报告/中国科学院民族研究所广西少数民族社会历史调查组编. 35. 1964

广东省瑶族社会历史情况/中国科学院民族研究所广东少数民族社会历史调查组编印. 57. 1963

瑶族族源问题讨论意见（附录；有关瑶族族源史料摘要）/广西少数民族社会历史调查组编. 33. 1962

解放前瑶族社会性质调查报告/中国科学院民族研究所广西少数民族社会历史调查组编. 19. 1963

瑶族过山牒文汇编/中国科学院民族研究所广西少数民族社会历史调查组编. 68. 1964

解放前仫佬族社会性质调查报告/广西少数民族社会历史调查组编. 22. 1959

广西罗城县下里乡仫佬族社会调查报告/中国科学院民族研究所广西少数民族社会历史调查组编. 87. 1965

罗城县四把乡仫佬族社会历史调查报告/中国科学院民族研究所广西少数民族社会历史调查组编. 97. 1965

罗城县集环乡仫佬族社会历史调查报告/中国科学院民族研究所广西少数民族社会历史调查组编. 63. 1965

毛难族解放前社会性质调查报告/广西少数民族社会历史调查组编. 14. 1959

环江县玉环乡毛难族社会历史调查报告/中国科学院民族研究所广西少数民族社会历史调查组编. 61. 1963

环江县下南区中南乡毛难族社会历史调查报告（附：《下南区堂八乡毛难族社会历史调查报告》）/中国科学院民族研究所广西少数民族社会历史调查组

编. 60. 1965

广西环江县下塘乡毛难族社会历史调查报告/中国科学院民族研究所广西少数民族社会历史调查组编. 51. 1965

京族社会历史情况/中国科学院民族研究所广东少数民族社会历史调查组编印. 78. 1964

湘西土家族苗族自治州永顺县凤栖寨调查报告/中国科学院民族研究所湖南少数民族社会历史调查组编. 38. 1964

湘西土家族苗族自治州龙山县苹果社调查报告/中国科学院民族研究所湖南少数民族社会历史调查组编. 43. 1958

海南黎族苗族自治州番阳乡、毛贵乡黎族合亩制调查（海南黎族苗族社会历史情况调查资料第二册）/全国人民代表大会民族委员广东省少数民族社会历史调查情况编印. 72. 1958

海南黎族苗族自治州什玲等五个乡黎族社会经济调查（海南黎族苗族社会历史情况调查资料第三册）/中国科学院民族研究所广东少数民族社会历史调查组编印. 98. 1963

海南黎族苗族自治州黎族合亩制综合资料（海南黎族苗族社会历史情况调查资料第四册）/中国科学院民族研究所广东少数民族社会历史调查组编印. 103. 1963

海南岛民族志（黎族研究资料选译第四辑，内部资料，上册）/中国科学院广东少数民族研究所编印. 148. 1964

海南岛民族志（黎族研究资料选译第四辑，内部资料，下册）/中国科学院广东少数民族研究所编印. 149～317. 1964

黎族古代历史资料（上册）/中国科学院民族研究所广东少数民族社会历史调查组　中国科学院广东少数民族研究所编. 424. 1964

黎族古代历史资料（下册）/中国科学院民族研究所广东少数民族社会历史调查组　中国科学院广东少数民族研究所编. 425～874. 1964

畲族文艺调查报告（内部材料仅供参考）/中国科学院民族研究所福建少数民族社会历史调查组编. 48. 1963

福建省福鼎县畲族调查报告/中国科学院民族研究所福建少数民族社会历史调查组编. 41. 1963

福建省福安县畲族调查报告/中国科学院民族研究所福建少数民族社会历史调查组编. 11. 1963

福建省宁德县畲族调查报告/中国科学院民族研究所福建少数民族社会历史调查组编．57．1963

广东省畲族社会历史调查资料汇编/广东省民族研究所编．76．1983

浙江省平阳县山门人民公社青街大队王神洞畲族调查报告/中国科学院民族研究所福建少数民族社会历史调查组编．41．1958

浙江省平阳县矾山公社畲族革命斗争历史调查报告/中国科学院民族研究所福建少数民族社会历史调查组编．9．1963

四、有关部门刊印的调查资料

（一）北京、华北、东北、西北、华东地区调查资料

北京十三区八里庄回民土地情况（仅供内部研究工作参考）/中央民族事务委员会印编．3．1951

河北省人民政府关于筹建三河县大厂回族自治区情况与经验的报告（仅供内部研究工作参考）/中央民族事务委员会印编．6．1952

内蒙鄂伦春族概况（仅供内部研究工作参考）/国庆节鄂民代表，葛德鸿谈话整理　中央民族事务委员会印编．5．1951

内蒙呼盟概况（仅供内部研究工作参考）/中共中央统战部　中央民族事务委员会印编．7．1951

伊盟準旗综合报告（摘要）（仅供内部研究工作参考）/中共绥宁工委　中央民族事务委员会印编．4．1951

伊盟情况与今后工作方针（仅供内部研究工作参考）/中共绥宁工委　中央民族事务委员会印编．6．1951

绥远省伊克昭盟高主任关于伊盟情况与工作方针的报告（仅供内部研究工作参考）/中共伊盟工委会　中央民族事务委员会印编．8．1951

阿拉善霍硕特旗概况（仅供内部研究工作参考）/阿拉善霍硕特旗人民政府　中央民族事务委员会印编．6．1951

黑龙江边、兴安岭里的鄂伦春民族（仅供内部研究工作参考）/中央民族事务委员印编．34．1951

佳木斯市回民联合会三年来工作简报（仅供内部研究工作参考）/中央民族事务委员会印编．7．1951

关于甘肃回民工作问题（仅供内部研究工作参考）/中央民族事务委员会印

编. 6. 1951

甘肃临夏四个半月群众工作报告（仅供内部研究工作参考）/中国人民解放军第一野战军第三十三团工作队在该地的工作报告　中央民族事务委员会印编. 7. 1951

中共甘肃省委临夏分区工作团伊集区工作总结（仅供内部研究工作参考）/中共甘肃省委临夏分区工作团伊集区工作组　中央民族事务委员会印编. 11. 1951

甘肃省临夏黄泥湾的群众工作（仅供内部研究工作参考）/中共临夏地委会　中央民族事务委员会印编. 10. 1951

甘肃省天水专区回民情况及回民工作经验介绍（仅供内部研究工作参考）/中共天水地委会　中央民族事务委员会印编. 14. 1951

甘肃省夏河县的区域自治问题（仅供内部研究工作参考）/中央民族事务委员会第三司藏民研究组整理　中央民族事务委员会印编. 2. 1951

甘肃卓尼概况（仅供内部研究工作参考）/中共卓尼工作委员会　中央民族事务委员会印编. 11. 1951

宁夏回民概况（仅供内部研究工作参考）/中央民族事务委员会印编. 6. 1951

青海省的土地改革和减租反霸问题（仅供内部研究工作参考）/中央民族事务委员会第三司藏民研究组整理　中央民族事务委员会印编. 2. 1951

青海省畜牧业概况（仅供内部研究工作参考）/青海省人民政府汇编　中央民族事务委员会印编. 23. 1951

青海省农、牧区建政简况及存在问题（仅供内部研究工作参考）/中央民族事务委员会第三司藏民研究组整理　中央民族事务委员会印编. 4. 1951

青海省的资源及工矿业（仅供内部研究工作参考）/青海省人民政府汇编　中央民族事务委员会印编. 18. 1951

青海民族情况调查总结（仅供内部研究工作参考）/中央民族事务委员会印编. 9. 1951

青海回族概况（仅供内部研究工作参考）/中央民族事务委员会印编. 8. 1951

青海省撒拉民族与回民简况（仅供内部研究工作参考）/中央民族事务委员会印编. 8. 1951

青海省互助县少数民族调查材料（仅供内部研究工作参考）/青海省人民政

府汇编　中央民族事务委员会印编. 17. 1951

青海省共和县少数民族调查（仅供内部研究工作参考）/青海省人民政府汇编　中央民族事务委员会印编. 6. 1951

青海省同仁县各民族状况调查（仅供内部研究工作参考）/青海省人民政府汇编　中央民族事务委员会印编. 8. 1951

青海西宁市清真寺调查（仅供内部研究工作参考）/中央民族事务委员会印编. 6. 1951

青海省西宁市第三区土地占有情况（仅供内部研究工作参考）/中央民族事务委员会印编. 2. 1951

青海省西宁市第三、四区阶级关系调查（仅供内部研究工作参考）/中央民族事务委员会印编. 8. 1951

新疆省过去和现在情况的简单介绍（仅供内部研究工作参考）/中央民族事务委员会印编. 11. 1951

新疆选举与土改通讯第3期（内部刊物）/新疆省选举委员会办公室人民政府土地改革委员会　中央民族事务委员会印编. 32. 1953

新疆蒙族概况（仅供内部研究工作参考）/中央民族事务委员会印编. 7. 1951

山东省济宁市的回民情况（仅供内部研究工作参考）/中央民族事务委员会印编. 20. 1951

（二）中南地区调查资料

湘西苗族概况（仅供内部研究工作参考）/中央民族事务委员会第一司整理　中央民族事务委员会印编. 8. 1951

永绥县第三区卫城乡二村、排阔乡三村典型调查汇报提纲（湘西苗族自治区调查材料之一，仅供内部参考）/中央民族事务委员会中南民族工作视察组编. 38. 1952

乾城古丈两县文教情况调查简报（湘西苗族自治区调查材料之四，仅供内部参考）/中央民族事务委员会民族工作视察组编. 32. 1952

湖南省湘西苗族自治区农林情况调查简报（湘西苗族自治区调查材料之七，仅供内部参考）/中央民族事务委员会中南民族工作视察组编. 78. 1952

湘西苗族自治区仡佬族调查简报（湘西苗族自治区调查材料之十五，仅供内部参考）/中央民族事务委员会中南民族工作视察组编. 11. 1952

粤北蛋民调查材料（蛋民问题参考资料之三，内部文件）/广东省人民政府

民族事务委员会印编. 79. 1953

关于珠江流域的蛋民（草稿　内部参考资料）/中南行政委员会民族事务委员会编印. 39. 1953

广东省连南县瑶民概况（仅供内部研究工作参考）/连南县人民政府编. 7. 1950

乐东县一区昂业乡　五区保安乡工作情况汇报提纲（广东省海南黎族苗族自治区调查材料之一，仅供内部参考）/中央民族事务委员会中南民族工作视察组编. 10. 1952

农林情况调查简报（广东省海南黎族苗族自治区调查材料之二，仅供内部参考）/中央民族事务委员会中南民族工作视察组编. 25. 1952

水利调查简报（广东省海南黎族苗族自治区调查材料之三，仅供内部参考）/中央民族事务委员会中南民族工作视察组编. 22. 1952

工商贸易工作调查简报（广东省海南黎族苗族自治区调查材料之四，仅供内部参考）/中央民族事务委员会中南民族工作视察组编. 10. 1952

文教工作调查简报（广东省海南黎族苗族自治区调查材料之五，仅供内部参考）/中央民族事务委员会中南民族工作视察组编. 9. 1952

卫生工作调查简报（广东省海南黎族苗族自治区调查材料之六，仅供内部参考）/中央民族事务委员会中南民族工作视察组编. 9. 1952

交通情况调查简报（广东省海南黎族苗族自治区调查材料之七，仅供内部参考）/中央民族事务委员会中南民族工作视察组编. 6. 1952

广西贺县瑶族概况（仅供内部研究工作参考）/国庆节瑶族代表黄元周报告，中央民族事务委员会印编. 4. 1951

侗族概况（仅供内部研究工作参考）/国庆节侗族代表莫须光报告，中央民族事务委员会印编. 8. 1951

鳳山县若里乡经济调查报告（据该县山区经济调查组材料整理　少数民族山区经济调查材料汇编一，供研究参考）/广西省人民政府民族事务委员会编印. 17. 1954

睦边县德孚乡经济调查报告（据该县山区经济调查组材料整理　少数民族山区经济调查材料汇编二，供研究参考）/广西省人民政府民族事务委员会编印. 18. 1954

田林县第五区小览乡经济调查报告（据该县山区经济调查组材料整理少数民族山区经济调查材料汇编三，供研究参考）/广西省人民政府民族事务委员

会编印. 8. 1954

平果县咘尧乡经济情况调查报告（据该县山区经济调查组材料　少数民族山区经济调查材料汇编四，供研究参考）/广西省人民政府民族事务委员会编印. 15. 1954

睦边县平达乡经济调查报告（据该县山区经济调查组材料整理　少数民族山区经济调查材料汇编五，供研究参考）/广西省人民政府民族事务委员会编印. 9. 1954

隆林各族联合自治区寒山乡经济调查报告（据该县山区经济调查组材料整理　少数民族山区经济调查材料汇编六，供研究参考）/广西省人民政府民族事务委员会编印. 12. 1954

平果县第八区良美乡山区调查报告（据该县调查组材料整理　少数民族山区经济调查材料汇编七，供研究参考）/广西省人民政府民族事务委员会编印. 13. 1954

田东县第八区民安乡经济调查报告（据山区经济调查组1954**年**7**月材料整理　少数民族山区经济调查材料汇编八，供研究参考）**/广西省人民政府民族事务委员会编印. 19. 1954

东兰三联、凌乐陶化、隆林央腊、睦边镇宁四个乡山区经济调查报告（据1954**年**7**月百色地委办公室材料　少数民族山区经济调查材料汇编九，供研究参考）**/广西省人民政府民族事务委员会编印. 25. 1954

隆林各族联合自治区母姑乡经济调查报告（据该县山区经济调查组材料整理　少数民族山区经济调查材料汇编十，供研究参考）/广西省人民政府民族事务委员会编印. 12. 1954

田林县第四区小坳乡经济调查报告（据该县山区生产调查材料整理　少数民族山区经济调查材料汇编十一，供研究参考）/广西省人民政府民族事务委员会编印. 21. 1954

德保县第六区孟棉乡经济调查报告（据该县山区经济调查组材料整理　少数民族山区经济调查材料汇编十二，供研究参考）/广西省人民政府民族事务委员会编印. 12. 1954

德保县和平乡山区经济调查报告（据该县山区经济调查组材料整理　少数民族山区经济调查材料汇编十三，供研究参考）/广西省人民政府民族事务委员会编印. 8. 1954

东兰县西山瑶族自治区弄京乡生产调查报告（省民族事务委员会工作组 11

月材料　少数民族山区经济调查材料汇编十四，供研究参考）/广西省人民政府民族事务委员会编印. 10. 1954

大瑶山瑶族自治区双和乡十二步官音山两个屯三个互助组情况调查报告（省委统战部民族工作组9月材料　少数民族山区经济调查材料汇编十五，供研究参考）/广西省人民政府民族事务委员会编印. 8. 1954

南丹大瑶寨瑶族自治区生产情况调查报告（省府民族事务委员会工作组4月材料　少数民族山区经济调查材料汇编十六，供研究参考）/广西省人民政府民族事务委员会编印. 13. 1954

平果县二区乐尧山区生产情况综合（根据中南民族成分调查组1954年4月调查材料摘　少数民族山区经济调查材料汇编十七，供研究参考）/广西省人民政府民族事务委员会编印. 6. 1954

东兰县西山瑶族自治区弄烈乡生产调查报告（省民族事务委员会11月材料　少数民族山区经济调查材料汇编十八，供研究参考）/广西省人民政府民族事务委员会编印. 8. 1954

田东县梅林乡少数民族生产调查报告（省民委工作组1954年4月材料少数民族山区经济调查材料汇编十九，供研究参考）/广西省人民政府民族事务委员会编印. 15. 1954

靖西县南坡乡栋蒙村调查材料（附靖西中学生及工商业调查材料，广西省调查材料之二）/中央民族事务委员会中南民族工作视察组编. 71. 1952

龙胜县各族联合自治区农林情况调查报告（附广西全省及桂林专区农林一般情况，广西省调查材料之三）/中央民族事务委员会中南民族工作视察组编. 44. 1952

隆林县二区北楼乡壮族调查材料（广西省调查材料之三，仅供内部参考）/中央民族事务委员会中南民族工作视察组编. 57. 1952

广西省民族教育调查报告（广西省调查材料之六，仅供内部参考）/中央民族事务委员会中南民族工作视察组编. 42. 1952

大瑶山一般情况（内部文件，只供参考）/中央访问团（中南区）联络组编印. 9. 1951

大瑶山工作汇报（内部文件，只供参考）/中央访问团（中南区）联络组编印. 12. 1951

隆林各族联合自治区第五区常磨乡（石山区苗族）经济调查报告（内部文件，供研究参考）/广西省人民政府民族事务委员会编印. 18. 1954

（三）西南地区调查资料

西康省藏族自治区情况（仅供内部研究工作参考）/中央民族事务委员会第三司藏民研究班整理　中央民族事务委员会印编. 7. 1951

云南藏族地区政权建设情况（仅供内部研究工作参考）/中央民族事务委员会第三司藏民研究组整理　中央民族事务委员会印编. 6. 1951

云南回族斗争简述（仅供内部研究工作参考）/杨正旺整理　中央民族事务委员会印. 4. 1951

云南省民族识别研究第一二阶段初步总结（云南省民族识别研究组1954年7月26日）/中央民族学院科学讨论会印编. 27. 1956

耿马县卡瓦族社会经济调查（云南民族情况参考资料之四，内部文件仅供参考）/中共云南省委边疆工作委员会编印. 45. 1954

西双版纳·版纳景洪傣族社会经济调查（云南民族情况参考资料之五，内部文件仅供参考）/中共云南省委边疆工作委员会编印. 107. 1955

西双版纳·版纳勐海社会经济情况调查资料汇编（上，云南民族情况参考资料之六，内部文件仅供参考）/中共云南省委边疆工作委员会编印. 55. 1955

西双版纳·版纳勐海社会经济情况调查资料汇编（下，云南民族情况参考资料之七，内部文件仅供参考）/中共云南省委边疆工作委员会编印. 109. 1955

民族关系、群众要求及执行民族政策中发生的问题（大理区材料之一，云南民族情况汇集草稿　内部参考文件）/中央访问团第二分团编. 12. 1951

蒙化、永平县调查（大理区材料之二，云南民族情况汇集草稿　内部参考文件）/中央访问团第二分团编. 22. 1951

华、永、宁、凉山区彝族情况汇集（丽江区材料之一，云南民族情况汇集草稿　内部参考文件）/中央访问团第二分团编. 27. 1951

宁蒗的民族及民族工作情况（丽江区材料之二，云南民族情况汇集草稿　内部参考文件）/中央访问团第二分团编. 13. 1951

怒江区「开辟」历史与民族关系（丽江区材料之三，云南民族情况汇集草稿　内部参考文件）/中央访问团第二分团编. 18. 1951

福贡贸易情况、经济生活与贡山阶级划分（附：腊烏、知子罗家庭调查丽江区材料之四，云南民族情况汇集草稿　内部参考文件）/中央访问团第二分团编. 29. 1951

碧江县家庭调查（丽江区材料之五，云南民族情况汇集草稿　内部参考文件）/中央访问团第二分团编. 18. 1951

碧江贡山政权组织（附：福贡综合报告　丽江区材料之六，云南民族情况汇集草稿内部参考文件）/中央访问团第二分团编. 14. 1951

怒江区执行政策情况与干部问题（丽江区材料之七，云南民族情况汇集草稿　内部参考文件）/中央访问团第二分团编. 14. 1951

怒江区文教卫生情况（丽江区材料之八，云南民族情况汇集草稿　内部参考文件）/中央访问团第二分团编. 8. 1951

怒江区概况（附：怒江区半年工作报告　丽江区材料之九，云南民族情况汇集草稿内部参考文件）/中央访问团第二分团编. 13. 1951

中甸县情况调查材料（丽江区材料之十，云南民族情况汇集草稿　内部参考文件）/中央访问团第二分团编. 18. 1951

中甸解放前后及几个典型人物（丽江区材料之十一，云南民族情况汇集草稿　内部参考文件）/中央访问团第二分团编. 23. 1951

中甸歸化寺概况（附：喇嘛寺調查資料　丽江区材料之十二，云南民族情况汇集草稿　内部参考文件）/中央访问团第二分团编. 15. 1951

中甸尼西区、格咱区、哈啊谷村资料（丽江区材料之十三，云南民族情况汇集草稿内部参考文件）/中央访问团第二分团编. 15. 1951

中甸县人民团体初步了解（丽江区材料之十四，云南民族情况汇集草稿　内部参考文件）/中央访问团第二分团编. 15. 1951

丽、鹤、剑、兰西县几项调查（丽江区材料之十五，云南民族情况汇集草稿　内部参考文件）/中央访问团第二分团编. 22. 1951

丽江县两个村的情况（丽江区材料之十六，云南民族情况汇集草稿　内部参考文件）/中央访问团第二分团编. 31. 1951

德钦县情况（丽江区材料之十七，云南民族情况汇集草稿　内部参考文件）/中央访问团第二分团编. 22. 1951

武定县生产、卫生情况及第二区民族关系的材料（武定区资料之一，云南民族情况汇集草稿　内部参考文件）/中央访问团第二分团编. 9. 1951

武定县第三、四区访问材料（武定区资料之二，云南民族情况汇集草稿　内部参考文件）/中央访问团第二分团编. 16. 1951

武定县第五区民族关系及租佃关系的初步调查（武定区资料之三，云南民族情况汇集草稿　内部参考文件）/中央访问团第二分团编. 24. 1951

武定区民族情况（武定区资料之四，云南民族情况汇集草稿　内部参考文件）/中央访问团第二分团编. 19. 1951

元谋、罗次、富民三县访问材料（武定区资料之五，云南民族情况汇集草稿　内部参考文件）/中央访问团第二分团编. 15. 1951

禄劝县访问材料（武定区资料之六，云南民族情况汇集草稿　内部参考文件）/中央访问团第二分团编. 18. 1951

武定区回族的一般情况（武定区资料之七，云南民族情况汇集草稿　内部参考文件）/中央访问团第二分团编. 6. 1951

土司情况调查（保山区材料之一，云南民族情况汇集草稿　内部参考文件）/中央访问团第二分团编. 56. 1951

保山区民族关系问题及帝国主义活动情况初步调查（保山区材料之二，云南民族情况汇集草稿内部参考文件）/中央访问团第二分团编. 16. 1951

保山区几项材料汇集（保山区材料之三，云南民族情况汇集草稿　内部参考文件）/中央访问团第二分团编. 34. 1951

泸水经济情况与人民负担（保山区材料之四，云南民族情况汇集草稿　内部参考文件）/中央访问团第二分团编. 13. 1951

梁河情况调查报告（保山区材料之五，云南民族情况汇集草稿　内部参考文件）/中央访问团第二分团编. 13. 1951

盈江情况（保山区材料之六，云南民族情况汇集草稿　内部参考文件）/中央访问团第二分团编. 10. 1951

潞西县几个情况（保山区材料之七，云南民族情况汇集草稿　内部参考文件）/中央访问团第二分团编. 38. 1951

腾冲龙江区初步调查（保山区材料之八，云南民族情况汇集草稿　内部参考文件）/中央访问团第二分团编. 18. 1951

腾冲县卡拉族典型村中寨调查材料（保山区材料之九，云南民族情况汇集草稿　内部参考文件）/中央访问团第二分团编. 21. 1951

莲山情况调查资料（保山区材料之十，云南民族情况汇集草稿　内部参考文件）/中央访问团第二分团编. 24. 1951

镇康县情况调查（保山区材料之十一，云南民族情况汇集草稿　内部参考文件）/中央访问团第二分团编. 25. 1951

耿马情况调查（保山区材料之十二，云南民族情况汇集草稿　内部参考文件）/中央访问团第二分团编. 28. 1951

普洱区民族情况及普洱区第二次民族代表会议总结（普洱区资料之一，云南民族情况汇集草稿内部参考文件）/中央访问团第二分团编. 11. 1951

澜沧县情况（普洱区资料之二，云南民族情况汇集草稿　内部参考文件）/中央访问团第二分团编. 37. 1951

澜沧、宁江情况（普洱区资料之三，云南民族情况汇集草稿　内部参考文件）/中央访问团第二分团编. 17. 1951

南峤情况（普洱区资料之四，云南民族情况汇集草稿　内部参考文件）/中央访问团第二分团编. 6. 1951

佛海县情况（普洱区资料之五，云南民族情况汇集草稿　内部参考文件）/中央访问团第二分团编. 24. 1951

车里县情况（普洱区资料之六，云南民族情况汇集草稿　内部参考文件）/中央访问团第二分团编. 47. 1951

江城县情况（普洱区资料之七，云南民族情况汇集草稿　内部参考文件）/中央访问团第二分团编. 20. 1951

镇越县情况（普洱区资料之八，云南民族情况汇集草稿　内部参考文件）/中央访问团第二分团编. 15. 1951

思茅县情况（附景谷景东民族情况　普洱区资料之九，云南民族情况汇集草稿　内部参考文件）/中央访问团第二分团编. 27. 1951

卡瓦族情况（普洱区资料之十，云南民族情况汇集草稿　内部参考文件）/中央访问团第二分团编. 46. 1951

澜沧县傈shu情况（普洱区资料之十一，云南民族情况汇集草稿　内部参考文件）/中央访问团第二分团编. 37. 1951

车里攸乐族（普洱区资料之十二，云南民族情况汇集草稿　内部参考文件）/中央访问团第二分团编. 22. 1951

澜沧及车佛南四县阿卡族情况（普洱区资料之十三，云南民族情况汇集草稿　内部参考文件）/中央访问团第二分团编. 17. 1951

车、佛、南三县几个民族情况（普洱区资料之十四，云南民族情况汇集草稿　内部参考文件）/中央访问团第二分团编. 8. 1951

澜沧县帝国主义活动与宗教情况（普洱区资料之十五，云南民族情况汇集草稿　内部参考文件）/中央访问团第二分团编. 16. 1951

澜沧、沧源几个情况汇集（普洱区资料之十六，云南民族情况汇集草稿　内部参考文件）/中央访问团第二分团编. 16. 1951

车、佛、南农业及棉花调查报告（普洱区资料之十七，云南民族情况汇集草稿　内部参考文件）/中央访问团第二分团编. 22. 1951

普洱区的紫梗、樟脑与茶叶（普洱区资料之十八，云南民族情况汇集草稿　内部参考文件）/中央访问团第二分团编. 13. 1951

普洱区几个群众工作情况（附：景东、墨江及普洱专区有关少数民族教育文件　普洱区资料之十九，云南民族情况汇集草稿　内部参考文件）/中央访问团第二分团编. 49. 1951

宁洱县两个文教情况（普洱区资料之二十，云南民族情况汇集草稿　内部参考文件）/中央访问团第二分团编. 15. 1951

蒙自区各民族情况调查（蒙自区资料之一，云南民族情况汇集草稿　内部参考文件）/中央访问团第二分团编. 15. 1951

江外土司区几个情况的初步研究（蒙自区资料之二，云南民族情况汇集草稿　内部参考文件）/中央访问团第二分团编. 13. 1951

江外苗瑶二族生活（蒙自区资料之三，云南民族情况汇集草稿　内部参考文件）/中央访问团第二分团编. 6. 1951

金平县民族情况（附金平屏边土匪情况　蒙自区资料之四，云南民族情况汇集草稿　内部参考文件）/中央访问团第二分团编. 14. 1951

元阳妇女情况（蒙自区资料之五，云南民族情况汇集草稿　内部参考文件）/中央访问团第二分团编. 8. 1951

元阳县经济情况新街贸易情况及元阳金平两县矿产（蒙自区资料之六，云南民族情况汇集草稿内部参考文件）/中央访问团第二分团编. 10. 1951

元阳县敦厚镇水卜龙村经济生活及政治情况（蒙自区资料之七，云南民族情况汇集草稿内部参考文件）/中央访问团第二分团编. 33. 1951

元阳县纳更稿吾土司情况及纳更访问片断（蒙自区资料之八，云南民族情况汇集草稿　内部参考文件）/中央访问团第二分团编. 10. 1951

元阳县太和乡下里反土司斗争及牛角寨调查（蒙自区资料之九，云南民族情况汇集草稿　内部参考文件）/中央访问团第二分团编. 30. 1951

元阳县敦厚镇两个农村调查（蒙自区资料之十，云南民族情况汇集草稿　内部参考文件）/中央访问团第二分团编. 11. 1951

元阳、蒙自、建水、龙武四县教育情况（蒙自区资料之十一，云南民族情况汇集草稿　内部参考文件）/中央访问团第二分团编. 11. 1951

关于红河民族情况的报告（蒙自区资料之十二，云南民族情况汇集草稿

内部参考文件）/中央访问团第二分团编. 6. 1951

建水石屏元江三县民族情况（蒙自区资料之十三，云南民族情况汇集草稿 内部参考文件）/中央访问团第二分团编. 18. 1951

第三乡调查报告（附：西山区法雨哨概况 路南圭山区材料之一，云南民族情况汇集草稿 内部参考文件）/中央访问团第二分团编. 14. 1951

冒水洞村民族关系及一般情况调查（路南圭山区材料之二，云南民族情况汇集草稿 内部参考文件）/中央访问团第二分团编. 16. 1951

簑衣山调查（路南圭山区材料之三，云南民族情况汇集草稿 内部参考文件）/中央访问团第二分团编. 20. 1951

尾则村调查报告（路南圭山区材料之四，云南民族情况汇集草稿 内部参考文件）/中央访问团第二分团编. 25. 1951

雨胜村、宜普勒村、水塘舗、宜政村调查（路南圭山区材料之五，云南民族情况汇集草稿 内部参考文件）/中央访问团第二分团编. 22. 1951

楚雄区几个县的调查（楚雄区材料，云南民族情况汇集草稿 内部参考文件）/中央访问团第二分团编. 17. 1951

红河县思陀区哈尼族社会经济情况初步调查（摘要）/边疆工作通报第5期（内部文件）. 中共云南省委边疆工作委员会编. 1～17. 1954

元阳县猛弄乡硐浦寨初步调查/边疆工作通报第5期（内部文件）. 中共云南省委边疆工作委员会编印. 18～33. 1954

元阳县水普龙寨初步调查/边疆工作通报第5期（内部文件）. 中共云南省委边疆工作委员会编印. 34～44. 1954

元阳县麻粟寨初步调查/边疆工作通报第5期（内部文件）. 中共云南省委边疆工作委员会编印. 45～57. 1954

瑞丽县两个寨子的基本情况/边疆工作通报第7期（德宏傣族区社会经济调查专辑之二内部文件）. 中共云南省委边疆工作委员会编印. 20～31. 1954

潞西县遮放区遮冒寨初步调查/边疆工作通报第7期（德宏傣族区社会经济调查专辑之二 内部文件）. 中共云南省委边疆工作委员会编印. 1～20. 1954

潞西县傣族宗教情况初步调查/边疆工作通报第7期（德宏傣族区社会经济调查专辑之二 内部文件）. 中共云南省委边疆工作委员会编印. 32～44. 1954

潞西县傣族婚姻情况/边疆工作通报第7期（德宏傣族区社会经济调查专辑

之二　内部文件）．中共云南省委边疆工作委员会编印．44～54．1954

盈江县两个傣族寨子的调查/边疆工作通报第8期（德宏傣族区社会经济调查专辑之三内部文件）．中共云南省委边疆工作委员会编印．1～9．1954

梁河县第三区萝卜坝（傣名勐很）两个傣族寨子的基本情况/边疆工作通报第8期（德宏傣族区社会经济调查专辑之三　内部文件）．中共云南省委边疆工作委员会编印．10～17．1954

梁河县勐养乡（小陇川坝）初步调查/边疆工作通报第8期（德宏傣族区社会经济调查专辑之三　内部文件）．中共云南省委边疆工作委员会编印．18～33．1954

莲山县坝区三个寨子的基本情况/边疆工作通报第8期（德宏傣族区社会经济调查专辑之三　内部文件）．中共云南省委边疆工作委员会编印．34～44．1954

版纳景洪曼寫典寨土地关系初步调查/边疆工作通报第9期（西双版纳傣族社会经济调查专辑之二　内部文件）．中共云南省委边疆工作委员会编印．62．1954

云南省德宏区景颇族社会经济形态初步调查报告/边疆工作通报第10期（德宏区景颇族社会经济调查专辑之二　内部文件）．中共云南省委边疆工作委员会编印．115．1954

西双版纳土司制度初步调查/边疆工作通报第11期（西双版纳傣族区社会经济调查专辑之三　内部文件）．中共云南省委边疆工作委员会编印．1～18．1954

版纳景洪戛董行政村政治情况初步调查/边疆工作通报第11期（西双版纳傣族区社会经济调查专辑之三　内部文件）．中共云南省委边疆工作委员会编印．19～32．1954

沧源县一个卡瓦族寨子的初步调查/边疆工作通报第15期（内部文件）．中共云南省委边疆工作委员会编印．1～21．1954

沧源县岩帥卡瓦族社会情况初步调查/边疆工作通报第15期（内部文件）．中共云南省委边疆工作委员会编印．22～33．1954

福贡县鹿马登乡建立“爱国生产委员会”的过程和经验/边疆工作通报第18期（内部文件）．中共云南省委边疆工作委员会编印．1～13．1955

德宏自治区中小头人昆明参观团教育工作总结/边疆工作通报第18期（内部文件）．中共云南省委边疆工作委员会编印．14～21．1955

景颇族（山头族）情况（西南少数民族资料汇编初稿之一，内部参考）/西南民族学院编印. 64. 1952

云南“土家”族调查材料（内部文件）/中央民族学院研究部印. 19，1955

云南省“土佬”人情况调查报告（内部参考）/中央民族学院研究部编. 11. 1955

云南省“侬”人（包括天保、隆安三单位）情况调查报告初稿（内部参考）/中央民族学院研究部编. 13. 1955

西藏西部阿里之政治（仅供内部研究工作参考）/中央民族事务委员会第三司整理，中央民族事务委员会印编. 2. 1951

西藏经济情况摘要（仅供内部研究工作参考）/中央民族事务委员会第三司藏民研究班整理，中央民族事务委员会印编. 9. 1951

西藏经济材料（仅供内部研究工作参考）/青省委民海族部研究委员会编印，中央民族事务委员会印. 20. 1951

郎达典型村调查（仅供内部研究工作参考）/中央民族事务委员会印. 13，1951

岳堆牛场调查（仅供内部研究工作参考）/中央民族事务委员会印. 8. 1951

（四）综合资料

中国民族问题研究集刊（第 1－6 辑，内部刊物）/中央民族学院研究部编. 1955—1956 年. 1～6 册

关于达呼尔的民族成分识别问题/傅乐焕著，载《中国民族问题研究集刊》第一辑. 1～32 页

关于达呼尔语言问题的初步意见/王静如著，载《中国民族问题研究集刊》第一辑. 33～61 页

达呼尔氏族亲属和风俗习惯的调查报告/林耀华等著，载《中国民族问题研究集刊》第一辑. 62～88 页

关于达斡尔的来源/陈述著，载《中国民族问题研究集刊》第一辑. 89～121 页

关于“萨吉尔迪汗”和“根特木尔”的资料/傅乐焕著，载《中国民族问题研究集刊》第一辑. 122～143 页

波密简述/林耀华，王辅仁著，载《中国民族问题研究集刊》第二辑. 1～21 页

大凉山彝族社会情况/胡庆钧著，载《中国民族问题研究集刊》第二辑. 22～62页

景颇族情况/李志纯著，载《中国民族问题研究集刊》第二辑. 63～102页

卡瓦社会概况/费孝通著，载《中国民族问题研究集刊》第二辑. 103～140页

青海土族的政治演变/甘青地区调查组搜集，载《中国民族问题研究集刊》第三辑. 1～18页

青海土族的经济生活/甘青地区调查组搜集，载《中国民族问题研究集刊》第三辑. 19～36页

青海土族的语言/甘青地区调查组搜集，载《中国民族问题研究集刊》第三辑. 37～49页

青海土族民间信仰/甘青地区调查组搜集，载《中国民族问题研究集刊》第三辑. 50～61页

青海佑宁寺情况/甘青地区调查组搜集，载《中国民族问题研究集刊》第三辑. 62～75页

青海塔尔寺情况/甘青地区调查组搜集，载《中国民族问题研究集刊》第三辑. 76～95页

甘南夏河县甘家牧区生产概况/甘青地区调查组搜集，载《中国民族问题研究集刊》第三辑. 96～125页

达斡尔人的经济生活/东北内蒙调查组搜集，载《中国民族问题研究集刊》第三辑. 126～154页

湘西北的"土家"与古代的巴人/潘光旦著，载《中国民族问题研究集刊》第四辑. 1～134页

关于湘西土家语言的初步意见/王静如著，载《中国民族问题研究集刊》第四辑. 135～174页

湘西土家概况/汪明瑀著，载《中国民族问题研究集刊》第四辑. 175～196页

关于中国少数民族历史研究的情况和问题/翁独健著，载《中国民族问题研究集刊》第五辑. 1～8页

关于吐蕃国家时期的社会性质问题/王静如著，载《中国民族问题研究集刊》第五辑. 9～28页

维吾尔族历史分期问题/冯家昇著，载《中国民族问题研究集刊》第五辑.

29～59 页

满族在努尔哈齐时代的社会经济形态/王锺翰著，载《中国民族问题研究集刊》第五辑．60～92 页

大辽瓦解以后的契丹人/陈述著，载《中国民族问题研究集刊》第五辑．93～114 页

铁与女真人的发展/贾敬颜著，载《中国民族问题研究集刊》第五辑．115～126 页

明代女真人的分布/王锺翰著，载《中国民族问题研究集刊》第五辑．127～163 页

阿古柏的历史评价/程溯洛著，载《中国民族问题研究集刊》第五辑．164～179 页

苏联民族学近年来的成就/林耀华著，载《中国民族问题研究集刊》第六辑．1～8 页

当前民族工作提给民族学的几个任务/费孝通 林耀华著，载《中国民族问题研究集刊》第六辑．9～31 页

甘孜藏族自治州甘孜县麻书乡如西村调查报告/杨辛 张正明著，载《中国民族问题研究集刊》第六辑．32～73 页

"台"语与汉语/闻宥著，载《中国民族问题研究集刊》第六辑．74～124 页

论白族的白文/石锺健著，载《中国民族问题研究集刊》第六辑．125～144 页

关于清代满族的几个问题/傅乐焕著，载《中国民族问题研究集刊》第六辑．145～188 页

一个彝族地区底社会经济结构在明清两代迄解放前的发展过程/刘尧汉著，载《中国民族问题研究集刊》第六辑．189～216 页

关于撒拉族历史来源的问题/宋蜀华 王良志著，载《中国民族问题研究集刊》第六辑．217～227 页

关于通古斯语族（北支）各族名称的问题/陈雪白著，载《中国民族问题研究集刊》第六辑．228～241 页

十九世纪末期朝鲜人迁入延边自治州的发展/吕光天著，载《中国民族问题研究集刊》第六辑．242～263 页

西藏社会概况/（中国民族问题研究丛刊第一辑，内部刊物），中央民族学

院研究部编，1955 年 2 月. 150 页

维吾尔族史料简编（上，中国民族问题研究丛刊第二辑）/中央民族学院研究部编，1955 年 10 月. 177 页

维吾尔族史料简编（下，中国民族问题研究丛刊第二辑）/中央民族学院研究部编，1956 年 7 月. 300 页

社会性质调查参考提纲/全国人民代表大会民族委员会编印，1956 年 7 月. 13 页

社会性质调查参考提纲的修改意见及补充说明/中央民族学院印，1956 年 8 月. 24 页

初期封建社会性质调查参考提纲（初稿）/宋蜀华（草拟），中央民族学院研究部编，1956 年 6 月. 27 页

《原始社会调查提纲要点》/中央民族学院，1956 年 8 月. 19 页

中国民族志参考资料汇编（上篇）/中央民族学院历史系民族志教研室编印，1957 年 11 月. 156 页

中国民族志参考资料汇编（下篇）/中央民族学院历史系民族志教研室编印，1958 年 2 月. 122 页

彝语调查汇报（中国社会科学院少数民族语言调查第四工作队，上册）/彝族语言文字科学讨论会编，1956 年 12 月. 1 册

彝语调查汇报（中国社会科学院少数民族语言调查第四工作队，下册）/彝族语言文字科学讨论会编，1956 年 12 月. 1 册

彝语调查汇报附件（中国社会科学院少数民族语言调查第四工作队）/彝族语言文字科学讨论会编，1956 年 12 月. 1 册

西南彝志（第一卷：包括 16 个标题，11469 个老彝文）/贵州省毕节专员公署民委会翻译组翻印. 83，1957 年 5 月译. 1964 年 7 月修改

西南彝志（第二卷：包括 6 个标题，11388 个老彝文）/贵州省毕节专员公署民委会翻译组翻印. 81. 1957 年 8 月译. 1964 年 9 月修改

西南彝志（第三卷：包括 4 标题，13517 个老彝文）/贵州省毕节专员公署民委会翻译组翻印. 94. 1964 年 11 月

西南彝志（第四卷：包括 19 个标题，11249 个老彝文）/贵州省毕节专员公署民委会翻译组翻印. 80. 1957 年 12 月译. 1964 年 12 月修改

西南彝志（第五卷：包括 5 个标题，9563 个老彝文）/贵州省毕节专员公署民委会翻译组翻印. 67. 1958 年 2 月译. 1964 年 12 月修改

西南彝志（第六卷：包括8个标题，10548个老彝文）/贵州省毕节专员公署民委会翻译组翻印. 75. 1962年4月译. 1963年1月修改

西南彝志（第七卷：包括7个标题，13664个老彝文）/贵州省毕节专员公署民委会翻译组翻印. 95. 1958年4月译. 1965年3月修改

西南彝志（第八卷：包括2个标题，12947个老彝文）/贵州省毕节专员公署民委会翻译组翻印. 91. 1958年6月译. 1965年5月修改

西南彝志（第九卷：包括2个标题，13783个字）/贵州省毕节专员公署民委会翻译组翻印. 96. 1958年月8译. 1965年6月修改

西南彝志（第十卷：包括32个标题，15055个字）/贵州省毕节专员公署民委会翻译组翻印. 109. 1958年9月译. 1965年8月修改

西南彝志（第十七卷：包括13个标题，字）/贵州省毕节专员公署民委会翻译组翻印. 83. 1963年2月译

西南彝志（第十八卷：包括3个标题，10016个字）/贵州省毕节专员公署民委会翻译组翻印. 143. 1963年6月译

西南彝志（第十九卷：包括2个标题，17502个字）/贵州省毕节专员公署民委会翻译组翻印. 163. 1963年9月译

西南彝志（第二十卷：包括12个标题，14023个字）/贵州省毕节专员公署民委会翻译组翻印. 210. 1963年12月译

西南彝志（第二十一卷：包括9个标题，24000个字）/贵州省毕节专员公署民委会翻译组翻印. 205. 1964年3月译

西南彝志（第二十二卷：包括43三首歌，13060个老彝文）/贵州省毕节专员公署民委会翻译组翻印. 187. 1964年5月译

西南彝志（第二十三卷：包括6个标题，10096个字）/贵州省毕节专员公署民委会翻译组翻印. 69. 1965年10月译

西南彝志（第二十四卷：包括12个标题，12799个字）/贵州省毕节专员公署民委会翻译组翻印. 89. 1965年11月译

西南彝志（第二十五卷：包括11个标题，10756个字）/贵州省毕节专员公署民委会翻译组翻印. 75. 1965年12月译

（赵秀英）

·附录·

民族工作大事记（2005 年）

1 月 4 日 《中国民族报》报道，国家广电总局提出并实施的"村村通广播电视"工程，得到了党中央、国务院及地方各级党委、政府的高度重视和充分肯定，特别是西部地区，"村村通广播电视"工程发展迅速，广电系统工作者足迹踏遍了崇山峻岭，汗水洒遍了偏僻村寨。

《光明日报》报道，广西近年来精心挖掘本土民族文化资源，在精品文化的创作和生产上不断造出以"民歌"和"山水"为主导的系列文化品牌，并让它们成功地走向市场，探索出一条在多民族地区发展先进文化的新路子。

1 月 5 日 《人民日报》报道，中共中央政治局常委、国务院副总理黄菊近日在广西壮族自治区考察工作时强调，抓住战略机遇期，推进西部大开发，促进经济社会全面协调可持续发展。

《内蒙古日报》报道，内蒙古自治区贯彻民族区域自治政策，培养壮大民族干部队伍。目前，内蒙古自治区少数民族干部已达 19 万人，占全自治区干部总数的 1/4 强，这个比例明显高于占自治区总人口 21％的少数民族人口比例。

1 月 8 日 《光明日报》报道，新疆和田地区民丰县境内的西昆仑山区，有一片区域是藏羚羊西部种群重要繁殖地。目前，这里已经建起了第一个地州级自然保护区——和田地区西昆仑藏羚羊繁殖地自然保护区。

1月11日　《中国民族报》报道，2004年，民族地区（指5大自治区和云南、贵州、青海3个多民族省）经济延续上年稳定发展的好势头，整体呈现出速度快、效益好的良好态势。8省区前三季度GDP完成8985.65亿元，内蒙古GDP增速继续保持全国第一。

1月13日　从西藏自治区成立40周年大庆项目建设管理工作会议上获悉，今年国家将投资64亿元用于西藏自治区24个重点项目建设。这些项目涵盖了农业、工业、交通、能源、教育、文化、卫生及市政建设等多个领域，对西藏的发展产生巨大推动作用。（《西藏日报》1·22）

1月14日　《人民日报》报道，国家民委委员会议日前在北京召开，中共中央政治局委员、国务院副总理回良玉出席会议并讲话。他强调，进一步加强民族工作，促进少数民族和民族地区加快发展。

《云南日报》报道，我国民族地区贫困人口从1994年的4500万人减少到目前的1304万人。基诺族、布朗族等人口较少民族已基本实现整体脱贫。

外交部举行的西部部分省区对外交流与经贸合作研讨会在京举行。甘肃、陕西、宁夏、青海、新疆和内蒙古六省区的代表出席，共商西部对外交流与合作事宜。（《甘肃日报》1·22）

1月15日　西藏自治区发展咨询委员会第二次会议在蓉举行，由诸多享誉国内外的中国科学院、中国工程院院士和著名专家、学者组成的西藏自治区发展咨询委员会的委员们汇集成都，共商西藏跨越式发展大计，建言献策促政府民主决策科学决策。（《西藏日报》1·17）

1月21日　《中国文物报》报道，福建省泉州市近日正式公布了《泉州市民族民间文化保护工程综合性试点工作方案》，这标志着泉州市民族民间文化保护工程全面启动。

中国艺术研究院召集全国各省区市艺术研究院（所）长，在京举行了《中国戏曲剧种音像资料库》工程正式启动会议。共同探讨我国戏曲艺术遗产的保护，并就编纂《中国少数民族戏剧》一书进行了磋商。(《中国民族报》1·25)

1月24日 《光明日报》报道，饱受教育落后、人才匮乏之苦的边疆民族地区云南省，逐年加大财政对教育的投入力度，2004年全省用于教育事业的财政支出实现历史性突破，首次达到111.72亿元，比上年增加18.54亿元，增长19.9%，创历史新高。由于投入大幅度增长，云南各地特别是农村和边疆少数民族贫困地区的办学条件得到明显改善，人均受教育年限不断提高。

1月25日 《中国民族报》报道，2004年是民族文化异彩纷呈的一年。演出、奖项、展览、各种文化活动从南到北，好戏连台；抢救、整理、挖掘、保护民族民间文化受到从中央到地方的空前重视。正月初一到初七，中央电视台推出首届"CCTV西部民歌电视大赛"，侗族的大歌、苗族的对歌、羌族的多声部合唱、藏族的"拉伊"、蒙古族的呼麦，以及陕北的信天游、青海的"花儿"等，这些在山谷里、高原上、田野里传唱千百年的民歌，第一次亮相于国家级电视台屏幕。

2月3日 国家主席胡锦涛今天在人民大会堂亲切接受了第十一世班禅额尔德尼·确吉杰布的拜见。胡锦涛表示，党中央、国务院对第十一世班禅十分关心，藏族同胞和藏传佛教界对他寄予厚望，希望第十一世班禅适应时代发展和社会进步的要求，加强自身修养，加强对宗教和文化知识的学习，成为爱国爱教的典范。胡锦涛指出，当前，我国民族团结，宗教和睦的良好局面更加巩固。在中央的关心和全国人民的大力支援下，西藏继续保持经济社会较快发展，西藏进入了历史上最好的发展时期。(《人民日报》2·4)

2月3—5日 中共中央政治局委员、国务院副总理回良玉在贵州考察，深入紫云苗族布依族自治县和镇宁布依族苗族自治县等地看望农村贫困户、退伍军人、军烈属、残疾人、少数民族家庭。他强调，真情关心贫困地区，真心关爱困难群众，切实做好扶贫优

抚助残工作。（《贵州日报》2·6）

2月4日　西部大开发五周年座谈会在人民大会堂召开。中共中央总书记、国家主席、中央军委主席胡锦涛就西部大开发作出重要指示，他强调，坚持用科学发展观统领工作，坚定不移地推进西部大开发。（《人民日报》2·6）

2月6日　贵州民族民俗博物馆在贵阳市白云区开馆，首次展出著名布依族艺术家刘雍的作品和藏品680件。（《贵州日报》2·8）

2月7—11日　中共中央总书记、国家主席、中央军委主席胡锦涛来到贵州黔西南布依族苗族自治州，看望劳动模范和各族群众。胡锦涛强调，以科学发展观统领经济社会发展全局，努力推动现代化建设又快又好地发展，各级党委和政府要坚持立党为公，执政为民，各族干部群众要坚持团结一心、艰苦奋斗，为不断推进经济社会发展、创造更加美好的生活而不懈努力。（《人民日报》2·9）

2月17日　《四川日报》报道，四川省6个少数民族聚居县通过“两基”验收，全省“两基”人口覆盖率达到96.24%，实现了基本普及九年义务教育，基本扫除青壮年文盲的目标。

2月21日　《文汇报》报道，我国民族自治地方的民族中小学根据有关法律规定，实行民族语文授课和汉语教学“双语”教育制度。民族自治地方的民族中小学“双语”教育近年来得到进一步重视和加强，为确保民族语文授课的顺利进行，国家和地方财政设立了民族文字教材专项补助经费。目前，全国共有1万多所民族中小学使用21种民族语言开展民、汉“双语”教学。

2月22日《中国民族报》报道，为认真落实贯彻中央关于“巩固边防、睦邻友好、兴边富民、维护稳定”的战略方针，切实加快云南省边境地区经济社会发展，近日，云南省委、省政府决定在8个州市25个边境县（市）全面实施兴边富民工程，三年办好30件惠民实事，投入200亿元资金建设一批重大项目。

《中国民族报》报道，前不久，国家食品药品监督管理局颁布了第5次调整后的2004版《国家基本药物制剂品种目录》，其中民族药品种达到78个，蒙古族药、彝族药、傣族药首次进入。

2月23日　随着科学技术的发展，经济的发展和群众消费水平的提高，普通电话已经不能适应部分消费群体的需要。西藏自治区电信公司非常重视可视电话业务，经过3个月的设备安装和网络调试，拉萨电信分公司可视电话网络获得成功。（《西藏日报》2·26）

2月28日　国务院新闻办公室召开新闻发布会，发表了《中国的民族区域自治》白皮书，全面介绍了我国的民族区域自治制度及民族自治地方的发展状况。这是我国第一次发表民族区域自治白皮书。（《中国民族报》3·1）

3月1日　政协第十届全国委员会常务委员会上午举行第五次学习讲座。中国社会科学院郝时远研究员和中央民族大学杨圣敏教授作了《世界民族、宗教的形式和我国民族、宗教的几个问题》的报告，向常委会组成人员介绍了当今世界民族、宗教问题的历史背景、主要特征、总体态势和基本走向，我国民族、宗教问题的基本状况以及大家普遍关注的几个重大问题。贾庆林强调，进一步增强做好民族、宗教工作的责任感和紧迫感，为开创新世纪新阶段民族、宗教工作新局面作出应有贡献。（《光明日报》3·2）

3月2日　国家民委召开党组扩大会议，传达贯彻胡锦涛总书记在省部级主要领导干部提高构建社会主义和谐社会能力专题研讨班上的重要讲话。国家民委党组成员、专职委员，机关各部委、在京委属各单位主要负责人出席会议。国家民委党组书记、主任李德洙强调，构建和谐社会，民族工作任重道远。民族工作者要加强对构建社会主义和谐社会实际和理论问题的调查研究，在实际工作和理论研究中不断丰富和发展这一理论。（《中国民族报》3·4）

3月3日《在那遥远的地方——可爱的青海》青海民族民间文化北京行暨支持藏羚羊申请奥运吉祥物活动在首都图书馆拉开帷幕。通过图片、实物和民族民间歌舞展演、民间工艺品制作等，集中展示藏族、回族、蒙古族和青海独有的两个民族——撒拉族、土族靓丽多彩的民族传统服饰、独特的民族歌舞艺术。（《青海日报》3·4）

3月5日　中共中央总书记、国家主席、中央军委主席胡锦涛今天下午在参加十届全国人大三次会议西藏代表团审议时指出，要坚持以科学发展观统领经济社会发展全局，把各族人民群众的利益落实到发展的各方面。（《人民日报》3·6）

3月6日　国务委员陈至立参加甘肃代表团对《政府工作报告》的意见的讨论。陈至立强调，要从贯彻落实科学发展观和构建社会主义和谐社会的高度，切实采取有力措施，解决西部地区教育困难问题，支持西部地区人才队伍建设，为西部地区全面建设小康社会提供科技支撑和人才保证。（《甘肃日报》3·7）

3月8日　胡锦涛总书记参加了十届全国人大三次会议新疆代表团的审议。在听取代表们的发言后，他说，西部地区要抓住我国全面建设小康社会和实施西部大开发战略的机遇，全面落实科学发展观。胡锦涛强调，构建社会主义和谐社会，要求我们牢固树立马克思主义民族观、宗教观，全面贯彻党的民族政策和宗教政策，坚持和完善民族区域自治制度，切实做好民族工作和宗教工作，进一步形成各民族工作群众同呼吸、共命运、心连心的社会政治局面。（《新疆日报》3·9）

3月12日　内蒙古自治区与清华大学区校合作座谈会暨签约仪式在北京举行。内蒙古自治区与清华大学一直保持着在经济、科技、教育等方面的交流合作。从2001年至今，清华大学与内蒙古自治区共在31个项目上合作，累计项目经费一千多万元，产生了较好的经济效益和社会效益。（《内蒙古日报》3·13）

3月14日　雅库特、乌钦、达斯坦、赞哈调……这些现在人们听来十分陌生的名词，是中国现存不多的少数民族说唱形式的代表。专家呼吁，这些面临着生存困境的少数民族说唱艺术遗产亟待抢救和保护。（《新华网》）

3月15日　外交部发言人就达赖喇嘛接受《南华日报》采访时的有关讲话指出，中央政府对达赖的政策是一贯的、明确的。中央政府对达赖既听其言更观其行。达赖如果真的希望改善与中央的关系，就应当全面、客观地看待现实，真正放弃“西藏独立”的主张，停止一切分裂祖国的活动，公开声明承认西藏是中国不可分割的一部分，台湾是中国不可分割的一部分，中华人民共和国政府是代表全中国的唯一合法政府。（《中国民族报》3·18）

3月17—28日 北京市政协和民主党派组成的联合调研组先后走访了东城、西城、宣武3个少数民族聚居社区，对少数民族聚居社区建设中存在的问题，进行广泛而深入的调研。同时，调研组还将对北京市其他15个区县的少数民族聚居地区的社区建设情况进行调研。（《中国民族报》3·29）

3月18日 《光明日报》报道，为庆祝西藏自治区成立40周年，由中共中央统战部、中国国际电视总公司、星美影视文化投资有限公司联合拍摄的20集重大革命历史题材连续剧《格达活佛》近日开机。《格达活佛》取材五世纪格达活佛的真实历史事件，讲述了格达活佛为了民族存亡，和平大业赴汤蹈火、死而后已的伟大业绩，真实生动、震撼人心地展示了波澜壮阔的历史历程。

3月18—22日 中共中央政治局常委、全国人大常委会委员长吴邦国在宁夏回族自治区考察工作。他深入到社区、乡村、医院、煤矿和企业看望基层干部和群众，了解少数民族地区经济发展情况和各族人民的生产生活情况。吴邦国强调，坚持用科学发展观统领经济社会发展全局，努力构建社会主义和谐社会。（《人民日报》3·22）

3月21—24日 广西壮族自治区党政代表团到贵州省考察访问。为了进一步扩大对内对外开放，贵州省与广西壮族自治区在认真准备的基础上，共同签订了《关于进一步加强两省经济社会领域合作与发展的框架协议》。（《贵州日报》3·25）

3月22日 《中国民族报》报道，西藏大学文学院副教授嘎玛赤列在3年时间里用8种藏文书体书写了长131米的大型藏文书法卷轴，近日被列入大世界吉尼斯之最藏文书体最多的作品，向世人展示了古老优美的藏文书法艺术的魅力。

3月23日 《中国文物报》报道，由国家批准立项的新疆楼兰古城遗址保护工程日前基本完工，新建成的钢网围栏和遗址周围，数十个高大的雅丹形成一道屏障，可帮助历经千年风沙侵蚀的古城堡谢绝不速之客的打扰。

3月24日 《青海日报》报道，青海省机关工委下发《关于进一步做好省直机关民族团结进步创建工作的实施意见》，《实施意见》强调，各部门、各单位要按照科学发展观要求，突出各民族“共同团结奋斗、共同繁荣发展”的主题，不断提高省直机关各级党政组织和领导干部执行党的民族宗教政策的水平和正确处理民族宗教问题的能力，努力在培育民族特色经济和优势产业方面发挥主导作用。

3月25日 由云南省委、省政府举办的文化产业高级研讨班结束。从尊重文学创作规律出发，云南省委、省政府积极营造心情舒畅、活跃自由的创作气氛，帮助艺术家贴近实际、贴近生活、贴近群众，汲取文化源泉出精品，全面繁荣民族文艺创作。（《人民日报》3·26）

《中国民族报》报道，为巩固和发展平等、团结、互助的社会主义民族关系，促进少数民族和民族地区经济社会繁荣进步，实现各少数民族和谐发展，我国将编制少数民族事业“十一五”（2006—2010）规划。这是我国第一次编制中国少数民族事业五年规划。由国家民委主持编制少数民族事业“十一五”规划。

3月28日 黔桂铁路扩能改造工程贵州段开工，这是贵州省实施西部大开发又一重要工程。黔桂铁路扩能改造工程贵州段开工建设，充分体现了党中央、国务院对贵州经济社会发展的高度重视和亲切关怀，充分体现了铁道部贯彻落实中央实施西部大开发战略的坚强决心和对山区、老区、少数民族地区各民族人民的深情厚谊。（《贵州日报》3·29）

3月28—31日 全国政协副主席、中央统战部部长刘延东在贵州调研时强调，统一战线要坚持以邓小平理论和“三个代表”重

要思想为指导，牢固树立和落实科学发展观，努力促进少数民族地区经济社会全面发展。（《贵州日报》4·1）

4月6—8日　中共中央政治局委员、国务院副总理曾培炎在贵州考察工作，并与中西部地区部分省份负责人进行了座谈。曾培炎强调，要高度重视城乡统筹，大力发展特色经济，促进中西部全面协调可持续发展。（《贵州日报》4·11）

4月9日　第九届中国东西部合作与投资贸易洽谈会在西安闭幕。国内27个省、市、自治区代表团和1700多名境内外客商等近十万人参加了洽谈会，进行了全方位的投资洽谈，以区域互动的方式推动中国东西部经济的协调发展，开创了东西部全方位、宽领域、多层次的交流与合作，实现区域经济协调发展的新格局。（《文汇报》4·19）

4月11—13日　《苗族通史》编委会会议在镇远县召开，我国第一部苗族历史巨著《苗族通史》已告杀青，即将付梓。（《贵州日报》4·18）

4月12日　西盟佤族自治县庆祝成立四十周年，第三届中国佤族木鼓节同时举行。全国人大民委、国家民委、中共云南省委、省人大常委会、省政府、省政协发贺电祝贺。（《云南日报》4·14）

4月15日　四川省民族工委全体委员会议在成都举行。会议强调，要按照科学发展观的要求，围绕“共同团结奋斗，共同繁荣发展”的民族工作主题，推进民族地区协调发展。（《四川日报》4·16）

4月16日　广西上万名壮族群众在百色市田阳县百育镇的壮民族“圣山”——敢壮山举行盛大仪式，共同虔诚祭拜壮民族的人文始祖布洛陀。这是广西首次公祭布洛陀。（《中国民族报》4·19）

云南省首部反映佤族题材的21集电视连续剧《云南往事》在临沧市开机。丹增出席开机仪式并受聘为总顾问。（《云南日报》4·18）

4月19日　来自甘肃全省的文化局长180余人参加了甘肃省民族民间文化保护工程培训班。2005年起，甘肃省将每年设立150

万元专项资金，为保护甘肃的民族民间文化加油。（《中国民族报》4·29）

4月17日　《甘肃日报》报道，以大型数字展示技术为核心的敦煌莫高窟保护利用设施建设项目进展顺利：洞窟实景虚拟漫游、多媒体展示、主题数字电影验证样片目前已制作完成。

4月22日　宁夏自治区和教育部共建宁夏大学签字仪式在宁夏大学举行。宁夏自治区和教育部共建宁夏大学，是教育部落实西部大开发战略、坚持科教兴国、推进教育改革和高等教育创新的又一重大举措。此举旨在加快宁夏大学改革、建设与发展的步伐，使之成为我国西部少数民族地区高素质人才培养的重要基地之一。（《宁夏日报》4·23）

《中国民族报》报道，复旦大学生命科学院近日的一个DNA项目研究结果表明：中国56个民族中，汉族与藏族的血缘关系最近。这一研究结果再次为“汉藏同源”这一说法提供了有力的科学依据。

4月26日　西北民族大学、上海古籍出版社联合在京举行了海外民族文献研究与出版会议暨签字仪式。流失海外的敦煌藏文文献将编纂出版。（《中国民族报》4·29）

4月29日　《中国民族报》报道，从今年起，中央有关部门将大幅度提高西藏农牧民子女教育“三包”标准，这是西藏农牧民子女教育“三包”政策历史上增长幅度最大、安排资金最多的一次。

4月30日—5月5日　中共中央政治局委员、国务院总理温家宝在青海考察时指出，发扬艰苦奋斗的创业精神，推进西部大开发的宏伟战略。温总理专程来到海拔2800多米的格尔木市看望各行各业的劳动模范。温家宝说，劳动模范是社会主义劳动者和建设者的优秀代表。我国改革开放和现代化建设所取得的巨大成就，凝聚着劳动模范无私的奉献和创造性劳动。温家宝希望劳动模范再接再厉，在各方面做出更优异的成绩。（《人民日报》5·3）

5月1—3日　“元谋人”化石发现四十周年纪念会暨“元谋人”文化国际研讨会在元谋县召开，来自国内外的92名人类学专家学者参会。(《云南日报》5·2)

5月4日　“五四”青年节，中共中央总书记、国家主席、中央军委主席胡锦涛给新疆维吾尔自治区尉犁县达西村青年买卖提·沙吾尔等回信，勉励农村团员青年为建设社会主义新农村贡献智慧和力量。(《人民日报》5·5)

5月11日　国务院第89次常务会议通过，《国务院实施〈中华人民共和国民族区域自治法〉若干规定》，自2005年5月31日起施行。(《人民日报》5·27)

《云南日报》报道，国务院西部开发办公室调研组赴滇调研。云南省政府向调研组汇报了退耕还林实施情况。调研组认为，云南省的退耕还林工作扎实，成效突出，在全国范围内作出了表率。

5月16日　国务院总理温家宝主持召开国务院西部地区开发领导小组第三次全体会议，并作重要讲话。他强调，要坚定不移地贯彻落实党中央、国务院关于实施西部大开发的战略部署，坚持用科学发展观统领西部大开发工作，积极进取，注重实效，扎扎实实地把西部大开发推向前进。(《人民日报》5·18)

《甘肃日报》报道，近日，肃南裕固族自治县组织相关人员，深入基层和牧户，对裕固族民歌和服饰的历史渊源、主要特色、表现形式、遗存物等进行全面细致地普查摸底。甘肃省2005年起每年设立150万元专项基金发展民族民间文化保护工程，裕固族民歌和服饰保护被列为全省民族民间文化保护工程。

5月16—19日　全国民族高等院校图书馆工作委员会会议在中央民族干部学院召开。与会的20多个民族高校图书馆代表交流了各自的管理经验。会议还通过了新的全国民族高等院校图书馆工作委员会章程。(《中国民族报》5·24)

5月17日　国家民委在西北民族大学召开了少数民族教育事业“十一五”发展规划研讨会。研讨会就进一步办好民族院校，加

快民族高校教育发展进行了深入讨论。（《中国民族报》5·24）

5月18日　国务院总理温家宝主持召开国务院常务会议，讨论并原则通过《扶持人口较少民族发展规划（2005—2010年）》。会议要求，各有关地区和部门要高度重视扶持人口较少民族发展工作，按照国家扶持、省（区）负总责、县抓落实、整村推进的原则，加大力度和资金投入，并组织沿海发达地区和大中城市、大中企业对口帮扶，通过5年努力，使这些地区经济社会发展达到当地中等或中等以上水平。（《光明日报》5·19）

5月20日　中央电台在京举行少数民族语言广播55周年座谈会。中央人民广播电台1950年开播少数民族语言广播，目前覆盖的领域可为国内2500万、国外近1亿听众提供新闻信息服务。（《人民日报》5·21）

5月25—26日　国务院西部开发办公室在四川召开座谈会。会议提出，要把加快发展西部地区特色优势产业摆上重要日程，力争今年取得重大进展。（《四川日报》5·27）

5月25日　《人民日报》报道，我国民族地区经济社会发展迈上新台阶。2000年到2004年5年来生产总值年均增长10.1%，城乡居民收入逐年上升，民族团结进步模范不断涌现。

5月27—28日　中央民族工作会议暨国务院第四次全国民族团结进步表彰大会在北京人民大会堂举行。中共中央总书记、国家主席、中央军委主席胡锦涛出席大会并发表重要讲话，他强调：民族问题始终是我们建设中国特色社会主义必需处理好的一个重要问题，民族工作始终是关系党和人民事业发展全局的一项重大工作。必须从党和人民事业发展全局的高度深刻认识做好民族工作的重要性和紧迫性，进一步增强做好民族工作的责任感，不断巩固和发展平等、团结、互助、和谐的社会主义民族关系，促进各民族共同团结奋斗、共同繁荣发展。国务院总理温家宝在中央民族工作会议闭幕会上强调，贯彻落实民族发展观，加快少数民族和民族地区发展。（《人民日报》5·28，5·29）

5月31日 中共中央政治局召开会议，研究和部署进一步加强民族工作、加快少数民族和民族地区经济社会发展。中共中央总书记胡锦涛主持会议。会议审议了《中共中央、国务院关于进一步加强民族工作，加快少数民族和民族地区经济社会发展的决定》。（《光明日报》6·1）

6月1日 由中国博物馆学会、贵州省文化厅主办的贵州生态博物馆群建成暨国际学术论坛在贵阳举行。来自挪威、法国、英国、意大利、印度尼西亚、中国等14个国家的一百余名专家学者聚集一堂，从不同的文化背景和角度，深入研讨生态博物馆的生存、实践和发展之路。（《贵州日报》6·2）

6月6日 《贵州民族报》报道，贵州生态博物馆群建成暨国际学术论坛在贵阳召开，我国目前已先后在贵州、广西、内蒙等地建成苗族、布依族、汉族、侗族、瑶族、蒙古族等7座生态博物馆。

6月7日 目前中蒙两国专家正在对蒙古族长调申报联合国"人类口头和非物质遗产代表作"的申报文本进行合成，准备向联合国教科文组织开展联合申报活动。今天，中蒙两国已在蒙古国的乌兰巴托签署了有关这一古老艺术的联合申报协议。（《内蒙古日报》6·18）

6月8日 由国家民委和内蒙古湖色绿实业有限公司共同投资兴建的"民族团结林"在内蒙古揭牌。（《中国民族报》6·14）

6月12日 《内蒙古日报》报道，由北京大学外国语学院、中国蒙古文学学会、北京大学东方文学研究中心、北京大学蒙古学研究中心、民族出版社、《内蒙古大学学报》杂志社、《中国蒙古学》杂志社、《内蒙古民族大学》杂志社联合主办的蒙古族文学与比较文学学术研讨会在北京举行。

6月15日 由贵州省社科院主办、香港乐施会资助的"中国贵州反贫困论坛与开发式扶贫研讨会"在贵阳举行。论坛旨在汇聚全国、全省反贫困智力资源，共商反贫困大计，为实现贵州省经济

社会发展的历史性跨越提供理论支持。(《贵州日报》6·16)

6月16—17日　受国务院办公厅的委托，国家发改委在四川成都召开了西藏经济社会发展工作座谈会。本次会议的主要议题是研究西藏“十一五”经济社会发展的总体思路、重大问题与政策建议。(西藏日报) 6·20)

6月17—21日　中共中央政治局常委、国家副主席曾庆红在内蒙古进行了考察，他强调，抓住新世纪新阶段民族工作主题，努力实现经济社会又快又好发展。(《人民日报》6·22)

6月18日　《中国教育报》报道，西藏大学102名工科本科毕业生已圆满完成学业并将顺利毕业，奔赴西藏各地，投入到西藏的经济建设中去。这标志着西藏大学工科本科人才实现了从无到有的突破，它改变了西藏地区无自已培养的工科本科人才的历史，这对于西藏地区的经济发展和社会进步将产生深远的意义。

6月23日　国家教育部实施“援疆学科建设计划”工作会议在乌鲁木齐召开。该计划的主要任务是：以学科建设为重点，在一些国家重点建设高校中，每个学校选择3个左右实力较强的一级学科，分别对口支援新疆高校中符合学科结合调整需要、急需发展又具有一定基础的相应学科，从而形成对新疆高校“以点带面、点面结合”的对口支援格局，带动新疆受援高校整体实力和水平的提高。(《新疆日报》6·24)

6月23—24日　国家教育部部长周济对乌鲁木齐、昌吉等地的基础教育、职业教育进行考察。他指出，教育是少数民族地区发展的根本大计。少数民族地区更要全面推进素质教育战略，大力实施职业教育，为经济发展培养更多高素质的劳动力。(《新疆日报》6·25)

6月27日　2005年度格西拉让巴终考结束，6名高僧获得格西拉让巴学位（相当于佛学博士），这标志着已经中断16年的藏传佛教学经僧人考取格西拉让巴的传统宗教仪轨从此得以恢复。(《人民日报》6·28)

全国散杂居民民族经济工作现场经验交流会在河南召开，来自全国散杂居地区23个省市民族经济工作部门的人员参加了大会。散杂居民族经济工作是全国民族经济工作的重要组成部分。我国少数民族人口约1/3分布在散杂居地区，人口达三千多万。

6月29日　各族群众盼望已久的新疆丝绸之路博物馆在乌鲁木齐开馆。展馆面积5850平方米，设有综合馆、民族馆、草原艺术馆、玉文化馆四个基本陈列馆和三个专题厅。(《新疆日报》7·1)

7月4日　《内蒙古日报》报道，内蒙古文化出版社进入全国百强。

7月5—7日　中共中央政治局常委、国务院总理温家宝在出席大湄公河次区域经济合作第二次领导人会议后，就少数民族地区经济社会发展问题到云南昆明市、西双版纳州调研。温总理指出，要把西南边陲建设得更美好。(《光明日报》7·8)

7月7日　中国第八届少数民族文学创作“骏马奖”揭晓，来自15个民族的32位少数民族作家获此殊荣，其中1/3的作品以少数民族文字创作。(《中国民族报》7·8)

7月8日　中国东方航空公司云南公司正式开通了昆明—香格里拉—拉萨航线，架通了世界屋脊与云南的空中通道，这将对促进云南与西藏的经贸、旅游和文化交流起到积极的推动作用。(《云南日报》7·9)

7月9日　《青海日报》报道，果洛藏族自治州23个偏远乡用上卫星电话。

7月12日　西部12省区（市）和新疆生产建设兵团共13个合作方共同签署了西部12省区（市）人才开发合作协议。西部12省区（市）人才开发合作协议的签订，是西部省区（市）人才开发领域第一次跨区域合作，标志着西部人才资源开发已由地缘性区域合作向跨区域战略性合作迈进。(《内蒙古日报》7·13)

7月15日　庆祝西藏自治区成立40周年，“雪域明珠——中国西藏文化周”在香港开幕，贾庆林致信祝贺。(《人民日报》7·16)

7月16日　贵州省布依学会布依文化研讨会在贵定县盘江镇举行。来自各条战线、各个层次的布依族专家、学者就布依族非物质文化保护、传承和开发利用等问题进行了交流和研讨，并对发展布依族乡村旅游提出了许多意见和建议。（《贵州民族报》7·21）

7月17—20日　草原文化高层论坛暨14省区社科院院长联席会议在呼伦贝尔市召开。此次会议作为研究草原文化、交流学术成果的重要平台，在加强草原文化理论体系建设、挖掘整理草原文化资源、繁荣发展草原文化等方面，具有十分重要的作用。（《内蒙古日报》7·18）

7月18日　温家宝在中国地质大学（武汉）志愿到西部服务和就业的2005届本科毕业生来信上批示，鼓励广大高校毕业生面向基层、面向西部服务和就业。（《光明日报》7·19）

7月20日　《光明日报》报道，新疆自2000年开始实施西部开发助学工程以来，共有575名大学生和400高中生受到资助。

7月21日　《云南日报》报道，怒江傈僳族自治州为促进边疆少数民族经济健康协调发展，作出重大战略决策："打造东方峡谷品牌、开发水电有色基地、建设经济林果项目"。当地各族干部群众正在掀起大规模种植核桃、漆树、花椒等经济林果的热潮。

7月22日《中国民族报》报道，事隔14年后，大型民族文献《民族问题五种丛书》修订工作全面启动，并将2008年民族学人类学世界大会召开之前陆续出版。

7月25日　《光明日报》报道，近日，来自文化部、国家民委、中国社科院、国家博物馆、人民大学、中央民大以及西北、西南各相关高校的百余名专家学者，聚会（兰州）西北民族大学，研讨实施西北民族民间非物质文化遗产保护的问题。会上成立了西北民族非物质文化遗产研究中心，并举行了挂牌仪式。

7月26日　《光明日报》报道，云南省红河哈尼族彝族自治州今日召开南部发展暨"兴边富民"会议，决定进一步采取对口帮扶、减免农业税、下放投资项目审批权限等措施，加快红河州南部落后地区的发展。

7月28—29日 “中国·秦直道与草原文化研讨会”在鄂尔多斯市召开。来自全国各地的三十多位专家学者研讨了“秦直道”的修建目的、重要意义和对草原文化的深远影响。(《内蒙古日报》8·1)

7月30日 《内蒙古日报》报道，近日蒙古文信息处理技术标准化研讨会在呼和浩特市召开。来自国家民委、内蒙古自治区民委和呼伦贝尔市民委的有关领导出席了会议。来自北京和自治区有关单位的专家就当前蒙古文信息处理技术标准化中所取得的经验、存在的问题以及未来发展方向进行了讨论。

8月3日 西部地区政协少数民族教育研讨会在乌鲁木齐召开。研讨会主要就少数民族教育中推广双语教学情况进行了交流。(《新疆日报》8·4)

西部六省区和美国、俄罗斯、奥地利、德国、哈萨克斯坦等国的专家相聚在乌鲁木齐，共同探讨在西部开发中如何实现可持续发展。(《新疆日报》8·4)

8月5日 甘肃省省长陆浩、西藏自治区主席向平巴措在拉萨签署了《甘肃省与西藏自治区合作框架协议》。双方将发挥各自优势，加强经贸合作，促进共同发展。(《甘肃日报》8·7)

8月6日 由国家人口计生委总协调，西北五省区和新疆建设兵团共同主办的“人口、发展、和谐、合作”为主题的西北地区人口与发展论坛在西宁召开。(《青海日报》8·7)

8月14日 以“落实科学发展，共谋合作新跨越”为主题的六省区市经济协调会第20次会议在贵阳召开。来自重庆、云南、四川、广西、西藏、贵州六省区市两百多位相关人员出席本次会议。(《贵州日报》8·15)

8月15日 第八届中国西部科技进步与经济社会发展专家论坛在兰州市举行，会议主题为“西部大开发与构建社会社会主义和谐社会”。(《甘肃日报》8·16)

8月17日　《清史·典志》满族及东北少数民族工作会议暨敦化——清皇室发祥地研讨会在敦化召开。研讨会上，专家学者们就敦化是清朝皇室发祥地鄂多里城的问题进行了论证。（《吉林日报》8·18）

8月19日　由内蒙古社会科学院、内蒙古大学、内蒙古师范大学联合主办的“中国蒙古学国际学术讨论会”在呼和浩特召开。来自世界各国的九十多名蒙古学学者及国内（包括港澳台地区）的180名蒙古学学者出席了会议。本次会议分成语言、文学、历史与文献、草原文化与民俗四个分会。会议以蒙古语言文字学、蒙古文学、蒙古历史与文献、草原文化与蒙古族民俗学等五大分学科为主要内容展开了学术研讨。（《中国民族报》8·19）

8月20日　云南省民族工作会议暨第五次民族团结进步表彰大会在昆明召开。会议提出，牢牢把握各民族共同奋斗、共同繁荣发展这个新世纪新阶段民族工作的主题，把全省各族人民的智慧和力量凝聚到全面建设小康社会上来，千方百计加快少数民族和民族地区的社会发展。（《云南日报》8·21）

8月23日　《光明日报》报道，旧社会，整个西藏没有一所现代意义上的正规学校，而到2004年底，全自治区有各级各类学校2556所。从0到2556，西藏形成现代民族教育体系。

8月25日　湖南省麻阳苗族自治县举办了省内外苗学研究专家、学者、权威人士参加的研讨会。就打造“中国苗族文化长廊”工程，再次进行专家论证，以确保“中国苗族文化长廊”建设能保证苗族历史文化的严谨性和完整性。（《中国民族报》9·9）

8月25—26日　中国首届河套文化艺术节暨河套文化研讨会在巴彦淖尔市召开，同时成立了河套文化研究促进会。来自中国社会科学院、北京大学、清华大学、中国人民大学、北京师范大学等单位的上百名专家学者参加了研讨会。（《光明日报》8·24）

8月26日　在西藏自治区成立40周年之际，中共中央政治局召开会议，研究进一步做好新世纪新阶段的西藏工作。中共中央总书记胡锦涛主持会议。会议指出，西藏工作在党和国家全局工作中具有重要地位。新世纪新阶段，牢牢把握和切实用好重要战略机遇，进一步做好西藏发展、稳定的工作，建设团结、民主、富裕、文明、和谐的社会主义新西藏，对于实现全面建设小康社会的宏伟目标，维护祖国统一和国家安全，推动我国各民族共同团结奋斗、共同繁荣发展，具有十分重要的意义。（《人民日报》8·27）

8月26—28日　故宫博物院80华诞暨国际清史研讨会在人民大会堂召开。来自美国、德国、英国、法国、日本、加拿大、俄罗斯、哈萨克斯坦、澳大利亚四十余位学者及中国百余位专家学者出席了会议。大家就清史研究的多个专题进行了分组讨论（《中国文物报》8·31）

8月29—30日　党中央、国务院高度重视扶持人口较少民族发展。胡锦涛、温家宝作出重要指示，要大力扶持人口较少民族加快发展。国务院在京召开全国扶持人口较少民族发展工作会议，贯彻中央领导同志的重要指示精神，安排部署扶持人口较少民族加快发展的工作。

8月30日　《中国民族报》报道，首届宗教与民族学术论坛在新疆乌鲁木齐市召开。来自全国各地从事民族与宗教关系研究的学者六十余人出席会议。与会者从不同的角度就学科建设提出了一系列建议，并就遇到的问题进行了探讨。

国务院在青海省西宁市召开的西部产业发展和结构调整工作座谈会，中共中央政治局委员、国务院副总理曾培炎出席会议并讲话，曾培炎强调，大力发展西部特色优势产业，不断增强西部地区自我发展能力。（《青海日报》9·1）

9月1日　西藏各族各界2万余人欢聚布达拉宫广场，庆祝召开西藏自治区成立40周年大会。中共中央、全国人大常委会、国务院、全国政协、中央军委向庆祝大会发来贺电。胡锦涛为西藏自治区成立40周年题写了“共同团结奋斗，共同繁荣发展”的贺幛。贾庆林率中央代表团出席大会并发表了重要讲话。（《光明日报》9·2）

9月4日　青海省党政代表团在西藏与西藏自治区签订青海省和西藏自治区合作协议。两省区就进一步增进经贸、文化等领域的交流与合作，构建具有区域经济特色的“青藏经济协作区”达成协议。（《青海日报》9·5）

9月6日　国家民族事务委员会副主任杨健强在国务院新闻办公室举行的新闻发布会上表示，国家将投入16亿元，分期分批改变人口较少民族聚居地区的面貌，人口较少民族将在5年内脱贫。（《中国民族报》9·9）

内蒙古自治区政府决定，每年的9月6日为内蒙古自治区草原文化遗产保护日。内蒙古自治区成为全国第一个设立文化遗产保护日的省区。（《内蒙古日报》9·5）

9月9—13日　《光明日报》报道，中共中央政治局常委、国务院副总理黄菊在云南考察时指出，云南是西部地区、边疆地区、多民族地区，必须紧紧抓住西部大开发和扩大开放的战略机遇加快发展，不断增强经济实力，逐步改善各民族人民生活，为维护社会稳定、巩固边疆提供强大的物质力量。他强调，应创新发展模式，提高发展质量，坚定不移地走科学发展之路。

9月13日　为了认真贯彻落实《中共中央、国务院关于进一步加强民族工作，加快少数民族和民族地区经济社会发展的决定》精神，中共云南省委，云南省人民政府将采取有力措施，进一步做好云南省新世纪新阶段的民族工作，推进云南民族团结进步事业全面发展，结合实际作出关于进一步加强民族工作加快少数民族和民族地区经济社会发展的决定。（《云南日报》9·19）

9月15日　中国少数民族文学研讨会暨内蒙古师范大学中国少数民族作家研究中心挂牌仪式在内蒙古师范大学举行。全国各地、各少数民族作家数百人积聚一堂，共商新时期少数民族文学事业发展大计，探讨如何通过多种途径和形式深化少数民族文学研究等课题。（《内蒙古日报》9·16）

9月17日　中国西藏——尼泊尔经济洽谈会闭幕。本次洽谈

会实现销售额62万美元，签订进出口贸易合同及合作意向14份，协定金额达1130万美元。(《西藏日报》9·19)

9月23日 贵州省第十届人民代表大会常务委员会第十七次会议通过贵州省实施《中华人民共和国民族区域自治法》若干规定。(《贵州民族报》10·10)

9月26日 《云南日报》报道，云南省设立了民族专项经费，支持民族工作。“十五”期间，省财政安排民族专项发展经费3.3亿元，全省民族自治地方经济社会协调发展，近5年主要经济指标增幅高于全省平均水平。

9月27日 由中国史学会和宁夏大学联合主办的“中国历史上的西部开发国际学术研讨会”在银川召开。来自法国、日本、中国的一百多位专家学者出席了会议。与会专家学者探讨并总结了我国历史上西部开发的经验教训，为当代中国西部开发事业提供了有益借鉴。(《宁夏日报》9·28)

9月30日 为庆祝新疆维吾尔自治区成立50周年，中央人民政府向新疆赠送“民族团结宝鼎”，胡锦涛题写鼎名，罗干为宝鼎揭幕。(《人民日报》10·1)

10月1日 新疆红山体育中心万众集会，庆祝中华人民共和国成立56周年暨新疆维吾尔自治区成立50周年。中共中央、全国人大常委会、国务院、全国政协、中央军委向大会发来贺电。中央代表团团长罗干率中央代表团出席庆祝大会。(《人民日报》10·2)

10月2日 《新疆日报》报道，哈萨克族民间古典音乐“六十二阔恩尔”申报为国家级非物质文化遗产代表作。

10月3日 《青海日报》报道，青海省33个项目申报国家级非物质文化代表作，其中包括：热贡艺术、藏族英雄史诗《格萨尔》、塔尔寺酥油花、黄南藏戏、民和三川纳顿节、河湟皮影等。

10月11日 《西藏日报》报道，近年来，西藏自治区党委、政府紧紧抓住西部大开发和国家实施西部地区“两基”攻坚计划的大好机遇，高度重视全区“两基”攻坚工作，“两基”攻坚取得重大进展。截至2005年10月，全区已有68个县（市、区）普及六年义务教育，40个县（市、区）实现普及九年义务教育，54个县（市、区）基本扫除青壮年文盲。

10月15日　青藏铁路全线铺通庆祝大会在拉萨隆重举行。中共中央总书记、国家主席、中央军委主席胡锦涛为青藏铁路全线铺通致贺信，代表党中央、国务院向铁道部，青海、西藏两省区各族群众和青藏铁路全体参建干部职工表示热烈祝贺。中共中央政治局常委、国务院副总理黄菊出席庆祝大会并发表讲话。（新华网）

10月18—21日　中国少数民族成药产业发展研讨会暨中国少数民族成药产品展示会在贵州省召开。民族成药国家标准1178种，少数民族成药逐步步入全国医疗保险系列。（《中国民族报》10·21）

10月19日　《新疆日报》报道，新疆自治区第十四届汗腾格里文学奖颁奖大会暨首届文学翻译学术研讨会在鄯善县举行。每年一度的“汗腾格里文学奖”评奖活动，是新疆自治区规模较大、具有一定影响力的维吾尔文学盛会，已成为鼓励文学创作成果的重要平台。

9月23日　贵州省第十届人民代表大会常务委员会第十七次会议通过《贵州省实施〈中华人民共和国民族区域自治法〉若干规定》，自2005年11月1日起施行。（《贵州民族报》10·10）

10月25日　农产品加工西部行动（宁夏）暨科技贸易合作活动在宁夏展览馆举行。6个外省（区、市）政府代表团及区内外326家企业参会。此次活动落实来宁投资置业、开展农产品贸易、科技合作签约项目140个，预计总投资金额21.95亿元，引进资金16.26亿元。（《宁夏日报》10·26）

11月7—12日　贵州省第三届少数民族文艺会演在贵阳市隆重举行。会演规模1200余人，有9个代表团，10场节目。少数民族文艺会演标志着平等、团结、互助、和谐的社会主义民族关系的巩固和发展，标志着少数民族文化继承、弘扬成为发展社会先进文化中的一项重要事业。（《贵州民族报》11·7）

11月11日　《中国民族报》报道，今年，国务院共安排国债2.4亿元，用于民族地区98个乡镇卫生院的建设项目；安排专项资金6788万元用于中西部地区试点县市包括民族地区试点县（市、区、旗）开展新型农村合作医疗管理能力建设。

11月16日　上海民族民间艺术博览会论坛在上海举行。来自全国各地的民族民间文化专家和学者围绕"民族民间艺术与2010年上海世博会"的主题进行了交流和探讨。(《中国民族报》11·25)

11月18日　兰州大学藏缅—阿尔泰民族非物质文化遗产研究所正式挂牌成立。研究所定位为以"研究、保护和弘扬藏缅—阿尔泰等民族优秀传统文化遗产"为使命的学术和教育机构。(《中国民族报》11·25)

11月19—20日　由国家民委主办的"全国民族地区职业教育发展经验交流会"在广西桂林召开。会议提出，在"十一五"期间，国家将对民族地区给予政策倾斜和扶持。在支持民族地区改善办学条件，扩大招生规模，提高师资水平，帮助少数民族贫困学生顺利接受并完成职业教育方面采取切实措施。(国家民委网站)

11月22日　由国家民委、中国农业大学主办的"中国民族发展红河论坛"在北京人民大会堂举行。本次论坛以"共同团结奋斗，促进和谐发展"为主题，围绕民族发展问题进行讨论。(《云南日报》11·23)

"中国文化周暨新疆文化节"在阿联酋首都阿布扎比隆重开幕。此次文化周内容包括展示新疆美丽风景的摄影作品展，新疆优秀画家的油画、国画展览和新疆木卡姆艺术团的歌舞表演。(《中国民族报》11·25)

11月24日　《中国各民族文学关系研究》出版座谈会召开，这是国家社会科学基金重大项目，是全国哲学社会科学规划领导小组1997年确定的重大委托项目的最终成果。"既是少数民族文学研究的里程碑，也是重新建构中华民族文学史总体观的台阶。"(《光明日报》11·25)

11月25日　联合国教科文组织在巴黎公布了第三批“人类口头和非物质遗产代表作”，中国申报的“中国新疆维吾尔木卡姆艺术”和中国、蒙古国联合申报的“蒙古族长调民歌”榜上有名。其中“蒙古族长调民歌”也是我国首次与外国就同一非物质遗产联合申报并得到通过的项目。（《新疆日报》11·26）

国家教育部与吉林省政府在延边大学共同签署《吉林省人民政府、教育部关于共同重点支持延边大学建设的协议》。双方携手助推民族地区高等教育的发展。（《吉林日报》11·26）

11月29日—12月9日　由边疆省区54个少数民族自治县（旗）的领导干部组成的全国少数民族参观团一行60人，到江苏、浙江、上海参观学习。这次全国少数民族参观团的活动是进一步贯彻落实中央民族工作会议精神的一个重要步骤，也是不断提高少数民族地区领导干部素质、促进民族团结进步的重要举措。（《中国民族报》12·27）

11月30日　古代壁画保护国家文物局重点科研基地在敦煌莫高窟正式揭牌。（《甘肃日报》12·1）

12月1—3日　第六届全国彝学研讨会暨西南民族大学彝文献中心落成典礼在成都举行。此次研讨会多侧面、多角度地探讨彝文化的价值与现实意义；文献中心的任务是收集、整理和编辑出版历史文献，为国际、国内的彝学研究与交流提供重要平台。（《贵州民族报》12·8）

12月2日　《中国民族报》报道，云南大学人类遗传学研究中心经过4年的努力，建成了中国最大的少数民族基因库。里面存放了云南25个少数民族健康男性的DNA样本，共1250份，全部按国家标准收集。

云南省第十届人民代表大会常务委员会第十九次会议审议通过云南省纳西族东巴文化保护条例及云南省丽江古城保护条例。自2006年3月1日起施行。

12月3—5日　全国第八届少数民族文学创作“骏马奖”颁奖

活动暨首届西部少数民族文学节在云南昆明圆满举行。全国32个民族的343部作品参加评选，最终30部作品摘得桂冠。(《云南日报》12·6)

12月8日 《光明日报》报道，近日国家民委和兰州市人民政府签署协议，决定合作建设西北民族大学，为西北少数民族地区提供源源不断的人才和智力支持，为西北少数民族地区的经济发展、民族团结作出积极贡献。

12月11日 为期4天的首届中国西部（昆明）文化产业博览会圆满落幕。博览会在展览、项目洽谈签约、论坛举办、扩大影响等方面取得了丰硕成果，签约项目合作协议金额达152亿元。(《云南日报》12·12)

12月13—15日 中共中央总书记、国家主席、中央军委主席胡锦涛在青海考察工作时强调，坚持发展为了人民、发展依靠人民、发展成果由人民共享，切实解决人民群众最关心、最直接、最现实的利益问题。(《人民日报》12·16)

12月21日 国家民委与国家开发银行在京签署开发性金融合作协议，根据协议，国家开发银行在首期规划的5年合作期内安排政策性贷款400亿元人民币额度，支持少数民族和民族地区经济社会发展。国家民委主任李德洙与国家开发银行行长陈元分别代表双方在协议上签字。(新浪网12·22)

《上海—云南对口帮扶与经济社会合作“十一五”规划纲要》在昆明举行了签署暨帮扶项目资金捐赠仪式。同日，云南—上海帮扶合作座谈会在昆明举行。(《云南日报》12·22)

12月22日 中共中央政治局常委、全国政协主席贾庆林在京会见出席国家民委全体会议暨全国民委主任会议、全国宗教厅局长会议的代表，勉励广大民族、宗教工作干部进一步增强责任感和使命感，切实提高处理民族、宗教问题的水平能力，不断开创民族、宗教工作的新局面。(《人民日报》12·23)

加大投入，加大对民族地区建设的支持力度是促进民族地区加快发展的重要举措。2005 年，根据国民经济和社会发展规划以及西部大开发战略，国家在西部地区新开工 10 项重点工程，总投资 1360 亿元，累计完成投资 3100 多亿元。（《新疆日报》12·23）

12 月 23 日　国务院总理温家宝主持召开国务院常务会议，研究加强农村义务教育和深化农村义务教育经费保障机制改革问题。从 2006 年开始，全部免除西部地区农村义务教育阶段学生的学杂费。（《文汇报》12·24）

12 月 24 日　《宁夏日报》报道，宁夏回族自治区境内 71 处历史遗迹被自治区人民政府确定为重点文物保护单位。这些遗迹既有侏罗纪晚期的恐龙化石、新时期时代的岩画，又有唐、宋、西夏、明、清时期的古城址、古窑址、古墓葬、古石窟、古建筑、古题刻、故陵园等。

12 月 25 日　西部开发金融高峰研讨会暨银企合作洽谈会在兰州举行。出席会议的有一百多位专家学者、政府官员和经济界人士，他们积极为西部特别是甘肃的发展献计献策。

12 月 29 日　国家民委和教育部在京联合召开全国民族院校工作会议。国家民委主任李德洙、教育部部长周济发表了重要讲话，两部委有关领导、有关司局负责同志和来自全国 13 所民族院校的党委书记、校长等八十余人出席了会议。会议明确了新时期加快民族院校改革发展的指导思想、方针任务和政策措施，下发了《国家民委教育部关于进一步办好民族院校的意见》。（国家民委网站 12·29）

（王秀珍）

贵州民族学院

贵州民族学院是贵州省唯一的一所综合性民族大学。自1951年5月创立以来，得到党和国家领导人的高度重视与亲切关怀，江泽民、胡锦涛、温家宝、李瑞环、司马义·艾买提、周铁农、杨静仁等党和国家领导人曾先后来校视察。

贵州民族学院是贵州省民族高等教育的重要基地，也是培养民族干部的摇篮。学校历来重视民族研究工作，已形成民族法学、民族语言学、民族艺术学、民族问题理论、民族社会学、民族旅游学、民族文化学、傩文化学、民族经济学、民族哲学思想史、民族古籍学、民族教育学、民族文学、民族体育学、民族医药学、苗学、布依学、侗学、土家学、彝学、仡佬学、水家学等众多的分支学科群，充分显示了学校在民族研究领域的实力与成果。先后组建了贵州民族科学研究院、贵州民族文化艺术研究院、贵州民族经济研究院、西南夜郎文化研究院、蚩尤文化研究院、西南傩文化研究中心、贵州世居民族研究中心、教育法学研究所、民族法学研究所、房地产法学研究所、民族文化研究所、民族文化与旅游开发研究所等研究机构，以及苗学、布依学、侗学、土家学、彝学、仡佬学、水家学等7个研究中心。

学校取得的科研成果，无论是获准立项的科研项目，还是出版发表的著作、论文，80%以上属民族研究类，民族研究力量雄厚，成果丰硕。对此，新闻媒体有相关报道。《人民日报》在2003年6月24日，以《勇立潮头——贵州民族学院科研兴校纪事》为题，从“舞活龙头”、“打造品牌专业”、“抓实硬件软件”三方面报道我校狠抓科研的具体工作。《光明日报》2002年3月5日载：中国人民大学书报资料中心《报刊复印资料》编辑部对该刊全文转载的单位进行名次排列，学校在“综合排名类”中名列第19位。《中国青年报》2004年7月8日发布的《中国高校人文社会科学研究竞争力评价报告》载：在全国570所高校中，学校排名第156位。学校民族研究中心，2004年获得省总工会颁发的“五一劳动奖状”，是全省高校中唯一受表彰的基层单位。这些荣誉，是对学校民族科研工作的充分肯定。

据不完全统计，2005年全校教师发表论文400多篇，其中在核心期刊登载论文100余篇；出版学术著作50余部；各级各类课题立项80余项，其中，国家社科课题5项；获各类奖70余项，其中，贵州省第六届社科优秀成果评奖获奖13项。2005年9月，贵州世居民族研究中心与贵州省民族研究学会成功举办了全省“民族文化保护与旅游开发研讨会”。

“十一五”期间，学校将进一步抓住特色学科、优势学科开展科研，发挥民族文化研究的特色与优势，以此为龙头，带动全校科研工作。学校将继续加强分支学科群的深入研究，突出世居民族特色，推出贵州世居的苗、布依、侗、土家、彝、仡佬、水、回、白等民族研究系列丛书，使之形成研究规模，打造民族研究品牌。

中南民族大学民族研究简介

中南民族大学民族研究历史悠久。20世纪50年代，在著名民族学家岑家梧教授带领下，该校开始对南方少数民族进行研究。20世纪80年代以来，在吴泽霖等知名专家指导下，该校民族研究取得重大进展，彭英明、吴永章、刘孝瑜、李干、张雄、刘美崧、答振益、段超、许宪隆、孟立军、田敏、柏贵喜等老、中、青学者产生了大批成果，中南民族大学成为我国南方民族研究的重镇。

民族学是中南民族大学的特色优势学科。1985年该校民族学专业取得硕士学位授予权，1990年中国少数民族经济专业取得硕士学位授予权，2001年马克思主义民族理论与政策专业、中国少数民族语言文学专业取得硕士学位授予权，2003年中国少数民族史专业取得硕士学位授予权，2005年民族学专业获得博士学位授予权和一级学科硕士学位授予权。1998年民族学专业被评为国家民委重点学科，2001年中国少数民族经济专业被评为湖北省重点学科，2003年中国少数民族史专业被评为湖北省重点学科，2004年民族学专业被评为湖北省特色优势学科。

中南民族大学建立健全了民族问题教学与研究机构。主要有民族学与社会学学院、民族研究所、民族法制研究所、民族文化研究所、中国少数民族经济研究所、人类学研究所、土家族研究中心、台湾研究所、民族学博物馆、湖北省人文社会科学重点研究基地——南方少数民族研究中心。近十年来，学校共为国家培养民族学各级各类专门人才一千多人。

中南民族大学民族研究力量雄厚，科研成果丰硕。目前有教学研究人员50多人，其中博士生导师7人、教授18人、博士19人。学者们在“社会主义时期民族问题研究”、“武陵民族地区研究”、“海南黎族研究”、“散杂居民族问题研究”、“城市民族问题研究”等方面取得了引人注目的成果，受到学术界的高度评价。近5年主持国家社会科学基金项目9项，主持完成省部级项目22项，发表学术论文483篇，出版著作43部，获得省部级奖励38项。中南民族大学民族问题研究为国家识别土家、仫佬、京、黎、毛南等民族提供了科学依据；为湘西土家族苗族自治州、恩施土家族苗族自治州、长阳土家族自治县、五峰土家族自治县成立提供了依据；为制定《湖北散居民族工作条例》、《中共湖北省委、省政府关于加快恩施州发展的决定》提供了参考。近年来，该校民族研究工作者对民族地区经济社会发展面临的现实问题进行调研，撰写了大量调研报告，为有关民族地区决策行政提供了参考，受到国家民委的奖励和表彰。

湖北民族学院民族研究所简介

湖北民族学院民族研究所是学校直属的科研机构。1984年就成立了民族文化研究室,1988年经湖北省教育厅批准成立民族研究所,1994年成立了土家族研究中心。1997年以民族研究所研究人员为主体的民族学学科被定为学校重点建设学科，2001年，被湖北省教育厅批准为省重点建设学科和硕士点立项建设学科。2003年，与中南民族大学联合申报的南方少数民族研究中心被批准为湖北省高校人文社会科学重点研究基地。2005年获得硕士学位授予权。

民族研究所现有专职人员10人，兼职研究人员17人，专兼职研究人员中有教授7人、副教授12人，讲师8人，博士6人（含在读）。以民族研究所为主体的民族学学科已经形成了3个稳定的研究方向，即土家学、区域经济社会发展、教育与人力资源。在研究所和南方少数民族研究中心下，设有：中国土家族研究中心、武陵地区经济社会发展研究中心，南方民族教育研究中心、民族医药研究室、影视人类学研究室、民族理论教研室、苗族研究室、《土家族研究》编辑部、民族文献资料中心等子机构，还在武陵地区建立了12个田野工作基地。

近几年，民族研究所及民族学学科成员主持了国家社科基金3项，国家社科基金子课题3项，教育部重点课题12项，国家民委重点课题2项，省教育厅重大课题2项，其他课题40多项。在调研中，形成了一批研究成果。近几年来，民族研究所和民族学学科成员发表论文和调研报告200多篇，出版了《土家族研究丛书》、《土家族语言文化研究丛书》、《武陵地区民族教育研究丛书》以及《土家族白虎文化》、《湖北苗族》、《湘鄂西土家族》、《土家学概论》等30多本学术著作，其中2项成果获省社科优秀成果奖，12项成果获恩施州社科优秀成果奖。还拍摄了《中国土家族》、《撒尔嗬》、《椎牛》、《武陵土家人》、《二十八过年》等人类学影视纪录片，《武陵土家人》获“骏马奖”三等奖，《二十八过年》在央视播出。

民族研究所历来以关注民生、服务社会为宗旨，积极参与地方经济建设和社会发展的调查、论证、咨询和规划。先后参与《恩施自治州十五规划》和《2010年远景规划》的拟订，参与了《恩施土家族苗族自治州民族文化遗产保护条例》的制定，参加了《清江流域生态环境保护调查研究》、《恩施地道药材开发利用》等重大课题的研究，还对恩施历史文化名城、湖北民族地区旅游资源等进行了调研，为地方经济社会发展提供了智力支持。

2004年，民族研究所全面启动了“武陵文化走廊文化遗产抢救行动”和“土家学者拍摄计划”，现已拍摄了300多小时的素材，10000多张图片，搜集了100多万字的文字资料，1000多件民俗文物。

目前，民族研究所已拟订了“十一五发展”规划计划，力争在学科建设、基地建设、人才培养、社会服务、文化遗产抢救等方面上一个新台阶。

云南大学西南边疆少数民族研究中心

云南大学西南边疆少数民族研究中心为教育部所属的人文社会科学重点研究基地、拥有民族学、民族生态学、中国少数民族史、民族法学四个博士点和民族学博士后科研流动站。中心的主要研究方向为：中国少数民族史研究、民族生态学研究、民族学基础理论研究、民族法学研究等。中心坚持“民族边疆、基应并重、学科渗透、方法创新、开拓视野、开放联合”的建设宗旨，坚持提升科研创新能力，通过吸引国际知名专家、国内一流学者和省内研究人员协同攻关以及建立知识创新机制、组织重大科研项目、产出高水平的成果，促进民族学理论研究和应用研究协调发展，使云南民族研究的整体水平居于国内一流水平，并在国际民族学／人类学研究领域享有较高声誉和不可替代的学术地位。

围绕本省民族地区经济和社会发展的重大理论和实践问题，中心开展了广泛而深入的研究，成果丰富，成效显著，先后出版专著51部，围绕上述研究方向申请获准一批国家级、省部级科研项目。目前进行的研究包括：国家社科基金项目“中国西南氐羌民族源流史研究”等21项；教育部基地重大项目“西部大开发条件下民族关系的变化与调适”等13项；教育部社科基金11项；国家社科基金重大项目、教育部重大招标项目3项。中心向有关部门提交一批咨询、调研报告并被教育部《社科专家建议》、国家社科规划办呈送党中央的《成果要报》刊用；发表和出版了《中华民族发展史》等一批具有代表性的学术成果，其中《中国西南民族关系史研究》、《西南通史》获云南省优秀成果一等奖。一人荣获“云南省有突出贡献的哲学社会科学专家”称号。中心与一批国内大学、研究机构建立了合作关系，先后在本省乃至长江以南各省区建立21处调研工作站，主办9个大型学术会议，先后有19批重要国际学术人物来中心进行学术访问。中心通过建立聘任制和内部分配制度的改革，形成机构开放、人员流动、内外联合、竞争创新的“产学研”一体化运行机制。

单位领导简介

王文光，男，1955年生。云南大学西南边疆少数民族研究中心主任、教授、博士生导师。

1989年7月毕业于云南省社会科学院，获历史学硕士学位，1992年7月毕业于云南大学，获历史学博士学位。同年留校按规定转为讲师，1993年10月评为副教授，1996年10月评为教授，1997年经云南省学位委员会评审，任中国民族史博士生指导教师。现为中国西南民族学会副会长。

他从攻读硕士学位时就一直主攻中国南方民族历史与文化，出版了《百越的源流与分布》、《云南民族的由来与发展》、《云南的民族与民族文化》、《中国古代的民族识别》、《中华民族发展简史》、《中国民族发展史》、《中国南方民族史》、《中国西南民族关系史》、《百越民族发展演变史》等九部民族史专著，在国内外发表民族史论文五十余篇。

他先后主持国家社科基金项目“云南历史上民族融合现象研究”（已结题）、“中国西南氐羌民族源流史研究”两项，教育部重大项目“西部大开发条件下民族关系的变化与调适”。此外，还先后主持云南省社科规划项目三项。主持省教育厅项目三项，论文《中国西南民族关系史研究》获云南省优秀成果一等奖，专著《中国古代的民族识别》、《中国南方民族史》分别获云南省社科优秀成果二等奖。2006年荣获“云南省有突出贡献的哲学社会科学专家”称号。